CARLOS M. FERNANDEZ~SHAW

PRESENCIA ESPAÑOLA
EN LOS ESTADOS UNIDOS

CARLOS M. FERNÁNDEZ-SHAW

PRESENCIA ESPAÑOLA
EN LOS ESTADOS UNIDOS

CARLOS M. FERNANDEZ~SHAW

PRESENCIA ESPAÑOLA
EN LOS ESTADOS UNIDOS

SEGUNDA EDICIÓN
AUMENTADA Y CORREGIDA

INSTITUTO DE COOPERACION IBEROAMERICANA
Ediciones Cultura Hispánica

Diseño y cubierta: Pedro Shimose

EDICIONES CULTURA HISPANICA
INSTITUTO DE COOPERACION IBEROAMERICANA
Avda. Reyes Católicos, 4 - 28040 Madrid

ISBN: 84-7232-412-5
NIPO: 028-87-001-0
Dep. Leg.: M-17482-1987

Impreso en España
GOES, S. L.

A mi padre, ausente y presente, hidalgo y «gentleman», por herencia y potencia.

A mis hijas, María Isabel y María Cristina, nacidas en Washington D.C.

A mi padre, «ausente y presente», hidalgo y «gentilhombre», por herencia y potencia.

A mis hijas, María Isabel y María Cristina, nacidas en Washington D.C.

«Si no hubiera existido España hace cuatrocientos años, no existirían hoy los Estados Unidos...

Porque creo que todo joven sajón-americano ama la justicia y admira el heroísmo tanto como yo, me he decidio a escribir este libro. La razón de que no hayamos hecho justicia a los exploradores españoles es sencillamente porque hemos sido mal informados. Su historia no tiene paralelo...

Amamos la valentía y la exploración de las Américas por los españoles fue la más grande, la más larga y la más maravillosa serie de proezas que registra la Historia.»

(Charles F. Lummis. «Los exploradores del siglo XVI».)

«Una de las más grandes urgencias en el campo de la Historia de América es la publicación de un completo conjunto de materiales históricos referentes a la actividad española dentro de los actuales límites de los Estados Unidos.»

(Herbert E. Bolton, «Report», 18-XII-1911.)

«Puedo ver cuán valioso será tener un símbolo (similar) de la herencia cultural que nos vino de fuentes hispanoamericanas. Puede ser un nuevo y muy importante vínculo simbólico con nuestros vecinos latinoamericanos en el Sur, lo mismo que con España a través del Océano.»

(Presidente John F. Kennedy, al crear la «National Sr. Augustine Quadricentennial Commission».)

«Nosotros, los norteamericanos, debemos mucho a España. Recordamos que los descubridores españoles desempeñaron un gran papel en la exploración y desarrollo del Nuevo Mundo. Y nosotros, en los Estados Unidos, con pueblos y culturas diversas, tenemos una gran deuda con la cultura y el pueblo españoles y con la población de ascendencia española, que ha contribuido tanto al desarrollo de nuestra nación.»

(Presidente Richard Nixon, al llegar al aeropuerto de Barajas, Madrid, 2-X-1970.)

«*La herencia hispánica de nuestro país se remonta a hace más de cuatro siglos. Cuando los peregrinos llegaron a la roca de Plymouth, la civilización española ya estaba floreciendo en lo que es hoy Florida y Nuevo México. Desde entonces, la contribución hispánica ha tenido una constante y vital influencia en el crecimiento cultural de nuestro país.*»

(Proclamación de la «Semana Nacional de la Herencia Hispánica» por el Presidente Gerald Ford, septiembre 1974.)

«*En nuestras relaciones internacionales, los hispanos de Norteamérica contribuyeron también a nuestra identidad nacional, a nuestra percepción de quienes somos, de cuál es nuestro papel en el mundo, así como a la percepción que los demás tienen de nosotros. Los fuertes lazos familiares y culturales que tienen con nuestros vecinos más próximos son también un elemento importante para reforzar el Hemisferio Occidental y el mismo mundo.*»

(Palabras del Presidente Ronald Reagan, en el curso de la entrevista que le hizo José M. Carrascal, abril 1985.)

PALABRAS PRELIMINARES

PROLOGO A LA PRIMERA EDICION

Al plantear el estudio del inmenso país que son los Estados Unidos, he elegido como principal criterio orientador el fenómeno de la presencia española a lo largo y lo ancho de sus espacios y de sus tiempos. Dado que sería difícilmente comprendida y valorada por el que la observara aislada de la total realidad norteamericana, me ha parecido imprescindible ofrecer un somero marco de ésta en el que pueda encuadrarse el hispánico paisaje del que tan abundante es. Quien se decida a participar en el recorrido que se inicia, no debe olvidar este enfoque: lo que se vea de la nación-coloso ha de ser en función de aquel primordial objetivo, por lo que muchas cosas quedarán sin mención. Por otra parte, la patria de Lincoln aparecerá a través del prima de mis propias vivencias, con las ventajas e inconvenientes que ello pueda implicar, pero con la autenticidad, al menos, emanada de quien ha tenido oportunidad de ponerse en contacto personal con considerables sectores del país, alejados entre sí por millares de kilómetros. Si no otra calidad, el presente relato deparará el valor que supone la experiencia acerca de un tema extenso física y espiritualmente, y expuesto desde un punto de vista no frecuente en su amplitud.

Este libro lleva como último destino una serie de lectores, de disipar procedencia y condición, pero aunables –por qué no aspirar a ello– en torno al hecho de la presencia de España en los Estados Unidos. En primer lugar, los españoles, quienes normalmente se sienten ligados por estrechos vínculos con los hermanos de la América hispana y quienes excluyen inevitablemente en la actitud a los del Norte por varias razones, entre las que destaca su diferencia lingüística: aspiro a colaborar modestamente a que mis compatriotas saquen positivas conclusiones para incluir en su mundo afectivo a las tierras septentrionales del Río Grande y, en especial, a un importante sector de su vida, de sus habitantes, de su acontecer. En segundo término, los norteamericanos de procedencia no hispánica que consideran alejada a España de su historia y no la incorporan a sus antecedentes nacionales en la medida que sus hechos lo reclaman: una gran mayoría de los hijos del Tío Sam ignoran –en gran proporción de buena fe– las apor-

taciones españolas a su devenir (tengo abundante experiencia al respecto) y en buena parte se alegrarán sinceramente de añadir a sus raíces anglosajonas otras de no menor alcurnia, potenciando así con apoyaturas en el pasado su brillante presente. Son contempladas como terceros destinatarios los norteamericanos de ascendencia hispánica y cuantos hispánicos adquieran en el futuro aquella nacionalidad: ojalá que, al acabar de leer en su conjunto las líneas que siguen, experimenten reforzado su orgullo de estirpe, superado –si lo han sufrido– un cierto complejo de inferioridad en relación con sus conciudadanos anglosajones, e incrementada su voluntad de concurrir con su valiosa aportación a la prosperidad de su país. Por fin, son los americanos de lengua española los también deseados receptores de este trabajo: si con sus hermanos continentales del Norte se hallan unidos por vínculos consolidados en torno al panamericanismo, deberán juzgarse ligados a ellos también, según se colegirá de las páginas siguientes, por las razones de más garra que el hispanismo comporta.

El tema se ha desarrollado con el múltiple objetivo de satisfacer las exigencias de tan pretendido y vario lectorado; aparte de carecer posiblemente de condiciones para la realización de una historia erudita, he preferido combinar los datos históricos con los más palpitantes de la realidad presente y los anecdóticos de la experiencia personal. Aunque consciente de las muchas cosas que quedan por decir, he considerado que la índole de la obra no permite una mayor extensión en los comentarios. En la imcompatibilidad de la ajetreada vida diplomática con la concienzuda investigación, además de en las propias deficiencias, habrá que buscar la explicación del desliz de más de un error, la causa de tal o cual imperdonable omisión o la formulación de algún juicio digno de mayor meditación. Las observaciones que a este respecto puedan hacérseme serán la mejor recompensa a mis esfuerzos por conseguir el mayor impacto posible en torno al tema y dar lugar a que plumas autorizadas o preparados intelectuales le consagren una parte de su precioso tiempo y sus superiores luces.

La obra se compone de una introducción y de un estudio, Estado por Estado, de la presencia española en el país. En la priemra no he pretendido agotar la materia y sí tan sólo destacar algunos aspectos que por su generalidad tenían difícil cabida en la segunda parte, o resumir ciertos hechos, empresas o acontecimientos que permitiesen entender la inevitable y parcial exposición a que la configuración del relato por Estados obliga. Esa manera de construir el libro se ha debido al hecho de la existencia previa de considerables estudios, en los que se enfoca de manera parcial la herencia española y a la propia comprobación de la inexistencia de un trabajo como el presente que, además de proporcionar una cultura elemental sobre el tema, sea de concreta utilidad a quien desee conocer con cierto detalle la hispana presencia en este o aquel lugar y, principalmente, a dos tipos de personas interesadas, sin duda, en ella: cuantos se dedican a la enseñanza del idioma español y de la cultura hispánica en los Estados Unidos, de forma que puedan suscitar en sus auditorios un sentimiento favorable hacia el objeto de sus diarios afanes al acercarles en su respectiva localización a la correspondiente realidad española, y cuantos viajan a los territorios de la Unión –españoles e hispanoamericanos–, facilitándoles un punto de referencia en su itinerario, un posible argumento en sus conversaciones y un elemento más, fomentador de la compenetración entre los pueblos que con tanto empeño todos debemos perseguir.

Dada la considerable amplitud de la faceta norteamericana, parece improcedente dedicar al país en sí una completa y general atención. Grandes tentaciones he sentido de recopilar datos acerca de los diferentes accidentes geográficos de que sus 7.839.062 kilómetros cuadrados son escenario, o de las costumbres, mentalidad o modos de vida de sus 200 millones de habitantes (según las estadísticas de 1967), 238.816.000 habitantes (según las estadísticas de 1985), o en torno a sus Instituciones, sistema político o facetas económicas. Aparte de que realizarlo en forma total requeriría un volumen especial –ingentes cantidades de tinta se han vertido en este sentido–, irá saliendo en el curso de nuestra jornada –en la función de encuadramiento aludida– la información más imprescindible e interesante desde el punto de vista elegido, de modo que al final se habrá podido adquirir un bagaje que, si rudimentario, será lo suficientemente amplio para juzgar al país, con especialidad en su modalidad cultural. Así, por ejemplo, no se han quedado sin mencionar las capitales de las 50 estrellas y la fecha de la incorporación de éstas a la bandera federal; han sido incluidas las fuentes de riqueza al describir cada Estado, y se ha hecho referencia al nacimiento de tal o cual poltíico o figura prominente en las finanzas, en las obras del espíritu o en la guerra, al par que al sistema político por el que se gobierna el país. He tenido especial cuidado que en formar una lista de las Universidades y demás centros de enseñanza superior existentes en cada uno de los Estados, no olvidando tampoco algunos de los organismos que por su relevancia cultural complementan la acción de aquéllos; en unos y otros va destacada su relación con lo español, dando "verbi gratia", una somera idea de la actividad de los Departmentos que enseñan nuestra lengua y de su personal docente, o un rápido resumen de las obras de arte originarias de la península contenidas en este o en aquel Museo. Un censo de los condados y ciudades con nombres castellanos esparcidos en los confines de cada Estado se ofrece igualmente, e incluso –en frecuentes casos– el conjunto de calles que en las principales ciudades ostentan nuestra nomenclatura, o los ríos o montañas bautizadas a la usanza de Castilla.

Cuantos han escrito sobre los Estados Unidos con ánimo de abarcar su entera superficie han elegido un propio sistema para organizar su recorrido: o procedentes de Europa, pasajeros de un moderno "Mayflower", han comenzado por el Este; o han iniciado su periplo por California y demás Estados del Pacífico, simulando seguir las huellas de las prehistóricas invasiones asiáticas del continente americano; o han descendido de los Grandes Lagos; o desde el Sur han remontado su mapa. En la agrupación de los Estados también se han seguido diferentes criterios, intentando en una u otra forma digerir la amplia geografía norteamericana. Hay escritores que han adoptado la actitud de no realizar clasificación alguna, y de limitarse a estudiar los distintos Estados en forma separada. En lo que me concierne, me ha parecido lo más oportuno elegir el primer sistma, adaptándolo, claro está, al esquema de los objetivos perseguidos, en el sentido de prestar preferente atención a los Estados de relevante huella española, y de agrupar el resto con arreglo a criterios geográficos, influidos por la mayor o menor magnitud de nuestra presencia en aquéllos. Así, merecen capítulo independiente: Florida, Luisiana, Texas, Nuevo México, Arizona, Missouri, Colorado y California.

Se reunirán en la primera parte los Estados del Atlántico, algunos de los cuales se inauguraron a la civilización occidental con la colonización española, en

13

tanto que otros quedaron marcados trascendentalmente por la colonización inglesa, que daría lugar a la formación de las originarias Trece Provincias. La parte segunda comprenderá aquellos Estados situados entre los anteriores y los márgenes del río Mississippi, que pertenecieron en parte a Francia y correspondiente a Inglaterra en la paz de 1763. Se tratarán conjuntamente en la parte tercera los territorios de la Luisiana que España heredó de Francia en la fecha antedicha, es decir, los que se extienden hacia Occidente desde la orilla derecha de aquel gran curso fluvial hasta las Montañas Rocosas. Bajo el epígrafe Estados del Sudoeste –parte cuarta– se agrupan Texas, Nuevo México y Arizona, fronterizos con México y muy influidos por esta circunstancia. La parte quinta reúne a los Estados de las Montañas Rocosas, de especial significación para los ibéricos por albergar, junto con sus vecinos occidentales, a los pastores vascos. Los Estados de la Costa del Pacífico, que vieron a los españoles los primeros en surcar sus aguas y en pisar sus tierras, constituyen el objeto de la sexta parte. Alaska y Hawaii, los benjamines de la Unión, se estudian en la parte séptima. Puerto Rico no aparece incorporado a la presente obra por causa de ser solamente tema de ella los 50 Estados (con la honrosa excepción de la isla de Guam), además de que por su entidad –en el tiempo y en la intensidad– cien por cien española (es la única posesión ultramarina que no quiso independizarse de España, cesando su vinculación para con ella sólo por la fuerza de las armas), necesitaría la dedicación exclusiva de un libro, el que de hecho ya existe, debido a la pluma de más de un insigne escritor. Un conjunto de mapas se incluye con el objeto de facilitar al lector la superación de cada jornada, así como abundantes notas.

Los apéndices que se insertan pretenden servir de resumen a varios de los puntos princiales con anterioridad tratados y de provecho a cuantos se dedican al mayor estrechamiento de lazos entre España y los Estados Unidos. La primera serie quizá contribuya a destacar el peso y calibre de la presencia histórica de aquélla en éstos; las restantes responden a móviles más eminentemente actuales y prácticos desde el momento que sus listas contienen potenciales interesados en casos y cosas españolas, tanto en el campo del espíritu –obras teatrales, espectáculos, libros, etcétera–, como en el de la materia –productos típicos, artesanía, etc.–.

La bibliografía comprende únicamente los libros o trabajos por mí consultados, sobre todo en las bibliotecas norteamericanas, con lo que son aportados al lector español una serie de títulos difíciles de encontrar en las peninsulares y que ojalá compensen algunas inevitables ausencias. Se han compuesto los índices onomásticos y geográficos con el ánimo de facilitar la búsqueda de aquellos hombres que para el eventual lector puedan ser de particular interés; un curioso examen de ambos bastará eventualmente, por otra parte, para motivar constructivas deducciones sobre la acción de España en Norteamérica, para sugerir eficientes vías de colaboración no siempre a nivel estatal, y para adquirir una idea general de la índole del trabajo que presento. Entrando en el campo de la estadística, quedan reseñados, en números redondos, 1.300 ciudades, 130 condados, 110 golfos, bahías y puertos, 175 islas, 150 montañas, 200 ríos y 250 nombres geográficos de santos, entre otros datos elencables.

El obligado capítulo de los reconocimientos merece ser encabezado por la Biblioteca del Congreso de Washintong D. C., merced a cuyos funcionarios responsables pude consultar en sus estanterías considerable número de volúmenes en tiempo proporcionalmente corto. Deben seguir los autores de las obras incluidas en las notas bibliográficas: el lector deducirá el calibre y la proporción de mi gratitud hacia ellos de la frecuencia con que aparecen mencionados. Vaya también mi agradecido recuerdo para cuantos de varia manera me han ayudado en mi trabajo: los profesores Raymond McCurdy, George R. Collins, Edgar C. Knowlton, Jaime Castañeda y Pedro Ribera Ortega, el abogado Pedro Sánchez Navarro jr., la Srta. Henrietta Henry, Sra. Carmen Lord, Mrs. Ramiro Lagos, el periodista Adolfo Echevarría, el director ejecutivo de la Comisión de Intercambio Cultural entre España y los Estados Unidos, Ramón Bela Armada, y tantos otros acreedores a ser aquí nombrados, junto con los jefes y compañeros de la Carrera Diplomática, cuyo destino en los Estados Unidos coincidió con mi permanencia en Washington D. C. y a quienes menciono específicamente en diferentes puntos de mi relato. Y sería injusticia silenciar a mi madre y a mi esposa, que me ayudaron en las tareas de compaginación y en la ardua corrección, respectivamente, y a mi cuñado Fernando del Campo, quien tomó a su cargo la composición de los índices onomástico y geográfico.

Deseo consignar, por último, la cordial acogida dispensada a esta obra por el Instituto de Cultura Hispánica a través de varias de sus jerarquías, eficazmente reflejada en el hecho de su actual publicación, y el generoso juicio del Tribunal examinador de la Facultad de Ciencias Políticas, Económicas y Comerciales de Madrid, ante el que presenté como Tesis Doctoral el presente texto (levemente retocado en base a los amistosos consejos de algunos de los miembros de aquél), texto calificado con la nota de "sobresaliente cum laude". A tan distinguidos benefactores, vaya mi perenne reconocimiento.

Para la redacción de los apéndices me han sido de utilidad los directorios de la Modern Languaje Association of American, American Association of Teachers of Spanish and Portuguese, Sociedad Honoraria Hispánica Sigma Delta Pi, Institute of International Education, Ayer & Son's Directory for newspapers and periodicals, Lovejoy's College Guide, Instituto Español de Emigración, Pan American Union, American Association for State and Local History, National Park Service, Anuario de la Prensa Americana, Broadcasting Yearbook, American Automobile Association, Mobil Oil Company y American Hotel Association.

Madrid, 6 de enero de 1971.
Festividad de la Epifanía.

PROLOGO A LA SEGUNDA EDICION

Juzgo oportuno y significativo fechar estas líneas en día y lugar que tanto suponen para la historia común de España y de los Estados Unidos. Me ha tocado servir de nuevo en este último país, coincidiendo con la resición de la presente obra y en vísperas de enviar su texto a la imprenta. ¡Qué mejor, pues, que peregrinar hasta la ciudad fundada por Menéndez de Avilés y concluir en ella mi trabajo!

He mantenido casi en su totalidad la redacción de la Primera edición, haciéndola compatible con la actualización de su contenido y con el rastreo de inexactitudes inevitables o datos anticuados que el transcurso del tiempo haya ido produciendo. Ha constituido una ardua tarea que he realizado con la ilusión de que contribuya a la toma de conciencia que todos pretendemos asumir en los años venideros sobre la significación tanto del 12 de octubre de 1492 como de todos los días que se sucedieron desde entonces en los avatares de América y de la Península Ibérica. Confío en que esta aspiración mía no tarde en completarse con la publicación de este mismo trabajo en el idioma inglés dentro del ámbito norteamericano, cubriendo un importante hueco que hasta ahora se ha venido sintiendo.

En los apéndices he introducido modificaciones, suprimiendo algunos que he juzgado innecesarios y añadiendo otros de evidente substancia. La exclusión de los mapas que avaloraban la salida precedente se ha debido a obvias razones económicas y a la consideración secundaria de que cabe sustituir su función con la consulta de cualquier Atlas de Estados Unidos, colección geográfica hoy fácil de alcanzar.

La recomendable brevedad de esta introducción debe ser compatible con la constancia en ella de mi cordial reconocimiento al Instituto de Cooperación Iberoamericana por haber considerado procedente el lanzamiento de esta Segunda edición.

San Agustín, Florida (EE.UU.)
8 de septiembre de 1986
421 aniversario de su fundación

INTRODUCCION

BOSQUEJO HISTORICO DE LAS RELACIONES HISPANO-NORTEAMERICANAS

a) RELACIONES EN LOS SIGLOS XVI A XIX

Con el vigor de su explosión renacentista, España esparció Quijotes por todos los ámbitos de América. No tocó magra ración al continente Norte, que atónito contempló la inauguración civilizada de su geografía a cargo de un denso puñado de barbudos centauros. Actuaron éstos en un período que comienza con la arribada de Colón a las costas de Guanahaní y que termina con el cese del ejercicio de la soberanía por parte de la Madre Patria hispana; en tres etapas es aquél susceptible de división. La inicial, hasta el afianzamiento de la primera colonia anglosajona en tierra firme, a cargo del capitán Smith, en los albores del XVII: una centuria de adelantamiento español en la amplitud de nuevos horizontes, en la andadura de inmensas extensiones y en la navegación de mares y costas ignotos, por obra de conquistadores y misioneros; la segunda cuyo fin puede fijarse en los años sesenta del siglo XVIII, que presencian los primeros conatos revolucionarios en las Trece Provincias y la llegada de los gobernadores de S. M. Católica a Luisiana, y en la que, continuándose las empresas gananciosas de bienes materiales y espirituales, predomina la figura del colonizador y la intención del asentamiento; y la tercera, que dura cuanto la bandera rojo y gualda ondea en propio territorio, y que se caracteriza por una progresivamente acentuada desproporción entre el vigor de la actuación española en el Continente y la debilidad del poder central en la Península. En dicho período, dos facetas de la acción española podrían asimismo distinguirse: la relativa a las nuevas tierras, a los indios aborígenes y a las potencias europeas rivales, o la referente a la nueva nación surgida independiente –en parte, gracias a la propia España– de Inglaterra. Tras esta tripartita época, otra subsiguiente es acreedora de no menor atención: la que abarca a los Estados Unidos a lo largo de su vida independiente y, en especial, en la manera como existen hoy.

Ni que decir tiene que en la primera etapa aludida España campó por sus respetos al norte del río Grande, sin ser contestada más que por los aborígenes (con la excepción de la breve presencia gala en Florida). En la segunda, tuvo que luchar –y no siempre con éxito– por conservar sus conquistas y defender los derechos alegados frente a Inglaterra y Francia. En la tercera, se recrudeció la rivalidad anglo-española (la otra enemiga, ya fuera de combate), que desembocó en la participación de los ejércitos de Carlos III en la lucha de los revolucionarios contra la Gran Bretaña. En una veintena de años debe cifrarse el desarrollo de unas ascendentes y cooperativas relaciones hispano-norteamericanas, que, con la paz hubieron, inevitablemente, de sufrir contratiempos. Un período de fricción se siguió a causa del creciente expansionismo de los colonos sajones y de los diferentes puntos de vista suscitados por el Tratado de París entre los herederos de Inglaterra y los representantes de España, cuyos derechos se basaban en la Historia y en la conquista. Tres sectores motivaron tales fricciones: las regiones limítrofes de la Luisiana, las tierras al oeste de los Apalaches, comprendidas entre éstos y las márgenes orientales del Mississippi, y ciertos territorios situados en el sur de Georgia.

Las divergencias no desembocaron en conflicto armado y se solucionaron pacíficamente: abrió brecha el Tratado de San Lorenzo de El Escorial, en 1795, que, como su título completo indica, echó las bases de la amistad entre los dos países y estableció normales y recíprocas relaciones diplomáticas; solucionó los problemas de límites –que quedaron marcados por el paralelo 31° de latitud Norte y el río Mississippi–; permitió la libre navegación por el gran río y reconoció a Nueva Orleáns como puerto franco para las mercancías norteamericanas (1). La cesión de Luisiana a Francia –y, posteriormente, a Estados Unidos– suprimió los incidentes que su hispánica posesión ocasionaba. El "Tratado de amistad, cesión de las Floridas y límites", firmado en Washington, en 1819, por Mr. John Quincy Adams y D. Luis de Onís, reiteraba los deseos de "firme e inviolable paz" y de "sincera amistad", formulados ya en 1795, entre los dos países y sus ciudadanos; consignaba la cesión por parte de España de todos los territorios al este del Mississippi y fijaba las fronteras occidentales de la nueva nación con los dominios de Su Majestad en una línea que desde la desembocadura del río Sabine en el Golfo de México ascendía por su margen occidental hasta el paralelo 32° de latitud Norte, se enlazaba con el río Red en Natchitoches, cuyo curso seguía hasta los 100° de longitud Oeste, desde aquí alcanzaba el río Arkansas, al que bordeaba en su ribera meridional, y al llegar al paralelo 42° de latitud Norte acompañaba a éste en un recorrido que finalizaba en el Mar del Sur u Océano Pacífico. Si por el Tratado de 1819 (ratificado por Fernando VII en 1820) España desapareció de la mitad oriental de los Estados Unidos, con la independencia de México y la inclusión en la herencia de éste del resto de los territorios españoles de la otra mitad, los descencientes de los conquistadores abandonaron, definitivamente, en 1822, el continente Norte.

Las disparidades hispano-norteamericanas de los últimos lustros del Siglo de las Luces no se debieron tan sólo a problemas de límites, sino a los intentos secesionistas del malogrado Estado de Franklin (a caballo de las Carolinas, Georgia y Tennessee) y de los territorios de Cumberland y Kentucky que reiteradamente peticionaron a las autoridades españolas ayuda para separarse de la nueva nación y para adscribirse como entidades independientes en la órbita de influencia española, jurando lealtad al rey. Hay historiadores que critican la actitud española de acogida a aquellos requerimientos y de resistencia a abandonar las tierras occidentales en beneficio de los colonos procedentes del Este. Es verdad que aquellos amagos separatistas amenazaron la existencia de la unión tan difícilmente conseguida, pero no lo es menos que la iniciativa disgregadora partió de los propios interesados y que las autoridades españolas tan sólo correspondieron prestando buenos oídos a sus deseos, los cuales habrían logrado quizá definitivo puerto si la posición de la Corte madrileña hubiese sido más decidida y menos temerosa de las derivadas repercusiones que pudieren producirse. Hay que tener también en cuenta que los preocupados responsables de los destinos del joven país no podían parar mientes en aquellos inaugurales años en el futuro, limitándose más bien a solucionar los problemas del presente y a conseguir, en forma predominante, al oeste de los Apalaches, una etapa de paz; eran los colonos ávidos de terrenos y de riqueza, quienes promovían, por un lado, los conflictos fronterizos, y por otro, se inclinaban a la separación de los Trece Estados originarios. España, que ostentaba una antigua ejecutoria en sus intereses norteamericanos, se aferraba a defender sus derechos e intentaba consolidarlos con las ventajas que se le derivarían de la creación de unos Estados intermedios, incluidos en su esfera de influencia. Este amor a las tierras que forman parte hoy los Estados Unidos y la decisión de guardarlas con la sangre, si preciso fuera, no debe ser acreedora más que a elogios de parte de quienes las consideran, con orgullo, trozo inalienable del patrimonio nacional; distinto juicio correspondería si los españoles, como Napoleón en la venta de Luisiana, lo hubieran hecho alegremente, sin pena, como si de una mera mercancía se tratase.

En la época posterior, de vida independiente –tan bien estudiada por F. E. Chadwick– sólo merece especial mención, en las relaciones hispano-norteamericanas, el convenio sobre reclamaciones que en 1834, y durante la regencia de D.ª María Cristina, suscribió en Madrid el delegado C. P. Van Ness con D. José de Heredia.

Así llegamos al comienzo de los movimientos revolucionarios de Cuba y la ayuda dispensada a los caudillos rebeldes desde el país septentrional vecino. Y con ello al luctuoso año de 1898, en el que el Imperio español padeció su definitivo ocaso con la derrota infligida por el poderío de los Estados Unidos al Ejército y a la Marina nacionales. No es el momento de hacer la historia de este desgraciado episodio, en el que tan primordial culpa tuvieron los elementos capitalistas norteamericanos capitaneados por Hearst y Pulitzer a través de sus periódicos. España no hundió al "Maine"; así lo vienen reconociendo muchos historiadores, entre otros últimamente el almirante Rickover y el diplomático español Allendesalazar. El pueblo nada tiene contra España y la intervención en Cuba no se veía justificada por la gran masa; fue necesario un enorme montaje propagandístico para que el ciudadano normal pudiera tragar la invasión de Cuba, los ataques a Manila e Islas Filipinas y la ocupación de Puerto Rico. Ante la anexión de éstas, se fundó, la "Anti-Imperialist League" en Boston por hombres tan conocidos como Grover Cleveland y Andrew Carnegie, llegando a contar con 500.000 miembros (2).

Es curioso constatar el impacto que el conflicto armado con España produjo en el pueblo norteamericano, que, probablemente influido por las pasadas grandezas hispánicas, creyó en la fuerza de su rival y temió los efectos de su potencia guerrera. El mismo Teodoro Roosevelt, uno de los promotores del conflicto, en artículos que con posteriodad publicó, sobre el tema (3), recogió las anécdotas de que el gobernador de uno de los Estados no consintió que la milicia se incorporase al Ejército nacional por temor de una invasión española; de que los habitantes acomodados de Boston huyeron por la misma razón tierra adentro hasta Worcester con sus bienes, y de que en Long Island los contratos legales se formulaban con cláusulas adicionales para el caso de que las propiedades fuesen destruidas por los españoles. Comenta Roosevelt que los diputados le solicitaban acorazados para defender sus distritos y también las Cámaras de Comercio.

La injusta e innecesaria guerra, que tan grave borrón echó en el historial de la poderosa nación, terminó con el Tratado de Paz firmado en París en 10 de diciembre de 1898 por las delegaciones estadounidense y española, esta última presidida por D. Eugenio Montero Ríos. Entre otras cosas España entregaba Cuba, Puerto Rico –que ningún paso había dado para su separación de España–, las Islas Filipinas y Guam. Por el Tratado de Washington de 1900, España cedió, además, cualesquiera islas del archipiélago filipino situadas fuera de las líneas descritas en el Tratado de 1898. Madrid fue el escenario de la firma, en 1902, de un Tratado de amistad y relaciones generales. De cualquier manera, para el historiador Berret, la guerra situó políticamente a los Estados Unidos entre las grandes potencias mundiales (3 bis).

b) RELACIONES POLÍTICAS EN EL SIGLO XX.

Tras el impacto producido por la guerra civil española de 1936 a 1939 en la opinión norteamericana –en la que un sector reaccionó a favor del Gobierno de la República, financiando la formación de la Brigada Lincoln–, y los difíciles años para España de su posguerra y de los de la posguerra mundial, en los que una política de aislamiento fue practicada por las Naciones Unidas, una nueva etapa en las relaciones hispano-norteamericanas se inauguró con la firma, el 26 de septiembre de 1953, en Madrid, representando a España Alberto Martín Artajo, ministro de Asuntos Exteriores, de tres Convenios: Defensivo, de Ayuda Económica y de Ayuda para la Mutua Defensa, que supusieron la construcción de Bases aéreas de utilización conjunta en Torrejón de Ardoz, Morón y Zaragoza, así como la naval de Rota. Como secuela de dichos Convenios, España recibió, a cambio de las concesiones realizadas, un considerable número de millones de dólares, que produjeron una saludable influencia en su economía. En 1959, el Plan de Estabilización llevado a cabo por el gobierno del general Franco obtuvo un positivo resultado, permitiendo equilibrar la economía española y aumentar las reservas en oro y en divisas fuertes, de que tan escasas se hallaban las arcas españolas por causa, entre otras razones, del traslado a Rusia, durante la guerra civil, de las reservas existentes en el Banco de España. Con dicho Plan y el progresivo aumento de los turistas que visitan España –de los que un considerable tanto por 100 corresponde a los norteamericanos–, la situación de la balanza de pagos progresó notablemente y permitió la puesta en marcha de varios notables Planes de Desarrollo.

El 26 de septiembre de 1963, los Gobiernos de España y de los Estados Unidos firmaron, en Nueva York –actuando, respectivamente, Fernando María Castiella y Dean Rusk, en su calidad de responsables de la política exterior de sus países–, una Declaración Conjunta, por la que se prorrogaba por cinco años el

Convenio Defensivo de 1953, y en la que se afirmaba la necesidad de que formase parte España de los arreglos de seguridad de las zonas del Atlántico y del Mediterráneo y se establecía una garantía de la seguridad e integridad territoriales de España y de los Estados Unidos. Los ministros procedieron asimismo a un canje de notas, por el que se creó un Comité Consultivo Conjunto Hispano-Norteamericano encargado de discutir los problemas de defensa de interés común. En tal oportunidad se suscribió una Carta Económica, y días más tarde, en Washington, se verificó un intercambio de cartas sobre cooperación científica y cultural.

Al caducarse aquel Acuerdo, el Ministro Castiella y el Secretario de Estado, Mr. Rogers, intercambiaron en Washington el 20 de junio de 1969, tras arduas tratativas –anteriores y posteriores a la fecha del 26 de septiembre de 1968– sendas notas diplomáticas por las que se prorrogaba el Convenio defensivo de 1953 hasta el 26 de septiembre de 1970 (4).

Con fecha 6 de agosto de 1970 fue firmado en Washington por Gregorio López Bravo y William Rogers un Convenio de Amistad y Cooperación con una validez de cinco años, prorrogables por otros tantos, iniciándose con él un nuevo tipo de relación entre los dos países. Además del aspecto militar, el Convenio abarcaba varios sectores en materia de educación, agricultura, medio ambiente, espacio, ciencia y tecnología. Desaparecía con él el concepto de "bases de utilización conjunta" y se creaba, en un nuevo sistema de defensa, un Comité Conjunto y un Centro Conjunto de Operaciones y Control Aéreo. El Convenio, en sus aspectos jurisdiccionales, laborales y fiscales, fue complementado por un Acuerdo de Desarrollo, firmado en Madrid el 25 de septiembre de 1970, junto con diez anejos de procedimiento referentes a temas militares.

Al acercarse el final del transcurso de 5 años previstos, las dos Partes intercambiaron sus puntos de vista, dando lugar a la firma simultánea el 19 de julio de 1974 por el Presidente Nixon en California, y por el Príncipe de España, don Juan Carlos –como Jefe de Estado en funciones–, en Madrid, de una Declaración de Principios. El espíritu de ésta sirvió de base para la conclusión de un Tratado de Amistad y Cooperación, y de un Acuerdo de desarrollo del Tratado anterior que fueron firmados en Madrid el 24 de enero de 1976 por Mr. Henry Kissinger y don José María Areilza. El Tratado, primer documento de este rango desde que en 1953 se inauguró la nueva etapa de colaboración hispano-norteamericana, llevó como anejos 7 Acuerdos complementarios sobre el Consejo Hispano-Norteamericano, la cooperación económica, científica, técnica y en materias culturales y educativas, la coordinación militar bilateral y la cooperación en asuntos de material para las Fuerzas Armadas y facilidades. El Acuerdo de desarrollo contaba con diversas secciones así como 16 anejos de procedimiento.

Al tener dicho Tratado una validez de 5 años, hubo de procederse en 1980 y 1981 a negociaciones bilaterales que culminaron en la firma el 2 de julio de 1982 de un Convenio de Amistad, Defensa y Cooperación, por parte del Ministro Español de Asuntos Exteriores, José Pedro Pérez Llorca y el Embajador de los Estados Unidos en Madrid, Terence Todman. En dicha previa negociación se tuvieron en cuenta dos factores: la consolidación del régimen democrático en España y el hecho de la adhesión de ésta a la Alianza Atlántica. El Convenio está constituido por el Conveno Básico, siete Convenios Complementarios, nueve Anejos, dos Apéndices y ocho Canjes de Notas, en total 26 Documentos. Su duración es de cinco años, con posibilidad de prórrogas anuales. Con posteriori- dad y con ocasión de la llegada al poder del Partido Socialista, se firmó un Pro- tocolo el 24 de febrero de 1983. A la entrada en vigor del Convenio y del Proto- colo se refieren las Cartas que fueron Canjeadas entre el aludido Embajador y el Ministro español de Asuntos Exteriores, Fernando Morán, con fecha 14 de mayo de 1983. Tras la aprobación del "referendum" sobre la entrada de España en la OTAN, se han iniciado conversaciones entre ambas partes con vista a la modificación de algunos importantes puntos de los referidos Acuerdos en vigor.

Como muestra de las relaciones existentes entre los dos países amigos mere- cen recordarse las visitas oficiales a Madrid de los Presidentes Eisenhower, Ni- xon, Ford, Carter y Reagan, y los viajes oficiales de los Reyes de España, don Juan Carlos I y doña Sofía a los Estados Unidos, en junio de 1976 y en octubre de 1981, así como de los privados en 1983 y 1984, para recibir S. M. el Rey los Doctorados Honoris Causa por las Universidades de N. York y Harvard, respec- tivamente.

Según las últimas estadísticas, residían en España en 1985, 73.200 ciudadanos estadounidenses.

c) RELACIONES ECONOMICAS Y COMERCIALES EN EL SIGLO XX

Con la inevitable concisión con que debo tratar este tema, no estará de más anotar algunos antecedentes y, adelantándome al epígrafe correspondiente, seña- lar la incidencia que los temas económicos tuvieron en la ayuda española a la Independencia de los Estados Unidos: dineros facilitados a fondo perdido y en préstamo, materiales de todo tipo facilitados, intervención de la firma bilbaina "Gardoqui e Hijos" y respaldo de la moneda argentífera española a la naciente nacional, el dólar.

En los años subsiguientes a la independencia, dos fueron los puntos que cen- traron las relaciones entre ambos países: a) El problema de la salida por el Mis- sissippi, hacia el Golfo de México y a través de Nueva Orleáns, de las exporta- ciones agrícolas de los granjeros de Ohio y Kentucky; y b) El comercio con la América española, con la que la nueva nación pretendía comerciar libremente (4b). Véase, por otra parte, el capítulo 5 de esta Introducción, relativo a las aportaciones españolas a la economía de la nueva Unión.

Los productos que han constituido la exportación tradicional de los Estados Unidos a España han sido el trigo y el garbanzo, entre los alimenticios; entre las materias primas, el algodón, el tabaco, el carbón y el petróleo (recordemos con respecto a éste la guerra que declararon en 1927 a la recién constituida CAMP- SA las compañías Standard [USA] y Shell [UK], y el suministro que facilitó a la zona nacional la compañía Texas durante la contienda civil); entre los produc- tos semifabricados, el caucho sintético, la chatarra, los plásticos y la hojalata; entre los artículos fabricados, los abonos nitrogenados, las películas cinemato- gráficas, los automóviles, todo tipo de maquinaria, aviones, material electrónico, etc. En la lista de mercancías españolas exportadas a los Estados Unidos han fi- gurado en el renglón de sustancias alimenticias, los vinos y otras bebidas, los frutos secos, las aceitunas y el aceite de oliva, la uva de Almería, los tomates y los bulbos de cebollas y ajos y los productos de la pesca; en la de materias primas, el corcho y la garrofa, las pieles y los pelos de animales, el mercurio y las piritas; en la de artículos semifabricados, el papel de fumar y los aceites esenciales; en la de fabricados, los zapatos y artículos de artesanía.

Debe señalarse un déficit crónico de la balanza comercial en contra de España, con algunos de excepción; así y a modo de ejemplos, en 1928 las importaciones se valoraron (en miles de pesetas oro) en 512.557 y las exportaciones en 211.244, en tanto que en 1944 fueron 111.834 para las importaciones y 134.570 para las exportaciones (con cuyo saldo favorable recuperó el estado la Compañía Telefónica Nacional de España) (4c).

Dando un enorme salto en el tiempo, por no ser este epígrafe más que testimonial en el conjunto de materias que componen la Introducción, pasemos a la década de los ochenta, en la que se observa una cualificada modificación en las mercancías objeto de intercambio comercial. El esquema de las relaciones entre los dos países se ha visto afectado, y aun lo será más en el futuro, con el ingreso de España en las Comunidades Económicas Europeas. Deben también tenerse en cuenta las trabas puestas a la importación en Estados Unidos de los calzados, textiles, vinos y máquinas herramientas, así como la eliminación en 1985 de algunos derechos compensatorios antidumping asignados a diversos productos españoles, debida en parte al Acuerdo de Autolimitación, de octubre de 1984, de venta de productos siderúrgicos españoles a EE.UU. Por otra parte, se hizo público en el siguiente octubre de 1985 un Informe norteamericano sobre barreras comerciales españolas a las exportaciones estadounidenses de películas, automóviles, haba de soja, etc.

Según el Departamento de Comercio de EE.UU., las exportaciones norteamericanas a España consistieron en los años que a continuación se indican en las siguientes cifras (en miles de dólares): 3.488.245 en 1982; 2.867.439 en 1983; 2.518.638 en 1984; y 2.495.767 en 1985. Las importaciones procedentes de España se cuentificaron en: 1.638.785 en 1982; 1.688.690 en 1983; 2.627.205 en 1984; y 2.761.421 en 1985. Las cifras de las exportaciones norteamericanas son en realidad superiores debido, entre otras cosas, a las operaciones triangulares. En líneas generales, los productos intercambiados fueron: por parte de EE.UU, soja y derivados, hierro y chatarra, carbón, aviones, productos electrónicos, tabaco, algodón y cueros; y por parte de España, zapatos, vinos y espumosos, alimentos preparados, herramientas, derivados del petróleo, libros, piezas de repuesto para autmóviles, joyas, porcelanas, etc. Cabe destacar la venta de 40 aviones CASA 212 en los últimos años.

Son muchas y crecientes las inversiones de EE.UU. en España, y también se están dando españolas en Norteamérica, especialmente en Texas y Florida, éstas en torno a Miami (en la que diez Bancos españoles tienen Oficinas de Representación). Funcionan en este último país cinco Oficinas Comerciales Españolas y dos Centros Permanentes de Promoción en Dallas (Texas) y High Point (Carolina del Norte). Existen en Nueva York y Miami Cámaras Españolas de Comercio.

GENERALIDADES SOBRE LA PRESENCIA ESPAÑOLA

Cuando el presidente de los Estados Unidos, John F. Kennedy, recibió en la Casa Blanca, el 24 de octubre de 1961, a un grupo de los asistentes al Seminario

Interamericano de Archivos (entre los se hallaba presente el director del Archivo de Indias de Sevilla, D. José de la Peña), pronunció estas significativas palabras: "Siempre he pensado que una de las grandes omisiones de los americanos de este país, en lo que se refiere a su pasado, ha sido desconocimiento, en su totalidad, de la influencia, exploración y desarrollo españoles a lo largo del siglo XVI en el sudoeste de los Estados Unidos, los que constituyen una historia formidable. Desgraciadamente, demasiados americanos piensan que América fue descubierta en 1620, cuando los peregrinos vinieron a mi Estado, y olvidan la inmensa aventura del siglo XVI y comienzos del XVII en el sur y sudoeste de los Estados Unidos." Y unos párrafos más adelante: "Estoy seguro de que en todos vuestros países existen las más extraordianarias memorias de valor, fortaleza y perseverancia." (5).

Meses más tarde, el vicepresidente de los Estados Unidos, Lyndon B. Johnson, hacía los siguientes comentarios, a los postres del banquete de gala, el 12 de marzo de 1963, con que la ciudad de St. Augustine (Florida) conmemoraba el LD aniversario del descubrimiento de dichas tierras por Ponce de León: "He pasado parte de mi vida en contacto con los vestigios vivientes de la herencia española... Mi primera ocupación, tras salir del colegio, fue la de profesor y director de una Escuela de habla española. Mi asociación con descendientes de nuestra herencia española ha sido íntima y mi amistad y mi afecto hacia ellos han sido cálidos y correspondidos durante toda mi vida. Teniendo en cuenta estas circunstancias personales, es especialmente grato para mí participar en vuestros esfuerzos de recordar a la nación el rico legado que nuestra cultura ha recibido de los exploradores y colonos de España, que abrieron el Nuevo Mundo, y la gran deuda que la historia de éste tiene para con ellos. Si en este país hemos tomado nuestra lengua, nuestras leyes, partes de nuestro sistema y con otros componentes de nuestra vida de la herencia anglosajona, hemos incorporado también en nuestra cultura, en nuestros valores y en nuestras características nacionales mucho de importancia para nosotros, procedente virtualmente de todas las culturas de Europa." Más tarde, al referirse a la ciudad de San Agustín, se expresaba así: "Ningún americano podrá venir aquí y ver la restauración de la primera ciudad en la tierra firme de Norteamérica, sin apreciar nuevamente cuán grande era la fe de los hombres que desembarcaron en estas costas hace cuatrocientos cincuenta años." Por último, al rogar al señor embajador de España que transmitiera al Gobierno español la invitación para participar en los trabajos de reconstrucción de la ciudad, dijo: "En parte, esta invitación es de reconocimiento de la contribución que los hombres de vuestro país tuvieron en los cimientos del nuestro y en la inauguración de una nueva dimensión de la libertad para la Humanidad en esta tierra." (6).

Walt Whitman escribía, por su lado, el 20 de julio de 1883: "Nosotros, los americanos, no hemos realmente estudiado nuestros antecedentes para unificarlos una vez ordenados. Se los encontrará más amplios de lo que podía suponerse y de muy diferentes procedencias. Hasta ahora, impresionados por los escritores y maestros de Nueva Inglaterra, nos abandonamos tácitamente a la idea de que nuestros Estados Unidos han sido modelados solamente por las islas Británicas y forman esencial y únicamente una segunda Inglaterra, lo que es un muy grande error... Para componer la identidad americana del futuro, el carácter español ha de suministrar varios de los ingredientes más necesarios. Ningún linaje proporciona una histórica mirada retrospectiva más grande, más grande en religiosidad y lealtad, por su patriotismo, valor, dignidad, gravedad y honor... Ya es tiempo de que nos demos cuenta –porque es ciertamente una verdad– de que no hallaremos más crueldad, tiranía, superstición, etc., en el conjunto de la historia española del pasado que en la correspondiente historia anglonormanda. No, pienso que no hallaremos tanto." (7). El historiador Charles F. Lummis ha llegado a afirmar, por su parte: "Si no hubiese existido España hace cuatrocientos años, no existirían hoy los Estados Unidos". El Congreso, por una resolución conjunta de 17 de septiembre de 1968, aprobó la proclamación de una "Semana Nacional de la Herencia Hispánica" proclamación que han efectuado anualmente los Presidentes Nixon, Ford, Carter y Reagan. La ceremonia inaugural de la de 1983 se celebró en el Jardín de Rosas de la Casa Blanca, con un discurso de Reagan, quien se entrevistó con hispanos educadores, sindicalistas, militares y religiosos. La Semana del 12 de octubre fue bautizada por el Condado de Dade (Miami) "Semana de la Herencia Hispánica".

Estos importantes testimonios son muestra de la realidad de una corriente *vindicativa* y reconocedora de la aportación española al acontecer norteamericano. En gracia a la brevedad, no aporto otros testimonios a colación. Ellos han bastado para animarme a la realización de la empresa de ofrecer en una obra de conjunto los diferentes momentos de presencia de España en este país. Se aparece tal obra como precisa, porque del dominio público es –las anteriores referencias se hacen eco– el olvido que la mayoría de los historiadores anglosajones sufren en relación con la contribución española a la historia del país: aquí sí que podría mencionarse muchos ejemplos. Sin ir más lejos –y refiriéndonos a obras recientes–, la "Historia del Mundo Moderno", de la Universidad de Michigan, en su volumen dedicado a los Estados Unidos, debido al profesor Michael Kraus, no dedica más de tres párrafos de índole general a la presencia de España (no recuerda siquiera la obra de Fray Junípero Serra en California) (9); los reputados historiadores Allan Nevins y Henry Steele Commager, en "A pocket History of the United States", no aluden a España en los capítulos en que estudian las primeras Colonias, la herencia colonial o las Colonias meridionales, y sí sólo en el capítulo dedicado a las "French wars", en el que consagran a la obra de España dos páginas, llenas de generalidades y poniendo el acento en su obra colonial en el continente Sur (10); e Isaac Asimov, en su obra "El nacimiento de los Estados Unidos" comienza en 1763, y sólo se ocupa de los españoles en la "Cronología" y con referencia a California y a los Tratados de cesión. Este mismo autor, en su estudio "La formación de América del Norte" se refiere a Colón y sus barcos, sin resaltar el protagonismo español en el descubrimiento, si bien es verdad que dedica un capítulo a la expansión de España en América (10 bis).

Y, sin embargo, es un hecho la inmensa, aunque intermitente, influencia española en los Estados Unidos –estas palabras de Henry Adams– (11) en las diferentes etapas de exploración, colonización de los diversos sectores, ocupación de la Luisiana, revolución norteamericana, período posbélico e incluso guerra de Cuba. Tal influjo se evidencia aun más si pensamos en lo que hubiese sido el acontecer norteamericano de no existir España: toda la historia de Sur, Sudoeste y Oeste habría cambiado sustancialmente y, en menor escala, la del resto del país. Sin llevar tan lejos la suposición, reflexionemos tan sólo en el rumbo que hubiera tomado la historia de los Estados Unidos de haber cuajado los intentos de establecimiento en San Miguel de Gualdape (las Carolinas) por Vázquez de Ayllón o en Santa Elena (Port Royal, C.S.) por Menéndez de Avíles, la cadena de Misiones apoyadas en Presidios a lo largo de la costa de Georgia, las expediciones exploratorias en el interior del continente del Pardo y Boyano, o la invasión de la isla de St. Simon (al norte de Florida) por las tropas del gobernador de San Agustín. No digamos si los gobernadores españoles del siglo XVIII, teniendo que luchar, en primer lugar, contra la decadencia patria, hubieran dado oídos efectivos a los afanes separatistas de Kentucky o de Cumberland, o no hubiesen accedido a la retrocesión de la Luisiana a Francia.

Consideremos la impronta dejada por España y su civilización en Estados como Nuevo Méjico, Colorado, Florida, California, Arizona y Luisiana, en donde hispánicos, desdencientes de pobladores españoles, aportan en la hora actual su contribución al devenir norteamericano. Estos testimonios humanos son más abundantes en unos que en otros, y con ellos colaboran las muestras arquitectónicas que proclaman a los cuatro vientos –como el Castillo de San Marcos en San Agustín, el "Vieux Carré" de Nueva Orleáns, el Palacio de los Gobernadores de Santa Fe, o las Misiones en Texas, Nuevo México, Arizona o California– la grandeza de la civilización hispánica. Añadamos a ello los millares de Estados, ciudades, ríos, montañas, calles que llevan nombres españoles; las numerosas palabras castellanas que han quedado asimiladas por el idioma inglés; los edificios modernos influidos en su estilo por módulos artísticos españoles; las huellas dejadas en las costumbres, fiestas, folklore, etc.; las tierras cuyo derecho de propiedad se basa en las concesiones realizadas en nombre de Su Majestad Católica; los aspectos en que todavía tiene predominante influencia la legislación española –minas, aguas, derechos de familia–; la pervivencia del idioma español como lengua oficial en varios Estados hasta fechas recientes, etc., etc. (12).

La parte más interesante de la aportación española se refiere a los años anteriores al dominio anglosajón de ciertos sectores del país; en este sentido, la incorporación española a la Historia de los Estados Unidos se realiza en un estadio previo al que los historiadores norteamericanos suelen elegir como verdadero comienzo de la Historia patria. Si la mayoría de ellos suelen saltar de los indios a los pioneros, olvidándose de los conquistadores y adelantados españoles, o no dándoles el puesto a que son merecedores, los futuros y concienzudos estudios deberán incluir en sus trabajos toda la etapa correspondiente a los esfuerzos españoles al norte del Río Grande. Tal olvido no es privativo de los historiadores protestantes, que podrían pretender el oscurecimiento de las hazañas de la católica España, sino también de los católicos, aunque por distinto motivo: los intelectuales y dirigentes afectos a la Iglesia romana actúan en buena medida todavía bajo el complejo de minoría perseguida, por lo que toda tacha de no anglosajonismo tratan de evitarla por todos los medios (no hay que olvidar que hasta hace poco, en los Estados Unidos se rechazaba casi por igual al católico, al judío y al negro); dan la impresión de que temen que el reconocimiento de la aportación de la Patria de San Ignacio a la historia de su país, hasta la fecha práctica y casi exclusivamente sajona y protestante, equivaldría a introducir un elemento sospechoso de antipatriótico. Y así, no es extraño que sean en gran proporción injustos con España los historiadores católicos (13) –con honrosas excepciones (14)–, las revistas de jesuitas o de la Congregación de la Santa Cruz, o las hojas parroquiales –con texto de ámbito nacional–, en que al esbozar brevemente la historia del catolicismo norteamericano se olvidan sencillamente de la sangre derramada por los mártires españoles, de los esfuerzos realizados por España en la conversión de los indios y de la realidad todavía existente, resultado de su obra, en varios Estados de la Unión. En una concepción espiritualista de la Historia –la de un católico– no pueden ignorarse u olvidarse tamaños hechos, no se debe partir de la base de que la sangre de los mártires por la fe haya sido inútil por la simple razón de que no exista en muchos casos una cercana relación de causa a efecto entre aquéllos y el actualmente progresivo catolicismo norteamericano, con más de 42 millones de miembros; otro enfoque adolecería de materialismo y de ignorancia de los designios de Dios, poco compatibles con el credo confesado o profesado por los propios autores. Confiemos en que los signos de cambio que comienzan a percibirse vayan poco a poco abriendo el camino a una más justa valoración de la aportación española, como es el caso de John Gilmary Shea, John Tracy Ellis, Francis J. Weber Michael V. Connor y Joseph Thorning, o de la Conferencia Episcopal Norteamericana que, a través de su Presidente, Monseñor Bernardin, se expresaba así en carta al Cardenal Enrique y Tarancón, con motivo del Bicentenario de los Estados Unidos: "La herencia cristiana más antigua de nuestro país es española... (y) la fe inconmovible y el ardiente celo de vuestros antecesores religiosos vive dentro de nuestros confines".

La frecuente exclusión de la presencia española en Norteamérica de los libros anglosajones tiene menos explicación, dada la abundancia de fuentes históricas existentes. Es conocida la preocupaicón española por revestir las conquistas con el ropaje jurídico adecuado, por lo que en cualquier expedición o conquista o exploración no falta el escribano que da fe de la toma de posesión de tal o cual lugar o del bautizo con este o aquel nombre. Estos escribanos o los secretarios de los jefes más importantes redactaron la relación de los históricos acontecimientos presenciados. La burocracia, que tanto contribuyó a la decadencia de España, por la lentitud que inevitablemente introdujo en la resolución de problemas urgentes, es otra causa de la abundancia de fuentes informativas. Los misioneros escribieron también sobre las tareas a ellos encomendadas, en función de su deber de dar cuenta periódica a sus superiores. Por otra parte, cuando se suscitó alguna desavenencia entre las autoridades civiles y religosas, los escritos se multiplicaron por ambas partes, proporcionando una magnífica fuente de información histórica. Así, por ejemplo, ha podido afirmar el historiador Raplh P. Wright que la ocupación española de California es uno de los esfuerzos colonizadores mejor documentados entre los realizados por nación alguna civilizada: el número de registros, cuentas, censos, diarios e informes, con los primeros californianos por autores, es algo realmente asombroso (17).

Están compuestos en español los primeros informes que se conocen sobre la geografía, los indios, las lenguas aborígenes, etc., de los Estados Unidos; una completa lista sería demasiado larga, pero unos cuantos ejemplos pueden iluminar eficazmente este brillante aspecto de la contribución española a la historia norteamericana: así, los "Naufragios", de Cabeza de Vaca, publicados en 1542; los escritos del Hidalgo de Elvas, de Biedma y del secretario Ranjel sobre la expedición de Hernando de Soto (1539-1542); el informe de Pedro de Castañeda sobre la marcha de Vázquez de Coronado por las tierras del Sudoeste (1540-1542); la "Florida del Inca", de Garcilaso de la Vega; la relación del viaje de

Juan Rodríguez Cabrillo en 1542 por las costas del Pacífico; la declaración de Pedro Bustamante sobre la expedición de Rodríguez y Chamuscado en 1582; el poema "La Florida", del padre Escobedo (1578) (18); el relato de Antonio Espejo sobre la entrada en Nuevo México en 1583; la carta de D. Juan de Oñate desde dicho territorio al virrey de 2 marzo de 1599, con los testimonios complementarios; el diario de Sebastián de Vizcaíno sobre su experiencia exploratoria en la costa occidental, en 1602; las dos relaciones de dicho viaje redactadas por fray Antonio de la Ascensión; el diario de Fernando del Bosque sobre su entrada en Texas en 1675; la misiva del padre Damián Massanet a D. Carlos de Sigüenza en 1690, y tantos y tantos textos que podrían traerse a colación (19).

DURACION DE LA PRESENCIA SOBERANA ESPAÑOLA EN TERRITORIO DE ESTADOS UNIDOS

¿Cuántos años estuvo presente España en el territorio de los actuales Estados Unidos, o desde cuándo y hasta cuándo ondearon las enseñas españolas en sus vientos en función de soberanía? El 2 de abril de 1513 avistó D. Juan Ponce de León, por vez primera, las costas de Florida, bajó a ellas y tomó posesión en nombre de los Católicos Reyes: éste fue el primer físico encuentro entre las tierras norteamericanas y sus nuevos señores. El 26 de diciembre de 1821 llegaron las noticias a Santa Fe de la indepencia de México y hasta entrado el año 1822 no quedó arriada la bandera española en California. Entre 1513 y 1822 transcurren trescientos nueve años en que los colores españoles señorearon al norte del Río Grande –ininterrumpidamente desde 1565, es decir, doscientos cincuenta y siete años–. Reconociendo tal hecho, y aun más, el de haber sido portados por Colón en el augural 12 de octubre de 1942, el folleto oficial de las Fuerzas Armadas de los Estados Unidos los incluye entre las primitivas banderas del país (20).

Notemos cuantos años han ondeado otras banderas soberanamente sobre dichas tierras. La nacional de las Estrellas y las Franjas fue establecida por el Congreso Federal el 14 de junio de 1777 (Cortés había usado en la conquista de México una con 12 estrellas), es decir, no lleva doscientos años de existencia. En cuanto a la inglesa, si aceptamos como fecha inicial la de 1586, en que Walter Raleigh estableció su "perdida colonia" en la isla de Roanoke en el Estado de Virginia, deduciremos que ondeó tan sólo ciento noventa y siete años en el país en que tan marcada impronta dejó. Los franceses puede decirse que comenzaron su presencia en estos territorios con las exploraciones del padre Marquette y Louis Joliet en 1672; como se marcharon en 1763, al ceder la Luisiana por el Tratado de París (no se pueden tener en cuenta las horas que justificaron la "compra"), no llegaron a permanecer con poderes soberanos un siglo; si tomamos como fecha inicial la esporádica presencia en las costas orientales de Ribault y los suyos en 1563, no obstante no haberse repetido hasta 1672 la de ningún francés después de 1565, podremos conceder como máximo dos siglos de presencia francesa. En lo que toca a México, sucedió a España en 1821 –en líneas generales– y desapareció a raíz del Tratado Guadalupe-Hidalgo de 1848, por el que cedió Nuevo México y California; veintisiete años en total. Por su brevedad, no vale la pena mencionar los períodos de dominio sueco u holandés.

Si paramos mientes en la real y concreta permanencia española en cada unos de los distintos sectores de la Unión, no será exagerado vaticinar más de una sorpresa. Los españoles retiraron su establecimiento permanente de Carolina del Sur en 1587, y las últimas misiones desaparecieron de Georgia en 1703. Dominaron en Florida hasta el 17 de julio de 1821, en que el general Jackson tomó posesión del sector occidental. De Alabama partieron el 13 de abril de 1813, cuando el mismo Jackson tomó la ciudad de Mobile. En Mississippi gobernaron hasta la fecha anterior en que Biloxi y Gulport quedaron incorporadas a los Estados Unidos, juntamente con Mobile. España poseyó los extensos territorios de la Luisiana prácticamente desde 1763 a 1803. En todos los territorios de la Baja Luisiana tuvo lugar la cesión de la soberanía española el día 30 de noviembre de 1803, en tanto que en los que toca a los de la Alta Luisiana, es decir, Missouri, Iowa, Minesota y todos los situados al Oeste, con excepción de los que especificaremos, las cesión se desarrolló el 9 de marzo de 1804. En Arizona, Colorado, Utah y Nuevo México España permaneció hasta fines de 1821, no celebrándose el paso a la nueva soberanía mexicana hasta el 6 de enero siguiente. En California no fue arriada la bandera española hasta 1822, en cuyo mes de noviembre el primer gobernador mejicano tomó posesión. En Texas, el mando español cesó el 1 de julio de 1821. Si se medita en estas fechas y la magnitud de los Estados a que se refieren, se saca la halagadora conclusión de que España se halla ausente del acontecer norteamericano tan sólo desde hace menos de siglo y medio.

* * *

Partiendo del hecho de la prolongada permanencia española en el territorio norteamericano, quizá valga la pena examinar, siquiera sea de manera breve, algunos aspectos de dicha presencia a lo largo y lo ancho de sus fronteras.

1) ACTIVIDAD DESCUBRIDORA Y BELICA

CRISTÓBAL COLÓN

Le toca levantar la cortina al navegante Cristóbal Colón, natural de Génova –según gran número de autorizadas opiniones–, almirante de la Mar Océana, raíz de la progenie de los duques de Veragua y marqueses de Jamaica y súbdito de los Católicos Reyes de Castilla y Aragón, D.ª Isabel y D. Fernando. Por haber descubierto el 12 de octubre de 1492, con las hispánicas carabelas "Santa María", "Pinta" y "Niña", las tierras del Nuevo Mundo, le corresponde el primer lugar en nuestro recuento. Y es que no sólo abrió al mundo civilizado el continente americano, sino que el trascendental acontecimiento tuvo lugar en su sector Norte, en la isla que él bautizó como San Salvador, y que los historiadores discuten en la actualidad si se trata de la anteriormente denominada por los ingleses Watling –en honor del pirata–, hoy ostentadora del nombre dado por el descubridor, o de la isla del Gato, como consecuencia de las búsquedas realizadas al respecto por Torcuato Luca de Tena (21). En cualquier caso, se trata de una de las islas del archipiélago de las Bahamas, bajo soberanía británica, perteneciente geográficamente a la mitad septentrional de América. Correspondió, pues, a España a través de la obra genial de uno de sus súbditos el descubrimiento de dicho sector norte del Nuevo Mundo, centro en la actualidad del acontecer del universo. En este sentido, no puede por menos de traerse a colación las palabras del historiador Lummis cuando afirma: "un genovés, es cierto, fue el descubridor de América, pero vino en calidad de español; vino de España por obra de la fe y del dinero de los españoles en buques españoles y con marineros españoles, y de las tierras descubiertas tomó posesión en nombre de España" (22). El historiador de la Universidad de Michigan, Michael Kraus, atribuye con justicia el apelativo de españoles a los viajes de Colón y Vespucio (23). En una encuesta sobre España y los españoles, publicada en Noviembre de 1985, el 65 % de los cunsultados atribuyó a España el descubrimiento de América.

No ha sido la nación norteamericana desagradecida con Cólon: con su nombre ha bautizado el 12 de octubre, ante cuya proximidad el presidente invariablemente envía un mensaje recordatorio al país habiendo sido declarado fiesta nacional por el Presidente Nixon en 1971 el segundo lunes de cada mes de octubre; en 9 Estados, otros tantos Condados son conocidos por denominaciones en torno al apellido, en su forma latina, del almirante, a saber: Arkansas, Florida, Georgia, New York, North Carolina, Oregón, Pennsylvania, Washington y Wisconsin; existen ciudades con análogoa nomenclatura colombiana en 27 de los 50 miembros de la Unión, y en algunos con dos o tres variaciones (24); en todas las aglomeraciones urbanas de cierta entidad puede asegurarse que por lo menos una de las calles está dedicada al Descubridor (25); es el río Columbia el más importante caudal de agua dulce que se vierte en las costas occidentales bañadas por el Océano Pacífico; "Knights of Columbus" o "Caballeros de Colón", es la asociación católica varonil más importante del país, poseedora de cuantiosos medios materiales, al par que de numerosos afiliados (que hacen frecuente uso de su abigarrado uniforme) (26); abundan las estaturas erigidas en memoria de don Cristóbal, en su mayoría a costa de las colonias italianas locales (27); "District of Columbia" es el nombre con que administrativamente es conocida la capital de la nación y el remanente de los intentos que se hicieron para denominar el país "Columbia" (28).

El Presidente Reagan acabó su discurso pronunciado en mayo de 1985 en la Asociación para el Progreso de la Dirección, en Madrid, con una referencia a Colón y a su descubrimiento que "marcó el comienzo de un capítulo completamente nuevo en la historia del hombre".

REINA ISABEL

La reina Isabel ha tenido menos suerte que Colón: ¿por su apelativo de "Católica" y por la expulsión de los judíos de España, circunstancias poco populares en un país en el que hasta la fecha han predominado los protestantes y los descendientes de Moisés?; tampoco hay que olvidar lo que han contribuido a la difusión de la figura del Descubridor las numerosas Colonias italianas esparcidas por el continente. Es un hecho, no obstante, que la Fundidora de España va siendo reconocida por las nuevas generaciones como la Madre de América, y así se explica la presencia de sus estatuas en la capital federal, en la del Estado de California y en St. Louis, Missouri. Por iniciativa del entusiasta John Paul Paine, presidente del Comité correspondiente, comenzó a conmemorarse en las principales ciudades el "Día de la Reina Isabel" el 22 de abril de cada año; al mismo hispanista se debe el proyecto de instalar en el Capitolio de Washington una estatua suya al lado de los Padres de la Patria. Ha conseguido de la mayoría de los Estados la proclamación del "Queen Isabella Day". Se halla pendiente de decisión una resolución conjunta de las dos Cámaras federales, autorizando al presidente para proclamar anualmente aquella fecha como "Queen Isabella Day". El mismo Paine es el autor de una carta a la NASA proponiendo bautizar con el nombre de Isabel el transbordador espacial a lanzarse en 1992 y la inclusión en su tripulación a un español.

Es importante la organización católica femenina "Daugthers of Isabella", que concede anualmente becas con el nombre de esta reina, a través de la Catholic University. Su efigie ha aparecido en más de una ocasión en los sellos y en las monedas de curso legal en el país.

ACTIVIDAD EN EL TIEMPO

Hagamos ahora una revisión rápida de los descubridores, conquistadores y adelantados españoles que tomaron el continente septentrional que nos ocupa como escenario de sus afanes, meta de sus ilusiones y campo receptor de su sangre y de su sudor. Cuando se contempla el progreso hoy característico de las tierras norteamericanas, se olvida uno inevitablemente de la intervención que en ello ha tenido el hombre y las pésimas condiciones de todo orden en que las hallaron los adelantados españoles, en buena parte insalubres, en gran proporción sin cultivar, en extensas áreas deshabitadas cuando no asiento de indios feroces, con climas frecuentemente extremos y, en cualquier caso, difíciles de recorrer con los caballos hispanos, cuando no con los de San Fernando como único medio de transporte en tan dilatadas regiones, y siempre con el entorpecimiento en los movimientos que lleva consigo el tren de animales domésticos y mercancías que los previsores jefes preparaban para asegurarse la supervivencia y, a ser posible, el éxito en tierras ignotas. Se calculan en 92 las expediciones españolas que, en menos de dos siglos, surcaron los Estados Unidos (29).

AÑOS ANTERIORES A 1607

A) EXPEDICIONES

En esta actuación vale la pena destacar en primer lugar el grupo de compatriotas que se dedicaron a crear la historia norteamericana antes de 1607, fecha en que el capitán Smith estableció la primera Colonia inglesa en Jamestown. Contemplados en su conjunto, se evidenciará el derecho que los adelantados hispanos ganaron para ser incluidos en los libros de historia del país. Ponce de León arribó a las costas de Florida en 1513 (las volvió a visitar en 1521 en su sector occidental). El licenciado Lucas Vázquez de Ayllón estableció una Colonia en 1526 en San Miguel de Gualdape, hoy Estado de Carolina del Sur. En la primavera de 1528 desembarcó en Tampa (Florida) Pánfilo de Narváez, con una expedición de 300 hombres, recorrió dicho estado por sus tierras occidentales y septentrionales, para acabar embarcándose en el Golfo de México y recorrer, en botes manufacturados por ellos mismos, dichas costas hasta las de Texas, en que naufragaron, pereciendo todos, con la expedición de Cabeza de Vaca y de unos pocos más. Alvar Núñez sobreviviría a la esclavitud a que fue sometido y a las penalidades de todo tipo y, al final, conseguiría llegar andando, con tres de sus compañeros, a Nueva España en 1536.

En 1539 partió Hernando de Soto a Cuba con un lucido grupo de 570 hombres y 223 caballos, desembarcando en la bahía de Tampa (Florida); recorrerían una buena serie de tierras que corresponden a los Estados de Florida, Georgia, las dos Carolinas, Tennessee, Alabama, Mississippi, Arkansas y Luisiana, y, tras la muerte del jefe, en 1542, y bajo el mando de Moscoso, visitarían Texas, hasta acabar regresando a México, vía río Mississippi ("la más notable expedición explorativa en la historia de Norteamérica", en palabras de E.G. Bourne). En 1549 los dominicos intentaron fundar una Misión en Tampa. Diez años más tarde D. Tristán de Luna estableció una Colonia española en Pensacola (Florida). Tuvo lugar en 1565 la fundación de San Agustín por Menéndez de Avilés y el comienzo de la colonización española de Florida y tierras del Norte. Entre 1539 y 1542 Francisco Vázquez de Coronado capitanea una expedición por los actuales Estados de Nuevo México, Oklahoma, Kansas y quizá Nebraska, y se queda a poco más de 300 millas de distancia de Mosoco (30). En el curso de los años 1566 y 1567 Pardo y Boyano recorren tierras de los Estados de Georgia, Carolina del Sur y posiblemente Carolina del Norte y Alabama. Los jesuitas establecen en 1570 una Misión en la bahía de Chesapeake y antes en varios puntos de Florida y Georgia, en donde les sustituyen los franciscanos cuando se retiran. En 1581 el hermano Rodríguez y Sánchez Chamuscado penetran en Texas y Nuevo México; un año más tarde Espejo dirige una expedición por Arizona y Nuevo México; Juan de Oñate entre en Nuevo México en 1598, con un nutrido contingente de soldados y colonos, y explora las tierras de Texas, Oklahoma y Kansas. Se funda Santa Fe en 1610.

B) CONTRIBUCIÓN AL NACIMIENTO DE LA GEOGRAFÍA DE LOS ESTADOS UNIDOS

Costas atlánticas

La geografía de los Estados Unidos puede decirse que nació gracias a España (31). "A una nación –dice Lummis– le cupo en realidad la gloria de descubrir y explorar la América, de cambiar las nociones geográficas del mundo... Y esa nación fue España" (32). En primer lugar es obra del montañés Juan de la Cosa el primer mapa de América en general, fechado en 1500 en el Puerto de Santa María, en el que las tierras descubiertas aparecen como una entidad independiente. El mapa español de Alberto Cantino, de 1502, incluye la península de Florida (33), que sería visitada en 1513 y 1521 por Ponce de León. En 1521 Francisco Gordillo y Pedro Quexós llegaron a Chicora, en el actual Estado de Carolina del Norte, de la que tomaron posesión. Cuatro años más tarde, el propio Quexós exploraría las costas norteamericanas hasta una latitud algo más septentrional del cabo Hatteras. En el mismo año de 1525 otro piloto español, Esteban Gómez, recorrería durante diez meses las costas levantinas del continente, alcanzaría las tierras canadienses de New Brunswick y Nova Scotia, para descender después y acabar en Cuba, no sin haber avistado e incluso visitado el cabo de Cod, la isla de Nantucket, las desembocaduras de los ríos Connecticut, Hudson y Delaware, y quizá la bahía de Chesapeake. Sus informaciones sirvieron a Diego Ribeiro, cartógrafo de Carlos V, para confeccionar en 1529 su famoso mapa, el primero que representa las costas orientales de los Estados Unidos casi perfectamente delimitadas (34). El popular "The World Almanach" da como descubridor de la bahía de Chesapeake (a la que se asoma la capital federal) a Pedro (Menéndez) Marqués en 1573 (la fecha está equivocada) (35).

En el año 1562 aparecía otro mapa de importancia excepcional, obra del español Diego Gutiérrez. a parte de constituir una verdadera obra de arte, comprendería una serie de accidentes geográficos hasta entonces no recogidos con igual detalle, convirtiéndose en la carta más amplia de su tiempo referente al Nuevo Mundo (incluye por vez primera el nombre de California). Gutiérrez, aparte de su asociación con Sebastián Caboto en empresas exploratorias, fue piloto mayor y examinador de pilotos de la Corona de España de 1518 a 1547.

Costas del Golfo de México

Si las aportaciones españolas antes de 1607 en el descubrimiento y en la cartografía del litoral atlántico norteamericano deben considerarse fundamentales, no ocurrió menos con las costas del Golfo de México: en las dos primeras décadas del siglo XVI habían sido visitadas o recorridas más o menos fragmentariamente por una serie de navegantes españoles, pero ninguno levantó su mapa hasta que Alonso de Alvarez de Pineda, enviado por el gobernador de Cuba, Garay –de aquí el nombre que la región ribereña recibió en el mapa de Ribeiro–, lo hizo en 1519, incluyendo Texas (constituye éste el primer mapa de dicho Estado) (36). Al comenzar, pues, el segundo tercio del siglo XVI, los españoles habían proporcionado al mundo noticias bastante exactas de las costas que baña el Océano Atlántico, incluido el Caribe.

Costas del Pacífico

Paremos mientes en las costas occidentales: correspondió en 1542 a la expedición de Juan Rodríguez Cabrillo y Bartolomé Ferrero las primicias en la exploración de las costas de California: el primero llegó hasta el paralelo 38°, en parajes un poco al norte de la bahía de San Francisco; el segundo, sucesor del anterior a su muerte, llegó al cabo Mendocino en los 40° y se alargó hasta la latitud de 44°, en marzo de 1543, al sur de Oregón. Don Francisco de Ulloa fue el primero en darse cuenta de la peninsularidad de la Baja California en 1539 (37). Nadie dibujó las costas de California antes de Sebastián Vizcaino, quien en 1602 llegó a las cercanías del 43°, también en el sur de Oregón. Los marinos españoles completaron en el último cuarto de siglo XVIII el conocimiento de dichas costas occidentales, incluidas las de Alaska (37b).

Montañas

Ocupémonos ahora de la contribución española a la geografía del interior, aunque sea muy a la ligera. En lo que toca a las montañas, la cadena de los Apalaches, la que se extiende paralelamente a la costa oriental, fue vista y atravesada por vez primera, en el sector Sur, denominado "Great Smokies", por Hernando de Soto y su grupo en 1540; a ellos también se debe el nombre, pues la oír a los indios que una ciudad existía, al norte de lo que es hoy Florida, por nombre Apalache, la actual Tallahassee), lo aplicaron a la región y más tarde a las próximas montañas que tuvieron que atravesar. Castañeda, el cronista de la expedición de Coronado, y a quien el historiador De Voto denomina el "arquetípico pionero" (38), es el primero en hablar, en su "Relación" de las Montañas Rocosas; hasta él ningún occidental las había mencionado (39). Transcurridos dos siglos, correspondió a un español, Juan de Rivera, cruzarlas antes que cualquier otro europeo en 1761 (40).

Ríos

En cuanto a los ríos, el actual Río Grande, que sirve de frontera internacional, recibió, por parte de Alvarez de Pineda, el nombre de Río de las Palmas, en 1519, siendo el primer río del continente que fue bautizado con un nombre europeo; Oñate, en 1598, y antes Castaña de Sosa, en 1590, le dio nombre de Río Bravo (con el que se le conoce en México); río Guadalquivir le llamó el lego Agustín Rodríguez en 1581; y en el curso de su historia ha recibido 13 denominaciones más, que reseña el historiador Paul Horgan en su estudio sobre él (41). Ha sido un río que ha merecido, indudablemente, una gran y varia atención. El río Mississippi fue visto en 1519 por Alonso Alvarez de Pineda, quien lo denominó río del Espíritu Santo; el lugar era su desembocadura en el mar (42); lo contemplaron por primera vez en su recorrido terrestre Hernando de Soto y los suyos, en 1541, en las cercanías de Memphis: en él quedó depositado el cadáver del gran conquistador en 1542 y es, por tanto, su cauce un monumento perenne a la gloria de aquel ilustre hijo de España. Este descubrió asimismo el río Tennessee, con tantos otros (43). Del Missouri tuvo ya noticias D. Francisco Vázquez de Coronado en 1540, cuando los indios le informaron de la existencia, a cierta distancia, de un gran río, portador de mucho barro (44). Tocó a D. Hernando de Alarcón el descubrimiento del río Colorado en 1540 (45). Al principio no recibió este nombre, sino el de "Buena Guía", en su bajo curso, y "Tizona", pero ninguno prosperó (46); sí, en cambio, el actual, puesto en 1604 por Oñate, porque, como señaló el padre Salmerón, "las aguas bajan rojas" (47). Al padre Eusebio Kino, S. J., se debe el afianzamiento de tal denominación (48). El río Arkansas fue atravesado por Coronado (en el Estado de Kansas) el 29 de junio de 1541; de ahí que le donominara "Río de San Pedro y San Pablo" (49). Hay que afirmar que Juan de Zaldívar, sobrino de Juan de Oñate, llegó hasta Denver (Colorado) en las proximidades del año 1600, bautizando al cercano río como "Chato", sentido que conserva su actual nombre de "Platte" (50). (Vieron los primeros el río Columbia los componentes de la expedición de Heceta y Pérez, el 17 de agosto de 1775.) (51).

AÑOS POSTERIORES A 1607

Hasta este punto. La hoja de servicios de los españoles, antes de que el primer inglés pusiera su planta permanentemente en el continente Norte. ¿Acabó entonces su actividad? La Historia bien claro nos responde negativamente. En el litoral atlántico proliferaron las Misiones de los franciscanos y los paralelos Presidios durante el siglo XVII; Florida siguió siendo manzana de discordia con los ingleses, que no la consiguieron jamás tomar por las armas, aunque sí por las artes diplomáticas (de 1763 a 1783). Mobile, de Alabama, fue gobernada por españoles durante varios decenios, y lo mismo Nueva Orleáns y los territorios de la Luisiana (en el período comprendido entre 1763 y 1803). Texas se convirtió en el objeto de múltiples expediciones españolas, desde la de Fernando Bosque, acompañado del padre Larios, a las de Alonso de León (en el siglo XVII), del marqués de San Miguel de Aguayo o de D. Martín de Alarcón (siglo XVIII), fundándose numerosas Misiones, no pocos Presidios y una cantidad considerable de ciudades, sobre todo por iniciativa de Escandón; se realizó el gran esfuerzo de colonización de Nuevo México, después de la victoriosa reconquista de Vargas, alcanzando este Reino una etapa de prosperidad. Se emprendió análoga obra en Arizona, merced a la iniciativa del jesuita padre Kino, secundada por sus hermanos en religión y los franciscanos que les sucedieron. Colorado se vio recorrido por una serie de expediciones exploratorias que dejaron abierto el camino al ulterior establecimiento de colonos. Se descubriría el paso de comunicación entre Utah y Arizona por el padre Garcés, en 1776, y en el futuro recibiría el nombre del "Vado de los Padres" (Crossing of the Fathers), constituyendo durante mucho tiempo la única travesía conocida comunicadora con el Oeste; por el mismo lugar aparecerían a los pocos días los padres Silvestre Vélez de Escalante y Atanasio Domínguez, tras haber divisado los primeros el lago Utah (52). California vio en 1769 desembarcar y arribar, procedentes del Sur, a españoles al mando de Portolá y bajo los cuidados espirituales de fray Junípero Serra, y a partir de entonces se desarrollarían un ininterrumpido progreso en la región, tanto en el orden material como en el espiritual.

En el conocimiento del sector norte de las costas occidentales, los españoles se adelantaron a cualesquiera otros europeos (Cook incluido). En 1774 D. Juan Pérez llegó, con el buque "Santiago", a visitar las costas de Alaska y a fondear en Nutka, y en 1775, con la expedición de D. Bruno Heceta, Bodega y Cuadra alcanzó los 58° de latitud Norte y levantó la carta geográfica de la costa comprendida entre Monterrey y los 50°. En 1779 una tercera expedición al mando de D. Ignacio de Arteaga, con Bodega y Quadra de segundo, alcanzó la ensenada de Bucarelli, en la que se desembarcó y de cuyas tierras tomaron posesión el 13 de mayo; la "Prince of Wales Island" fue explorada en tal oportunidad. Una cuarta expedición, teniendo por jefe al alférez D. Esteban José Martínez, llegó en 1788 al "Prince William Sound" (por encima del 60°) y se posesionó del trozo más septentrional de la isla de Unalaska, la más remota y occidental de las Aleutianas principales en los 167° de altitud. Malaspina llegó a Alaska en 1791. Las islas Hawaii también fueron objeto de la primera atención de los españoles a lo largo de los siglos XVI, XVII y XVIII.

FUNDACIÓN DE CIUDADES

Las dos ciudades más antiguas de los Estados Unidos deben su fundación a los españoles, según hemos visto: la primera, St. Augustine, que con el nombre de San Agustín tuvo su origen el 28 de agosto de 1565 (el CD aniversario de la cual se ha celebrado en 1965), de manos del almirante D. Pedro Menéndez de Avilés; la segunda, Santa Fe, cuyo nombre completo fue "La Villa Real de la Santa Fe de San Francisco de Asís", y que fue fundada por el gobernador Peralta en 1610. Debemos tener en cuenta que la ciudad más antigua del continente,

Santo Domingo, se debió también a los españoles en 1498; San Juan de Puerto Rico data de 1510. A otras muchas ciudades de los Estados Unidos dieron los españoles su iniciación: así, Pensacola, en Florida; New Iberia y Lake Charles, en Luisiana; San Antonio, en Texas; Alburquerque, Bernadillo y Los Lunas, en Nuevo México; Tucson, en Arizona; Los Angeles, San Diego, Santa Bárbara, Monterrey y San Francisco, en California. Galveston, en Texas, deriva su nombre del gobernador Gálvez. Otras numerosas nacieron bajo especial concesión del rey de España: Dubuque, en Iowa; New Madrid, New Bourbon, Carondelet, Florissant (San Fernando de), en Missouri, etc. Aparte de las mencionadas, multitud de ciudades y localidades menores llevan nombres españoles: su lista es dada al final –casi siempre– de cada uno de los capítulos dedicados a los Estados.

ACTIVIDAD EN EL ESPACIO

He aquí lo realizado por España en el tiempo. Fijémonos ahora en la coordenada del espacio. Las conclusiones son, si cabe, más sorprendentes. En el año de la Independencia, 1783, formaban parte de los nuevos Estados Unidos las Trece provincias, con algunos reducidos territorios dominados "de facto" por grupos desorganizados por sus súbditos. No hay sino mirar al mapa para constatar la modesta extensión de la nueva nación en tal fecha en la que precisamente pertenecían a España todos los territorios al oeste del Mississippi, amén de los situados a su oriente por debajo del paralelo 31°, Florida incluida, por no recordar los comprendidos entre dicho río y los Apalaches, la soberanía sobre los cuales era reclamada. En total, dos sobrados tercios del país.

ESTADOS CON PRESENCIA ESPAÑOLA

Por otra parte, poco más que los dedos de la mano nos bastan para indicar los Estados de la Unión que no se han relacionado –de un modo o de otro– con España. Es obvia nuestra presencia en Florida, Luisiana, Texas, Nuevo México, Arizona y California, pero no lo es tanto en la mayoría de los demás Estados. Excluyendo del presente comentario a los primeros –por predominantes razones de brevedad– y refiriéndonos sólo al segundo y más numeroso grupo, constataremos una relevante serie de hechos. Las costas de Maine y de los que le siguen rumbo al Sur recibieron la visita de Esteban Gómez en 1525, quien, ejerciendo un acto de soberanía en nombre del rey de España, las bautizó con una serie de nombres, algunos de los cuales quedan. Nada debe extrañar que las regiones vecinas aparezcan en los mapas de la época subsiguiente bajo la denominación de "Tierras de Gómez" (53). Se tienen noticias de que el propio Esteban, y otro navegante al servicio de Carlos V, se refugió en tierras del actual Estado de Maryland en dicho año del Señor, siendo posiblemente el primer europeo que tal hiciera.

Fueron los primeros en desembarcar, en 1561, en tierras de Virginia los hombres de Villafañe, y en vivir en las mismas, en 1570, los jesuitas de Azacan (cerca de Jamestown). Se adelantaron a establecerse, en 1526, en las dos Carolinas los Colonos de San Miguel de Gualdape; por ello, las tierras de la costa oriental desde la bahía de Chesapeake hacia el sur recibieron la denominación de "Tierras de Ayllón" (por ejemplo, en el mapa de Ribeiro). Paralelamente son los componentes de la expedición de Soto, en 1539, y más tarde de Pardo y Boyano, en 1566-7, quienes recorren las superficies de dichos Estados, no holladas hasta entonces por blanco alguno. En 1565 los españoles ya tenían un establecimiento permanente en Carolina del sur, en Santa Elena, cerca de la moderna localidad de Port Royal. El Estado de Franklin, que aunque existió "de facto" no llegó a tener el reconocimiento "de jure" de los demás, y que comprendía parte de los actuales Estado de Carolina del Norte y del Sur, Georgia y Tennessee, estuvo en tratos para reconocer la soberanía de España, después de la independencia del país contra Inglaterra. Y lo mismo le sucedió a Kentucky y a Tennessee bajo la forma de Cumberland. Georgia tuvo ya presencia de españoles en sus territorios, con Soto, en 1539, y de misioneros jesuitas y franciscanos a partir de 1565.

Soto recorrió los Estados de Florida, Georgia, las dos Carolinas, Tennessee, Alabama, Mississippi, Arkansas y Luisiana (hay quien sostiene que también Oklahoma, Missouri y Kansas) entre 1539 y 1542; sus gentes pisarían Texas al año siguiente, que ya había sido paseada por Cabeza de Vaca y sus compañeros a partir de su naufragio, en 1528, en las cercanías de la actual ciudad de Galveston. Las tierras ribereñas del Golfo de México aparecerán en los mapas, como el de Ribeiro, con el nombre de "Tierras de Garay". Éste reducido grupó fue el primero en patear los Estados de Nuevo México y Arizona, de cuyos territorios tomó solemne posesión, en nombre del rey de España, fray Marcos de Niza en 1539. Los Estados de Oklahoma, Kansas y Nebraska recibieron la visita de Vázquez de Coronado en 1541 y volvieron a hospedar en 1601 a Oñate y su grupo. El territorio del Estado de Michigan fue testigo de una victoria española en San José (actual Niles) en 1780 sobre los ingleses, para la cual fue necesario atravesar los Estados de Indiana e Illinois, sin ser discutida su presencia por fuerza alguna que se opusiera. También el Estado de Wisconsin presenció un éxito militar de los súbditos de España el año 1796 durante la guerra con Inglaterra.

En el curso de la Historia ha habido fuertes militares españoles en los Estados de Carolina del Norte y del Sur, Georgia, Florida, Alabama, Mississippi, Luisiana, Arkansas, Missouri, Colorado, Texas, Arizona, California y Guam, en número de 71; la ciudad de Dubuque fue fundada merced a la concesión del rey de España con el nombre "Minas de España". Varios de los Estados pertenecientes a la Alta Luisiana –tales como los Dakotas, Iowa y Nebraska– se pusieron en contacto con el mundo occidental gracias al popular pionero español D. Manuel Lisa, especialmente en los años comprendidos entre 1800 y 1820. No olvidemos que San Luis (Missouri) fue la sede sel teniente-gobernador español por espacio de casi cuarenta años, que varios comandantes dependientes residían en su territorio y que bastantes de sus localidades, según hemos visto, se fundaron durante la época española. Colorado recibió frecuentes incursiones a partir de la visita de Juan de Zaldívar, allá por 1600, y su colonización estuvo directamente ligada a la de Nuevo México. La presencia de España en Utah sobresale con la visita al Utah Lake del padre Silvestre Escalante en 1776, mucho antes que los mormones pioneros aparecieran. California quedó incluida en el mundo occidental, gracias a Rodríguez Cabrillo y sus hombres en 1542; su sucesor, Ferrelo, desveló las costas de Oregón al año siguiente.

Concluye Andre Maurois: "Un encanto indefinible, la gracia de una viejísima cultura y una nobleza instintiva de los modales perpetúan, en los Estados ocupados en otro tiempo por España, el recuerdo de los caballeros y de los misioneros" (53b).

PARTICIPACION EN LA GUERRA DE LA INDEPENDENCIA

Con motivo del Bicentenario de la Independencia, España realizó un esfuerzo especial para participar en la efemérides y para resaltar su colaboración en la empresa. Ya el Presidente Ford, al proclamar la "Semana Nacional de la Herencia Hispánica", manifestó: "ningún tributo más apropiado a la herencia hispánica de nuestro país en este año del Bicentenario que reconocer la importancia de la contribución española al éxito de nuestra guerra de la independencia".

Los Reyes de España, don Juan Carlos y doña Sofía, viajaron a Washington y Nueva York en el primer viaje oficial al extranjero de su reinado y realizaron una serie de significativos actos: en la capital descubrieron un monumento a Bernardo de Gálvez, un busto de don Diego de Gardoqui y una estatua de don Quijote, donados por el Gobierno español, e inauguraron una exposición sobre Cristóbal Colón y su tiempo; en Nueva York descubrieron una lápida al pie del monumento que recuerda a los soldados españoles muertos en la guerra de la independencia.

Don Juan Carlos fue recibido por el Congreso el 3-6-76 y en el importante mensaje que dirigió a las dos Cámaras reunidas dijo: "En este año del Bicentenario nos complace recordar el papel que desempeñaron los españoles y España, con sus recursos políticos, diplomáticos, financieros, navales y militares en la lucha global cuya victoria consagró el reconocimiento de la independencia de los Estados Unidos". También fue recibido por el Consejo de la Organización de Estados Americanos. El Presidente Ford saludó así al Rey de España al recibirle en la Casa Blanca: "... España y América puede recordar con orgullo aquel grupo de valerosos españoles que encabezados por Bernardo de Gálvez nos ayudaron hace doscientos años en nuestra lucha por la independencia".

En 1976 la Fábrica Nacional de Moneda y Timbre de España emitió cuatro sellos de correos con la efigie de Gálvez, la toma de Pensacola, el billete de un dólar y un fusil español de los proporcionados a los rebeldes. "The Spain-U.S. Chamber of Commerce" de N. York publicó en dicho año un folleto sobre las relaciones ente los dos países, y la O. E. A. dedicó una publicación especial al Bicentenario en la que tuve el honor de participar con un largo artículo sobre la aportación española a la guerra de la independencia. La Dirección General de Relaciones Culturales, de Madrid, dio a luz dos volúmenes sobre la documentación relativa al tema existente en los archivos españoles, volúmenes que fueron completados por otros.

Es interesante tocar, pues, con un cierto detalle el punto de la aportación española a la lucha por la independencia de las Trece Provincias contra la Gran Bretaña. Si popular ha sido en los Estados Unidos la colaboración prestada por Francia, no ha sido justo el silencio o el poco conocimiento en que se ha tenido cuanto supone la ayuda facilitada por España. Ya hemos visto, sin embargo, la reacción de la máxima autoridad norteamericana del momento. Por otra parte,

42

España fue –en palabras de la historiadora norteamericana Thomson– "un aliado de primera importancia dando su ayuda a la Guerra de la Independencia; un
hecho largo tiempo oscurecido por muchas historias que destacan la ayuda prestada por otros" (54). El español Conrotte no puede por menos de sostener que
"el papel desempeñado por España en la independencia de los Estados Unidos
no es de cuantía tan escasa que pueda prescindirse de mencionarle cuando se relata este hecho histórico de importancia tan incuestionable para los pueblos modernos" (55). El profesor de Yale, Samuel Flagg Bemis, al pretender subvalorar
la ayuda española, afirma que "no constituyó un factor militar decisivo en el logro de la independencia americana", con lo que implícitamente viene a reconocer la importancia de dicha participación, bien que privándola del carácter de
"decisiva" (56). Para el historiador Dale Van Every, "durante la Revolución,
España fue, al principio, benévolamente neutral y después ostensiblemente un
aliado" (57). El historiador Benet, descendiente de menorquines, se olvida de la
participación española (57 bis). A pesar de todo ello, es un hecho significativo la
Resolución del Congreso de Filadelfia en 1783, otorgando al Rey de España el
título de "Poderoso Protector y Defensor de la Independencia de los Estados
Unidos de Norteamérica" (57c).

Que la alianza española era fundamental para la victoria de los revoluciona-
ros, queda bien constancia en la abundante documentación que de dicha guerra
se conserva. Así se desprende de la correspondencia entre su primer representante en Europa, Deane, y Robert Morris (58), de las cartas remitidas por el Comité de Correspondencia Secreta a sus enviados (consideraban la ayuda de Francia y España "indispensablemente necesaria") (59), de las manifestaciones de
John Adams, en Amsterdam (60), de las instrucciones impartidas en varias ocasiones por el Congreso de Franklin y sus colegas (61), de las propias manifestaciones de Washington (62), por no citar más que unos ejemplos.

Francia y España fueron los únicos países que atendieron las demandas de
los sublevados y que les ayudaron en su empresa. Otros, como Rusia y Prusia,
reaccionaron menos generosamente, manteniéndose neutrales, o, cuando más,
ofreciendo su mediación para la terminación del conflicto (63). Es verdad que
no debe valorarse por igual la política seguida por la nación vecina y la adoptada por los ministros de Carlos III, primero Grimaldi y después Floridablanca.
No lo es menos que los supuestos de que partían ambas naciones y los riesgos
que corrían eran diferentes: mientras Francia se había desligado por la paz de
1763 de todo interés en América, España conservaba en ella un formidable Imperio, que habría, inevitablemente, de ser influido por el resultado de la contienda.

Dos períodos pueden distinguirse: el comprendido entre el comienzo de la
Revolución y la declaración de guerra a Inglaterra por España, en 1779, y el iniciado en este último momento hasta el reconocimiento por aquélla de la Independencia. Si la participación militar de España en el conflicto se desarrolló en el
segundo, no menos considerable ayuda proporcionó a los sublevados durante el
primero, al mantenerse fuera de la lucha abierta y suministrarles secretamente
toda la ayuda posible.

Ya en 1776, Carlos III abrió un crédito de un millón de libras tornesas –o, lo que es igual, cuatro millones de reales de vellón– a los independentistas, por la misma cantidad del concedido por Francia (64); su importe se envió al conde de Aranda, el anglófobo embajador de España en París, quien las entregó a la Tesorería de Francia a cambio de un recibo firmado por M. Vergennes. En la publicación de la "Washington Government Printing Office", titulada "The National Loans of the United States from july 4, 1776 to june 30, 1880", queda constancia de dicho crédito español. Esta aportación es digna de ser valorada no sólo por la cantidad que en sí suponía, sino también por tratarse de moneda extranjera, de la que en aquellos tiempos no andaban sobradas las paupérrimas arcas españolas, que, por su parte, se hallaban contemporáneamente haciendo frente a los gastos que suponía la preparación de la expedición de Cevallos al río de la Plata.

Cuanto tocó a adelantos de metálico a los norteamericanos, se rodeó del posible misterio para evitar llegaran a conocimiento de los agentes ingleses. Ellos y los facilitados por Francia se canalizaron a través de la firma española "Rodríguez , Hortalez y Compañía" al frente de la cual figuraban Caron de Beaumarchais, el conocido escritor, creador de "Fígaro" y autor de "El Barbero de Sevilla" y otras obras de ambiente hispánico (65). Fue dicha Compañía la que pagó el viaje del famoso barón de von Steuben, quien desembarcó en Portsmouth, N. H., el 1 de diciembre de 1772 (66) y quien tanto contribuyó a la final victoria de los independentistas con los métodos de instrucción y disciplina que introdujo en los Ejércitos de Washington. El mismo Lafayette, noble francés, venerado en los Estados Unidos por su actuación en la guerra revolucionaria, embarcó para este país en el puerto español de Pasajes, por no considerarse seguro hacerlo desde Francia.

Paralelamente, los puertos españoles se abrieron a los corsarios norteamericanos, los cuales encontraron refugio en las costas españolas, según recordó, en su día, el Rey don Juan Carlos en su mensaje al Congreso de la Unión. Ello ocasionó el primer roce con Inglaterra a raíz de la sublevación de sus Colonias: el embajador de Gran Bretaña solicitó se negara asilo a los buques rebeldes, a lo que se le contestó que eran éstos barcos ingleses, que era difícil distinguir entre fieles y facciosos y que la prohibición de su entrada podría producirles la reacción de apresar naves españolas, con el consiguiente perjuicio y la inutilidad de la amenaza de reciprocidad, dado lo reducido de su comercio. Es evidente el perjuicio que la actuación de aquellos corsarios produjo al comercio británico y lo que se beneficiaron de la benevolencia que les fue dispensada por Francia y España. Las capturas por ellos perpetradas originaron nuevos problemas de derecho internacional, dado que las Colonias no eran una nación beligerante, ni estaba reconocida su independencia (67).

Por causa de nuestra benevolente actitud con los corsarios, España resultó víctima de atropellos de los barcos ingleses, sin que las reclamaciones del Gobierno de S. M. Católica merecieran satisfacción: es el caso, por ejemplo, del paquebote "Santa Bárbara". Tal ausencia de reacción motivó la redacción por Floridablanca de un "resumen de los insultos cometidos por la Marina de la Gran Bretaña contra los navíos y territorios de España, hasta ahora de los cuales hemos dado queja", resumen que no fue contestado, lo que contribuyó a la ruptura de relaciones entre los dos países (68).

Si esto acontecía en la Península, en la que los periódicos, como "Gaceta de Madrid" y "El Mercurio Histórico" hacían la propaganda a los rebeldes, vaticinando su triunfo cuando aún no había base real para ello (en el número de enero de 1776 decía "El Mercurio": "... todo parece que hace sagrada y respetable su resistencia y justas sus pretensiones") (69), en el continente norte de América las autoridades españolas actuaban consecuentemente. Cierta noche de la primavera de 1776 apareció en Nueva Orleáns un pequeño barco procedente del alto Mississippi portando al capitán George Gibson, acompañado de "sus Corderos" (así era motejado en broma su pelotón de 15 hombres) y del teniente William Linn. Gibson traía un mensaje del general Charles Lee, de Virginia –segundo de Washington–, solicitando para las provincias sublevadas socorros urgentes en armas, municiones y medicamentos, a enviar por el Gran Río, a cambio de establecer regulares relaciones de comercio entre las Colonias y las provincias españolas de América; Lee abogaba por el éxito de su solicitud, planteando el dilema de que si aquéllas triunfaban en su empeño, España contaría siempre con una potencia amaiga, pero si eran derrotadas, Inglaterra, victoriosa y ensoberbecida, aprovecharía la primera ocasión para apoderarse de México y Cuba (70).

El gobernador Unzaga recibió de noche al emisario –para no despertar sospechas– y escuchó las complemantarias argumentaciones de Gibson. El gobernador percibió el peligro en que se encontraban los territorios occidentales y, para salvar su neutralidad oficial, al mismo tiempo que ayudar a los peticionarios, urdió el ingenioso procedimiento de encarcelar a Gibson y dejar partir a Linn con su grupo, río arriba, anunciando su paso a los destacamentos españoles y ordenándoles su colaboración. En octubre, Gibson sería puesto en libertad llevando consigo valiosos informes sobre la actitud favorable del gobernador español junto con 1.000 libras de pólvora procedentes de los depósitos españoles. ¿En qué otra medida otorgó Unzaga su ayuda? Aparte de remitir el oportuno informe a la Secretaría de Indias, decidió por su cuenta proporcionar a Linn, de los dichos depósitos, 9.000 libras de pólvora, que llegaron a Fort Pitt el 2 de mayo en un momento crítico. En esta operación y en la del pago, por un valor de 2.400 dólares, de los alimentos y pertrechos proporcionados a los expedicionarios en Fort Arkansas, intervino de manera principal el acaudalado comerciante Oliver Pollock. Unzaga respondió a Lee, expresándole su voluntad de atender las peticiones norteamericanas de la forma más discreta posible, y su simpatía personal por la causa de los colonos (71).

"El plan del capitán Gibson –escribe Thomson– fue una de las constribuciones más significativas e importantes, aunque poco divulgada, para el futuro curso de su revolución. Fue indudablemente el comienzo del sistema vital de ayuda y suministro por parte de España al ejército colonial. Ello habría de afectar al curso de la guerra en el Oeste..." (72). La pólvora que Linn portó a Fort Pitt salvó el fuerte, y la proporcionada por Gibson al Comité del Congreso alivió a Washington en un momento de desesperada inquietud (73).

Como reacción al informe de Unzaga, Carlos III no titubeó en acceder a las peticiones de Lee y anunció el envío desde La Habana de cuantos medios bélicos y sanitarios fueren posibles, actuando como testaferro, para evitar sospechas, un comerciante de la capital de Cuba, D. Eduardo Miguel. A la llegada de éste con la mercancía, y no obstante las precauciones adoptadas, los ingleses se enteraron y protestaron en consonancia (74). También a comienzos de 1777, el paquebote correo del servicio de La Habana zarpó de La Coruña con provisiones para los sublevados (75).

En el terreno diplomático, el Congreso nombró un Comité que fijase un plan de Tratados con las naciones de Europa; como consecuencia marchó Benjamín Franklin a París, en donde se unió con Silas Deane y Arthur Lee. Con el título de "Plenipotenciarios de las Provincias Unidas de la América Septentrional" se entrevistaron con el embajador español en París, conde de Aranda, el 4 de enero de 1777, quien recibió cuatro días después de manos de Franklin un Memorial dirigido a su majestad el rey. A su recibo, Carlos III convocó una Junta de Estado, en la que se decidió la política de ayuda a los sublevados y la preparación para el caso de que la guerra estallará con Inglaterra. Un nuevo Memorial redactó Franklin en 1777, y una nueva petición de ayuda formuló a Francia y España: dos millones de pesos, que se utilizarían en material de guerra y otras provisiones, y seis fragatas de a lo menos 24 cañones; proponía a España la alianza de las Colonias y prometía su apoyo para la conquista de Pensacola. Para apoyar su proyecto dispuso que Arthur Lee se desplazase a Madrid (76).

En el interregno había sido remplazado Grimaldi por el conde de Floridablanca, con lo que la posición antiinglesa se vio reforzada. No obstante, y para evitar posibles infiltraciones, se evitó que el enviado norteamericano llegara a la capital, y se arregló una entrevista suya en Burgos con Grimaldi, acompañado del comerciante Diego de Gardoqui, quien, a través de su firma "Gardoqui e Hijos", llevaba tiempo en tratos con la de "Willing, Morris & Co" (77). Tuvo lugar el encuentro el 4 de marzo de 1977, siendo calificado de "trascendental" por más de un historiador (78). La urgente petición de Lee de llegar a una alianza con la nueva nación recibió muy cálida comprensión, pero fue informado de su imposibilidad en aquellos momentos; ante su insistencia, recibió de Grimaldi la conocida respuesta: "Usted ha considerado su propia situación y no la nuestra. Aún no ha llegado el momento... Estas razones posiblemente cesarán antes de un año y entonces será el momento" (79). Como resultado de esta conferencia, Lee recibió considerables créditos para comprar no sólo en España, sino en cualquier punto de Europa, siendo utilizados principalmente para la compra de mantes, zapatos, tiendas de campaña, medicamentos, cañones de bronce, etc. (80). En mayo de dicho año, Lee acuso recibo a Gardoqui de 187.500 libras tornesas que le habían sido remitidas en dos ocasiones anteriores. En abril se le habían facilitado 50.000 pesos en letras. En el curso de 1778 se le volvieron a proporcionar 50.000 pesos (81).

Franklin comunicó a Aranda, agradecido, la llegada a Boston de 12.000 fusiles (82). Entre tanto, en Nueva Orleáns, el agente norteamericano Mr. Oliver Pollock recibía diversa y valiosa ayuda del gobernador español, cuyo mayor detalle será tratado en el capítulo correspondiente a Luisiana; baste recordar aquí las ayudas facilitadas al capitán Willing. También se socorrió en La Habana al jefe de la Escuadra de Carolina del Sur para los gastos incurridos en dos arribadas forzosas.

La victoria de Gates, en Saratoga, con la rendición de Burgoyne, cambió la faz del conflicto, y precipitó el reconocimiento del nuevo país por parte de

Francia con la firma, el 6 de febrero de 1778, el Tratado de Versalles. España no fue previamente puesta al corriente de tan importante paso, por lo que las relaciones se enfriaron temporalmente entre las dos Cortes borbónicas (83). El rey Carlos III reunió entonces a su Gabinete y redactó las 36 conclusiones que recibirían el nombre de "El Catecismo", fijando la posición internacional de España (84). Los intentos mediadores de España fracasaron, por partir del reconocimiento de la independencia de las Colonias; España remitió en abril de 1779 un ultimátum al Gobierno inglés y firmó, el 12 de dicho mes, en Aranjuez, un Tratado privado con Francia, cuya cláusula cuarta decía: "... las dos potencias contratantes se comprometen a no deponer las armas mientras tal independencia (la de las Trece Colonias) no haya sido reconocida por la Corona inglesa", cláusula cuya redacción fue posteriomente modificada en detalles (85). El 21 de junio de 1779, Carlos III hizo saber a la nación el estado de guerra con la Gran Bretaña (86). La decición produjo una gran alegría a los Estados Unidos (87).

PERÍODO POSTERIOR A LA DECLARACIÓN DE GUERRA A INGLATERRA POR ESPAÑA

Aquí comienza una nueva etapa en la colaboración de España con las provincias sublevadas, y una etapa aún más útil para la causa de éstas, ya que en el curso de ella intervinieron como tales la marina y el Ejército españoles, aparte de los otros tipos de ayuda que, con más motivo, continuaron recibiendo los independientes. En los años siguientes, Mr. Oliver Pollock llegó a recibir hasta 67.610 pesos oro de las arcas reales de Luisiana. Por su parte, el nuevo enviado norteamericano en España, John Jay, obtuvo del Gobierno español la promesa de garantizar letras que, por un valor de 100.000 libras esterlinas, el Congreso norteamericano girase sobre Jay, forma esta de obtener recursos económicos sin tener que recurrir a la emisión de nuevos billetes. La actuación no muy ortodoxa de Jay no tuvo, en definitiva, mayores consecuencias (88).

La contribución naval española al final victorioso de la Guerra de la Independencia ha sido normalmente silenciada. El historiador Stimpson, no obstante, reconoce que docenas de encuentros entre los barcos de Gran Bretaña, España y Francia tuvieron lugar y hubieron de influir marcadamente en la contienda (89). Baste meditar un poco en lo que suponía para la escuadra inglesa luchar contra las otras dos unidades, oponiendo a sus 90 barcos de línea tan sólo 72 (90), y en el número de unidades que en la defensa de sus costas (recordemos la fracasada invasión hispano-francesa de las Islas Británicas en el verano de 1779) (91) y del Peñón de Gibraltar Inglaterra hubo de emplear, retirándolas de las costas americanas (92). Por otra parte, es justo recordar la colaboración prestada al comercio marítimo, tan aliviado de la presión inglesa, y los convoyes que desde los puertos franceses y los españoles se organizaron rumbo al nuevo continente (93). Bien consciente de la importancia de la colaboración de ambas flotas se mostró Washington en su carta de 4 de octubre de 1778 (94).

Procede asimismo aludir a la poderosa expedición naval al mando de José Solano –doble en número de hombres que la francesa, mandada por Rochambeau–, que zarpó de Cádiz el 5 de abril de 1780, rumbo a Cuba, y que con tanto entusiasmo fue reclutada en todos los puntos de la Península. Ella contribuiría esencialmente a la conquista de Pensacola (95). Justo es dejar constancia igualmente de la participación de la armada española en la toma de Mobile y en las acciones que tuvieron por marco la Luisiana. Solano recibió en 1981 justificado homenaje en su pueblo natal Zorita (Cáceres) tributado por la agrupación texana "Granaderos de Gálvez".

VICTORIAS ESPAÑOLAS

A) *Bernardo de Gálvez*

Quizá aun más espectacular es el auxilio prestado por los ejércitos españoles a lo largo de dos años de hostilidades, lo cual no quiere decir que sea mejor reconocido por los historiadores de la Guerra de la Independencia, ya que la mayoría silencian este aspecto de extraordinaria importancia. El ejército español, como tal, y al mando exclusivo de jefes españoles, intervino como brazo armado de una potencia aliada en ayuda de los sublevados, partiendo de propias bases. La pieza fundamental en esta estrategia fue el gobernador de Luisiana, D. Bernardo de Gálvez, quien, tan pronto como se enteró de la ruptura de las hostilidades, tomo las medidas para asestar el primer golpe a su enemigo. Así, en cuestión de meses, procedió a la conquista de las plazas inglesas de Baton Rouge, Fort Manchac y Fort Panmure, no dando tiempo a sus ocupantes a reaccionar. En los años sucesivos procedió a conquistar las plazas de Mobile y Pensacola, acompañándole la más completa fortuna, no obstante las dificultades con que tuvo que tropezar y los peligros que sólo su valor supo superar.

Gálvez proporcionó así a la causa independentista un ramillete de victorias, logró el control del Mississippi, desbarató el plan de los ingleses de conquistar su cuenca y de cercar a los ejércitos de Washington desde el Oeste, supo atraerse a las tribus indias y ayudó eficazmente a Clark y a Montgomery... "Se ha asegurado –anota Thomson–, y parece razonable creer, que la batalla de la King's Mountain nunca se habría celebrado; el cambio de la guerra en el Sur, por la derrota de Cornwallis, no hubiera acaecido; las Carolinas y Georgia se hubieran perdido para la Confederación", de no haber tenido lugar las afortunadas actuaciones de Gálvez (96). "La conquista del puerto de La Mobila y, sobre todo el ataque y toma de Pensacola, en mayo de 1781 –recordó don Juan Carlos en el Congreso, el 3 de junio de 1976–, significó el triunfo de los norteamericanos en Florida y en el golfo de Méjico". "Los honores dados a hombres de otros países, que vivieron en apoyo a la nación en lucha, traen agudas notas de extraña negligencia en el fallo de no concederlos al galante gobernador Bernardo de Gálvez, quien, desde el momento en que asumió el mando del territorio de Luisiana hasta el final de su corta vida, fue tan valioso amigo de los Estados Unidos como no hemos tenido otro en toda nuestra Historia", afirma la aludida historiadora (98). Según hemos visto, el Presidente Ford rectificó tal omisión con motivo del Bicentenario de la Independencia. En 1978 visitaron España 34 miembros de la orden de "Granaderos de Gálvez" y tributaron un homenaje a don Bernardo en el pueblo malagueño de Machacavilla, del que era originario. Desde 1976 campea delante del Departamento de Estado, en Washington, una estatua ecuestre de nuestro héroe.

Pero no paran aquí los éxitos militares hispanos en ayuda de las Trece Provincias: el teniente gobernador de San Luis, Missouri, rechazó en 1780 un importante ataque anglo, en colaboración con 1.000 aliados indios: gracias al valor de la guarnición, los británicos no consiguieron sus propósitos de dominar el valle del Mississippi, cercando así, por el Oeste, a sus súbditos rebeldes; con su fracaso, su flanco quedó al descubierto, por lo que hubieron de inmovilizar una serie de fuerzas que quizá les habrían sido esenciales en su lucha (99). Otra victoria más se apuntaron los súbditos del rey de España contra los ingleses durante la Guerra de la Independencia de los Estados Unidos: la toma del fuerte de San José, en el actual Estado de Michigan (cercanías de la localidad de Niles), a cargo de una fuerza expedicionaria al mando de Eugenio Purré y que tuvo lugar en febrero de 1781 (100). El 22 de noviembre de 1780 un oficial español, Baltasar de Villiers, cruzó el Mississippi desde Arkansas y tomó formalmente posesión de las tierras al este del Gran Río en nombre del rey de España (101).

OTRAS APORTACIONES

Si estos hechos de armas son acreedores a que, en una justa valoración, España obtenga el reconocimiento general por parte de la nación norteamericana en función de aliada y coautora de su independencia, hay otros de menor importancia que por su significación merecen ser resaltados. La noticia de la declaración de la guerra a Inglaterra por parte de España tardó en llegar a California, pero cuando de ella se enteró fray Junípero Serra, remitió una carta circular a sus hermanos en religión con fecha 15 de junio de 1780, en la que al informar de lo sucedido recordaba a los frailes la generosidad del Gobierno de Carlos III con las Misiones y les instaba a que rogaran a Dios en sus oraciones por la victoria de las armas españolas y sus aliados sobre Inglaterra. Como muy bien dice el historiador John Tracy Ellis, ¡qué ajenos estarían los rebeldes de la costa Este a que a 3.000 millas de distancia, al otro borde del continente, unos frailes españoles rezaban por la derrota del enemigo común! (102). Más tarde se ordenó en las Misiones una recaudación de fondos con el objeto de obtener recursos en la lucha con Inglaterra: contribuyeron a razón de dos pesos por cada español y un peso por cada indio; así, la Misión de San Luis Obispo aportó, por ejemplo, 107 dólares (103). En el puesto avanzado que era Tucson se reunieron 450 pesos con el mismo destino.

Otro hecho: cuando las tropas del general Rochambeau se dirigieron a mediados de 1881 al Sur, con el fin de preparar el golpe final a los ingleses, se encontraron los campos esquilmados y sin recursos económicos. Necesitando dinero para proseguir la lucha y evitar que los colonos fueran fácilmente halagados por los británicos, recurrieron al almirante francés De Grasse, quien en vano intentó allegar los fondos necesarios de los colonos franceses de la isla de Santo Domingo. La ciudad de La Habana abrió entonces una suscripción que alcanzó la cifra de un millón y medio de libras tornesas, en cuya recaudación se distinguieron las conocidas como "Damas de La Habana", ofreciendo sus joyas, cifra que permitió a Rochambeau la continuación de la lucha y la victoria última en

Yorktown el 17 de octubre de 1781 (104). He aquí, pues, cómo España colaboró también de manera eficaz en el logro final de la victoria sobre Inglaterra.

Otro aspecto destacable es el importante hecho de que la Revolución Americana estuviera financiada con el sistema monetario español y que el dólar fuese el patrón monetario imperante no sólo en tan crítica etapa, sino en la anterior durante casi un siglo. Entre otras cosas, pues, España ha aportado a la grandeza de los Estados Unidos su moneda, el actualmente poderoso dólar, y le ha proporcionado el instrumento que le permitió hacerse independiente de Inglaterra y, transcurridos bastantes lustros, convertirse en la primera potencia económica mundial. Pero este aspecto será tratado más ampliamente en el apartado dedicado a las contribuciones españolas en el campo de la economía y del derecho.

Se ha afirmado, por otra parte, que a la catedral de Málaga falta una torre porque el dinero destinado a su construcción fue enviado para ayudar la causa de los independentistas.

El 3 de septiembre de 1783, el Conde de Aranda firmó en Versalles, como Plenipotenciario de Carlos III, el Tratado de Paz con Inglaterra. El Rey escribió a su Embajador en Francia una cariñosa carta (104b). Fue Aranda quien, en el mismo año, elevó a dicho Monarca la famosa "Exposición... sobre la conveniencia de crear reinos independientes en América" en la que afirmaba, en relación con la nueva república federal: "... ha necesitado del apoyo y fuerzas de dos Estados tan poderosos como España y Francia para conseguir la independencia. Llegará un día en que crezca y se torne gigante, y aun coloso temible en aquellas regiones. Entonces olvidará los beneficios que ha recibido de las potencias, y sólo pensará en su engrandecimiento..." (104c).

Según José. A. Armillas, el total de la ayuda española puede cifrarse en 611.328 pesos fuertes (397.230 a fondo perdido) y supuso para España la recuperación de las Floridas y de Menorca; a cambio, y aparte de no recuperar Gibraltar, hipotecó la posesión de sus colonias, aportó cantidades que no recuperó y no consiguió la gratitud de los colonos sublevados, atentos en lo sucesivo a su expansión a costa de España (104d).

2) ACTIVIDAD MISIONAL Y CIVILIZADORA

En este apartado dedicado al esfuerzo español por cristianizar a los indios de Norteamérica y por civilizarlos nos encontramos con hechos que, aunque sea a la ligera, deben ser destacados. Dejando aparte la política general indiana de los reyes de España, quienes, desde Isabel la Católica, tuvieron por primordial preocupación la cristianización de los aborígenes y la correlativa presencia de los misioneros como elemento indispensable para la consecuención de tal fin, recordemos el empeño de establecer en tierras norteamericanas desde el primer momento Misiones.

MISIONES

Ordenes misioneras

Dos intentos hicieron los dominicos por participar en la evangelización de los Estados Unidos, el de fray Luis Cáncer, en Florida, en 1549, y el de San Miguel de Gualdape, en las Carolinas, en 1526; pero tras su fracaso renunciaron los hijos de Santo Tomás a la conquista espiritual de aquel territorio y se consagraron a otras regiones de América. Los jesuitas actuaron en tres sectores y no simultáneamente: unos años de la segunda mitad del siglo XVI en Florida, Georgia y Virginia –a raíz de la fundación de San Agustín por Menéndez de Avilés–, a lo largo del siglo XVIII en el valle del Mississippi (a cargo de padres franceses procedentes del Canadá), y en las tierras de Sonora y Arizona, entre la actividad iniciadora de los padres Kino y Salvatierra y la expulsión de la Orden de los dominicos de Su Majestad Católica. Pero es a los franciscanos a quienes corresponde la mayor gloria en la tarea de cristianizar las tribus idólatras asentadas al norte del Río Grande. Tocó a los franciscanos la difícil sucesión de los jesuitas, tanto cuando abandonaron sus empresas en la costa oriental como en el período subsiguiente a su explusión en la zona de la Pimería Alta. Ellos lucharon denodadamente por mantenerse en Georgia y en Florida Occidental, y ellos acompañaron a los conquistadores de Nuevo México en las etapas anteriores y posterores a la rebelión de 1680. A los hijos de San Francisco se debe la evangelización de Texas y la magnífica empresa civilizadora de California bajo el impulso del padre Serra (105).

Número de Misiones

En el momento álgido del esfuerzo misionero a lo largo de las costas de Florida y Georgia y en las tierras occidentales de éstos, tomando a Tallahassee como centro, en 1675, las Misiones franciscanas alcanzaron la cifra de 66; en el curso del siglo XVIII, junto con algunos años de las centurias precedente y posterior, el número de establecimientos creados en Texas en torno a la capilla del fraile se cifró en 44; 51 se fundaron en Nuevo México a partir de la primera, construida en Paraguay en 1581, y a 19 llegaron las de Arizona. La cadena, impulsada por fray Junípero, en California, desde que el 16 de julio de 1769 echara los cimientos de San Diego de Alcalá, culminó en el número 23. En total, y aparte de los edificios destinados al culto, como los elevados en los territorios de Luisiana, se puede concluir que los religosos españoles elevaron un mínimo de 203 Misiones, algunas de ellas de extraordinaria belleza, como San Xavier del Bac en Arizona, San José en Texas, o Santa Bárbara en California (106).

Protomártir

Fray Juan de Padilla, O. F. M., es considerado el protomátir nacional, al haber sido asesinado por razones de su ministerio apostólico en 1542 en las llanuras de Kansas; le siguió en la consecuención de las palmas santificadoras el padre jesuita Pedro Martínez, en 1566, ante las costas de Georgia. Se calcula que en la etapa colonial el número de religiosos mártires –algunos no españoles– ascendió a 80 (107).

POLITICA INDIANA

España se preocupó de la salud física de los indios, de su conversión religiosa y moral al Cristianismo y de su encuadramiento económico en la sociedad española. El régimen español para con los indios se caracterizó por sus móviles de humanidad y de justicia, de educación y de persuasión moral y aunque hubo, como es inevitable, algunos individuos que no se comportaron como debían, el estudiante objetivo de la Historia tiene que reconocer –según sostiene el padre Weber– que dichos casos son relativamente insignificantes junto a los más positivos aspectos de la política colonial española (108).

Si ante las inicuas matanzas perpetradas por el indio Juanillo y sus secuaces en 1597, el gobernador Canzo, cedió a la vengativa tentación de ordenar la esclavización de los indios sublevados, una subsiguiente Real Cédula prohibió tal proceder y canceló aquella medida, por lo que hubieron de devolverse a sus puntos de origen los que habían comenzado ya a padecer el castigo (109). Cuando Quexós y Gordillo, en la misión exploratoria que les confiara el licenciado

Vázquez de Ayllón, tomaron, en 1521, unos indios como esclavos en las costas orientales, fueron penados por su conducta y condenados a restituir los prisioneros a sus tierras (110). La verdadera razón de la presencia de España en los territorios de Nuevo México a lo largo del siglo XVII se centra en el mantenimiento allí de las Misiones, a fin de proteger a los conversos y conseguir la expansión de la fe. No puede considerarse buen neogico, desde un punto de vista estrictamente material, la permanencia de España en tal sector, en el que no se encontraron riquezas, en el que las condiciones naturales no eran precisamente acogedoras y en las que todavía no se cotizaban los peligros de invasiones o influencias extrañas. El mantenimiento de dichas Misiones entre 1609 y 1680 costó al erario real un millón de pesos, cantidad muy elevada para aquel tiempo (111). El siglo XVIII trajo como compensación un lisonjero éxito para dichas Misiones y para el esfuerzo realizado con ellas. San Agustín no fue abandonada en tiempos de Felipe III a comienzos del siglo XVII, entre otras razones, por la fundamental de los indios conversos de ella dependientes y no por el oro o la plata. Cuando fray Marcos de Niza recibió instrucciones del virrey de Nueva España de adentrarse en las tierras septentrionales para comprobar la veracidad de las noticias traídas por Cabeza de Vaca y compañeros de penalidades, se especificaba claramente que los indios deberían ser tratados equitativamente y que de ningún modo podían ser sometidos a la esclavitud (112).

El poder civil no se consideró en momento alguno ausente de tal tarea misional, de forma que el éxito conseguido por los misioneros pueda atribuirse exclusivamente a los individuos o aun a las Ordenes religiosas a que pertenecían. El rey de España, por el derecho de Patronato, tenía una intervención decisiva en el nombramiento de los cargos y dignidades eclesiásticas y de él dependía el que en un sector o en otro misionara tal o cual Orden e incluso tal o cual religioso. Por otra parte, la evangelización de los indios y la actuación de los misioneros se hallaba incluida en el plan de la conquista y de la colonización, sin que pueda pensarse la una sin la otra. El que se dieran momentos de rivalidad entre las autoridades civiles y religiosas, e incluso diferentes puntos de vista en relación con la política a seguir, confirma cuanto se ha dicho y colabora en el elogio que merece la política española de civilización del Nuevo Mundo. Es indudable que en las colonizaciones de otros países no se dieron comparables atribuciones a las autoridades religiosas, las que llegaron a provocar, en el caso español, incluso el encarcelamiento de algún gobernador (no siempre con estricta justicia), lo que demuestra la fuerza con que el parecer del misionero o de su superior era recibido en las altas esferas gubernamentales.

Todas las Misiones contaban con una fuerza militar que las protegía, y el hecho de que los componentes de ésta causaran, a veces, quebraderos de cabeza a los misioneros (generalmente por sus relaciones ilegales con las indias de la Misión) no quita un ápice a cuanto viene siendo sostenido. Las Misiones recibían también una ayuda anual de la Corona y los misioneros tenían un sueldo a cargo de las arcas reales. Estas aportaciones dejaron de facilitarse cuando la independencia de Nueva España y bien sabemos el impacto que tal ausencia de ayuda produjo y su influencia en la rápida decadencia de las Misiones en territorios como los de Nuevo México, Arizona y California. Con el gobierno de México, los misioneros españoles se vieron forzados a retirarse, siendo sustituidos por naturales o procedentes de aquel país. El resultado de tal exclusión fue la completa decadencia de las Misiones, el retroceso a la barbarie de muchos indios antaño civilizados y el derrumbamiento de la mayoría de los edificios y de las iglesias que la componían, con pérdida irreparable de obras de arte y con riesgo de desaparición de la fe católica, tan duramente ganada durante los siglos anteriores. Baste como dato que en Nuevo México quedaron tan sóla 13 sacerdores al marcharse los españoles que misionaban el territorio (113).

España nunca dejó sin hogar –dice Lummis– a los atezados indígenas de América, ni los fue arrollando ni acorralando delante de él, sino que, por el contrario, les protegió y aseguró por medio de las leyes especiales la tranquila posesión de sus tierras para siempre. La legislación española referente a los indios era la más extensa, comprensiva, sistemática y humanitaria de las entonces existentes. Debido a las generosas y firmes leyes dictadas por España hace tres siglos, los indios Pueblos de Nuevo México gozan hoy de completa tranquilidad en sus propiedades (114). La sublevación de aquellos indios contra España en 1680 no tuvo otra causa que su deseo de zafarse de la molesta presencia de unos extranjeros en sus tierras.

En punto a cultura, había escuelas en América para indios desde el año 1524. Allá por 1575 –casi un siglo antes de que hubiese una imprenta en la América inglesa– se habían editado en la ciudad de México muchos libros en 12 diferentes dialectos indios, y tres Universidades españolas tenían casi cien años de existencia cuando se fundó la de Harvard (115).

Actitud del español ante el indio

Mucho se ha hablado de la sed de oro de los españoles y de su crueldad como características peculiares a dicho pueblo y como si los otros colonizadores no se hubieran visto contaminados en la misma medida. Si el ansia de riqueza contribuyó en muchos momentos a la realización de empresas de conquista y exploración, ello no puede ser un baldón. En los siglos XVI y XVII, en los que la industria no se encontraba desarrollada, la riqueza de una nación se basaba en su minería, de la que se extraían una serie de preciosos metales. Debe recordarse que España los buscaba por la necesidad de llevar a cabo sus guerras en defensa de Europa y de los principios espirituales, de que ella se consideraba defensora; no los buscaba –y en este caso, desgraciadamente– para el mejoramiento de sus tierras o de sus gentes, para lujo o para el logro de un "standard" superior al de otros países, sino tan sólo para poder realizar una tarea en la que se encontraba comprometida. La búsqueda del oro y la plata ha sido, por otra parte, el origen del apogeo y del posterior progreso anglosajón de estados como Colorado, Nevada, California y Alaska, y a nadie se le ocurre criticar a Norteamérica por la existencia de los enloquecidos buscadores, que en muchas ocasiones actuaban, en sus afanes, contra las más elementales leyes jurídicas y morales. En cuanto a la crueldad española con los indios, nadie debe olvidar la encarnizada resistencia –por supuesto, comprensible– que los indios opusieron a la penetración española, para evitar la cual recurrieron a todo género de tácticas, desde la voluntaria aceptación de las normas traídas por los españoles a la sorda resistencia, desde los crímenes más injustos y espeluznantes a los actos más nobles y caballerescos, desde la resistencia encarnizada en campo abierto a la traición solapada. En este último as-

54

pecto, baste recordar lo que costó a los españoles su inocente confianza en la sincera conversión y en la honrada amistad hacia España de indios traidores, como don Luis para los jesuitas de Axacán, Francisco Chicora para con la Colonia de Vázquez de Ayllón, Luisillo para con las Misiones franciscanas de Georgia, Magdalena para el intento evangelizador en Florida de fray Luis Cáncer, Luis Saric, caudillo de la rebelión de los pimas, de Arizona, o Estanislao, neófito de la Misión de San José, en California.

En todo caso, D. Francisco Vázquez de Coronado –valga de ejemplo–, cuando se retiró a Nueva España tras su fracaso en colonizar Nuevo México, ordenó la libertad de los indios prisioneros como acto último en su calidad de gobernador de tal provincia (116). Y Oñate, antes de proceder al asalto del peñón de Acoma en 1599, en Nuevo México, para vengar la traicionera muerte perpetrada a un grupo de españoles con Zaldívar al frente, consultó a los misioneros que le acompañaban por las justas causas de la guerra, y sólo tras obtener el parecer favorable de éstos impartió las órdenes que determinaron la sangrienta derrota de los indios zuñis, autores de aquella fechoría (117). Juan Bautista de Anza venció en 1779 al temido caudillo comanche "Cuerno Verde", en castigo a los asesinatos cometidos por los suyos a unos colonos españoles, y no tuvo inconveniente en acceder al poco tiempo a ayudar a dichos indios en sus intentos de establecerse a orillas del río Arkansas, olvidando la cruenta enemistad pasada, pensando tan sólo en sus obligaciones civilizadoras y aportando considerables sumas del erario español, que hicieron posible la construcción del poblado de San Carlos de los Jupes, dirigida por técnicos españoles. Las instrucciones impartidas a tal respecto por el comandante general de las Provincias Internas, Ugarte, pueden iluminar muy favorablemente sobre la política de España (118).

Son curiosos, por otra parte, los ataques a la política española para con los indios, como si ésta sólo fuese culpable de excesos o errores. Los indios de Nuevo México y Arizon son los únicos indios de Norteamérica que habitan las mismas tierras que sus antepasados, y esto se debe a España, que los civilizó y cristianizó. Es un hecho su presencia en los mismos pueblos de antaño (incluso su nombre denota tal influencia) y la conservación por ellos de sus apellidos españoles y de la lengua de Cervantes; así, el gobernador indio de Taos, en 1965, se llamaba Teófilo Romero (el anterior, por ejemplo, respondía por Ceferino Martínez) y hablaba un muy correcto español. Se da con cierta frecuencia la visita a la embajada de España en Washington de indios pertenecientes a tribus con las que dicho país firmó en tiempos Tratados de paz o de alianza. En la Norteamérica del siglo XVIII y XIX, y aun en la acutal, se ha dado la paradoja de verse con simpatía a los indios conquistados por los españoles, sin parar mientes en la dura conducta seguida por los anglosajones con los indios aposentados en sus tierras fronterizas.

Lenguas nativas

Paralelamente a lo que antecede, fueron los españoles quienes primero se ocuparon de las lenguas indias, no sólo en el aspecto práctico de hablarlas, sino en el científico de conocerlas en forma de poder construir sus gramáticas y redactar sus diccionarios, facilitando así la tarea de cuantos deseasen aprenderlas.

55

La primera gramática india compuesta en los Estados Unidos se debe al hermano Báez, de las Misiones de Georgia, y es el padre Pareja el autor de la primera
gramática y vocabulario de los indios timucuas (119). Si esto ocurrió en el Este,
el padre Arroyo de la Cuesta escribió, en la Misión de San Juan Bautista, de California (en la que trabajó desde 1808 a 1823), dos importantes obras sobre la
lengua mutsumi. Dicho padre llegó a dominar 12 lenguas nativas y predicó en
siete de ellas (120). Ni que decir tiene que los misioneros españoles tuvieron, invariablemente, que aprender los dialectos de los indios bajo su cuidado espiritual, y lo mismo los conquistadores. Cabeza de Vaca llegó a hablar seis lenguas
indias y aun más su compañero de fatigas Estebanico (121).

3) ACTIVIDAD COLONIZADORA

PARTICIPACION DEL PUEBLO ESPAÑOL

Los españoles han sido conocidos a lo largo de la historia de los Estados Unidos como "dons", cuya denominación tiene por origen el título y tratamiento que, antepuesto a su nombre propio, usaban los españoles de alguna alcurnia o autoridad que pisaron dichas tierras. Es halagadora la elección del tal nombre, que refleja la alta estima que se otorga a nuestros antepasados que pisaron tal continente. Si el "don" implicaba una categoría social, gusta pensar en que ésta se atribuyera a todos los españoles-norteamericanos en general.

COLONOS PARTICIPANTES EN LAS EXPEDICIONES DESCUBRIDORAS

La participación de nuestro pueblo en la civilización del continente Norte casi coincide con los días inaugurales, y con ello no me refiero a los jefes y soldados de los ejércitos y ni siquiera a los misioneros, sino a loa grupos de colonos, hombres de todas las edades, mujeres y niños, portadores de ganado, aperos de labranza, utensilios de toda índole, semillas, etc., que con el designio de establecerse permanentemente pusieron pie en las nuevas tierras, dispuestos a luchar con las adversidades que acaso se presentasen y abandonando el propio hogar y la patria de origen. El Presidente Reagan, en vísperas de su visita a Madrid en la primavera de 1985, reconoció: "Los hispanos se encuentran entre los primeros colonizadores del Nuevo Mundo, llegaron aquí mucho antes de que los Estados Unidos se hubieran convertido en nación independiente... y han ayudado a crear una vida más rica para todos nosotros".

No hubo mujeres en las expediciones de Ponce de León –ni religiosos– y de Hernando de Soto –con éste en cambio, sí viajaron en 1539 colonos varones–; constityó una empresa fundacional perfectamente preparada la del licenciado

Vázquez de Ayllón en 1526, en Chicora (las Carolinas), desde el momento en que en ella participaron todos los heterogéneos elementos que un establecimiento con aspiraciones de futuro requiere (sexos diferentes, edades diversas, profesiones varias, etc.). El intento de Pánfilo de Narváez en 1528 contó con la presencia de las esposas de algunos de los componentes del grupo de expedicionarios, además de numerosos varones elegidos por su profesión no militar; las mujeres no siguieron, para su fortuna, el desastroso destino que aguardaba a los hombres en su desventurado peregrinaje por la región de Apalache, primero, y por las procelosas aguas del Golfo de México, más tarde. Votaron contra la decisión de don Pánfilo en tal sentido y a favor de zarpar desde Tampa en los barcos en busca de una bahía segura al Norte, y así, partieron no sin augurar al jefe, la más emprendedora de ellas, un completo y luctuoso fracaso para sus intentos.

Llevó a cabo una colonización en regla D. Tristán de Luna en sus esfuerzos por arraigarse en Pensacola en 1559 (123), y nada digamos de los éxitos obtenidos por Pedro Menéndez de Avilés, al fundar en 1565 la ciudad de San Agustín con la participación de dignos representantes del sexo débil, sus parejas y respectivos retoños. Iguales aspiraciones de permanencia tuvo la penetración en los territorios septentrionales de Nueva España por Vázquez de Coronado en 1540, a cuya fuerza guerrera acompañaban colonos y las esposas de tres soldados. Don Juan de Oñate, con 130 familias y 270 varones sin pareja, procedió en 1598 a la colocación de los cimientos del nuevo reino de Nuevo México. En cuanto a California se refiere, bastará recordar la expedición dirigida por Portolá en 1769, que abrió la costa occidental norteamericana a la civilización europea, y la confiada a Juan Bautista de Anza, que, por ruta terrestre a través de Arizona y no sin pasar peripecias, arribó al final sana y salva y pudo proceder a la fundación de San Francisco en 1776. Basten estos pocos ejemplos como símbolo de lo que la colonización española supuso, y sin perjuicio de que, desde otros enfoques, podamos seguir trayendo a colación otras muestras de la aportación del pueblo español al acontecer norteamericano.

En varias oportunidades, como las de los colonos compañeros de Juan de Oñate o de los canarios pobladores de San Antonio, se les concedió la condición de hidalgos.

PROCEDENCIA DE LA INMIGRACIÓN

Muchos colonos españoles vinieron directamente de la Península –como en el caso de Florida, San Antonio, etc.–, pero los más arribaron al continente Norte, procedentes de Nueva España; un buen número había nacido en la España europea, una mayor proporción habían visto la luz en las Españas de América. En cualquier caso, el resultado y la razón de su acción son los mismos. En algunas regiones aparecieron en grupo, siguiendo las huellas abiertas por los conquistadores y misioneros; en otras, se establecieron de forma individual y por iniciativa privada; en numerosas ocasiones, los mismos soldados que componían una partida formaron voluntariamente parte del primer núcleo poblador, y en varias, se quedaron en las tierras descubiertas, en medio de los indios y de las tierras desconocidas, aun cuando el grueso de la expedición marchase (es el caso del soldado Feriada, perteneciente a la de Hernando de Soto, quien, en compañía del negro Robles, fue el primer colono blanco de Alabama, al quedarse a vivir en Coosa) (124). Si la colonización de ciertos sectores se realizó de manera improvisada y anárquica, a base de los elementos disponibles y de los voluntarios que se presentaron, en otros fue el resultado de un maduro plan, para cuyo éxito se pusieron a contribución los medios materiales, personales y de organización en forma y manera que nada tienen que envidiar a los proyectos migratorios modernos.

a) Islas Canarias

Entre los españoles que se trasladaron a Norteamérica a través de un asentamiento organizado, lejos ya los primeros intentos fundacionales, sobresalen los procedentes de nuestras dos provincias insulares: Baleares y Canarias. Los canarios llegaron así a cuatro puntos que, entre otros, merecen recordarse: San Antonio y San Saba, en Texas, Nueva Iberia, en Luisiana, y Florida. Al gobernador de Nueva Orleáns, D. Bernardo de Gálvez, se debe la traída, a expensas del rey, de un grupo de isleños, que, establecidos en la región de Teche, bautizaron a su núcleo central con el nombre de la lejana Península y se dedicaron a la cría de ganados y al cultivo del lino y del cáñamo. En otras partes de Luisiana se extendieron más tarde, conservándose en la hora presente todavía núcleos de descendientes de dichos pioneros (125).

A San Antonio llegó un contingente de canarios en la mañana del 9 de marzo de 1731, después de un viaje de trece meses desde Veracruz de México, y tras haber esperado largo tiempo en Tenerife a la formación de la flota que había de transportarles a La Habana. En el curso del tiempo transcurrido muchos habían muerto y otros habían contraído matrimonio e incluso nuevos seres habían venido al mundo. La Tesorería Real no sólo había pagado, a sus expensas, el viaje y garantizado los fondos y materiales necesarios para construir sus casa, plantar sus campos y mantenerse durante un año, sino que había concedido a los cabezas de familia el título de hidalgo, lo cual habla muy bien de la política social que inspirase tal decisión. Todo tipo de facilidades les fueron concedidas. En julio se puso en marcha la erección del primeramente bautizado San Fernando de Béjar (en honor del príncipe de Asturias, futuro Fernando VI), el único establecimiento civil que en forma tan planeada sería levantado a lo largo del "Camino Real". A los seis meses, los colonos tendrían que repeler –y victoriosamente–, en unión de la guarnición del Presidio de San Antonio, un violento ataque de los apaches (126). De tal núcleo partiría hacia el Norte el grupo que en abril de 1757, bajo la dirección del coronel Diego Ortiz y Parrilla, se establecería en torno al Presidio de San Luis de las Amarillas, no lejos de la Misión de la Santa Cruz (hoy localidad de Menard). Hasta 400 civiles se contarían, la mayoría canarios, que se habían sentido atraídos por las noticias de descubrimientos de importantes minas (127).

El envío de familias canarias a Florida se confió a la Real Compañía de Comercio de La Habana. Se calculan en unas doscientas las llegadas antes de 1763 (127b).

El grupo de isleños baleares más notable establecido en Norteamérica procedió de la isla de Menorca y tuvo por destino de asentamiento Florida. Esta colonización no corrió a cargo de España, sino de un escocés, el doctor Andrew Turnbull, quien consiguió permiso de la Corona británica –durante el período de ocupación inglesa de Florida– para traer en 1767 unos grupos de colonos de Grecia, Italia y España. Reunidos en torno a "New Smyrna", no se mantuvieron por largo tiempo en dicho lugar, y aun antes de terminar la dominación inglesa en Florida, se trasladaron a San Agustín, en la que constituyeron el núcleo principal hispano en la segunda etapa de dominio español. Todavía quedan descendientes suyos en aquel sector de Florida; el conocido escritor norteamericano Stephen Vincent Benet es descendiente de Esteban Benet, uno de los menorquinos de referencia. Parece ser que originarios de esa isla balear hubo también colonos en los establecimientos ingleses de Norteamérica (128). En 1975 se conmemoró su arribo a aquella ciudad, con la inauguración de la estatua del P. Camps.

c) *Vascongadas*

Otro grupo español que por su importancia y consistencia merece destacarse en los destinos de los Estados Unidos es el de los vascos, si bien su llegada ha tenido lugar no en épocas de dominio español, sino durante los años de vida independiente y a partir de mediados del siglo XIX (129). Llegaron los primero con el "gold rush" de California en 1850 y se conocen los nombre de Pedro Altube y Segundo Ugariza. En 1860 un grupo se dirigió a Nevada, en donde, por no hablar inglés, se dedicaron al pastoreo. Pronto se extendieron por Idaho y Oregón. Se cuenta la anécdota del vasco recién llegado, quien creyó que sus compañeros de tren musitaban el rosario sin cesar: masticaban chicle, por el contrario. En cuanto pudieron, los vascos se dedicaron a otras profesiones, permaneciendo tan sólo un 10 por 100 como pastores. Entre 1903 y 1910 fue constante la llegada de nuevos vascos. En 1917 arribó a Norteamérica, en el vapor "Alfonso XII", un contingente de 500 vascos. La inmigración continuó normal hasta las leyes de 1921 y 1924, que implantaron el sistema de coutas en los Estados Unidos (130). Ya en 1917 había aparecido en español la obra de Sol Silem, que, relatando sus aventuras, consiguió una relativa popularidad en Estados Unidos (131).

La afición al "jai-alai" en Florida se inició en 1924 con el frontón de Hialeah (Miami). Debido a ello, comenzo la llegada a los Estados Unidos de otro grupo de vascos que compite con los pastores: los pelotaris. En 1926 se inauguró el "Miami Jai-Alai" y en 1927 el de Chicago, y desde entonces la afición ha ido creciendo. "Dania" es otro frontón cerca de Hollywood, Florida, y cuentan con tal espectáculo las ciudades de West Palm Bech, Daytona, Orlando, Tampa, Quincy, Ocala, Fort Pierre, Melbourne, Miami, en Florida, Bridgeport, Hartford y Milford, en Connecticut; Newport, en Rhode Island; y Las Vegas y Reno, en Nevada. Se calcula el número de pelotaris que en los mencionados frontones juegan unos 200, si bien no todos son vascos (132).

Los vascos-norteamericanos lucharon en la Segunda Guerra Mundial por su país y muchos murieron. En el frente doméstico formaron una compañía enteramente compuesta por vascos, y adscrita a la "Idaho Volunteer Reserve". En 1952 el senador de Nevada, Pat McCarran, consiguió del Congreso el voto de una ley que permitía la entrada en cuota especial de 250 vascos anualmente (133). Como consecuencia, se creó en 1950 la "California Ranger Association", la cual cambió de nombre –"Western Ranger Association"– al participar en ella los otros Estados del Oeste (134). Desde aquella fecha, una ininterrumpida corriente de vascos españoles se ha establecido, asentándose principalmente en Nevada, Idaho y Oregón; los franceses suelen dirigirse a California, Colorado, Wyoming y Montana. Se calcula que se dedican al pastoreo unos 3.000 vascos, procedentes de Vizcaya, Guipúzcoa y Alava, existiendo también un considerable número de navarros (hasta unos 400 de éstos se encuentran en California), e incluso burgaleses y palentinos. Cada pastor atiende a unas 2.000 ovejas (135). Entre los vascos se han destacado algunas personalidades como Peter Echevarría, senador de Nevada; Elizondo, presidente del "Fruit State Bank of Colorado"; Mendiburu, el más rico granjero de California (30.000 ovejas, 25.000 corderos, 20.000 vacas) y Emilia Doyaga, profesora de idiomas. Hay también vascos en la Policía de Nueva York (136).

Es interesante el relato que hace Areilza en sus "Memorias Exteriores" de su presencia en el Festival Vasco de Reno.

Tiene la sede en Fresno, California, la "Basque American Fundation", promotora de las "International Basques Conferences in North America" y editora de la Revista "The Journal of Basque Studies".

d) *Asturianos y gallegos*

Tampa es la ciudad de los Estados Unidos que más nutrida Colonia española ostenta, completada, por supuesto, por otros hispánicos de diverso origen con especialidad de Cuba. Su núcleo original se debió a Vicente Martínez Ybor, un español arribado de Cuba, que en 1886 se estableció en la bahía de Tampa, en el lugar que hoy lleva su nombre y que constituye uno de los barrios de la ciudad. Fundó una fábrica de tabaco primero, y otras se fueron añadiendo. Para trabajar en ellas, muchos españoles procedentes de Asturias y Galicia acudieron a la ciudad y en algunos casos directamente, en otros a través de Cuba. El caso es que hoy en Ybor City, gracias a los españoles y cubanos residentes, tanto originarios de sus países como hijos o nietos de aquéllos, se habla español en las calles, se encuentra uno por doquier a hispanos, los letreros rezan en nuestra lengua y se llega a tener la idea de encontrarse uno en una ciudad no precisamente anglo-parlante. Tampa es sede de un popular Festival en torno a la figura del pirata Gasparilla y de unas fiestas hispanoamericanas (137).

e) *Andaluces y catalanes*

Más de quinientos malagueños participaron en la fundación de Nueva Iberia, Luisiana, dentro del plan de colonización de Bernardo de Gálvez.

Unos cien miqueletes catalanes arribaron a Florida en 1761 (137b). Los catalanes también contribuyeron activamente al descubrimiento y colonización de California; recordemos las personalidades de Gaspar de Portolá y Pedro Fagés (137c).

f) *Sefarditas*

En este recuento de los descencientes de España en Norteamérica no puede faltar una referencia a los sefarditas, descendientes de los judíos expulsados de la Península en 1492, a raíz del Decreto de los Reyes Católicos. Hasta mediados del siglo XIX, eran ellos los únicos judíos que contaban en la vida nacional de los Estados Unidos: los hubo ya establecidos en Nueva Amsterdam –Nueva York– en 1654, a causa del temporal que desvió el barco en que viajaban un total de 23 hombres y mujeres, el "Ste. Stherine", desde Recife rumbo a Amsterdam. A ellos incluyó la exposición "La comunidad judía en el primer Nueva York, 1654-1800", celebrada en esta ciudad en mayo de 1980. En ella aparecían, entre otros, los nombres de dos Gómez y un Rodríguez Pacheco. Durante dicho período la Congregación Shearti Israel fue la única judía en N. York. Se distinguió Mendez Seixas, quien luchó decididamente por la Independencia.

Los vemos en la Georgia de Oglethorpe a mediados del siglo XVIII, sabemos de su influencia en la Nueva Inglaterra colonial y en la independiente. A raíz de los fracasos en Europa de los movimientos liberales de 1848, comenzaron a llegar a los Estados Unidos judíos alemanes o askenasíes en tal cantidad, que los sefarditas se convirtieron en minoría y perdieron su influencia; la arribada en los primeros lustros del siglo XX de sus hermanos hispanolevantinos alivió en algo si situación. Nueva York, Cincinnati, Rochester, Indianapolis, Los Angeles, Atlanta, Montgomery y Seattle se convirtieron en centros del sefardismo, si bien la primera de las ciudades mencionadas albergó una cantidad muy superior a las restantes. En la comunidad de sefarditas de Miami Beach predomina el caso del español. Puede calcularse en unos 60.000 el número de sefarditas habitantes de los Estados Unidos (138).

Los sefarditas apenas se han mezclado con sus hermanos de raza o askenasíes: hay diferencias religiosas, lingüísticas y psicológicas que les separan. A causa de su origen hispano y a los muchos años de residencia en el Imperio turco, los sefarditas conservan en donde habitan su idioma español, sus costumbres y sus hábitos culinarios, y procuran recrear un ambiente similar al que abandonaron; cada grupo regional forma así su pequeño mundo privado, ajeno al que le rodea. Este excesivo localismo ha impedido en ocasiones su progreso, si bien esta situación se ha venido modificando desde 1940, debido a una serie de factores. Gracias a la popularidad creciente del español en el país, las jóvenes generaciones de sefarditas se han dado cuenta del tesoro que han heredado de sus antepasados; por otra parte, el orgullo por pertenecer a una tradición con un pasado noble y por poseer un nombre con honra se mantiene vivo. Se han distinguido, entre ellos. Cardozo, magistrado del Tribunal Supremo de los Estados Unidos, el doctor de Sola Pool, los escritores Mair José Bernardete y Henry Besso. Dejó de publicarse el semanario judío-español "La Vara"; hoy tan sólo ve la luz "The Sephardi", publicado por la Sephardic Jewish Community of America (139).

ACTUAL POBLACION HISPANICA EN LOS ESTADOS UNIDOS

Integran la nación norteamericana, según el censo de 1980, 14,6 millones de personas de origen hispánico (140), aunque se cree con fundamento que alcancen más de los 20 millones si se cuenta a los no censados y a los residentes ilegales (la Coca-Cola dio, a fines de 1985, la cifra de 30 millones). De aquella cantidad, once millones hablan español en su domicilio. Con tal población, los Estados Unidos se convierten en el quinto país de habla hispana (después de México, España, Argentina y Colombia). Los hispanos constituyen la segunda minoría étnica de los Estados Unidos y se prevé que a comienzos de la próxima centuria se colocará ésta en primer lugar, antes que la negra, a la que los analistas políticos denominan "La Bella Durmiente". En los formularios que habitualmente hay que rellenar, en el apartado "origen" aparecen separadas las casillas para "blancos" y para "hispanos".

Según el censo de 1980, la población hispana se halla distribuida así, por Estados (141):

Ala.	33.299	La.	99.134	Okla.	57.419
Alas.	9.507	Me.	5.005	Ore.	65.847
Ariz.	440.701	Md.	64.746	Pa.	153.961
Ark.	17.904	Mass.	141.043	R.I.	19.707
Cal.	4.544.331	Mich.	162.440	S. Car.	33.426
Col.	339.717.	Minn.	32.123	S. Dak.	4.023
Conn.	124.449	Miss.	24.731	Tenn.	34.077
Del.	9.661	Mo.	51.653	Tex.	2.985.824
D.C.	17.679	Mon.	1.786	Ut.	60.302
Fla.	858.158	Neb.	28.025	Vt.	3.304
Ca.	61.260	Nev.	63.879	Va.	79.868
Ha.	71.263	N.H.	8.990	Wash.	120.016
Ida.	36.615	N.J.	491.883	W.Va.	12.707
Ll.	635.602	N.M.	477.222	Wis.	62.972
Ind.	87.047	N.Y.	1.659.300	Wy.	24.499
Ia.	25.536	N.Car.	66.667	Total	14.608.673
Kan.	63.339	N.Dak.	3.902		
Ky.	27.406	Oh.	119.883		

De las cifras transcritas se deducirá cuáles son las áreas de mayor concentración: California y Texas con mexicanos y chicanos; Nueva York y alrededores con puertorriqueños; Miami y condado de Dade, en Florida, con cubanos (también colombianos y centroamericanos); otras zonas como Chicago, Newark, Arizona, N. México, Colorado, etc.

En el sudoeste de los Estados Unidos, según el censo de 1960, portaban nombres españoles: en Nuevo México el 36,5 % de la población; en Arizona, el 17,1 %; en Texas el 13,4 %; en Colorado, el 8,9 %, y en California, el 7,2 %. Con referencia a las ciudades, la tejana Brownsville, el 69,4 %; Laredo, el 85,6 %; El Paso, el 49 %; San Antonio, el 39,3 %; Corpus Christi, el 33,7 % (todas ellas en Texas); Alburquerque, en N. México, el 30 %; Phoenix, en Arizona, el 12,8 %;

Los Angeles, el 7,1 %; Denver, en Colorado, y San Diego, en California, el 5,2 %, y San Francisco-Oakland, el 4,2 % (142).

De acuerdo al mencionado censo de 1980, tienen la siguiente procedencia (143): Mejicanos, 7.693.000; Puertorriqueños, 2.687.000; Cubanos, 598.000; Dominicanos, 171.000; Colombianos, 156.000; Españoles, 95.000; Ecuatorianos, 88.000; Salvadoreños, 85.000; el resto, procedentes de distintos países hispánicos. De dichas cantidades se saca la conclusión de que son mejicanos el 60 %; puertorriqueño, el 11 %; cubanos el 4,1 % dominicanos, el 1,3 %; colombianos, el 1,2 %; españoles, el 0,8 %; ecuatorianos, el 0,7 %; salvadoreños, el 0,7 %; y el resto, el 20,20 %.

La distribución de los anteriores por edad y sexo es así (de lo que se deduce el predominio de los jóvenes y de las hembras aunque éstas sólo desde los treinta), y según el censo de 1980 (143 b) (en miles):

		Menores 5 años	5-9 años	10-14 años	15-19 años	20-24 años	25-29 años	30-34 años
Total	14.609	1.663	1.537	1.457	1.606	1.586	1.376	1.129
Varón	7.280	848	783	747	827	819	697	558
Hembra	7.329	815	754	728	780	767	679	570

	35-39 años	40-45 años	45-49 años	50-54 años	55-59 años	60-64 años	65 años
Total	854	712	622	564	454	321	709
Varón	416	345	300	270	217	147	305
Hembra	438	367	321	294	237	174	404

Ni que decir tiene que las mencionadas cifras oficiales no coinciden con las reales que, como queda dicho, deben ser aumentadas en un 50 % (es el caso cubano de Florida). Ello hace posible que entre los cien nombres más usuales en los Estados Unidos, hoy figure Martínez con el número 8, Rodríguez con el 31, González con el 42 y García con el 44 (144).

Según una encuenta aparecida en El Miami Herald, en septiembre de 1986, reflejando un pronóstico de la Oficina del Censo, hacia el año 2020 la población hispana en los Estados Unidos será de 36.5 millones y hacia 2046 alcanzará los 51 millones. En el 2080 representarán el 19 % de la población (cuando se realizó el censo en 1980 los hispanos suponían sólo el 6,4 % de la población estadounidense).

La cifra de españoles tiene su origen en las leyes migratorias de 1921 y 1924 que, basándose en el número de inmigrantes procedentes de los distintos países europeos en los años anteriores, asignaron una cuota a cada uno, que en lo que respecta a España ascendió a la escasa cifra de 252 por año. Esta anómala e injusta situación ocasionó la formación en la ciudad de Nueva York de un "Comité para el Aumento de la Cuota Migratoria Española", presidido por D. Antonio Pérez. Sobre tamaño tema declararon diversas personalidades ante el Subcomité Número Uno del Comité Judicial de la Cámara de Representates, en Washington D. C., competente en el proyecto de eliminar las leyes basadas en sistemas de cuotas de inmigración (144b). El fallecido Presidente Kennedy –autor del libro "Una nación de inmigrantes", en el que recuerda la presencia de españoles en Norteamérica antes de que las Colonias existieran–, al exhortar a que se enmendasen las leyes migratorias, manifestó que los estatutos deben reflejar con todo detalle "los principios de igualdad y dignidad humana a los cuales nuestra nación se suscribe" (144c); y el Presidente Johnson, en su mensaje a la nación de enero de 1865, declaró: "Al establecer preferencias, una nación que fue fundada por emigrantes de todo el mundo, puede preguntar a quienes buscan hoy asilo, ¿qué puede hacer usted por nuestro país?, pero no, ¿en qué país usted nació?". La nueva ley de inmigración, todavía en vigor, firmada por el Presidente Johnson el 5 de octubre de 1965, enmendó la Inmigration and Nationality Act del 27-6-1952, y abrió nuevas perspectivas a los emigrantes españoles, desde el momento en que suprimió el sistema de cuotas según el origen nacional. Los intentos recientes de establecer una nueva normativa no han cuajado hasta el momento. En cuanto a la cifra real de españoles afincados en el país se calcula que ascienden a los 200.000.

El apéndice recoge la distribución de los Españoles por Estados.

Las cifras anteriores hicieron exclamar al Presidente Reagan: "la extensa población norteamericana de origen hispano nos hace sentir especialmente próximos a España", y (en otro momento) "pocos grupos han contribuido más a esta nación que los norteamericanos de origen hispano".

SUS PROBLEMAS

Son a este respecto muy interesantes la ponencias: del prof. Joaquín Roy, presentada en la III Conferencia Internacional organizada por el ICI y la Universidad de Carolina del Norte, en Madrid y marzo de 1985; y las de los profs. Ricardo Romo, Tomás Calvo y Alfredo Jiménez Núñez, en los coloquios de El Escorial, en junio de 1978.

a) ADAPTACIÓN AL MEDIO

La convivencia de esta población hispánica con la anglosajona dominante en el país suscita una serie de problemas que requerirían amplios comentarios. Nada ocurre de novedoso cuando se trata de un inmigrante individual inmerso más o menos solitariamente en la vorágine de la multitudinaria vida del país: ha de adaptarse y dejarse ser absorbido lo más rápidamente posible, si desea progresar. No sucede lo mismo cuando se trata de un denso grupo de inmigrantes que por razones diversas se concentra en determinado punto o localidad: portorriqueños en Nueva York, cubanos exiliados en Miami, trabajadores mexicanos en California, Texas, Nuevo México o Colorado. La adaptación de éstos es también inevitable a la larga, como ha ocurrido con otros numerosos grupos raciales (italianos, irlandeses, polacos, escandinavos, etc.), pero las modalidades del proceso son diferentes según se trate de posibles votantes –actitud de las autoridades neoyorquinas cada vez más solícitas con los hispanos del Caribe–, o de residentes en regiones fronterizas a México, en donde constituyen –en algunos puntos–

mayoría, o se trate de elementos cualificados culturalmente, como en el caso de los cubanos. Distintos son los problemas que se crean con las poblaciones que son hispanoparlantes no por su procedencia de origen, sino por su condición de descendientes de los colonos establecidos durante la época colonial e incluso la inmediatamente conexa: éstos son ciudadanos norteamericanos, si bien en sus modos de vivir, de hablar, etcétera, se cuentan alejados de sus connacionales anglosajones.

b) DIFICULTADES DE SU INSERCIÓN EN LA COMUNIDAD

En lo que a los españoles se refiere, conviene distinguir con el prof. Ruiz Fornells entre los que emigraron con la intención de establecer en los Estados Unidos una residencia permanente y el grupo formado por quienes temporalmente visitan el país, con un período más o menos prolongado, con un motivo profesional. Interesándonos predominantemente los primeros, se deduce que la emigración española ha apuntado más a su profesionalidad que a su cantidad, llegando la primera oleada con los exiliados de la guerra civil y la segunda al final de los años cuarenta y durante la decena de los cincuenta y continuando en los años posteriores de manera más diluida. Ni que decir tiene que a este grupo, como al exclusivo de profesionales cubanos instalado en Florida, no afectan los problemas que en general padece la minoría hispana.

De cualquier manera, la Conferencia Nacional de los Obispos católicos norteamericanos publicó en 1984 una Carta Pastoral –en cuya redacción intervino el Obispo auxiliar de Newark, el español David Arias– titulada "La presencia hispana: esperanza y compromiso" (144d), en la que resaltaban los valores espirituales de los hispanos para el servicio a la Iglesia y a la sociedad. Ello denota el interés de la jerarquía por tal minoría, a la que se dedican quince obispos, dos de ellos españoles. El III Encuentro Nacional de Pastoral Hispánica (Washington, agosto 1985) fue un punto de unión de los diversos grupos hispanos. No sólo los inmigrantes masivos, de inevitable condición económica y cultural inferior –en gran parte analfabetos–, sino también los descendientes de los conquistadores han sufrido durante mucho tiempo la discriminación a que les sometieron los "anglos" dominadores. En relación con los primeros, parece ser que la situación no ha cambiado mucho: baste recordar los problemas que, por ejemplo, todavía se suscitan con los braceros mexicanos en California, a quienes las autoridades locales no conceden la residencia y tan sólo permiten la firma de contratos anuales que les colocan en situación de inferioridad frente al patrono, que fija salarios bajos, con la protesta, por la competencia que significa para el obrero nacional, de los Sindicatos respectivos. Para César Chávez, el líder indiscutible de los chicanos californianos –en su entrevista publicada en TIME, revista que también le dedicó su portada– "la discriminación que sufre la minoría hispana es cada vez más de índole económica y menos social". También los pastores vascos han sufrido injusticias a lo largo de su historia norteamericana. Del dominio público son las protestas, unas veces a través de la Prensa u otros órganos de difusión, otras por medio de manifestaciones públicas más o menos ruidosas, de los portorriqueños de Nueva York en relación con los problemas de vivienda, escuela, empleo, etcétera. Diferente es la situación de los cubanos anticastristas, quienes, en su mayoría, han recibido desde el comienzo de su exilio eficaces y sustanciosas ayudas de las autoridades federales y locales.

En cuanto a los hispanoamericanos –como ellos mismos orgullosamente se denominan–, la discriminación sajona ha decrecido en los últimos tiempos, sobre todo a partir de la segunda guerra mundial. Lo he podido comprobar en sectores de Texas, Nuevo México y Arizona. En otros, como en Colorado, por ejemplo, sigue siendo difícil para un Fernández o un Gutiérrez –por el hecho de llevar tal apellido– pretender un puesto de responsabilidad en la administración pública: uno de los amigos que logré en el curso de mi viaje a dicha región me confesó que la razón de su fracaso en elecciones recientes había sido su condición racial.

En el coloquio de El Escorial, de junio de 1978, convocado por ACHNA, se alegaron las diferentes circunstancias de los emigrantes hispanos en relación con los europeos: la cercanía de los países de origen, el color de su piel, su clase social y su apellido.

Procede reconocer, sin embargo, que un sello postal de $ 0,20 tiene por protagonista a los "Hispanic Americans" : "A Proud Heritage".

La realidad económica de esta comunidad hispana sigue siendo precaria, y hay quien afirma que últimamente se ha deteriorado, debido en gran parte a la avalancha de inmigrantes ilegales. En 1982 una familia hispana recibía el 68 % del sueldo de una anglosajona, alcanzando una cifra anual aproximada a los 17.000 dólares.

Sin embargo, y debido a la creciente conciencia de su influencia, con vistas a las elecciones, la comunidad hispana, no obstante el talón de Aquiles de su desunión, ha ido formando diversas entidades con propósitos diferentes y con móviles defensivos o de acción: Liga de Ciudadanos Hispanos, LULAC (Latinos Unidos) y La Raza, Organización para Defensa de los Derechos de los Mexicano-norteamericanos y estadounidenses de habla española, Fuerza Hispana 84, Asociación de Educación para el Votante Hispano en USA, MALDEF (en San Francisco), la "Cruzada para la Justicia" (Denver), la "Alianza de los Pueblos Libres (N. México) y la "Southwest Voter Registration", además de unas 160 asociaciones femeninas. En 1971 tuvo lugar en Washington la Primera Conferencia de Americanos de Origen Hispano al concluir la cual se acordó la constitución de un partido político, con la participación de unos mil asistentes. En abril de 1984 se celebró en la misma capital la III Conferencia Nacional de Líderes Hispanos, siendo recibidos en la Casa Blanca por el Presidente Reagan unos cien de ellos. En 1969 el Presidente Nixon había constituido la Comisión Ministerial de Oportunidades para las Personas de Habla Española.

Estos dos últimamente mencionados Presidentes republicanos al igual que sus oponentes demócratas no han podido por menos de valorar en las elecciones que le dieron el triunfo –al igual que Carter– el voto hispano. En 1980 tuvieron derecho a votar nueve millones, en 1984 llegaron a doce. La tendencia habitual ha sido la de chicanos y puertorriqueños a favor de los demócratas, y de cubanos en pro de los republicanos, lo que no impidió que en 1980 el 35 % total votase a Reagan; económicamente los hispanos se sienten más cerca de los primeros, en tanto que ideológicamente se compenetran con los valores tradicionales que Reagan defiende. Y es que la comunidad aporta 270 electores para la Presidencia distribuidos en: 5 Nuevo México, 29 Texas, 47 California, 7 Arizona, 8 Colorado, 21 FLorida y 36 Nueva York.

Otra vía para alcanzar el respeto de sus derechos ha sido la de la huelga: así las de los trabajadores agrícolas en california dirigidos por César Chávez y aun la de los boicots de determinados productos. Fue de ello consecuencia la creación de la "National Economic Development Association", dedicada al desarrollo del grupo.

El caso cubano en Miami y su entorno es distinto del resto, pues, por constituir una minoría calificada, numerosa y concentrada, está pasando a ser mayoría en su zona y mayoría rectora, con lo que no hay riesgo de pérdida de identidad.

Paralelamente ha crecido el número de hispanos participantes de las esferas de gobierno o de puestos importantes en la sociedad: en el Congreso federal, los senadores Joseph M. Montoya y Richard C. Lugar (Paul Laxalt es de origen vasco, pero del sector francés), los representantes Hernán Badillo y Robert García (New York), Eduardo Roybal, Esteban Torres y Matthew Martínez (California), Manuel Luján, (New México), y Albert G. Bustamante, E. (Kika) de la Garza, Henry B. González y Solomon Ortiz (Texas); Jaime B. Fuster, Resident Commissionner de Puerto Rico, Ron de Lugo, Delegado del Territorio de St. Tomás y Ben Blas, Delegado igualmente de Guam; los líderes chicanos César Chávez (California) y Reyes López Tejerina (N. México); los Embajadores Frank Ortiz, John Jova, John Gavin y Alberto Martínez Piedra; los Subsecretarios del Interior para Asuntos Territoriales –sucesivamente– Pedro Sanjuan y Richard T. Montoya; los Gobernadores Toney Anaya (N. México), Richard F. Celeste (Ohio), Ricardo Bordallo (Guam), Rafael Hernández Colón (P. Rico) y Juan Luis (Islas Vírgenes); los alcaldes de una veintena de ciudades como Henry Cisneros (San Antonio), Mauricio Ferré y Xavier Suárez –sucesivamente– (Miami), Alfonso J. Cervantes (St. Louis), Bob Martínez (Tampa); la política demócrata, Amalia Betanzos; la Tesorera de los Estados Unidos (quien firma los billetes de Banco) Katherine Ortega; el Presidente de la Florida International University, Modesto Maidique; el Special Assistant to the President of the United States for Intergovernmental Affairs, Ronald L. Alvarado; el Assistant Secretary for Employment, Dept. of Labor, Frank C. Casillas; la Directora de la oficina de "Public Liaison" de la Casa Blanca, Linda Chávez; el General Charles A. Gabriel, Chief of Staff, U. S. Air Force; Rita Rodríguez, Director del Export-Import Bank; la actriz Rita Cansinos (Rita Hayworth); el Presidente de Coca-Cola, Roberto Goizueta; el Presidente de la Texas Air, Frank Lorenzo, etc.

Una lista –forzosamente incompleta– de personalidades y altos funcionarios incluidos en el "Congressional Directory" se ha agregado a los apéndices de esta obra.

Lo arriba expuesto hace exclamar al referido obispo Arias que desde 1978 el sentimiento de inferioridad ha comenzado a disiparse para transformarse en sano orgullo de ser hispano, sentimiento que se evidencia especialmente en la comunidad cubana de Florida. En este orden de cosas, es oportuno señalar que en 1981 se constituyó en Madrid la "Fundación Latinoamericana para la Cultura" (FLAC) con el objeto de aportar a la minoría hispana los elementos necesarios para realzar, proteger y extender entre sus componentes la lengua española y su cultura.

c) RELACIONES ENTRE SÍ

Aquellos intentos de unión tropiezan, entre otras dificultades, con las no siempre buenas relaciones que existen entre los dos grupos de hispanos: los inmigrantes más o menos recientes y los que descienden de los conquistadores. Estos últimos se sienten próximos a la España histórica y se sentirán fácilmente cercanos a la actual a poco que hiciéramos los españoles por aproximarnos a ellos; muchos pisan ya un terreno firme en su país y dominan el inglés, si bien durante tiempo han estado arrinconados y no han gozado de las facilidades educacionales de sus conciudadanos sajones, parte por razones raciales, parte por el alejamiento entre sí de los poblados hispánicos y las consiguientes dificultades de proveer escuelas superiores a los dispersos muchachos; como consecuencia de ello, su cultura se estacionó durante más de un siglo y su español se puso en peligro de degenerar (o ese es al menos su inevitable complejo). En los tiempos recientes de la posguerra, los matrimonios han dejado de realizarse entre los hispanoamericanos dentro de su círculo racial, los jóvenes se han establecido en otros lugares del país y las nuevas generaciones se hallan en peligro de perder para siempre el domino del español. Por el contrario, los inmigrantes mexicanos, además de numerosos, dominan la lengua española sin complejo –no así el inglés–, atraviesan por condiciones sociales y económicas difíciles que les colocan en un plan inferior con respecto a los descendientes de los antiguos pobladores, se sienten espiritualmente respaldados por su nación de procedencia, México, respaldo de que, en parte, se sienten huérfanos los otros que ni son españoles, ni completamente norteamericanos para los efectos prácticos, ni mexicanos.

Para el diplomático José Ml. Paz Agueras, "la dialéctica entre la «raza cósmica» (de Vasconcelos) y el «melting pot» se manifiesta en muy diversas circunstancias: en la pugna por el bilingüismo, en la preservación de la estructura fundamental de la familia hispánica, en la conservación de usos y costumbres que nos son propios. En defensa de estos intereses se unen mejicanos, cubanos, puertorriqueños y toda la gran familia de pueblos aquí representados, contribuyendo a crear el primer embrión de una comunidad auténticamente hispánica" (144e).

NORTEAMERICANOS NOTABLES DE ORIGEN ESPAÑOL

No faltan personalidades entre los descencientes de españoles que, con sus aportaciones a la cultura patria, han descollado entre sus congéneres y han conseguido un merecido reconocimiento. Recordemos, en primer lugar, al almirante *David Glasgow Farragut*, hijo del menorquín Jorge, quien, vencedor durante la guerra civil norteamericana en Mobile y Nueva Orleáns fue promovido al rango del almirante, el primero en la historia de la marina de los Estados Unidos. Dominaba el español y visitó oficialmente a la reina Isabel II (con tal motivo la famosa poetisa Carolina Coronado le dedicó un comentado soneto) y la isla de su padre en 1867-68, ocasión en la que fue recibido triunfalmente y declarado Hijo Adoptivo. Farragut había incluido en su escudo la herradura, existente en el de sus antepasados (de la que procede el apellido), con la adición de un escuadrón de barcos en línea de batalla formando un círculo. Al regresar a su país, un periódico llegó a proponer su candidatura como posible pretendiente al trono de España, vacante tras el destronamiento de Isabel (145).

Jorge de Santayana es considerado filósofo norteamericano, si bien nació en Madrid en 1863 y jamás renunció a su nacionalidad española. Alumno y profesor en Harvard, escribió en el curso de su vida numerosas obras, es cierto que en inglés, y gozó de merecida fama en el mundo de la filosofía y de la poesía (146).

El *Dr. Walter C. Alvarez,* hijo del Dr. Luis Fernández Alvarez, natural de La Puerta, Asturias, utiliza el apellido materno de su padre y no el paterno, por la costumbre sajona de considerar nombre verdadero el último, lo que originó que ya su padre fuera conocido por su seguno y no por su primero. Su abuelo y padre, respectivamente, fue administrador del Infante D. Francisco de Paula. Huérfano a la edad de trece años, don Luis emigró a Cuba, en donde se educó. A los veinte se trasladó a Nueva York, ciudad en la que continuó sus estudios, y más tarde a Los Angeles y Hawaii, en donde trabajó sobre la lepra. Llegó a ser vicecónsul de España en dicha isla. Walter se graduó como médico en la Universidad de Stanford, y en el curso de toda una vida dedicada a la práctica y a la investigación médicas ha publicado una serie de libros, un millar de artículos en revistas, trabajó durante veinticinco años en la Clínica Mayo y fue profesor de la Universidad de Minnesota, ostentando el título de Emeritus. A la edad de ochenta años dirigió dos revistas médicas y atendía a un consultorio médico en una columna contratada con una cadena de Prensa que controla un centenar de diarios, su nombre era así muy popular. Era, además, académico correspondiente de la de Medicina de Madrid. El más famoso de la familia es el hijo de Walter, *Luis W. Alvarez,* uno de los físicos más distinguidos en Norteamérica, consultor en física del presidente de los Estados Unidos, codirector del gran laboratorio de la Universidad de California y Premio Nobel. Intervino en forma decisiva en la preparación de la bomba atómica e inventó el "ground control approach", que ha salvado la vida a miles de aviadores. Ha llegado a ser Vicepresidente de la Comisión Nacional del Espacio. Un primo de Luis W., Richard, ha tenido activa intervención en la construcción del más grande acelerador del mundo a una milla de distancia de la Universidad de Stanford (147).

El contraalmirante *Luis de Flórez,* hijo de español, nació en Nueva York, organizó la División de Instrumentos de la Aviación Naval durante la primera guerra mundial y, durante la segunda, tomó parte activa en el entrenamiento "sintético" de pilotos mediante un programa revolucionario, que le valió el trofeo Collier en 1943. A él se debe la introducción de instrumentos en los aeroplanos y la instalación de cinturones de seguridad, además de la aplicación de otros 30 inventos a la aviación (148). De importancia en ésta también ha sido el general *Quesada,* quien durante tiempo ostentó la dirección de la Aviación Civil norteamericana. Se afirma que existen en los Estados Unidos unos quinientos descencientes del *Cid Campeador,* que proyectaban constituir "The Society of Sons and Daughters of El Cid".

De apellido español era el *Dr. Worral Mayo,* padre de los Dres. W. J. y C. H. Mayo, credores del hospital que lleva su nombre en Rochester, Minnesota, clínica de fama mundial. *Juan Ortega,* español, fue el primero de apellido hispánico condecorado con la Medalla de Honor del Congreso por su valor a bordo del "Saratoga" en 1864. Marcelino Serna recibió en la Primera Guerra Mundial la Cruz de los Servicios Distinguidos. Durante la Segunda Guerra Mundial, y las de Corea y Vietnam 31 hispanos recibieron la Medalla de Honor.

Nacidos en España, son hoy ciudadanos norteamericanos un grupo de emigrantes personalidades que han contribuido de manera sobresaliente al progreso de las ciencias y las artes: *Dr. Severo Ochoa,* director del Departamento de Bioquímica de la Universidad de Nueva York y Premio Nobel de Medicina de 1959; *Dr. Ramón Castroviejo,* oftalmólogo de fama mundial y primero en perfeccionar el transplante de córnea, así como su sobrino, *Pedro Ramón Escobal,* matemático del proyecto espacial "Apolo"; *Dr. Rafael Lorente del No,* miembro del Instituto Rockefeller para Investigaciones Médicas y autoridad mundial en neurofisiología; *Dr. Santiago Grisolia,* director del Departamento de Bioquímica de la Universidad de Kansas; *Dr. José Rodríguez Delgado,* eminente profesor de neurofisiología en la Universidad de Yale; *Dr. Francisco Grande Covian,* reputado experto en materias de nutrición, en la Universidad de Minnesota; *Dr. José Luis Sert,* decano de la Facultad de Arquitectura de la Universidad de Harvard, *Dr. Emilio Núñez,* magistrado del Tribunal Supremo del Estado de Nueva York; etc. Han participado también en el acontecer del país y se han dado en él a conocer, el leridano profesor *Juan Oró* (premiado con la medalla de Alexander I. Oparin, de la Sociedad Internacional para el Estudio de los Orígenes de la vida (ISSOL); el pintor *Salvador Dalí;* el maestro *José Iturbe;* el músico *Xavier Cugat;* el maestro de la guitarra *Andrés Segovia;* el escultor *José de Creeft;* los cantantes *Julio Iglesias, Raphael* y *Rocío Jurado;* el pintor *Adolfo Estrada;* el guitarrista de flamenco *Carlos Montoya;* el investigador *Barnacid;* el bioquímico *Jordi Casals;* el *Dr. Luis Delclós,* especialista en radioterapia; el filósofo *Ferrater Mora;* los historiadores *Javier Malagón* y *Guillermo Céspedes;* los científicos *Cuatrecases* y *Cabrera;* los sociólogos *Juan José Linz Storch, Angel Palerm* y *Alberto Francés;* el internacionalista *Quero Morales;* el matemático Aguilar; el arquitecto *Martín Domínguez;* el profesor de copto *P. Bellet;* el investigador de circuitos integrados *Angel Goñi;* el hombre de negocios *Albert Fernández;* el jefe del Departamento de fotografía espalcial de la NASA *Suárez Estévez;* el científico *Cardús.* De aquí la publicación del libro "Cerebros españoles en USA" de Alfredo Gómez Gil y del trabajo de Alfredo Giner-Sorolla "Contributions of Hispanic Scientists in the United States", y la fundación de la activa "Asociación de Licenciados y Doctores españoles en los Estados Unidos" (ALDEEU) (149).

En cuanto al director cinematográfico *Walt Disney,* existe disparidad de opiniones sobre su origen étnico. Autoridades afirman el nacimiento de su padre, José Guirao y de su esposa Isabel Zamora, en España, y hay quien sostiene que su hijo José Luis vio la luz en Mojácar (Almería) y no en Chicago, el 5 de diciembre de 1901. Al parecer, dichos inmigrantes murieron prematuramente en esta ciudad del Middle West, y el pequeño, juntamente con su hermano, fue adoptado por Elías Disney, quien le dio su apellido. Después tomó el nombre de Walter. Así, José Luis Guirao Zamora se transformó en Walt Disney (150).

En el mundo hollywoodiano también se destacó, en su época de oro, el madrileño Antonio Moreno, quien, como compañero de Greta Garbo, Mary Pickford y otras estrellas, formó parte del triunvirato de "conquistadores latinos" que tanta popularidad alcanzó en el cinema mudo (con Rodolfo Valentino y Ramón Novarro). Murió en 1967 a la edad de ochenta años (151). Interpretó al famoso héroe californiano "Cisco Kid" el actor español Duncan Renaldo, fallecido en Los Angeles en 1980.

LA MUJER HISPANA

Hasta este momento hemos intentado conjuntamente valorar la participación en las tareas civilizadoras de Norteamérica del misionero, del conquistador y del pueblo español, en general, pero no hemos hecho suficiente hincapié en la aportación de la mujer hispana en tal empresa. Su intervención puede calificarse en momentos de cardinal, en las más veces de ejemplar, no falta ocasión en que de asombrosa.

Si Norteamérica quedó incluida en 1513 en el mundo occidental, por medio de Ponce de León, ello es debido a una española. Don Juan, el gobernador de Puerto Rico, había alcanzado todo lo que un hombre renacentista podía apetecer: gloria, poder, dinero, etc., pero le faltaba el amor, y éste aspiró a encontrarlo en la persona de *Beatriz de Córdova*, hija de una antigua amada y mucho más joven que él, por tanto. Cuando amargamente se lamentaba de esta ausencia de juventud, necesaria para lograr un correspondido amor, se enteró por unos indios que en unas islas al norte, "Bimini", existía una fuente, la bebida de cuya agua proporcionaba la juventud. Con la pasión de un joven, se dejó ilusionar por la historia, por lo que, abandonando cuanto poseía, se lanzó a la desconocida aventura. Así, fue descubierta Florida y así encontró la muerte (en realidad por las heridas que le causaron en la segunda expedición) el viejo enamorado de una bonita joven española (152).

Si el Este debe tan romántico nacimiento a una mujer, el oeste de los Estados Unidos debe su permanencia en el mundo occidental y su exclusión de la influencia rusa a los ojos de otra española, *Conchita Argüello,* hermana del gobernador del Presidio de San Francisco, que se puede decir que hipnotizó al conde ruso Rezanov, quien apareció en 1805 por las costas californianas en misión expansiva encomendada por el zar. El amor que se declaró en el ruso por la española le hizo canalizar sus ímpetus hacia la obtención –por parte de su soberano y del rey español– del permiso necesario para su matrimonio. No tardó en realizarse su partida en busca de tal objetivo, y con ella la desaparición del serio peligro de un establecimiento de los rusos en California. El hecho de la muerte en el viaje de ida a Siberia del enamorado galán, y la consiguiente reclusión bastantes años más después en un convento de su joven amada, no añaden más que unas notas románticas a esta novela en la que el porvenir de tan importante parte de los Estados unidos se puso tan en juego (153).

Merece no olvidarse en este breve recuento la figura de *sor María de Agreda,* monja que ha tenido enorme impacto en los destinos de España a través de la correspondencia que sostuvo en materias de gobierno con el monarca entonces reinante, D. Felipe IV, y caso estraordinario de bilocación en lo que a Norteamérica se refiere. El 22 de julio de 1629 aparecieron en la Misión de Isleta, cerca de El Paso, 50 indios humanos insistiendo en su deseo de recibir en sus tierras a los misioneros para ser bautizados: pasados veranos habían acudido con semejante petición, sin conseguir ser atendidos, debido a la falta de misioneros.

Pero esta vez no ocurrió lo mismo, porque a poco tuvieron noticias de la llegada a México del nuevo arzobispo, D. Francisco Manso y Zúñiga, procedente de España, quien traía instrucciones de averiguar lo que hubiera de cierto en las visitas a las tierras del Río Grande de sor María de Agreda, acerca de las cuales esta monja –que no se había movido materialmente de su convento en la provincia de Soria– daba todo género de detalles, así como de los indios a quienes había predicado la religión de Cristo. Preguntados los indios, confirmaron haber recibido la visita de una "dama vestida de azul" (a semejanza de la monja de la misma Orden, madre Luisa de Carrión, cuya pintura se encontraba en la casa del misionero de Isleta), joven y que les había predicado el cristianismo; al ser preguntados cómo no habían comentado antes tal suceso, respondieron que no habían sido cuestionados sobre ello y que, además, suponían que la dama y sus movimientos eran conocidos por los misioneros. Ante semejante noticia, partieron sin demora con los indios humanos fray Juan de Salas y fray Diego López, quienes fueron recibidos entusiásticos en su tierra, en torno a una cruz adornada y en procesión de acuerdo con los consejos de la "dama azul" que les había visitado recientemente. Indios de otras tribus vinieron a poco solicitando igualmente el bautismo, también por consejo de la misteriosa "dama", que les presentaba con totales apariencias de carne y hueso.

Tras oír dichos informes, el superior franciscano de la provincia, fray Alonso de Benavides, resolvió viajar a México e incluso a España para confrontar con la monja de Agreda las informaciones facilitadas por sus misioneros. Así lo hizo, y el 30 de abril de 1631 se entrevistó en el convento con sor María. Ella le confesó haber sido transportada por sus ángeles guardianes a Nuevo México, al que visitó por vez primera en 1620 y en multitud de ocasiones desde entonces; reconoció fray Alonso –de cuando había acudido éste a bautizar a los pueblos Piro, ceremonia en la que ella estuvo presente– y describió con detalles la visita de fray Juan y fray Diego a los indios humanos, así como la persona de fray Cristóbal Quirós, misionero muy conocido en Nuevo México. El visitante informó con asombro a sus superiores, y durante los años posteriores quedó en las tierras de Río Grande –considerables extensiones de Texas incluidas– la profunda huella de las visitas de la "dama", tradición que todavía puede palpar quien recorra aquellas regiones (154).

Entre las damas españolas dignas de mención por la aportación de sus virtudes patrias al acontecer de las nuevas tierras muchas podrían citarse; a guisa de ejemplo, sirvan las figuras de *D.ª Eufenia de Sosa Peñalosa,* esposa del abanderado de la expedición de D. Juan de Oñate, quien tomó la dirección de la defensa de San Juan contra los indios levantiscos en momentos en que el grueso del ejército se hallaba presente en la expedición contra Acoma en 1599 (155); *D.ª Luisa de Trujillo, D.ª Damiana Domínguez de Mendoza, D.ª Petronila de Salas, D.ª Lucía, D.ª María y D.ª Juana,* de la familia de Leiva, todas ellas muertas heroicamente –las primeras, junto con sus hijos– en la rebelión de los indios pueblos de 1680 (156); las *tres esposas* de tres soldados de la expedición de Vázquez de Coronado, quienes supieron ser fieles compañeras de sus maridos y cabalgar más de 10.000 kilómetros en circunstancias no ciertamente confortables, sirviendo, al mismo tiempo, de ayuda y alivio a lo expedicionarios (157); *D.ª María Dolores Valencia de Grijalva,* quien acompañó –con sus dos hijas, Josefa y María del Carmen– a su marido, Juan Pablo, en la ruda marcha que desde Sonora a California el grupo dirigido por Anza realizó con el objetivo final de fundar San Francisco (158), etc., etc. En otro orden de cosas, quizá proceda recordar a *Manuela Ramón,* hija del gobernador de San Antonio (Texas), quien en la primavera de 1716 casó con el conocido explorador francés Louis Jucherau de St. Denis, dulcificando en lo posible las relaciones hispano-francesas, bastante enconadas por tal época, como consecuencia de la intromisión gala en territorios considerados por los españoles como propios (159). Merecen también mencionarse las relaciones amorosas entre Teresa de Leyba, hermana del gobernador español de San Luis, y el caudillo independentista Clark, las cuales no terminaron en matrimonio debido a la entrada en un convento de aquélla, al no prever "equivocadamente" –a causa de su prolongada ausencia por la guerra– la decidida actitud casamentera del galán.

También la *mujer india* colaboró en la empresa española de la colonización de Norteamérica: cuando Hernando de Soto desembarcó en Florida, en 1539, tuvo la agradable sorpresa de encontrarse con un compatriota denominado Ortiz, que había acompañado a Pánfilo de Narváez en su fracasada expedición diez años antes; capturado, prisionero, había estado a punto de morir, condenado por el cacique del lugar, lo que hubiera ocurrido de no haber sido salvado de tan temprano –y trágico– fin por la enamorada hija del jefe. Tal circunstancia tuvo importantes consecuencias para la expedición de Soto, ya que la ayuda de Ortiz como intérprete (había aprendido los dialectos nativos en los años de cautiverio) le fue extraordinariamente preciosa al caudillo español hasta su muerte en la batalla de Mabila. Dicha romántica aventura se adelantó en casi noventa años a la similar del capitán Smith, salvado de muerte segura en Virginia por el amor de la india Pocahontas (160). También hallaron importante ayuda en indias Cabeza de Vaca y sus tres supervivientes compañeros cuando, en noviembre de 1535, se aproximaron a la actual región de El Paso (Texas) (161).

4) ACTIVIDAD CULTURAL

INFLUENCIAS ESPAÑOLAS EN LA LITERATURA, MUSICA Y ARTE DE ESTADOS UNIDOS

Con el fin del ejercicio de la soberanía en los territorios norteamericanos no terminó, para el mutuo beneficio de las culturas española y estadounidense, la influencia de España y de lo español en los dominios del Tío Sam.

A) EN LA LITERATURA

En este aspecto es definitivo el documentado estudio del profesor Stanley Williams (162). Numerosas noticias de esta obra se encuentran esparcidas en la presente; como la transcripción de la mayoría de su contenido acarrearía el uso de una considerable parte de espacio, encuentro más útil remitir al interesado a la lectura de tan notable trabajo, bien dotado de abundante bibliografía. En él aparecen los cimeros nombres de Ticknor (el gran historiador de la literatura española), Prescott (el biógrafo de la reina Isabel), Lowel (el autor del precioso librito "Impresiones sobre España"), Washington Irving (creador de los *Cuentos de la Alhambra,* biógrafo de Cristóbal Colón y persona que influyó con su hispanismo en su país), Irving Babbit (crítico en "Light and Shades of the Spanish Character"), Bryant, Longfellow (el traductor de Jorge Manrique), Bret Harte (con sus románticos relatos sobre la California española), W. D. Howells (conocedor de Galdós y Palacios Valdés y admirado por Unamuno), Mark Twain (con sus quijotescos y sanchopancescos Tom Sawyer y Huckleberry Finn), Gertrude Stein (autora de "Tender Buttons"), Maxwell Anderson (a quien se debe "Noche sobre Taos" en la que se dramatiza la tensión producida por la llegada de los "anglos", a Nuevo México entre 1840 y 1850), John Dos Passos (con "Rocinante vuelve al camino"), Eugenio O'Neill (su drama "La Fuente" tiene a Ponce de León como protagonista), Hemingway (discípulo autodeclarado de Pío Baroja y padre de las novelas "Por quién doblan las campanas" "The sun also rises" y

"Muerte al atardecer"), Steinbeck (autor de la novela "La copa dorada", por escena la América de España, y tripulante de "Rocinante", el "jeep" en que recorrió su país en compañía de su perro "Charlie"), Tennessee Williams (cuyo repertorio dramático incluye "El Camino Real", crítica de la sociedad moderna, con intervención, en función de símbolo y contraste, de "Don Quijote"), Thorton Wilder (novelista, en "El puente de San Luis Rey"), Archibald McLeish (autor del poema "El Conquistador"), Waldo Frank ("España Virgen"), James A. Michener ("Iberia"), etc.

Procede recordar aquí que la primera representación teatral que se dio en el ámbito de los Estados Unidos fue hablada en español y escrito su texto por uno de los capitanes de D. Juan de Oñate, Marcos Farfán de los Godos. Tuvo lugar en las cercanías de El Paso, con ocasión de la toma de posesión, el 30 de abril de 1598, del reino de Nuevo México por aquel general español. Escrita la pieza para tal oportunidad, sus ensayos se sucedieron a toda prisa: trataba de la llegada de los franciscanos a la región, sus caminatas, sus encuentros con los nativos, sus prédicas del Evangelio y sus éxitos en conseguir la conversión. La segunda comedia representada –se ignora el nombre del autor– tuvo por actores los componentes de la misma expedición y fue puesta en escena el 8 de septiembre del mismo año en San Juan (Nuevo México); acabó con un simulacro de lucha entre moros y cristianos (163).

Esta afición a las representaciones teatrales se continuó en los tiempos sucesivos y ha perdurado en el Sudoeste hasta nuestros días. Se ofrecen, así, todavía "Los Moros y Cristianos", anteriormente mencionados; "Adán y eva", en Atrisco, cerca de Alburquerque; "El niño perdido", en Cañón de Taos; "Los Pastores" y "Los Reyes Magos", en San Antonio y Santa Fe, todas ellas habitualmente en español y, a veces, en reciente traducción inglesa (164).

Por otra parte, el primer libro redactado dentro de los confines del país se debió al hermano Domingo Agustín Baez, jesuita de las Misiones de Georgia, en 1569: una gramática sobre la lengua de los indios de Guale (Georgia) (165). Y la primera descripción del territorio de la Unión se halla en la obra "Naufragios", de Alvar Núñez Cabeza de Vaca, publicada en 1542.

Dando un tremendo salto en el tiempo, quizás proceda recordar la existencia actual en los Estados Unidos de una serie de escritores de calidad, en español, que han hecho posible la constitución de la Academia de la Lengua Española, con sede en Nueva York. También debe dejarse constancia de la realidad de la literatura chicana, con cultivadores de varia actitud y en número creciente, utilizando un castellano erosionado –intérprete de las gentes del grupo mexicanochicano– y mezclándolo a veces con el inglés. Existe incluso la Editorial chicana Tonatiuh International, creada en 1976, y que otorga premios literarios. En el verano de 1983 la Universidad Menéndez Pelayo de Santander dedicó un seminario al teatro chicano. En este sector, Luis Valdez fundó en 1965 el "Teatro Campesino" y ha estrenado obras como "Los Vendidos" o "El Soldado Rago".

B) EN LA MÚSICA

Puede notarse el impacto español en los compositores de música sinfónica y en el del folklore, más bien en las regiones otrora dominios del rey de España.

Dejando aparte la enorme popularidad de los aires musicales de los países al sur del Río Grande, los que, en definitiva, llevan en sí la impronta española y pueden aportarse como tal contribución, es digna de destacar la supervivencia de las canciones traídas por los conquistadores en el Sudoeste y en el Oeste. En determinadas épocas del año, dicho folklore especialmente revive, como en el caso de los villancicos y la danza de los matachines en Navidades, o de los alabados en Semana Santa: unos y otros pueden escucharse y contemplarse en Texas, Nuevo México, Arizona y Colorado, así como comprarse los correspondientes discos, con gran encanto impresionados. Un pujante folklore vasco existe actualmente en las regiones habitadas por tal grupo regional, como Idaho, Nevada, Oregón y California. En cuanto a la presencia de la música española en Estados Unidos y a las influencias españolas en la música norteamericana, el lector interesado debe consultar la interesante obra del profesor Gilbert Chase, "The music of Spain" (166), quien dedica un capítulo a los compositores sinfónicos Louis Moreau Gottschalk, Charles Martin Loeffler, Harl McDonald, Emerson Whithorne... El tema de las Misiones, por ejemplo, ha servido de inspiración al citado McDonald en los dos nocturnos bautizados "San Juan de Capistrano" y, en el segundo tiempo, "Misión", de su segunda sinfonía subtitulada "Rumba"; y Me redith Wilson, en su segunda sinfonía en Do mayor, "Misiones de California", dedicó su tercer tiempo al vuelo de las palomas y a su franciscana leyenda (167). Hijos de españoles han sido el pianista y la bailarina Emilio y Teresita Osta (167 bis).

C) EN LA ARQUITECTURA Y OTRAS ARTES

Aparte de la influencia genérica que el potente arte español haya podido tener en los artistas norteamericanos, hay algunos aspectos específicos que quizá valga la pena marcar. Es un hecho que los edificios más antiguos existentes en los Estados Unidos son obra de España: algunos no tendrán otro valor que su ancianidad; la mayoría reúnen, además, una serie de condiciones estéticas que les hacen acreedores a figurar en la vanguardia de la historia del arte de dicho país. En la arquitectura militar no existe edificio comparable al Castillo de San Marcos, en San Agustín, que si reúne bellas proporciones y se destaca artísticamente del paisaje urbano y martíimo que lo rodea, puede ostentar con orgullo haber cumplido sin titubeos el fin para que fue construido; su inexpugnabilidad ante los muchos ataques ingleses y de piratas que sufrió. En la arquitectura religiosa, los ejemplos de las conocidas Misiones californianas y de las menos populares y todavía más artísticas de San Xavier del Bac, en Arizona, y de San José, en San Antonio (Texas), podrían presentarse en un concurso a convocarse sobre el máximo logro de la compenetración de los genios artísticos europeos e indígena. No existe construcción en los Estados Unidos que muestre unos valores estéticos comparables a los de San Xavier del Bac. En el terreno de la arquitectura civil, por doquier han quedado rastros españoles, y ya sean algunas casas en San Agustín, "La Villita" en San Antonio, la "Avila Adoba" en Los Angeles, y las componentes de la calle de España, en Santa Bárbara; ya el "Vieux Carré" de Nueva Orleáns; ya los palacios de los gobernadores de San Antonio y Santa Fe; ya el Presidio de Monterrey, en California, junto a otros muchos ejemplos coleccionables, son aportaciones de un incomparable valor por su antigüedad y sus méritos intrínsecos (168).

Este tipo de genuina arquitectura española ha influido en el curso del presente siglo en muchos arquitectos, que en todo el ámbito del país, y con especialidad en Florida y California, lograron poner de moda el llamado estilo colonial español en torno a los años veinte. Entre ellos se destaca Addison Mizner. El libro de R. W. Sexton sobre el tema (169) es suficientemente explícito, y a su través vemos tal presencia en los planos, en los exteriores, en la distribución interior, en los materiales empleados (tejas, azulejos, hierros, etc.) y en los muebles que las alhajan. Dicho estilo es especialmente propio en los climas semitropicales, en los que se disfruta de la vida al aire libre y se aprovecha la luz, el aire y el sol, al mismo tiempo que se guarda una cierta intimidad. La palabra "patio" ha sido incorporada al lenguaje común americano, y su existencia es cada vez más resaltada con la moda creciente de contar con piscinas particulares. El estilo español tiene, además, la ventaja de ser opuesto a la simetría –cualidad ésta poco en boga en la actualidad–, por lo que ofrece grandes posibilidades y variaciones. La casa española forma parte del paisaje, y su configuración y materiales actúan siempre en función de aquél. Los colores también juegan, y el blanco de la cal o rojo de los ladrillos de las paredes, el negro de las rejas y el colorado o gris de los tejados se insertan en la plasticidad total que debe buscar una obra arquitectónica. El interior de la casa española típica es sobrio y artístico, y éste es un aspecto en el que la moda española se está imponiendo de nuevo en la decoración norteamericana. Los anuncios de elementos de madera o de hierro, de esparto o de paja, para muebles, alfombras o decoración están a la orden del día en los periódicos de todo tipo publicados en el ámbito de la Unión.

Una serie de residencias en Palm Beach, Santa Bárbara, San Diego, Beverly Hills, Denver, Washington D. C., etc., ostentan, pues, el estilo español. En Palm Beach, por ejemplo, se encuentra en la casa de Mr. Joshue S. Cosden el fresco de José M.ª Sert "Simbad el Marino". Pero también otro tipo de edificaciones han sido influidas por él, tales como una de las más importantes casas funerarias de Sacramento, el magnífico Palacio de Justicia de Santa Bárbara, etc. Varias de las principales Universidades han recibido también la impronta española en sus edificios: mientras en la de Texas, con sede en Austin, predomina una especie de estilo Renacimiento español, en la de Stanford, cerca de San Francisco, es el arte romántico el que impera, siendo en la Universidad de California, en Los Angeles, en cambio, el estilo mudéjar el que más sobresale. Si la Universidad de Colorado es un modesta versión de la arquitectura rural española, la de Rice, en Houston, acusa la influencia del estilo Renacimiento español. Por su parte, en la Universidad de Nuevo México sus modernos edificios siguen la línea típica de las construcciones de adobe que elevaron los españoles, tomando como base las que encontraron en los poblados (pueblos) indios. Este tipo de construcción de adobe ha sido resucitado en todo el área de influencia neomexicana, y hoy pueden contemplarse por doquier, y con notable logro artístico en Santa Fe (casa de Correos, estación de gasolina, Museo de Arte Folklórico, etc.), en Taos, etc.

El Empire State Building, en Nueva York, recuerda por su esbeltez y ascendentes líneas a la Giralda sevillana. La Alhambra de Granada sirvió de modelo –si bien con poco éxito– al edificio que hoy alberga la Universidad de Tampa, en la ciudad de este nombre. El inconfundible estilo del catalán Gaudí se muestra impetuoso en las Watts Towers, en California, en las que una serie de mosaicos debidos a Simón Rodia adornan los muros exteriores de cemento, con la riqueza propia del arte del decorador del parque Güell, de Barcelona. El arquitecto valenciano Rafael Guastavino, nacido en 1842 (murió en 1908), emigró a los Estados Unidos, llevando consigo la rica experiencia del sistema llamado comúnmente de bóveda catalana. Lo perfeccionó en este país y lo patentó con el nombre de "sistema Guastavino", acerca del cual escribió dos libros. Le ayudó y sucedió en su sistema su hijo Rafael, fallecido en 1950. Desde 1880 a los años de la segunda guerra mundial, la popularidad del sistema fue enorme, y se cuentan por cientos en el país los edificios cuya bóvedas se han construido siguiendo tal procedimiento: estaciones del "metro" de Nueva York, la capilla de la Universidad de Columbia, la Biblioteca Pública de Boston, la estación neoyorquina del ferrocarril de Pennsylvania, etc. Esta aportación española a la arquitectura norteamericana está siendo valorada por el profesor de la Universidad de Columbia George R. Collins (170).

Son importantes las obras de arte creadas durante el período español en las distintas Misiones, muchas de las cuales se conservan todavía en el área de los Estasdos Unidos: un comprensivo estudio sobre las pinturas californianas es el debido a Norman Neuerburg.

En la técnica de la ilustración y del dibujo, los artistas norteamericanos han debido mucho a Daniel Urrabieta Vierge que recibió el nombre de "padre de la ilustración moderna". En él se hallan la mayor parte de los avances que en el siglo XIX realizaron los Estados Unidos en tal campo; fue el momento en que los artistas dirigían para la ilustración sus miradas a España: Rico, Fortuny, etcétera (171).

Está fuera de duda, por ejemplo, el impacto producido en Sargent por el arte y la civilización españolas: las "Dolorosas" le impresionaron profundamente, y su mejor cuadro es el titulado "El jaleo", de logrado ambiente flamenco y notable expresividad.

En los últimos años la fotografía ibérica ha tenido una activa presencia en los Estados Unidos con nombres como Centelles, Massara, Ortiz-Echagüe, Carlos Bosch, Daniel Canogar y tantos otros.

PRESENCIA ESPAÑOLA EN BANDERAS, ESCUDOS Y OTROS SIMBOLOS ESTATALES

Todos los Estados de la Unión tienen su bandera, escudo, sello, lema, apodo, flor, pájaro, árbol, animal y canción particular, que en sus diferentes facetas sirven para diferenciarlos y caracterizarlos (172). También en algunos de estos aspectos aparece España de un modo u otro, como vamos a ver a continuación. La bandera de *Alabama* es blanca, con la purpúrea cruz de San Andrés abarcando sus cuatro esquinas: aquí se ve la influencia de los estandartes traídos por los españoles a América y utilizados a partir de que el Ducado de Borgoña recayera en el emperador Carlos V y fuera heredado por sus sucesores, los reyes de España. El escudo de Alabama tiene cuatro cuarteles, más uno central, flanqueados por un águila a cada lado y un barco velero por cimera: el cuartel superior derecho se compone de dos castillos y dos leones ibéricos (173). La enseña de *Arizo-*

na, dividida horizontalmente en dos mitades, representa en su sector septentrional el sol poniente por medio de siete franjas rojas alternando con seis gualdas que parten en forma de abanico desde una estrella de cinco puntas emplazada en su centro. El pabellón de *Arkansas* –colorado, blanco y azul– contiene tres estrellas, debajo de la palabra "Arkansas", que simbolizan a Francia, España y los Estados Unidos, los tres poderes que han gobernado allí durante su Historia. Curiosamente, *California* no guarda en sus insignias recuerdo alguno hispánico.

La divisa de *Colorado* consta de tres franjas horizontales, una nívea entre dos azules; en su costado izquierdo, y ocupando la banda central y parte de las otras, se halla una gran "C" bermeja, con amarillo el espacio comprendido en su concavidad; los colores también sirven aquí para honrar la ascendencia española del Estado. El distintivo de *Florida* se asemeja al de Alabama, pero en el centro de la Cruz de San Andrés se halla un círculo que contiene un paisaje y un letrero indicando que se trata del sello oficial. La encarnada Cruz de Borgoña sobre fondo blanco ondea en el Castillo de San Marcos de San Agustín, como reconocimiento a su historia pasada. En la actual bandera de *Luisiana* no hay particular que interese a nuestro propósito, pero procede señalar que cuando el Estado se declaró independiente de la Unión, en 1861, se confeccionó un emblema con blancas en el inferior: los dos primeros colores eran en homenaje a España "por su suave y paternal gobierno", según declaró el representante Elgée en la Convención de 11 de febrero (174). El lema del Estado de *Montana* es "Oro y Plata" (en español). El árbol representativo de *Nevada*, el "Piñón", una variedad de pino, que conserva la "ñ" castellana. La bandera de *Nuevo México* despliega en un campo de oro el rojo Sol simbólico de los indios Zia, en cromático tributo a la Madre Patria; el pájaro del Estado es el chaparral; la flor, la yuca, y el árbol, el "piñón". *Oregón* incluye una carabela en su escudo, en recuerdo de los navegantes españoles.

Por otra parte, hay ciudades e instituciones en cuyos escudos se evoca a España: en el de Mobile se incluyen los castillos y leones, y el de St. Augustine es un reproducción del imperial de Carlos V. La Universidad de la ciudad de Toledo (Ohio) ha adoptado como propio el aludido escudo imperial, con un lema en español que dice: "Coadyuvando el presente, formando el porvenir".

EL IDIOMA ESPAÑOL EN LOS ESTADOS UNIDOS

No puede faltar en un trabajo como éste una referencia a la presencia de la lengua española en Norteamérica, referencia que se dividirá en cuatro partes: el español aprendido, el español hablado como lengua propia, el español como lengua oficial e influencias del español en el inglés. Aquí se presenta inevitablemente una reflexión: paralelamente al progreso del español aprendido entre los norteamericanos en general, se verifica un retroceso de nuestro idioma como lengua propia. Y no es que ambos procesos tengan relación alguna entre sí: más bien el primero está ayudando a evitar que el segundo acelere su decadencia, desde el momento en que el hispanoparlante, nacido en los Estados Unidos, recibe un aliento para mantener el idioma de sus antepasados en la comprobación de la moda por que pasa el español entre sus compatriotas anglófonos, al mismo tiempo que se encuentra, con respecto a éstos, en una posición de privilegio al poseer con el castellano un instrumento que le abre una sere de posibilidades económicas y sociales de las que carecen los no hispanoparlantes. Las nuevas generaciones, sobre todo a partir de la última gran guerra y como consecuencia de los muchos jóvenes que salieron de su región y se pusieron en contacto con otros países y, lo que es más, con otras áreas del propio, han alcanzado un total dominio del inglés, a expensas de sus conocimientos del español. De esta forma, si los elementos responsables de que el español no se pierda como lengua propia en diversos sectores de los Estados Unidos, no ponen los medios necesarios para fomentar la enseñanza del idioma, en pocos años veremos reducido el idioma español a un mero recuerdo histórico como instrumento propio de los nacidos en el continente norte de América. Las nuevas y masivas inmigraciones, y la Bilingual Education Act aparecieron como esperanzadores correctivos. En 1973 tuvo su comienzo la "Liga Nacional Defensora del Idioma Español". Superó los diez años de edad la "Academia de la Lengua Española en los Estados Unidos", con sede en N. York, formada por miembros de vario origen nacional.

Con posterioridad se aprobó la Ley de Educación Bilingüe en 1978 sujeta a prórroga a partir de 1985. De cualquier manera, la administración Reagan ha manifestado invariablemente sus reservas hacia la educación bilingüe y ha suscitado como método alternativo el ESL ("English as a Second Language").

a) EL ESPAÑOL, LENGUA APRENDIDA

Resumen histórico

Desde los primeros tiempos de la Colonia fue conocido y practicado por una "élite", la cual experimentó un notable aumento cuando las relaciones comerciales con las Indias Occidentales se desarrollaron. En las distintas provincias, y con especialidad en Nueva Inglaterra, en Virginia y en Filadelfia, se tienen noticias de la existencia de notables conocedores del castellano, de bibliotecas conteniendo libros en español y de profesores que se dedicaban a la noble tarea de su enseñanza. Cuando tratemos cada una de dichas áreas, insistiremos más sobre el tema. Por el momento baste recordar el interés por la enseñanza del español de personalidades como Franklin o Jefferson, y el progreso que su estudio alcanzó en el curso del siglo XIX, siendo quizá la Universidad de Harvard –con la cátedra Smith, en la que profesaron Ticknor, Longfellow y Lowell– y de Virginia las adelantadas en la materia. A comienzos del siglo XX el estudio del español no había alcanzado en realidad gran difusión, y era sobrepasado ampliamente por el del francés y el alemán (no se olvide que en las convenciones fundacionales de Filadelfia se planteó la posibilidad de declarar el alemán como idioma oficial de la nueva nación y no el inglés, y que en Estados como Colorado se usó durante muchos años como lengua oficial junto al inglés y el español). Con la primera guerra mundial la enseñanza del alemán decayó enormemente, en tanto que la del español aumentó de forma muy considerable.

Tras la segunda guerra mundial, el renovado interés norteamericano por la América hispánica, la formación de una conciencia nacional sobre la necesidad de dominar las lenguas extranjeras si se quiere mantener el dominio político y, en lo que se refiere concretamente a España, el desarrollo de una corriente turística geométricamente progresiva, el interés por el español ha aumentado de forma extraordinaria en los tres niveles de enseñanza primaria, secundaria y universitaria (175). El aumento del alumnado ha tenido como previo requisito el del profesorado, el cual se ha nutrido en parte con los muchachos que hicieron la guerra y que, al conocer países extranjeros y salir del aislamiento continental, comprendieron la necesidad del dominio de las lenguas; colaboró en los últimos años el establecimiento de los Institutos de Lenguas, de acuerdo con el programa de la "National Defense Education Act", funcionando la mayoría en verano y en el ámbito de los Estados Unidos, si bien algunos con sede en países extranjeros que, en lo que se refiere al español, fueron México, Ecuador, Argentina y España (en 1967, en El Escorial) (176). Junto a estos cursos financiados por el Gobierno federal, muchas Universidades organizaron por cuenta propia sus cursos especializados de idiomas; en este campo le corresponde un lugar preferente a Middlebury College, que fundó en 1917 la Spanish School, a base de profesores nativos (177). La "International Education Act" de 1966 modificó, en parte, la ley anteriormente citada, ampliando las posibilidades de la ayuda federal para las enseñanzas de lenguas extranjeras (178). Es interesante también la "Foreing Languaje Assistance Act" patrocinada por el Congresista Paul Simon.

Interés actual por el español

El número de las secciones de español (y en múltiples ocasiones de Departamentos) en los Colegios y Universidades (no olvidemos la inclusión de aquéllos en la Enseñanza Superior) ha ido aumentando extraordinariamente en los últimos años, sobrepasando la cifra del millar (179). Lo mismo puede decirse de los Institutos independientes y Asociaciones que ofrecen el español como uno de los atractivos para lograr más alumnos o miembros. Parecida favorable coyuntura se verifica en los grados de enseñanza primaria y secundaria, en los que nuestro idioma es el más enseñado después del inglés. La situación resumida de la enseñanza del español es la siguiente: en las "secondary schools", los alumnos de las escuelas públicas matriculados en español en 1974 ascendían a la cifra de 2.064.364, y de las escuelas privadas alrededor de un 10 por 100 de la matrícula total; en los Colegios y Universidades (comprendidos los "junior colleges") los alumnos de español en 1980 totalizaron la cifra de 379.379, desbancando a los alumnos de francés (248.361). En dicha época, en los Estados de Nuevo México, Texas, Arizona, Florida, Nevada, California y Oklahoma, el 50 por 100 de los estudiantes de los grados 9-12 de aquellas escuelas públicas estudiaban español (180).

La Orden de 1 de julio de 1965, del Gobierno de California, hizo obligatoria en las escuelas elementales de este Estado la enseñanza de un idioma extranjero. Con este motivo, el español, que desde hacía seis o siete años se aprendía en muchas instituciones, ha pasado a ocupar el primer puesto, casi sin excepción, entre los elegidos por los estudiantes. En algunos puntos llegan éstos a alcanzar un alto porcentaje, en relación con la totalidad de los alumnos inscritos; por ejemplo, en La Cumbre, el 76,3 por 100; en La Colina, el 66 por 100, y en Goleta Valley, el 54,6 por 100 (181). A partir de 1975 se ha impartido la instrucción bilingüe en español e inglés en el Estado de Nueva Jersey siempre que exista un 20 % de alumnos con conocimientos limitados de inglés.

Desde hace 8 años el SEPI (South East Pastoral Institute) ofrece en Miami un curso intensivo, denominado "Inmersión en el idioma español".

Intercambio cultural hispanoamericano

Tan numerosa dedicación, como en diferente medida a la de otros idiomas, ha sido y está siendo promovida por el Gobierno federal y por una serie de importantes instituciones educacionales (incluyendo en éstas no sólo los centros de enseñanza) y, en el caso que nos ocupa de España, asimismo por el Gobierno de Madrid y una serie de organismos interesados en la materia. Tal política de fomento lingüístico se centró desde el principio en la concesión de becas de diferente condición para estudiar en el extranjero tanto a profesores como a alumnos, tarea que en la etapa del boicot internacional a España quedó a la iniciativa aislada de instituciones e individuos y que, a partir de los pactos hispanoamericanos de 1953, fue concretándose hasta consolidarse en un Acuerdo Cultural que, firmado en Madrid en 1958, abrió una serie de posibilidades a los estudiosos e intelectuales de ambos países, y que fue completado por uno de "Cooperación Cultural" en forma de intercambio de cartas entre los ministros Rusk y Castiella en Washington, el 8 de octubre de 1963, y por otro de financiación de los programas de intercambio cultural, firmado en Madrid, en 1964. Basado aquel acuerdo en una Ley del Congreso, número 584 de 1946, posteriormente modificada en 1961 por la "Mutual Educational and Cultural Exchange Act", número 256, que recibió el nombre de "Fulbright-Hays", el acuerdo ponía a la disposición de la Comisión que se constituyó (Comisión de Intercambio Cultural entre España y los Estados Unidos, con Ramón Bela como director ejecutivo) los fondos procedentes de la venta de los excedentes agrícolas norteamericanos en España, fondos que en un principio ascendieron a la suma de 100.000 dólares anuales y que después llegaron a cifrarse en la de 400.000; con posterioridad, el programa Fulbright bajó, fijándose las aportaciones españolas y norteamericana en partes iguales. En el Convenio de Amistad y Cooperación, de 6 de agosto de 1970 ambos Gobiernos reconocieron la importancia del programa y se comprometieron a impulsarlo, abriendo con ello una esperanzadora etapa. Junto a los mencionados textos jurídicos, la "U. S. Information and Eductional Act" (Smith-Mundt) de 1948 y la "Foreing Economic Assitance Act" de 1950 vinieron a proporcionar en su día recursos que coadyuvaron, en mayor o menor medida, en la campaña educacional de que nos ocupamos. Con posterioridad varias instituciones privadas españolas como el Banco de Bilbao y la Caixa de Cataluña, y algunos Ministerios como el de Sanidad y Consumo, y el de Economía y Hacienda contribuyeron al programa, cuyo presupuesto total alcanzó la cifra de cinco millones de dólares. El 24 de enero de 1976 se firmaron los acuerdos de cooperación entre Estados Unidos y España; dentro de este tratado se incluyen dos acuerdos complementarios el número 3 para la cooperación científica tecnológica y el número 4 para la cooperación educativa cultural.

Estos acuerdos complementarios vienen a suplir el llamado NMA, basado en el acuerdo de cooperación del 6 de agosto de 1970. Este tratado amplía de forma considerable las posibilidades de relación entre España y los Estados unidos puesto que se asignaron siete millones de dólares; cuatro millones seiscientas mil para ciencia y tecnología y dos millones cuatrocientas mil en educación cultural.

En virtud de los acuerdos del 14 de mayo de 1983, estas cantidades se incrementaron hasta doce millones de dólares, dividido así: siete millones para ciencia y tecnología, cinco millones para educación y cultura, que más o menos con los cinco millones para el programa Fulbright se llega a una cifra superior en algunos momentos a los diecisiete millones de dólares que constituye la cantidad jamás gastada por España en un acuerdo de intercambio de personas y conocimientos con ningún país del mundo.

Han concedido y conceden becas para estudiar el español en España, entre otras instituciones norteamericanas, el Departamento de Estado, la "Agency for International Development" (AID), el "American Field Service", el "Experiment on International Living" y las fundaciones "The Good Samaritan" y "Del Amo"; y por parte de España, colaborando en dicha labor de difusión del español, la Dirección General de Relaciones Culturales del Ministerio de Asuntos Exteriores y, de manera esporádica, otras entidades, como el Consejo Superior de Investigaciones Científicas, el Instituto de Cooperación Iberoamericana (antes de Cultura Hispánica) y la "Fundación March".

El Departamento de Estado en Washington funcionó en este campo a través de su "Bureau of Educational and Cultural Affairs", el cual asignaba la tarea de supervisión de la distribución de las becas a una Junta especial. Con el Departamento de Estado colaboraron tres Agencias, que son las que materialmente llevaron a cabo el programa que aquel organismo les confía: 1) "The Conference Board of Associated Research Councils" para las becas de conferenciantes, investigadores y profesores universitarios; 2) "The Institute of International Education" (con sede central en Nueva York) para estudiantes graduados, y 3) la Oficina de Educación del Ministerio federal para la Salud, el Bienestar y la Educación, en lo que se refiere a los profesores de primera y segunda enseñanza. En cierta fecha posterior, la competencia del Departamento de Estado sobre este tema pasó a USIA (Agencia de Información de los Estados Unidos), la cual actúa en colaboración con el Instituto General de Cooperación y el CIES. El "American Field Service" y el "Experiment of International Living" son instituciones privadas que se ocupan de estudiantes de bachillerato y les proporcionan ocasión, además de estudiar, de vivir en el ambiente de una familia española.

La "Good Samaritan" debió su fundación al español D. Elías Ahuja, quien en 1880 se trasladó a los Estados Unidos, en los que consiguió una considerable fortuna. Tras una temporada en su país natal, regresó a los Estados Unidos en 1937 y constituyó la fundación de referencia con el objeto de ayudar a los muchachos de ambos países en los estudios a realizar en el territorio del otro. La "Fundación del Amo" se debe al Dr. Gregorio del Amo, quien la creó en 1929 en California, teniendo por objetivo primordial el promover las relaciones culturales entre España y California meridional. Ni que decir tiene que las instituciones mencionadas, así como conceden becas a los norteamericanos para estudiar en España, también otorgan facilidades a los españoles para ampliar sus conocimientos en los Estados Unidos (182).

Realiza destacada labor la Asociación Cultural Hispano Norteamericana (ACHNA), constituida en Madrid en 1954, a base principalmente de los antiguos estudiantes en EE.UU.

Aparte del curso veraniego, organizado en tiempos en Burgos, para los profesores de español de segunda enseñanza de los Estados Unidos, con cargo a los fondos Fulbright, y de los Cursillos de Preparación a profesores de español para las Universidades norteamericanas, del entonces Instituto de Cultura Hispánica, en la Universidad Internacional de Santander, una numerosa serie de instituciones educacionales de dicho país establecieron en España en los años sesenta y principios de los setenta cursos de diversa índole y duración. Sin ánimo de enumeración exhaustiva, valga recordar los invernales de las Universidades de Nueva York (otorga en España hasta el grado de "master"), California, Stanford, Vanderbilt, Pennsylvania State, Michigan, Purdue, Indiana, Bowling Green, Mid-Florida, Georgetown, Tulane, St. Lawrence, Maryland, John Hopkins, St. University of N. York at Postdam, idem at Hasper, the City University of N. York, San Francisco y Marquette y de los "Colleges" Middelbury, Newcomb, Bryn Mawr, Queens, Smith, Mary Baldwin, Elmira, The California State Colleges, Kalamazoo, Temple Bruell, Lake Forest, Wesleyan, Marist y el Instituto de Estudios Europeos, de Chicago; y los veraniegos a cargo de las Universidades de San Francisco, Hartford, Ohio Wesleyan, Kansas y Florida State, el Marymount College, y las entidades Choate School Spanish Program, Academic Year Abroad, School Boys Abroad, American Institute for Foreign Study y Classrooms Abroad (183). Como muestra de la popularidad creciente entre los norteamericanos de los estudios en España, basta dar la cifra (en la que no se incluyen los norteamericanos matriculados en los distintos cursos de verano) cercana a los 2.000 para los asistentes al curso completo 1966-1967. Tras el curso 1968-1969 se dio un aumento en dichos programas, calculándose en una cifra superior a 200 las becas concedidas (184) y a 4.000 el número de estudiantes norteamericanos. En 1972 alcanzaron los 5.000.

El Instituto de Cooperación Iberoamericana mantiene unos cursos especiales dedicados al reciclaje de profesores de origen hispano en los Estados Unidos. Algunas Universidades españolas, como las dos de Salamanca, imparten cursos de verano para extranjeros, cuyo alumnado americano cabe calcular entre seis y ocho mil.

En 1979 se terminaron 149 tesis sobre temas literarios españoles.

Asociaciones e instituciones. Revistas

Entre las asociaciones que deben mencionarse por sus relaciones con el tema están la "Modern Language Association of America" (MLA), que tuvo su nacimiento en 1883 y que al año siguiente comenzó a publicar su magnífica revista (cinco números al año) titulada *PMLA,* en la que aparecen artículos redactados en todas las lenguas modernas. Han figurado en la nómina de sus presidentes algunos notables hispanistas, como James Russell Lowell, Charles Carroll Marden, Rudolph Schevill, S. G. Morley y Hayward Keniston. Esta Asociación se reúne anualmente y publica una muy útil lista de los decanos y jefes de los Departamentos de Lenguas de los Colegios y Universidades norteamericanos, así como de los miembros de la Asociación, que han de ser profesores de enseñanza superior (185).

Paralelamente existe –y celebra sus reuniones– la "American Association of Teachers of Spanish and Portuguese" (AATSP), iniciada en 1915, pero que no comenzó a funcionar hasta 1917, en que se celebró la primera reunión. Acoge a todos los profesores de español, cualquiera sea el grado de la institución en que enseñen, y su nómina se aproxima en la actualidad a la cifra de 40.000 (lo cual no quiere decir que a ella pertenezcan todos los que se dedican a la enseñanza del español). Publica una muy buena revista trimestral *Hispania,* y ayuda a los profesores a encontrar un nuevo acomodo si desean cambiar de institución (186). Ha celebrado dos reuniones en España, la última en agosto de 1986.

Para reunir a todas las asociaciones regionales de profesores de lenguas, se fundó la "National Federation of Modern Language Teachers" (luego se añadió el nombre "Associations"), en la que fue admitida la de profesores de español; lanzó la publicación *Modern Language Journal,* de la que fue director durante mucho tiempo el gran hispanista Henry Grattan Doyle.

La "Sociedad Nacional Hispánica Sigma Delta Pi" merecería ser mejor conocida en los países de lengua española, por la entusiasta labor que realiza en pro de lo hispánico y por los cálidos términos que usa al realizar cualquier tipo de actividad: su lema es "el amor por todo lo noble y bello que haya salido de la venerable España", y su escudo, cuatro cuarteles con castillos y leones con un círculo central conteniendo las tres letras griegas y una corona real por cimera. Fundada en la Universidad de California, en Berkeley, en 1919, se declaró Sociedad Nacional en 1925, cuando ya contaba con seis capítulos regionales. Hoy se cuentan hasta 184, extendidos por diversas Universidades y Colegios de los Estados Unidos. Son admitidos en "Sigma Delta Pi" aquellos profesores y estudiantes que han manifestado un particular entusiasmo por los hispánico y la lengua española y que se han hecho acreedores de tal distinción.

La ceremonia de recepción en el seno de dicha sociedad, a la que sólo asisten los iniciados, en una atmósfera de misterio y de oscuridad (no hay más luz que la de las velas), está repleta de emocionantes detalles hispánicos desde el color rojo de la vela con lazo amarillo que ha de sostener el catecúmen y el clavel reventón –flor española– que se le prende al discurso de las Armas y de las Letras de "Don Quijote" y un párrafo de Azorín, que en voz alta se leen, o el juramento que se exige a los doctorados en armonía con el lema comunitario. Los más prominentes profesores han formado y forman parte de "Sigma Delta Pi", de la que fueron presidentes honorarios Tomás Navarro Tomás, S. Griswold Morley y Leavitt O. Wright. Ha hecho mucho por su auge el profesor James O. Swain (especialista en Blasco Ibáñez), quien ejerció el cargo de secretario de ella durante catorce años. Le sucedieron F. Dewey Amner y Stuart M. Gross. El Boletín *Entre Nosotros* informa a los socios periódicamente de las actividades de los Capítulos, en las que se alternan representaciones teatrales con conferencias, sesiones de cine con artículos o libros, todo en torno al tema hispánico (187). La "Sociedad Honoraria Hispánica" acoge a estudiantes de enseñanza secundaria.

Otras instituciones que mucho han realizado por la difusión de la lengua y de la cultura hispánicas han sido la "Hispanic Society of America", fundada por Mr. Archer M. Huntington, en Nueva York (188); la "Hispanic Foundation", de la Biblioteca del Congreso, en Washington, debida al mismo gran hispanista (189); y el "Instituto de las Españas", de la Universidad de Columbia (190). En esta institución se publica desde 1934 la *Revista Hispánica Moderna,* continuación de la anteriormente editada *Revista de Estudios Hispánicos* (191). La "Basque American Foundation" edita "The Journal of Basque Studies".

En muchas Universidades y Colegios norteamericnos existen Institutos especializados en el estudio de la América hispánica, y casas en las que los alumnos viven en un ambiente totalmente español, lo que les facilita la adquisición del dominio de la lengua (192). La Universidad de Florida, en Gainesville, publica, en colaboración con la Biblioteca del Congreso, el "Handbook of Latin American Studies"; la Universidad de Pennsylvania da a la luz trimestralmente su *Hispanic Review*, fundada en 1933; y la Universidad de Duke, con su *The Hispanic American Historial Review* informa cuatro veces al año de las novedades más notables en el campo de la historia hispánica, lo mismo que hace *The Americas* de la Academia de la Historia Franciscana Americana (193). Dos números lanza anualmente la "Revista de Estudios Hispánicos" de la Universidad de Alabama (esta enumeración es a título de ejemplo).

Hispanistas

Parece llegado el momento de hacer justicia a los Hispanistas norteamericanos, recordando al menos su existencia. Un largo estudio merecían, pero el hecho de haberse ya escrito éste en más de una ocasión y la presente e imperiosa necesidad de ser breve, me impulsan a enumerar a continuación tan sólo aquellos no consignados en otras páginas de este libro: E. C. Hills, Fitz-Gerald, Alfred Coester, Luquiens, Claude Anibal, Harry C. Heaton, E. K. Mapes, George Tyler Northup, Charles E. Chapman, F. Courtney Yarr, Edwin Place, Charles Wagner, Donald Walsh, y J. Brown Scott, y más recientemente, Paul Horgan, Gilbert Chase, Curtis Wilgus, Charles Arnade, Michael Kenny y los profesores King, Willis, Schraibman, Roberto Lado, Marguerite Rand, Nicholson Adams, Stoudemire, Keller, Blankenship, Del Greco, Kronik, Shoemaker, Urbanski, Carter, Don Walter, Dowling, Flys, Miron Peyton, Elias River, Tatum, Inman Fox, Swain, Thomas, McPheeters, Andersson, Castañeda, Hesse, McCurdy, Espinosa (padre e hijo), matrimonio Schevill, Knowlton, etc.

Sean rememorados igualmente, entre los hispánicos que con ellos han colaborado: Felipe Fernández, Félix Merino, León de la Costa, Miguel Cabrera de Nevares, Julio Soler, Luis F. Mantilla, Angel Herrero de la Mora y Javier Vingut en los tiempos pasados, y en los más recientes: Marichal, Durán, López Morillas, Jorge Guillén, Ferrán, Serís, Rosa Martínez, Sofía Novoa, María Madariaga, Casalduero, Da Cal, matrimonio del Río, Ayala, Navarro Tomás, García Lorca, González López, Florit, Oliver Bertrán, García Mazas, Llorens, Américo Castro, González Muela, Blanco Aguinaga, Supervía, Solá Solé, Rodríguez Castellano, Rojas, J. Corominas, Sánchez Barbudo, Sánchez Romeralo, Galmés, Lagos, Alborg, Lendinez, Salinero, Roca-Pons, Bleiberg, Gullón, Insfrán, Sobrino, Fernández, Jorrín, Sender, Ruiz Fornells, Onís, Barcia, Sánchez Reulet, Montesinos, Rodríguez Moñino, Betanzos, Roy, Santamaría (194).

b) EL ESPAÑOL, LENGUA PROPIA

La presencia histórica de España en parte del territorio de los Estados Unidos y las inmigraciones, a partir de su independencia de hispanoparlantes procedentes de México, Cuba, Puerto Rico, España y otros países, han motivado que el español sea hablado como primera lengua en la actualidad por un número muy considerable de ciudadanos norteamericanos y residentes en su territorio, en cifra que sobrepasa los seis millones y medio de personas. Es indudable que después del inglés es el idioma más oído en sus contornos, seguido a gran distancia por el francés, que todavía se utiliza como lengua nativa en las zonas limítrofes a la provincia canadiense de Quebec y en algunos sectores del Estado de Luisiana. A aquella cifra hay que añadir la de los ciudadanos de ascendencia hispánica, que, no obstante haber nacido en Norteamérica y tener el inglés como idioma propio, conservan el uso del español.

Es sorprendente viajar por los Estados Unidos y escuchar en áreas distantes de su geografía la lengua de Cervantes, usada en cada lugar con peculiaridades propias. Haciendo caso omiso del castellano hablado por las distintas colonias o sus sectores de próxima influencia (españoles, mexicanos, portorriqueños, cubanos), no puede uno por menos de admirarse de la manera cómo se ha conservado nuestro idioma introducido en las épocas de la Colonia. Así ocurre en los Estados de Nuevo México, Arizona, Colorado, Luisiana, Texas y California, y en menores áreas en Florida, Nevada y Alabama (Mobile). Hay algunas diferencias, por ejemplo, entre el español hablado en Nuevo México y en Arizona, e incluso dentro de cada una de estas regiones pueden observarse también matices: en la ciudad de Tucson, además del normal en el sur de Arizona, existe el utilizado por los indios Yaquis y el Pachuco. El Pachuco, especie de jerga, inventada en 1930 en El Paso, Texas, y extendida más tarde –sobre todo, al término de la segunda guerra mundial– por California (Los Angeles) y Arizona, es un lenguaje basado en el español, mezcla de anglicismos, localismos mexicanos y regionales, palabras castellanas cambiadas en significado, o en forma, o en ambas cosas, y vocablos inventados, que usan los jóvenes componentes de determinados "gangs" o pandillas –con cometidos frecuentemente al margen de la ley– con los predominantes objetivos de diferenciarse y de no ser entendidos por los extraños al grupo. Es tan curioso el fenómeno del Pachuco que incluso se han grabado canciones en tal jerga, algunas de ellas en la voz de Lalo Guerrero, como la denominada "La Pachuquilla", con el éxito que supone la venta en pocos meses de 60.000 discos (195).

En el Estado de Luisiana se conserva el español, entre otros sectores, en la Parroquia de Sr. Bernard y en los denominados "brulis" (parroquias "Ascensión" y "Assumption"), existiendo entre ellos diferencias de habla como consecuencia del origen "isleño" o canario de los habitantes del primero, y de la mayor influencia del francés sufrida por los del segundo (196). Da gusto oír el español charlado en San Antonio, Texas, y en todo el sudoeste de dicho Estado, así como en buena parte de Colorado, especialmente en su mediodía, fronterizo con Nuevo México.

De todo el Sudoeste, es en Nuevo México y en el sur de Colorado en donde el español original, el importado por los colonos en los siglos XVI y XVII, mejor se conserva, conteniendo una serie de arcaísmos hoy desaparecidos de la Península Ibérica e incluso de muchos países americanos; semejante fenómeno se explica por el mayor aislamiento en que se ha mantenido hasta hace pocos años con respecto a México y a las influencias anglosajonas, en comparación con lo acaecido en Texas o en California. No es raro oír a un neomexicano la palabras *asina, agora, morar, mesmo,* etc. De apreciarse algunas influencias idiomáticas procedentes del gran país situado al sur del Río Grande son más bien adscribibles al nahualt, lengua de los aztecas, que al español-mexicano. Dada, por otra parte, la considerable ausencia de cultura literaria en el Nuevo Reino en los periódicos de dominio hispano, nada tiene de extraño que el profesor Aurelio M. Espinosa califique al español de Nuevo México como el hijo más aislado del español del Siglo de Oro (197).

Otro fenómeno de perseverancia del español es el caso de los chamorros de la isla de Guam, en el Pacífico. Dicha herencia se ha visto protegida a través de los tiempos gracias sobre todo a la acción de las órdenes religiosas.

Es, por otra parte, un hecho negativo la extendida existencia del "spanglish", que incorpora al español palabras y expresiones inglesas incorrectamente modificadas.

Radio, T.V. y Prensa

Prueba de la vitalidad de la lengua española en los Estados Unidos son las 120 estaciones de radio y las 18 de televisión que transmiten en ella, aparte de las 300 emisoras que transmiten 20 horas por semana en español. Las cadenas de TV SIN y LATINET han alcanzado gran cobertura. Una cifra aproximada de 100 periódicos se publican en el país, teniendo por destinatarios los sectores hispánicos (hay otros con mercado predominante en los países al sur del río Bravo). De éstos son diarios: los difundidos "Diario de las Américas" y la versión española del "Miami Herald" (Miami), el "Diario-La Prensa" (N. York), "La Opinión" (Los Angeles), "El Continental" (El Paso) y el "Laredo Times" (Laredo).

En relación con el tema del periodismo es curioso destacar que en Luisiana, mientras en tiempos españoles sólo se imprimió un periódico titulado "Moniteur de la Luisiane" (en francés), salieron a la luz en los años subsiguientes a su incorporación a los Estados Unidos diversas publicaciones periódicas en español, a saber: "El Misisipi", "El Mensagero Luisianés", "El Telégrafo", "El Español", "El Correo Atlántico", "Avispa de Nueva Orleáns", "El Iris de la Paz", "La Patria, periódico mercantil, político y literario; único órgano de la población española de los Estados Unidos", "La Unión", "El Indicador", etc., en Nueva Orleáns, y "El Mexicano" en Natchitoches, a lo largo de diferentes años y alguno hasta en 1869 (200).

La necesidad de que las agencias de noticias ofrezcan una mayor información sobre los hispanos de los Estados Unidos fue puesta de manifiesto en la I Conferencia Nacional sobre Medios de Comunicación en español celebrada en 1982 en la Universidad de California, en Los Angeles.

c) EL ESPAÑOL, LENGUA OFICIAL

No vale la pena referirnos en este epígrafe a los tiempos de dominio español. Sí, en cambio, a la suerte de nuestra lengua en las épocas posteriores de incorporación se nuestros antiguos territorios al mundo anglosajón. En lo que se refiere a Nuevo México, el español ha sido el idioma oficial desde 1846, cuando el general Stephen Watts Kearny ordenó –precisamente el 18 de agosto, dos días después de la toma pacífica de Santa Fe por las Fuerzas Armadas de los Estados Unidos– la confección de la obra "Organic Laws and Constitution". Desde entonces, el español pudo usarse en situación parigual a la del inglés en el Parlamento y en los Tribunales, y más cuando, en 1910, se incluyó en la Constitución estatal una cláusula disponiendo la publicación de las leyes en inglés y en español. Aun ahora en la Legislatura estatal se traducen al español las leyes modernas, en los Tribunales de Justicia y en los juzgados puede hacerse la defensa civil, si hay necesidad, en nuestro propio idioma, con ayuda eficaz de traductores; en los diarios se leen todavía los edictos y anuncios legales tanto en inglés como en español y, en fin, los derechos y privilegios de los ciudadanos pueden protegerse y promoverse en ambos idiomas. En el Estado de Colorado el español ha sido lengua oficial hasta el año 1921, y podía utilizarse indistintamente con el inglés en el Congreso y en los Tribunales de Justicia. Más o menos semejantemente sucedió con los Estados heredados de México por el Tratado de Guadalupe Hidalgo de 1848, que convirtió, en verdad, a los Estados Unidos en una nación bilingüe. La Constitución de California, promulgada dicho año, declaraba que "todas las leyes, decretos, reglamentos y disposiciones cuya naturaleza requiera su publicación deberán ser redactadas en inglés y en español".

Por decisión del Estado de Nueva York, los ciudadanos norteamericanos de habla española pueden jurar la Constitución en español y, por tanto, votar; esta decisión promovió reclamaciones de las minorías polaca, rusa, etc., que fueron rechazadas por los Tribunales, basándose en que hay un Estado de la Unión –Nuevo México– en donde la lengua española es también oficial y, por tanto, sus ciudadanos pueden votar sin saber inglés. El Gobierno federal aprobó igualmente una ley que hacía posible a los ciudadanos de habla española votar en su idioma, siempre que hubiesen ido a la escuela, a través de todos los grados, bajo la bandera norteamericana, es decir, a los portorriqueños, a los nacidos en la zona del canal de Panamá y a los filipinos anteriores a la independencia.

La ciudad de Miami (Florida), por su parte, cuenta desde comienzos de 1967, y por decisión de su Ayuntamiento, con dos idiomas oficiales, de modo que el español y el inglés pueden ser usados indistintamente tanto en los actos públicos como en los privados; ello se debe a la gran masa de población hispana concentrada en ella, especialmente exiliados cubanos. Por la mismas razones, tal normativa se extendió en 1973 a todo el Condado de Dade.

Con ocasión de la Hemisfair 1968, celebrada en San Antonio (Texas), el español fue considerado en todo el Estado durante el año como idioma oficial, junto al inglés.

La "Civil Rights Act" de 1964 se opuso a toda discriminación por razón del origen, raza, color, religión o sexo. El "Gabinet Committee on Oportunities for Spanish Speaking People" se creó en 1969 con el propósito de promover el acceso de los hispano-parlantes a los cargos públicos. Las "Voting Rights Acts" de 1965 y 1975 eliminaron requisitos relacionados con la lengua. El "Bilingual Ballot" ha sido promovido por el Fondo Portorriqueño de Defensa Legal". El Estado de Florida creó hace tiempo una "Comisión Estatal Hispana", presidida por el abogado cubano Rafael Peñalver, la cual se preocupa de la provisión de empleos estatales a los miembros de la comunidad hispánica, tema del foro público convocado en Wynwood en agosto de 1986. Algunos Estados han admitido los exámenes de conducir en español, entre otros el de Florida, de lo que he sido personal beneficiario.

d) EL ESPAÑOL, INFLUYENTE EN EL INGLÉS

Eruditos ha habido que han dedicado su esfuerzo y sus conocimientos al estudio de la presencia del español en el inglés hablado y escrito por los norteamericanos: valga como ejemplo "A dictionary of Spanish Terms in English", del profesor Harold W. Bentry (201). Esta influencia es mayor de lo que a primera vista pudiera parecer, dejando aparte los innumerables nombres (ciudades, ríos, montañas, cabos, etc.) que han sido incorporados a la geografía del país. Muchas palabras espñolas han ido incluyéndose en el vocabulario del estadounidense de hoy y no sólo del situado en las regiones del Suroeste, aunque hay que reconocer que aquéllas son de más frecuente y numeroso uso en este área y en determinadas profesiones, como la militar, la del transporte o la del "cow-boy". También se da el caso de palabras que visiblemente muestran su punto de origen, en tanto que otras han sido anglificadas y modificadas (en su ortografía o en su pronunciación). Entre estas últimas se encuentran "alligator" (lagarto), "cigar", "grandee" (grande de España o semejante), "negro", "rodeo", "tornado", "hurricane", "tobacco', etc., etc. Así, son de uso corriente en el territorio de la Unión las palabras "siesta", "guerrilla", "plaza", "mañana", "adiós", "ranch" y tantas otras. No digamos en el vocabulario de los vaqueros, en el que aparecen cons tantemente, "sombrero", "lasso", "corral", "caballo", "vaca", "vaquero", "llano", "matanza", "manteca", "stampede", "adobe", "cañon", "piñón", "bonanza", "fandango", "hacienda", etc. (202). Se registran más de 900.

e) EL CATALÁN Y EL VASCUENCE

Los estudios de catalán han sido promovidos por la "North American Catalan Society" que ha venido organizando coloquios: en las Universidades de Urbana (1978), Yale (2980), Toronto (1982), Washington (1984) y New York (1986). Se enseña en algunos Departamentos universitarios.

Se ocupan del vascuence la "Basque American Foundation", su "Journal of Basque Studies", y las Universidades de Santa Bárbara, Indiana, Cornell, Wisconsin y Nevada. Esta dispone de un"Centro de Estudios Vascos" y una biblioteca con libros en español y vascuence.

LOS NOMBRES DEL PAIS Y ESPAÑA

A punto estuvo la gran nación norteamericana de quedar deudora en su nombre a España, la que hizo posible el descubrimiento del continente en que se halla enclavada. Cuando los padres de la patria, al rebelarse victoriosamente contra Inglaterra, quisieron que sus tierras quedaran cobijadas bajo una misma y significativa denominación, intentando bautizar la nueva entidad internacional como "Columbia", en honor de Cristóbal Colón. Correspondió a Philip Frenau la iniciación de la campaña en favor del nombre de "Columbia", en 1775, en Boston, en la publicación "American Liberty", y contó con grandes probabilidades de éxito. Con parecido nominal origen, Georgia y Virginia habían consolidado sus nombres, y el de Colón, que Gran Bretaña había procurado oscurecer durante su denominación, exaltando, en cambio, el de Cabot, se mostraba como el del héroe, primer fundador de la patria nueva. Se presentó una magnífica oportunidad para el cambio de nombre en la Convención Constitucional de 1787, pero los muchos problemas que en ella tuvieron que resolverse, la ausencia de Jefferson en Francia y la ancianidad de Franklin motivaron el que no se tomara acuerdo alguno. El nombre de Columbia continuó siendo utilizado para simbolizar a la nación en términos poéticos y en momentos emocionales. La canción "Columbia, the gem of the Ocean" ("Columbia, la joya del Océano"), escrita a mediados del siglo XIX, se convirtió en una de las músicas patrióticas preferidas y más populares. Llegóse a identificar el término "Columbia" con el de "Freedom" o Libertad: de aquí que cuando el Capitolio federal se construyera, Thomas Crawford dibujara la estatua de "Columbia" para la cima de la cúpula. Desde entonces es norma que todos los edificios federales ostenten una estatua de "Columbia". "Columbia" es también uno de los vehículos espaciales USA de múltiple uso, y "Columbus" la sección europea de la estación espacial USA que será lanzada en la última década del siglo XX. Es bien popular, por otra parte, la empresa cinematográfica "Columbia Pictures".

En lugar del significativo nombre, el país quedó con la etiqueta incolora de "Estados Unidos de América". Con la independencia de la Colonias hispanoamericanas, se puso en evidencia la inadecuación de la denominación elegida: nacían otros Estados –algunos también "unidos"– en el Nuevo Mundo, cuyo origen no procedía de la revolución de las Trece Provincias. No obstante, la patria de Washington y Monroe continuó haciendo uso de aquella frase en funciones de identificación nacional y, aun más, con el tiempo, y por el afán de abreviar, comenzó a utilizarse la palabra América, así como su correlativa, "americanos", para distinguir a sus naturales, de forma que éstos han llegado a consustanciarse con aquel término, cuyo monopolio ciertamente no les corresponde.

Quizá proceda recordar, por la paradoja, que su apropiación supone, que el nombre "América" se ha aplicado desde su nacimiento a todas las tierras del Nuevo Mundo y durante muchos años no a las del Norte, que son hoy precisamente las que intentan acapararlo. Martin Waldseemüller fue el primero que, en 1507, utilizó le vocablo "América", refiriéndolo a la parte sur del continente recién descubierto por Colón. Tal nombre fue ya admitido, en 1520, por Pedro Margallo en su "Fisicae compemdium", en 1514, por Ludovicus Boulanger, y en 1515, por Leonardo Da Vinci, en sus respectivos mapas. Su acogida quedó durante mucho tiempo reducida, de modo que el adjetivo "americano" no figura en el Diccionario de Autoridades de 1734 y sólo se incluye en la edición de 1770, sin alegar autoridad. El continente Norte aparece en el curso del siglo XVI bajo varios nombres, bien distintos del actual: Nueva España (abarcando todas las tierras al norte del Río Grande), Florida, etc. Posteriormente, su sector más septentrional será denominado Nueva Francia. El nombre de América aplicado a las tierras boreales del Nuevo Mundo empieza a contemplarse en los mapas de Ortelius, de 1570, y de Cornelio de Judeais, de 1593. En el Planisferio que acompaña a la relación de Nicolás de Cardona, en 1614, se denomina a la del Norte "América Mexicana", y a la del Sur, "América Peruana" (203).

Antes de la Revolución ningún nombre distinguía a las provincias como un todo, pero cuando se sublevaron empezaron a adoptar los nombres de "Colonias Unidas", "Colonias Unidas de América" o "Colonias Unidas de Norteamérica". En la Declaración de Independencia aparece ya el de "Estados Unidos de América" (204), pero cuando Franklin, Deane y Lee pidieron, a finales de 1776, una entrevista al embajador español en París, conde de Aranda, lo hicieron bajo el nombre de "Plenipotenciarios del Congreso de las Provincias Unidas de la América septentrional" (205), y Franklin firmó un Tratado consular con Francia, por el que los "Trece Estados Unidos de Norteamérica" permitían a los cónsules franceses presentar sus patentes a los gobernadores de los Estados y no al Congreso (206).

En cualquier caso, el nombre de América procede del de Americo –Amerigo– Vespuci, el florentino que, al servicio de los reyes de España, realizó una serie de viajes descubridores por el Nuevo Mundo. Obtenida en 1505 su naturalización en los reinos de Castilla y León, su relato de los cuatro viajes realizados movió a Martin Waldseemüller, en 1507, a proponer el bautizo del gran continente con la gracia con que hoy es conocido. América –no Ameriga– nació, pues, de Americo español.

ORIGEN ESPAÑOL DE LOS NOMBRES DE ALGUNOS ESTADOS

Varios son los que tienen su origen en motivos relacionados de un modo u otro con España o lo español. Así, *Florida* recibió este nombre de D. Juan Ponce de León el 2 de abril de 1513. ¿Por qué? Al no haber todavía desembarcado, no conocía la denominacín del lugar por los naturales, y como no llevaba sacerdote alguno en la expedición, quizá no recordaba el santo del día (de acuerdo con la extendida costumbre española). ¿Pensó en denominarlo Nuevo León? Herrera, su cronista, explica que escogió Florida por hallarse en plena Pascua Florida –sólo seis días después del Domingo de Resurreción– y por aparecerse los campos en completa floración primaveral, "por estas dos razones" (207). Con el tiempo, la entonación de la palabra cambiaría, y hoy es pronunciada por sus habitantes con acento esdrújulo. Por largo tiempo, bajo el nombre de Florida se incluirían una serie de tierras que se extendían por lo menos hasta la bahía de Chesapeake. El vocablo se conservó durante la ocupación inglesa del Estado-Península y cuando éste se convirtió en componente de la Unión. Teniendo en cuenta lo que antecede, la Legislatura del Estado de 1953 proclamó la celebración anual de la "Pascua Florida Week" (del 27 de marzo al 2 de abril) y del "Pascua Florida Day" el día 2 de abril, éste como fiesta estatal.

También es debida a España la génesis de *Texas,* aunque su morfología no sea castellana. En 1683 siete indios procedentes del Este visitaron al gobernador español en El Paso para solicitarle misioneros y ayuda en la guerra. Hablaron de ciertas tribus y particularmente de lo que los españoles creyeron entender como "el reino de Texas". La expedición enviada no halló tal reino, pero cuando años más tarde, en 1689, otra fue confiada al mando de Alonso de León, al tenerse noticias de las andanzas por aquellas regiones de La Salle, los españoles fueron saludados por los indios hasinai con los gritos de "¡Techas!, ¡Techas!", que significaba ¡amigos!, ¡amigos! Aunque los españoles se dieron cuenta de que la palabra no se refería a un entidad geográfica, continuaron aplicándola a los nuevos territorios que comenzaron a ser explorados a partir de la expedición de D. Domingo de Terán y fray Damián Massanet, en 1691. Antes habían sido denominados Panuco y Nuevas Filipinas (208).

Nuevo México aparece por vez primera en los informes proporcionados por Francisco de Ibarra, buscador de minas de oro, quien en 1563 se dirigió hacia el Norte y, guiado por una india, se aproximó a una gran ciudad; contempló a las gentes ataviadas como los aztecas y tocando unos tambores al modo de México. Cuando regresó, sostuvo haber descubierto un Nuevo México. La region, visitada muchos años antes, en 1539, por fray Marcos de Niza, había recibido de éste el nombre de "Nuevo Reino de San Francisco". Coronado denominó a la región Tiguex. El grupo de nueve, encabezado por Sánchez Chamuscado y el hermano Rodríguez, la bautizaron como de San Felipe. Al año siguiente Antonio Espejo informó haberse dirigido hacia el Norte, "a las provincias y establecimientos de Nuevo México, a los que denominé Nueva Andalucía, en honor de mi tierra natal". Oñate tomó posesión ya en 1598 sobre los "reinos y provincias de Nuevo México" (209).

El Estado de *Colorado* ha conseguido su gracia en el río que lo baña. Cuando sus espacios fueron reclamados por España, en 1706, recibió el nombre de Santo Domingo. Al ser constituido en territorio muchos nombres se propusieron, entre otros, "San Juan", pero cuando se presentó, en 1859, el proyecto de ley ante la Cámara se sugirió el de "Colona", por Colón (es interesante constatar que la derivación se tomó del apellido –en versión española– del descubridor), no llegando a prosperar. Correspondió al senador Green, de Missouri, el triunfo de su actual denominación (210).

De varias explicaciones ha sido objeto el término *California*. La más verídica –y así opinó Ticknor– es la de "Las Sergas de Esplandián", de Ordóñez de Montalvo, quinta parte de la versión de éste del libro de caballería "Amadís de Gaula". En la novela aparecía una isla en la que gobernaba la Reina Calafia a sólo mujeres y en la que sólo entraban los hombres imprescindibles para mantener la reproducción de la especie. Indudablemente, los españoles de Nueva España conocían la novela, y al tener noticias del descubrimiento de una gran isla (al principio así se creía que era la Baja California) aceptaron de buen agrado tal bautizo. Herrera lo recoge (211).

Fue muy distinto el nombre de *Montana*, que, al final, se dio al territorio, más tarde Estado. Los debates en la Cámara de Representantes y en el Senado son curiosos, por demás. En el primero tuvo por apasionado defensor a Mr. James M. Ashely, quien en todo momento explicó el significado de lapalabra española original, apropiado a la calidad montañosa del territorio cuya creación se proponía, y evitó la denominación de Jefferson, como un grupo de demócratas e incluso de habitantes demandaban; en el Senado también entró en juego su etimología española. Naturalmente que la tilde de la "ñ" se perdió por desconocerse en el inglés (212).

La elección de *Nevada* para el territorio vecino de California se debió al Comité para Territorios, que, al recordar la próxima existencia de la Sierra Nevada, optó por acortar el nombre y dejarlo reducido al segundo. A los habitantes del futuro territorio no les hizo demasiada ilusión la elección, por la participación de la sierra en su superficie sólo en mínima parte y por dar a entender un clima y un paisaje alejado de la realidad. Se propusieron otras palabras: "Washoe", por la tribu india nativa; "Sierra Plata" y "Oro Plata" (en español), por las minas que sus tierras encerraban. Pero, al final, prosperó la denominación primeramente elegida (213).

A la vista está que *Arizona* es un Estado con vitola española. Había sido ésta utilizada en el siglo XVIII por el padre Ortega, y se refería a un antiguo distrito minero. A mediados del siglo XIX se formó la "Arizona Mining & Trade Company". Cuando se propuso, en 1854, al Congreso la división del territorio de Nuevo México, se sugirieron como nombres aplicables al sector occidental, Gadsonia (por Gadsden, el negociador con México de la compra de una franja de tierra incorporada a aquel territorio), Pimeria (al uso de los españoles) y Arizona. En la Convención que se reunió en Tucson dos años más tarde influyó en la adopción del nombre un tal Mr. N. P. Cook, que tenía participación activa en la Compañía minera. Bajo el de Arizona la región fue convertida en territorio por los confederados en 1861, y cuando pasó a manos de la Unión, el Congreso mantuvo la denominación en 1863 (214).

Entre las posibles etimológicas de "Oregón, figuran las españolas de orégano, orejón, origen e incluso Aragón. La más verídica parece la de los navegantes españoles, al encontrar a indios con grandes orejas, les denominaron orejones, y al transcribirse al inglés en singular, se cambió la "j", por la "g", de acuerdo con la pronunciación anglosajona. En 1853 los habitantes del sector norte de dicho territorio solicitaron al Congreso la organización de otro, separado bajo el nombre de Columbia, haciendo el homenaje merecido al desubridor del continente. El proyecto de ley llegó a la Cámara de Representantes, pero fue derrotado por existir previamente el distrito de Columbia y prestarse a equivocaciones; lo más curioso es que triunfó el de Washington, que se presta igualmente a confusiones con la capital federal (215).

Al hablar de la ciudad en las márgenes del río Potomac nos viene inevitablemente a las mientes las razones del nombre con que administrativamente es conocida, *Distrito de Columbia,* ya que el otro está bien claro que procede del general-jefe durante la Guerra de la Independencia y primer presidente de la nación, George Washington. La capital se halló en un principio en Filadelfia, pero con el ánimo de establecerla en un punto que fuera estratégico entre los Trece Estados entonces existentes y libre de la especial influencia de uno de ellos, los Estados de Virginia y Maryland hicieron cesión de los respectivos terrenos en los condados de Washington y Alexandria, que formaban un cuadro de 10 millas de lado. Influyó en tal localización la proximidad de Mount Vernon, residencia de Washington, quien, por lo demás tenía intereses en la región. El nombre de Distrito de Columbia —que aparece mencionado por vez primera en una carta al arquitecto L'Enfant de la Junta de Arquitectos de fecha 9 de septiembre de 1791 y que se incluyó en las Actas del Congreso el 6 de mayo de 1796— es el remanente de los intentos serios que se hicieron para designar al nuevo país "Columbia", honrando a Colón, en lugar de su denominación actual de "Estados Unidos de América" (216).

5) APORTACIONES EN EL CAMPO DE LA ECONOMIA Y DEL DERECHO

GANADERIA. AGRICULTURA

Hay otras aportaciones españolas al acontecer norteamericano que merecen traerse a colación en este recuento: los españoles introdujeron la rueda en el continente Norte, gran elemento civilizador sin el cual no se comprede pudiese el ser humano llevar una vida semicivilizada, y también el hierro, el arado, una porción de cereales, frutas y vegetales, el caballo, la vaca, el cerdo, el perro, etcétera. (217).

PRIMERAS ESPECIES GANADERAS INTRODUCIDAS

Dichas variedades de animales habían llegado a América en el segundo viaje de Colón, concretamente a la Isla de Santo Domingo. Gregorio de Villalobos llevó las primeras terneras a Nueva España en 1521, dos años después de la conquista por Cortés (218). Pronto se multiplicó el ganado importado, de forma que Vázquez de Coronado pudo reunir sin esfuerzo, en 1540, 500 caballos, 500 cabezas, además de 5.000 ovejas, cabras y cerdos (219). En la misma época, Hernando de Soto desembarcó en Florida, y paseó en el curso de su larga jornada un considerable número de vacas, ovejas y cerdos (220). A la misma península había llevado terneras Ponce de León en 1521, en su segundo viaje. Estos fueron los primeros animales que entraron en el actual territorio de los Estados Unidos (221). No se propagaron en tales oportunidades en forma domesticada, si bien algunos ejemplares se extraviaron y se reprodujeron abundantemente en vida salvaje: así, los "razorback hogs" que los pioneros encontraron en Alabama y Arkansas descienden de los puercos que acompañaron a Soto; los caballos que se liberaron de la vida doméstica serían conocidos después por cimarrones, etc. (222).

GANADO OVINO Y VACUNO

Las ovejas y las vacas de Nuevo México deben su comienzo a la expedición de Oñate en 1598 (223); con los colonos que tras ella se establecieron, la ganadería prosperó, y en los primeros tiempos, sobre todo, la lanar, que reunía las condiciones predominantemente necesitadas en aquel territorio. Los indios pronto se adaptaron a la cría de la oveja y aprendieron a hilar la lana, con la que fabricarían mantas, rebozos, etc., y en cuya artesanía sobresaldrían como consumados artistas. El vacuno se extendería más tarde en Nuevo México como consecuencia de influencias de Texas. En este último territorio, el primer ganado con descendencia se localizó en 1690 en la región oriental, en torno a las Misiones de Nacogdoches. En lo que es hoy sur de Arizona había en 1790 rebaños en Santa Cruz, San Pedro y Sonora (224). Tristán de Luna –como anteriormente Narváez y Soto– acompañó sus colonos con un considerable número de cabezas, pero es Menéndez de Avilés el acreedor del título del primer afortunado granjero que hizo progresar su cría (225). Si los comienzos fueron difíciles, puede decirse que entre 1655 y 1702 la ganadería pasó en Florida por años de verdadera prosperidad, especialmente en los últimos veinte. Hubo ranchos en las cercanías de Palatka, Gainsville y Tallahassee, y se conoce la existencia de hasta 25 de aquéllos en las dos primeras áreas y de nueve en la tercera (226). Los ganados de Horrytiner e Hita y Salazar alcanzaron merecida fama (227). El navío "San Carlos" es conocido el "Mayflower del Oeste", por haber desembarcado en 1769 –con el primer grupo expedicionario de Portolá y Serra– una serie de cabezas de ganado, gallinas y otras vituallas. El ganado pronto progresó en las Misiones, de forma que antes de finalizar el siglo había más de un millón de cabezas en la provincia de California (228).

El famoso "longhorn" (cuerno largo) de Texas remonta su origen a los tiempos coloniales españoles. El "longhorn" quedará siempre como la base hispánica y roqueña, en la que la historia de dicha región, típicamente ganadera, está fundada (29). Hacia 1770, en la Misión del Espíritu Santo, cerca de Goliad, se contaban 40.000 cabezas –de ganado marcado y no marcado–, y la vecina del Rosario hasta 10.000 de marcado y 20.000 sin marcar (230). Recibió el nombre de mesteños (en inglés "mustang", hoy utilizado para una marca de automóviles de moda) el grupo de animales sin marcar (231). Tal origen ganadero español ha traído como correlativo la incorporación, según ya hemos visto, de muchas palabras castellanas al lenguaje de los vaqueros tejanos y, por ende, del resto del país. El ganadero texano se extendió por otros sectores del país, tanto hacia el Oeste –el "Far-West"– como hacia el Norte, por los Estado de las Grandes Llanuras. España puede así tener la satisfacción de haber dado origen a una de las riquezas más sobresalientes de Norteamérica.

EL "COW-BOY" Y EL CABALLO

Paralelamente en el vaquero español tiene su comienzo la popular figura del "cow-boy" (232): españoles fueron los primeros jinetes que cabalgaron a través de las tierras del sector occidental del país, españoles son el estilo y el tipo del atuendo básico que los "cow-boys" llevan (no hay más que ver el traje campero andaluz), españoles fueron los caballos que asustaron a los indios cuando los contemplaron por vez primera, dudando si se trataban de animales o de seres mitológicos asociados físicamente a los jinetes que los montaban. Los indios pueblos divisaron a los equinos en 1540, cuando apareció Coronado y su gente (233), y en el Sudeste sembraron el terror entre los nativos los ejemplares llevados por Narváez y Soto. Su presencia causó una tremenda revolución en las artes de la guerra cuando no en la paz, ya que los indios reaccionaron pronto del pavor, se percataron de sus posibilidades y se convirtieron en consumados jinetes; de sedentarios agricultores pasaron a vagabundos nómanas (234). Con la posesión del caballo y la utilización al máximo de sus posibilidades, la vida de los indios cambió por completo, permitiéndoles sus desplazamientos con mayor rapidez y comodidad, y otorgándoles una reforzada capacidad de ataque y de huida. De aquí que la posesión de los cuadrúpedos se convirtiera en un objetivo primordial en la guerra india, siendo muchas veces causa de asaltos sangrientos; el robo de caballos vino a ser la ansiada meta y, cuando logrado, el gran azote para los españoles, ya que muchas veces los indios consiguieron superioridad combativa sobre éstos, debido a la proporción de fuerzas ecuestres. Gracias a los caballos pudieron seguir las migraciones de los inmensos rebaños de búfalos en las grandes llanuras y ser comparados favorablemente con las hordas montadas del mongol Genghis Khan. Como dice Patrick Patterson, director del Woolaroc Museum, en Oklahoma, todo cuadro en que figura en los Estados Unidos un caballo es un tributo a España (235).

Muchos caballos se hicieron salvajes, los cimarrones, y dieron nombre a localidades de diversos Estados y a una variedad de automóviles Cadillac.

EL PERRO

El perro, compañero de andanzas del célebre "Becerrillo", propiedad de Ponce de León y precioso auxiliar de su amo en la pacificación de Puerto Rico, también fue fiel compañero de los españoles en las conquistas norteamericanas. De su importante aportación a ellas, hace expresiva justicia el historiador De Voto (236). En su homenaje, la más importante compañía de transportes por carretera del país, la "Greyhound", hace recordarles inevitablemente al lanzar diariamente en todas las direcciones docenas de autobuses.

PRODUCTOS AGRÍCOLAS INTRODUCIDOS

Las aportaciones en el campo agrícola no son menos importantes que las ocurridas en el ganadero, y tanto unas como otras merecerían un más detallado estudio. Todas las expediciones españolas que sucesivamente pusieron pie en el continente con intención del establecimiento permanente, llevaron consigo simientes y aperos de labranza; así, en los casos de Ayllón, en San Miguel de Gualdape y Tristán de Luna, en Pensacola, y Coronado, en Nuevo México.

Los hombres de Oñate trajeron las siguientes semillas que plantaron en campos acondicionados debidamente y cuyo cultivo enseñaron a los indios: trigo, avena, centeno, cebollas, chile, guisantes, melones, sandías, albaricoques, melocotones, manzanas y ciertas variedades de judias, ciruelas, higos, dátiles, almendras, nueces, avellanas, olivos... Estos cultivos, desconocidos hasta entonces en Norteamérica, fueron prosperando poco a poco, y no tuvieron en ello pequeña intervención los frailes de las distintas Misiones que fueron surgiendo. Igual intervención hispana se dio en aclimatación en el nuevo continente de las vides, los naranjos, limoneros y demás agrios. En el progreso de todos estos cultivos tuvieron parte relevante los métodos de irrigación que los españoles habían heredado de los árabes (237).

La vid y demás productos hortícolas, que tanta importancia suponen para la economía de California, hicieron su aparición en San Diego, a bordo del navío "San Carlos", ya mencionado, en 1769 (238).

VIAS DE COMUNICACION

Alvar Nuñez Cabeza de Vaca ostenta con justicia el título de peatón número uno de los Estados Unidos, al ser el primero en cruzar Norteamérica de Este a Oeste siglos antes que otro alguno (239). Su hazaña caminera es difícil de comprender aun en nuestros días, ya que pisó los Estados de Florida, Alabama, Mississippi y Luisiana como miembro de la expedición de Narváez, y recorrió por su cuenta después, en el curso de ocho años, los de Texas, Nuevo México y Arizona, para entrar en Nueva España y recorrerla igualmente hasta la capital de México. Esta primera travesía transcontinental mereció la debida conmemoración en 1935 al acuñarse en Estados Unidos una moneda de $ 0,50 de valor, en la que junto al mapa de aquellos Estados aparece el nombre del héroe español (240); no sería repetida hasta 1805 por la expedición de Lewis y Clark (241). La hazaña de Alvar Núñez se ilumina con más mérito si se medita que, cuando empredió la tremenda jornada, la reina Isabel de Inglaterra no había aún nacido, y no empezaría a reinar hasta veinte años después de que aquélla terminara, y ocurrió cincuenta años antes de que naciera el capitán Smith, fundador de Virginia. Cabeza de Vaca anduvo más de 15.000 kilómetros, y aun más su compañero Andrés Dorantes; el historiador Lummis se lamenta, sin embargo, de que sus nombres suenen como si fuesen griego para la gran mayoría de los norteamericanos, no obstante ser hombres "a los que se debiera considerar con profundo interés y admiración" (242). Por fortuna, las cosas están cambiando en los Estados Unidos en este terreno en los últimos años.

Las expediciones españolas –más o menos numerosas en su composición– que recorrieron después el país fueron abriendo poco a poco rutas, las más de las veces a base de pistas apenas trazadas, siempre a través de regiones habitadas por tribus belicosas y bravas (243); dichas rutas acabarían consolidándose y sirviendo de base para varias de las modernas carreteras. Así, la autopista conocida por el nombre de "Atlantic, Gulf and Pacific Safeway", que une San Agustín, en la costa Este, con Los Angeles, en la costa Oeste, está basada en los anteriores trazados de las carreteras 90, 80, 70 y 86, que coincidían con el "Old Spanish Trail" (244). En aquella ciudad de Florida existe una piedra que marca el cero de dicha ruta. Se les atribuyó esta evocadora denominación en las ceremonias que se desarrollaron en St. Augustine, en 1929, y es una pena que no haya sido conservado para la autopista en la reunión que en febrero de 1949 celebraron en

Edgewater Park para su promoción las autoridades y hombres de empresa de los Estados interesados; en sus folletos de propaganda sí se ha conservado, en cambio, el antiguo nombre. Las 2.743 millas (4.115 kilómetros) de que se compone, costaron a los españoles doscientos años de intentos, desde la fundación de San Agustín, en 1565, a la de San Diego, en 1769. Su totalidad fue obra de un empeño continuado y resultado de logros parciales. En Florida, la ruta o "trail" que los españoles establecieron unía San Agustín con San Luis (en las inmediaciones de Tallahassee), a través de una serie de Misiones o puntos, entre los que se encontraba la actual Gainsville.

Cuando España entró en posesión de la Luisiana, en 1763, y durante sus cuarenta años de dominio de tal territorio, pudo unir físicamente sus tierras de Florida con las del Sudoeste. En Texas se enlazaba con la denominada "Atascosito", que pasaba por Beaumont, Houston, Victoria, La Bahía y San Antonio, y que se prolongaba hasta El Paso. Otra ruta en Texas era el "Camino Real", desde Los Adaes –capital del sector oriental– (luego se alargó hasta Natchitoches), a Saltillo, en Nueva España, pasando por San Antonio y Guerrero: es la carretera 21, en la que existen letreros que recuerdan su antigua e hispánica condición (245). San Antonio estuvo pronto enlazado con Santa Fe de manera permanente, y más tarde con Alburquerque. Nuevo México quedaría conectado con California a través de Arizona por medio del "Gila Trail", que, si había sido abierto por Melchor Díaz en 1539, no quedaría establecido hasta que Juan Bautista de Anza, con los padres Garcés y Díaz, uniera a Sonora con el Pacífico, a través de Yuma, en 1774 (246).

Santa Fe se convirtió en un nudo de comunicaciones, conforme las exploraciones españolas fueron avanzando: hacia el Oeste, gracias a los esfuerzos de los padres Escalante y Domínguez en 1776 de buscar un paso con California a través de Utah y de "El Vado de los Padres", esfuerzos que serían completados en 1829 por el mexicano Armijo (dicha ruta se vería muy frecuentada entre 1839 y 1850, denominada "Spanish Trail") (247); hacia el Este, merced a los viajes de Vial en 1792, quien, atravesando los territorios de Missouri, Kansas y Colorado, conectó la capital de Nuevo México con San Luis (Missouri): las informaciones de su "Diario" marcaron el precedente de lo que en el siglo XIX adquiriría gran importancia –civilizadora y comercial– bajo el nombre de "Santa Fe Trail" (248). San Luis, por su parte, se enlazaba con Nueva Orleáns por una vía permanente, parte fluvial, parte terrestre, la cual, en su sector de Missouri, coincide con la actual carretera 61 desde Nuevo Madrid, quedan letreros de la existencia de tal "Camino Real", entre otros lugares, en la propia ciudad de San Luis. También se conservan análogos a lo largo de la ruta californiana 101, desde San Diego a San Francisco, la que iniciara fray Junípero. Reproducciones de las campanas misionales jalonan "El Camino Real" cada 10 millas.

EL DOLAR, HIJO DE ESPAÑA

España ha contribuido a la grandeza de los Estados Unidos con su moneda, el todopoderoso dólar, y le proporcionó –como ya vimos– el instrumento que le permitió hacerse independiente. La cosa se explica así: en una primera época de su historia, la economía de las Colonias se basó en el trueque, pero pronto se impuso la necesidad de usar una mercancía con valor intrínseco y uniforme. La escasez imperante de monedas decidió a New England el establecimiento de una Casa de la Moneda en 1651, lo que hizo Maryland diez años después (249). La escasez de metales en las Colonias y la prohibición de su importación en éstas decretada por Inglaterra, así como la de las monedas inglesas, forzaron a las diferentes legislaturas a emitir "dinero legal" o papel moneda: cuando en 1690 regresaron los soldados del ataque al Canadá, hubo que pagarles con billetes que servían para satisfacer los impuestos, circunstancia que hizo que se mantuvieran en la circulación (250); en 1712, Carolina del Sur organizó un Banco público y emitió 148.000 dólares en notas de créditos, y veinte años más tarde Maryland dispuso que el tabaco funcionara como moneda legal a un penique la libra y el maíz indio a 20 peniques el "bushel" (otras provincias recurrieron a medidas análogas).

A remediar esta situación vino el dinero español, el "Spanish silver dollar" o peso, cuya presencia durante el siglo XVIII se hizo abundante como consecuencia del creciente comercio con Cuba y México. El dólar español o "pieza de ocho" o "Real de a 8" (equivalente a ocho reales) tenía el valor de cuatro chelines y seis peniques en relación con la libra esterlina, si bien en cada provincia alcanzaba una diferente cotización: en Georgia y Carolina del Sur, 4s 8d; en Virginia y Nueva Inglaterra, 6s; en Nueva York, 8s, y en las otras Colonias, 7s 6d. La "pieza de ocho" se impuso como predominante en la circulación, aunque otras monedas extranjeras se usaban también en menor proporción: la "pistola" española de oro, equivalente a cuatro dólares; el doblón, con un valor de 16 dólares, etc. Con tal supervaloración del dólar español creyeron los colones que retendrían en sus dominios las monedas, pero el resultado fue que partieron rumbo a Inglaterra como pago de las mercancías metropolitanas. Las prohibición por el Parlamento inglés en 1740 del papel moneda emitido por las Colonias, teniendo como "standard" el dólar español, y años más tarde de los billetes de curso legal, lanzados por las Tesorerías provinciales, prepararon el ambiente de insatisfacción que las leyes sobre impuestos hicieron estallar (251).

Llegamos aquí al momento de la sublevación contra Inglaterra, en la que una de las facetas es la constitución de un sistema monetario independiente del inglés: se toma entonces como base el dólar español y no la libra esterlina. El Congreso Continental declaró en 1775 que los dos millones de billetes de crédito, cuya emisión autorizaba, deberían ser redimidos en dólares españoles (252). Así, en 1775 y 1776 se imprimieron billetes bajo el nombre de "Colonias Unidas", en tanto que a partir de 1777 apareció ya la denominación de "Estados Unidos". Su texto rezaba en inglés al siguiente tenor: "Tres dólares. El portador tendrá derecho a recibir tres dólares españoles «acordonados», de acuerdo con la Resolución del Congreso tomada en Filadelfia el 10 de mayo de 1775" (253). Se emitieron del mismo modo en Virginia y Rhode Island.

La elección del "Spanish milled dollar" significa el alejamiento de las unidades inglesas y la entrada del nuevo país en el sistema decimal monetario (254). Jefferson propuso el "Spanish dollar" como unidad y recomendó que el nuevo dólar se definiera en términos de plata y oro. Siguiendo estas directrices, el Congreso aprobó en 1785 una resolución, calificando al dólar como la unidad monetaria de los Estados Unidos y dividiendo a éste de acuerdo al sistema decimal

(255). Para un valor a la unidad elegida, el secretario del Tesoro, Hamilton, hizo pesar un surtido de dólares españoles tomados al azar: encontró que tenían un término medio de plata pura de 371,25 gramos, por lo que se tomó esta cifra como base del nuevo dólar. Con ello se dio un paso hacia la separación del dólar americano del español. En la "Act Establishing a Mint and Regulating the Coins of the United States" del 2 de abril de 1792 se habla indistintamente del "dollar" y de la "unit", con el ánimo indudable de ofrecer una alternativa denominación a la nueva unidad; pero el segundo término no tuvo la menor aceptación y el pueblo prefirió usar el español (256).

Las monedas extranjeras continuaron circulando en los Estados Unidos, y especialmente los dólares españoles fueron declarados por el Congreso en 1793 de curso legal, y lo mismo en 1806. Solamente en 1857 el Congreso les quitó tal privilegio, así como a otras monedas extranjeras (257).

Este dólar español, que ya había sido encontrado por La Salle entre los nativos de Texas en 1686 cuando llegó hasta esa región, poco antes de ser asesinado (258), se conocía en los territorios de S. M. Católica con el nombre de peso. Pero el nombre de dólar le ha llegado a la moneda americana igualmente a través de España. Hallamos su origen remoto en un valle de Bohemia, el "joachimsthal" o Valle de Joaquín, en el que su señor inauguró, en 1486, el lucrativo negocio de acuñar monedas por su cuenta, rica en plata de ley, peso y talla. El "joachimsthaler", debido a ello, fue moneda muy solicitada, y pronto conocido por "Thaler". Al llegar a los Países Bajos se convirtió en "daler", y más tarde, tanto en España como en Londres, se cotizó como "dólar". Dado que la moneda española gozaba de gran riqueza de ley, como consecuencia de la abundancia del precioso metal extraído de las minas de Perú y México, vino a ser nombrada como "dólar español". Cuando cesó de ser el patrón monetario de los nuevos Estados Unidos, dejaron éstos caer el adjetivo "español" y conservaron la palabra "dollar", que había aparecido en sus primeros billetes. Así nació la moneda norteamericana actual (259).

Merece la pena aclarar que los "milled dollars" o dólares "acordonados", a que aluden los billetes "continentales", son las monedas arrugadas por sus bordes o con cordoncillo, acuñadas así con el primordial objeto de evitar falsificaciones (otra práctica para evitar éstas era la de cortar –casi siempre por la mitad– las familiares monedas españolas (260). Por otra parte, el dólar español era conocido por "pillar dollar" o dólar pilar, debido a las columnas de Hércules que aparección en él como parte del escudo español. El signo $, por el que el dólar norteamericano es comúnmente conocido, tiene asimismo un origen español. La opinión más aceptada halla su procedencia en la imitación de las referidas columnas –dos en el escudo español–, que son enlazadas en forma descendente por un cinta en la que se lee "Plus Ultra", el lema tradicional de España (la cual, con el descubrimiento de América, supo deshacer la antigua leyenda del mar tenebroso, del "Non Plus Ultra", allende el estrecho de Gibraltar). Para otros, el signo $ tiene su origen en las columnas de Hércules y en la cifra "8" que, como un gallardete, las abraza en las "piezas de ocho" (261). Para Arthur Nussbaum, las dos líneas paralelas representan una de las muchas abreviaturas de "P" de la moneda española Peso, en tanto que la "S" indica su plural. En todo caso, es curioso constatar que tal abreviatura monetaria es normalmente usada en la Argentina para su moneda nacional, el peso argentino (262).

MONEDAS, BILLETES Y SELLOS DE CORREOS

El tema español no se halla ausente de unas y otros, y en algún caso se muestra con carácter relevante y excepcional. Ya hemos hablado del dólar. La primera moneda conmemorativa acuñada en los Estados Unidos apareció en 1892, con ocasión de la Exposición Colombina de Chicago: ostenta en el anverso la efigie de Cristóbal Colón y en el reverso la carabela "Santa María"; tiene un valor de medio dólar. Casi al mismo tiempo vio la luz la moneda de 0,25 dólares, con la reina Isabel de Castilla como protagonista, única moneda conmemorativa norteamericana de tal precio y la única en retratar a un monarca extranjero. En 1934, la moneda de 0,50, celebrando el Centenario del Estado de Texas, incluyó en su reverso la Misión española de El Alamo. Al año siguiente, el tema de la "Old Spanish Trail" (Antigua Ruta Española) mereció los honores de la acuñación en moneda con valor de 0,50, conteniendo en el anverso el nombre de Alvar Núñez con una "cabeza de vaca" de frente (dado que no encontraron retrato –siquiera aproximado– del conquistador español), y en el reverso, un árbol de yuca florecido sobre un mapa de los Estados de Florida, Alabama, Mississippi, Luisiana y Texas, con las fechas 1535-1935. Sobre aquéllos, una línea continua marca el trayecto de la "antigua ruta", con puntos que se refieren a San Agustín, Jacksonville, Tallahassee, Mobile, Nueva Orleáns, Galvenston, San Antonio y El Paso; con su acuñación se pretendió levantar un monumento a la humana resistencia para el sufrimiento (263).

En materia de billetes cabe señalar que –como hemos visto– los primeros (y muchos de los que se sucedieron) emitidos por el Congreso Continental en 1775 y años subsiguientes, basan su valor en la moneda española o "dólar español", y así consta en una de sus caras (en inglés): "El Portador tiene derecho a recibir TRES dólares españoles, o suma equivalente en oro y plata..." (264).

En lo que a la filatelia se refiere, también se lanzaron en los Estados Unidos los primero sellos conmemorativos con ocasión de la Exposición Mundial Colombina de Chicago (el 2 de enero de 1893). Hasta 16 valores vieron la luz, recogiendo diversos aspectos y etapas de la gesta descubridora, otorgando a España en ella el destacado puesto que merece (265).

Además de los anteriores, otros sellos conmemorativos han aparecido en los Estados Unidos relacionados con temas españoles, a saber: Núñez de Balboa, Vázquez de Coronado, la Misión El Alamo, la localidad de "Arkansas Post", el Palacio de los gobernadores de Santa Fe, la antigua puerta española de San Agustín y la figura de un conquistador con la bandera de Castillos y Leones –con ocasión del cuarto centenario de la fundación de esta última ciudad, celebrado en 1965 (el sello español emitido en tal oportunidad contiene los mismos dibujos y colores rojo y gualda)–, así como la bahía de San Francisco, descubierta por el sargento Ortega y su grupo exploratorio en 1769 (266), la roca "El Capitán", del Yosemite Park de California, el Gran Cañón del Colorado, el Parque de "Mesa Verde", las efigies de Bernardo de Gálvez, Ponce de León y fray Junípero Serra, y unos cuantos ejemplares representando Estados relacionados con España, emitidos con motivo de diversos aniversarios (267).

Un sello de 0,20 exalta a los "Hispanic Americans" : "A Proud Heritage".

CONCESIONES ESPAÑOLAS DE TIERRAS

Si hubo españoles que se establecieron en el actual territorio de los Estados Unidos, tampoco faltaron colonos sajones del Este que solicitaron permiso de las autoridades españolas para residir en los dominios de S. M. Católica. Muchos norteamericanos, especialmente al término de la guerra de la Independencia, no se encontraron cómodos en su nueva patria (por las lógicas dificultades de los primeros tiempos, por la inevitable desilusión que los idealistas se llevan cuando tienen que enfrentarse con la realidad, por afán de aventura, por deseo de enriquecerse en nuevas tierras, etc.), y prefirieron trasladarse a vivir fuera. Naturalmente que el lugar indicado para su expansión eran los dominos españoles, situados en el mismo continente en que vivían. Si durante largas épocas las autoridades españolas no fueron partidarias del establecimiento en sus territorios de extranjeros (más que por motivos de raza o nacionalidad, por causa de su religión), llegó un momento en que, no pudiendo la población española colonizar las inmensas posesiones del rey y necesitando de colonos que con su presencia las defendieran de los ataques de extranjeros y de indios y con su trabajo las pusiesen en producción, se abrió la mano y una serie de permisos fueron otorgados, con particularidad en los territorios de Luisiana, en una primera época (168), y en Texas con posterioridad, cuando aquéllos pasaron a mano de sus vecinos americanos. Muchos de los nuevos colonos, que invariablemente habían de jurar fidelidad al rey de España como leales súbditos que venían a ser, eran gentes innominadas que han pasado a la Historia sin pena ni gloria; otros, en cambio, fueron personajes de gran relieve en los anales de los Estados Unidos. Este es un argumento más en favor de España, en el sentido de que dichos patriotas yankis –nadie puede dudar de tal circunstancia, pue su hoja de servicios en la Revolución los garantiza– no vieron en España un enemigo a la causa de su país, Norteamérica, sino todo lo contrario, desde el momento que no dudaron en jurar fidelidad a S. M. Católica.

Tenemos el caso de Daniel Boone, el famoso pionero de Kentucky, que no tuvo inconveniente en establecerse en los territorios españoles de Missouri y en convertirse en un funcionario público español al actuar como síndico en la sección de "Femme Osage" del distrito de St. Charles, entre 1800 y 1804, obtuvo 1.000 arpents de tierra (269). Cuando, en otoño de 1820, Moses Austin solicitó establecerse en Texas, prometió renunciar a la nacionalidad estadounidense y hacerse súbdito del rey de España (ya lo había sido en la Alta Luisiana en 1798). El 17 de enero de 1821 le fue concedida su petición (270). Ya en 1797 había residido en el Missouri español, había contribuido a la fundación de la localidad de Potosí, mejorando el proceso de la fundición del mineral de plomo y construido unos hornos en Herculaneum (271). Por su parte, George Rogers Clark escribió el 15 de marzo de 1788 al embajador español, D. Diego de Gardoqui, una carta solicitando permiso para fundar una colonia en territorio español, y se ofrecía, en caso favorable, a convertirse en súbdito español (su petición no fue escuchada, por interferir la autorización concedida a Morgan) (272). Como dato curioso, recordemos que Andrew Jackson desempeñó como primer cargo oficial el de "attorney general" del "District of Miró" (en honor del gobernador español de Luisiana) en la región de Cumberland (Tennessee) y que cuando llegó a Kentucky, en julio de 1788, participó en la llamada "conspiración española", que trataba de independizar dicho territorio del Gobierno de los Estados Unidos para incluirlo en la esfera de influencia española (273).

Ante la eminencia de una guerra con Inglaterra, el gobernador de Luisiana, barón de Carondelet, practicó una política que fomentaba el establecimiento de extranjeros en los territorios bajo su autoridad: unas 2.000 familias se aprovecharon de aquella determinación (274). En 1795 dio autorización en este sentido al teniente gobernador en San Luis, Trudeau, quien al año siguiente pudo informarle: "nos llegan diariamente familias americanas" (275). El marqués de la Maison Rouge obtuvo el 20 de junio de 1787 el permiso para traer 30 familias y establecerlas en el hoy condado de Camden, en Arkansas, y en junio de 1795 el barón de Bastrop fue autorizado para establecer 500 familias en Bayou de Lair, en la actual frontera entre Arkansas y Luisiana. En las cercanías de Lauratown se había asentado en 1766 un grupo de familias francesas (276).

Las concesiones de los permisos de residencia llevaban anejas muchas veces las de tierras. Unas veces estaban éstas motivadas por razones de estrategia militar o conveniencia política, otras constituían una muestra de agradecimiento de la Corona a los fieles servidores en la guerra o en la paz, en algunas se debían a una necesidad de repoblación de una región para cuya consecución habían de ofrecerse atractivas condiciones. En estos dos últimos casos (agradecimiento y repoblación) recibían el nombre de composiciones; otras veces revestían la forma de ventas; había casos en que se debían a merced real. Dichas donaciones de tierras fueron practicadas por España a lo largo de toda su historia colonial, y en territorios que antaño no le habían pertenecido, como la Luisana, fue ella la que comenzó tal práctica, posteriormente seguida por México y por los Estados Unidos. En la alta Luisiana ninguna concesión se verificó por venta. Al cambiar los territorios que antaño no le habían pertenecido, como la Luisiana, fue ella la que mercedes reales. Según los informes del comisionado norteamericano, España había distribuido 1.463.333 acres, de los cuales la mitad tan sólo había sido confirmada por el gobernador de Nueva Orleáns; pero bien porque los títulos no apareciesen lo suficientemente claros, bien porque los nuevos ocupantes se apoderaran de lo que pertenecía a los ocupados, se originaron una serie de pleitos, muchos de los cuales no han sido determinados (277). De esta forma, los Tribunales norteamericanos se ven obligados todavía a estudiar dichas concesiones y todo el sistema legal en el que ellas se apoyaban. En general puede decirse que la mayoría de las válidamente realizadas según la ley española han sido admitidas por los Tribunales de la Unión, incluso en el siglo presente (178).

Hay, por tanto, un considerable número de propietarios norteamericanos que ven arrancar su derecho de propiedad en disposiciones legales españolas: les encontramos en Nuevo México, en donde, según el historiador Bancroft, quedaban todavía en 1886, 205 de dichas concesiones (279). Muchas reclamaciones están todavía pendientes en dicho Estado por parte de hispánicos que alegan haber sido atropellados por los "anglos"; para su defensa, un grupo formó en su día en Albuquerque la "Alianza Federal de Mercedes". Reyes López Tijerina y otros de sus promotores, impacientes al no encontar el pretendido eco a sus peticiones, pasaron a vía de hecho en 1967 y proclamaron la República de San Joaquín del Río de Chama, enviando delegados a Santa Fe y a Washington. Dos horas tan sólo duró la "conquista" de Tierra Amarilla y la liberación de la cárcel de

12 correligionarios. Los dirigentes fueron apresados. ¿Qué consecuencias para el futuro puede tener este movimiento? (180).

En diciembre de 1964 se ha visto en el Tribunal de Albuquerque el caso del "Atrisco Grant", que supone una extensión de 50.000 acres y afecta a 17.000 herederos. Adquirieron notoriedad los pleitos sobre las concesiones de "Peralta Reavis", en Arizona, y "Maxwell Grant", en Nuevo México, de tiempos del gobernador mejicano Armijo. De esta época proceden los "grant" en Colorado de Vigil y St. Vrain, Sangre de Cristo, etc. (281). El origen de la ciudad de Dubuque (Iowa) se basa en una concesión otorgada a Julien Dubuque en noviembre de 1796, quien por tal motivo bautizó al poblado "Les Mines d'Espagne" (282). Otras varias se realizaron en la Alta Luisiana, como a Morgan, quien con un grupo de pioneros procedentes de Pennsylvania fundó la localidad de "New Madrid" (Nuevo Madrid) (283).

Los soldados y civiles compañeros de fatigas de fray Junípero Serra en la colonización de California también recibieron propiedades rústicas, que pronto se denominaron ranchos, como el "Rancho de Nuestra Señora del Refugio", de D. José Francisco Ortega; "Rancho San Antonio", de D. Antonio María Lugo; "Rancho San Pedro", de D. José Juan Domínguez; "Rancho Santiago de Santa Ana", de D. Juan Pablo Grijalva, y "Rancho de las Pulgas", de la familia Argüello (284). Tierra adentro de la región de San Diego existen hoy extensiones que, debido a su aridez y difícil habitabilidad, nada han variado desde que fueron objeto de concesiones en tiempos de España (285). Durante el período español se otorgaron cuarenta títulos de propiedad en California; en la etapa mejicana se concedieron ochocientos. En la ciudad de Mobile (Alabama), parte de la riqueza urbana basa sus títulos en los otorgados por los gobernadores de S. M. Católica (286).

EL DERECHO ESPAÑOL

Acabamos de ver la continuada presencia del derecho español en los Tribunales de la Unión, al tener que ser utilizado en cuantos pleitos se suscitan en torno al dominio de una serie de tierras distribuidas en tal calidad por el rey de España o por sus representantes. Pero no para ahí su permanencia.

En la Luisiana norteamericana, la Legislatura territorial aprobó en 1806 una codificación de derecho privado basada en el Derecho medieval y colonial español. Como complemento redactó una ley mercantil derivada de un código español sobre la materia. De acuerdo con las tradiciones romanas, en el texto de 1806 se daba cabida a la doctrina jurídica, pero no se otorgaba validez legal a la jurisprudencia al modo anglosajón. Para el jurista H. P. Dart es fácil encontrar en el Digest de 1808 y en el Código Civil de 1825 los principios contenido en la famosa Quinta Partida de Alfonso X; el mismo señala la influencia de las fuentes españolas en el Código Procesal de 1825. Es curioso observar que los promotores de esta regulación jurídica fueron ciudadanos de origen francés, lo cual confirma la profunda influencia dejada por España en el territorio comprado por Jefferson, en el que sus habitantes bien hubieran podido inspirarse en los códigos napoleónicos, recién promulgados y conocidos en Nueva Orleáns. Y es que los lusianenses, en nombre de los principios liberales y democráticos aportados por la nueva nación, quisieron incorporarse al país proclamando su autonomía cultural y su autodeterminación política, incluyendo el derecho de elegir su lengua y su sistema legal propios; en esta lucha caminaban guiados por su teórico, Edward Livingston (con nombre poco español o francés, ciertamente). Esto explica que, junto al derecho español, pretendieran conseguir –sin éxito– para el español el "status" de idioma oficial. ¿De qué aspecto del derecho español se trataba? Nada menos, según el Acta de la Legislatura –aparte del Romano–, que de las Recopilaciones de Castilla y Autos acordados, las Siete Partidas, las Leyes de Toro, la Recopilación de Indias, la Ordenanza Comercial de Bilbao y las Reales órdenes y Decretos aplicados formalmente a Luisiana (287). La Real Academia de Jurisprudencia y Legislación, en Madrid, fue sede en noviembre de 1981, del "Congreso de la Luisiana y España en Conmemoración de las leyes españolas en Luisiana".

Con la toma por el general norteamericano Stephen Watts Kearny de la ciudad de Santa Fe, en 1846, el territorio de Nuevo México quedó en poder de los Estados Unidos. El 18 de agosto dicho gobernador comisionó al coronel Doniphan y al abogado Willard P. Hall para que compusieran las "Organic Laws and Constitution" del país, estudiando las antiguas leyes de éste y la forma de hacerlas compatibles con las instituciones y disposiciones legales de los Estados Unidos; redactada la obra en inglés, corrió Donaciano Vigil con su traducción al español, de modo que el "Kearny Code" se convirtió en la Ley Territorial de Nuevo México y constituyó un "modus vivendi" entre las dos civilizaciones. Hay que reconocer que el resultado fue irreprochable y que gracias a la nueva ley se permitió al neomejicano seguir rigiéndose por las leyes españolas o mejicanas que no se opusieran a los principios de la Constitución norteamericana. Lo mejor de España y de México quedó incorporado al nuevo Derecho Neomejicano, y dicho Código jurídico es el que todavía rige. Las leyes que con tiempo han sido incorporadas, aunque redactadas en inglés, han sido siempre traducidas al español (288).

En los Tribunales del Estado de Colorado y en su Congreso ha podido utilizarse el español, lo mismo que el inglés, hasta 1921. He tenido en mis manos las siguientes obras, cuyos títulos originales en español transcribo literalmente, por considerar tiene ello una gran significación: "Estatutos derivados de Colorado. En fuerza de ley después de la sesión novena de la Asamblea Legislativa... Denver, Dailey, Baker y Smart, 1872" y "Leyes generales aprobadas en las sesiones 4.ª, 5.ª y 6.ª de la Asamblea Legislativa del Territorio de Colorado, junto con la Declaración de la Independencia, la Constitución de los Estados Unidos y las Actas orgánicas del Territorio. Denver (Colorado). Daniel Witter, 1867". Igualmente la edición, fechada en Houston 1841, de la "Constitución, Leyes Generales, etc. de la República de Tejas, traducidas al Castellano por S. P. Andrews".

Las aguas y las minas constituyen un sector en el que el derecho español sigue vigente, no sólo en Nuevo México –según recuerda Oliver La Fargue (289)–, sino en Arizona, Texas y Colorado (290). El "common law" inglés no aportó normas en estas materias que desalojaran las antiguas ordenanzas reales. El prof. Donald Cutter recordó en el Coloquio de El Escorial de 1978 que el Código de Beneficio de Minas de Estados Unidos, de 1873 originado por los descubrimientos auríferos de California, tiene su base en los métodos hispánicos de Minería;

asimismo que el tratamiento del indio como ciudadano se basa en las Leyes de Indias (290 bis).

Y el derecho español se conserva tambien en un terreno de gran importancia: la regulación económica de la sociedad familiar. Vine en su conocimiento de forma insospechada y pública cuando, en el habitual turno de preguntas que en Estados Unidos suele seguir a cualquier conferencia, uno de los asistentes quiso completar el cuadro trazado de la presencia española en su país. El orador espontáneo se regía en sus relaciones económicas matrimoniales por el sistema español de gananciales, lo mismo que otros muchos ciudadanos del Estado de Texas, y explicó que la sumisión a tal sistema colocó en su día a los texanos en tal posición de privilegio impositivo con respecto a los demás compatriotas regidos por otro sistema familiar, que llegó a abogarse con éxito en el Congreso Federal por la disminución tributaria hasta el nivel texano (otra deuda para con España –al decir de mi improvisado amigo– del baqueteado contribuyente norteamericano).

Efectivamente, Texas heredó originariamente las leyes de España. Con posterioridad a su independencia de ésta, conservó el derecho civil español, según lo dispuso la Constitución de 1836, promulgada a raíz de la iniciación de la etapa de vida nacional. Disponía que todas las leyes no imcompatibles con la Constitución permanecerían en vigor hasta que fuesen declaradas nulas, rechazadas, alteradas o caducadas por su propia limitación. Sin embargo, el 20 de enero de 1840, el "common law" inglés, en tanto no se mostrase contrario a la Constitución o a las Actas del Congreso de la República texana, recibió la consideración de norma de decisión, y todas las leyes con validez el 1 de septiembre de 1836, no expresamente aceptadas, quedaron excluidas. Cuando Texas fue admitida en la Unión, una Constitución construida siguiendo las líneas de las de otros Estados de tradición inglesa se superpuso al transfondo jurídico de la tradición española. Esta adopción del "common law" no afectó a los derechos adquiridos bajo la vigencia anterior de la ley española.

No obstante lo que antecede, en algunos terrenos consiguió perdurar el derecho español, y ello debido a la interpretación que se hizo del "common law" inglés como norma de decisión, en el sentido de que se refería al "common law" de los Estados independizados de Inglaterra –distinto del anterior por el correr de los tiempos de vida separada–, el cual era aplicable sólo cuando no existieran estatutos sobre la materia o las provisiones estatutarias se mostrasen silenciosas, lo que ocurría en el caso de los derechos matrimoniales de la esposa y otros (191).

Así, si se consulta la "Texas Jurisprudence", se verá que las leyes texanas relativas al "status" y a la capacidad de la mujer casada se derivan del derecho español, como consecuencia de la no contemplación por parte del "common law" de una serie de principios legales. En el régimen económico del matrimonio reconocen a la mujer identidad legal independiente y posibilidad de conservar sus propiedades separadas de las del esposo. Este principio español está en contraposición con el sistema anglosajón que contempla la existencia legal de la esposa como fundida en la de su marido. Por otra parte, se otorga a la unión conyugal –si no se pacta otra cosa– la consideración legal de una sociedad en la que los esposos actúan como socios, y perciben una participación en los gananciales obtenidos durante la vida en común, al mismo tiempo que son autorizados a poseer y controlar sus propiedades separadas. Este sistema castellano, así como numerosos derechos y privilegios otorgados por el derecho español a la esposa, eran desconocidos en el "common law". Paralelamente, la incoación por la esposa del derecho de viudedad anglosajón no puede realizarse en Texas (292).

En materia de adopción, el actual Estatuto que la regula se basa –por inexistencia de la institución en el "common law" de Inglaterra– en el derecho español. Es un caso relativamente reciente, ante la Corte Suprema del Estado, el conocido jurista Alvarez llegó a citar el derecho real y afirmó que para la validez de la adopción se requiere tan sólo que el padre del adoptado y el adoptante declaren ante el juez su conformidad con la adopción y quede constancia del acto en documento solemne (293).

La ley española reconocía asimismo que los títulos legales sobre la tierra pueden caducar por abandono; con base en ella, muchos colonos anglosajones ocuparon en propiedad terrenos cuyos títulos legales se hallaban en manos de otros (294). El derecho en Texas del hijo espurio a heredar en cierta medida a sus padres y parientes colaterales, así como el de su madre a heredarle, tiene sus raíces igualmente en el sistema español (295).

En cuanto al derecho de propiedad sobre el lecho de un río, la regulación texana varía, según se trate de una corriente navegable o no. En el caso negativo existe una explícita disposición del "common law", que permite su propiedad hasta la mitad del cauce a los dueños de los predios ribereños, en tanto que si son navegables, al no existir regulación anglosajona, rige el derecho español anterior, que dispone la propiedad pública de las aguas. En el caso de terrenos ribereños de corrientes no navegables, cuya concesión date de época española o mexicana, el propietario no tendrá derecho a la mitad del cauce, por regirse su título por el derecho imperante en el momento de su nacimiento; y suele darse la circunstancia de que mientras dicho terrateniente carece del citado derecho, lo tiene el vecino, cuya propiedad se rige por el "common law", dada su posterior fecha de adquisición. La regulación referente a los ríos navegables tiene trascendencia en cuanto la utilización de las aguas para regar, pescar, etc. (296).

Según el citado prof. Cutter, las leyes de Ganadería de Nuevo México y de otros Estados, se deben casi todas a la herencia hispánica: no hay ley de ganadería que no esté basada al menos en las costumbres españolas, y muchas veces en las leyes españolas (296b).

Durante el Gobierno español, la ley del domicilio imperaba en materias de naturalización. El extranjero domiciliado era considerado como un súbdito, siempre que como tal hubiese prestado el juramento de fidelidad al rey y renunciado a toda dependencia o sujeción civil a su patria de origen; en estas condiciones, era titular de los mismos derechos y de idénticas cargas y obligaciones que los súbditos nativos. La adquisición de propiedad inmobiliaria y su posesión suponían como correlativa la domiciliación. Este fue el proceder que siguió la República de Texas en relación con cuantos vinieron a residir en su territorio, acordando incluso su ciudadanía a las esposas no residentes en sus contornos (297). La jurisprudencia texana contiene referencias también a la procedencia de aceptación por parte de los Tribunales del derecho español, en los casos que se presenten conexos con él, como cuerpo legal que tuvo vigencia en el territorio; igualmente sostiene que la ley española es la competente para regular la capacidad de las personas en materia de obligaciones contraídas en la época española, dado que rige la ley del lugar de celebración del contrato (298).

Vale la pena la lectura de los trabajos del prof. Joseph W. McKnight sobre el derecho en la frontera anglohispánica y el efecto de la doctrina legal hispánica en la República de Texas. En ellos subraya la incorporación a la nueva normativa anglo-sajona de los principios del derecho español tradicional.

PARTE PRIMERA

ESTADOS DE LA COSTA ATLANTICA

CAPITULO I

La verde NUEVA INGLATERRA o «tierras de Gómez»

Empecemos por los Estados de la costa nord-atlántica por aquello de que han llevado la batuta en el curso del desarrollo histórico de la civilización anglo-sajona en el país, y de que parece más lógico bajar –impulsados por la gélida corriente del Labrador– que subir, mucho más si nos espera al final de nuestra excursión atlántica nada menos que Florida, atemperado paraíso para descanso de los ajetreados yanquis (se denomina así a los originarios de Nueva Inglaterra y, por sucesivas extensiones, a los ciudadanos del Este norteamericano y a los del resto del país) y una de las metas de nuestras peregrinaciones hispánicas.

Y en el Norte nos encontramos con Nueva Inglaterra. Aquí comenzamos a toparnos con denominaciones plenas de reminiscencias europeas, en las que, junto al viejo nombre de la localidad o región de origen, aparece antepuesto el adjetivo "nuevo", con el fin de indicar lo que América es y se supone que es. Muchos "nuevos" se conservan en el continente norte de América: basten como muestra los Estados de New Hampshire, New Jersey, New Mexico y New York, y la ciudad capital de este último, además de New Orleans y New Holland. El nombre de New England se conserva con cariño: anda de boca en boca, aunque no como entidad administrativa oficial; tal destino sería deseable a "Nueva España" y a las otras "nuevas" denominaciones españolas esparcidas por el Nuevo Mundo e islas Filipinas.

Nueva Inglaterra comprende seis Estados: Maine, Vermont, Massachusetts, New Hampshire, Rhode Island y Connecticut; los cuatro últimos tuvieron su origen en las famosas Trece Colonias que se independizaron de Inglaterra. Todos ellos participaron decididamente en la Guerra de Secesión al lado de la Unión.

Nueva Inglaterra puede ser alcanzada, bien por mar (sus Estados son marítimos, a excepción de Vermont), bien por aire (son numerosos sus aeropuertos), bien por tierra. Hay que proceder, en el caso de elegir esta última posibilidad, del Canadá –a través de sus provincias de Quebec y de New Brunswick–, o del Estado de Nueva York, su límite Oeste (son agua las fronteras Este y Sur), y con el que está ligada por una serie de autopistas modelos que sirven el denso tráfico que en la región, en especial al sur de Connecticut y Rhode Island, se acumula. Un viaje, por ejemplo, por la autopista 95 puede recomendarse a cualquier ingeniero de caminos que ame su profesión o a cualquier Nuvolari que se resigne a no correr a la velocidad que su automóvil le permita y las condiciones de la vía le alienten. No tendrá, sin embargo, sensación de conducir por carretera, sino más bien por medio de una inacabable ciudad, tal es el encadenamiento de unas poblaciones con otras: que pruebe el trayecto entre Nueva York y New Haven, e incluso hasta Boston. La desaparición del campo ante la carretera es un fenómeno que se está produciendo en esta región y también al sur de Nueva York, hasta Washington, tanto que en la "National Geographic Magazine" apareció, no hace mucho, un artículo en el que se comentaban los proyectos urbanísticos de la gran megápolis que en un futuro no lejano tendrá como polos extremos a Boston y a la capital federal (1).

Cualquiera que sea la forma de su abordaje, Nueva Inglaterra proporciona gran satisfacción estética, toda vez que se trata de uno de los sectores más bonitos de la Unión. De tamaño considerable a escala europea (unas cuatro veces la superficie de Suiza), cuenta con el Estado mínimo entre los 50, Rhode Island. Por su elevado grado pluviométrico y por la profusión con que la nieve la cubre durante el invierno, luce en primavera y verano un intenso color verde que, para algunas partes de España, lo querríamos; es ésta una de las razones del atractivo del paisaje de Nueva Inglaterra, aparte del aditamento de belleza que el mar siempre otorga a cuanto le es ribereño y de ser una región poblada de lagos, las más de las veces por aguas, por cierto, tranquilas y heladas. ¡Y qué decir del otoño! Es toda ella con el valle del Shenandoha como límite Sur en los Estados Unidos, y teniendo por Norte en Canadá a la provincia de Quebec, extremadamente afortunada con la gama de árboles que alberga y con la calidad de follaje. Antes de visitarla no me había dado cuenta del valor artístico de las hojas: éstas se me habían aparecido como un componente del paisaje, importante, pero en el grado que lo es una buena voz en un orfeón; el verde folláceo había jugado solamente el papel de complemento y de marco, bien a las flores, bien a los frutos –su consecuencia–, bien al paisaje en sí. Pero en esta región la hoja impera por sí propia y con caracteres de protagonista: en un recorrido por cualquiera de las carreteras del sur canadiense o del norte de Nueva Inglaterra, en la primera quincena de octubre, las hojas, pertenecientes a formaciones arbóreas inmensas, ofrecen infinitas tonalidades que cambian con los días, con las horas y, por supuesto, con la posición del sol. El problema está en que su reinado es breve: malos enemigos de la belleza son los vientos y los fríos.

VERMONT Y NEW HAMPSHIRE, los Estados menos «españoles»

En Vermont y New Hampshire se dan cita los esquiadores de todo el este del país, e incluso del centro. Por ello, el turismo de invierno, como también el de verano, constituyen con la madera, su principal fuente de ingresos. Algunos lugares de sus montañas –como los alrededores de Ludlow, Vt.– nada tienen que envidiar a los "resorts" cercanos a la capital federal o a Aspen, en el Estado de Colorado, o incluso a los famosos de Suiza o de Austria.

Papel de protagonista juega en Vermont el lago Champlain, cumplido e impresionante, y lugar de acción de muchas batallas a lo largo de las luchas entre Inglaterra y Francia, y entre Inglaterra y los Estados Unidos: sirve en buena parte de divisoria entre los Estados de Vermont y Nueva York. Dos de sus ciudades ribereñas, Burlington y Plattsburgh, eran objeto allá por los años 1958 a 1961 de frecuentes visitas de cuantos vivíamos en Canadá y, especialmente, en la no lejana ciudad de Montreal: el dólar canadiense hallábase por encima del americano, y las amas de casa siempre estimaban ahorrativo –haciendo caso omiso de gastos de gasolina, almuerzos, etc.–, cruzar la frontera para retornar unas horas más tarde cargadas con abundantes paquetes.

También hay preciosos lagos en New Hampshire. Es difícil de olvidar por su belleza y por su complicada ortografía india el de Winnipesaukee. En sus márgenes, de 270 kilómetros de longitud, se baña la pequeña localidad de Wolfeboro –quizá el prístino lugar de veraneo de los Estados Unidos–, sede de la Brewster Academy, antigua y prestigiosa institución educacional. De no haber podido constatar personalmente el entusiasmo del promotor de su club de español, el profesor Gómez, no hubiera sido fácil suponer allí un tan grande interés por cuanto lo hispánico representa, especialmente en un selecto grupo de cultos ciudadanos, entre los que se cuentan una excepcional coleccionista de muñecas históricas y regionales.

No lejos de Wolfeboro está Concord –la capital de New Hampshire–, escenario con Lexington de la primera batalla por la Independencia el 19 de abril de 1775, y destino, también con Lexington, de la famosa carrera de Paul Revere durante la noche anterior para avisar a los revolucionarios de la aproximación de tropas británicas. En Concord nacería, años después, Mary Baker, la fundadora de la secta protestante "Christian Science", cuyo gran desenvolvimiento se centró en Boston (2). La ratificación de la Constitución de los Estados Unidos por New Hampshire el 21 de junio de 1788 revistió trascendental significación, ya que siendo el noveno Estado en hacerlo, promovió la vigencia de aquella importante pieza jurídica. Otro documento de alcance universal vería la luz en New Hampshire: los Acuerdos de Bretton Woods, firmados en la localidad del mismo nombre, en 1944, que echaron las bases de la rehabilitación económica del mundo de la posguerra y establecieron la creación del Fondo Monetario Internacional y el Banco Internacional para la Reconstrucción y el Desarrollo. El Tratado de 1905, que puso fin a la guerra ruso-japonesa, se firmó en Portsmouth, el único puerto del Estado (que alberga en la actualidad astilleros para submarinos) en su breve franja costera (3).

La pequeña localidad de Montpelier es la capital de Vermont, cuyo territorio comenzó prácticamente a poblarse en 1763, y que con la ratificación el 4 de marzo de 1791 de la Constitución se convirtió en Estado. En Putney nació, y desde ella se dirige, la filantrópica institución "Experiment on International Living", que organiza intercambio de estudiantes de segunda enseñanza, y gracias a la cual españoles y norteamericanos tienen oportunidad de convivir familiarmente durante un curso en los Estados Unidos y España, respectivamente, al mismo tiempo que asisten a las clases del nivel que corresponde a sus conocimientos.

MAINE, el Estado «canadiense»

Maine (nombre que llevó el fatídico barco cuya voladura desencadenó la declaración de guerra de los Estados Unidos contra España en 1898) es un Estado famoso por sus mariscos –especialmente langostas– y por sus playas. De tamaño parejo al de los otros cinco juntos, cuenta con 2.465 largos de varia superficie, cinco ríos considerables y 5.147 corrientes de agua de diferente importancia, además de 375 kilómetros de costa y numerosos bosques. Nada extrañará, pues, que sus principales recursos procedan del turismo, de la pesca (con su industria derivada de conservas) y de la pasta de papel, sin olvidar las patatas y las "blueberries". Su capital es Augusta, y si se le mira en el mapa se sacará la conclusión de que debería pertenecer al Canadá; su línea fronteriza no quedaría rota y el antiguo dominio tendría una más rápida y fácil salida al mar –el río San Lorenzo se hiela en invierno– que con la conseguida a través de Nueva Escocia y su puerto Halifax. Tal pertenencia a los Estados Unidos no impide que los canadienses utilicen al Maine como propio y que, sobre todo en verano, los turistas invadan sus playas dotadas de las aguas bien refrigeradas por las corrientes del Labrador (4). No son solos turistas canadienses que se ven por dicho Estado y el resto de Nueva Inglaterra: abundan los inmigrantes en número próximo al millón. La mayoría proviene de Quebec y conserva el idioma francés con amor, aunque lo salpimente con chocantes americanismos; es curioso toparse en el norte de los Estados Unidos con grupos enteros de francófonos, algunos desconocedores del inglés. La popular novela "María Chapdelaine" es un fiel documento a este respecto.

Maine, que había comenzado a recibir colonos ingleses en 1624, se convirtió en Estado de la Unión el 15 de marzo de 1820.

Presencia del piloto de Carlos V, Esteban Gómez

Dejó huella en Maine la visita a sus costas en 1525 de Esteban Gómez, piloto de Carlos V; indeleble la califica un historiador local, y más profunda que la de sus predecesores europeos, incluidos los vikingos. Con el designio de identificar los lugares con vistas a ulteriores expediciones, dio Gómez nombre a una serie de sobresalientes puntos, algunos de los cuales se conservan: Campo Bello, a una atractiva isla en que desembarcó; bahía del Casco –Casco Bay–, a una ensenada en forma de tal; bahía del Saco –Saco Bay–, a otra con configuración de embudo; bahía Profunda –the Bay of Fundy–, a aquella de aguas oscuras y con altas olas estrellándose en sus rompientes (5). Remontó un río al que denominó "de los Gamos", confundiéndolo con un estrecho: la actual bahía de Penobscot (6). El Cape Elisabeth aparecería en el mapa de Gutiérrez, de 1562, como "Cabo de las Muchas Islas".

MASSACHUSETTS, la Vieja Colonia

En Nueva Inglaterra se desencadenó la revolución americana. En Boston tuvo lugar el 5 de marzo de 1770 la "terrible matanza" (tres muertos y ocho heridos), cuyo escenario nos señaló con patriótico entusiasmo el amable cicerone en nuestra visita al antiguo Boston, Mr. Borman, presidente de la Sociedad Histórica; en aquella circunstancia, corrió por vez primera sangre fraterna. En Boston fueron arrojadas al agua el 28 de septiembre de 1773 las famosas cajas de té como protesta contra las tasas impuestas por el Parlamento inglés. Años después, a través del puerto de Boston, llegaría parte de la ayuda española a la Revolución; existe una carta de Benjamín Franklin agradeciendo al conde de Aranda los 12.000 fusiles y otros elementos aportados por orden del Rey Católico (7). Massachusetts se convirtió en Estado de la Unión el 6 de febrero de 1788, al ratificar la Constitución del país.

Si la revolución americana se coció verdaderamente en Nueva Inglaterra, esta región tiene además el privilegio de haber acogido la arribada el 11 de diciembre de 1620, probablemente a la localidad de Plymouth –hay una piedra recordatoria–, del navío "Mayflower", al mando del capitán Christopher Jones, portador en su seno de 101 inmigrantes. Sin ser los "peregrinos" los primeros anglosajones en establecerse en el continente, ostentan el título de padres de la nación, por haber echado las bases de un sistema político y de convivencia, precedente de la actual democrática Constitución federal. Todos los años el país celebra tales llegada y establecimiento con la fiesta de Acción de Gracias, rememoratoria de la organizada, al año del desembarco, por los peregrinos y los todavía amistosos indios vecinos, a base de la caza y de la primera cosecha que habían podido obtener. Esta festividad, que en la época presente reúne en torno al pavo a las familias norteamericanas el último jueves de noviembre, tiene a lo lejos, en su origen, relación con lo español. El primer gobernador, William Bradford, nativo de Inglaterra, durante sus once años de exilio en Leyden había asistido a la anual y ya tradicional celebración holandesa de la Acción de Gracias por la liberación de la ciudad del sitio puesto por los españoles en 1574. El "Thanksgiving Day" no fue oficial en los Estados Unidos hasta que Abraham Lincoln lo proclamó fiesta nacional, la cual ha tenido una agitada historia, especialmente en época de F. D. Roosevelt, cuando la cambió del 30 de noviembre al 23 anterior.

El puesto que durante años Massachusetss ha ostentado como banquero del país no puede sostenerlo más; no obstante, sigue pesando en sus sectores comerciales e industriales, y sus industrias textiles, del calzado y mecánicas rivalizan con las más modernas de sus Estados hermanos.

Con la minoría de inmigrantes franceses, es especialmente notable el contingente irlandés que, desembarcado a partir de mediados de la pasada centuria, ha venido a cambiar la historia puritana de Nueva Inglaterra. Han sido franceses e irlandeses quienes han convertido la región en una ciudadela del catolicismo, dando lugar a la formación de personalidades como el cardenal Cushing o el fallecido presidente Kennedy, el primer católico sentado en la silla rectora de Washington. También han participado en la empresa otros grupos minoritarios: así, el laboreo en el campo de Cape Cod (recordamos el poema de Santayana) lo

117

hacen los portugueses y españoles que proceden de la pesca del bacalao (es lo que significa "cod") en las costas cercanas y en las más nórdicas hasta Terranova (8) (José Formoso Reyes es un conocido artista local). Cape Cod debe su fama a haber sido el primer punto tocado por los "peregrinos", en el lugar de la actual Provincetown (que habitara Eugenio O'Neill), y a sus playas, no hace mucho en las primeras planas de los periódicos cuando el presidente Kennedy y su esposa descansaban practicando el balandrismo y el esquí acuático en Hyannis Port.

Esteban Gómez, en Cape Cod
Ayuda a la Revolución

Antes que los "peregrinos", tocó Cape Cod Esteban Gómez en 1525 (9), quien lo bautizó "Cabo de Santa María", según aparece en el mapa de Diego Gutiérrez de 1562.

A través del puerto de Boston llegaría parte de la ayuda española a la Revolución; existe una carta de Benjamín Franklin agradeciendo al Conde de Aranda los 12.000 fusiles y otros elementos aportados por orden del Rey Carlos.

BOSTON

Boston es, indudablemente, la principal urbe no sólo de Massachusetts, de la que es capital, sino de toda Nueva Inglaterra. Desde la fecha de su fundación en 1630 hasta la hora presente ha mantenido la rectoría que ha trascendido incluso a la nación entera. Son la región en general y Boston en particular, cuna de la más rancia sociedad norteamericana, sociedad que huiría en 1898 tierra adentro con sus bienes, para refugiarse en Worcester ante el temor de una invasión española, según recuerda Teodoro Roosevelt (10). Popular es el proverbio de que «los Lowell no hablan más que con los Cabot, y los Cabot hablan sólo con Dios», a lo que Juan Ramón Jiménez comenta: el aburrimiento que deben de pasarse los Lowell... y Dios (11). La propia confesión de la procedencia de Nueva Inglaterra predispone en los Estados Unidos a favor del interrogado.

No impresiona Boston arquitectónicamente, con excepción del sector de Beacon Hill y de las calles Marlborough, Commonwealth y Newberry, "tres tijeras paralelas de casas de chocolate, que el día alarga y encoje la noche", al decir del autor de "Platero y yo" (12). Entre los edificios con empaque y monumentos históricos notables merecen recordarse: el Capitolio; el "Fanueil Hall", escenario del origen de la Revolución y albergue en la actualidad de la "Ancient and Honorable Artillery Company", una representación de la cual visitó España en octubre de 1963 y tributó en Madrid un homenaje a la reina Isabel la Católica en el día de la Hispanidad; la "Trinity Church", con influencias de la catedral vieja de Salamanca; la "Boston Public Library", cuya cúpula fue construida por el arquitecto español Guastavino (13) y para cuyo mural "Dogma de la Redención" viajó a España su autor Sargent, con el objeto de absorber el espíritu de la Cristianidad medieval (14). Otra considerable obra de Sargent, relacionada con España, puede admirarse en la coleccin de Mrs. Isabella Stewart Gardner, instalada en el edificio denominado "The Fenway Court": se trata del popular cuadro "El Jaleo", mostrado en el marco de un claustro español con arcos árabes. Y no son éstas las únicas obras de arte españolas (sirvan de muestra "Santa Engracia", de Bermejo, y "Doctor en Leyes", de Zurbarán), que cuelgan de tan notable y un tanto pintoresco museo-palacio, construido en buena parte a la medida de cada una de las importantes obras de arte compradas por la propietaria en Europa. Mrs. Gardner vivió en él desde 1902 a 1924, año de su muerte. Tampoco anda escasa la representación de nuestras obras en el Museo de Bellas Artes, dato que contiene los cuadros "Fray Félix Hortensio Paravicino" y "Santo Domingo de rodillas en oración", de El Greco; los retratos de la "Infanta María Teresa" y del poeta "Luis de Góngora y Argote", de Velázquez; "Don Baltasar Carlos y su enano", del mismo, y "San Cirilo y Santo Tomás", de Zurbarán, además del ábside románico del siglo XIII, procedente de Santa María del Mar, en Cataluña (15), y de la portada románica en comentarios de Julián Marías – de la iglesia de San Miguel de Uncastillo (prov. de Zaragoza).

En la cercana localidad de Lincoln es visitable el "De Cordova Museum", instalado en el castillo de estilo normando legado a la ciudad en su testamento por Mr. Julian de Cordova (1851-1954), propietario de la "Unión Glass Co", de Somerville, Massachussetts, y quien se titulaba a sí mismo conde de Cabra y marqués de Almodóvar, como descendiente del Gran Capitán. El Museo realiza una activa labor en el campo artístico, sosteniendo una Escuela de Bellas Artes, a la que asisten 500 alumnos, programas de exposiciones especiales, seminarios y conferencias sobre temas artísticos, proyección de películas y recitales de danza y poesía (16). Al otro lado del Estado, la localidad de Tanglewood acoge todos los veranos los festivales musicales a cargo de la notable Orquesta Sinfónica de Boston, que tanta fama ha adquirido bajo la dirección de Serge Koussevitzky y Charles Münch.

En Boston vio sus últimos días, en 1951, el poeta madrileño Pedro Salinas.

El madrileño Santayana

La ciudad de Boston se halla especialmente ligada a España a través de la figura del filósofo George Santayana. Madrileño de nacimiento, residió en la ciudad a partir de la edad de nueve años, y en su Universidad de Harvard estudió y enseñó filosofía hasta que en el 1912 decidió terminar su carrera universitaria y dedicarse exclusivamente a la producción intelectual en Europa, con cuartel general en Roma. Son simpáticas sus páginas dedicadas al Boston de su juventud y madurez, y cuando uno pasea por Beacon Hill y por aquel "campus" universitario, no se puede por menos de rememorar la figura española del madrileño, quien, no obstante haber escrito toda su obra en inglés, nunca abandonó su nacionalidad originaria e imprimió a aquélla caracteres indeleblemente hispánicos. Avila y Boston, que fueron los dos polos vitales del filósofo, bien podrían bajo su inspiración convenir un programa de hermandad como tienen otras ciudades (17). Su condición de hijo de España fue recordada por el Presidente Reagan durante su visita a Madrid en mayo de 1985.

De la mano de Santayana somos conducidos a Harvard, situada en Cambridge, suburbio instalado en la otra orilla del Charles River; yo, en verdad, lo fui materialmente por los hospitalarios y bondadosos cónsules generales de España, Luis Villalba y su esposa. No se puede omitir una visita a tal primer centro norteamericano del saber, si se quiere tener una visión completa de la región e incluso del país. El peso intelectual de Harvard en sus destinos es incalculable, y más lo tuvo con la "nueva frontera" del presidente Kennedy, él mismo un hijo de dicha "alma mater". Recordemos la biblioteca en su memoria, que encierra los papeles y publicaciones más importantes relacionados con su vida política y entre otras notabilidades, un importante cuadro denominado "El Cristo de la paz", obra del pintor español Benito Prieto Cousett. Impresiona un paseo por el "campus" de Harvard, quizá ya un poco congestionado por las nuevas edificaciones constantemente añadidas, muchas de ellas enormes y de noble factura, haciendo contraste con la modesta residencia de su rector.

No es de ayer el interés de Boston y de Harvard por lo español. Data de los tiempos, ya en 1750, en que barcos iban y venían a Barcelona, Cádiz, Málaga, los puertos del Caribe y Sudamérica. El profesor Stanley T. Williams estudia con acierto la influencia española en los Estados Unidos y la posibilidad de tempranos contactos hispanoamericanos a través de marineros y comerciantes, bien como consecuencias de las guerras que en época de la Colonia Inglaterra sostuvo con España, bien derivadas de la cultura española que muchos colonos hubieran podido absorber en sus respectivos países antes de cruzar el Atlántico (18). Las limitaciones estéticas de los puritanos de Nueva Inglaterra impedirían una primera influencia continental, al revés de las que se acusaran en el New York holandés, en la Pensilvania alemana o en el Delaware sueco. La contemporánea presencia de España en buena parte del continente norte de América sería inevitablemente un factor de influencia decisiva. Se tiene noticias de que en 1650 había colonos en Nueva Inglaterra que hablaban español (19). Los diccionarios españoles con que contaban las bibliotecas cumplirían algo más que una función decorativa (20). Cotton Mather podía escribir un correcto español y Samuel Sewall enviaba a Londres por libros españoles: Mather es el autor del primer libro escrito en español en las Colonias del Norte, y ambos pretendían, al aprender nuestra lengua, la extensión del protestantismo en todo el continente (21).

Hubo profesores de español en Nueva Inglaterra en el siglo XVII, aunque no tan numerosos como los del siglo XVIII, que comenzaron a anunciarse en los periódicos. El nombre de Cervantes aparece ya incluido en los catálogos de varias bibliotecas y, por ejemplo, George Alcock, estudiante de medicina en Harvard (murió en 1676), poseía una versión inglesa del "Quijote" y otra de "Los trabajos de Persiles y Segismunda" (22). Es también interesante la existencia en Boston, en 1683, de una traducción de los "Sueños de Quevedo", y concretamente en la biblioteca del entonces Harvard College, de "La Celestina" (23). En el siglo XVIII fue completa la victoria del "Quijote" en Norteamérica, y la versión de Smollet en cuatro volúmenes podía adquirirse en cualquier librería (24); en 1986 ha sido reeditada con prólogo de Carlos Fuentes. Comenzaron a verse por doquier obras de Garcilaso, Herrera, Mariana, Solís, Acosta, Zurita o Pedro Martir, y en Salem –el lugar de acción del famoso proceso por brujería– se reimprimiría en 1803 la "Historia de la Conquista de la Nueva España", de Bernal Díaz del Castillo, en traducción londinense (25).

El siglo XIX constituyó la "edad de oro" del hispanismo en Nueva Inglaterra. Abiel Smith, graduado de Harvard en 1764, dejó al morir en 1815 un legado por la suma de 20.000 dólares al 3 por 100 de interés, con el fin de fundar la cátedra –que llevaría su nombre– destinada al mantenimiento de un profesor de francés o español en dicha Universidad. Su creación –en cuyo origen debe verse quizá su pasión por el teatro y la novela españoles– actuó como promotora de la introducción del español en el plan de estudios de Harvard. En 1817 quedaron definidas las obligaciones del titular de la nueva cátedra, y en 1819 George Ticknor recibió el nombramiento para regentarla. Sus deberes consistirían en pronunciar conferencias sobre las literaturas española y francesa. Para prepararlas tuvo que investigar concienzudamente y proveerse de libros adecuados. Como consecuencia, redactó su pronto famosa "Historia de la Literatura española", que vio la luz en 1849, una obra maestra que, incluso en España, no admitiría parangón con otra alguna. Resultado de aquellas adquisiciones fue la reunión de una colección bibliográfica española ingente que, para deleite de los investigadores, la Universidad de Harvard mantiene todavía intacta (26). Ticknor fue también el autor en 1876 de un notable relato de sus viajes por Europa, en el que dedica 60 páginas a España, las más notables quizá debidas a un viajero norteamericano en la segunda década del siglo XIX (27).

Sucedió el poeta Longfellow a Ticknor en la cátedra Smith el año 1836; se dedicó a pronunciar igualmente conferencias sobre literatura y a escribir sobre el idioma español: el texto de "Novelas españolas", las impecables traducciones de las "Coplas", de Jorge Manrique, y de romances; la pieza dramática "El estudiante de Salamanca"... La atracción de Longfellow se centró en el Siglo de Oro: Lope, Cervantes, Calderón, pero su conocimiento de la literatura española era completo, aparte que completo era su dominio del español hablado y escrito (28); publicó una serie de poéticas descripciones sobre España en su libro "Dutre-Mer". En 1855 se hizo cargo James Russell Lowell de la cátedra, y a su frente estuvo hasta 1891. Se entregó plenamente a la enseñanza de la lengua y puso a disposición de sus alumnos sus estudios avanzados sobre Cervantes. De 1877 a 1880 estuvo acreditado como ministro de su país en Madrid, y de entonces procede su primoroso librito "Impresiones de España", a base de su correspondencia epistolar, y en el que se hace eco, entre otras cosas, de la visita del general Ulises Grant a la Corte. Autor también de "The Biglow Papers", en los que se atisba la presencia del héroe de Cervantes, los españoles dieron por llamar al popular representante diplomático "José Biglow" (29).

Francis Sales, natural de Perpiñán y residente en España por largo tiempo, llegó a ser profesor de Harvard en 1817, y durante treinta y cinco años tuvo a su cargo la meritoria y rutinaria tarea de instruir en el español básico a los alumnos de la Universidad. Aparte de dedicar su vida a la enseñanza –en su más completo sentido– de nuestra lengua, escribió varios textos didácticos: "Gramática", "Colmena española"... (30).

J. D. M. Ford fue el cuarto ocupante de la cátedra de Smith, y con él entramos en el siglo XX, en el que la enseñanza del español ha sido y sigue siendo tan importante en Harvard. La docencia sucesiva en Harvard de Ticknor, Longfellow y Lowell produjo enorme impacto, y bajo su dirección y con su ejemplo se-

formaron multitud de hispanistas, que servirían de base para el estupendo resurgimiento de los estudios de español que se está hoy dando en los Estados Unidos. Entre sus alumnos figuraría Thoreau, quien durante sus últimos años aprendió nuestra lengua en Harvard, empleando como libro de texto las "Cartas Marruecas", de Cadalso (31).

De Massachusetts era originario el presidente y poeta William C. Bryants, quien en función diplomática vivía en Madrid, casó con Carolina Coronado y escribió "Letters from Spain and Other Countries".

Entre 1830 y 1850 florecería también en Nueva Inglaterra un grupo notable de historiadores: Bancroft, Motley, Prescott y Parkman, todos ellos relacionados en sus trabajos con España. En su mayoría vivían en Massachusetts y algunos eran amigos entre sí o de investigadores de otros campos, como es el caso de Ticknor y Prescott. Tuvo Prescott a España por su verdadera afición, y el éxito popular le acompañó. Su "Historia de Fernando e Isabel" (regalo típico en la Navidad de Boston de 1837) agotó su primera edición en cinco meses, y el día de la publicación de su "Conquista del Perú" se vendieron 7.500 ejemplares. Consagró seis años a preparar la importante versión de su "Conquista de México" (1843) y dejó inconclusa al morir "El reinado de Felipe II" (32). John Lothrop Motley fue más partidista en su enfoque de la Historia de España, y la verdad es que nada bien parados salen Felipe II, en la obra que lleva tal nombre, y los españoles, en su "Nacimiento de la República holandesa" (1856) (33). Bancroft será objeto de comentario cuando visitemos el Estado de California (34). En el departamento de Historia de Harvard enseñaría durante cuarenta y tres años en el curso del siglo XX Roger B. Merriman, autor del estudio dedicado a España "Crecimiento del Imperio español", en cuatro volúmenes. Gracias a él Merriman puede ocupar un señalado puesto entre los historiadores hispanistas (35). Quizá no sea justo olvidar en este rápido recuento de historiadores de Nueva Inglaterra a Katherine Lee Bates, profesora del Wellesley College, quien a comienzos del siglo XX escribió su primer libro, "Spanish Highways and Byways" ingenioso, anecdótico y analítico, seguido de una docena de obras y artículos sobre temas españoles (36). José Luis Sert y Rafael Moneo han sido Decanos de la Facultad de Arquitectura.

Boston ha sido mansión señorial, de la que fui honrado huésped, del almirante Samuel Eliot Morison, el mejor especialista norteamericano sobre Colón. A él dedicó una importante monografía, para escribir la cual realizó la travesía desde New England a Palos en el bergantín "Capitana" (1939-1940), y regresó en él desde Gomera, siguiendo la ruta del tercer viaje de Colón y a base de las indicaciones del diario del navegante. La reducción de dicha obra a una edición de bolsillo le ha proporcionado una extraordinaria difusión.

Boston es ciudad hermana de Barcelona; los respectivos Alcaldes intercambiaron visitas en 1983.

El Instituto Cultural Español rindió a fines de 1981, un homenaje al compositor Granados, muerto en el hundimiento del "Sussex" en 1956, con la intervención de la soprano María Coronada.

RHODE ISLAND, el más pequeño

En realidad, su nombre completo es «"Estado de Rhode Island y de las Plantaciones de Providence", longitud de título que no corresponde a la de sus fronteras. Debe su origen a Roger Williams, colono que comenzó la primera plantación en 1636 en el actual emplazamiento de la capital del Estado, Providence, nombre que él eligió en agradecimiento de la Divina ayuda obtenida en momentos difíciles (37) (en esta ciudad, por cierto, se encuentra la acreditada "Rhode Island School of Design", en la que se celebró en abril de 1963 una excepcional exposición titulada "De El Greco a Goya", a base de cuadros españoles propiedad de distintos Museos del país). El entorno de Providence inspiró a Miguel Delibes en su novela "La sombra del ciprés es alargada".

El primer signo de rebelión contra la dominación inglesa se manifestó en Rhode Island, con anterioridad a la matanza de Boston de 1770, al abordarse e incendiarse una embarcación de guerra británica. La Colonia se convirtió en Estado de la Unión al ratificar la Constitución el 29 de mayo de 1790.

Esteban Gómez

El anteriormente referido piloto de Carlos V, Esteban Gómez, visitó la bahía de Narragansett en 1525, lo que promovió su inclusión en el mapa de Gutiérrez de 1562 (38).

Sefarditas pioneros

La segunda ciudad en importancia del Estado –en que sobresale la industria textil– es Newport: conserva restos del esplendor de que gozó a comienzos de siglo y fabulosas residencias que recrean todavía la vida de propios y ajenos. En Newport se halla la sinagoga de Touro, que ha celebrado en 1963 el CC aniversario de inauguración, la más antigua, por tanto, de los Estados Unidos, según recordó el presidente Kennedy (39).

Este ejemplo judío tiene especial significación para los españoles, por haber sido construido por un grupo de sefarditas. Llegaron éstos a Rhode Island probablemente hacia 1658, pero por el momento ningún edificio para su culto pudieron costear y sí sólo comprar el terreno para un cementerio en 1677.

Cuando Newport se convirtió, a comienzos del siglo XVIII en importante centro comercial, más judíos arribaron, evidenciándose la necesidad de levantar un templo. La primera piedra se puso en 1759, tardándose cuatro años en su terminación. El jefe de la comunidad religiosa fue el reverendo Isaac Touro, y destacó como miembro prominente entre los sefarditas el comerciante Aaron López, denominado el "Príncipe Comerciante de Nueva Inglaterra", dado que sus barcos y sus agentes eran conocidos en ambas orillas del Atlántico. En esta sinagoga el presidente Washington, en el curso de la visita que realizó a Newport en 1790, hizo su renombrada declaración sobre la libertad religiosa. Tras pasar el edificio por diversas vicisitudes en el curso de los años subsiguientes, fue restaurado, y hoy está incluido entre los lugares designados por el Gobierno federal de interés histórico (40). Estos judíos sefarditas de Rhode Island hicieron los primeros encargos al pintor Gilbert Stuart, quien, andando el tiempo, se convertiría en el retratista preferido del general Washington y en el padre de la pintura norteamericana (41).

En Newport se encuentra un frontón de pelota vasca.

CONNECTICUT, sede de las Compañías de Seguros

Entre sus hermanos de Nueva Inglaterra (y sólo después de Pennsylvania, New Jersey, Delaware y Georgia), correspondió a Connecticut la primacía en convertirse en Estado, al ratificar la Constitución del país el 9 de enero de 1788. Su capital es Hartford y puede considerarse sede de la mayoría de las Compañías de Seguros del país, así como de algunas industrias metalúrgicas importantes, entre las que destaca la de armas cortas.

De la base de New London (Connecticut) partió el 16 de febrero de 1960 el submarino nuclear "Tritón", para comenzar la vuelta al mundo en ochenta y cuatro días y recorrer 41.500 millas bajo el agua. Esta histórica travesía tuvo como una de sus últimas etapas la visita, el 2 de mayo, del sumergible a Sanlúcar de Barrameda, como homenaje a la proeza de la nao española "Victoria" y su capitán, Juan Sebastián Elcano, sucesor de Magallanes en el mando, de dar, en el año 1521, la inaugural vuelta a la tierra. Doce días más tarde, el embajador de los Estados Unidos en España, M. Lodge, ofrecería una placa recordatoria de la visita en solemne ceremonia (42).

Es en Derby (Connecticut) en donde el embajador de los Estados Unidos en Madrid de 1790 a 1802, David Humphreys, importó las primeras ovejas merinas españolas, tan famosas en el continente y tan fundamentales en el desarrollo de Australia (43). En las ciudades de Hartford, Bridgeport y Milford existen frontones para los aficionados al "jai-alai".

Esteban Gómez

En la desembocadura del río Connecticut paró Esteban Gómez en 1525 con su carabela. Lo denominó "Río de la Buena Madre" (44).

Y ALE

Es New Haven asiento de la Universidad de Yale, una de las más prestigiosas del país. Un paseo por New Haven es realmente agradable. Con no ser una extensa ciudad, tiene la traza urbana de una ciudad europea y alterna armoniosamente sus parques, sus edificaciones dieciochescas y decimonónicas con las modernas del estilo actualmente imperante y las necesidades urbanísticas de aparcamientos y supermercados. Buenos comercios, tentadoras pastelerías y superiores centros para la investigación y el saber. La vida de la ciudad gira en torno de Yale, cuyos numerosos edificios ocupan considerable extensión de la mejor parte del casco urbano. Se respira ambiente universitario por doquier, y al recorrer las calles, limitadas por Facultades y Museos, o al atisbar los patios interiores, uno sólo echa de menos ver aparecer a profesores y alumnos con su antiguo traje universitario y no con zamarras, en mangas de camisa, los varones y las muchachas en atuendo no preocupadamente femenino. Entre los modernos edificios de Yale destacan las atractivas Escuela de Arquitectura y "Biblioteca Beinecke de Libros Raros y Manuscritos". Dirigida ésta por Mr. Herman W. Liebert, destaca por la armonía de sus modernas líneas: carente de ventanas, para conseguir grados de temperatura, de luz y de humedad permanentes y uniformes, consisten los cuadros de su fachada en un mármol blanco-grisáceo y translúcido, que deja de día traspasar a su interior el resplandor del sol y permite contemplar desde su exterior al edificio de noche, cuando está iluminado, como si de un fanal se tratase. Encierra dicho edificio multitud de incunables, manuscritos y libros raros, muchos de ellos españoles.

De 1826-27 data el interés de la Universidad de Yale por la enseñanza del español, en cuyo tercer trimestre fue establecido para los alumnos de los cursos inferiores con carácter potestativo. A cargo de Charles Roux estuvo la tarea, y dos años más tarde a la responsabilidad de José Antonio Pizarro. Pero su enseñanza adquirió interés e importancia a partir de 1879, gracias a la figura del profesor William Ireland Knapp, que había estudiado en España. Escribió para sus alumnos una "Gramática del idioma español moderno" y editó para ellos las obras de Boscán y de Diego Hurtado de Mendoza (45). El departamento de español de Yale es hoy uno de los mejores de los Estados Unidos. Del de Historia han salido también notables hispanistas: recordemos a Edward Gaylord Bourne, autor de la magnífica "España en América", publicada en 1904 y aparecida recientemente en edición de bolsillo (46). En New Haven fue también publicada, y en 1869, "El romance de la historia española", de John S. C. Abbot, pastor congregacionista, conjunto bien espigado de incidentes, "bien comprobados", "transcurridos a lo largo de muchos siglos, y de interés para los lectores norteamericanos" (47). El prof. don Manuel Durán es el Presidente de la "North-American Catalan Society".

INSTITUCIONES DE ENSEÑANZA SUPERIOR

En la nómina de centros importantes, en muchos de los cuales, también lo es la enseñanza del español en la hora presente, deben figurar, aparte de los citados, en el Estado de Connecticut: Fairfield University, en Fairfield; University of Bridgeport, en Bridgeport; University of Connecticut, en Storrs, y Wesleyan University, en Middletown (cuyo importante Center for Advanced Studies dirige el hispanista Paul Horgan); en New Hampshire: Darmouth College, en Hanover, y University of New Hampshire, en Durham; en Rhode Island: Brown University, en Providence, y University of Rhode Island, en Kingston; en Maine: University of Maine, en Orono (su claustro de profesores cuenta en la actualidad con Georges Moody, ex agregado cultural en Madrid); en Massachusetts: Brandeis University, en Waltham; Clark University, en Worcester; Northeastern

125

University, en Cambridge; Suffolk University y Boston University, en Boston; Tufts University, en Medford; Wellesley College, en Wellesley; Wheaton College, en Norton; Smith College, en Northampton; Ahmerst College y University of Masachusetts, en Ahmerst, y Boston College, en Chesnut Hill. En Vermont: Norwich University, en Northfield; University of Vermont, en Burlington, y Middlebury College, en Middlebury.

En julio de 1899 fue invitado a dar tres conferencias sobre la corteza cerebral, en la Universidad de Clark, Worcester, el Premio Nobel, Santiago Ramón y Cajal, quien recogió las impresiones de su viaje en "Recuerdos de mi vida".

Los cursos de verano de español del Middlebury College son especialmente famosos y por ellos han pasado los mejores alumnos y profesores que hoy enseñan nuestra lengua en los Estados Unidos. Varias de dichas Instituciones sostienen –como hemos visto anteriormente– sus propios cursos en España, con el objeto de conseguir entre sus alumnos un mejor conocimiento de nuestra cultura y una mayor familiaridad con la lengua (48). Y antes de abandonar Nueva Inglaterra y su vida intelectual, no podemos omitir la visita al Massachusetts Institute of Technology (M. I. T.), primer centro de enseñanza y de investigación técnicas, situado no lejos de Harvard, un mundo técnico en sí mismo y albergue de los máximos adelantos en cibernética y en otras muchas modalidades de la ciencia.

Aun no siendo muy numerosa la Colonia española en Nueva Inglaterra, algunos nombres de valía merecen ser mencionados además de los ya citados, en relación con las antedichas Instituciones: Juan Marichal en Harvard; el cubano Arrom en Yale; Rodríguez Delgado, en la Facultad de Medicina de Yale; López Morillas, en Brown University; el poeta Jorge Guillén, en Wellesley College, etc.

NOMBRES ESPAÑOLES

Cuenta Nueva Inglaterra con las siguientes localidades portadoras de nombres hispánicos: Carmel, México, Saco, Columbia Falls, Madrid. E. Peru y W. Peru, en Maine; Ayer, en Massachusetts.

CAPITULO II

NUEVA YORK, el Estado Imperio

Una primera distinción hay que hacer entre el Estado y la ciudad de Nueva York. Es la popularidad, ésta se lleva el gato al agua, de forma que llega a veces a oscurecer la existencia del otro. Junto al emporio de riqueza que la ciudad supone, el "Estado Imperio" –como a sí mismo se llama–, de triangular configuración, no brilla por el elevado nivel de vida de sus habitantes: en este Estado se encuentran quizá las gentes más pobres de la Unión, lo mismo que en Vermont, Virginia Occidental y los Estados que se apoyan en los Apalaches. Recordemos a ese respecto el programa de "guerra contra la pobreza", preconizado por el presidente Johnson. El Estado tiene a Canadá por Norte y a los lagos Erie y Ontario por Oeste; sólo tien contacto con el Atlántico a través del río Hudson y de la isla de Manhattan, con su suburbio del Bronx y la próxima Long Island. Pesó mucho en los días de la Independencia y se llegó a pensar en establecer en él la capital federal. Washington pasó grandes temporadas en Manhattan. El Estado se convirtió en tal al ratificar la Constitución el 26 de julio de 1788.

El Estado es el más rico de los Estados Unidos, y el primero en número de millonarios: 56.396 (1).

RECORRIDO POR EL ESTADO: CATARATAS DEL NIÁGARA

A través del cuello de tierra que separa aquellos lagos, se llega a la frontera canadiense y nada menos que a las cataratas del Niágara. Interesante espectáculo natural el que proporciona la caída de los dos inmensos chorros de agua de aquéllas separados por la "Luna island" (así y no "Moon island"). Los numerosos turistas que las visitan y las no menos abundantes parejas de recién casados que escogen sus riberas para la luna de miel (¿tendrá esto alguna relación con el nombre de la isla?), pueden sosegar sus nervios con la contemplación ininterrumpida y varia (durante la noche una colorida iluminación cambia constantemente) de la caída del líquido elemento, si es que un suicida o un loco no se lanza a ellas, protegido o no con un tonel. Muchos poetas han dejado volar su inspiración ante su vista: en la memoria de todos está el poema de José M. de Heredia, que éste escribió por vez primera en el libro de visitantes, perecido en un incendio que hace años se originó. A mi vez, no puedo sustraerme de recordar los versos de mi abuelo, Carlos Fernández Shaw, quien la visitó en 1886 (1a).

Uno de los atractivos del lugar es pasar de una orilla a la otra en el denominado "Spanish car" (coche español), producto del genio inventivo del español Leonardo Torres Quevedo. Hace muchos años que está en servicio y a millones de turistas ha transportado con perfecta garantía en su barquilla suspendida de un resistente cable. En la exposición titulada "Perspectivas de la computadora", celebrada hace algunos años en N. York, figuraban diversas referencias a aquel ingeniero, inventor del sistema de control remoto o telekino, y del dirigible "astra-torres".

Vecina de las cataratas es Buffalo, ciudad que alberga una de las ramas de la Universidad Estatal de Nueva York –anfitriona en el curso 1964-65 del escritor español Guillermo Díaz Plaja– y la Universidad de Buffalo. Un poco más al Este nos tropezamos con Rochester, sede de la Kodak y de la Universidad de Rochester. Siguiendo en dicha dirección, ahora por la autopista 90, atravesaremos una región llena de nombres, con el de "Séneca" como base: aunque el origen de éstos sea el de los indios de dicha denominación (y, ¿de dónde les viene?) y no el del filósofo cordobés, siempre gusta topar con cosas familiares. Dejaremos al Sur la ciudad de Ithaca, con la Universidad de Cornell (en ella enseñó el profesor español de Arquitectura Martín Domínguez) y llegaremos a Syracusa, cuya Universidad lleva el mismo nombre. Esta fue escena, en junio de 1964, de un homenaje a las letras españolas en la persona de Camilo José Cela, (¡qué emocionado estabas!), al conferirle el título de doctor "honoris causa". No lejos se encuentra, en Hamilton, la Universidad de Colgate (¿cuántas veces has hecho tal recorrido, Jaime Ferrán, en tus años de docencia en ambas?), fundada por los enriquecidos productores de la pasta dentrífica: buen ejemplo y acicate para cuantos consiguen apalear millones en poco tiempo. Existe en ella un "Instituto de Estudios Hispánicos", que publica una notable revista, "Symposium", todo ello obra del compatriota Homero Serís.

La carretera 90 nos llevará después a Utica y a Schenectady (recordemos a la General Electric), para desembocar en la 87, descendiente del Canadá, que trae, a su vez, el frescor y la belleza de su veraniego "Lake George" y el rumor de las batallas de Ticonderoga en julio de 1758, en la que el francés Montcalm sufrió derrota ante el inglés Abercombrie (el Fort Ticonderoga ostenta hoy en su Museo una serie de cañones con el escudo español) (2), y de las de Saratoga, en septiembre y octubre de 1777, victorias trascendentales para la causa de los independentistas. La confluencia de ambas rutas tendrá lugar en Albany, capital del Estado y sede de su Capitolio y de su ex-gobernador, Nelson Rockefeller, en cuya pinacoteca particular figuran Picassos y otros pintores españoles, así como de la State University of New York.

El descenso hasta la ciudad-coloso lo continuaremos por la autopista 87, tan buena como todas las americanas de su clse y sometida como ellas al pago de peaje. Nos toparemos con sorpresas como en New Palz, en donde el "New York State College" deparará modernas edificaciones, amplio auditorio para conferencias y, lo que es significativo, un nutrido grupo de aficionados a lo hispánico, en tiempos animado por la profesora Rosa Martínez de Cabrera, a más de un insospechado Instituto para especializarse en estudios africanos, uno de los mejores del país. Un poco más allá, Hyde Park nos mostrará la casa de F. D. Roosevelt y su tumba en uno de los rincones de su jardín. A unas millas de distancia, el buscador de sensaciones hispánicas volverá a gozarla, en Poughkeepsie, en el Vasar College de muchachas, una de las Instituciones femeninas de más prestigio nacional (con Radcliffe, de Harvard; Barnard College, de Nueva York; Bryn Mawr, en Pennsylvania, y Mary Washington, en Virginia). Se halla albergado el departamento de español en un moderno y absurdo edificio, en el que el entusiasmo de sus animadoras, Sofía Novoa y María Madariaga, procuró hacer olvidar la frialdad que la apariencia que aquél produce, sentimiento que no parece traducirse a la realidad cuando comienza a apretar el sol en primavera.

En Tarrytown se halla enterrado Washington Irving, cuyo nombre ostenta la Biblioteca del Centro Cultural de los Estados Unidos en Madrid.

WEST POINT: LA ACADEMIA MILITAR

Un poco más cerca de Nueva York, y tras un breve desvío de la autopista. nos hallaremos ante la enorme extensión y los numerosos edificios de la primera Academia Militar de los Estados Unidos: West Point. En este lugar hallábase un fuerte construido por Washington para cerrar la entrada del río Hudson. pero Benedict Arnold, el traidor a la causa nacional, se lo vendió a los ingleses, quienes, por otra parte, no pudieron entrar en su posesión. Nuevos edificios se elevan constantemente y magníficas casas para jefes y oficiales se ven por doquier. Iglesias de todas las denominaciones yerguen sus torres en el "campus" y es muy atractiva la católica de la Santísima Trinidad y muy simpático uno de sus pastores, el padre Moore, aficionado a las cosas de España. Enseña a sus visitantes una campana procedente de Filipinas, que conservan en uno de los claustros y que contiene la siguiente inscripción, denotadora de una universal presencia de España: "Siendo cura párroco el M. R. P. F. Mariano García, año de 1883, Donación del gobernadorcillo D. Mariano Balancio y del teniente 1.º D. Hilario Calico, a su iglesia de Bauang, 834 libras".

Nada tiene que envidiar el departamento español de West Point a los demás de las Universidades americanas por enrolar a competentes y numerosos profesores. Su biblioteca cuenta con una nutrida selección de libros españoles. El alumnado mantiene un elevado grado de disciplina y de conocimientos (de West Point salieron Eisenhower y Mac Arthur), que se hace patente en los días de parada, con su antiguo uniforme, a la sombra de uno de los mástiles del "Maine".

CIUDAD DE NUEVA YORK

Y llegamos a Nueva York, ciudad hermana de Madrid. Con ser formidable el puente de Washington, si se viene del Norte, y con impresionar la visita de

Manhattan, antes de entrar procedente del Sur por el túnel Lincoln, era preferible cuando posible embarcarse en un transatlántico de cualquier línea regular (si se quiere español, en el "Covadonga" o en el "Guadalupe", de la Compañía Trasatlática) y arribar al estuario del Hudson, de mañana, a las luces del alba. Se contemplaba, en primer lugar la estatua de la Libertad, regalo de los franceses (cuya llegada y construcción, que presenció, es tema de una interesante carta de mi abuelo), y cuyo centenario tantas celebraciones ha merecido en julio de 1986, en las que participó el tenor Placido Domingo, además del buque-escuela "Juan Sebastián Elcano", y la vista del conjunto de los rascacielos de "downtown" apiñándose al borde de la isla y lanzándose desesperadamente hacia el cielo con el ansia de sobrevivir, –se destacan dos modernas Torres Gemelas– es una impresión imperecedera, que constituye una premonición adecuada y magnífico símbolo de lo que en tierra aguarda.

No es el momento de extenderse en consideraciones sobre la ciudad. Existen estupendos ensayos de todos los tipos y en todas las lenguas. Quien desee conocer la opinión de españoles que lea a Julio Camba, en "La ciudad automática"; Pérez de Ayala, en "El país del futuro"; Joaquín Belda, en "En el país del bluff, veinte días en Nueva York", una antigua –o moderna– Guía de la ciudad (por ej. la editada en español, N. York. 1876); Juan Ramón Jiménez, en "Diario de un poeta recién casado"; García Lorca, en "Un poeta en Nueva York", y, más recientemente, "Los Estados Unidos en escorzo", de Julián Marías, o de Rodrigo Royo, "USA, el Paraíso del Proletariado", pongo por caso (3).

La "Nueva Amsterdan" de los holandeses en 1624, reducida a la isla incluso a lo largo del siglo XIX, ha rebasado sus límites, y hoy comprende, además de Manhattan, Brooklyn, Queens, Bronx y Richmond, con una población cercana a ocho millones. Si se medita en que buena parte de la gente que en Manhattan labora procede de Newark, New Jersey (aquí se encuentra el muelle de la Compañía Trasatlántica) y otras localidades suburbanas y que todas ellas se hallan unidas por un rápido y eficiente "metro", habrá que concluir que la población neoyorquina es en realidad casi doble de la indicada. Ha sido, y es, Nueva York la casi única puerta de entrada al país de la inmigración europea; la mayoría de los emigrantes –excepto los reclamados por parientes o amigos ya residentes en otros Estados– han pasado su temporada en Nueva York, antesala durante muchos años del posterior viaje de establecimiento en tierras más occidentales. De vario origen nacional ha sido la aportación humana al engrandecimiento de la gran ciudad. Muy numerosa la de algunos grupos étnicos, como irlandeses, judíos, alemanes y, sobre todo, italianos. En el poder político que los millones de los votos de estos últimos suponen, se halla la explicación de que el 12 de octubre se convirtiera en "Columbus Day", fiesta italiana, con exclusión deliberada de todo cuanto de español tiene el descubrimiento de América e incurriendo en aberraciones históricas, como la de asociar a la figura de Colón la bandera tricolor de los Saboyas.

PRESENCIA ESPAÑOLA EN LA CIUDAD

Colonias hispánicas

No es comparativamente tan numerosa, ni con mucho, la Colonia española. Formada principalmente por reducidos grupos llegados antes de las leyes migratorias de 1924 o después de 1939, se halla agrupada en varias, ¡cómo no!, asociaciones de diverso tipo y antigüedad (Club de España, Círculo Isabel la Católica, Club Taurino, etc.) (4). Se ha mostrado, sin embargo, especialmente activa en los últimos años y, entre otras cosas, ha conseguido, en colaboración con las respectivas autoridades, la brillante celebración de varias "Semanas" como las dedicadas a Madrid y a Bilbao-Vizcaya, y seminarios consagrados a Andalucía y a otras regiones de España.

Quizá las nuevas disposiciones sobre inmigración darán lugar en un próximo futuro a un acrecentamiento de sus componentes. Con ellos, la relativamente reciente inmigración de portorriqueños y la más aún de cubanos y otras nacionalidades hispánicas se equilibrará en un cercano día la balanza con otras minorías, y se irán consiguiendo justicias para las aportaciones de los hispanoparlantes. De la abundancia de éstos –millones de portorriqueños– buena muestra son el frecuente e inevitable encuentro en la calle y en cualquier lugar público con hispanófonos, las varias emisoras de radio y dos de televisión en español, la prensa periódica en nuestro idioma de considerable circulación, como "La Prensa-El Diario de Nueva York" y en su momento, "El Tiempo", "El Mirador de Nueva York" (luego "El Mirador del Tiempo"). El ABC de las Américas y la revista "Temas", los más de 35 cines exhibiendo sólo películas hispánicas, la frecuencia de espectáculos teatrales en español, los numerosos clubs o asociaciones de todo tipo y los restoranes que ofrecen platos típicos de los países iberos e iberoamericanos.

Uno puede vivir muy bien en la ciudad de Nueva York meses y años –de hecho existen muchos ejemplos– hablando sólo español y sin necesidad de echar mano de la lengua de Shakespeare. A este respecto es curioso el artículo publicado por Francisco Ayala en el ABC de Madrid a fines de 1983. Existen barrios, alrededor de la calle 14, Broadway arriba y al este de Harlem (barrio de los negros), en los que los anuncios de las tiendas rezan en español, dando la impresión al viandante de hallarse al sur del Bidasoa o del Río Grande. En 11 áreas de la ciudad, incluidos Bronx, Brooklyn y Queens, de importante población hispánica, han sido instalados letreros para la circulación, en español; no será extraño toparse en muchos lugares con indicaciones tales como "cruce en las esquinas", "obedezca las luces del tráfico", etc. La Guía de Teléfonos cuenta con un suplemento en español de sus Páginas Amarillas. En el aeropuerto JFK. y en la terminal de Eastern, una de las salas de espera se denomina "Su Casa", en la que una azafata atiende en español. Según disposición del Estado neoyorkino, los ciudadanos norteamericanos de habla española pueden votar y jurar la Constitució en español (5).

No están siendo buenos los tiempos para los portorriqueños en su adaptación a la metrópoli: su incorporación a la vida ciudadana y nacional supone un trauma que poco a poco irá suavizándose, como ocurrió con los judíos o con los irlandeses. Sus protestas por la discriminación a que son sometidos en las ense-

131

ñanzas o en el trabajo, y su defensa ante las injustas alegaciones de una abundancia entre su población de criminales juveniles, son objeto de diarios comentarios públicos y privados. Se abren para ellos, sin embargo, mejores perspectivas, aunque nada más que sea por la influencia que sus votos puedan tener en las elecciones. Para educar gratuitamente a los necesitados se ha fundado la «Asociación de Voluntarios Bilingües.

Conectados con nuestra Colonia, aunque muchos años les separen de ella en el tiempo, están los sefarditas –judíos descendientes de los expulsados de España en 1492–, que pueblan la ciudad en número aproximado a los 40.000. Llegaron los primeros cuando todavía era Nueva Amsterdam, aprovechándose del permiso que Holanda les había concedido de establecerse en su territorio. Habrían sido subsumidos por los judíos de origen alemán o "askenazies" arribados después de 1848, de no haber atravesado el Atlántico refuerzos hispanolevantinos a raíz de la primera guerra mundial (6). El este de Manhattan fue el sector primeramente elegido por ellos: allí instalaron los típicos cafés mediterráneos, en los que gastaban sus horas de asueto. En los últimos años, los sefardíes se han diseminado por el Bronx, Brooklyn y otros distritos (7). Conservando la lengua original o "ladino", acuden a sinagogas especialmente dedicadas a los hispanoparlantes; la principal se encuentra en 8 West 70 th Street, incluida en el Anuario Telefónico bajo la palabra "Spanish" y junto a las otras muchas instituciones que por un motivo u otro ostentan este adjetivo gentilicio. El Centro Sefardí del Bronx cuenta con sinagoga y escuela religiosa, así como con un Hogar Sefardí de Ancianos (8). Todavía se conserva en St. James Place, cerca de Chinatown, un triángulo del cementerio de la sinagoga española y portuguesa, que ocupó la actual Chatham Square, y cuyo origen algunos remontan hasta 1656. Ello le hace ser el segundo de la ciudad en antigüedad y el más antiguo judío en todo el país. Una placa recordatoria se encuentra en su entrada (9). De él escribió García Lorca:

"La hierba celeste y sola de la que huye con miedo el rocío
y las blancas entradas de mármol que conducen al aire duro,
mostraban su silencio roto por las huellas dormidas de los zapatos..." (10).

El segundo cementerio hispanoportugués, que se abrió en 1805 y se cerró en 1829, se halla en el oeste de la calle 11, cerca de la esquina sudoeste de la avenida de las Américas (11).

Con ocasión del establecimiento de relaciones diplomáticas entre España e Israel la comunidad sefardita organizó en mayo de 1956 una ceremonia en honor del Cónsul Gral. de España y del Embajador ante las Naciones Unidas.

Hispánica conmemoración del Descubrimiento de América

Hace más de veinte años, nació el Club de la Hispanidad, con la principal misión de reinvicar para España y el mundo hispánico el aniversario del Descubrimiento de América, esfuerzo en el que poco a poco se van poniendo jalones (como fue la proclamación en 1964 por el Alcalde Wagner de la "Semana de España", proclamación que ha venido realizándose anualmente desde entonces por el propio Wagner y sus sucesores (en la de 1971 se halló presente al duque de Veragua). En la "Semana" se han solido incluir un homenaje a Colón delante de su estatua en Central Park, un desfile por la Quinta Avenida, una misa, una cena de gala, etcétera. En la antepenúltima de las oportunidades citadas, el Instituto de Cultura Hispánica de Madrid aportó una exposición de documentos españoles de gran valor geográfico, histórico y cartográfico, referentes en su mayoría a las exploraciones de Ponce de León, Vázquez de Ayllón, Esteban Gómez, Soto y otros conquistadores, en el continente septentrional de América (12). La debida e hispánica celebración de tal efemérides fue también la causa de la fundación del "Círculo Colón-Cervantes" en 1891, en el que actuó como secretario Antonio Cuyás y Armengol, autor de un popular diccionario español-inglés.

Hemos tocado el tema del 12 de octubre y ello nos lleva a recordar las especiales celebraciones que en la ciudad se desarrollaron con ocasión del IV centenario del Descubrimiento de América. En el vapor "Reina Cristina", y representando a los reyes de España, llegaron el 18 de abril de 1893 S. A. R. la infanta D.ª Eulalia y su esposo, que fueron recibidos por el representante del presidente Cleveland y por el cónsul general de España. D. Arturo Baldasano. El puerto ofrecía un hermoso aspecto y la bahía estaba convertida en un bosque de vapores, cuyos ocupantes, así como la Colonia española que aguardaba en el muelle, vitorearon a los ilustres visitantes. También se halló presente para las celebraciones el duque de Veragua. El día 24 siguiente llegaron las reproducciones de las carabelas descubridoras, que, con otros buques de la escuadra española, tomaron parte el día 27 en la gran revista naval que presidió Mr. Cleveland. Después de un viaje muy malo a causa de los temporales que encontraron, con riesgo de pérdida de las carabelas, la escuadra española fondeó primero en la bahía de Delaware y, más tarde, en Hampton. Se trataba de los buques "Infanta Isabel", remolcando a la "Pinta"; el "Nueva España", a la "Niña", y el "Reina Regente", a la "Santa María". Como complemento a la revista naval, se verificó un desfile de las fuerzas de mar y tierra por la Quinta Avenida, entre la calle 42 y Washington Square, y por Broadway hasta la Casa Consistorial, desde donde el alcalde de la ciudad y los invitados extranjeros lo presenciaron. En la revista naval participaron, además de los españoles, los buques americanos "Philadelphia", "Newark", "Atlanta", "San Francisco", "Bancroft", "Bennington", "Baltimore", "Chicago", "Yorktown", "Charleston" y "Concord", así como otros argentinos, holandeses, alemanes, ingleses, rusos, franceses, italianos y brasileños. Por ironía del destino, algunos de dichos barcos norteamericanos lucharían años después contra España, y el español "Reina Regente" sería hecho prisionero por la escuadra yanqui (13).

En 1986 el Gobernador del Estado, Mario Cuomo, y el Alcalde de la ciudad, Edward Koch, proclamaron la "Semana de la Comunidad Hispana" los días 14 al 20 septiembre, siendo clausurados los actos en que consistió con un concierto en Battery Park.

Contribución española

En el sector sur de Manhattan, parte más antigua de la ciudad, que cuenta con el primer grupo construido de rascacielos, vanguardia en dar la bienvenida al viajero trasatlántico, y que entre otras celebridades se enorgullece del Ayuntamiento y de la famosa Wall Street, sede de la Bolsa y de las centrales de los más importantes Bancos y Sociedades financieras (la Battery Place inspiró a Lorca su nocturno sobre "Paisaje de la multitud que orina") (14), puede hallar el viajero una parroquia católica, en cuya erección España tuvo primordial intervención: la iglesia de Saint Peter, la primera católica en todo el Estado de Nueva York. La historia, que me fue proporcionada por Adolfo Echevarría (15), es como sigue: D. Diego de Gardoqui, el primer embajador de España en los Estados Unidos, tuvo en su residencia de la calle Broadway, en el palacete que fue de los gobernadores ingleses –lindante con la de su buen amigo John Jay–, una capilla en la que se celebraba misa y a la que acudían los grupos de católicos neoyorquinos, carentes de otro lugar para celebrar culto. Al aumentar el número de éstos, inició Gardoqui una suscripción, que encabezó, y cuyos resultados permitieron comprar un terreno en la calle Barclay, próximo a Broadway y a la plaza de City Hall. Gardoqui presidió la colocación de la primera piedra el 5 de octubre de 1785, y depositó junto a ella, en un envase metálico, varias monedas de oro enviadas por Carlos III, como símbolo de la participación económica de España en el empeño. Una adicional ayuda de 1.000 dólares consiguió Gardoqui del conde de Floridablanca, a la sazón primer ministro del rey, y un permiso para que el sacerdote irlandés O'Brien viajara por Cuba y México para recabar fondos, los que obtuvo por la suma de 6.000 dólares, así como el óleo de José María Vallejo "La Crucifixión", de México, que todavía se venera en el altar mayor. Gracias a estos esfuerzos pudo inaugurarse San Pedro, bajo la presidencia del embajador español y con una misa solemne el 4 de noviembre de 1786, festividad del Santo Patrón del rey Carlos III. A la derecha de Gardoqui se sentó en el banquete subsiguiente el primer presidente de los Estados Unidos, George Washington, a cuya izquierda, en lugar de honor, había marchado el diplomático bilbaíno en el cortejo de la inauguración presidencial. Los síndicos acordaron, como agradecimiento a Gardoqui, reservar en la iglesia "un banco situado en lugar preferente para uso a perpetuidad de los representantes de Su Majestad Católica el rey de España". En el año 1956 el generalísimo Franco regaló a la iglesia un valioso cáliz, continuando el patrocinio iniciado por los monarcas Borbones. El día de la Hispanidad fue por vez primera celebrado religiosamente en dicha iglesia, en 1965, bajo la presidencia del cónsul general, Manuel Alabart, marcando un precedente a seguir.

Decisiva debe considerarse también la intervención española en la fundación de un orfelinato para 160 niños, a cargo de las Hermanas de la Caridad. No fue en este caso la diplomacia, sino el arte, el benefactor. La famosa artista española María Felicidad García, "La Malibran", cantó a beneficio del proyecto en la Catedral, y el resultado obtenido y el ejemplo dado movieron a los católicos a contribuir de forma que pudo comenzar a construirse en 1826. La boda de la mencionada soprano con el comerciante francés, residente en Nueva York, Francis Malibran, tuvo lugar precisamente en la iglesia de San Pedro (16).

UNIVERSIDADES Y OTRAS INSTITUCIONES

Difusión de la lengua y de la civilización españolas

No hizo falta la abundante presencia de hispánicos de origen para que Nueva York se interesara por la lengua española. Ya en 1735 se ofrecían profesores, como puede verse en la "New York Gazzette", de 14-21 de julio (17), y el 26 de octubre de 1747 Augustus Vaughan abrió "una escuela en New Street, cerca de la esquina de Beaver Street, en donde se enseña, correcta y rápidamente, inglés, latín, español e italiano" (18). Se tiene noticias además de que, a lo largo del siglo XVII, existín en la ciudad ejemplares de las obras de Baltasar Gracián, la "Diana" de Montemayor, y "Guzmán de Alfarache", y que en la New York Society Library podía leerse "La Celestina" o "La Historia de Méjico" de Francisco Clavijero; su fondo bibliográfico referente a España e Hispanoamérica llegó a ser considerable a fin de siglo y en él bebiero indudablemente para preparar su obra Irving, Ticknor y Prescott (19). En 1815 comenzó a publicarse la "North American Review", que fue una arteria vital para el conocimiento de los hispánicos, merced a las excelentes plumas de entendidos que en ella colaboraron, especialmente desde que en 1824 Jared Sparks entró a dirigirla (20).

La enseñanza del español en el Nueva York de hoy alcanza, sin duda, notables grados de excelencia. Encabezan el movimiento las importantes Universidades del área, como New York, Columbia, Forham (de los padres jesuitas), la Universidad judía Jeshiva y el College of the City of New York que, a su vez, comprende: el City College, el Hunter College, el Brooklyn College y el Queens College; además, las Instituciones de grado superior situadas en los alrededores, como Adelphi College, en Garden City; Hofstra University, en Hempstead; Long Island University, en Brooklyn; St. Johns University, en Jamaica, y el "campus" de la State University of New York, en Long Island –"la dulce Long Island" para J. R. Jiménez (21)–, en el que ha dictado sus clases el profesor de Historia de América Guillermo Céspedes. La Alfred University, en Alfred, y la St. Lawrence University, en Canton, completan el cuadro, con las referidas anteriormente al recorrer el Estado.

Las Universidades de Nueva York y Columbia (vienen inevitablemente a la memoria los "Poemas de la Soledad", de García Lorca) (22), cuentan en su Departamento de español los profesores por docenas, tanto en sus cursos para posgraduados como para graduados, entre los que se cuentan los que ofrece el conocido Colegio de muchachas de la segunda, Barnard, en el que hemos contemplado más de una vez representaciones de obras teatrales a cargo de sus profesores y alumnos, y homenajes a figuras españolas, como el celebrado con ocasión del centenario de Lope de Vega. La Universidad de Columbia se halla en Broadway St. arriba, y en su sección de Historia ha destacado el profesor Lewis Hanke, quien, con el historiador William Thomas Walsh y el escritor Waldo Frank, ha formado el grupo de hispanistas norteamericanos de más nota en los últimos tiempos; en Columbia enseñó, allá por 1830, Mariano Velázquez de la Cadena, autor del mejor diccionario hispano-inglés y viceversa, todavía en uso (23).

La Universidad de Nueva York tiene su base en torno a la Washington Square, esa plaza en la que descansara J. R. Jiménez en tarde de primavera a la sombra de un frondoso árbol, coronado con una copa, según el poeta, de pájaros, no de hojas (24). La Universidad de Nueva York es, con la de California, la más populosa de los Estados Unidos, en estudiantado (sobrepasa la cifra de 40.000) y se halla distribuida en varios "campus": en uno de los modernos edificios de "downtown" se inauguró en 1964 una exposición de las esculturas de Juan de Avalos, y en el de Bronx tuve ocasión de colaborar en los cursos impartidos en uno de sus Institutos de Lenguas. Dicha Universidad mantiene en Madrid, desde hace años, un "Junior Year", siempre frecuentado por abundante alumnado, y en los últimos tiempos ha aumentado su programa, abriendo la posibilidad de obtener el "master" en España. De la Universidad de Columbia ha salido, desde 1934, la "Revista Hispánica Moderna" (antes "Revista de Estudios Hispánicos"), una de las publicaciones mejores en el género (25).

En las mencionadas Instituciones de Enseñanza Superior ejercen y ejercieron su docencia numerosos españoles de reconocida calidad intelectual: entre otros, podría recordarse a los profesores Casalduero, Da Cal, matrimonio del Río, Francisco Ayala, Tomás Navarro Tomás, Francisco García Lorca, González López, Florit, Oliver Bertrán, García Mazas, Linz Storch... Practican la Medicina en Nueva York, entre otros, los doctores Orti, Piniés, Salgado, etc.

Otras Instituciones en el campo de las relaciones culturales hispanonorteamericanas son el *Institute of International Education* (entidad clave en los intercambios de estudiantes) y el *American Field Service* (la segunda enseñanza es su campo de acción), ambas con sede en Nueva York. Eficaz labor realizó el *Hispanic Institute* desde que se creó en 1920 –primero con el nombre de "Instituto de las Españas"–, como resultado de los esfuerzos aunados de la Junta para Ampliación de Estudios, de varias Universidades españolas y de diversas entidades norteamericanas. Fue su primer impulsor Federico de Onís. En la actualidad, la más importante entidad cultural hispánica en Nueva York es el *Spanish Institute,* fundado en 1954 y propulsado desde entonces por una serie de figuras prominentes como E. Larocque Tinker, George S. Moore, Beatriz Bermejillo, Teodoro Rousseau, Rosita Noyes, el Dr. Ramón Castroviejo, Angier Biddle Duke, Nicholas Biddle, Carleton Sprague Smith, Williams M. Hickey, etc.; revitalizó su actividad la adquisición de un inmueble en Park Ave., gracias a la generosidad de la marquesa de Cuevas, en el que la "Spanish House" ha venido mostrando la hispana cultura, a través de su biblioteca, sus aulas, sus grupos teatrales y su Academia Norteamericana de Altos Estudios (26). Se inauguró solemnemente en abril de 1970. Tuve el honor de ser invitado, con una larga serie de personalidades, a la Semana "Salute to Spain", celebrada en noviembre de 1974 y de intervenir en el Coloquio sobre "Historia Cultural Hispánica en los Estados Unidos".

El "Hogar del Libro Español" es una librería con amplio surtido bibliográfico. La Galería de Joan Prats escribe arte ibérico.

Arte español

Trascendental para la cultura española fue la fundación por Mr. Archer M. Huntington en 1904 de la *Hispanic Society of America* y de la inauguración en 1908 del edificio construido en Broadway entre las calles 155 y 156 para albergar el Museo de las obras de arte y libros coleccionados por el gran hispanista.

La biblioteca contiene numerosos manuscritos y libros publicados en los siglos XVII y siguientes, en cifra aproximada a los 100.000. Un nuevo edificio fue necesario construir en 1930. En el patio central saludan al visitante una arrogante estatua del Cid Campeador, bajorrelieves de Boabdil y Don Quijote y un friso con los nombres de las figuras descollantes de la cultura hispánica, todo ello obra de la escultora Anna Vaughn Hyatt, esposa del fundador. Esta es, por cierto, autora del monumento "Los portadores de la antorcha", emplazada en la Ciudad Universitaria de Madrid y de diversas reproducciones esparcidas por España de la aludida estatua del Cid. En su laboriosa ancianidad, la millonaria siguió esculpiendo en su modesta residencia de Bethel, Estado de Connecticut.

Cuadros españoles encierra la "Hispanic Society" debidos a Morales. El Greco ("San Lucas"), Zurbarán, Carreño, Velázquez ("El Conde Duque de Olivares") y Goya ("La Duquesa de Alba") entre los maestros clásicos, todos ellos comprados fuera de España; entre los modernos, Fortuny, Rico, López Mezquita, Viladrich, Zuloaga y Sorolla, cuyas 14 enormes telas sobre las provincias españolas dan excepcionales luz y aire a la sala que lleva su nombre y que fue construida expresamente en 1926. Tuvieron gran repercusión las exposiciones allí celebradas en 1909 de cuadros de este último pintor –para la que el artista se trasladó por vez primera a Nueva York– y de Zuloaga (27). Valiosas son también las colecciones de esculturas, mobiliario, hierro forjado y orfebrería, cerámica y tejidos. El programa de publicaciones de la Sociedad, presidida por Mr. A. Hyatt Mayor y dirigida por Theodore S. Beardsley, jr., ha sido y es de gran envergadura y referente siempre a los fondos que encierra o a diversos aspectos relacionados con la Institución. El número de sus miembros titulares, nombrados por sus directores, está limitado a un centenar, y el de sus miembros correspondientes a 300. Por expresa voluntad de su fundador no trabajan en la Sociedad más que mujeres, por lo que en sus locales quizá pueda encontrarse reunido el más selecto grupo de damas de los Estados Unidos dedicadas al mundo del espíritu (28).

No sólo puede verse arte español en la Hispanic Society. Si entramos en el *Metropolitan Museum,* varios trozos de España nos impresionarán (es "assistant curator" de su sección de Arte Medieval la española Carmen Gómez Moreno). La pinacoteca del Metropolitan es excepcional: abunda en obras de El Greco ("Paisaje de Toledo"), Velázquez, Goya, etc., que sirvieron de base a la todavía recordada exposición de 1928, en la que se exhibieron 13 Grecos, siete Murillos, seis Riberas, siete Velázquez, cuatro Zurbaranes y 22 Goyas, traídos de todos los rincones del país (29). En la planta baja, dando un rodeo a la escalera monumental, nos encontraremos con la importante reja de la catedral de Valladolid, en sala especialmente adaptada, y que nos hace reflexionar sobre las riquezas todavía existentes en nuestras catedrales, no tan apreciadas y destacadas como esta reja que juega un increíble papel de protagonista. Como antesala a la biblioteca Thomas J. Watson, dedicada a libros de arte, nos hallaremos de pronto con el precioso y renacentista patio español del palacio de Vélez Blanco. Construido por D. Pedro Fajardo entre 1506 y 1515, fue comprado por un anticuario francés, quien a su vez se lo vendió a Mr. George Blumenthal, que lo instaló en su mansión de Park Avenue, la vía más elegante de Nueva York. Al desmantelarla en 1945, su propietario donó el patio al Museo, que, tras varios años de estudio, lo ha ensamblado de nuevo piedra a piedra: de auténtico acontecimiento artístico y social, cabe calificar su solemne apertura al público en noviembre de 1964 (30).

No lo fue menos la inauguración del ábside de San Martín de Fuentidueña en los *"Claustros"*, situados Manhattan arriba, dando cara al Washington Bridge. Es este un Museo de Arte Medieval, dependiente del Metropolitan, en el que se hallan reunidos claustros, salas, arcos, esculturas y todo tipo de obras de arte de los estilos románticos y gótico, todas originales, traídas de distintos países europeos –entre ellos España– y agrupadas con indudable gusto. El acto contó con la presidencia del embajador de España, D. Mariano de Yturralde, y el gobernador del Estado, Mr. Nelson Rockefeller; el concierto de música medieval española con que a continuación la agrupación "New York Pro Musica" deleitó a los asistentes, teniendo el ábside por telón de fondo, es algo difícil de olvidar (31).

El *Museo de Arte Moderno* encierra también notables y numerosas aportaciones españolas del arte más reciente: así, Juan Gris, Miró, Picasso (entre otros, "Guernica" –en préstamo del autor hasta hace unos años–, "Pesca nocturna en Antibes" y "Las señoritas de Avignon"), Dalí ("La Persistencia de la Memoria"), Tapies, Chillida, etc., se inauguró hace años el *Museo Hartford Huntington*, dando cara a Central Park, y son sus máximas atracciones los grandes cuadros de Dalí, "La toma de Tetuán", y "Colón descubre América". Tampoco se halla ausente el arte español de la *Frick Collection:* "Purificación del Templo", "San Jerónimo" y "Vicentio Anastagi", de El Greco; "Felipe IV", de Velázquez; "Doña María Martínez de Puga", "El Conde de Teba", "El Duque de Osuna" y "La Forja", de Goya.

El enorme y activo mundo artístico de Nueva York y el dinero que allí acude para comprar obras valiosas hace a este ciudad el centro mundial del arte, lo que explica la existencia de innumerables galerías y de exposiciones de artistas de todos los tiempos y de todos los estilos. En lo que al arte español moderno concierne, mencionaré –haciendo omisión de muchas individuales– las celebradas hace pocos años en los Museos de Arte Modernos y Guggenheim, la de "Contrastes en la pintura española actual" y la "Exposición de Pintura Contemporánea", de mayo de 1969.

Gran impacto produjo también la sección dedicada al arte en el *Pabellón español de la Feria de Nueva York* (1964-1965), en la que junto a las "Majas", de Goya, o "El Caballero de la mano en el pecho", de El Greco, procedentes del Museo del Prado –valgan como ejemplo–, se mostraban obras de los más modernos maestros y de los pintores más sobresalientes de la nueva generación. Completaban la muestra los murales de Vaquero Turcios, la vidriera de Vázquez de Molezún, las estatuas de fray Junípero, de Serrano, y de Isabel la Católica, de Sánchez, la cerámica mural de Cumellas, las superficies de Labra y la reja de Amadeo Gabino. El edificio ideado por el arquitecto Carvajal, el acierto de la decoración y distribución de su interior, la excelencia de sus restaurantes y la brillantez de sus espectáculos folklóricos hicieron que público y crítica le otorgaran el primer puesto entre los presentados a la Feria. Supuso en sus dos etapas un excepcional –aunque costoso– elemento de difusión del buen nombre de España, hasta en los rincones más recónditos no sólo de los Estados Unidos, sino del mundo entero. Buena parte del éxito se debió a su comisario, Miguel García Sáez (32). También se exhibió en la Feria, independiente del Pabellón español, una reproducción exacta de la carabela "Santa María".

Cabe igualmente admirar el genio artístico español en los murales de uno de los edificios que forman parte del conjunto comenzado a construir en 1930 por Rockefeller para luchar contra la depresión, y que representa el núcleo urbano más importante en el centro de Nueva York: el *Rockefeller Center,* situado entre las Quinta y Sexta Avenidas. Se yergue en frente de la católica y gótica catedral de San Patricio (cuyo "altar de las Américas" es obra del escultor español Enrique Monjó), testigo privilegiado de la típica "parade" o desfile de nuevos sombreros en el Domingo de Resurrección, ante la muchedumbre congregada a la salida de la misa. El Rockefeller Center forma un complejo único de 17 edificios, todos altos y descollando sobre ellos uno de 70 pisos. Desde sus terrazas puede observarse la llegada de los mejores trasatlánticos del mundo a los muelles del costado occidental de Manhattan o divisarse en el oriental el airoso edificio de la Secretaría General de las Naciones Unidas, levantado, con el de la Asamblea, en terrenos donados también por Rockefeller, o dejar resbalar la mirada en la enorme extensión del Central Park, o enredarla en la contemplación de los colosos de la altura, los próximos "Empire State", "Chrysler" o "Seagrams", Multitud de oficinas de las Compañías más importantes del mundo se encuentran en el Rockefeller Center. También allí se sitúan los estudios de la NBC y el Radio City Music Hall, el espectáculo del mundo, en el que se hicieron famosas sus cuatro docenas de bailarinas uniformemente delgadas y esbeltas.

El "International Building" tiene su entrada principal en una plaza en la que los amantes del patinaje sobre hielo podían hace años deslizar divertidas horas y hacérselas pasar a los viandantes no apresurados, cobijados todos por una colección de banderas de los países del globo e iluminados, si de noche navideña se trataba, por una monumental conífera cuajada de luces. En el gran vestíbulo de aquel edificio nos aguardan los dos impresionantes frescos del pintor español José María Sert, con su característica combinación de tonalidades en sepia: un mural con Lincoln y Emerson como protagonistas del tema "Los logros del hombre", y otro, verdaderamente asombroso, con las figuras del Pasado, del Presente y del Futuro, rodeados de espirales de aviones en vuelo circular (33). Por cierto, que existe del mismo artista una "Evocación de España" en el comedor de la mansión neoyorquina de Mr. Harrison Williams.

A partir de 1929, vivió unos años en la ciudad el dibujante José Gabriel Segrelles, colaborador del "The New York Times" y otras publicaciones (33 bis).

Se debe a Enrique Monjó el alto relieve monumental "Estados Unidos-Siglo XX" enmarcado en el atrio del rascacielos del First National City Bank, en Park Ave., e inaugurado en junio de 1968. En el panel dedicado al descubrimiento de Norteamérica aparece Cristóbal Colón teniendo en sus manos la "Santa María".

Tuvo resonancia la exposición de fotografía española entre 1920 y 1945 albergada por el international Center of Photography a comienzos de 1986.

Los Guastavino

Existe otra contribución del arte español a la arquitectura de Nueva York, que no es, en verdad, muy conocida. Fue amablemente informado de ella por el profesor George R. Collins. Se trata de las obras de Rafael Guastavino, valenciano que emigró a los Estados Unidos llevando consigo la experiencia del sistema llamado comúnmente de bóveda catalana y que patentó con el nombre de "sistema Guastavino". Ayudado y sucedido por su hijo Rafael, construyó con su método obras innumerables, entre las que podemos mencionar, en Nueva York, la capilla de la Universidad de Columbia –el edificio experimental del sistema–, las cúpulas de la estación del ferrocarril de Pennsylvania y de la catedral de San Juan el Divino, las estaciones del "metro", las aproximaciones al Queensborough Bridge, el sótano de la Taunton Court House, etc. (34).

Teatro y música españoles y sobre España

El teatro de tema español ha sido huésped de los escenarios neoyorquinos a lo largo de los siglos XIX y XX, desde William Dunlap, que puso en escena tres comedias en el mismo año de 1800 ("La Virgen del Sol", el 12 de marzo; "Pizarro en Perú", el 26 del mismo mes, y "El caballero del Guadalquivir", el 5 de diciembre) (35), hasta Mary Lee Settle, autora de "Juana la Loca" (American Place Theatre, 14 de mayo de 1965), pasando por Ernesto Hemingway, que estrenó en el Alvin Theatre, el 6 de marzo de 1940, "La quinta Columna", con el contraespionaje en Madrid durante la guerra civil española por tema (36). La literatura cervantina ha sido buena cantera de inspiración (como los "Esclavos de Argelia", de Susan Haswell Rowson, a fines del siglo XVIII (37), y "El hombre de la Mancha", la reciente comedia musical, que tan amplia aceptación ha logrado en todos los escenarios del mundo), lo mismo que el mito de "Don Juan" (por ejemplo, las versiones, en 1921, de Langner y, en 1925, de Rostand) (38); también los relatos históricos, bien en torno a la sucesión al trono español, a la muerte de Alfonso XI ("Leonor de Guzmán'", de George Henry Boker) (39), bien acerca de las luchas comuneras ("Damas de Castilla") (40), bien sobre la Cataluña del 1500 ("Los tres duques", de Robert Montgomery Bird) (41), bien escenificando la novela de Francis Marion Crawford "En el Palacio del Rey" (1900) (42). Y recordemos las producciones –en otra parte de este libro mencionadas– de los grandes dramaturgos O'Neill ("La Fuente"), Maxwell Anderson ("Noches sobre Taos") y Tennessee Williams ("Camino Real") (43).

También ha visto Nueva York *obras dramáticas españolas,* ya en su versión original, ya en adaptación. Tuvo gran éxito en 1832 "La Estrella de Sevilla", de Lope de Vega, dirigida por Fanny Kemble Butler. "Un drama nuevo", de Tamayo y Baus, en sendas versiones de Agustín Daly y Howells, gozó de merecida acogida, especialmente con la de este último (44). Ha sido José de Echegaray uno de los autores españoles preferidos del público neoyorquino: el telón de "El Gran Galeoto" se alzaría en 1908 un centenar de veces, y "Mariana" quedó incluida en el repertorio de Mrs. Patrick Campbell desde 1902 (45). El Manhattan Theatre ofreció en 1903 veintitrés noches la "Terra baixa", de Angel Guimerá (46). Entre 1910 y 1930 logró notable favor Jacinto Benavente, lo mismo que los hermanos Alvarez Quintero y que Gregorio Martínez Sierra, cuyas "Canción de cuna" (1927) y "El reino de Dios" (1929) contaron subido número de representaciones (47) (figura la primera en muchas de las antologías recientemente publicadas del teatro moderno). Tuvo particular repercusión la actuación, en abril de 1932, en el New York Theatre, de la compañía de María Guerrero y Fernando Díaz de Mendoza, que ofreció, junto a obras de autores españoles clásicos y del día, versiones de dramaturgos europeos (48). Produjeron también su impacto en

1927 los dramas españoles protagonizados por la actriz argentina Camila Quiroga (49). La guerra civil española y el subsiguiente conflicto mundial supusieron una ausencia del teatro dramático español de los escenarios norteamericanos, con excepción de las obras de García Lorca, traducidas al inglés, interpretadas y comentadas profusamente y popularizadas por la televisión. En los últimos años el campo del teatro español quedó reducido casi exclusivamente a las Universidades. En lo que al teatro clásico se refiere, merece no olvidarse, sin embargo, las numerosas representaciones de "El caballero de Olmedo", de Lope de Vega, en 1962, y las de "La dama duende", de Calderón, en la primavera de 1965, llevadas a cabo por el Institute of Advanced Studies in Theatre Arts (IASTA) –presidido por Mr. John Mitchell– bajo la dirección, respectivamente, de los españoles José Tamayo y José Luis Alonso. De meritorio esfuerzo debe calificarse el realizado por el veterano actor español José Crespo y su compañía, al poner en escena, en 1964, "La vida es sueño", de Calderón, en español y en su traducción inglesa. Es lástima que en el magnífico teatro del Pabellón español de la Feria no realizara contribución alguna de la difusión de dicho teatro. En los últimos tiempos han proliferado grupos teatrales hispanoparlantes, como el "Laboratorio de Teatro Español", "Teatro Rodante Puertorriqueño" (con Miriam Colón), "Dumé Spanish Theatre (su fundador fue Heriberto Dumé), "Intar" (dirigido por Max Ferré) y "Compañía de Teatro Repertorio Español" (impulsada por Gilberto Zaldivar). Han puesto en escena, entre otras obras, "Anillos para una dama" de Gala. También han proliferado las visitas de compañías españolas, la mayoría subvencionadas por el Comité Conjunto Hispano-norteamericano, tales el Pequeño Teatro de Madrid, y el grupo Zascandil, compañías que han actuado igualmente en otras ciudades del país.

El profesor norteamericano Stanley T. Williams llama a *Manuel García* "nuestro Colón musical" (50). Nacido en Sevilla en 1775, viajó desde Liverpool a Nueva York en 1825 con sus hijos Manuel (el inventor del laringoscopio) y María, la anteriormente aludida cantante "Malibran", y una compañía de ópera. Tuvo lugar la inauguración de la temporada el 29 de noviembre, en el New York Theatre, con "El Barbero de Sevilla" (parte de cuya música se atribuye a García), la primera ópera larga cantada en Nueva York en lengua no inglesa. En dicho teatro, y más tarde en el Park Theatre, la compañía ofreció en total 79 funciones, incluyendo 11 óperas nuevas, como el "Don Juan", de Mozart, hasta el 30 de septiembre de 1826, en que se celebró la despedida. El éxito de la temporada fue completo y hay que valorar en lo que merece el arrojo de García en cruzar el Atlántico con numeroso elenco para actuar en Nueva York, ciudad entonces con poco ambiente musical. Otra excelente compañía, esta vez procedente de La Habana, dirigida por Francisco Martínez y Torrens, actuó en Nueva York en 1847, y otra no menos competente, a las órdenes del señor Marty, en 1850 (51).

En el mundo de la música, la Tetrazzini obtuvo muchos aplausos en 1911 con la canción española "Carceleras", de la zarzuela de Ruperto Chapí, "Los hijos del Zebedeo" (52). Durante los años 1916, 1917 y 1918, entre otros, se representaron zarzuelas en diversos teatros (53), y en 1959 hemos sido testigos de la puesta en escena de "La chulapona" (libro de mi padre, en colaboración, y música de Moreno Torroba), en adaptación libre, en una sala de Greenwich Village, instalada debajo de un templo alternativamente protestante y judío. "Fiesta en Madrid" es el título del espectáculo, basado en "La Verbena de la Paloma", que el City Center Theater puso en su cartel durante la primavera de 1969. En N. York tiene sede una Asociación de Amigos de la Zarzuela, y el Madison Square Garden ha servido de escenario en el verano de 1985 a "Antología de la Zarzuela", dirigida por José Tamayo, espectáculo que también visitó Washington –con la colaboración de Plácido Domingo–, Chicago, Miami, Houston y Las Vegas.

Gran éxito consiguió Raquel Meller con sus famosas canciones, a partir de su primera actuación ante el público neoyorquino, el 14 de abril de 1926 (54); como fue muy popular "La Argentinita", con el arte de su inconfundible baile español. Se halló presente Enrique Granados en el estreno de su ópera "Goyescas", lo que le costaría la vida al hundir los alemanes el vapor "Sussex", en que regresaba a España en 1916 (55). La valenciana Lucrecia Bori figuró como "prima donna" habitual en las carteleras del Metropolitan hasta que se retiró, en 1936 (56); residente en Nueva York, siempre fue, hasta su reciente muerte, impulsora de toda actividad artística española en la ciudad. Entre las nuevas generaciones de cantantes españoles, bien de ópera, bien de concierto, que han actuado en Nueva York, deben mencionarse Victoria de los Angeles, en primer lugar, junto con Consuelo Rubio, Teresa Berganza, Pilar Lorengar, Montserrat Caballé, Alfredo Kraus, José Carreras y Plácido Domingo. La Reina doña Sofía presidió, en octubre de 1984, la gala "España en la Opera".

Tuvieron por compañero a Isaac Albéniz los estibadores del muelle, y de su arte se beneficiaron cuando se vio en la necesidad de actuar en las tabernas del puerto, a veces, circensemente, de espaldas al instrumento y con los brazos cruzados tras él, con el fin de ganar el dinero imprescindible para regresar a la Patria (57). Antes se había hecho popular, entre 1870 y 1890, el gran violinista Pablo Sarasate (a quien el norteamericano Whistler pintó) (58), como lo fue el violoncelista Pablo Casals. A Andrés Segovia se debe el reconocimiento mundial de la guitarra como instrumento noble, y Nueva York, en donde residió, le ha podido escuchar infinidad de veces; otros guitarristas con presencia frecuente en las carteleras son el veterano madrileño Carlos Montoya, Sabicas, los Romero, Serranito y Juan Serrano. En el arpa se han distinguido Nicanor Zabaleta y Mª Rosa Calvo-Manzano, en el piano Alicia de Larrocha y en el clavicembalo Genoveva Gálvez vivió muchos años en N. York y falleció en ella en 1986, la actriz Rosita Díaz Giménez. Vive en la ciudad el joven compositor Leonardo Balada.

Hay que reconocer que el folklore español ha contribuido en gran manera a mantener vivo el nombre de España ante el público: así los ballets de José Greco, Jiménez y Vargas.

José Molina, Antonio, Antonio Gades y Ana Lorca, y los conjuntos musicales como el de "Los Chavales de España", o las agrupaciones como el Orfeón de Pamplona o los "Coros y Danzas de España". Los artistas españoles han participado en los Festivales Latinos; y en el 10º, celebrado en agosto de 1986, con "Bodas de Sangre" y "Cumbre Flamenca".

DESPEDIDA A NUEVA YORK

No está mal llevar los aires españoles en los oídos al tener que abandonar Nueva York, camino de Washington. Podremos acudir para ello a los aeropuertos de La guardia o Newark (nacionales) o Kennedy, anterior de Ildewild (internacional) para tomar quizá un avión del servicio "air-shuttel" o autobús aéreo, o la estación férrea de Pennsylvania, o simplemente a una de las carreteras que salen para el Sur. Pero no podemos marcharnos sin mencionar antes las instituciones españolas existentes en la ciudad: el Consulado General, la Delegación Permanente antes las Naciones Unidas, la Oficina de Turismo –instalada en la Quinta Avenida–, la Exposición Permanente del Comercio español, la Cámara de Comercio Hispano-Norteamericana, las Oficinas de la Compañía Iberia de Líneas Aéreas (propietaria del edificio en que se halla instalada), el Banco Exterior de España, etc., o sin dar un paseo en bote alrededor de la isla, o bañarnos en la congestionada playa de Coney Island (en la que podremos también divertirnos en su parque de atracciones verbeneras, recordando el "Paisaje de la multitud que vomita", de García Lorca) (59), o pasear de noche por Times Square (centro del mundo teatral y confluencia luminosa de neón de Broadway y la Séptima Avenida), o tomar el sol en Central Park, o cenar en el Hotel Waldorf Astoria (en cuya fachada ondea la bandera roja y gualda siempre que los embajadores de España en él se alojan) situado en Park Avenue, o asistir a un concierto, una ópera (ya desaparecido el viejo "Metropolitan"), o un espectáculo musical en el moderno Lincoln Center, o realizar las inevitables compras en los inmensos almacenes de Macy's, o leer el diario "The New York Times" (que ardua tarea es, si se trata de la voluminosa edición dominical), o visitar alguna de las bien dotadas y numerosas librerías, entre las que sobresalen, en lo que a la venta de ediciones en lengua española concierne, "Las Américas Publishing Co.", y "El Hogar del libro español" de reciente inauguración.

PRESENCIA ESPAÑOLA EN EL ESTADO

Esteban Gómez, en la bahía de Hudson

Al abandonar N. York y atravesar el río Hudson no podemos por menos de recordar su primitivo nombre de río San Antonio, cuando lo surcó y bautizó Esteban Gómez en 1525. Gómara, al hablar del viaje de éste, lo encabeza con el título "Río de San Antón", y Oviedo lo sitúa en el 41º de latitud Norte (60). Por los datos que aquel piloto le proporcionara, Diego de Ribeiro denominó "Tierras de Gómez", en su famoso mapa, a las comprendidas entre la hoy bahía de Chesapeake y el norte del cabo Cod.

NOMBRES ESPAÑOLES

En el neoyorquino Estado dejamos ciudades por nombre Aurora, Lima, Bolívar, Madrid, México, Panamá, Perú, Salamanca, Alma, Carmel, Cádiz, Cuba y Medina, y un condado, el de Columbia.

CAPITULO III

NUEVA JERSEY, PENNSYLVANIA, DELAWARE, MARYLAND

NUEVA JERSEY, el Estado Jardín

Para viajar hacia el Sur, soy partidario de elegir la carretera, no obstante ser rápido y eficiente el servicio de la Compañía Pennsylvania Railroad, en cuyo "parlor car" –con confortables sillones giratorios con mesita a su costado para depositar vasos de whisky o libros de lectura– no es cansado recorrer el trayecto a la capital federal en tres horas. Pero como es nuestro propósito ver qué de interesante hay en el camino, es preferible la elección de cualquier vehículo a cuatro ruedas, bien sea autobús –de la compañía "Greyhound" o "Trailways"–, conducido por expertos chóferes, bien sea coche de turismo. Dos rutas son las más recomendables: una, el New Jersey Turnpike, con 18 salidas y 180 kilómetros de recorrido, nos lleva desde Nueva York al sudoeste del Estado de Nueva York, para conectarse a través del formidable Delaware Memorial Bridge con el novísimo John F. Kennedy Turnpike, el cual recorre el Estado de Delaware, llega hasta Baltimore y rodea dicha ciudad, merced a su excelente túnel, que enlaza con Baltimore-Washington Expressway y nos deja en la capital federal; la otra vía para dirigirnos al Sur sería el Garden State Parkway que, paralelo a la costa en el Estado de Nueva Jersey, continúa en Delaware por la carretera 13 para utilizar el formidable conjunto –más de 30 kilómetros– de puente y túnel debajo de la bahía de Chesapeake, que une el Cape Charles, en el Estado de Maryland, con Norfolk, en el de la Virginia. Para salir de dudas sobre el camino a tomar, podemos recorrer sucesivamente los dos.

Poca originalidad puede decirse que tiene la parte de Nueva Jersey cercana a Nueva York, ya que no constituye más que un inmenso suburbio de ésta. No obstante, muestra una potencia asombrosa con rascacielos notables en Jersey City o Newark, con un magnífico aeropuerto en ésta y con complejos industriales que esparcen desagradables olores, difíciles de soportar a las pituitarias no habituadas: no olvidemos que la famosa Compañía petrolífera de Rockefeller recibió

145

el nombre de "Standard Oil of New Jersey" y todavía existen en este sector importantes refinerías por ella controladas. Desde el precioso parque de Palisades, en la orilla derecha del Hudson, se divisa la isla de Manhattan bajo un nuevo aspecto. La cercana y pequeña localidad de Fort Lee fue llamada en tiempos el "Hollywood del Este": allí vivieron los Brraymore y los Bennett, y en sus estudios trabajaron Mary Pickford, Charlie Chaplin, Fatty y otros. En el no lejano condado de Bergen, Upton Sinclair, organizó una colonia de artistas en una abandonada mansión cuya vida terminó en un devastador fuego (1). Más al Norte está la casa del general Von Steuben, prusiano al servicio de los independentistas y uno de los héroes nacionales. Thomas Alva Edison fue llamado "El brujo de Menlo Park", por el parque situado en el área, y trenes especiales llevan hasta éste a los curiosos de contemplar las demostraciones de la primera bombilla incandescente, que tuvo su nacimiento en sus laboratorios en 1879 (2). Union City es denominada "La Pequeña Habana del Norte" por la gran concentración de cubanos (después de Miami).

MORRISTOWN

Tumba del primer enviado español

Un poco al Oeste nos encontramos con la pequeña localidad de Morristown, que tiene especial significación hispánica: había instalado en ella su cuartel general George Washington, y a este campamento acudieron el representante del Gobierno francés, M. La Luzerne, y el representante oficioso español, Juan Miralles, con el intento de conseguir del general el refuerzo de sus ejércitos en las Carolinas, como medio de frustrar los planes ingleses de atacar las posesiones españolas en el Sur. Durante su estancia en el lugar –miralles escribió por última vez al gobernador Gálvez el 12 de abril de 1780– nuestro compatriota cayó enfermo y falleció allí a los pocos días, el 28 del mismo mes. Durante su corta enfermedad fue asistido por el médico mayor del ejército, y su cadáver fue conducido al cementerio a hombros de capitanes, rindiéndosele honores militares. Washington presidió el entierro. El marqués de Lafayette comunicó tan triste noticia al embajador de España en París, conde de Aranda, quien la transmitió a Floridablanca por despacho de fecha 30 de junio de dicho año (3).

En este área de Morristown, Bedminster y Bernardsville, residencia de millonarios neoyorkinos, existe gran afición a la caza de zorros y a la conexa cría de perros: en la granja "Giralda" (¿por qué este nombre?) se ha venido celebrando una exposición de ellos todos los meses de mayo (4).

LAS UNIVERSIDADES DE PRINCETON, RUTGERS Y OTRAS

Dos Universidades sobresalen en este sector de Nueva Jersey: la renombrada Princeton y la bastante popular de Rutgers. Situada Rutgers en las orillas del río Raritan, a su paso por New Brunswick, tuvo sus comienzos en 1766, y es en la hora presente entidad estatal; fue anfitrión del primer partido intercolegial de "rugby" en 1869, y de esta fecha inaugural arranca la enorme popularidad de dicho juego y la gran atención –quizá excesiva– que las autoridades académicas de todo el país le prestan. En Rutgers, el Dr. Selman Waksman consiguió el antibiótico, la estreptomicina, dando con ello un paso de gigante en la medicina (5). A su departamento de Patología ha pertenecido el profesor español Enrique Santamaría.

Pertenece Princenton a la famosa "Ivy League", es decir, forma parte del reducido grupo de Universidades privadas que gozan de más prestigio nacional, a saber: Harvard, Yale, Columbia, Princeton, Cornell... Universidad consustancial con la localidad en que se sitúa, Princenton ofrece un extraordinario ambiente cultural, quizá el más acusado de todos los Estados Unidos. Con edificaciones homogéneas, construidas con piedra, entralazadas por recoletos patios y cubiertas de yedra, es notable por el elevado nivel intelectual de muchas de sus dependencias. El Instituto de Altos Estudios fue asilo de Einstein, y en él trabajo hasta su muerte Oppenheimer, otro de los padres de la bomba atómica. Data de antiguo el interés por el español en el "campus" universitario: el presidente de 1768 a 1794, John Witherspoon, colocaba a Cervantes, en cuanto a ironía y agudeza, por encima de Homero y de Boileau (6). En su departamento de español han profesado, entre otros, King, Vicente Lloréns, Willis y Schraibman –y a él perteneció durante mucho tiempo Américo Castro, después retirado en La Jolla. En las cercanías de la localidad, pronunció Washington su discurso de adiós al ejército en 1783.

Cerca se encuentra Trenton, ciudad industrial que sirve al mundo entero una serie de diversos productos, y es la capital del Estado, el cual se convirtió en tal el 18 de diciembre de 1787. Camden, más abajo y enfrente de Filadelfia, no es más que una prolongación de ésta. Otras Universidades en Nueva Jersey son: Drew University, en Madison; Farleigh Dickinson, en Rutherford, y Seton Hall University, en South Orange.

En la capital, Newark, existe un Club de España, promotor del "Día de España", proclamado anualmente por su Ayuntamiento.

ATLANTIC CITY, CUNA DE LOS CONCURSOS DE BELLEZA

Si transitamos ahora por la ruta marítima, observaremos que desde Sandy Hook (el cabo de Arenas que aparece en el mapa de Ribeiro, merced a la información que le proporcionó Esteban Gómez) hasta Cape May existen casi 200 kilómetros ininterrumpidos de playas, paraíso veraniego de los fatigados ciudadanos de los cercanos centros industriales. Se gana la palma en cuanto a popularidad Atlantic City, y no se debe ello a razones estéticas, como no sean las de las contendientes al título anual de "Miss América", que se decide en sus ámbitos. Aquí se iniciaron en 1921 –idea del periodista Herb Test– los concursos de belleza (7); después proliferarían en todo el país las elecciones de "misses" o de reinas –quizá una añoranza de la democrática nación por una Monarquía–, que sobrepasan la cifra de 25.000, con las modalidades y los temas más variados. El "Auditorium" de Atlantic City tiene una capacidad para 10.000 personas (por esto fue escenario de la Convención democrática que eligió en septiembre de 1964 a Lyndon B. Johnson como candidato presidencial) y acoge a lo largo del año a congresistas procedentes de los más variados campos (profesores, rotarios, sindicalistas, etc.). Su entrada original da al tan retratado "boardwalk".

El "boardwalk" es una avenida de 10 kilómetros de longitud, construida en 1870, con el piso de madera y asomada sobre la amplia playa. A lo largo de él puede contemplarse, a un lado, el mar, la fina arena y las bronceadas bañistas; al otro, una infinita variedad de establecimientos de todo tipo (tiendas, bares, restaurantes, lugares de diversión, etc.), que provocan en vario modo al visitante para vaciar lo más rápidamente posible los dólares de su bolsillo. Y la gente pasea por el "boardwalk" sin prisa y sin otro objetivo que ése, el de pasear, o se deja deslizar en unos sillones de mimbre con ruedas, movidos –cosa sorprendente en el país– por tracción humana. Este pasatiempo sereno, en el que puede convivirse con los semejantes, ver sus caras una y otra vez sin mayor compromiso, contemplar sus risas y sus atuendos, tener sensación, en fin, de que uno no está solo, tiene un valor inapreciable en los Estados Unidos, en donde es raro convivir con los humanos al aire libre. Para quien le guste el juego, tenga ganas de emociones o desee entretenerse con espectáculos de todo tipo, varios espigones avanzando sobre el mar pueden saciarle con largueza. Otras playas, como Ocean City, Asbury Park, Long Beach y Cape May, completan el panorama de la costa atlántica de este Estado.

JOSÉ BONAPARTE Y SUS CONJURAS ANTIESPAÑOLAS. BONDENTOWN.

Continuando con la costa Este y entrando en la bahía de Delaware, nos topamos con Point Breeze. ¿Por qué nos interesa este punto? Porque fue elegido por José Bonaparte, "Pepe Botella", como refugio durante su exilio en los Estados Unidos. De haberse dedicado a rememorar días pasados, no merecería la pena traer dicha estancia a colación, pero la cosa varía, porque se dedicó desde allí a conspirar contra el Imperio español y a tratar de buscar una solución o un destino a su cabeza sin corona. Púsose en contacto en 1816 con Francisco Javier Mina, quien organizó una expedición de voluntarios de diversas condición y procedencias, con el designio de desembarcar en la confluencia del río Nuevo Santander con el Golfo de México y capturar la capital de Nueva España. Proporcionole para ello una carta de crédito contra un Banco de Londres por valor de 100.000 dólares, con la que la expedición pudo hacerse a la mar, llegando al Río Grande en abril de 1817. Un puesto de vigilancia español, instalado a la entrada del río, al ver la bandera española que Mina arboló, le suministró el agua potable, carne y otras provisiones requeridas. En el entretanto, Mina, que llevaba una imprenta, publicó un boletín que, con la fecha del 12 de abril de 1817, puede considerarse como la primera publicación que vio la luz en Texas. El escuadrón expedicionario zarpó a poco y desapareció, en completo desastre, unas semanas más tarde, muertos sus dirigentes, esparcidos sus miembros.

No acabaron aquí los intentos bonapartistas desde Point Breeze. Puso "Pepe Botella" dinero a disposición del general francés Charles Lallemand para sus planes de establecer una Colonia en Texas, dominio de España, y con vistas a albergar a Napoleón, en caso de que los proyectos de su fuga de Santa Elena se realizasen. Lallemand y los suyos desembarcaron en la costa de Texas en 1818 y fundaron la Colonia de "Champ d'Asile". Pero ante la presión de los indios y los rumores de proximidad de una expedición española, levantaron el campo a los seis meses de llegar (8).

La presencia de José Bonaparte y de Javier Mina causó muchos quebraderos de cabeza al Ministro español Luis de Onís (8 bis).

NOMBRES ESPAÑOLES

Belmar, Buena, Columbus, Carmel, Málaga y Río Grande son las localidades con nombres españoles.

PENNSYLVANIA, el Estado clave

El Estado de Pennsylvania forma un rectángulo casi perfecto y es uno de los más extensos entre los "trece de la fama". De grandes bellezas naturales, con los Apalaches y los Allegheny atravesándolo en sesgo, con immensos bosques en gran parte de su extensión (no olvidemos la etimología de su nombre), constituye uno de los más ricos y emprendedores Estados de la Unión, en cuyo desarrollo tanta influencia han tenido el carbón y el acero. Su origen está unido al cuáquero William Penn, quien, en el territorio concedido en 1682 por el rey británico Carlos II, permitió el establecimiento de hombres de todas las confesiones y creencias. Con Massachusetts y Virginia jugó un papel rector en los días revolucionarios: por algo se llama a sí mismo "Estado clave" (Keystone). Fue el segundo en ratificar la Constitución el 12 de diciembre de 1787, convirtiéndose así en el segundo Estado de la Unión.

Sus dos principales ciudades se hallan en sus extremos oriental y occidental: Filadelfia y Pittsburgh; pero ninguna de las dos es la capital del Estado, que se encuentra situada entre los dos: Harrisburg. El Pennsylvania Turnpike –primero en los Estados Unidos de tal tipo– une a las tres; empezando por la primera, puesto que de Nueva Jersey descendemos, haremos notar que se halla a una hora y media de automóvil de Nueva York y dos y media de Washington, D.C.

FILADELFIA

Procediendo del New Jersey Turnpike, se entra en Filadelfia por un magnífico puente tendido sobre el río Delaware. Es éste bastante ancho todavía a su altura, lo que permite la llegada a la ciudad de barcos de considerable calado. El puente recibe el nombre de Walt Whitman, el poeta, lo que predispone a favor de la ciudad que nos espera. Este género de detalles son importantes para el fomento de la agradecida industria del turismo, y tienen enorme trascendencia las primeras impresiones que un visitante recibe de un lugar: ellas habrán de influirle, para bien o para mal, en el resto de su estancia. En lo que a mi mujer y a mí respecta, Filadelfia nos conquistó, en el curso de nuestra primera visita, con el encuentro que tuvimos en la plaza del Ayuntamiento. Con la indudable cara de despiste, habitual en tales circunstancias, tratábamos de orientarnos, cuando un caballero se nos aproximó y, preguntándonos si éramos nuevos en la localidad, se prestó a acompañarnos en su coche y enseñarnos durante una hora los lugares más sobresalientes. No acostumbrados a tal tipo de ofrecimientos, nos tomó de improviso la invitación que, tras unos segundos de duda, aceptamos por no quedar como incorrectos; nuestra zozobra se aumentó al contemplar que su coche aparcado no ostentaba matrícula delantera alguna. El corrido transcurrió sin novedad y quedaron aclarados una serie de puntos: nuestro "cicerone" era un amable abogado de la municipalidad, conocedor del español y amigo de nuestra cultura, quien al darse cuenta de nuestro origen quiso aportar su granito de arena a la tarea de una mejor y mutua comprensión de los pueblos; los automóviles de Pennsylvania no llevaban placa delantera, por haberse hecho costumbre las restricciones de metal que la última guerra impuso. Por el efecto que nos hizo la hospitalaria actitud de nuestro nuevo amigo en Filadelfia, deduje el que reciben los extranjeros en mi país cuando tan frecuentemente son objeto de gentilezas semejantes. ¡Que Dios os conserve tan buena crianza, paisanos, porque esa es una forma de hacer patria!

En Filadelfia residió el Gobierno de los Estados Unidos hasta que se trasladó en el año 1800 a Washington D. C., y dentro de sus contornos se encuentra el Independence Hall, edificio de ladrillo rojo, de no amplias proporciones, coronado en su centro por una modesta torre. En él se firmó la Declaración de Independencia contra Inglaterra el 4 de julio de 1776, por los miembros del Segundo Congreso Continental; el texto era original de Thomas Jefferson. Bajo sus techos cobijaba la famosa Campana de la Libertad, que no parece ser sonara a rebato en aquel histórico día (9), sino dos después, convocando a la ciudadanía. Hoy la Campana se guarda en una cercana edificación construida ex-profeso.

Primeros representantes de S. M. Católica

Cuando la sublevación de las Colonias, y tras la Declaración de la Independencia, España consideró conveniente el nombramiento, como observador, de un agente oficioso que pudiese proporcionar información de primera mano sobre el desarrollo de la guerra y los puntos de vista de la nueva nación. Por esta razón, el conde de Floridablanca, secretario de Estado, procedió a designar para tal cargo a D. Juan de Miralles, propuesto por el capitán general de La Habana con Diego Navarro. Tras llegar a Charleston el 9 de enero de 1778 y permanecer en esta ciudad hasta la primavera, se trasladó a Filadelfia, en donde, a pesar de su condición de simple agente, pudo mantener un estrecho contacto con los miembros del Congreso y demás autoridades (10). Residió –según las indagaciones de Víctor Pradera, último cónsul de España en la ciudad (11)– en la casa sita en el número 10 de la South 3rd Street, hoy desaparecida, contigua a la "Powell House", una de las mejor conservadas en Society Hill; la casa que la sustituyó ostenta una placa en que se recuerda haber sido el hogar de John Penn, el último gobernador colonial de Pennsylvania, y de Benjamín Chew, el último presidente del Tribunal Supremo de dicha Colonia. Se tienen referencias de que dicho "embajador español" gozaba de merecida reputación y recibía cumplidamente en el edificio y en los jardines adyacentes, profusamente iluminados (12); así se explica que cuando murió en el campamento de Morristown –como hemos visto– el 28 de abril de 1780, presidiera sus funerales el propio general Washington, a pesar de no ostentar la categoría de agente oficial (13).

Hasta la llegada en 1785 de D. Diego de Gardoqui, actuó al frente de la representación oficiosa de España D. Francisco Rendón, secretarió de Miralles, quien habitaría al principio la misma casa que su predecesor. En ella también tendría el honor de hospedar al general Washington, esposa e hijos. Como a fines de 1781 llegara el general con su ejército con propósito de invernar en la ciudad, hubo necesidad de alojar a los visitantes en las casas particulares, ofreciéndose a ello las personas más características. Consideró Rendón oportuno no ser excepción, y también ofreció la suya. Washington la aceptó de buen grado, pero no su mesa, por considerar que la alimentación de su familia y de su oficialidad debía correr a cargo del erario público (14).

En la casa de referencia ha sido fijada en fecha reciente una lápida con inscripción al siguiente tenor (traducida del inglés): "En este lugar se elevó la casa, 1778-1780, de Juan de Miralles (1715-1780), el primer Representante Diplomático español en los Estados Unidos de América. Murió el 28 de abril de 1780, durante su visita al general Washington en su Cuartel General de Morristown. La misma casa sirvió de residencia de su sucesor, Francisco Rendón, quien se la prestó al general Washington para el invierno de 1781-1782. A través de estos funcionarios, la ayuda financiera y militar española se canalizó hacia los patriotas americanos. Tributo al Gobierno de España" (15).

Rendón se mudó con posterioridad a la casa propiedad de la familia Shippen, situada en la esquina de las calles 4th y Locust, también en Society Hill, y una de las más antiguas y mejor preservadas de la ciudad (16). A poca distancia de ella se encuentra Saint Mary's Church, la primera iglesia católica de Filadelfia, en cuya fachada aparece una placa en la que queda constancia de la presencia de los enviados diplomáticos de España y Francia junto con el Presidente, los miembros de su gobierno, los diputados del Congreso y representantes de las Fuerzas Armadas en la primera conmemoración religiosa pública de la Declaración de la Independencia el 4 de julio de 1779.

Si Miralles fue el primer agente español "de facto" en los Estados Unidos, D. Diego de Gardoqui ostentó, antes que ningún otro, el carácter de representante oficial español, al recibir del rey Carlos III una credencial fechada el 27 de septiembre de 1784 dirigida a "nuestros grandes y bien amados amigos los Estados Unidos de la América Septentrional", nombrándole Encargado de Negocios cerca del Congreso Continental. Desde la fecha del 20 de mayo de 1785, en que llegó a Filadelfia, al 12 de octubre de 1789, en que regresó a España, Gardoqui realizó una intensa labor, si bien residió predominantemente en Nueva York.

No eran nuevas para Gardoqui las relaciones con las colonias sublevadas: miembro de la fuerte casa bilbaína "Gardoqui e hijos", conocía bien Inglaterra y sus posesiones. Por eso había sido elegido para tratar con Arthur Lee cuando este emisario norteamericano fue despachado por Franklin desde París para actuar en España como enviado oficial del Congreso. Intérprete primero de la conversación que en Burgos sostuvieron Lee y Grimaldi, recibió la designación más tarde de intermediario para encauzar la ayuda española a los revolucionarios, misión en la que muchas veces hubo de adelantar cantidades que el rey se había comprometido a facilitar. Actuó en tal calidad de manera análoga a la desempeñada en Francia por Pedro Caron de Beaumarchais (autor de "El Barbero de Sevilla"), quien se manejó a través de la firma –por otra parte, también española– de "Rodríguez, Hortales y Cía." (17). Le tocó capear a Gardoqui como representante diplomático la difícil etapa posrevolucionaria, en la que los intereses del país independiente no siempre coincidían con los de España. Las cláusulas del Tratado de paz angloamericano no dejaban a salvo los derechos por España alegados respecto a los territorios situados en la orilla izquierda del Mississippi; por otra parte, las inevitables dificultades por las que un nuevo país tiene que pasar, originarían intentos de separatismo, para cuyo logro Gardoqui sería muchas veces el punto de referencia (18).

Si con sus obras Gardoqui demostró su cariño a la nación norteamericana, sus escritos lo corroboran. En una de sus cartas a Washington, con fecha del 18 de Noviembre de 1786, dirá: "He sido y seré un buen amigo de vuestros Estados Unidos". El general, a su vez, le manifestará con fecha del 20 de enero anterior: "Los sentimientoss que usted ha tenido la amabilidad de expresar sobre mi conducta son muy alagadores, y la amistosa manera en que han sido expresados me ha complacido altamente. Conseguir la aprobación de un caballero cuyos buenos deseos fueron tempranamente comprometidos para la causa americana y que ha asistido a sus progresos a través de las varias etapas de la Revolución, debe ser considerada como una feliz circunstancia para mí; y buscaré cualquier ocasión para testimoniar tal sentimiento". En carta de fecha 30 de agosto del mismo año, Washington le dirá: "No puedo desaprovechar ocasión alguna de asegurar a V. E. la alta estima que profeso a las muchas muestras de cortés atención que he recibido de usted; ni el placer que tendría en el honor de expresársela en este lugar en donde vivo retirado de la vida pública, si por acaso usted se sintiera inclinado a hacer una excursión a estos Estados centrales" (19).

Cuando Gardoqui partió del país, quedaron en Filadelfia, al frente de la representación española, D. José de Jáudenes y D. José de Viar, quienes le habían acompañado desde España en calidad de secretarios. Bajo la designación de "Commissioners" aparecen viviendo en 1791 en 127 Mulberry St., hoy calle Arch; en 1794, teniendo la Cancillería en 37 South 4th St., y en 1796, en 197 Arch. St. Lograron tener en momentos decisiva intervención, pues, por órdenes del barón de Carondelet, gobernador de Luisiana, llegaron a advertir a Jefferson que cualquier violación norteamericana del territorio español, o de los aliados de España, acarrearía la guerra (20). En mayo de 1786 se hizo cargo de la representación española el ministro plenipotenciario D. Carlos Martínez de Yrujo: se sabe que habitó el número 315 de High St., comprendida entre los números 800 y 1300 de la actual Market St., (21). Yrujo casó con Sara McKeen, hija de uno de los firmantes de la Declaración de Independencia y Presidente del Congreso Continental. El conocido pintor Stuart retrató a los matrimonios McKean e Yrujo, y los cuatro cuadros fueron expuestos en el Museo Metropolitano de Nueva York en 1976.

Con el traslado del Gobierno a la capital federal en 1800, en Filadelfia quedó tan sólo un Consulado que ha permanecido abierto hasta hace unos pocos años. En la iglesia de St. Mary fue enterrado en 1822, a raíz de su muerte, don Manuel Torres, español de origen y primer represetante diplomático de la América hispana independiente.

El idioma y el arte españoles

No hay que olvidar que la personalidad más sobresaliente en la Filadelfia revolucionaria fue Benjamín Franklin. Hombre de grandes inquietudes y de notables logros científicos (no olvidemos el pararrayos), tuvo una enorme participación en la formación de la nueva nación e influyó extraordinariamente desde su puesto de enviado oficial en París, para que Francia ayudara eficazmente a los sublevados. Desde nuestro punto de vista español, nos interesa su figura, aparte de por su intervención en la consecución de la elaboración española en la guerra contra Inglaterra, por cuanto influyó en la extensión del conocimiento del idioma español en Norteamérica. Franklin se puso a estudiar el español en 1733 como parte de su programa para estudiar los idiomas modernos y dispuso la inclusión de nuestra lengua en los estudios de la Academia de Filadelfia, fundada en 1749 (22). Frecuentaría los círculos de Franklin el franciscano enciclopedista Antonio José Ruiz de Padrón, a partir de 1784, en el que una tempestad le arrojó a las costas de Pennsylvania (23). El español era conocido, sin embargo, en la ciudad mucho antes de aquella fecha fundacional. Se tienen, entre otros testimonios, el de Francis Daniel Pastorius, quien comenta en su obra "Beehive" haber leído "Los cien emblemas", de Saavedra Fajardo; los "Sueños", de Quevedo, y el "Lazarillo de Tormes" (24). En 1784 la Real Academia de la Historia de Madrid nombraría a Franklin su académico correspondiente; la American Philosophical Society concedería un honor semejante al eminente botánico español Alejandro Ramírez (25).

Se dio en Filadelfia el primer curso universitario de español en 1766, abriéndose así el interés de las Instituciones de enseñanza superior del área por nuestra lengua (26). Pero en lo que toca a la Universidad de Pennsylvania tenemos que llegar a 1830 para comprobar la libertad de los alumnos para estudiar español –u otro idioma–, siempre que fuera requerido por los padres. Estos estudios no alcanzarían la pujanza debida hasta la presencia de la dinámica personalidad de Hugo Rennet a fines del siglo XXI (27). Hoy se destacan en su Departamento de español los profesores Green y Reichenberg; a él perteneció Romera-Navarro, autor de la importante obra "El hispanismo en Norteamérica".

La presencia de Cervantes se dejaría notar en Filadelfia, ya a mediados del siglo XVIII. Inspirada en su obra inmortal, la pieza teatral "Don Quijote in England", de Henry Fielding, sería puesta en escena el 21 de mayo de 1766, y la ópera cómica de Isaac Bickerstaffe, "The Padlock", basada en "El celoso extremeño", alcanzaría popularidad a partir de 1769 (28). Igualmente denotaría su influencia en la obra cómica de H. H. Brackenridge, "Moderna caballería" (Filadelfia, 1792-97) (29). Por dichos años finales de siglo tendría lugar una de las primeras representaciones en el país de una obra de Calderón de la Barca: "El escondido y la tapada" (39).

Junto a la de Pennsylvania están también en Filadelfia las Universidades de Temple y Villanova (de agustinos), y el no lejano y elegante Colegio de muchachas de Bryn Mawr, en cuyo claustro de profesores figuraron el filósofo Ferrater Mora y el lingüista González Muela. En Bryn Mawr fue profesora de Historia del Arte Miss Georgina Goddard King, autora de un definitivo libro sobre España, "El camino de Santiago" (1920): ¡qué de actualidad en estos años de renacimiento de la vía peregrina! (31). Otras Universidades existen en el Estado y son, dejando aparte las del área de Pittsburgh: Pennsylvania State University, en plenos Allegheny (¡qué tempestad de nieve y viento nos cogió al regreso de la visita en que acompañé al ministro Emilio Garrigues!); Susquehanna University, en

Selingsgrove (en ella conocí a dos jóvenes y entusiastas hispanistas: Miss Lucia, S. Kegler y Mr. Moury); Bucknell University, en Lewisburg; Lehigh University, en Bethlehem; Lincoln University, en Lincoln, y University of Scranton, en Scranton.

Fue fundamental la Exposición de 1876 para la difusión del arte en el área y, en especial, del arte español. España participó en ella abundantemente en diversos campos: agricultura, industria, minería, etc., bajo la dirección del Comisario regio don Francisco López Fabra y con la cooperación de un grupo del Arma de Ingenieros que fue recibido solemnemente en Nueva York y Filadelfia. En el curso de la Exposición se tributó un resonante homenaje a Cervantes el 23 de abril. En el banquete de clausura del certamen, el 10 de noviembre, con asisencia del Presidente Grant, España ocupó el segundo puesto, y en el brindis oficial el General Hawley levantó su copa por España, "nuestra hermana, nuestra amiga, cuya bandera fue la primera que flotó en tierra americana" (32).

Mucho influyó en el mejor conocimiento del dibujo español, el profesor de la Academia de Bellas Artes de Pennsylvania, Stephen Ferris; gracias a sus orientaciones, Robert F. Blum se convertiría en un devoto de Urrabieta y en un discípulo de Fortuny (33). Una visita al Museo de Bellas Artes, situado estratégicamente en un edificio de estilo clásico, en el parque Kelly (en honor del padre de Grace, la princesa de Mónaco, perteneciente a una de las ricas familias locales) y en una de las orillas del Schuylkill, es un goce magnífico para el amante del arte y una renovada sorpresa para cualquier español; encierra la mejor colección de Picassos existentes en Norteamérica (entre otros su "Autorretrato", la "Repartidora de Pan", "Violín y guitarra" y "Tres músicos"); el "Plato con frutas". de Juan Gris; el famoso "Perro ladrando a la luna" y "Personaje en presencia de la naturaleza", de Juan Miró, y "Presagio de la guerra civil", de Salvador Dalí, por citar sólo algunos. En medio del Museo se halla reconstruido un patio medieval con su claustro, formado en buena parte con aportaciones españolas. La selecta pinacoteca de la exclusiva "Barnes Fundation" contiene obras de Picasso y otros maestros españoles.

Uno de los últimos cónsules de España, Víctor Sánchez Mesas, dio gran empuje en la ciudad al arte español. Promovió todo tipo de exposiciones –contrastes de la pintura de hoy, Benjamín Palencia, grabados, Vaquero Turcios, etc.– y se puso en contacto con todos los elementos artísticos de la ciudad que han añadido a sus colecciones como consecuencia, notables aportaciones españolas. Igualmente fue eficaz su intervención en el campo musical –actuaciones del barítono Asensi en la magnífica Opera, estreno de obras de Rodrigo por la reputada orquesta, conciertos en la sociedad de música... "Una noche en España", tema de un baile de gala en la primavera de 1964, organizado por la mejor sociedad de Filadelfia, será un acontecimiento digno de grata recordación. Aunque los "10 grandes" de la etapa anterior a la depresión, perdieron su fuerza con ésta, conserva Filadelfia un grupo social selecto que vive en bellas mansiones situadas principalmente en el suburbio de Cynwind, sumamente hospitalarias.

PITTSBURGH

Mal predispuesto estaba hacia Pittsburgh antes de visitarlo, tanto había leído sobre su fealdad y la atmósfera irrespirable ocasionada por sus acerías. La sorpresa fue grande cuando no encontré tal ambiente, sino más bien un aire limpio, debido a los procedimientos adaptados para eliminar los humos. La vista del bosque de los altos hornos de la U. S. Steel (el coloso americano del acero, creado por Morgan, con un tercio de la producción nacional), la potencia de las mayores fábricas del mundo de aluminio y de conservas (H. J. Heinz), la Westinghouse, etc., hacen comprender la posibilidad de que en caso de guerra la primera bomba atómica tendría acaso a Pittsburgh por destino. Urbanísticamente reúne aspectos apreciables (34): así su "Triángulo dorado" en la confluencia de sus ríos Allegheny y Monongahela, de bella perspectiva. Su Universidad (la de Pittsburgh, la Duquesne es otra en la ciudad) es una de las raras en estar instalada en un rascacielos de 42 pisos, que domina la urbe; su rector, hasta agosto de 1965, Mr. Lichfield, formó parte de la Comisión Nacional para celebrar el centenario de la fundación por los españoles de la ciudad de San Agustín. Otra instalación educacional importante es el Carnegie Institute of Technology. Por sus concomitancias industriales con Bilbao, esta ciudad es hermana de Pittsburgh; en muchos amistosos actos se ha venido desarrollando esta hermandad, cuya inauguración mediante la entrega de la llave de Bilbao por el embajador Yturralde coincidió con la del enorme y circular estadio deportivo, cubierto por una gigantesca bóveda giratoria, el 17 de septiembre de 1961.

SUR DEL ESTADO. LA ANACRÓNICA SECTA "AMISH"

No lejos de Filadelfia se encuentra el condado de Lancaster, sede de la secta menonita o "amish". Sus miembros se denominan por lo común "Pennsylvania Dutches", nombre que induce a error, dado que no es su origen holandés, sino alemán (la palabra Deutch mal pronunciada generó en Dutch). Se trata de un grupo peculiar, pues en la progresiva Norteamérica del siglo XX desdeñan los "amishes" el progreso; se oponen a que sus hijos vayan a la escuela, reniegan de la luz eléctrica y del automóvil, se dejan sus hombres la barba y visten de negro sus mujeres. Debido a su condición eminente y exclusivamente agrícola (¿hasta cuándo les durará?) rechazan cualquier producto industrial sin exclusión de los botones. Y no quieren ir a la guerra (35).

No muy lejos de ellos se halla Gettysburg, escenario de uno de los más cruentos combates durante la guerra civil y residencia que fue del ex pesidente Eisenhower, en la granja que compró con los derechos de autor de sus memorias "Cruzada en Europa". El campo de batalla se ha conservado perfectamente y las indicaciones existentes por doquier, los monumentos elevados en honor de los distintos participantes, individuales o unidades, ofrendados la mayor parte de las veces por los Estados o regiones de origen, y los mapas explicativos existentes en el terreno y en adecuado edificio adyacente, hacen concebir una idea bastante aproximada de cómo debió ser el choque sufrido por los ejércitos unionista y confederado. Buen tema de reflexión si se compara la información que los españoles pueden adquirir de las batallas de Bailén o de las Navas de Tolosa al visitar los escenarios respectivos.

Quedan en el nomenclátor estatal los siguientes nombres hispánicos: Condados de Carbon y Columbia, ciudades de Almedia, Andalusia, Antes Fort Bolívar, Columbia, Columbus, Jacobus, Matamoras, López, Madera, Villanova, Gibraltar, Valencia, Adrian, Anita, Molino y Sacramento.

DELAWARE, el primero

Delaware es el Estado más antiguo de la Unión, al ser el primero en haber ratificado la Constitución el 7 de diciembre de 1787. Quizá esta circunstancia explique su supervivencia, no obstante su escasa extensión y su configuración a lo largo de la orilla izquierda de la bahía que lleva su nombre: parece el resultado de un compromiso por el que el Estado de Pennsylvania hubiera cedido la punta en que se halla situada su principal ciudad Wilmington y por el que el Estado de Maryland hubiese aceptado recibir un bocado en la península que avanza entre la bahía citada y la de Chesapeake. No obstante esta circunstancia, Delaware tiene en el Senado –de acuerdo con la Constitución norteamericana– el mismo peso que California (dos senadores). Posee una de las nóminas más altas de Sociedades anónimas ("incorporated") registradas, lo cual no quiere decir que las industrias correspondientes suelan hallarse en su territorio.

Fueron los suecos quienes primero se establecieron en esta franja, allá por el año 1638; por espacio de diecisiete años ondeó su bandera hasta que, sustituida por la holandesa durante otros nueve, se impuso por la fuerza la de Union Jack. Su nombre procede de Thomas West, lord de la Warr, que llegó a ser gobernador inglés en Virginia (36). El fin de este caballero está unido a la historia de las armas españolas, porque fue hecho prisionero por los navíos hispanos, muriendo en la isla de Madeira en 1611.

Algunas notables playas ofrecen a los veraneantes el Estado de Delaware, como Ocean View o Rehoboth; que se lo digan si no, a los residentes en Washington D. C., quienes durante los abrumadores meses caniculares se refugian en ellas, como más cercanas, dada la imposibilidad de utilizar –por lo sucias– las aguas de la bahía de Chesapeake, y no obstante las tres horas y media de trayecto que el alcanzarlas requiere. No debe de andar lejano de ellas algún galeón español hundido, ya que no hace muchos años aparecieron en sus arenas algunas monedas con las armas del rey de España (37). La pequeña ciudad de Dover es la capital del Estado.

Quizá sea aquí también el momento de recordar el que, hallándose en la presa de Delaware, Henry Charles Lea recibió la urgente solicitud de la revista "Atlantic Monthly" de publicar un ensayo sobre España, el que apareció con el nombre de "La decadencia de España", en el número precisamente de julio de 1898, en cuyo día 3 la escuadra de Cervera sería destruida en Santiago de Cuba. Lea, que había escrito ya su "Historia de la Inquisición en la Edad Media" (1887) y que habría de escribir "Historia de la Inquisición Española" (1906-7), tuvo el mérito de redactar el aludido ensayo de memoria, sin poder echar mano de ningún libro de consulta, dado el aislamiento en que se encontraba y el plazo perentorio que le fue concedido (38). Ello demuestra su profundo conocimiento de la Historia de España, aunque sus juicios no sean siempre objetivos.

Tratar de Delaware es hablar de la potentísima firma industrial E. I. Du Pont de Nemours Corporation, situada en Wilmington, o, mejor dicho, Wilmington se ha construido alrededor de la Du Pont, a partir de 1802, en que el fundador de la casa Eleuthère-Irénée construyó la primera manufactura de pólvora. Grandes estrecheces había pasado la nueva nación a través del siglo XVIII por carencia de material de buena calidad, y puede decirse que la historia de la firma en todo el siglo XIX paralela al empleo corre progresivo de la pólvora. Salvó a los Estados Unidos en su guerra contra Inglaterra en 1812, salvó a la Unión en su lucha contra los confederados y salvó al Imperio británico en los campos de batalla de Francia durante la primera guerra mundial (fabricada por Du Pont era la pólvora utilizada en la guerra de 1898 contra España). En lo que va de siglo, la Du Pont se ha convertido en el coloso de la química y de los plásticos, siendo temible competidor de la germana I. G. Farben y de la inglesa Imperial Chemical. En la actualidad fabrica insecticidas, caucho, abonos, artículos para limpieza, medicinas, pinturas, barnices y una serie de productos, como el nylon (del que fue inventora), orlón, dacrón, teflón, etc. Cuantiosos son los beneficios que producen sus ventas y no menos dignos de consideración los ingresos de sus patentes extendidas por todo el mundo. Si capital suponen sus inversiones en las fábricas y laboratorios de la firma, recordemos que hasta hace unos años, en que, forzada por las decisiones judiciales basadas en la Sherman Anti-Trust Act ha tenido que empezar a desprenderse de ellas, controlaba un muy voluminoso paquete de acciones de la importantísima General Motors (39).

Dos edificios se destacan en el paisaje de Wilmington, y los dos pertenecen a la Empresa que los ocupa: uno se denomina Du Pont y el otro Nemours. Un lugar de enorme atractivo turístico es el Winterthur Museum, situado en las cercanías de la ciudad; se trata de la casa de Henry Francis Du Pont, quizá la más costosamente alhajada de América, que ha sido convertida en Museo, para que sus 80 habitaciones, amuebladas en distintos estilos y distribuidas en siete pisos, puedan ser admiradas por el pueblo norteamericano (40). No lejos de él se encuentra un excepcional jardín botánico –Longwood-Gardens– con gigantescos invernaderos que encierran las plantas más exóticas: también es fruto de la generosidad de los Du Pont, así como el "parterre" delantero, de impecable factura francesa y que, aunque no tan extenso, nada tiene que envidiar a los jardines de Versalles. No lejos, en Newark, se yergue la única Universidad del Estado, con el de éste por nombre.

El gaditano Elías Ahuja,
fundador de "The Good Samaritan"

El interés español se conecta concretamente con los Du Pont a través de la figura del compatriota *D. Elías Ahuja.* Nació en Cádiz en 1880, y emigró a los Estados Unidos a la edad de diecisiete años. Tras pasar difíciles momentos y estudiar en el Massachusetts Institute of Technology, comenzó con los Du Pont, en cuya compañía logro alcanzar elevado puesto directivo, al mismo tiempo que participar en sus cuantiosas ganancias. Viajó a España y regresó en 1937 a Wilmington, en donde decidió fundar una sociedad benéfico-docente, que tuviera por objeto proporcionar ayuda a los estudiantes españoles que desearan y merecieran estudiar en los Estados Unidos. Surgió así "The Good Samaritan, Inc.", gracias a la cual obtuvieron anualmente las cantidades necesarias para su alojamiento y manutención un buen número de estudiantes españoles agraciados con el pago del viaje de ida y vuelta entre España y los Estados Unidos por las becas Fulbright. Es Ahuja una figura todavía poco conocida en España, pero que bien merecería un más público agradecimiento de sus compatriotas, a los que ha beneficiado con otras obras, como su contribución a la ampliación de la Casa de Maternidad de Sanlúcar de Barrameda, a través de los infantes Don Alfonso y D.ª Beatriz de Orleáns Borbón, y la Escuela de Extensión Agrícola de Jerez de la Frontera (41); es un primer paso, sin embargo, en aquel reconocimiento la fundación en la Ciudad Universitaria de Madrid del Colegio Mayor "Elías Ahuja".

NOMBRES ESPAÑOLES

En su reducido elenco de núcleos urbanos, sólo cuenta Delaware con Delmar, Columbia, Laurel y Magnolia como localidades con hispánica parentela.

MARYLAND, el de hechos varoniles y palabras femeniles

La historia de Maryland está en extremo ligada con la del catolicismo de los Estados Unidos. A partir de 1965 contó con un cardenal al ser nombrado por Paulo VI miembro del Sacro Colegio el arzobispo de Baltimore monseñor Shegan. Derivado su nombre de la reina Henrietta María, esposa de Carlos I de Inglaterra, tiene su origen en una concesión otorgada por éste en 1632 a su buen amigo George Calvert, primer lord Baltimore (de aquí el nombre de esta ciudad), con poderes absolutos de propietario en materia de gobierno. Calvert era católico y quiso que en su territorio la más absoluta tolerancia religiosa reinara: ello evitó una posible guerra religiosa. Es significativo que los negros fueran liberados en un Estado esclavista como Maryland sesenta años antes de la guerra civil (42). En ésta se encontró del lado de la Unión y no de buen grado.

Con la ratificación de la Constitución el 28 de abril de 1788 se convirtió Maryland en Estado de la Unión.

En Maryland fue fundado en 1743 el club hípico más antiguo del país —Maryland Jockey Club— (43); su hipódromo de Laurel es uno de los que atrae mayor concurrencia. En la "Al-Marah Farm", cercana a la capital federal, se crían caballos pura sangre árabes y se da la paradoja de su exportación a Africa (el rey de Libia fue uno de sus clientes). En 1650 llegó a la Colonia Robert Brooke, el introductor del deporte —todavía muy practicado en el área— de la caza del zorro (44). Aquel club contó entre sus miembros a Tom Collins, a quien se debe la combinación alcohólica de su nombre.

ANNAPOLIS, LA ACADEMIA NAVAL

La capital del Estado, Annapolis, cercana a Washington, no es muy popular, y, sin embargo, tiene activa vida cultural, como, por ejemplo, su Club Internacional, interesado en las cosas de España. Es dicha ciudad una de las cabeceras del famoso puente que atraviesa la bahía de Chesapeake: un prodigio de ingeniería y uno de los más largos del país. Cuenta Annapolis con casas antiguas de la época colonial: una entre ellas me llamó la atención por su nombre, "Paca House", construida en 1763 por William Paca y salvada del derribo por la Sociedad Histórica local. Pero lo que da fama a Annapolis es su condición de sede de la Academia Naval de los Estados Unidos.

Recuerdos de la guerra de Cuba y Filipinas

Un recorrido por el "campus" de la Academia –cuyas aceras están pavimentadas con ladrillos– es interesante, aunque triste para un español, dados los numerosos recuerdos que se conservan procedentes de la desastrosa guerra de 1898. Así nos tropezamos en la explanada con uno de los mástiles del "Maine"; afortunadamente ya no se ancla en un muelle cercano el crucero "Reina Mercedes", que servía de calabozo para los guardia-marinas, y que fue desguazado no hace mucho como consecuencia de las oportunas gestiones del embajador Areilza y de la amistosa actitud de la "Navy" para España. En una de las esquinas nos saluda (sin salvas) un antiguo cañón español de bronce, capturado a los mejicanos en California en 1847.

El Museo encierra muchos recuerdos de Cuba y de las Filipinas: la insignia bicolor, con escudo, perteneciente al "Jorge Juan", hundido por el "U. S. S. Annapolis", en Nipe Bay, el 21 de julio de 1898; la enseña del contraalmirante Patricio Montojo, comandante de la escuadra española en Manila, tomada del "Reina Cristina"; la primera bandera roja y gualda capturada del velero "Matilde", por el "U. S. S. New Yok", cerca de La Habana; el pabellón nacional del crucero "María Teresa", arbolado por el almirante Cervera en la batalla de Santiago; una placa recordatoria del "Maine", hecha a base del metal recobrado del buque; una bandeja del crucero "Cristóbal Colón"; una estatuilla de Abraham Lincoln hecha por un artista español que se encontró atornillada en el despacho del comandante español de la estación naval de Olongapo, islas Filipinas; un conjunto de monedas españolas de plata, derretidas por la explosión en agosto de 1898 de un proyectil americano, y halladas en poder de un tripulante del "Almirante Oquendo", a juzgar por los huesos que con aquéllas aparecen mezclados; y así, podrían mencionarse muchas cosas más. En la biblioteca se asoman cinco grandes ventanales repletos de banderas españolas: su contemplación llena de angustia el corazón y hace meditar profundamente sobre la hispana decadencia y sus causas; su descripción –dado su número– fatigaría inútilmente el ánimo del lector.

Recuerdos de Farragut

Nos levanta el espíritu, antes de dejar la Academia, la figura del primer almirante de los Estados Unidos, David Glasgow Farragut, hijo del menorquín Jorge Farragut. Llena de sus recuerdos están la Academia, la Biblioteca y el Museo. En éste se halla el autógrafo de su juramento como guardia-marina el 19 de diciembre de 1810, la reproducción de la placa resumiendo su vida colocada en el destructor "USS Farragut", y la placa original regalada por el Ayuntamiento de Ciudadela honrando su memoria. Tuvo lugar la entrega de esta útima en dicha ciudad menorquina al embajador de los Estados Unidos en España Mr. J. C. Dunn el 27 de junio de 1953. Varios buques de la Sexta Flota se hallaban presentes, bajo el mando del vicealmirante Cassady. El alcalde de la ciudad, D. José Allés, hizo la presentación del Sr. Cencillo de Pineda, quien resumió la personalidad del almirante Farragut. El vicealmirante Cassady donó un retrato del homenajeado, que se halla colocado en la Galería de Hijos Ilustres de Ciudadela (45).

Con unos años de diferencia, ha sido de nuevo dicha urbe escenario de otro homenaje a Farragut: el 30 de mayo de 1970 el Embajador norteamericano Robert C. Hill inauguró, en compañia de las autoridades provinciales y locales, un monumento reproduciendo la efigie del Almirante, obra de la escultora Sra. Barnes, y situado en una de las principales plazas ciudadanas. Dio gran brillantez al acto la presencia del buque de enseña de la Flota norteamericana del Mediterráneo "Little Rock", surto en el puerto: su tripulación, con una representación del Ejército y de la Armada españoles, desfiló por las calles a los sones de su banda de música. Hubo además almuerzo ofrecido por el Ayuntamiento y recepción a bordo por el almirante Waldemar F. R. Went. Se halló presente una numerosa representación de la Liga Naval norteamericana, capítulo de Madrid, entidad muy activa que me ha honrado con el nombramiento de Miembro Honorario.

BALTIMORE

Es su puerto uno de los más activos de la costa atlántica, y considerable parte del comercio norteamericano con España se hace a su través. Se libró de la quema por los ingleses en 1814, y la visión de la bandera de las franjas y las estrellas ondeando en el fuerte McHenry inspiró a Francis Scott Key el actual himno nacional norteamericano "The Start-Spangler Banner" (46). Muchos de los barcos que el Gobierno norteamericano mantiene en "conserva", por si una conflagración mundial volviera a estaller, se encuentran anclados en Baltimore, envueltos en enormes bolsas de celofán. La importante sociedad laboral cuenta entre sus celebridades a Wallis Simpson, duquesa de Windsor, por quien Eduardo VIII renunció al trono.

Fue Baltimore en 1792 escenario de notables celebraciones conmemorativas del Descubrimiento de América (47), y vio en ella la luz primera, en 1825, la popular gramática española de Mariano Cubí, que en pocos años habría de alcanzar seis ediciones (48). Cubí enseñó en el Colegio Saint Mary, en el que había sido adelantado de la enseñanza de la lengua española el padre Peter Babad (49). Fue en él también profesor José Antonio Pizarro, vicecónsul de la nación en la ciudad, y a él dedicó Severn Teackle Wallis su obra "Glimpses of Spain" (1849), obra de gran amor hacia España, en la que el autor se propone corregir los muy extendidos y variados errores sobre ella, partiendo de un propio y personal conocimiento de dicho país (50). El Presidente Reagan inauguró en ella y en 1984 un monumento a Colón.

Portaestandarte en la ciudad de nuestra cultura es hoy el Departamento de español de la conocida Universidad de John Hopkins. Albergó durante mucho tiempo al gran poeta español Pedro Salinas, quien murió en Boston en 1951 (le sustituyó Carlos Blanco Aguinaga). La Universidad de Maryland tiene también un "campus" en ella. Como profesor en el Peabody Institute –una magnífica Institución en el terreno musical– nos encontramos en su día con el pianista español Julio Esteban, intérprete feliz con la Orquesta local de aires patrios como "Noches en los jardines de España", y presidente en 1966 de la Asociación de Pianistas de los Estados Unidos. La Walters Art Gallery, situada en frente del Conservatorio, al otro lado de Charles St., encierra notables obras de arte, algunas españolas; con una de ellas participó en la Exposición de Arte Románico celebrada hace años en Barcelona y Santiago. Es igualmente digno de mencionar el Museo de Arte que, entre otros cuadros españoles, cuelga el conocido Picasso, "La familia de acróbatas" y los también de éste, "Leo Stein" y "Mono". En la psiquiatría local ha destacado el médico español Dr. Veiga, director del Hospital infantil de la John Hopkins. En la iglesia presbiteriana de Westminster está enterrado Edgar Allan Poe, cuya casa puede ser visitada.

John Dos Passos, durante varios años, vivió en invierno en Baltimore y en verano en Westmoreland, Virginia. Tuve el honor de conocerle y de gozar de las habilidades culinarias de su esposa –bella, como su "teen-ager" hija–, con ocasión de la visita que en aquella ciudad quiso hacerle Camilo José Cela. La interesante entrevista se vio rociada de buen vino, el continente del cual fue firmado por el anfitrión para la colección de botellas que en Mallorca tiene el novelista español. De la producción de éste –no de la mas reciente– se hallaba al tanto el autor de "Midcentury", quien nos aclaró sus antecedentes portugueses bastante próximos. Pronto se evidenció el buen conocimiento de Dos Passos de nuestra lengua, en la que mantuvo el diálogo. Tuvieron interés los comentarios del escritor americano sobre sus dos visitas a España y su cristalización en "Rocinante vuelve al camino" (1922), o "Aventuras de un joven", con escenas de la guerra civil española. Se ironizó inevitablemente acerca de la actitud de Dos Passos ante ésta en varios de sus escritos y de sus declaradas inclinaciones por la política conservadora de Goldwater. Estupenda lección de afabilidad y sencillez dio a sus visitantes el gran novelista con apariencia de edad avanzada y buena salud, y tocado de hispánicos quevedos.

En Antietan y Harpes Ferry se libraron en 1862 decisivas batallas durante la Guerra de Secesión. En St. Joseph-on-Carrolton, cerca de Frederick ha ejercido su capellanía el conocido hispanista P. Joseph F. Thorning.

NOMBRES ESPAÑOLES

Las ciudades de Córdova, La Plata, Mayo y Villa Hts. son las únicas en el Estado que los llevan.

PRESENCIA ESPAÑOLA

Esteban Gómez

Por tierras de Pennsylvania también anduvieron los españoles, en opinión del duque de la Rochefoucauld; construyeron baluartes sobre el río Tioga (en la frontera con el Estado de Nueva York, por la actual carretera 15), como final de su pnetración al remontar el Susquehanna desde la bahía de Chesapeake (para ellos bahía de Santa María). En el distrito de Oneida (en el centro del triángulo que forman Harrisburg, Allentown y Scranton) se encontró la piedra denominada de Pompeya, con la inscripción "Leo De Lon, VI, 1520", cuyo origen se atribuye a las expediciones de Gómez o de Ayllón, o posteriores (51).

Puede contar Maryland en sus históricos anales las visitas a sus costas por los barcos españoles a los pocos años de que el velo del misterio del continente americano fuera levantado por Cristóbal Colón; un barco español –probablemente el de Esteban Gómez–, dañado por severa tormenta y espesos hielos, tuvo que ser remolcado en 1525 desde tierra por su tripulación y reparado en las márgenes de la desembocadura del río Wicomico, cerca de la actual localidad de Whide Haven, en la bahía de Chesapeake. Se dio a la mar a poco y como recuerdo de su paso, dejó una bandera y una inscripción en un madero relatando el suceso (52).

CAPITULO IV

WASHINGTON, Distrito de Columbia

Distrito de Columbia es el nombre oficial con que es conocida la capacidad federal de los Estados Unidos y con que aparece en las matrículas de los automóviles, en los anuarios telefónicos y en las listas de los Estados de la Unión (1). Wáshington a secas significa uno de los Estados occidentales, y solamente se entenderá el apellido del primer presidente referido a la capital si se le hace seguir de las mayúsculas D. C., iniciales de aquella primera denominación; era ésta hasta hace poco una distinción muy importante en materia postal, si se quería evitar un posible paseo de la misiva a la costa occidental, y no tanto después –si se usa– de la instauración del sistema del "zip-code" de cinco cifras, en el que las tres primeras designan una determinada ciudad y las dos siguientes los diferentes distritos postales de ella.

Columbia deriva su nombre de Columbus, Colón, el descubridor del Nuevo Mundo, y se la ha simbolizado como una mujer, buena moza, con flotantes zopajes blancos, y tocada de un casco coronado de estrellas. Dado que los padres de la Patria en los días revolucionarios se sentían partiarios de dominar su nueva nación "Columbia", en honor de Colón, tiene lógica que su capital fuera designada Distrito (federal) de Columbia (2). Con posterioridad, Columbia ha venido a significar "freedom", libertad, que es cosa muy distinta a "liberty". Cuando el Capitolio fue construido, Thomas Crawford esculipó la estatua de "Columbia" para la cima de su cúpula. Desde entonces, todos los edificios federales y Capitolios estatales ostentan una reproducción de dicha "freedom" (3).

Con suponer tanto para la capital la figura de Cristóbal Colón, no se valora en ella con exceso su hazaña y, por supuesto, la participacón de España en ésta, a no ser en las alusiones a aquél en el Capitolio y su modesta presencia en el callejero. La no muy artística estatua de Colón situada en la plaza de la estación ferroviaria es punto de modesta reunión anual en tal fecha organizada, con participación española, por los Caballeros de Colón o los hijos de Italia. A partir de su erección en 1966, la conmemoración del Descubrimiento ha sido festejada también ante la estatua de Isabel la Católica, emplazada en la escalinata de la Unión Panamericana.

La localización del Distrito de Columbia es el resultado de un compromiso entre el Norte y el Sur a que se llegó en 1790, cuando se trató de establecer la capital federal. Los fundadores del nuevo Estado llegaron a la conclusión de que tenía que estar lejos de las entonces populosas capitales: Nueva York, Boston o Filadelfia. Su situación en las riberas del río Potomac es casi equidistante de Nueva Inglaterra y de Georgia (los extremos en aquella época). George Washington eligió el lugar –no lejos de sus propiedades de Mount Vernon– suficientemente aguas arriba para protegerse de un posible ataque naval, y accesible, sin embargo, a barcos de calado (el tiempo negaría estas dos últimas razones). El original Distrito de Columbia consistía en un cuadrado de 10 millas de lado, dos tercios del cual cedido por Maryland y un tercio por Virginia. En 1846, los residentes de área de Virginia, no satisfechos del desarrollo que estaba tomando su sector, solicitaron volver a su Estado original, lo cual les fue fácilmente concedido, dado el ritmo que hasta el momento había tenido la expansión de la capital (4). Con el tiempo, las cosas cambiarían, y hoy es ese sector –entre los vecinos al Distrito– uno de los más populosos en funcionarios federales.

Los planos de la ciudad fueron dibujados por el arquitecto francés Pierre L'Enfant, a quien George Washington eligió para la tarea. Colocó el Capitolio en una loma y dibujó cerca del río un rectángulo para la mansión del presidente; la línea recta que los uniría sería la Pennsylvania Ave. Del Capitolio partirían en las cuatro direcciones calles que tomarían como punto de referencia al Palacio del Legislativo, y que serían designadas por letras –las horizontales– y por números –las verticales–. Una serie de avenidas atravesarían la ciudad en forma oblicua, ocasionando la formación de una porción de círculos; éstos, al par que proporcionan belleza urbana, cumplirían propósitos estratégicos militares. Cuando se llegara a la Z en las calles horizontales, se continuaría el sistema alfabético con palabras de dos sílabas, y después con palabras de tres (5).

Este racional sistema de nomenclatura urbana ha subsistido hasta nuestros días, promoviendo los elogios de los forasteros, tales los de D. Juan Valera en una de sus cartas escritas desde Washington D. C. a su familia (6). Los bosques existentes se respetarían al máximo, y esta es la fecha en que la capital parece más bien un jardín que una ciudad; el Rock Creek Park, que la atraviesa de Nordeste a Sudoeste, hace olvidar a quienes lo frecuentan la proximidad del asfalto y de las edificaciones de cemento. Como está prohibida la construcción de rascacielos, sus edificios públicos son de notable extensión, por lo que la ciudad tiene una línea horizontal aumentada con la proliferación de barrios residenciales –llenos de césped y árboles– que aumentan extraordinariamente la superficie habitada. De aquí que el novelista Miguel Delibes, durante su estancia en la Universidad de Maryland, llamara a Washington, "la anti-Nueva York" edificadora de "rascasuelos" o rascacielos yacentes (7). Hasta el año 1800 no se moverían a la nueva capital el Presidente y el Congreso.

Sorprende la Casa Blanca por la modestia de su empaque, la cual habla muy bien del pueblo a quien sus moradores representan, mucho más cuando en los tiempos de la presidencia de Truman, en lugar de gastar grandes sumas en su reparación, podría haberse construido un suntuoso palacio. Es visitada diariamente por innumerables gentes que sólo tienen acceso a la planta baja, en su sector oficial, lo cual no quita para que por equivocaciones, al parecer inexplicables, la intimidad de la familia presidencial pueda ser turbada por la indiscreción o la inadvertencia de algún visitante. Quemada por los ingleses en 1814, no tiene espacio para albergar huéspedes ilustres, por lo que cumple tal función la "Blair House", situada en la otra acera de la avenida Pennylvania (8).

La entrada principal de la Casa Blanca centra la Lafayette Square, en cuyo próximo número 14, Legación de España a la sazón, residió D. Juan Valera durante parte de la etapa del cumplimiento de su misión diplomática en la capital (9). Puede decirse que arranca la calle 16 de la mencionada entrada de la residencia presidencial, en dirección Norte; a la mitad de su recorrido se encuentra el edificio de la actual Embajada de España. A distancia cercana de aquella plaza se sitúa la Farragut Square, con la estatua en su centro del primer almirante de los Estados Unidos: un homenaje a este descendiente de España fue tributado por el ministro de Información y Turismo, D. Manuel Fraga Iribarne, en octubre de 1964.

El Jardín de Rosas de Rosas de la Casa Blanca ha sido escenario en los últimos años de la Proclamación en la segunda quincena de septiembre por el Presidente de la "Semana de la Herencia Hispana". En 1986 Ronald Reagan resaltó uno de los rasgos más admirables de los hispanos: "la preservación de la dignidad, incluso en los momentos de adversidad". En dicha Semana participó el astronauta de origen costarricense. Franklin Chang Diaz, el primer hispano en viajar al espacio.

Asomándose a la fachada sur de la mansión presidencial –además del parque amplio rodeado de una verja, tras la que suelen agolparse los turistas y en el que el presidente suele recibir a grupos numerosos, verbi gracia, los estudiantes extranjeros del área (varios miles)– se divisa el *obelisco a Washington* y más allá, en el Tidal Basin, el *Jefferson Memorial.*

Por muchas vicisituades pasó el monumento al primer presidente: tras varios diseños, se adoptó el sencillo actual, de 555 pies de altura, comenzado a construir en 1848 e inaugurado en 1888. El "Memorial", erigido en 1943, en homenaje al que fue tercer mandatario, es un frío edificio circular en mármol, en cuyo centro aparece una estatua de Jefferson en pie; lo mejor del monumento es su emplazamiento, justamente en las orillas de la laguna, que a fines de marzo o comienzos de abril se cubre con las flores de sus cerezos, regalo del pueblo japonés, y de visitantes por causa de éstas. En línea perpendicular a la Casa Blanca podemos admirar, junto con el obelisco a Washington, el *Lincoln Memorial* y el Capitolio. Entre los dos primeros, un estanque rectangular refleja artísticamente el monumento situado en el lugar opuesto al tomado como punto de referencia, y los derribos en ejecución de los barracones elevados en la primera guerra mundial, en lína paralela, permitirán la creación de un gran parque, que otorgará gran belleza al conjunto. La estatua de Lincoln, meditando quizá en las palabras de su segundo discurso inaugural o en su discurso en Gettysburg (las que se encuentran reproducidas en las paredes laterales), es el centro de un marmóreo templo griego, rodeado de 36 columnas, tantas como Estados formaban parte de la Unión en 1865, y abierto al público en 1922. El monumento a Lincoln se halla asimismo en uno de los extremos del Memorial Bridge, cuya otra cabecera es el cementerio de Arlington, en Virginia, sino lejano emplazamieno, se ha honrado a los muertos en la guerra de Vietnam con una prolongada pared de mármol conteniendo los nombres de todos los caídos.

Si procedentes de la Unión Station remontamos la avenida de Massachusetts (que hoy aglutina el más considerable núcleo de Embajadas), no podremos por menos de recordar –cerca de la Brookings Institution, progresiva Fundación para la promoción del saber– que en su número 1.447 estuvo en tiempos instalada la Legación de España (10) (la hija del entonces secretario de Estado, Mr. Bayard, se suicidó al enterarse de la partida del país del no precisamente joven ministro D. Juan Valera, quien también cumplía el papel de su nombre de pila). Torciendo a la izquierda, en la calle 17, atraerá nuestra mirada el moderno edificio de la "National Geographic Society" –obra de Durrell Stone–, que encierra muchos recuerdos de las aportaciones españolas al mejor conocimiento geográfico del planeta y cuya popular revista ha publicado numerosos e importantes artículos sobre nuestro país (11). En diciembre de 1964, uno de sus vestíbulos acogió una notable exposición de monedas y otros hallazgos rescatados del galeón español hundido en aguas de Florida en 1715: junto a una primorosa y artística cadena y monedas de oro de diversos tamaños –algunas como la parte superior de un tazón– se podían admirar cubiertos de factura moderna y fina porcelana de China, traída a América en el galeón de Manila, todo ello en perfecto estado de conservación (12). En 1976 se exhibieron –con la inauguración por la Reina Sofía los objetos salvados del "Atocha", naufragado en 1622.

No muy distante, el *Constitution Hall,* propiedad de las Daughters of the American Revolution, acoge las manifestaciones culturales precisadas de numerosa audiencia, entre otras, los conciertos de la Orquesta Sinfónica Nacional, cuyo titular, Howard Mitchell, tuvo como director adjunto a Enrique García Asensio, ganador en 1967 del concurso "Dimitri Mitropoulos".

En el *Departamento de Estado,* albergado en un inmenso edificio, y en el vestíbulo de su entrada diplomática, ondean las banderas de los países con los que los Estados Unidos mantienen relaciones y, por tanto, la roja y gualda española; en la exposición permanente instalada en la planta baja se incluyen unas cuantas alusiones gráficas a la común. Historia hispano-norteamericana. En la esplanada de dicho edificio se alza una estatua acuestre de don Bernardo de Gálvez, obra de Juan de Avalos, inaugurada por S.M. el Rey don Juan Carlos I en 1976. Ante ella se han venido iniciando las "Semanas de la herencia hispana", proclamadas anualmente por los Presidentes en los meses de septiembre.

En el barrio de *Georgetown,* otrora de negros y hoy asiento de un núcleo bastante sofisticado de la "crème washingtoniana", el Museo y el parque de Dumbarton Oaks traen a la memoria la reunión que en su recinto celebraron los representnates de Estados Unidos, Inglaterra, Rusia y China en el verano de 1944 para preparar las bases de la Conferencia de San Francisco, que creó las Naciones Unidas.

A no lejana distancia, la Pennsylvania Ave, acoge el masivo edificio del *Ban-*

co Mundial para la Reconstrucción y el Desarrollo; su pareja y vecina Institución, el *Fondo Monetario Internacional,* ha tenido, como el Banco, enorme influencia en el progreso económico de los pueblos a lo largo de sus veinte años de existencia. En el patio central podrá ser admirada una composición escultórica de Eduardo Chillida.

CAPITOLIO Y ALREDEDORES

El Capitolio, sede del Poder Legislativo, es el edificio más representativo de la ciudad. Se comenzó a elevar con los planos de William Thorton el 18 de septiembre de 1793, y puso la primera piedra, en acto organizado por las Logias de Alexandria y Maryland, el presidente Washington, que ostentaba un mandil masónico (13). El Capitolio fue quemado por los ingleses en 1814 y reconstruido a partir de 1819, desde cuya fecha ha sido objeto de diversas ampliaciones y reparaciones (la actual cúpula se completó en 1865). Consta de una rotonda en el centro, el Vestíbulo de las Estatuas, la Cámara de representantes en el ala izquierda y el Senado en el ala derecha. Las oficinas de los representantes y de los senadores se hallan paralelamente en edificios situados a la izquierda y a la derecha del parque que se extiende ante la entrada este del Capitolio; los de los primeros –dos– han recibido la reciente adición del moderno y costoso (70 millones) "Sam Rayburn" (en memoria de un"Speaker" de la Cámara), y los dos de los segundos se comunican con el Capitolio por medio de un ferrocarril eléctrico subterráneo, que transporta cómodamente a los senadores. La Cámara aloja a 435 representantes; el Senado, a 100 senadores; aquélla es presidida por el "Speaker"; éste, por el Vicepresidente de la nación. Ante dichos Cuerpos legislativos habló S.M. el Rey Juan Carlos I en el curso de su visita a Estados Unidos en 1976.

Numerosas obras de arte encierra el Capitolio, y algunas de ellas hacen justicia a la aportación española a la Historia del país y de la Humanidad. En el friso de la rotonda se incluyen dieciocho escenas del acontecer americano, las siete primeras de las cuales se deben a Brumidi, ocho a Costaggini y las tres últimas a Cox; representan, la número 1, "El desembarco de Colón"; número 2, "Cortés entrando en el palacio de Moctezuma"; número 2. "La conquista del Perú por Pizarro"; número 4, "El entierro de De Soto, a medianoche, en el Mississippi", y la número 17, "La guerra hispano-norteamericana". Ocho gigantescos cuadros al óleo cubren las paredes de la rotonda (en cuyo centro suele reposar el catafalco de las personalidades a quienes se conceden tales honores, como el presidente Kennedy, general Mac Arthur y ex presidente Herbert Hoover, en los últimos tiempos) y dos de ellos se relacionan con España "El desembarco de Colón en San Salvador", de John Vanderlyn, y "El descubrimiento del río Mississippi por De Soto", obra de W. H. Powell. Más momentos de Colón existen en el Capitolio: en la puerta de bronce de entrada a la rotonda, Randoph Rogers esculpió en 1857 ocho escenas de la vida de Colón, en las que aparece también su hermano Bartolomé (tal circunstancia la reseñó Alfredo Escobar en sus cartas a "La Epoca" en 1876) (14b); en la Sala del Presidente (situada cerca del Senado) aparece –obra de Brumidi– la figura de cuerpo entero del navegante junto a otros personajes y alegorías que adornan el techo, y en el corredor occidental de la primera planta, otra obra de Brumidi representa a "Colón y las doncellas indias" (15).

En el Vestíbulo de las Estatuas (antigua Cámara) se halla tan sólo un pequeño número –debido a su peso y a su tamaño– de las que allí debería haber, dado que cada uno de los cincuenta Estados tiene derecho a donar dos; las cincuenta restantes aproximadamente existentes hasta la fecha, se encuentran extendidas por los corredores y las distintas salas del edificio: relativas a la presencia de España en el territorio norteamericano están las del padre Junípero Serra, por California, y del padre Eusebio Kino, por Arizona, ambos evangelizadores de los indios de aquellas zonas. En las paredes altas de la Cámara puede contemplarse una colección de medallones de mármol que reproducen las efigies de los legisladores más famosos en la Historia del derecho universal; entre los nacidos en España se cuentan el rabí de Córdoba, Maimónides (1135-1204), codificador del derecho oral judío, y el rey Alfonso X el Sabio (1221-84), autor de las "Siete Partidas", recopilación de los derechos romano y canónico (16).

A la sombra del Capitolio nos tropezamos con otros edificios importantes: la *Corte Suprema de Justicia,* la *Biblioteca del Congreso* y la *Folger Library.* Es esta última quizá el lugar que en el mundo reúne más libros y papeles relacionados exclusivamente con Shakespeare y su tiempo. La *Corte Suprema* –compuesta de nueve jueces nombrados vitaliciamente por el presidente de la República– es la sede del tercer poder que, de acuerdo a la Constitución, gobierna los Estados Unidos, ya que no sólo tiene como misión dirimir en última instancia las controversias jurídicas, sino la de declarar la constitucionalidad o inconstitucionalidad de las leyes –si llegara a plantearse– tanto federales como estatales y deslindar las esferas de acción –si surgiese la necesidad– del Gobierno federal y de los estatales. Uno de sus presidentes, "Chief Justice", Mr. Earl Warren, visitó España en la primavera de 1965, para asistir en Petra (Mallorca), como californiano, a los actos en homenaje a fray Junípero Serra.

La *Biblioteca del Congreso,* creada en un principio con el específico fin de servir a los miembros del Cuerpo legislativo, es hoy día la Biblioteca Nacional de los Estados Unidos. Se alberga en dos edificios, el primero de corte renacentista, inaugurado a comienzos del siglo XX, y el segundo, en 1939, que encierran más de cuatro millones de libros. Aparte de un ejemplar de la "Biblia de Gutenberg" y del borrador de Jefferson para la Declaración de la Independencia, contiene excepcionales colecciones de libros raros, grabados y fotografías, partituras de música y mapas y secciones especializadas, como la "Orientalia Division", la "Slavic Room" y la "Hispanic Foundation".

La "Hispanic Foundation" fue creada en 1939 por Archer Huntington, el fundador de la "Hispanic Society of America" (17). Comprendiendo que esta Sociedad no podía atender la tarea de estar al tanto de cuanto se publicaba en España e Hispanoamérica y de adquirirlo para sus estantes, hizo un sustancioso donativo con el mencionado propósito en 1927, donativo que se vio completado en 1930, cuando preveyó los adecuados fondos para constituir la actual Fundación. Valiosos libros españoles atesora y algunas ediciones príncipes custodia. En la nave, ornada con un colorido lienzo de Portinari, un meritorio grupo de hispanistas cataloga los libros que en las lenguas española y portuguesa se publican y preparan –en colaboración con la Universidad de Florida– el útil "Handbook of Latinamerican Studies". Su Archivo de la Palabra contiene las voces de relevantes escritores en lengua castellana. El "Coolidge Auditorium" fue escenario en 1962 y 1965 de representaciones en inglés de "El Caballero de Olmedo", de Lope de Vega, y de "La dama duende", de Calderón, por la compañía I. A. S. T. A. En 1970 recibió una valiosa colección de documentos relativos a la colonización de España en América por el Librero de N. York, Mr. Hans Krans. También la colección Lowry, que encierra tesoros incomparables del pasado español, reunidos por el gran hispanista. La Biblioteca ha sido en 1985 sede de un congresillo cervantino conmemorativo del Cuarto Centenario de "La Galatea".

Al abandonar el área del Capitolio, un vistazo podemos dar a los vecinos monumentos a Taft y a Grant. No lejos se halla la central de los "Teamsters", el poderoso sindicato de camioneros, acaudillado por Jimmy Hoffa (18).

SMITHSONIAN INSTITUTION

Si nos dirigimos hacia el oeste de la capital, el "Mall", que separa el Capitolio del monumento a Washington, nos hará creer, por sus amplias dimensiones, sus hermosas perspectivas y su armonía, que nos hallamos en París. Este sector es dominio de la Smithsonian Institution, la más poderosa entidad cultural del país (fundada en 1829 por el inglés James Smithson), y regida por una Junta, presidida por el Secretario de Estado (19). En septiembre de 1965 celebró con solemnes actos, presenciados por personalidades procedentes del mundo entero, el CC aniversario del nacimiento del fundador. Edificios suyos en el "Mall", aparte del administrativo central, son la Galería Nacional de Arte, el Museo de Historia Natural, el Museo de Historia y Tecnología, la Colección Nacional de Bellas Artes, el edificio de las Artes e Industrias, el moderno Museo del Aire y del Espacio y la Galería de Arte Freer.

Fuera del "Mall", mencionemos, entre otras Instituciones, el importante "Kennedy Cultural Center", construido en las orillas del Potomac, enfrente de la isla Roosevelt y el Parque Zoológico.

La *Galería Nacional de Arte* –albergada hoy en dos edificios– fue un regalo a la nación de Andrew W. Mellon (tanto el primer edificio –1941– como buena parte de las obras en ellas expuestas, procedentes en una proporción considerable del Hermitage de Leningrado); otros benefactores han sido Kress, Chester Dale y Joseph E. Widener. El conjunto forma una de las mejores pinacotecas del país, en la que figuran importantes contribuciones españolas: "La Adoración de los Magos", de maestro hispano-flamenco del siglo XV; "La Natividad", de Juan de Flandes; "Las bodas de Canaán" y "Cristo entre los doctores", del maestro de retablo de los Reyes Católicos; "La Virgen con Santa Inés y Santa Tecla", "San Ildefonso", "El Laoconte", "San Martín y el mendigo", "San Jerónimo", "La Sagrada Familia" y "Cristo limpiando el templo", de El Greco; "Bodegón", de Juan van der Hamen; "Santa Lucía", de Zurbarán; "El Papa Inocencio X", "La costurera" y "Retrato de un joven", de Velázquez; "La vuelta del hijo pródigo" y "Una muchacha con su dueña", de Murillo; "La Asunción de la Virgen", "La Señora Sabasa", "La Condesa de Chinchón", "El Duque de Wellington", "Carlos IV" "La reina María Luisa" y "La librera", de Goya. Entre los pintores modernos, se exhiben varios sobresalientes Picassos, como "La familia de Saltimbanquis" y otros cuadros de su época azul, varios Mirós, Juan Gris y el popular, de gran tamaño, "La última cena", de Salvador Dalí, una de las atracciones del Museo, en cuya sala aparecen también los siguientes Zuloagas: "La rubia del abanico", "Merceditas", "Mrs. Philip Lydig" y "Achieta" (20).

En lo que a Museos de Arte se refiere, y haciendo un paréntesis en la visita a los edificios de la Smithsonian, recordaremos que en la *Corcoran Gallery*, dedicada a la pintura norteamericana, se exhibe un curioso escudo de Castilla, de influencia morisca, en cerámica, y en el excelente Museo particular que contiene la *Phillips Collection* se cuentan dos versiones de "Pedro arrepentido", de El Greco y Goya, además del aguafuerte "Cuidado con los consejos", de este último, tres obras de Juan Gris ("Abstracción", "Tazón y cajetilla de cigarrillos" y "Bodegón con periódicos"), "El Juglar", "Corrida de toros" y "La habitación azul", de Picasso; "Campo de naranjos", de Sorolla; "Una muchacha de Montmartre", de Zuloaga, y "Sol rojo", de Miró.

En el *Museo de Historia Natural* nos tropezamos con el colosal elevante disecado de 12 toneladas de peso, donación de J. J. Fenykövi, residente en Madrid (así reza el cartel explicativo). (La reproducción de una gigantesca ballena, los grupos de animales de todas las especies, verdaderas maravillas taxidérmicas, y la civilización de los indios americanos se exhiben en salas que merecen una atenta visita). El *Museo del Aire del Espacio* de moderna construcción, y que contiene "El Espíritu de San Luis" de Lindbergh, la "Fiendship 7" –la primera cápsula norteamericana en que Glenn circunvaló la atmósfera terrestre–, el reactor que rompió la barrera del sonido, el avión pionero de los hermanos Wright, el "Columbia", etcétera, recoge una alusión al autogiro de la Cierva y muestra también una simbólica aportación española, recordatoria de una importante contribución a la historia de la aviación: una reproducción del "Plus Ultra", hidroavión que, pilotado por Franco y Ruiz de Alda, atravesó el Atlántico Sur por primera vez en 1926.

El modernísimo edificio del Museo de Historia y Tecnología, incluye un sector dedicado al hogar español; su colección de trajes de las primeras damas, usados en el día de la toma de posesión de la presidencia de la República por sus maridos, constituye un foco de atracción para los visitantes nacionales. En el sector dedicado al Transporte destaca la reproducción de la carabela "Santa María", la joya de la colección de barcos a escala realizada en el Museo Marítimo de Barcelona. En el centro de Exhibiciones Históricas Navales –instalado en otro inmueble– puede contemplarse un artístico y colorido escudo español procedente del "Reina Mercedes", así como otros relieves en madera sacados de varios navíos españoles que intervinieron en la guerra de Cuba.

INSTITUCIONES CON PRESENCIA HISPANICA

La plaza de las Américas, con estatuas de Bolívar y de Artigas, separa los dos edificios de la *Pan American Union.* Si bien aquéllos ostentan un inconfundible estilo renacentista español, el primero, en el tiempo y en importancia, debido a los arquitectos Albert Kelsey y Paul Cret (21), ofrece más interés desde un punto de vista arquitectónico. Sede de la Organización de los Estados Americanos tiene como proa, instalada en los jardines de su fachada principal, la artística estatua de la reina Isabel la Católica, obra de José Luis Sánchez, y donada a la entidad el 14 de abril de 1966 –Día de las Américas– por el Gobierno español, representado por Fernando María Castiella. Este mismo ministro de Asuntos Exteriores intervino, como donante igualmente, dos años antes, en la instalación del busto de fray Francisco de Vitoria, padre del Derecho Internacional, obra de Victorio Macho, en una de las amplias galerías del edificio, que contienen estatuas de prohombres americanos y rodean el salón de las Américas y el del Consejo. Centro del inmueble es un típico patio colonial, adornado con motivos mayas, aztecas y zapotecas. Una notable colección de libros sobre América y su Historia, es consultable en la Biblioteca "Cristóbal Colón", alojada en la planta baja: en este punto es de justicia señalar que el libro más consultado en las distintas dependencias de la Unión sobre el funcionamiento de la O. E. A. se debe al español Félix Fernández-Shaw.

La O. E. A. firmó en otoño de 1964 en Madrid, por mano de su entonces subsecretario de Asuntos Culturales, Jaime Posada, un Acuerdo con el Instituto de Cultura Hispánica, en cuyo nombre actuó su director Gregorio Marañón. En su formulación tuvieron primordial intervención el director de Cultura, Rafael Squirru, y el subdirector, Guillermo de Zéndegui, responsable al mismo tiempo de la prestigiosa revista cultural "Américas" (22). Este paso adelante en las relaciones entre la O. E. A. y España fue el preámbulo del que tuvo por escena la capital de España el 24 de mayo de 1967, con la firma del Acuerdo de Cooperación entre este país y la organización de los Estados Americanos, representados, respectivamente, por Fernando M.ª Castiella y José A. Mora (23).

Con este Acuerdo, el primero en su género que la Secretaría General de la O. E. A. firmaba con un Gobierno no miembro, se establecían los cauces jurídicos necesarios para que la colaboración entre las partes contratantes se realizara en un plano permanente y, de fecundos resultados. Entre éstos, cabe señalar el nombramiento de mutuos representantes acreditados ante la otra parte, el primero de los cuales recayó, en lo que se refiere a España, en la persona del ministro plenipotenciario Antonio Gil-Casares. Con posterioridad, España destacó un Embajador Observador Permanente. Se ampliaron los programas de adiestramiento y asistencia técnica, se intensificaron el plan de becas para enseñanzas técnicas, historia, etc. (24). Como fruto de esta colaboración cabe mencionar el Festival de Música de América y España, celebrado en Madrid, en doble edición, en los meses de octubre de 1964 y 1967, con el director colombiano Guillermo Espinosa como principal promotor (25).

La capital de España fue también la sede del Seminario de América Latina y España, en enero de 1969, bajo los auspicios de la O. E. A., el B. I. D., el C. I. A. P. y el I. C. H., con el fin de estudiar las bases comunes para el incremento de las relaciones comerciales, financieras y de cooperación técnica. En mayo siguiente visitó España Galo Plaza, y en tal oportunidad se intercambiaron cartas entre él y el Ministro de Asuntos Exteriores español, señalando las líneas generales de la cooperación entre España y la O. E. A. para el desarrollo de determinados proyecto referidos a varios países del continente iberoamericano.

En edificio aparte tienen su asiento la *Organización Panamericana de la Salud*, conseguida obra del arquitecto uruguayo Román Fresnedo. Inaugurado en el otoño de 1965, ostenta en su vestíbulo un busto de Francisco Hernández, físico de Felipe II y protomédico americano, obra del escultor César Montaña, que entregó en solemne ocasión Enrique Suárez de Puga, en nombre del Instituto de Cultura Hispánica y de los Colegios Profesionales de Médicos españoles. Otros organismos con presencia hispánica en Washington son las oficinas del *Comité Interamericano de Alianza para el Progreso* (C. I. A. P.), la *Junta Interamericana de Defensa* (con su Colegio anejo), y el *Banco Interamericano de Desarrollo* (B. I. D.).

El edificio de la actual *Embajada de España* no es de estilo español precisamente, y fue levantado con destino al Vicepresidente de los Estados Unidos; se encuentra en la calle 16 y en Meridian Hill, así llamada ésta porque allí se colocó una piedra marcando el meridiano cero de la nación (recordemos los poemas de "Una colina meridiana" de Juan R. Jiménez). El visitante ansioso de contemplar algo típico nacional tiene que contentarse con un patio cubierto –construido con posterioridad– rodeado de azulejos, centrado por una fuente florida y presidido por una cerámica de la Virgen de los Reyes, y con un vestíbulo amueblado con sillones fraileros y otras piezas españolas, además de los retratos de los reyes D. Alfonso XII y D.ª Victoria Eugenia, obras de Sotomayor, de un busto de alabastro de Carlos V, debido quizá a Pompeyo Leoni y de un escudo de España que perteneció a la primera Legación de España en Filadelfia. Una de sus salas cuelga en sus muros una notable colección de obritas de Lucas, y otra muestra una colección de princesas retratadas por Van Loo. El salón de baile esta presidido por un retrato de Carlos III, de Mengs, y enmarcado por dos colosales gobelinos instalados en sus paredes laterales. Una reja rememorando la partida de Colón del puerto de Palos, y otros cuadros, como el retrato del barón de Carondelet, gobernador de Luisiana, completan las obras de arte, propiedad del Estado, existentes en la residencia del embajador.

La Cancillería –elevada al otro lado del mencionado patio– cuenta en el despacho del embajador, además de con un tapiz de Teniers, con un óleo de don Pedro de Luján, Silva, Góngora y Menéndez de Avilés, duque de Almodóvar del Río y adelantado mayor de la Florida. Cuelga en las paredes de los distintos despachos una colección de retratos de jefes y demás funcionarios diplomáticos que han servido en la Misión a lo largo de su historia. Entre aquéllos merecen ser recordados, parte de los que por uno o otro motivo son mencionados en este libro, Luis de Onís, Angel Calderón de la Barca, Leopoldo Augusto de Cueto, Gabriel García Tassara (los tres, escritores, como Valera), Mauricio López Roberts y Enrique Dupuy de Lome (cuyo nombre tanto figuró en el estadillo de la guerra de Cuba). Una lista completa de ellos figura entre los Apéndices de este libro.

Tiene interés para el arte hispánico la capilla elevada por los padres franciscanos en la *Academia de la Historia Franciscana Americana,* situada a unas cuantas millas de Washington D. C. en Bethesda, estado de Maryland. Fue levantada en 1961, con planos de arquitecto peruano Harth Terré, quien también dirigió la construcción de los altares y las estatuas, hechas en el taller del escultor español Sr. Zaragoza, en Lima. La capilla está inspirada en una iglesia misional de los tiempos coloniales en el Perú, y su altar mayor, muestra del barroco americano, contiene, en torno a la central de la Virgen de Guadalupe, estatuas de Santo Toribio de Mogrovejo, Santa Rosa de Lima, San Francisco Solano y San Felipe de Jesús, todos del siglo XVI. El altar lateral de la derecha, de estilo neoclásico, análogo al usado por los franciscanos en el Perú, tiene por imágenes la de San Antonio de Padua y una reproducción del San Francisco de Mena. El altar lateral izquierdo es de estilo hispanoamericano del siglo XVII, y junto al Ecce Homo aparece un alto relieve de Santiago en la batalla de Clavijo. El sagrario es epañol, moderno, las lámparas se inspiran en las que lucen en la Basílica de San Francisco de Asís, el Crucifijo del altar mayor es quiteño antiguo y las ventanas son de piedra onix, de Puebla de los Angeles. El Via Crucis, de cerámica sevillana (siglo XVIII), es un regalo de la Escuela de Estudios Hispanoamericanos de Sevilla. En la plazoleta delantera de la capilla, una "picota" coronada por una cruz de la bienvenida a los fieles que acuden los domingos a la única misa que se dice en español en el área de Washington (27). La Academia publica importantes libros históricos y una revista trimestral, "The Americas", y concede anualmente el premio "Serra Award of the Americas". Ha servido de morada al historiador español P. Lino Gómez Canedo y a sus colegas Kiemens y Mac Carthy, entre otros.

Hay más edificios en Washington con influencia española: si en Nueva York visitamos una serie de ellos con bóvedas de Guastavino, la lista con obras de éste no es menos numerosa en la capital federal (28), a saber: parroquia del Sagrado Corazón (próxima a la Embajada de España), iglesia de Santa Ana, Catedral de Washington (episcopaliana, inspirada en las españolas, que ostenta también en su portal Sur ocho esculturas del español Enrique Monjo), edificio de la Corte Suprema, Army War Collge, capilla del Trinity College, edificios de los Archivos Nacionales –con importantes fondos de interés para nuestra historia–, Departamentos de Comercio y del Interior, edificios de las oficinas de los senadores y representantes, Academia Nacional de Ciencias, templo Masónico de Rito Escocés (en frente de la Embajada de España), algunos edificios de la Universidad de Georgetown y la basílica de la Inmaculada Concepción.

Han existido en el área –y algunos perduran– una serie de Instituciones relacionadas con España y lo hispánico: el "Hispanic American Heritage Committee", y el "Centro Anglo-Español", el "Club de las Américas", el "Club de Puerto Rico" y el "Club de España". Entre los españoles residentes en ella me cabe recordar, además de los ya señalados, al historiador Javier Malagón, a los sociólogos Angel Palerm y Alberto Francés, al internacionalista Quero Morales, al economista Aguilar, al científico Cuatrecasas, a los profesores Supervía y Solá-Solé, a los Dres, Sagarminaga, Vilallonga, Angoso, Molina, etc.

UNIVERSIDADES

La Basílica de la Inmaculada Concepción forma parte del "campus" de la *Universidad Católica de América* costeada y regida por la jerarquía norteamericana, y de la que es canciller el arzobispo en Washington. La iglesia, de inmensas proporciones (la más grande del país), cuenta en sus sótanos con una cafetería y una librería, y su inauguración hace unos años constituyó un auténtico acontecimiento, en el que estuvieron presentes todos los cardenales del país y un gran número de obispos. En punto a arte no puede afirmarse que destaque, dada su mezcla de estilos un poco trasnochados. Algunos artistas han intervenido en ella; en un altar se venera una reproducción en mosaico de la Inmaculada, de Murillo. El Departamento de español de dicha universidad contó con la presencia del renombrado profesor Hatzfeld; el de Historia, que tiene como anejos la biblioteca Oliveira Lima y el Instituto Iberoamericano, estuvo dirigido por el portugués Manoel Cardozo, de la misma nacionalidad que el profesor Coutinho, que allí dictó Geopolítica. Han enseñado en la Universidad varios españoles, como el profesor de copto, padre Bellet. La Universidad Católica otorga anualmente becas dotadas por la asociación de damas católicas "Hijas de Isabel", así llamadas –como las becas– en homenaje y recuerdo a nuestra reina madre de América.

La *Universidad de Georgetown*, perteneciente a los padres jesuitas, es la más antigua del lugar: en diciembre de 1964 celebró la clausura de los actos conmemorativos del CLXXV aniversario de su fundación e invitó a las más importantes Universidades del orbe. Nombraron representantes entre las españolas, las de Zaragoza y Madrid; me cupo el honor de ser designado por ésta y de presidir con el de Oxford, por razones de antigüedad en la fundación, la procesión académica de los varios cientos de delegados asistentes. Es renombrado su Instituto de Lenguas y Lingüística, dirigido por el eminente profesor Roberto Lado; junto a nuestra lengua, para cuya enseñanza trabajan casi una docena de profesores, se pueden aprender otras 20 modernas. La Universidad otorga el premio "Axacán" en memoria de los jesuitas españoles mártires en las tierras cercanas de Virginia.

Son notables también los Departamentos de español de las Universidades *American, George Washington, Howard* (de negros, la única federal en todo el país) y de *Maryland*. esta última pertenece al Estado de su nombre, pero su "campus" principal se halla comprendido en realidad en el área del Gran Washington; son especialmente dignos de mención sus profesores de español, entre los que han destacado Arthur Parsons, Frank Goodwyn, Henry Menderloff y las damas Panico, Saenz Ament, Marguerite Rand y Graciela Nemes. Ha albergado en tiempos recientes, como profesores visitantes, a distinguidos escritores españoles Juan Ramón Jiménez, durante varios años; Gregorio Salvador, en 1963, y Miguel Delibes, en 1964.

AREA METROPOLITANA

Cruzando el Potomac, ya en el próximo Estado de Virginia, son interesantes de mencionar el monumento a los "marines", de Iwo Jima; el cementerio militar de Arlington, en el que se visita la Casa Curtis Lee (Lee fue un general rebelde); la tumba del Soldado Desconocido –con guardia permanente–, y la sencilla tumba del presidente John F. Kennedy (junto a sus dos hijos y su hermano Robert); el edificio del Pentágono, sede del Departamento de Defensa, construido en 1943, llamado así por la forma geométrica de sus cinco fachadas (son cinco sus pisos y cinco sus corredores concéntricos), y en el que trabajan 27.000 funcionarios, y, a unas millas de distancia, rebasando el Aeropuerto Nacional, a través de una preciosa y bien trazada autopista (el Internacional y moderno Dulles Airport se extiende también en Virginia, más al Norte y a una hora de viaje), la casa de Mount Vernon, propiedad de George Washington, y en cuyos terrenos yace enterrado junto a su esposa. Hallándose retirado en estas posesiones, en 1786 recibió una manta de vicuña, regalo del representante español Gardoqui, y un borrico, enviado por el conde de Floridablanca, en nombre del rey Carlos IV, regalos muy apreciados por el recipiendario, a juzgar por las expresiones contenidas en la carta a dicho diplomático con fecha de 20 de enero (29).

No se destaca el Gran Washington por su abundancia en calles con nombres españoles; algunos, sin embargo, pueden encontrarse (además de las de Estados de origen español): varias Farragut, cuatro dedicadas a Colón (Columbia Rd., Columbus, Columbia Pike, Columbia Ave.), Quintana, Hayas, Portal, Alamo, Buena Vista, Vista Drive, Alta Vista Rd., Loma Lane, Villa Lane, Mariana Dr., Avena, Gálvez, Magellan –Magallanes– Ave., Toledo Rd., Toledo Terrace, etc.

PRESENCIA ESPAÑOLA

Los Menéndez, González y Fernández en la bahía de Chesapeake

El río Potomac en la bahía de Chesapeake a través de un largo y espacioso estuario (en cuya ribera derecha se encuentra la casa natal del general Robert E. Lee, y un poco más aguas abajo la que fue residencia veraniega del novelista Dos Passos, en Westmoreland). La bahía es, a su vez, amplia en extremo y se comunica con el mar por una entrada, en la que se ha construido recientemente un túnel y un puente que unen a Norfolk con el Cape Charles, en el Estado de Maryland.

Los españoles visitaron con alguna frecuencia esta bahía a lo largo del siglo XVI y comienzos del XVII, y proceden de algunos de éstos las más detalladas, exactas y primeras descripciones que sobre ella se han dado. Aparte de las expediciones de Villafañe, del P. Segura y Menéndez de Avilés, a que nos referiremos en Virginia, cuando recordemos los martirios de Axacán, visitaron esta bahía de Santa María o de la Madre de Dios, como los españoles indistintamente la denominaban, Juan Menéndez Marqués, tesorero de Florida, Juan Lara y Vicente González, en el año 1588, acompañando al *gobernador Pedro Menéndez Marqués* en sus indagaciones sobre la exactitud de la información recibida acerca del establecimiento en la región (isla de Roanoke) de los ingleses. Los dos primeros dieron una vívida descripción de la gran bahía que habían visto, en el curso de la investigación que sobre la existencia de mejores puertos que San Agustín abrió la Corona en Florida en el año 1602 (30).

En realidad, la más interesante información para nuestro propósito es la proporcionada por *Juan Menéndez,* al afirmar que la bahía, situada en los 37° de latitud, era especialmente buena y de gran importancia. La entrada tenía, según él, una inclinación Noroeste-Sudeste, no pecaba de falta de calado, carecía de escollos tanto dentro como fuera, y tenía la anchura de unas dos leguas marinas. La bahía era tan espaciosa que sus costas se perdían de vista desde la otra orilla, y en su parte más estrecha conservaba la anchura de su entrada. Remontando la bahía en dirección Norte, se tropezaba uno con multitud de bahías más pequeñas, pero también de considerable amplitud. Especialmente abundante en ensanadas, ríos y valles era el sector comprendido entre los paralelos 38° y 40°, al alcanzar el cual la bahía acababa en un encantador paisaje con suaves colinas y valles (Menéndez se refería indudablemente a la región de Annapolis, Baltimore y Havre de Grace). El terreno era rico para la agricultura y el ganado, y los ríos que afluían a la bahía eran tan numerosos y abundantes, que en ciertos lugares de ésta el agua era dulce. En los alrededores del paralelo 38° (frontera de los Estados de Maryland y Virginia), Menéndez encontró un indio que portaba un collar de oro y que le relató la existencia de dicho metal no lejos de Madre de

Dios, que los indios denominaban Tapisco, al pie de unas montañas a las que se llegaba tras una media jornada de camino (¿los Apalaches?). El indio, bautizado Vicente, fue llevado por Menéndez con intención de que informara personalmente en España, pero murió durante el viaje, siendo enterrado en un monasterio de Santo Domingo (31).

La declaración del soldado Juan López Avilés, en el aludido juicio, confirma los anteriores datos y las excelencias y amplitud de la bahía, a base de los detalles que él pudo recoger del expedicionario *Vicente González* (32). La región de Chesapeake es objeto de detallada descripción en la carta que el gobernador de San Agustín, Gonzalo Méndez Canzo, escribió al rey el 28 de febrero de 1600, y coincidía en reconocer que la costa entre los paralelos 37° y 40° tenía muchos y buenos puertos (33). La bahía de Santa María recibió en 1609 una nueva visita española: la del sargento mayor –substituto del gobernador en caso de ausencia o enfermedad, y jefe de la infantería– de San Agustín, *Francisco Fernández Ecija*, quien, comisionado por la Corona, recorrió las costas con el objeto de dar noticias sobre la Colonia inglesa en Jamestown (34).

CAPITULO V

LAS DOS VIRGINIAS, LAS DOS CAROLINAS Y GEORGIA,
«tierras de Ayllón»

VIRGINIA, madre de Presidentes

PRESENCIA INGLESA, JAMESTOWN y WILLIAMSBURG

Es Virginia la más antigua Colonia inglesa en el continente, por lo que puede considerarse como el origen anglosajón de la actual Norteamérica (1). En los esfuerzos de la Corona inglesa por combatir el Imperio español y compartir las posibilidades que las nuevas tierras de América ofrecían, se constituyó la Compañía de Virginia, que organizó en 1606 una expedición compuesta de los barcos "Susan Constant", "Godspeed" y "Discovery", que, al mando del capitán Christopher Newport, desembarcó tras varias incidencias en la bahía de Chesapeake el 26 de abril del siguiente año, y fundó la Colonia de Jamestown el 24 de mayo en honor del monarca reinante. El alma de la Colonia en los tiempos siguientes sería el capitán John Smith, legendaria figura, del que se cuenta su salvación de la muerte ordenada por el jefe indio Powhatan, merced a las súplicas filiales de la enamorada Pocahontas (2). Al cumplir Jamestown su CCCL aniversario, grandes festivales se organizaron en Virginia, el antiguo blocado de madera fue reconstruido así como las naves pioneras, y un Museo "ad-hoc" elevó sus paredes (3); todo ello es visitable hoy día para cualquier turista, quien podrá admirar en este último una fotocopia del Tratado de Tordesillas, donada por el Archivo de Indias de Sevilla.

A pocas millas de Jamestown se sitúa Williamsburg, fundada en 1699 como nueva capital de la Colonia de Virginia, a consecuencia del fuego que devastó el año anterior Jamestown. Durante muchos años conservó tal preeminente posición, por lo que fueron levantados confortables casas, edificios públicos y lugares de esparcimiento; unos y otros fielmente reconstruidos, pueden admirarse en la hora presente, gracias a la generosidad y al patriotismo de Rockefeller. Una visita a Williamsburg –dotado de cercanas y modernas facilidades para el aloja-

177

miento y manutención– proporciona una fácil idea de la historia colonial norteamericana, con el estupendo complemento de la previa contemplación de una película con dicho período por tema (4). La reina Isabel de Inglaterra, acompañada del príncipe Felipe, asistió en 1959 a las fiestas conmemorativas del aniversario de su fundación.

A PARTIR DE LA INDEPENDENCIA

En esta misma lengua de tierra, y no lejos de Williamsburg, se libró la batalla final por la independencia; en Yorktown, cuyo escenario guerrero se encuentra perfectamente explicado y conservado, el inglés Cornwallis se rindió a los ejércitos de Washington y de Rochembeau el 18 de octubre de 1781. La ayuda española contribuyó a esta victoria, según ya hemos visto (5).

Vecina ciudad es Newport News, localización de grandes astilleros fundados por Collis P. Huntington, padre de Archer, el creador de la "Hispanic Society of America", de Nueva York: en ella está abierto al público el "Museo de los Marinos", otra iniciativa del rico hispanista, en el cual se admira el cuadro de Sorolla "Colón dejando el puerto de Palos en su primer viaje" y varios retratos de López Mezquita (6). Al otro lado de la bahía que forma el río James, la Base naval de Norfolk nos da la medida del poderío marítimo de los Estados Unidos.

La intervención de Virginia fue decisiva –por la clase de sus hombres, por la densidad de su población, por sus recursos– en la guerra de la Independencia contra Inglaterra. Se convirtió en Estado el 26 de junio de 1788. Suele denominarse a sí misma "madre de presidentes", debido a que Washington (1.º), Jefferson (3.º), Madison (4.º), Monroe (5.º), Harrison (9.º), Tyler (10), Taylor (12) y Wilson (28) nacieron en sus contornos. Durante la guerra civil se puso de parte de los confederados (quizá por un afán de recuperar la posición dirigente, perdida, en la Unión), y en su territorio se libraron numerosas batallas, desde las primeras derrotas nordistas en Bull Run o Manasas (1861-1862), hasta la final de la guerra de Appomatox, en la que Lee se rindió a Grant (9 de abril de 1865), pasando por las de Winchester (centro productor de manzanas) o de los Siete Días. Richmond fue elegida capital de la Confederación y conserva mucha importancia, así como su función rectora en el Estado. Entre otras cosas notables, guarda un Museo, en el que cuelgan obras de arte españolas. Cuenta con la Universidad de Richmond y la Virginia Union University.

PRESENCIA ESPAÑOLA

Mártires de Axacán

A pesar de toda esta predominante historia anglosajona, el Estado tabaquero de Virginia (el tabaco constituyó su primera fuente de ingresos ya en épocas coloniales) tiene español su nacimiento a la civilización occidental. Quizá por eso en un mapa francés del siglo XVII se incluyé a Virginia ("Americae Pats Septentrionalis") una región denominada "Medano Hispanis" (7). El primer idioma europeo que se dejó oír en sus tierras fue el castellano de Garcilaso o del marqués de Santillana. Y ello como consecuencia de las Misiones que los jesuitas establecieron en la bahía de Chesapeake, entre los años 1570 al 1571, treinta y siete años antes de que el primer inglés pusiera su planta en sus tierras. Mucho se ha discutido en torno.

Se creyó en un momento que coincidía su emplazamiento con un lugar no lejano a la Escuela de Infantería de Marina, en Quantico, a unas millas de la capital federal, denominado "Triangle". Se llega a él por la carretera número 1, en dirección Sur. Nos avisa su presencia un gran crucifijo (espectáculo poco común en los Estados Unidos) erigido a la izquierda de la vía. En sus cercanías, Aquia Creek, podremos leer la placa dedicada en 1933 conmemorando la fundación en ellas de las Misiones españolas. No parece cierta, sin embargo, tal afirmación, aunque sí lo sea la organización en ellas, hacia 1650, del primer establecimiento católico en Virginia (8). Lo confirman los restos de la tapia del cementerio y las losas de varias familias católicas, como los Brent (Mary, la mujer de George Brent, era la hija de Lord Baltimore), que fueron descubiertos en 1924.

Más probable localización es la de los alrededores de lo que sería con el tiempo Jamestown. En dichos parajes, en los que se encuentra el pueblo indio de Axacán, apareció en septiembre de 1570 una expedición española compuesta de siete personas, entre ellas los padres Juan Bautista Segura y Luis de Quirós, los hermanos Sancho de Cevallos y Gabriel Gómez, y don Luis. ¿Quién era este personaje? El hermano del jefe indio de la región, que tomado prisionero en 1561 por la expedición de Villafañe (9), había sido llevado a México y tomado bajo su protección por el virrey Luis de Velasco, quien le bautizó, le dio su nombre y le llevó a España, llegándole a presentar a Felipe II. En 1566 había acompañado a Axacán a unos dominicos en un malogrado intento misional. De regreso a México, y en apariencia muy compenetrado con la causa de España y las verdades de la fe católica, fue elegido para participar en la expedición evangelizadora del padre Segura.

Ya constituyó una sorpresa para los españoles las condiciones de la región, que distaba mucho de las relatadas por el converso, aparte de que seis años de malas cosechas habían traído el hambre y una notable disminución de la población. Estas fueron las impresiones que los padres Segura y Quirós transmitieron en una carta a Juan de Henestrosa, gobernador de Cuba, en la que le pedían socorros y semillas para antes de marzo o abril. En la espera de éstos transcurrió el invierno, en el curso del cual levantaron unas chozas para alojamiento y para capilla. Permaneció con ellos don Luis como intérprete y profesor de la lengua nativa hasta que, en el mes de febrero, desapareció. En su búsqueda se dirigieron a la aldea india el padre Quirós y dos hermanos y, aunque recibidos con grandes muestras de afecto por don Luis y sus compañeros, fueron muertos a flechazos en el camino de regreso. Don Luis se puso el hábito del padre Quirós y de esta guisa apareció ante el padre Segura y sus restantes compañeros, quienes, de rodillas, recibieron la muerte del martirio. Sólo escapo un joven, Alonso, salvado por el hermano de don Luis. Gracias a él se tienen noticias del trágico fin de los misioneros.

Los solicitados socorros al gobernador Henestrosa llegaron en la primavera en un barquito con Vicente González y el hermano Juan Salcedo. Al no percibir señales de los misioneros, entraron en sospechas, agravadas al contemplar unos indios vestidos con los hábitos jesuíticos. No queriendo caer en la trampa que los signos amistosos de los indios les tendían, consiguieron apoderarse de dos indios y levar anclas. Noticioso el almirante Menéndez de Avilés de esta historia, decidió castigar a los culpables y zarpó de San Agustín hacia Axacán, no sin antes parar en Santa Elena y recoger a Rogel y Villarreal. Al llegar a su destino, desembarcó con 30 soldados y aprisionó a un número considerable de indios, quienes acusaron a don Luis como culpable. Prometió salvar la vida de los prisioneros si le traían a éste; no habiéndolo conseguido, colgó del palo mayor del barco a ocho de ellos. Rogel quiso proseguir la búsqueda tierra adentro, auxiliado por Alonso, que apareció, pero al almirante le pareció oportuno regresar y zarpó para Santa Elena. El martirio de los jesuitas en Axacán fue la causa de que el entonces general de la Orden, el español Francisco de Borja, decidiera retirar de los territorios norteamericanos a sus frailes, y éstos abandonaron –por el momento– sus afanes evangelizadores en el continente septentrional (10).

Se tributó a los mártires de Axacán el debido homenaje en el curso de los actos organizados con motivo del CCCL aniversario de Virginia. Se celebró el 10 de noviembre de 1957, en el Jamestown Festival Park, organizado por la "Axacán Memorial Society" y su secretario, John H. Hinkel, contando con la presencia del embajador de España y de la condesa de Motrico. El reverendo Clifford S. Lewis, S. J., autoridad en la materia, explicó la historia del establecimiento jesuítico; el reverendo Frederic L. Fadner, S. J., regente de la Escuela del Servicio Extranjero de la Universidad de Georgetown, presentó el premio "Axacán" al Dr. Earl G. Swem, bibliotecario emérito del Colegio William and Mary de Williamsburg; el director de los Parques Nacionales, Mr. Conrad Wirth, leyó un mensaje del presidente Eisenhower, y pronuncio el discurso final el embajador de España (1).

El idioma español y la sombra de Jefferson

Participó Virginia desde sus primeros tiempos en el interés mostrado por las otras Colonias en el español y la civilización hispánica, aunque sólo fuera con un criterio antagónico. No faltaron españoles que la visitaran (se tienen datos de que Francisco Miguel pasó ocho meses en Jamestown alrededor de 1610) (12) ni libros españoles que ocuparan su debido sitio en las anaquelerías (13). Era excelente el español que hablaba Thomas Jefferson, y su afán de estar al tanto de lo que se publicaba le hacía mantener contacto con libreros madrileños. Aunque se cree que en 1775 su conocimiento del idioma era avanzado, sus visitas a Europa, y concretamente a Francia, contribuyeron a perfeccionarlo. Eran obvias las razones del interés de Jefferson por el español: su existencia en América junto con el inglés, su utilidad para las futuras relaciones del nuevo país con España e Hispanoamérica y la participación española en el acontecer del continente norteamericano (14).

Estas ideas de Jefferson se tradujeron en su insistencia por que fuera enseñado el español en 1780 en el Colegio William and Mary de Williamsburg y en la introducción en la Universidad de Virginia de una cátedra de idiomas modernos, entre otros, el español (15). No olvidemos la influencia personal que Jefferson tuvo en la fundación y desarrollo de esta institución: incluso los planos de los armoniosos edificios principales –todavía existentes– fueron dibujados por él, quien igualmente dirigió su construcción. La condición de arquitecto de Jefferson, que dejó su impronta en la Declaración de la Independencia y en la Constitución del país, se muestra también en su atractiva casa de Monticello, en las cercanías de Charlottesville, sede de aquella Universidad. Vale la pena una visita a tal mansión –quizá la más interesante de las poseídas por los autores de la Revolución–, por los detalles personales que encierra del dueño y los inventos domésticos de que la dotó el virginiano padre de la Patria, como feliz augurio de la que habría de ser en el futuro una de las industriosas características de su pueblo.

Quiso Jefferson obtener la colaboración de Ticknor para la enseñanza del español, pero, al declinar la invitación, éste recomendó a George Blaetterman, quien ocupó la cátedra de 1825 a 1840. Le sucedió en ella Maximillian Schele de Vere, sueco de origen, entre 1844 y 1895, quien influyó decisivamente en cientos de estudiantes de español (16). La Universidad de Virginia sigue manteniendo vivo el interés por la enseñanza de nuestro idioma, así como el conexo Colegio femenino de Mary Washington, en Fredericksburg (ciudad escenario, el 13 de diciembre de 1862, de una derrota del confederado general Lee), institución en la que su Casa Española constituye un acogedor oasis de hispanismo. Otras importantes entidades docentes para muchachas son el Mary Baldwin College, en Staunton; el Sweet Briar College, en Sweet Briar, y el Randolph Macon Woman's College, en Lynchburg (la rama masculina de este último se sitúa en Ashland).

NOMBRES ESPAÑOLES

Pueden contarse las localidades de Altavista, Buena Vista, Callao, Columbia, Columbia Pines y Saluda.

VIRGINIA OCCIDENTAL, fruto desmembrado

La participación de Virginia en el lado de la Confederación costó al Estado su desmembración y la creación del actual de West Virginia. Los separa físicamente la cadena Allegheny, con las indudables bellezas del Blue Ridge y del Shenandoah Valley, en el exterior, y sus misteriosas cuevas de varios tamaños y formas en el interior. Admitido en la Unión el 20 de junio de 1863 al resistirse dicho sector virginiano a participar en la rebelión sudista, se había señalado con anterioridad en su rincón de Harpers Ferry, a través de las exaltaciones de John Brown, como opuesto a la subsistencia de la exclavitud. Con Charleston por capital, Fairmont es el centro de las más importante región carbonífera en los Estados Unidos. Se conserva la Watson Farm, con estilo hispano-californiano. Morgantown es la ciudad que alberga a la West Virginia University.

Otras localidades con nombres hispánicos son Alma, Arista, Aurora, Bolívar, Buena, Adrian, Julia, Mingo y León.

CAROLINA DEL NORTE, el Estado tabaquero

No obstante el hecho de llevar el mismo nombre en recuerdo del rey Carlos Estuardo y de ser fronterizas entre sí, las Carolinas tienen poco en común. La del Sur es casi la mitad en tamaño y en riqueza que la del Norte, y fue uno de los Estados más rebeldes en la guerra de Secesión. Proceden de dos de las Trece Colonias Revolucionarias y es distinta la fecha de su ratificación de la Constitución: 21 de noviembre de 1789, para la septentrional, y 23 de mayo de 1788, para la meridional.

ISLA DE ROANOKE

En la Carolina del Norte tuvo lugar el primer intento inglés de establecimiento de una Colonia en el continente: corrió a cargo de Walter Raleigh en 1584, en la isla de Roanoke, y sufrió serios contratiempos, a pesar de las varias expediciones que en diversos momentos llegaron como refuerzo. En ella nació, el 18 de agosto de 1587, el primer hijo de ingleses en el continente: Virginia Dare, nieta del jefe del grupo, John White. Cuando éste regresó, después de cuatro años de ausencia de Inglaterra, donde había ido en demanda de auxilios, encontró la Colonia vacía y sin traza de parientes y amigos. Este es el tema de la obra de Paul Green, "The lost Colony" (La Colonia perdida), de representación anual en Mateo en el Waterside Theater, situado en el escenario del drama real. La Colonia se perdió, pero a Raleigh le valió el ser nombrado caballero y que la capital del Estado llevara su nombre (17).

En la misma isla de Roanoke puede contemplarse el monumento a los hermanos Orville y Wilburg Wright, pioneros de la aviación, erigido en el lugar en que se levantaron, el 17 de diciembre de 1903, unos segundos del suelo en su frágil "Kitty Hawk" (18). La isla de Roanoke forma parte de esa eficaz cadena de bancos, paralela al continente, que protege a éste y que le propociona estupendas playas: en estas costas carolinas forman cuatro arcos (el primero de ellos se señala con el nombre de "Barra de S. Tjago" en un mapa francés de comienzos del siglo XVII) (19), con vértices en los cabos Hatteras (cabo Fernando, en dicha carta geográfica), Look-out (cabo de Engaño, en la misma) y Fear (cabo Trafalgar, en la aludida; cabo de Terra falgar, en el mapa de Gutiérrez, de 1562, y Traffalgar, en el anterior, de Ribeiro, de 1529).

TABACO

Acapara Carolina del Norte la mayor parte de la producción tabaquera del país. El llamado "tabaco americano" fue obra del magnate James B. Duke, quien concentró su fabricación en el área de Winston-Salem y Durham. Allí nacieron los "Camel", "Lucky Strike", "Pall Mall" y "Chesterfield", por no citar otros, bajo el nombre, primero, de la "American Tobacco Company", y por Compañías diversificadas, después, como consecuencia de las leyes antitrusts (20). El aeropuerto del área se halla en Greensboro, y un recorrido desde él hasta, por ejemplo, Boone, en las no lejanas montañas occidentales de los Apalaches, permite ver en dos horas la actividad febril y fabril de las urbes tabaqueras, las más numerosas granjas productoras en serie de bien cebados pollos –las más activas del país– y los preciosos valles, con carretera pintoresca, que en invierno se cubre de nieve.

ASPECTOS CULTURALES

Es Boone, pequeña urbe, sede del "Appalachian State Teachers College" en invierno, y huéspedes, durante su agradable canícula, de multitud de veraneantes (los niños y jóvenes pueden gozar de un tren que, en su recorrido de varias millas, depara todas las sorpresas leídas en cuentos e historietas), y de un Instituto de Lenguas. No lejos de Boone está Asheville, ciudad en la que no será pérdida una visita al Museo hoy establecido en la Biltmore House.

A James B. Duke se debe la fundación, en 1925, de la Universidad que lleva su nombre, en Durham. es notable su biblioteca por los fondos hispanoamericanos que guarda, especialmente del Perú, Colombia, Bolivia, Brasil y Ecuador. Publica la importante revista trimestral "Hispanic American Historial Review", y en su departamento de español han figurado profesores como Juan Rodríguez Castellano, presidente que fue de la A. A. T. S. P. Forma un triángulo turístico con Durham y con Raleigh, que cuenta con la Shaw University, la localidad recoleta y estudiosa de Chapel Hill, con la Universidad de North Carolina por centro. Fundada esta última en 1792, su departamento de español y sus prensas universitarias se han distinguido desde hace años por su calidad y por su atención al pasado y al presente españoles. Los nombres de Sturgis Leavitt –alcalde honorario de Zalamea–, Nicholson Adams, Stoudemire y Keller son buena muestra, y su biblioteca, bien nutrida de libros españoles e hispanoamericanos, se destaca por su colección de obras dramáticas españolas, cuyo número sobrepasa los 20.000. El "North Carolina Museum of Art", de Raleigh, custodia una buena colección de bodegones de Meléndez y Romero; un altar portable de la escuela de Bermejo; "Cristo ante Pilatos", de Borrassá; "San Juan Bautista", de Ribera, "El beatífico Giles ante el Papa Gregorio IX", de Murillo.

ESTADO DE FRANKLIN. RELACIONES CON ESPAÑA

Menos conocidos para la generlidad son los lazos que estuvieron a punto de ligarse entre España y una parte del territorio de Carolina del Norte unos años tan sólo después de la independencia norteamericana. Se trata de la creación del nuevo Estado de Franklin, que contó con muchas posibilidades de prosperar. Los habitantes de los condados de Virginia y Carolina del Norte, situados al oeste de los Apalaches, se encontraron unidos en su disgusto por el aislamiento en que la independencia les había sumido y por las pocas ventajas con ella logradas. La política rural de Carolina del Norte les aumentó su descontento. Al declarar la Legislatura estatal abierto el Oeste, alentó la especulación más que los nuevos establecimientos, de modo que traficantes del Este se enriquecieron con tierras occidentales, sin pisarlas, y a costa de los pioneros, que con su esfuerzo personal las estaban poniendo en cultivo. Este ambiente de disgusto entre los habitantes cercanos al río Holston llegó a su ápice en la primavera de 1784 con el voto por la Legislatura estatal de cesión de tierras occidentales al Estado federal y con la aparición de la Ordenanza del Congreso de Washington, de la que se deducía una incitación a la formación de nuevos Estados. Reunidos en el mes de agosto en la localidad de Jonesboro (hoy Estado de Tennessee), votaron unánimamente por la formación de un nuevo Estado, que en principio habría de llamarse "Frankland" (de hombres libres) (21).

En una reunión habida en diciembre se seleccionó el nombre de "Fraklin", se nombró gobernador a John Sevier y se enviaron peticiones a Carolina del Norte, Virginia y Congreso federal para reconocer el nuevo Estado. Este habría de formarse con territorios pertenecientes a dichos Estados, a Georgia y los actuales de Alabama y Tennessee. No obstante la autorización de la nueva Legislatura para tomar por la fuerza el territorio aludido si ello fuere necesario, Sevier tropezó con dificultades de todo orden. Georgia y Carolina del Sur alegaron problemas con los indios fronterizos, Blount –el pionero de Muscle Shoals– decidió, por fin, no embarcarse en aquella empresa, los Condados virginianos acabaron cediendo a las presiones del prestigioso gobernador Patrick Henry y el Congreso federal no aprobó la petición. Sevier, que gozaba de gran prestigio por sus hechos guerreros en la independencia y sus trabajos de adelantado al oeste de los Apalaches, vio como única vía para solucionar la situación comisionar a James White, diputado federal en 1787, para que abriera negociaciones con D. Diego de Gardoqui, representante español ante los Estados Unidos de Nueva York, y con los gobernadores españoles en La Habana y Nueva Orleáns sobre posibilidad de una fórmula que permitiera al Estado independiente de Franklin unirse a España (22).

James White, que nombrado en 1786 por el Congreso federal superintendente de Asuntos indios en las tierras del Sur había renunciado posteriormente a tal puesto, tuvo efectivamente conversaciones con Gardoqui, quien le dio su bendición para que volviera a Sevier y le animara a mantener correspondencia con él, resultado de la cual fue la oferta de Sevier de hacer pasar el Estado de Franklin del campo norteamericano al español. El 17 de septiembre de 1788 Sevier escribió a Gardoqui, en carta entregada personalmente por su hijo James: "Las gentes de esta región se dan cuenta de cuál es la nación de la que depende el futuro de su felicidad y seguridad e infieren inmediatamente que su interés y prosperidad depende enteramente de la protección y liberalidad de vuestro Gobierno". Con pasaporte proporcionado por Gardoqui, zarpó White rumbo a La Habana para conferenciar con el capitán general español, D. Bernardo de Gálvez –el vencedor de los ingleses durante la guerra de la Independencia norteamericana–, y con Manuel Gayoso, comandante de la plaza española en el Mississippi, Natchez (23).

Llegó White a Nueva Orleáns el 15 de abril de 1789, en donde informó al gobernador Miró de sus andanzas y de lo que se pedía a España: reconocimiento de la independencia del Estado de Franklin, aprobación de la extensión de las fronteras de éste más abajo de Muscle Shoals, en tierras de Tennessee, y permiso para que el nuevo Estado pudiera comerciar con el exterior a través de los ríos Alabama y Mississippi. Miró le aseguró los privilegios comerciales solicitados y la simpatía de España hacia el nuevo Estado, pero confesó no hallarse en posición autorizada para asegurarle la ayuda de España para la sedición de un país con el que ésta se hallaba en paz. El conflicto armado que, entre las gentes de Sevier y las de Carolina del Norte, al mando de John Tipton, estalló el 27 de febrero de 1788, con el resultado final de tres muertos, y el continuado rechazo por el Congreso federal y el de Carolina del Norte del reconocimiento de la independencia, inclinó aun más al gobernador de Franklin a buscr la colaboración de España. El 18 de abril de 1788 Gardoqui informó a Sevier que "Su Majestad estaba muy favorablemente inclinado a dar a los habitantes de aquella región toda la protección que había solicitado", así como el permiso para usar el Mississippi en caso de una asociación con España (24).

El 21 de junio de 1788 la Constitución de los Estados Unidos entró en vigor al ratificarla el noveno Estado, New Hampshire, con lo que se consolidó el poder central. Por otra parte, España no ayudaba a los independientes con la fuerza que hubieran necesitado; territorio fronterizo, estaba constantemente sometido a los ataques indios que en el verano de 1788 destruyeron a cuatro caravanas de aprovisionamiento. Algún poder superior tenía que protegerle, ya que sus propios medios no eran bastantes: de no conseguir la ayuda de España o de Inglaterra, había que rendirse a la evidencia y abandonar todos los sueños. John Sevier se dio a la bebida, lo que hizo posible su arresto el 10 de octubre por su enemigo Tipton, quien le cargó de cadenas (25). Con ello el Estado de Franklin falleció.

PRESENCIA ESPAÑOLA

Hernando de Soto, el conquistador más septentrional

Siguiendo el descenso por el Blue Ridge Parkway (que hemos podido tomar en Virginia), nuestra vista continuará gozando de un hermoso paisaje, el que tanto nombre ha dado a los "Great Smokies". En su falda Sur, y en la aldea de Cherokee, cabe tener la oportunidad de contemplar, ¿todavía? –si de fines de junio a comienzos de septiembre se trata– la representación de "Unto these hills", de Kermit Hunter, con música de J. K. Kilpratrick, cuya primera escena tiene lugar en 1540 con la llegada de Hernando de Soto y un grupo de sus soldados. Nos hallamos en una reserva de indios Cherokees, los que el conquistador español encontró al atravesar esta región por las hoy localidades de Highlands, Franklin, Hayesville y Murphy, bordeando el lago Hiwassee (26). Alguna piedra, con su correspondiente inscripción, recuerda al viandante esta pionera travesía de los españoles. Este primer encuentro hispano-cherokee recibió una colorida conmemoración cuando el jefe del gran Consejo de la Reserva entregó, en un banquete celebrado en 1966 en la Embajada de España en Washington, al marques de Merry del Val, el nombramiento de "gran jefe Matatoro", con los atributos de su nuevo cargo: largas plumas azules, rojas y blancas; después fumaron juntos·la pipa de la paz.

Por esta región aparecieron los españoles de la expedición de Pardo y Boyano en el invierno de 1566-67. Se sitúa el poblado de Xualla en el actual condado de Polk: en ella decidió el capitán Pardo, tras negociar con los nativos y en vista de las nieves caídas en las próximas montañas que aconsejaban detener la marcha hacia el Oeste, la construcción de una fortificación a la que bautizó con el nombre de San Juan de Xualla, cerca de las fuentes del río Wateree. En quince días, el edificio quedó completado y confiado al sargento Boyano y trece soldados. Pardo continuó sus exploraciones hacia el Este, siempre a través de fértiles campos, hasta llegar a Guatari, residencia de dos nobles cacicas y una verdadera corte, en donde los expedicionarios permanecieron quince días gozando de la generosa hospitalidad de los nativos, que insistentemente les mostraron deseos de cristianización. No contando el grupo más que con un capellán, Juan Pardo consideró procedente dejarle en la localidad para que fundara la corespondiente Misión; así, el padre Sebastián Montero, con cuatro soldados, pudo comenzar una gran obras apostólica en este segundo establecimiento fundado por Pardo. Ante las alarmantes noticias llegadas de Santa Elena, Pardo optó por regresar a este puesto (27).

En el interregno, hasta el comienzo en el septiembre siguiente de la segunda expedición de Pardo, el sargento Hernando Boyano libró dos sangrientas batallas victoriosas con sendos caciques belicosos, la segunda de las cuales –en la otra vertiente de las montañas– costó al derrotado la pérdida de 1.500 indios muertos; tales resultados permitieron dirigirse a Boyano hacia el Oeste y alcanzar el río Little Tennessee, en el condado de Jackson, por donde Soto pasara años antes. Poniendo rumbo a la tierra de Georgia, a la rica región de Chiaha, se reunió con el grupo de Pardo en un punto cercano al actual Rome. Tras andanzas en dicha región y en Alabama, Pardo regresó hacia Carolina del Norte. Al pasar cerca de Cauchí (en el sector más occidental), erigió un puesto fortificado, al que asignó un cabo y 12 soldados, más el intérprete Olmedo. Al visitar de nuevo Xualla, reforzó el fuerte con 30 hombres a cargo de Alberto Escudero; en Guatari consideró oportuno dotar a la Misión con defensas militares, las que confió a un cabo y 17 soldados. Regresó después a su base de partida (28).

Es lástima que esta labor iniciada no pudiese ser continuada por sus sucesores; ante la imposibilidad de ayuda procedente de Santa Elena, las guarniciones se impacientaron y los indios se alzaron, por lo que, en unos casos por destrucción y en otros por abandono, los distintos puntos fundados por Pardo en el curso de su expedición fueron desapareciendo, sin que quedara de ellos la más leve traza. Y, sin embargo, es un hecho la presencia española en Carolina del Norte muchos años antes de que los ingleses intentaran la fundación de una Colonia en Virginia.

Vázquez de Ayllón, el primer desembarco civilizador

En las costas de Carolina del Norte se presentaron un día las naves de España, y no a fines del siglo XVI como los ingleses, sino a comienzos. El licenciado Lucas Vázquez de Ayllón, toledano de nacimiento, llegó al Nuevo Mundo en 1504, y en la isla La Española desempeñó el cargo de alcalde mayor, casando con Ana Becerra, rica propietaria. Poseedor de medios económicos, envió en 1520 una carabela al mando de Francisco Gordillo, con el fin de explorar las costas atlánticas al Norte. Habiendo encontrado Gordillo en las islas Lucayas una carabela al mando de Pedro Quexós, a quien Juan Ortiz de Matienzo había confiado similar misión, decidieron ambos unir sus fuerzas. El 24 de junio de 1521, Gordillo y Quexós desembarcaron en un lugar, denominado Chicora por sus habitantes, y próximo al actual río Cape Fear, al que bautizaron como Jordán. Allí plantaron una cruz de madera como símbolo de la soberanía española sobre las dichas tierras. Varios contactos con los indios del lugar acabaron con el rapto tras una estratagema de un grupo de ellos, muriendo algunos en la travesía como consecuencia de una tormenta desencadenada –una de las carabelas se perdió–, y otros de hambre por negarse a comer. Al regresar Gordillo a Santo Domingo con su cargamento, fue condenado por haber incumplido las órdenes de no molestar a los naturales; Diego Colón dipuso que quedaran libres los indios sobrevivientes y puestos al cuidado de Ayllón y de Matienzo, hasta que pudieran ser devueltos a su punto de origen (29).

Uno de los indios quedó como criado de Ayllón, y bautizado recibió el nombre de Francisco Chicora, aprendiendo el español, con lo que pudo dar a su amo detalles de su tierra. Con estas noticias, viajó Ayllón a España, en la que consiguió del emperador capitulaciones (12 de junio de 1523) que le autorizaban para colonizar el nuevo territorio, comprometiéndose a llevar misioneros, construir iglesias, no esclavizar a los indios, informar de lo descubierto y proveer a los expedicionarios de provisiones, medicinas, un médico y un cirujano. Hasta mediados de julio de 1526 no pudo zarpar la expedición, compuesta por cinco navíos (entre ellos la "Bretona", la "Santa Catalina" y la "Churruca"), al mando del propio Ayllón, y contando con el piloto Pedro de Quexós, los dominicos Pedro Estrada, Antonio Montesinos y Antonio de Cervantes, 500 hombres y un considerable grupo de negros, indios y mujeres (30).

El lugar de desembarco fue las proximidades del Cape Fear y del río anteriormente bautizado con el nombre de Jordán. Ayllón puso inmediatamente a trabajar a sus hombres en la construcción de un barco que sustituyera al perdido al entrar al río, él mismo lo dibujó con un mástil, apto para navegar con vela o con remos. Pero el lugar elegido no era el más apropiado por lo pantanoso e insalubre; por otra parte, Chicora y otros guías nativos desaparecieron, cortando la posibilidad de, con su ayuda, atraer la amistad de los nativos, sus parientes y amigos. Un segundo emplazamiento fue buscado, hallándose en las cercanías de la actual localidad de Georgetown, en Carolina del Sur (31). Como consecuencia de estas exploraciones y establecimientos, el nombre de Ayllón aparecía en muchos de los mapas que en lo sucesivo se levantaren sobre el Nuevo Mundo, denominándose "Tierras de Ayllón" las comprendidas hoy día más o menos entre Florida y la bahía de Chesapeake.

NOMBRES ESPAÑOLES

Si el nombre de Ayllón se borraría con el tiempo de la geografía local, otros han quedado en el Estado relacionados con nuestro mundo: condados de Cabarrús y Columbus y ciudades de Aurora, Barco, Celo, Cerro Gordo, Columbia, Columbus, Lola, Manteo, Oliva, Perú, Ronda y Saluda.

CAROLINA DEL SUR, el primero colonizado por europeos (españoles)

En Carolina del Sur se libró la batalla que aseguró, en el sector meridional, la victoria de la Revolución contra los ingleses: King's Mountain, ganada por John Sevier y sus "Long Riffles" tenesanos. Tiene por capital a Columbia, ciudad que alberga en su Museo de Arte algunas notables muestras de la pintura española, como "La Virgen y el Niño", de Murillo, y "Felipe IV", de Juan Pareja.

CHARLESTON

Charleston (¡qué danzantes evocaciones trae!), produce, en cambio, un inevitable atractivo, por el ambiente sureño que sus calles respiran, con casas de familias acomodadas, con negros pacíficos, carricoches de caballos, y su paseo marítimo, rodeado de histórico parque, en el que las gentes toman el sol y los niños chupan helados que les ofrece un vencedor ambulante al conjuro de una pegadiza música. En la entrada de la bahía se conserva el Fort Sumter, la conquista del cual el 26 de diciembre de 1860 por los milicianos ciudadanos supuso el comienzo de la guerra de Secesión, separación que en realidad se había iniciado al ser votada unánimemente en el mismo Charleston seis días antes.

Punta del avance colonial inglés hacia el Sur, Charleston fue el centro de los enemigos de España y de su presencia en dicho sector del continente. Por dos veces, y debido a fuertes tormentas, fracasaron las expediciones enviadas en 1670 –al mando de Juan Menéndez Marqués– y en 1686, desde San Agustín, para destruir el nuevo establecimiento. El jefe de la última, Tomás de León, pereció junto con su navío "Rosario" (32). En las cruciales confrontaciones navales hispano-inglesas, no hay más remedio que reconocer que los elementos naturales estuvieron de parte de los británicos.

De Charleston partieron las expediciones de Woodvard, que tanto alteraron los establecimientos españoles en los Apalaches, y las de Moore, que destruyeron las Misiones agrupadas en torno a San Luis, en Florida (33). De aquí, que la ciudad fuera atacada en 1706 por una flota combinada de buques españoles y franceses y que sus colonos desaprobaran el Tratado entre España y Gran Bretaña firmado en 1739. A Charleston arribó Jorge Ferragut, el emprendedor menorquín, dispuesto a ayudar con su barco la causa independentista. A parte de su esfuerzo personal, habría de dar además a su nueva patria un famoso hijo: el almirante Ferragut. En el sitio de Charleston por los ingleses lucharía Jorge, al principio en el mar, y después en tierra, con los cañones de su embarcación desmantelada en un encuentro. Al ser tomada la ciudad por los atacantes, fue hecho prisionero el 12 de mayo de 1780, y, más tarde, canjeado (34). A Charleston llegó también el 9 de enero de 1778 Juan Miralles, negociante de La Habana, comisionado por España para actuar como observador o agente oficioso en la lucha de los revolucionarios contra Inglaterra; en ella permaneció hasta la primavera, despachando multitud de correspondencia con el gobernador de Cuba, D. Diego José Navarro, y con el ministro de Indias, e incluso una goleta que Navarro le devolvió cargada con las provisiones solicitadas (35). En Charleston residieron, allá por 1825, el expatriado diplomático español Agustín de Letamendi, autor de popular gramática española, y el miniaturista Manuel Cil, que abrió en la ciudad un estudio (36).

JARDINES "BROOKGREEN"

Tienen mucho que ver con la Historia de España las costas de Carolina del Sur. Pero antes de tratar del tema, nos detendremos un momento en la atractiva Myrtle Beach y nos daremos un baño (aquí ya no hay miedo de las corrientes frías del Labrador), y visitaremos los no lejanos jardines "Brookgreen". En ellos volvemos a encontrarnos con las hispánicas figuras de Anna V. y Archer M. Huntington. El enamorado marido compró en 1930 varias plantaciones, con el fin de crear en ellas un jardín en el que las esculturas de su esposa se distribuyeran convenientemente y adquirieran la debida dimensión; el filántropo ciudadano también encargó obras a varios artistas de fama, como Paul Manship, Nathaniel Choate, Edward McCartan, Weinman, Derujinsky y Laura Gardin Fraser, ayudándoles en los difíciles años de la depresión. Así se creó un excepcional Museo al aire libre –288 obras de 156 artistas–, complementado por un pequeño zoológico a base de animales y pájaros nativos. Mrs. Huntington dibujó un conjunto de paseos en forma de mariposa, y para regar árboles, plantas –unas 600 diferentes– y avenidas, un sistema de irrigación inspirado en el de los árabes españoles fue construido a base del agua bombeada desde el río. Utilizando los decorativos ladrillos españoles, se elevó una pared separando el bosque de los jardines. Y presidiéndolo todo, levantaron los propietarios una mansión a la que denominaron "Atalaya", como las torres andaluzas vigilantes contra los piratas berberiscos. En este retiro pudo esculpir la dueña su "Don Quixote" para la Hispanic Society, de Nueva York (37).

PRESENCIA ESPAÑOLA

Tienen bastante que ver con la Historia de España las tierras de Carolina del Sur. Por lo pronto, las primeras palabras que los ingleses oyeron pronunciar a los indios a su llegada a aquellas costas fue la bienvenida pronunciada en español chapurreado (38).

Vázquez de Ayllón y el primer establecimiento:
San Miguel de Gualdape

Descendiendo por la carretera 17, arribamos a la localidad de Georgetown, en la desembocadura del río Maccamaw o Black, en la bahía de Winyah. En las cercanías de este emplazamiento fue establecida la Colonia de San Miguel de Gualdape por el licenciado Lucas Vázquez de Ayllón en el año 1526, la que constituye el primer intento europeo de instalar un establecimiento permanente en el continente norteamericano. No se ha podido indagar mucho acerca de su exacta localización, debido a que los terrenos eran propiedad de la hija del famoso financiero y comisario para la Energía Atómica, Bernard Baruch, y ella se negaba a cualquier intromisión arqueológica; su reciente muerte, quizá facilite la posibilidad de que en breve los especialistas nos proporcionen la información deseada. Ya hemos visto al tratar de Carolina del Norte que Ayllón envió en 1520 un navío para explorar las costas atlánticas al Norte, confiando su mando a Francisco Gordillo, y las noticias que éste y Quexós trajeron. Cuando, en su virtud, Ayllón consiguió capitulaciones del emperador, la expedición que organizó en 1526 no logró establecerse en el primer lugar elegido, es decir, en las cercanías del Cape Fear., y se trasladó en dirección Sur, no lejos del Pee Dee River. Esta segunda localización, considerada más recomendable, recibió el nombre de San Miguel de Gualdape; a ella se desplazaron los hombres a pie, y las vituallas, mujeres y niños, por mar.

Abundante vegetación en árboles y plantas, y gran variedad de fauna, no toda salvaje, hacían presagiar buen futuro para los nuevos colonos, de no haberles diezmado las muchas enfermedades y epidemias ("Smallpox", tifus, disentería, malaria, etc.), y hacerles el clima frío difícil la adaptación de sus cuerpos acostumbrados a la temperatura tropicales. Consecuencia de aquéllas, murió Ayllón el 18 de octubre de 1526, después de nombrar como sucesor a su sobrino Juan Ramírez, ausente de la Colonia, por lo que tomó el mando Francisco Gómez, lugarteniente del fallecido. Aprovechándose del descontento reinante, Ginés Doncel y Pedro de Bazán encarcelaron a Gómez y cometieron toda suerte de tropelías, hasta que los esclavos negros se rebelaron, liberando a los presos; Bazán fue ejecutado. Descorazonados y descontentos, los colonos decidieron regresar a La Española, a la que, después de trágicas peripecias, llegaron 150, no sin haber tenido que tirar al mar los restos de Lucas Vázquez de Ayllón. Los derechos de éste fueron reclamados posteriormente por su hijo Luis, pero la Corona no le prestó oídos (39).

Santa Elena y su azarosa supervivencia

Como consecuencia del poco éxito de la colonización de Tristán de Luna en Pensacola, el virrey de Nueva España, Velasco, envió a Florida a Angel de Villafañe con el fin de que trasladara a sus colonos a la costa oriental atlántica: consideraba el rey Felipe II el emplazamiento en ella el más práctico para los propósitos de su política americana. Llegó Villafañe a Pensacola el 14 de marzo de 1561 con dos barcos, y, tras dejar las debidas vituallas a la guarnición que permanecía, puso rumbo a la futura fundación. No obstante sufrir en La Habana la deserción de algunos, zarpó en mayo hacia las costas carolinas, las cuales exploró hasta la bahía de Chesapeake, Axacán incluido. El 27 del mismo mes llegó a Santa Elena (actual Port Royal, C. S.), entrando en el río homónimo. Aunque éste era difícil de remontar, consiguió adentrarse cinco o seis leguas. Tomó allí Villafañe posesión en nombre de S. M. Católica, y grabó en su virtud cruces en los árboles, al mismo tiempo que colocó en la playa una de considerable altitud. Dada la ausencia de habitantes y lo pantanoso de las tierras, levó anclas, doblando el cabo Román (que ya aparece en el mapa de Ribeiro), hoy Cape Romain. El 8 siguiente tomó posesión como río Jordán del hoy Pee Dee, escenario no lejano de la malograda colonización de Ayllón. No encontrando lugar alguno conveniente, a su juicio, para la colonización, abandonó su proyecto y regresó a La Española en el curso del mes de julio de 1561 (40).

En mayo de 1562 aparecieron por las costas atlánticas barcos franceses al mando de Jean Ribaut. Después de explorar las de Florida, llegaron a un gran río, que tomaron por el Jordán de Ayllón. Animado por el entusiasmo de sus hombres, dadas las condiciones del lugar, decidió Ribaut fundar un establecimiento al que denominó Port Royal (nombre que todavía conserva el lugar) y construir un fuerte, Charles Fort (en honor del rey francés Carlos IX).

Poco duró la presencia francesa en Port Royal; una serie de problemas internos produjeron revueltas entre los colonos, asesinatos del cruel jefe Pierria, hambre, etc., hasta que con las herramientas disponibles y la ayuda de los indios –que deseaban su ausencia– pudieron construir una embarcación que les sacó de tierra, pero que no llevó a todos a Francia; a ella sólo llegaron los enfermos que sobrevivieron a un naufragio, al canibalismo practicado entre ellos y a la prisión en Inglaterra a que les redujo un barco británico (41).

No existían restos franceses en la región cuando el almirante Menéndez de Avilés realizó una visita de inspección en 1566. Tuvo la oportunidad de intervenir en la favorable solución de la rivalidad existente entre el jefe local de Orista y el de la vecina y meridional región de Guale. Indios de Orista, prisioneros de su rival, pudieron ser liberados, con lo que gran fiesta se organizó en honor de Menéndez, a base de grandes fuegos y opíparo banquete, compuesto de ostras, pescado y frutos locales, complementados con vino, bizcochos y miel españoles. A su término el almirante, colocado en su sitial en alto, recibió el juramento de fidelidad de todos los jefes congregados ante el griterío, sus súbditos presentes (42).

Esta visita de Menéndez de Avilés marcó el comienzo de la construcción en la desembocadura del río Coosawatchie (en mapa francés de época posterior aparece con el nombre de río de la Cruz Hispanis), de una Misión y del fuerte de San Felipe, cuyas ruinas fueron descubiertas por un grupo de arqueólogos de la Universidad de Carolina del Sur en 1979. El comandante Esteban de las Alas trajo en 1569 273 colonos al lugar, que recibió el nombre de Santa Elena; asignado a la Misión el padre jesuita Rogel, recién llegado al continente con la primera expedición de misioneros enviados por San Francisco de Borja, a petición de Menéndez, se convirtió en el primer sacerdote residente en Carolina del Sur. Optimos frutos fueron los primeros cosechados en su labor en Orista –situada a 12 leguas del fuerte–, labor que se vio ayudada por su pronto dominio –en seis meses– de la lengua indígena, incluso en materias tan difíciles como las de explicar a los idólatras indios los misterios de la religión católica. Llegó a construir una capilla y una casa con la ayuda de los indios, pero sus intentos de hacerles sedentarios fracasaron. Por otra parte, los ataques del jesuita a Satán, personaje simpático a los indios, por ser el dispensador de la bravura y del coraje, y la inevitable requisición de alimentos –dada la falta de suministros– dispuesta por el comandante del presidio, Vandera, constituyeron factores que alejaron paulatinamente del padre Rogel a sus nuevos feligreses, no obstante sus esfuerzos por seguirles en sus excursiones de caza. Descorazonado, les pronunció un discurso de despedida, y regresó a Santa Elena el 13 de julio de 1570 (43). En este verano, en el que el calor, los mosquitos y otros insectos hicieron la vida insufrible, Esteban de las Alas decidió por su cuenta abandonar el fuerte y zarpar rumbo a España junto con otros 120, argumentando que con la ausencia de tantos, los restantes tendrían más probabilidades de sobrevivir (44).

No trajeron los años subsiguientes la paz a Santa Elena. Habiéndose ausentado temporalmente del Presidio su jefe, el capitán Alonso de Solís, su segundo, Hernando de Miranda, provocó con su actitud el primer levantamiento serio de indios a que los españoles tuvieron que hacer frente. Como en la vez anterior, la escasez de alimentos hizo necesaria su requisición, opuesta por los indios. Encargado de ella Boyano con 20 hombres, fueron engañados por la aparente buena disposición de los naturales, y perecieron en un asalto perpetrado por los indios por sorpresa el 22 de julio de 1576 y del que sólo se salvó el soldado Andrés Calderón, quien pudo contar en el fuerte lo sucedido. Dos indios importantes hubieron de ser ejecutados, uno de ellos Hemalo, quien había sido honrado con un viaje a España y con una serie de festejos en ella. De regreso, Solís salió del fuerte en son de represalia, pero cayó con los suyos en una emboscada. Dos mil indios asaltaron entonces el fuerte, matando a veintitantos españoles. Hernando de Miranda, considerando la imposibilidad de resistir por más tiempo, consiguió escapar a San Agustín con los supervivientes en una lancha, acción por la que fue destituido (45).

El fuerte quemado por los indios, que danzaron sobre sus cenizas, volvió a ser reconstruido en otro lugar con el nombre de San Marcos en 1577 por el gobernador Pedro Menéndez Marqués fue descubierto en 1949. Los ánimos no se serenaron, sin embargo. El capitán Diego de Ordoño, Miguel Moreno y otros 17 oficiales, en ruta para Santa Elena, en 1578, se detuvieron en la isla de Sapelo: hospitalariamente recibidos por los indios, perecieron después asesinados. Parecida suerte corrió el escuadrón al mando de Gaspar Arias en Tolomato, enviado desde Santa Elena: tanto el capitán como los soldados Nicolás de Aguirre y Sancho de Arango, a más de Pedro Menéndez, "el bizco", murieron en una trampa preparada (46).

Tamaña situación de inestabilidad forzó al gobernador Pedro Menéndez Marqués, sobrino del almirante, a organizar una expedición punitiva; pero hasta las cercanías de Santa Elena –en el poblado de Cocapoy– no pudo encontrar al grueso de las fugitivas tropas indias, que sufrieron dura derrota, dejando muchos muertos en el terreno. Los franceses impulsores de la levantisca actitud indígena, canjeados con los prisioneros cogidos, fueron ejecutados. Una nueva rebelión de indios ocurrió en 1580 y otra vez consiguieron tomar el Presidio, que en 1582 se vio restablecido nuevamente. Pero no había de durar mucho; en 1587 el comandante Miranda, siguiendo órdenes superiores, dispondría la retirada definitiva de la guarnición española (47). En el mismo año había pasado por Santa Elena el pirata inglés Francis Drake con ánimo de incendiarla, lo que hubiera realizado de no haber impedido su desembarco vientos contrarios y mar gruesa (48). Dicha retirada marca el fin de la presencia permanente española en Carolina del Sur. Así, Santa Elena quedó abandonada por España cien años antes de que a ella arribaran los ingleses. El nombre de Santa Elena fue dado en 1612 a la provincia eclesiástica recién creada, y que comprendió los actuales Estados de Carolina del Sur, Georgia y Florida (49). Las ruinas de Santa Elena fueron descubiertas en 1979, en la isla Paris. El Embajador de España, Gabriel Mañueco, asistió en marzo de 1985, a un acto académico en la Universidad de Carolina del Sur, en Columbia, para entregar la suma otorgada por el Comité Hispano-norteamericano con destino a dichas excavaciones.

A partir de 1670, Port Royal –resurgió la denominación francesa– se convirtió en un importante foco de expansión anglosajona. Basándose en el hecho de su situación en territorio reconocido como español incluso por los ingleses, el gobernador de San Agustín, Cabrera, envió en septiembre de 1686 tres barcos al mando de Tomás de León. El éxito le acompañó desde el momento en que la Colonia de Lord Cardross quedó destruida (50). Sufrió también un difícil momento en 1715, cuando la guerra de los indios yamasees –amigos de los españoles–; su proximidad obligó a la evacuación de sus habitantes (51). Tal guerra puso en peligro la existencia de las Colonias inglesas en las Carolinas: todas las tribus indias –excepto los cherokees– se les unieron, y Nairne, el dirigente oficial de los traficantes ingleses, sorprendio en su residencia en Pocotaligo, 11 millas distante de Port Royal, murió quemado a fuego lento en una hoguera al cabo de dos días de tortura (52). Derrotados, al fin, en la guerra y diezmados, los yamesees se refugiaron en San Agustín y a la protección española se confiaron.

Pardo y Boyano y sus exploraciones tierra adentro

Del fuerte de San Felipe, en Santa Elena, partió el lugarteniente de Menéndez de Avilés, el capitán Juan Pardo, para penetrar en el interior en el año 1566. Tomando como base los refuerzos arribados en 1566 a Santa Elena con la expedición de Arciniegas, enviados desde España para socorrer las nuevas fundaciones del adelantado, Pardo fue elegido por éste como la persona adecuada para llevar a cabo la exploración e incluso la colonización tierras adentro. Contó con la colaboración del sargento Hernando Boyano y el alférez Alberto Escudero, amén de 125 soldados voluntarios. El 10 de noviembre se pusieron en marcha con dirección al Noroeste, pasando por los distritos amigos de Escamacu y Cazao y llegando al séptimo día a la localidad de Guiamae, en el actual condado de Orangeburg: cordial recibimiento por los caciques locales y juramento de fidelidad a España, predicación del Evangelio y explicación de la grandeza del Rey Católico. Siguiendo viaje dos días después, toparon con feraces campos de maíz y de uvas salvajes, ideales para la fundación de una gran ciudad: en la confluencia de los ríos Congaree y Wateree, y en las cercanías de la actual Columbia, capital del Estado. Luego la fértil tierra de Tagaya, con abundancia de manantiales y arroyuelos, y el distrito de Issa. En el viaje de regreso, Boyano encontró "tres minas de muy buen cristal" y todos los expedicionarios tomaron algún diamante. Según uno de éstos, Juan Ribas (que casó con una india hallada en el curso de la "entrada", y conocida después como Luisa Menéndez), Boyano vendió uno en Sevilla a un joyero, que mucho elogió su valor. Por fin, alcanzaron tierras más septentrionales, ya en los dominios del actual Estado de Carolina del Norte. El mismo itinerario sería recorrido por Pardo a su regreso, y en la ida y vuelta de la segunda incursión que al interior realizó a partir del siguiente septiembre. Pardo y Boyano, en sus intentos a los largo de 1566 y 1567, llegaron a fundar cinco puestos estratégicos en los que anudar la futura colonización española del interior y se adentraron por tierras de Carolina del Norte, Georgia y Alabama (53).

Por el sector noroeste del Estado de Carolina del Sur pasó Hernando de Soto con sus huestes, y en esta región le ocurrió una de las historias más curiosas de todo su trayecto. El día 1 de mayo de 1540 llegaron a Cofitachequi, que algunos historiadores localizan en las cercanías de la capital del Estado, Columbia, y los más en la orilla izquierda del río Savannah, junto a la actual Silver Bluff, cerca de Augusta. Pronto vieron aparecer a una joven, quien se presentó como sobrina de la princesa gobernadora de aquella provincia y ofreció el envío de una canoa para transportar el jefe español ante su señora. Cuando regresó la emisaria cerca de ésta y le informó de la buena disposición del español, la gobernadora decidió trasladarse en busca del visitante. El encuentro debió de ser memorable, a juzgar por el atuendo de la princesa, la composición de su séquito, los regalos que se intercambiaron y el coqueteo que entre la "Cleopatra piel-roja" y el "Marco Antonio español" se entabló. Todo el grupo fue agasajado con mantas y pieles, patos salvajes, maíz y otros manjares, y a su disposición se pusieron como alojamiento la mitad de las casas del lugar. Las gruesas perlas recibidas por Soto se apreciaron como anuncio de las muchas que podrían obtener en el futuro: extraídas de los enterramientos por consejo de la princesa, llegaron a pesar hasta 350 libras. No satisfecho con lo encontrado, quiso Hernando de Soto continuar su camino hacia el Oeste y alcanzar la rica provincia de Chiaha, tan alabada por la princesa. Para asegurarse de la veracidad de sus afirmaciones, Soto la invitó a seguirle, incluso de mal grado. El coqueteo finalizó de manera menos romántica que había comenzado. Remontando el río Savannah, pasaron los expedicionarios por las actuales localidades de Greenwood y Anderson y por el condado de Oconee. Aquí la princesa pudo escapar, para evitar lo cual no se forzó Soto demasiado, quizá por tener algún remordimiento. La princesa, para consolarse, se juntó después con un negro huido, según el cronista Elvas pudo informarse (54).

Carolina del Sur cuenta con las siguientes Universidades: University of South Carolina y Allen University, en Columbia, y Furman University, en Greenville.

NOMBRES ESPAÑOLES

Tienen resonancias hispánicas las localidades de Columbia, Lamar, Saluda, Séneca, Una y W. Columbia, además del condado de Saluda.

GEORGIA, el Estado Melocotón

Georgia, el Estado del Sur de mayor tamaño en la actualidad, era el más joven de los 13 cuando el grito de la independencia resonó en la costa atlántica. En cuanto a su ratificación de la Constitución, ni se precipitó ni se retrasó con respecto a los otros, en la fecha del 2 de enero de 1788. Uno de los puntales de la Confederación en la guerra civil, Georgia sufrió tremenda devastación por las tropas del unionista Sherman en su marcha desde el Mississippi hasta el mar. Aunque su nombre oficial es el de "Estado Imperio del Sur" suele ser llamado "Peach State", o "Estado Melocotón", dulce apelativo que no le cuadra con haber sido la central de la temida organización blanca contra los negros, "Ku-Klux-Klan" (55).

Debe sus anglosajones comienzos a James Edward Oglethorpe, cuando el 12 de febrero de 1733 fundó Savannah con el grupo de expedicionarios llegados en el "Ann", merced a la Carta de Establecimiento en "Georgia", obtenida por el general inglés de Jorge II. Es hoy dicha ciudad una de las principales del Estado, y dos barcos han llevado su nombre, los primeros en la propulsión a vapor y con energía atómica (56).

Durante dos de las primeras semanas de 1734 exploró Oglethorpe las hoy islas de St. Simon y Jekyll (bautizó así a ésta en honor de uno de sus amigos) y a poco viajó a Inglaterra en demanda de más ayuda, en compañía del jefe indio Tomochichi, su esposa, su hijo, su sobrino y otros cinco jefes, además de su séquito. La estancia de casi cuatro meses de este grupo en las islas británicas tendría gran trascendencia en la futura política colonial inglesa y en la literatura subsiguiente, tal fue el impacto que produjeron los buenos modales y la inteligencia de los visitantes, arquetipos del "buen indio" (57).

Es Piedmont la región de más peso de Georgia y en ella se sitúa la ciudad de Atlanta, capital del Estado, y la más importante del Sur. Impulsada por un gran movimiento de progreso, su aeropuerto constituye un nudo vital de comunicaciones, y es sede de reputadas instituciones, como el Instituto Tecnológico de Georgia y las Universidades de Emory (en ella profesa el novelista español Carlos Rojas), Atlanta y Oglethorpe. Atlanta es cuna de la Cola-Cola, a través de los nombres de J. S. Pemberton, Asa G. Gandler y Ernest Woodruff: su fórmula, debida al primero, se mantiene hasta hoy secreta, y de 25 galones vendidos en 1886, hoy existen –solamente en Estados Unidos– 1.056 plantas embotelladoras. La civilización norteamericana ha venido a identificarse con la gaseosa bebida. En 1980 fue elegido como su Presidente, Roberto Goizueta, de origen cubano-vasco. Una de las avenidas más céntricas de Atlanta es la de Ponce de León (58). En Athens se encuentran la Universidad de Georgia y el Georgia Museum of Art, con algún Picasso de interés. Las ciudades de Augusta, Macon (con la Mercer University) y Columbus participan en la industrialización de Piedmond. Sus tierras fueron el antaño escenario de "Lo que el viento se llevó", de Margaret Mitchell –nativa del lugar–, y de "Tobacco Road", de Caldwell (59). Columbus tiene los famosos jardines "Ida Cason Callaway", fundados con el ánimo de inspirar bellas cosas a los niños y a los jóvenes que han de vivir luego como hombres (60).

PRESENCIA ESPAÑOLA

La presencia permanente española en Georgia ha sido considerable y no suele ser conocida y reconocida. Lo es tanto en el tiempo, desde el momento que abarca un período comprendido entre los años 1566 y 1702, comienzo y fin de las Misiones (no se computa la invasión española –sin éxito– en 1742 de la isla de St. Simon), como en el espacio, ya que llegó por la costa hasta la frontera con el Estado de Carolina del Sur, y por el Oeste hasta la actual Columbus, habiendo sido explorado por los españoles prácticamente todo el territorio comprendido al sur de la línea horizontal que podría trazarse desde dicha localidad hasta Savanah. El Presidente J. Carter reconoció que su Estado, Georgia, fue durante mucho más tiempo una colonia española que inglesa, a los postres del almuerzo que el Rey Juan Carlos le ofreció en el Palacio Real durante su visita a Madrid en junio de 1980.

a) CONQUISTADORES Y EXPLORADORES

Hernando de Soto entre "indias-gitanas"

Aparte de ello, hay que tener en cuenta que Hernando de Soto –según recordó Carter en el aludido discurso– fue el primer europeo que pisó Georgia: con sus gentes atravesó la región entre el 3 de marzo de 1540 –fecha en que abandonó Apalache– y el 1 de mayo siguiente, en que llegó a Cofitachequi. Siguió un itinerario que coincide más o menos con las siguientes localidades actuales: Bainbridge, Cordele (tras pasar cerca de Albany), Hawkinsville (remontando el río Ocmulgee), Louisville (no lejos de Dublin) y Augusta. Visitó una serie de pueblos indígenas, de mejor aspecto que los vistos en Florida. El Hidalgo de Elvas describe las casas construidas como hornos para proteger a sus habitantes del frío y las barbacoas existentes en las de los principales, en donde se depositaban los tributos ofrecidos por los miembros de la tribu. Las indias, en parte de su escueto atuendo, le recuerdan a las gitanas españolas (61). Hay quien sostiene –poco verosímilmente– que en su marcha hacia el Oeste, remontó el río Savannah, descansó en los condados de Habersham y Murray y pasó por la ciudad de Chiaha, hoy Rome (62).

Pardo y Boyano, en la afamada región de Chiaha

El capitán Juan Pardo y el sargento Hernando Boyano llegaron en 1567, provenientes de Carolina del Norte, al sector en que se encuentra hoy Rome, la antigua y afamada región de Chiaha. Región fértil y rodeada de abundantes corrientes de agua, les retuvo durante diez días, y su contemplación origina en el cronista de la expedición, Juan de Vandera, los más cálidos elogios. Más al Oeste los expedicionarios encontraron en Chalaume minas de oro y plata, pero los proyectos de continuar más allá no pudieron llevarse a cabo ante la hostilidad creciente de los indios comarcales, que en número próximo a los 7.000 daban síntomas de sentimientos belicosos crecientes. Pardo consideró más prudente rehacer el camino de venida, no sin permitir al soldado Juan de Ribas viajar hacia los hoy territorios de Alabama. Al pasar de nuevo por Chiaha, Pardo procedió a construir un fuerte, como punto de apoyo del dominio más occidental de la Corona de España. Quince días tomó su construcción, al final de los cuales partió, dejando a su cuidado a un cabo y quince soldados. Pero su promesa al cacique de regresar en tres o cuatro lunas no pudo realizarse: el piel roja se impacientó, surgieron problemas en la guarnición y el fuerte hubo de ser a poco abandonado (63).

En las márgenes del río Talaje, hoy Altamaha, en parajes no lejanos a su confluencia con el Ocmulgee, hallábase la región de Tama, cuya colonización mucho preocupó al gobernador de Florida, Canzo. Ya habían hablado de ella favorablemente –como hemos visto–, relatando las minas encontradas, los componentes de la expedición de Pardo y Boyano, uno de los cuales, el soldado Juan de Ribas, había casado con una de las dos indias traídas al regreso.

Antes de la revuelta de Juanillo, Canzo había comisionado al soldado Gaspar de Salas y a los franciscanos Chozas y Velascola para visitar Tama; al finalizar su viaje de ocho días pudieron informar de la fertilidad de la región (en contraste con la pobreza de las tierras conocidas), de la abundancia en vegetales, fruta y caza, de sus minas de plata y de la existencia de una maravillosa hierba medicinal: el guitamo real. En el extremo Oeste, en Ocute (hoy Hawkinsville) fueron recibidos amistosamente y despedidos con lágrimas –al decir del relator–; los visitantes encontraron huellas de una anterior presencia española: por allí habían pasado años antes Hernando de Soto y los suyos y habían abandonado por inútil una pieza de artillería (64).

Más tarde, para confirmar las repetidas noticias, Canzo envió de nuevo a la región a un viejo soldado y buen conocedor, Juan de Lara. Tras nueve días de marcha en dirección Oeste, Juan de Lara halló una sierra y un gran poblado, "Olatama". Torció después hacia el Norte, encontrando fértiles tierras, hasta un ancho río (el Altamaha). Desde allí regresó. De lo cual se deduce que Lara visitó el centro de Georgia y se aproximó a sus confines occidentales (65).

Consideraba Canzo que San Agustín se hallaba situado en una región inhóspita e improductiva y que necesitaba apoyarse en la región de Guale y en su "hinterland", la región de Tama; su consecución permitiría la extensión de la zona de influencia española más al Norte y con ello la extensión de los dominios de S. M. Consideró Felipe III la propuesta del gobernador, y con tal objeto –y con el de estudiar la conveniencia o no del emplazamiento de San Agustín– ordenó al gobernador de Cuba procediera a la conveniente investigación. Pedro de Valdés seleccionó para la tarea a su hijo Fernando, quien en el navío "San Roque" desembarcó en San Agustín el 30 de agosto de 1602 (66) y quien, al regresar, apoyó en su propuesta a Canzo: conservar San Agustín, debido a su situación estratégica en relación con la protección de las flotas rumbo a España, y desarrollar las riquezas de la región de Tama. Como consecuencia, Canzo puso manos a la obra de consolidar la región para España y reparar los desastres de la insurrección de Juanillo (67). Una serie de circunstancias, de las que no se excluye el traslado de Canzo, impedirían la puesta en práctica de aquellos emprendedores proyectos.

b) MISIONEROS

Hice el recorrido de la costa de Georgia a poco de llegar a los Estados Unidos. Mis noticias entonces de la historia española del país eran muy reducidas y no pude aprovechar, indudablemente, mi vista en la misma medida que de haberla realizado unos años después. Debo confesar mi ignorancia entonces del libro fundamental del profesor John Tate Lanning sobre el tema (68) y de los trabajos arqueológicos realizados y en preparación por el profesor Lewis H. Larson, del Georgia State College. La verdad es que ningún resto pude encontrar de las Misiones y fuertes españoles, quizá por las dificultades en obtener la debida orientación cerca de los naturales de la región. Cuantas preguntas hice sobre su emplazamiento sonaron a los itnerrogados como si a algo muy extraño me refiriese. Ello es prueba del desconocimiento actual que sobre la presencia española allí existe y de la conveniencia de apoyar las iniciativas de Mr. Jack Spalding, director del "Atlanta Journal", de desarrollar los lugares históricos españoles, y de algunos miembros de la "Georgia Historical Commission", de levantar un Museo en Darien, en el que se relatara la historia de las Misiones españolas (69). Saqué la impresión en mi recorrido de que las ruinas, todavía existentes en 1934, y a que alude Lanning (70), han desaparecido, con lo que la labor de revivir el pasado español se presenta más ardua.

Partiendo de Savannah en dirección Sur, podemos tomar la carretera 17 o alquilar un barquito que nos permita recorrer las abundantes y significativas islas que nos aguardan. En cualquier caso, nos detendremos a recrear en cada punto principal –siquiera sea brevemente– el pasado español. Al principio se tropieza con la dificultad de las distintas nomenclaturas española y actual. Así, la isla Ossabaw se llamaba Asopo; la isla St. Catherine, Santa Catalina de Guale; isla de Sapelo, Zapala; isla de St. Simón, Asao; isla Jekyll, Ospo; isla de Cumberland, San Pedro. En tierra firme apenas coinciden las localidades hispano-indias con las actuales. Tres tipos de indios habitaron dicha región y se encontraron, por tanto, en relación –pacífica o no– con los españoles: los cusabo, cercanos a Carolina del Norte; los guale, en el centro, y los timucuas, en el sector Sur, próximo a Florida (71).

La historia de la presencia española puede resumirse, en un primer período, de afán imperial de expansión con propósito de ganar nuevas almas para el Cristianismo; un período de intento de conservación de lo logrado y, una última etapa, de imposibilidad de mantenerse en la región, en la que habían aparecido los ingleses, y de repliegue hasta las cercanías de San Agustín, en Florida. El primer lapso puede situarse entre 1566 y 1615; el segundo, hasta 1656, época de la rebelión de los indios contra el gobernador Rebolledo, y el tercero, desde ese año hasta 1704. La retirada española fue paulatina ante la escasez de medios materiales con que hacer frente a las necesidades de tan vasto territorio, incrementadas por la presión de los ingleses del Norte y de los indios, alentados y financiados por éstos. Como consecuencia, comenzó el repliegue en el Norte hasta consumarse en el Sur. Los momentos de mayor esplendor pueden considerarse los años de comienzos del siglo XVII, en el que dichos territorios recibieron las sucesivas visitas de los gobernadores Canzo e Ibarra y del Obispo de Santiago de Cuba, Altamirano, bajo cuya jurisdicción episcopal aquellas se encontraban. Las Misiones del Este fueron primeras en el tiempo y en su duración; las del Oeste tuvieron menos fortuna, al ser fundadas en momentos en los que la voluntad hispánica de imperio comenzaba a flaquear y el expansionismo inglés daba señales de vida.

La isla de St. Catherine tuvo el primer contacto con los españoles a través del almirante D. Pedro Menéndez de Avilés. En el curso de la rápida visita de inspección que relizó por la región, desembarcó en la isla el 4 de abril de 1566 y permaneció en ella cuatro días. Aprovechó para instruir a los naturales en las verdades de la religión católica, y debido a cómo quedó de impresionado de su buena disposición y de la necesidad de contar allí con misioneros, decidió solicitarlos en el curso de su próximo viaje a España del Consejo de Indias y de su buen amigo el general de la Compañía de Jesús, el anterior duque de Gandia y futuro San Francisco de Borja. Ocurrió que dos jóvenes españoles de su partida, por divertirse, prometieron al jefe indio –en momentos de gran sequía– rezar a su Dios para que enviara lluvias, con lo que aquél les obsequió con una serie de regalos, como pescados y pieles de venado. Enterado de la conducta de sus subordinados, Menéndez se enfureció y quiso castigarles por su actitud frívola y peligrosa en materias que podrían ser de gran trascendencia en la evangelización de la religión. Ante la prohibión que les impuso, el cacique se quejó al jefe por no querer implorar a su Dios la necesitada ayuda, con lo que demostraba que su actitud no era tan amistosa como pregonaba. Menéndez, para salir de la situación, respondió al cacique que llovería si él se hacía cristiano, a lo que se demostró dispuesto. Reunió entonces a españoles e indios y, ante una cruz improvisada, se arrodillaron todos, cantaron las Letanías y adoraron y besaron la Cruz. Una hora y media más tarde se desencadenó una tormenta que trajo consigo abundante lluvia durante veinticuatro horas en un área de cinco leguas. No es para descrito el asombro de los indios ante el milagro del Dios de los blancos (72).

Con tan buenos auspicios, no se desarrolló, sin embargo, fácil la evangelización de los indios guales para los padres jesuitas asignados a la isla de Santa Catalina: tras catorce meses de trabajo del padre Antonio Sedeño, seis del padre Juan B. Segura, cuatro del padre Alamo y seis del padre Francisco, sólo se consiguieron los bautizos de siete personas, tres de ellas en trance de muerte, y ello a pesar de los cereales distribuidos entre los indios, en época de necesidad, enviados por el obispo Juan del Castillo, de Cuba. También trabajó allí en 1569 el hermano Domingo Agustín Báez, pero sólo por un año, al sorprenderle la muerte en plenos afanes misionales; tuvo tiempo, sin embargo, de redactar una gramática de la lengua guale, que viene a ser el primer libro escrito en los confines actuales de los Estados Unidos (73). La escasez de los resultados obtenidos motivó la retirada de los jesuitas del lugar. Con la llegada a Florida de los franciscanos, dos fueron asignados a la isla de St. Catherine en 1593: el padre Miguel de Auñón y el lego Antonio de Badajoz, los cuales vinieron a aumentar el contingente español en la isla, en la que desde los tiempos de Menéndez había quedado estacionada una pequeña guarnición en su correspondiente Presidio (74).

Floreciente era la labor del padre Auñón y del hermano Antonio, cuando la rebelión en 1597 del indio Juanillo vino a malograrlo todo. Como trataremos más tarde ésta, recordemos ahora sólo que el cacique de la isla se vio presionado por los rebeldes, bajo amenaza de su propia vida, para atentar contra los misioneros; queriendo salvar la vida de éstos, envió por tres veces mensajeros a los franciscanos estacionados en Asopo para que huyeran rápidamente y se refugiaran en el Presidio, de forma que no pudieran ser encontrados en el momento de intentarse su asesinato. No teniendo éxito sus consejos, el propio cacique se llegó en persona a los misioneros, aconsejándoles la huida; la agradecida respuesta de estos hombres de Dios fue su buena disposición al martirio y su solo deseo de decir misa antes de que ocurriera; con lágrimas en los ojos, el jefe les prometió enterrar cristianamente sus cuerpos. El 17 de septiembre llegaron los sublevados, matando primero al lego con un largo cuchillo de madera, y más tarde al padre Auñón, no obstante la discusión que, como consecuencia de la popularidad entre los indios de la víctima, se entabló entre los propios asesinos. Fueron enterrados los muertos al pie de la gran cruz que el padre Auñón erigiera (75).

Cuando el sargento Alonso Díaz, enviado por el gobernador Canzo para reprimir la revuelta, llegó a la isla, halló la iglesia de la Misión y los edificios adyacentes incendiados, y las dos sepulturas con los puertos atados por los pies, co cortados en cuatro partes y en acentuado estado de descomposición (76). Como medida ejemplar y disciplinaria, el gobernador Canzo emitió una orden autorizando la esclavitud de los indios de las regiones sublevadas, pero una Real Cédula pregonada en la ciudad de San Agustín, sede del Gobierno, el 31 de enero de 1600, desautorizó aquélla, por lo que Canzo comisionó al sargento mayor Alonso Díaz de Badajoz para devolver los cautivos a sus respectivos destinos (77). Con tal motivo, y una vez muerto el dirigente de la revuelta, los caciques de la región prestaron en San Agustín, en el mes de mayo siguiente, juramento de fidelidad a España, y entre ellos el de la isla St. Catherine. Ello dio lugar a que el gobernador Canzo realizara en 1603 una visita a los territorios misionales y llegara a la isla el 15 de febrero en la que fue recibido por el cacique don Alonso y otros seis principales, con los que trató de las relaciones pasadas y futuras, y quienes, tras abjurar de sus errores, recibieron la absolución impartida por el acompañante del gobernador padre Ruiz (78).

Con el terreno preparado, el nuevo gobernador Pedro de Ibarra llevó a cabo un triunfal recorrido de dichos territorios a fines de 1604. Desembarcó en la isla de St. Catherine el 24 de noviembre, y fue recibido por el nuevo jefe de la isla, Bartolomé, junto con otros caciques. Las tropas que le acompañaban marcharon formadas durante media legua hasta el pueblo, lo que causó profunda impresión entre los isleños, que saludaron al gobernador y a su acompañante, el también padre Ruiz, besándoles las manos. Respondió el visitante repartiendo abrazos y presentes de todo tipo, e invitando a su mesa –rasgo no usual– a los jefes principales. En la iglesia reconstruida se celebró el 26 una misa que fue muy concurrida, al final de la cual el gobernador –a través de sus intérpretes Juan de Junco y Santiago– se dirigió a los circunstantes, expresando su alegría por la visita y el paternal cuidado del rey de España para sus súbditos, buena prueba del cual era el viaje que estaba realizando desde lejanas tierras, a lo que los jefes le expresaron la alegría de su pueblo por verle y oírle (79).

Como consecuencia de la promesa de Ibarra de enviarles misioneros, fue asignado el padre Ruiz permanentemente en la isla de St. Catherine, quien se ocupó del traslado a San Agustín de los retos del padre Auñón y del hermano Antonio, y de preparar el terreno misional para la visita que realizaría a sus feligreses el 30 de abril de 1606 el obispo Altamirano (80). Todo tipo de festejos tuvieron lugar en esta ocasión, desbordándose el entusiasmo de los nativos ante la personalidad del purpurado, quien quedó altamente satisfecho. 286 indios recibieron la Confirmación, y un lucido grupo de jefes, con el de la isla –don Diego–al frente, tomaron parte en el cordial recibimiento. La suerte de la Misión estaba asegurada y borrados los efectos de la revuelta de Juanillo (81).

El progreso de la Misión duró hasta 1656; mas, como consecuencia de las medidas adoptadas por el gobernador Rebolledo ante el peligro de ataque inglés –entre otras causas–, a las que se opusieron los franciscanos, una rebelión de indios estalló (82). Años de hambre y de epidemias continuaron; en 1670 un navío inglés apareció y desembarcó en la isla un reducido grupo que, atacado inmediatamente, pereció o cayó prisionero en su totalidad (83). En 1673 una guarnición española enviada a St. Catherine comenzó a construir un fuerte de piedra, que estaría terminado a la llegada del gobernador Quiroga en 1677 (84). En 1680 una serie de luchas con distintas tribus indígenas comenzaría, como consecuencia de su alianza con los ingleses. Una partida de 300 indios, provistos de armas de fuego británicas, atacaron el fuerte defendido por el capitán Francisco Fuentes; los sitiados quedaron victoriosos, pero el episodio tendría consecuencias desastrosas, al provocar la huida de la isla de todos los nativos, con lo que se hizo preciso abandonarla (85). Los proyectos de poblarla con un ciento de familias procedentes de las islas Canarias, no pudieron llevarse a efecto por la rapidez con que los acontecimientos se desarrollaron (86).

En las costas vecinas, dominios de Juanillo

Si los habitantes de la isla de St. Catherine pertenecían al grupo Guale, también éste se extendía a las costas vecinas constituyendo núcleos de gran relevancia durante la etapa española. En el actual condado de McIntosh, cuya cabeza es la ciudad de Darien, se han localizado las Misiones de *Tolomato* y de *Espogache* (la segunda es, en realidad, la sucesora de la primera), así como la de *Tupique*; un poco más al Sur, en el vecino condado de Glynn, estuvo emplazada la Misión de Santo Domingo de Talaxe. Tras los intentos fallidos de los jesuitas de evangelizar la región y su retirada en 1572 (87), diez años se sucedieron sin que misioneros españoles en ellas residieran. En 1573 un oficial español y 14 soldados fueron aniquilados (88), y en julio de 1576 una compañía de 22 blancos, con Boyano al frente, al efectuar la requisición entre los indios de alimentos para el Presidio de Santa Elena, perecieron en una emboscada (89). No se evidenciaron como eficaces las medidas de represalia aplicadas por el gobernador Pedro Menéndez Marqués, dado que en el 1580 los indios de la región se sublevaron y tomaron el mencionado Presidio. Un nuevo levantamiento ocurrió en 1582 (90).

Ante tal estado de cosas, el franciscano Alonso de Reynoso consiguió convencer al Consejo de Indias de la necesidad de enviar a las tierras de Florida misioneros en considerable número. Con éxito en sus personales gestiones, el primer grupo de misioneros llegó en 1584 (91), pero hasta el 1593 no pudo haber un misionero permanente en Tolomato: el padre Corpa (92). En ella se estableció por ser la residencia del "mico" o cacique principal, aunque salía con frecuencia de visita a los poblados subordinados que contaban con submisiones. El éxito del padre Corpa y el de sus hermanos destinados a la provincia de Guale fue sorprendente; conquistaron rápidamente a los nativos con la palabra, regalos y el ejemplo de sus obras. La sumisión que los soldados del rey no habían logrado, la obtuvieron los hijos españoles de San Francisco, quienes, adaptándose admirablemente a las ásperas condiciones ambientales y a la pobreza de la región tuvieron la compensación de escuchar el Ave María y el Pater Noster entonados en el acento indígena.

Contra los vicios reinantes tuvieron que luchar, entre ellos la poligamia, pero en esta empresa el éxito no les acompañó, ya que constituyó uno de los motivos de la revuelta de Juanillo. Ello y su intervención en el gobierno de las tribus: la designación por influencia del padre Corpa de un "mico" principal, distinto al que por herencia normalmente hubiera correspondido, produjo en éste, Juanillo, un rencor incontenible que le llevó a la rebelión sin cuartel y a capitanear un grupo de descontentos. Ocultos en la iglesia de Tolomato, en la mañana del 13 de septiembre de 1597, asestaron un golpe mortal en la cabeza al padre Corpa al entrar en el recinto. Pero no paró aquí Juanillo; insatisfecho con la desaparición de su enemigo, quiso completar la acción suprimiendo todos los misioneros de la región, para lo que convocó al día siguiente, en una conferencia, a una serie de caciques vecinos. Que sus palabras, alentándoles a arrancar de raíz la presencia de España en sus tierras, tuvieron éxito, está fuera de duda al promover el asesinato sucesivo de los distintos padres estacionados en la región, con la excepción del padre Dávila (93).

Impresionados por las atrocidades perpetradas, el gobernador Canzo despachó al capitán Vicente González con 22 hombres, quienes al aproximarse al Tolomato no encontraron a los nativos por haber huido a los montes, por miedo a las represalias, y sólo uno, herido a lo lejos con un arcabuz, pudo ser interrogado. Cuando llegó al poco tiempo el propio gobernador, halló en el poblado la iglesia y las casas misioneras quemadas y sólo en algunas consiguió recuperar objetos de culto, un altar y una imagen de San Antonio de Padua. Tolomato fue incendiada (94). En el pueblo de Tupique, al que había sido destinado el padre Blas Rodríguez, se halló la tumba de éste con la cabeza separada del cuerpo; había sido muerto el 16 de septiembre, no sin antes cantar misa, y sin que su cuerpo fuera presa de los animales (95). Hasta la primavera siguiente, no llegó a oídos de Canzo la supervivencia del único misionero que escapó de Juanillo y sus amigos; el padre Francisco Dávila, que se encontraba en calidad de esclavo en el poblado de Tulufina, no lejos de Tolomato, y en las márgenes del río Talaje, hoy Altamaha. Envió en su busca al teniente Francisco Fernández Ecija, quien, tras negociaciones con sus propietarios a base de canje con algunos indios prisioneros en San Agustín, consiguió su liberación; nadie reconoció al principio al padre Dávila, tales habían sido sus sufrimientos durante el cautiverio: además de hacerle trabajar sin descanso y de convertirle en objeto de bárbaros juegos por parte de los indios jóvenes, comenzó a ser quemado vivo justo en el momento en que le fue prometida la libertad si adoraba a los dioses nativos, renegando de Cristo, pero, ante su negativa, hubiera alcanzado la palma del martirio, de no haber intervenido una mujer india, madre de prisioneros de los españoles, quien urgió la aceptación del canje propuesto (96). Río Talaje arriba se encontraba, no lejos del anterior, el poblado Yfusinique; en él se refugió Juanillo, y en él murió junto con 24 de sus principales en el asalto a que fueron sometidos, por una expedición de indios, dirigidos por el cacique de Asao, muchos de ellos antiguos aliados de Juanillo. Con su muerte, la tranquilidad se restableció en la región por un tiempo (97).

Recibió Canzo, en mayo de 1600 en San Agustín, una delegación de jefes indios presididos por el "mico" de Espogache, quienes mostraron su disposición de jurar obediencia al rey de España, representado por el gobernador de Florida. Fue aceptada su propuesta con las siguientes condiciones: comprometerse a no luchar más contra los españoles y a colaborar con éstos en perfecta lealtad; someter al gobernador las quejas que en su caso pudieran tener y no recurrir, como en 1597, a tomarse la justicia por su mano; recibir con los debidos honores y respeto al gobernador o sus representantes cuando decidieran visitar sus poblados. Jurada la fidelidad deseada, el gobernador devolvió a los visitantes a sus destinos en los buques españoles. El ejemplo de estos jefes cundió y otros muchos se les unieron, con excepción del de Tolomato, gran amigo de Juanillo. Bajo el caudillaje del cacique de Asao, recibio aquél el castigo debido en la misma expedición que llevó al jefe rebelde a su fin. Tal actitud valió al cacique de Asao, don Domingo, el nombramiento de superjefe de la región, cargo que antes ostentaba el de Tolomato; por la misma razón, el punto central de las Misiones a restablecerse se situó en Talaxe, no rehabilitándose las de Tolomato y Tupique (98).

Correspondió a don Domingo, por tanto, recibir al gobernador Canzo, en la desembocadura del río Altamaha, cuando visitó la región en 1603. En el discurso que el visitante pronunció fueron los puntos principales tratados el comercio con los indios, la reconstrucción de las Misiones y la renovada unidad hispano-guale; el padre Ruiz insistió en su sermón en puntos parecidos, y al día siguiente absolvió a los asistentes de sus pecados al final de una misa a la que concurrió la totalidad de la población. Tras recibir los juramentos de fidelidad de los caciques, el gobernador abandonó Talaxe, en la que, a poco, se levantaría por los indios la Misión de Santo Domingo de Talaxe. Llegó a Tupique el 10 de febrero, siendo recibido por el jefe local y el cacique de Espogache, ya conocido éste desde su visita a San Agustín; por las muchas muestras de afecto y sumisión que recibió, las medidas punitivas anteriormente adoptadas fueron suprimidas. Los nativos prometieron, además, renunciar a la vida nómada y asentarse en el poblado a elevarse en Tupique (99). Igualmente favorable fue el desarrollo de la visita del nuevo gobernador, Ibarra, el 21 de noviembre de 1604: análogos puntos de vista españoles (también predicó el padre Ruiz) y la misma adhesión de los indios. Ibarra no pudo por menos de prometer una iglesia en Espogaches (100).

De acuerdo con las promesas formuladas, un fraile franciscano fue enviado a la región, el padre Diego Delgado, quien se situó en la Misión de *Santo Domingo de Talaxe* (101). El atendió al obispo Altamirano en su visita, el 22 de abril de 1606, y pudo presentarle con orgullo 262 nativos para confirmar, con el cacique don Diego y su hermano don Mateo a la cabeza. Los hábitos sedentarios habían comenzado a fructificar y, como consecuencia, los frutos cosechados: de aquí que pudiera ser ofrecida al ilustre visitante un abundante banquete a base de productos del lugar. Dos días más tarde Espogache recibió al obispo, quien, por no haber misioneros residentes, hubo de administrar en el mismo día los Sacramentos del Bautismo y de la Confirmación. Entre los agraciados figuraba el cacique Tuguepi, de los terribles "salchiches", uno de los colaboradores de Juanillo en su revuelta. Un largo período de gran prosperidad siguió a esta visita (102).

La revuelta contra el gobernador Rebolledo en 1656 y las demás circunstancias ya detalladas contribuyeron a que paulatinamente se deteriorara la situación. Las incursiones de los ingleses y de sus aliados indios ocasionaron un grave estado de confusión en Guale, lo que determinó al gobernador Cabrera a decidir en 1683 la retirada de los indios de dicha zona hacia la más segura en las proximiades de San Agustín. Muchos se resistieron y buscaron la protección inglesa a cambio, no obstante los buenos consejos de los frailes. En 1685, un grupo de indios, bajo la dirección de Altamaha, atacó la villa de los timucuas Afuyca, quemando la Misión de *Santa Catalina*, matando y raptando a sus habitantes. En Tama pararon a su regreso y celebraron en salvaje orgía el triunfo. Ante los continuos ataques procedentes del Norte y el abandono de la región por muchos indios, los fieles a España obedecieron las órdenes del gobernador. No pudiendo sostenerse por más tiempo, la guarnición en el Presidió de Espogache y las Misiones en el área de Tolomato fueron abandonados definitivamente en 1686 (103).

En la isla de Sapelo, con Presidio

En la vecina de Sapelo (Zapala) también hubo guarnición militar (104) y Misión, si bien ésta tuvo la consideración de "visita" hasta 1655, en que un fraile permanente pudo ser destinado a ella: *San José de Zápala* (105). El Presidio fue construido en 1680, siguiendo órdenes del gobernador Cabrera por el capitán Francisco Fuentes, al retirarse con sus hombres de la isla de St. Catherine (106). Dada la reducida guarnición (en aquel momento no había más de 290 soldados en toda Florida), difíciles momentos pasaron los españoles al ser atacada la isla por el pirata inglés Kinckley (107).

En la isla de St. Simon, con sangre de mártires y de soldados

Mayores recuerdos de España guarda la isla actualmente denominada de St. Simon. Por lo menos, pueden contemplarse en ella, como luego hemos de ver, algunas placas en que se habla de su paso, así como la bandera de los castillos y leones ondeando al viento. La isla se denominaba Asao en época española, y dos Misiones se elevaron en ella: *Santo Domingo de Asao* y *Ocotonico*, al sur de la isla. Tuvo por destino la primera el padre Velascola, cántabro de hercúlea complexión, que impresionó a los nativos (108). Cuando la revuelta de Juanillo, se encontraba en San Agustín, por lo que los sublevados aguardaron su próxima llegada y le golpearon mortalmente en el mismo momento de desembarcar. Su hábito, utilizado por uno de sus asesinos, sirvió como una de las señales concluyentes en las Misiones próximas a San Agustín de la existencia de la sanguinaria revuelta (109). Don Domingo, el cacique local, formó parte del grupo primero que se sometió de nuevo a España, y acaudilló la expedición que liquidó a Juanillo. Ello le valió su nombramiento como "mico" principal de los guale (110) y ser él quien recibiera al gobernador Ibarra cuando llegara a la isla a bordo del "San José". Como consecuencia de ella, la nueva Misión de *San Buenaventura* sería levantada en St. Simon (111). Esta y las demás padecerían los mismos males que las restantes de la región y serían abandonadas para siempre en 1702 (112).

Pero la presencia española en St. Simon no se dio por terminada aquí. Había de hacerse patente con ocasión de la guerra por la sucesión austriaca (1740-48), conocida en Norteamérica por la "guerra de la oreja de Jenkin", declarada a España por la Gran Bretaña, tomando como falso pretexto los belicistas ingleses las heridas en la oreja de aquel pirata, demostración –falta de veracidad– de la crueldad española. Como constestación a los fallidos intentos del inglés Oglethorpe de tomar San Agustín, confió Felipe V al gobernador español Montiano el mando de una expedición que había de destruir los establecimientos ingleses en Georgia y las Carolinas. Treinta buques, con 1.300 hombres a bordo, zarparon de San Agustín el 20 de junio de 1742. El 5 de julio entró la flota en la bahía sur, eludiendo el fuego de las baterías del fuerte de St. Simon y después de un animado combate, Oglethorpe, previo el abandono del fuerte, se retiró con sus hombres al *fuerte Frederica,* situado más al norte de la isla. En la mañana del 7, y tras ocupar el fuerte de St. Simon, Montiano envió al capitán Sebastián Sánchez para reconocer el camino conducente al fuerte Frederica. En un encuentro con Oglethorpe y su gente, fue derrotado y hecho prisionero. Al enterarse Montiano del suceso, envió al capitán Antonio Barba con 300 hombres para proteger a sus compañeros, consiguiendo poner a los ingleses en retirada. No previendo una emboscada, los españoles se detuvieron a descansar y preparar su comida, abandonando las armas. Un ataque inglés les cogió de sorpresa, produciendo el pánico en sus filas y su rápido retroceso. Una posterior estratagema, referente a la falsa llegada de poderosos refuerzos, indujo a Montiano, después de oír el consejo de sus oficiales, a levar anclas y abandonar la empresa. Quedaron así abiertos a los ingleses los caminos de Florida, y Georgia para siempre en sus manos (113).

Esta fracasada invasión puede contemplarse reproducida en las distintas secciones que componen el centro informativo construido cerca de las ruinas del fuerte Frederica, y a cuya entrada saluda a los visitantes, junto con la inglesa y la norteamericana, la bandera de Castilla (114). En el lugar de la derrota española, conocida por la batalla de "Bloody Marsh" (ciénaga sangrienta), se colocó en 1913 una placa recordatoria del hecho. Hoy día la isla de St. Simon y la vecina Sea Island son lugares de recreo. El hotel más importante en ésta "The Clositer", es de estilo español, inspirándose su autor, el conocido arquitecto Addison Mizner, en los antecedentes históricos de la región.

En la isla de Jekyll, sin martirios (pero con millonarios)

La próxima isla Jekyll, no se comunica directamente con la de St. Simon; hay que atravesar los dos puentes que las unen con tierra firme y pasar por la ciudad de Brunswick. El aspecto de Jekyll es completamente distinto: mientras St. Simon conserva ambiente de plantaciones y casas coloniales, Jekyll saluda al viajero con un conjunto de edificios de bellas líneas modernas, que raramente se ven en los Estados Unidos. Sus playas son extensas y se hallan abiertas al público en general. No siempre ha ocurrido igual: J. P. Morgan tuvo un día la idea de organizar un club, compuesto sólo de millonarios, en el que pudieran descansar y recluirse son temor a molestias de inoportunos (115). Un equipo de doctores de la Universidad de John Hopkins buscó en el sur de Francia, en Egipto y en otras partes el lugar más bello y sano de la tierra. La final decisión recayó sobre Jekyll, debido también a su proximidad al continente. La isla fue comprada y un club fue fundado en ella, y ricas mansiones se elevaron para albergar a los Morgan, los Vanderbilt, los Pulitzer, los Goodyear, etc. A ningún extraño se permitió la entrada a la isla, pero el aburrimiento, que se enseñoreó de ella, causó la desaparición del club después de la primera guerra mundial. Su ambiente actual lleva, inevitablemente, a pensar en los tiempos en que sus tierras eran pisadas por indios y misioneros españoles, y no por bañistas y excursionistas, cuando se llamaba la isla de Ospo.

Al poblado de Tulapo, en la isla de Jekyll, fue destinado en 1593 el padre Francisco Dávila (116), y en su casa le sorprendieron Juanillo y demás revoltosos. Pudo conseguir escapar y refugiarse en un palmar, pero el fulgor de la luna le descubrió, y varias flechas disparadas por los asaltantes le hirieron, aunque no le mataron gracias al cacique local, que le salvó para sí. Al venderle como esclavo más tarde, se inició para el padre Dávila un período de indecibles sufrimientos, hasta ser liberado en Tulufina (117). Días difíciles pasaron después para la isla, hasta que se restableció la Misión con el nombre de *Santiago de Ocone:* ya en 1655 figura entre las existentes (118). Los malos tiempos que se sucedieron, desembocarían en el ataque a la isla en 1680 de los indios aliados a los ingleses, que pudo ser rechazado merced al arrojo del comandante español y se sus amigos indígenas (119). La orden del gobernador de retirarse en 1683 hacia el Sur encontró resistencia entre los indios (120); la situación se empeoró con el terror extendido por la isla con el ataque de los piratas ingleses en 1684 (121). El abandono definitivo de los españoles se verificaría con la llegada del nuevo siglo (122).

En la isla de Jekyll, una de las plazas históricas que se ofrece al visitante curioso reza así (en abreviada traducción del inglés): "En 1736, los comisionados españoles D. Pedro Lamberto y D. Manuel D'Arcy, enviados por el gobernador Sánchez, de San Agustín, para discutir las rivales pretensiones sobre la costa de Georgia, fueron agasajados en Jekyll... Acordando dejar todas las cuestiones pendientes a los Tribunales de España e Inglaterra, los emisarios regresaron a San Agustín satisfechos de su misión..."

En la isla de Cumberland y su tierra firme cercana,
con el primer mártir de la región, y no por Juanillo

Nos quedan por visitar en la costa oriental las Misiones y Presidios establecidos en territorio de los timucuas. En la isla de Cumberland (entonces San Pedro) y en tierra firme (en la desembocadura del río St. Mary, antes río San Mateo) vivieron los misioneros españoles hasta que se replegaron en torno a San Agustín. La isla de Cumberland recibió la primera sangre de mártires. Urgidos los jesuitas por Menéndez de Avilés a enviar misioneros, zarparon de España tres el 28 de julio de 1566 en un barco que al avistar las costas de la Florida sufrió la embestida de un huracán. Tras varias incidencias, el capitán envió un bote a tierra con el padre Pedro Martínez a bordo. Varios indios, aparentemente amistosos en un principio se arrojaron sobre los visitantes, los cuales pudieron escapar, con excepción del padre, que no quiso huir: fue muerto de un mazazo que le destrozó la cabeza (123). Cuando en dicho año el gobernador Menéndez de Avilés realizó una visita de inspección a las costas de Georgia, dejó establecida una guarnición en la isla (124).

En el reparto de franciscanos llegados en 1593, correspondieron a Cumberland los padre Pedro Fernández de Chozas, en la Misión luego denominada de San Pedro y San Pablo, de Poturibato (con capilla), Baltasar López (que sustituyó al anterior cuando su excursión a la región de Tama) y Francisco Pareja, quien trabajó en la isla, en el poblado del cacique don Juan, y en tierra firme, en la Misión de Nombre de Dios. Al norte del río St. Mary, en el hoy condado de Camden, trabajaron el padre Pedro Ruiz, que se ocupaba, además del de San Sebastián, del poblado de Tocoy, y el padre Pedro de Vermejo, que tenía a su cargo siete poblados. Las Misiones descritas, las más fructíferas de la región, desde el principio se encarrilaron bien y se mantuvieron leales a la causa española y cristiana. Pieza fundamental en su desarrollo fue el cacique de Cumberland, don Juan, convertido pronto a la fe de Cristo y piadoso asistente con los suyos a las misas festivas y a la celebraciones de Semana Santa. En esta época las calles de San Pedro eran escenario de procesiones con imágenes llevadas por las distintas cofradías, que hacían recordar, inevitablemente, la lejana Sevilla (125).

Juanillo y los suyos se aventuraron a pisar la isla en el curso de su revuelta, con ánimo de asesinar a los misioneros, al cacique y a los soldados del Presidio. Desembarcados 400 silenciosamente, a cierta distancia, el 4 de octubre de 1597, el ladrido de un perro puso en guardia a varios indios leales, que pudieron avisar a su jefe. Los padres Chozas y Pareja preparáronse para cualquier eventualidad y escribieron una urgente nota al gobernador Canzo solicitando refuerzos. La presencia cercana de un bergantín español desorientó a los intrusos en su cauta aproximación, lo que aprovechó don Juan para sembrar la confusión entre ellos, huyendo muchos en sus botes y refugiándose otros en los bosques, hasta caer poco a poco prisioneros. Los refuerzos enviados por el gobernador llegaron el día 10 al mando del sargento Juan de Santiago; el propio Canzo, al frente de 150 infantes, se personó en la isla una semana más tarde (126). Como premio a su lealtad, el gobernador dejó reducido el tributo de los isleños a cantidades simbólicas (127). Cuando don Juan murió, en 1600, su autoridad pasó a manos de la hija de su hermana, D.ª Ana (128).

En los años posteriores a la revuelta, los padres López, Pareja y Ruiz se desplazaron desde sus Misiones a las tierras del Norte, desprovistas ahora de misioneros. Por Cumberland inició el gobernador Canzo su visita de inspección en enero de 1603. Elevó en ella una Misión, modelo de otras en programa. Al regreso de su jira asistió a una conferencia de caciques el 28 de febrero y confirmó la superior autoridad de D.ª Ana. La inauguración de la iglesia de San Pedro de Mocamo –de notables proporciones, con altar mayor y coro–, el 10 de marzo, constituyó un acontecimiento; los maravillados indios quedaron atraídos definitivamente y recibieron seguridad de ser protegidos, incluso los de tierra firme, con la guarnición del Presidio. Acabó de confirmar la situación la designación de la joven cacica –con el padre López– como custodia del hermoso edificio. Cuando el gobernador Ibarra llegó a la isla de Cumberland, el 14 de noviembre de 1604, no fue recibido por D.ª Ana (que había muerto), sino por D.ª María Meléndez: los intercambios de amistosos discursos y promesas no faltaron, afianzándose la lealtad de los nativos para España (129). Actuaron como anfitriones del obispo fray Juan de las Cabezas Altamirano, que llegó con su séquito el 11 de abril de 1606, el recién llegado padre Capilla y el hijo de D.ª María, en ausencia de ésta. Más de 300 indígenas recibieron la Confirmación, entre ellos varios caciques locales (130).

En las orillas del St. Mary, la Misión de *Santa María* se convirtió en el punto central de la evangelización en tierra firma (en el hoy territorio de Georgia). Pedro Menéndez de Avilés construyó en dicha área una capilla en 1566 y ésta se convirtió en el centro de la labor misional cuando, como medida precautoria, fueron retirados los indios y los misioneros de forma provisional de la isla de Cumberland, a raíz de la revuelta de Juanillo. Con la erección en aquélla de una iglesia por Canzo, volvió a quedar en Cumberland el centro de las Misiones, convirtiéndose las de tierra firme en "visitas", a cargo del padre Juan Bautista Capilla. En 1615 quedó, sin embargo, asignado un misionero permanente al área, y *Santa María de Sena* se convirtió en el eslabón de unión entre San Agustín y Talaxe (131). El historiador Lanning encontró, próximas a la actual localidad de St. Mary, las ruinas mejor conservadas de toda Georgia, con columnas en perfecto estado y 34 ventanitas en la gran pared del edificio de dos plantas, en forma de fortaleza, con una especia de almenas en su parte superior (132). Jonathan Dickinson visitó esta Misión en 1697, en su viaje de regreso a Carolina del Sur, después de salvarse de un naufragio en las costas de Florida, y, alojado en una amplia habitación de 10 metros de diámetro, pudo comprobar el grado de instrucción que los misioneros impartían a los interesados muchachos nativos (133).

En el Sudoeste, auge y destrucción

Las Misiones de los apalaches en el suroeste de Georgia nacen al entrar el siglo XVII. Establecidas en una región habitada en su base por indios muskogis, en un principio entre los ríos Aucilla y Ochlekonee, y en torno a la actual ciudad de Tallahassee (Florida), dependieron de la provincia franciscana de Potano, en la que en 1607 había ya 1.000 cristianos, a juzgar por los informes de los padres Francisco Pareja y Alonso de Peñaranda. La cosecha apostólica debió de presentarse pronto favorable y prometedora, en contraste con los escasos medios personales y materiales disponibles. Las constantes peticiones formuladas por misioneros y gobernadores al respecto dan cuenta del número crecido de conversos y de la necesidad de más religiosos para laborar en la región (134). Dependiendo del Presidio y Misión de San Luis, en Florida (135), ya existían en 1655 nueve Misiones, a saber: San Lorenzo de Apalache, San Francisco de Apalache, Concepción de Apalache, San José de Apalache, San Juan de Apalache, San Pedro de Apalache, San Cosme y San Damián, San Luis de Apalache y San Martín de Apalache (136). En las 38 Misiones que los franciscanos en tal año controlaban en toda la región (que comprende hoy Georgia y Florida) trabajaban 70 frailes y vivían 26.000 indios (137). La Misión de San Francisco de Apalache, por ejemplo, se estableció entre los indios ocones, cuyo núcleo central se hablaba en las hoy cercanías de la ciudad de Milledgeville (138); otra existió para los mismos, como hemos visto, en la isla de Jekyll. En la región de los tamalíes fue fundada en 1680 (no lejos de Hawkinsville) la Misión de Nuestra Señora de la Candelaria de Tama, y, más tarde, San Luis de Tamalí (139).

Para cuidar de los indios chacatos varias Misiones se elevaron. En lo que se refiere a Georgia, se tienen noticias de que el padre Francisco Gutiérrez de Vera cuidaba en 1681 de una Misión en las márgenes del río Ocmulgee, en Coweta, cerca de la actual ciudad de Macon, en el condado de Butts (140). Punto de fricción entre ingleses y españoles, el área de Coweta se convirtió en una pieza jugada alternativamente por unos y por otros. Fue testigo de las andanzas del comandante y explorador Dr. Henry Woodward en 1682 y de los intentos de aprisionarle por parte del comandante español de la guarnición de Apalache, Antonio Mateos, intentos fallidos ante la elástica huida del inglés y la complicidad de los naturales. Sólo se concretaron en la destrucción del fuerte elevado por aquél y sus aliados. El episodio acabó para el perseguido con su triste muerte antes de regresar a Charleston, su punto de partida (141).

La repetición de las incursiones inglesas decidió al gobernador Quiroga y Losada a construir un fuerte, que levanto en Coweta el capitán Primo de Rivera en 1687. La presencia en él del capitán Fabián Angulo con 20 infantes españoles y 20 leales apalaches produjo el efecto de que en la reunión que en la localidad convocaron los caciques regionales en mayo siguiente se emitiera un unánime voto de fidelidad a España (142). No merecen la calificación de buenos los tiempos subsiguientes, y la necesidad de contar con tropas para la defensa de San Agustín forzó al gobernador a retirar la aludida guarnición, no sin antes destruir la fortaleza para evitar su ulterior uso por los ingleses (143). Hijo del emperador de Coweta era Chipacasi, el gran amigo de España, quien después de ser festejado por el jefe español en San Agustín, abogó por la alianza de los indios creeks con España, en contra de la opinión de su padre, favorable a los anglos. Su personal intervención salvó la vida al teniente de caballería español Diego de Peña (144). También se celebró en Coweta un consejo de guerra, en que el inglés "Antonio" arrastró a una serie de tribus aliadas contra España. En campaña desarrollada en los primeros meses de 1702, las Misiones apalaches de Georgia, comprendidas entre el río Flint y el río Chattahoochee, fueron destruidas y sus habitantes, los que no huyeron al sur, muertos o hechos prisioneros. Asestó la estocada final a las Misiones de la región el inglés Moore con sus ataques en enero de 1704, más consecuencias de la cuales comprobaremos en el norte de Florida (145).

c) SEFARDITAS

Entre los grupos primeros de pobladores llegados al futuro Estado de Georgia figura, bien a pesar del propio Oglethorpe, un grupo de sefarditas –judíos españoles– procedentes de Inglaterra; se preocuparon de recaudar los medios necesarios para su viaje tres prominentes miembros de su Congregación en Londres: Francis Salvador, director de la Dutch Eeast India Company, Anthony da Costa, el primer director judío del Banco de Inglaterra, y el barón Suasso. Instalados en Savannah, no fueron admitidos en seguida, pero la denodada actuación del Dr. Samuel Núñez, en momentos de epidemia, les granjeó las simpatías de los colonos (146). En la defensa de Savannah contra los ingleses, durante la revolución, participó valientemente el español Jorge Ferragut (147).

NOMBRES ESPAÑOLES

Con los antecedentes descritos, bien merece Georgia una mayor presencia en la Historia hispánica. No quedaron nombres españoles en el Estado –al menos en núcleos considerables–, y su población no lleva sangre española como no sea la de los emigrantes establecidos en pequeño número en distintas épocas posteriores. Pero sí quedan los nombres españoles en algunas localidades; un censo provisional de ellas puede servir de muestra, a saber: Alamo, Alma, Alto, Aragón, Arco, Buena Vista, Chula, De Soto, Enigma, Martínez, Mora, Pavo, Portal, Resaca, Rincón, Vidalía, Villa Rica, Adrian, Juniper, Camilla, Nunez, Colon, Celeste, y Martín, más el condado de Columbia.

CAPITULO VI

FLORIDA, paraíso meridional

Florida es la más meridional de los estados de la Unión, junto con un trozo de Texas. Quizá por su forma digital que se destaca en el Golfo de México y se separa del resto del continente, ha tenido su vida propia e importante, y continúa manteniéndola en la actualidad. Primer territorio norteamericano en entrar en la órbita del mundo occidental, al ser descubierto y bautizado por Ponce de León (1), no participó activamente en el acontecer nacional anglosajón hasta mediados del siglo XIX y aun en el XX; fue reconocido, sin embargo, como Estado el 3 de marzo de 1845, y participó en la guerra de Secesión del lado Confederado a partir del 10 de enero de 1961. Estas tres banderas –la española, la de estrellas y barras y la confederada–, con las otras dos de los países que en algún momento de la Historia de Florida tuvieron gobiernos en su territorio –Francia e Inglaterra–, justifican la denominación de Estado de las Cinco Banderas de que Florida se ufana.

FLOR Y AMOR

Si hubiera que definir Florida en dos palabras, yo me atrevería a elegir dos: flor y amor. Ellas simbolizan y resumen su historia y su presente, son dos princeladas que nos pueden hacer comprender esquemáticamente su acontecer y su sentido. Recordemos, en primer lugar, que el origen de su nombre se halla en la impresión que a Ponce de León produjeron sus costas y sus tierras cuando en ellas desembarcó en la Pascua Florida de 1513, su exuberante vegetación y la variedad de sus especies (2); y es que Florida, situada todavía en la zona templada, está bañada por las cálidas corrientes del golfo, y puede enorgullecerse de ofrecer la más variada flora del país. Entre las 3.000 clases de flores nativas y las

211

introducidas de Europa, Florida es hoy un jardín extenso y multicolor, rodeado de lagos –hay 30.000– (3). Es un jardín y es un bosque, porque masas densas de árboles se extienden por el Norte y el Sur, ocupando pocas o muchas millas cuadradas: la reserva natural de Everglades, en el Sudoeste, constituye quizá el conjunto mejor conservado de bellezas forestales y de ejemplares de fauna en todo el país; en Palatka –escenario en marzo de "Azalea Festival" y sede que fue de uno de los mejores ranchos españoles (4)– puede visitarse la más grande colección de plantas y flores, entre las que se cuentan 100.000 azaleas, 25.000 crisantemos, 2.000 magnolias, 100.000 pinos y miles de "dogwoods", rosas y buganvillas (5). Y así, junto a los densos palmetos o esbeltos cipreses, la preciada caoba o la bella casuaximas, podremos sentir y contemplar a la orquídea gigante, la verbena marítima, la colorida azalea o el azahar del naranjo. Es éste, con los demás miembros de la familia citrícola, una perdurable contribución de España al paisaje de Florida y a su desenvolvimiento económico como Estado predominantemente agrícola; su producción y exportación, así como las industrias conexas de jugos y conservas, constituyen uno de los recursos fundamentales del Estado, junto con el turismo. Los bosques de naranjales y limoneros en la región de Orlando, o en el centro de la península, o en las costas occidentales, traen inevitables recuerdos de las riberas del Guadalquivir o de las costas de Valencia (durante los últimos años, una serie de heladas, enfermedades y sequías han diezmado las plantaciones).

Los árboles de Florida –y de otros muchos Estados, como Georgia y Luisiana– se anudan también a lo español por algo patente y pendiente de sus ramas, y en lo que la intervención hispánica, aparte de su nombre, no creo que haya pasado a la leyenda: el popular "Spanish moss". Se trata de una especie de musgo parásito que, en forma de tenues y finas guedejas, trepa por las ramas de los árboles y pende de ellas de forma densa y desigual, otorgando al conjunto forestal una sensación de cuentos de hadas, base indudable de la inspiración de Walt Disney para la preparación de sus películas maravillosas. Es impresionante la entrada en un bosque invadido por el "Spanish moss", mucho más cuando uno es asegurado de que tal parásito no perjudica en absoluto al árbol –albergue, dado que se alimente del aire–. Muchas explicaciones se dan a su nombre: una de ellas se halla contenida en una tarjeta postal, de fácil adquisición para el turista, y que en sencillos versos viene a explicar así la leyenda:

"Don Gorez Goz, en el buen barco «Gree»,
vino a España a través del mar,
¡menudo viejo era el tal Goz!
Una pastilla de jabón y una vara de tela
fue cuanto Gorez pagó
por una bella india doncella.
La tela estaba teñida, ¡ay, qué placer!,
según la doncella pudo llegar a ver.
Decidió ésta entonces huir,
pero furioso Gorez la comenzó a perseguir.
La damisela hasta un árbol trepó
y Gorez –¡Dios mío!– la siguió:
sus barbas en las ramas se enredaron

> y con tanta fuerza le ataron
> que jamás pudo volver
> a su barco Goz Gorez.
> Sólo su barba quedó de su cuerpo palpitante;
> colgada saluda hoy al absorto visitante
> y previsora le advierte
> que útiles ya no son
> ni la tela ni el jabón."

Esta Florida es la que impresiona hondamente al poeta español Juan Ramón Jiménez, a comienzos de los años cuarenta, "la Florida llana, la tierra del espacio con la hora del tiempo", "un arrecife absolutamente llano y, por lo tanto, su espacio atmosférico se siente inmensamente inmenso", la de "los hermosos espejismos", la de "las garzas blancas habladoras en noches de excursiones altas... como las garzas blancas de Moguer..." (5 bis).

Es también Florida paraíso del amor: a éste estuvo unido su nacimiento civilizado. Ponce de León, preocupado por el avance de sus años y enamorado de su joven protegida, no dudó en comprometer su sólida fortuna en la empresa descubridora de la fuente de la juventud, por lo que hacia la milagrosa "isla de Bimini" se embarcó avistando y pisando por vez primera sus tierras. No consiguió su propósito de rejuvenecimiento, pero no andaban muy descaminados sus informantes en cuanto a la existencia de fuentes medicinales maravillosas, ya que más de 27 considerables (entre ellas Silver Springs, Juniper Springs y Rainbow Springs) se hallan extendidas por su geografía. Bautizada por Ponce de León, Florida pronto compartió amorosamente su nombre con tierras distantes, y por Florida fueron conocidas las tierras del Norte, incluso hasta Canadá, en los mapas que dieron las primeras noticias al mundo del descubrimiento de las tierras norteamericanas. En Florida derramaron su sangre a manos llenas, en favor de sus hermanos indios, los conquistadores y misioneros españoles, y éstos, en amor de caridad, se esforzaron por extender la religión de Cristo, no obstante muertes, incendios y destrucciones. Amor fue lo que llevó a hombres de empresa como Flagler en la costa Este, o Plant, en la costa Oeste, a construir los ferrocarriles que pusieron al territorio en comunicación con el resto del país, abriendo las puertas a la colonización y al turismo, bien hasta San Agustín primero y Miami y Key West, después, en el caso Flagler; bien hasta Tampa en el caso Plant; y es amor lo que determinó a Julia Tuttle, John Collins y Carl Fisher a promover, contra viento y marea –física y moral– el desarrollo de Miami y Miami Beach (6).

Y amor es el que percibe hoy día en todos los rincones de Florida cualquiera que viaje en transporte de superficie; no es precisamente que me refiera a los recién casado que, en su luna de miel, eligen a Florida por refugio, ni a cuantas jóvenes parejas o turistas invernales que se benefician de las magníficas playas de la península, de los recónditos lagos o de los espesos boscajes: es Florida actualmente el paraíso de los matrimonios jubilados que, deseosos de clima templado, sol reconfortante y temperatura uniforme, huyen de los Estados nórdicos y se establecen progresivamente en nuevos complejos urbanísticos que han experimentado un alza extraordinaria solamente comparable a la de los años veinte, o en los numerosos remolques, estacionados en conjuntos "ad hoc" que pueblan –y no bellamente– la región y que permiten –por su reducido espacio– al ama de casa no quebrarse la cabeza con preocupaciones domésticas.

Tales razones, más otras, explican que Florida sea el 5° Estado de la Unión en número de millonarios: 29.523 (6 bis).

COSTA ORIENTAL

Si en los últimos cuarenta años Florida ha quintuplicado su población residente, puede decirse que ésta es doblada por la masa de turistas que la visitan anualmente en número de 10 millones. La costa oriental gozó en un principio de la preferencia, y de todos son conocidos los nombres de Palm Beach, Fort Lauderdale, Daytona o Miami; un gran contraste se da en estos lugares, pues frente a la exclusiva Palm Beach, sede todavía de antiguos y millonarios habitantes, Miami está sometida a un interrumpido trasiego, con clientela que procede predominantemente de Nueva York, y con una masiva presencia de cubanos y otros inmigrantes hispánicos. La costa Oeste, más lenta en su desarrollo, es también más conservadora en sus conquistas, y está obteniendo en la hora actual una progresiva atención, a la que son acreedores Naples, Sarasota, Bradenton, St. Petersburg, Panama City y Pensacola.

Por su pasado español y por su presente, Florida merece un más detenido recorrido que los anteriores Estados; su configuración geográfica lo permite, sus bellezas naturales y las fabricadas por el hombre lo merecen, las varias y diferentes atracciones que en ella vamos a encontrar justifican nuestro paso lento. Bien es cierto que el exceso de luces de neón, de anuncios carreteros, de estaciones de gasolina o de barracones baratos –albergues de atracciones o de viandas preparadas–, ocultan a veces las bellezas naturales y hacen desmerecer el paisaje o las obras de arte cercanas, pero así es la Florida de hoy y así hay que tomarla. Quizá esa sensación de gran circo, que al recorrerla puede tenerse, sea el pago de la conversión del territorio, otrora infestado de mosquitos, pantanos, epidemias, animales dañinos e indios salvajes y privado de recursos agrícolas, lluvia y vías de comunicación, en el paraíso que es hoy, obra y orgullo del esfuerzo humano.

Podríamos volar a Florida atraídos por los anuncios de alguna compañía que prodigan la figura de un conquistador español. Pero es el automóvil el mejor modo de viajar para conocer una región, ya que el motor ha dejado en desuso al caballo, cuya utilización no la permiten las distancias y el tiempo disponible. Tomemos la carretera 17, después de haber abandonado en Georgia las Misiones en torno a St. Mary y de atravesar el río de este nombre, el que, por cierto, sirve de frontera entre los dos Estados a lo largo de su recorrido, quebrando excepcionalmente la línea recta que limita al norte de Florida. No lejos nos espera la populosa ciudad de Jacksonville, y más allá, a una hora de camino, San Agustín.

ISLA AMELIA: REPÚBLICA INDEPENDIENTE. SU ANEXIÓN A LA "REPÚBLICA DE MÉXICO" Y OTROS SUCESOS

Si en lugar de descender directamente a Jacksonville torcemos a la izquierda, la carretera nos llevará a la isla de Amelia y a la ciudad en ella emplazada de

Fernandina Beach, que trae su nombre del rey de España Fernando VII. El *fuerte San Carlos* fue establecido en sus contornos por los españoles en 1686, pero en la actualidad no queda más que la indicación de su emplazamiento con un letrero, cuya traducción reza así: "The Plaza. Ocho banderas ondearon en la histórica Isla Amelia. Aquí se levantó el Fuerte español San Carlos." Su localización es difícil por la ausencia de indicaciones en los mapas y su poca popularidad entre las gentes vecinas. No le ocurre lo mismo a Fort Clinch, próximo al anterior, construido en época prehispánica, en el que se conservan momentos de las distintas etapas de la historia de la región, siendo especialmente curiosos los referentes al Gobierno español de Florida. En uno de sus rincones se muestra la siguiente placa redactada en inglés: "La bandera española fue plantada en el suelo de Florida por Juan Ponce de León en el año 1513, y es generalmente aceptado que aquélla fue la primera enseña europea que ondeó en el territorio americano, usada por Colón en 1492; Pánfilo de Narváez en 1528 y Hernando de Sota (sic) en 1539. Este lugar fue elegido para cuartel general militar y denominado «Guale». El fuerte San Carlos fue construido en el año 1686."

En este sector oriental de la península se desarrollaron en 1817 una serie de sucesos que más parecen del reino de la fábula. Un escocés, por nombre *Gregor McGregor*, que había luchado con Miranda y Bolívar por la independencia en las tierras de Venezuela –en las que casó con Josefa Lovera–, envidioso de la gloria alcanzada por el Libertador y con ansias de conseguir las riquezas y el poder que anteriormente le esquivaran, resolvió tentar suerte en los Estados Unidos. Consiguió ayudas en Nueva York, y en dos barcos con 150 hombres a bordo zarpó de Savannah rumbo a la isla Amelia. Al desembarcar parte de su fuerza, el comandante español, Francisco Morales, creyó que su número era muy superior, por lo que se rindió sin disparar un tiro. McGregor izó entonces su bandera: blanca con una franja vertical y otra horizontal verde, cortándose en el centro para formar una cruz de San Jorge, a la que denominó la Cruz Verde de Florida. Envió sus prisioneros a San Agustín, y su gobernador, José Coppinger, sospechando la cobardía de Morales, encarceló a éste y le sometió a juicio sumarísimo, tras el que salió condenado a muerte (la que, por otra parte, nunca se ejecutó) (7).

Desde Fernandina, McGregor remitiría inflamadas proclamas de independencia a los países del Sur. Por otra parte, invitó a todos los piratas y contrabandistas que infestaban las Indias Occidentales a tomar la isla como depósito de sus presas y mercado de sus cargos. En lugar de proseguir su empresa guerrera, optó por disfrutar de su conquista, en tanto que sus soldados se dedicaban al robo, ante la natural alarma de los colonos de la isla. Como en cierta ocasión Coppinger se enterara de la cercanía de San Agustín de un grupo de ellos armados, envió un destacamento que mató a 10, en tanto que el resto se dedicaba al saqueo y robo de las proximidades. Con este contratiempo y con la progresiva desbandada de sus hombres, McGregor decidió abandonar la isla y dejar su Gobierno en manos de dos de sus seguidores, Irwing y Hubbard, quienes, no obstante su decisión de mantenerse, hubieron de repeler el ataque que, a poco, concentraron sobre la isla las reforzadas tropas de Coppinger (8).

Pocos días después, el pirata francés *Louis Aury* apareció delante de Fernandina, proclamándose amo de la isla Amelia. Con el consentimiento de Manuel Herrera, quien se denominaba a sí mismo ministro plenipotenciario de la "República de México" (esta nación no había alcanzado todavía la independencia) ante los Estados Unidos, Aury estableció su gobierno, en el que él ostentaba los poderes civiles y militares. Al desembarcar, ordenó a Irwing y Hubbard le entregaran la isla, a lo que accedieron por razones financieras y a cambio de que Aury cediera el poder civil a Hubbard y nombrara a Irwing su segundo en el mando de las fuerzas militares. El 21 de septiembre de 1817, en medio de las salvas de cañón, anexionó solemnemente la isla Amelia a la "República de México". Pronto surgieron disputas entre las dos facciones, que acabaron con la muerte de Hubbard de fiebre amarilla; por otra parte, el presidente Monroe ordenó a las fuerzas navales de los Estados Unidos la expulsión de Aury de la isla. En lugar de partir, Aury proclamó la isla Amelia una República independiente, nombró a Irwing su presidente y dirigió a Monroe un mensaje, recordándole los derechos de la isla como nación soberana. Cuando las tropas norteamericanas desembarcaron, ofreció poca resistencia, y a comienzos de 1818 partiría para Nicaragua (9).

Junto a estos increíbles relatos, posibles en la realidad sólo por la decadencia del poder español en Florida, la isla Amelia había sido testigo de otros sucesos años antes, en los que los protagonistas estaban relacionados con el Gobierno de los Estados Unidos. En enero de 1811 el presidente Madison solicitó del Congreso –y la obtuvo– autorización para tomar posesión temporal de cualquier parte de las Floridas en cumplimiento del acuerdo a que se llegara en su caso con las autoridades españolas o si parte de ellas cayese en poder de alguna potencia extranjera. Para estudiar las posibilidades existentes en relación con la licencia obtenida, fueron designados el coronel *John McKee* y *George Mathews,* anterior gobernador de Georgia. Así como no encontraron ambiente en la Florida occidental, constataron, en cambio, posibilidades de éxito en la oriental, merced principalmente a la colaboración de un colono en el río St. John, John H. McIntosh (10).

A mediados de marzo, con el grupo que había formado y que se llamaba a sí mismo "patriotas", decidieron llevar a cabo una operación militar, para ayuda de la cual escribieron a Monroe. Considerando que el silencio de éste suponía una aprobación tácita a sus planes, dieron un paso más hacia adelante y resolvieron comenzar por la conquista de la isla Amelia. El comandante de Fernandina, Justo López, sólo contaba con una guarnición de 10 hombres, pero no se amilanó ante la superior fuerza, debido a las noticias de que las autoridades norteamericanas del otro lado del río St. Mary no colaboraban con los insurrectos; no obstante, al enterarse de la proximidad de ocho embarcaciones armadas y del cambio de posición de sus vecinos, optó por rendirse. Un intento de atacar San Agustín constituyó un fracaso para Mathews, quien recibió una carta de Monroe fechada el 4 de abril de 1812, mortificado por el perjuicio que tales actividades podían causar a sus secretas negociaciones con España sobre la cesión de Florida; en ella le destituía y nombraba en su lugar al gobernador David B. Mitchell de Georgia. Monroe ordenó a Mitchell la paulatina retirada de las fuerzas norteamericanas de Florida y la gestión cerca de las autoridades españolas de la amnistía para los revolucionarios. El nuevo gobernador español Sebastián Kindelan insistió en la inmediata retirada de las tropas antes de entrar en negociaciones. En marzo de 1813 Kindelan y un nuevo representante de Monroe, el general Thomas Pinckney, negociaron la retirada de aquéllas, en tanto que Luis de

Onís, el ministro de España en Washington, enviaba a Monroe un acta de amnistía para los insurrectos (11).

JACKSONVILLE Y SUS ALREDEDORES

Dejemos la isla Amelia y, si nos dirigimos a San Agustín, tomemos la carretera de la costa que nos compensará al encontrar –¡qué morriña nos trae!– Ponte Vedra Beach y South Ponte Vedra; no lejos se baña Palm Valley, en cuyos parajes existió el fuerte Diego, que jugó señalado papel en el ataque de 1740 de Oglethorpe a San Agustín (12). Pero antes debemos pararnos en Jacksonville y sus alrededores, de los que algo interesante hay que contar.

Menéndez de Avilés conquista "Fort Caroline"

En las inmediaciones de Jacksonville (en su Universidad nació la "Liga Hispánica de Florida"), en la margen derecha del St. John River, cerca de su desembocadura en el Atlántico, fue fundado el Fort Caroline por el hugonote francés René de Laudonnière, quien, el 22 de junio de 1564, desembarcó de tres navíos –un denominado "Isabella"– 300 colonos. De forma triangular y situado a orillas del río St. John, no lejos de la costa, el fuerte pasó por difíciles días de hambre y motines, aliviados con la visita del pirata inglés Hawkins (13). La llegada el 28 de agosto de 1565 de Jean Ribaut –anterior explorador del lugar con Laudonnière– y siete barcos, no mejoró la situación (14), porque el 4 de septiembre siguiente seis navíos españoles aparecieron en las cercanías. Deseoso el rey Felipe II de expulsar a los hugonotes de Florida, encomendó al almirante Pedro Menéndez de Avilés la tarea. Habiendo avistado, el día de San Agustín de 1565, el río de los Dolfines y no encontrando a los franceses allí, continuó hacia el Norte hasta la boca del río St. John. Previo cañoneo con los buques franceses, una serie de amenazas y juramentos se intercambiaron en voz alta entre los contendientes, tan próximos entre sí se hallaban las naves. Los intentos españoles de entablar combate resultaron fallidos (15), por lo que Menéndez regresó a su punto de partida, en donde tres barcos se hallaban desembarcando provisiones, y procedió a la fundación de San Agustín el día 8 (16).

Entre tanto, Ribaut preparó el ataque a su rival, y con 400 soldados y 200 marineros zarpó el día 10 en busca de Menéndez, dejando a Laudonnière en el fuerte con 200 hombres. Varios intentos de sorprender al español y de desembarcar fueron frustrados por el fuerte y huracanado viento reinante, que obligó a los expedicionarios a retirarse y refugiarse en ensenada alejada (17). Tal retraso dio tiempo a que Menéndez concibiera un arriesgado plan: atacar por tierra el Fort Caroline con 500 de sus hombres. No bien acogido entre sus subordinados, lo puso en ejecución después de tres días de difícil marcha por pantanos y ciénagas. Al alborear el cuarto día, y al grito de "¡Santiago y cierra España!", se precipitaron los expedicionarios sobre la aún dormida guarnición francesa. Con excepción de las mujeres y niños, todos los que huyeron quedaron muertos, sin que los asaltantes perdieran vida alguna. Laudonnière y algunos fugitivos conseguirían escapar al cabo de cierto tiempo a Francia (18). El fuerte conquistado quedó rebautizado con el nombre de San Mateo –por ser el patrón del día– y, tras un breve descanso y dejar una guarnición, regresaría Menéndez a San Agustín el 24 de septiembre, ante el alegre recibimiento de sus sorprendidos habitantes, que, por su prolongada ausencia, temían un desastroso fin de la expedición (19). La llegada de los franceses a la región se festejó cumplidamente en Jacksonville en 1964 con solemnes actos, entre los que figuraría una representación teatral recordatoria de los días fundacionales.

En esta región, comprendida entre la frontera y San Agustín, florecería una serie de Misiones españolas, las más prósperas y las más duraderas de la costa oriental. Corresponde su punto de partida a la visita de inspección que en 1566 realizó Mendéndez de Avilés, de regreso de las tierras norteñas de los indios guales. Remontando el río San Juan (luego St. John) hacia la villa timucua de Utina, fue recibido ceremoniosamente por los indios, que le imploraron sus oraciones a su Dios en demanda de lluvia (había cundido la noticia de su feliz intercesión en la isla de Santa Catalina); por fortuna para el visitante, un intenso aguacero alivió a poco la pertinaz sequía imperante (20). No es de extrañar que los misioneros jesuitas, primero y los franciscanos, después, obtuvieran cordial bienvenida.

A comienzos del siglo XVII, los indios de esta región de Florida estarían divididos en tres distritos (más el cuarto, de San Pedro, correspondiente a Georgia): *Nombre de Dios, Río Dulce* y *San Sebastián,* todos cercanos a San Agustín (21). A ellos, así como a la *Misión de Santa María,* situada en la actual isla Amelia, atenderían los padres Blas de Montes, Francisco Pareja, Pedro Viniegra y Pedro Bermejo (22). Con el tiempo, las Misiones de *Santa Cruz* y *San Juan del puerto* (la isla del Fuerte Jorge, en los alrededores de Jacksonville) serían fundadas, así como la de *Nuestra Señora de Gualdape,* de Tolomato, para las gentes guales, replegadas hacia el Sur como consecuencia de las invasiones de los indios chichunecos (23). El final de las Misiones de Georgia no afectarían a éstas, protegidas por el vecino fuerte de San Marcos, y quedarían en manos de España hasta la cesión de Florida a los ingleses. Con la excepción de la del Nombre de Dios, de la que luego hablaremos, no quedan restos de las Misiones referidas. Trabajos arqueológicos se hallan en planta en la de *San Juan del Puerto* (24).

SAINT AGUSTINE, LA PRIMERA CIUDA DE LOS ESTADOS UNIDOS

Antes de entrar en el caso de la antigua ciudad de San Agustín nos saludarán una serie de gasolineras, modernos barracones y atracciones turísticas; un competente centro de información orientará al visitante en cuanto necesite y le ofrecerá un vaso de fresco jugo de naranjas; el estupendo motel "Ponce de León" proporcionará descanso al viajero en un reposante marco con amplio jardín, artística piscina y confortables habitaciones. (Todos los objetos en que el nombre del motel aparece mostrarán complementariamente un dibujo del conquistador y, en casos como el jabón de tocador, aparecerán los colores rojo y gualda de la bandera española).

Atracciones de todo tipo se ofrecen al turista que acude a San Agustín con otro objetivo que el meramente histórico: un Museo de cera, una completa colección de "hobbies" o de las diferentes aficiones en que el humano ocio honradamente se consume (se alberga en un antiguo hotel, que, construido en estilo español, se denominó "Alcázar"), un enorme zoológico a base exclusivamente de cocodrilos, caimanes y de "alligators" –sus parientes de raza–, un acuarium, la casi cómica reconstrucción de una cárcel española, etcétera. En todo caso, con lo que primero se topa el viajero es con la colorida propaganda –a base de una carabela viento en popa– del lugar en que Ponce de León creyó encontrar la ansiadamente buscada "fuente de la juventud".

Ponce de León y la fuente de la juventud

Aunque se duda la exactitud del punto en que el descubridor de Florida desembarcó, se tienen fundados motivos para considerar este punto como el verdadero. Junto al manantial todavía fluyente en el marco de una edificación a base de coquina, de estilo español, y con un fresco describiendo gráficamente la llegada del conquistador español, una estatua de Ponce de León y un obelisco marcando el lugar en que pisó tierra nos hacen revivir los días de la primavera del año 1513, en que Florida fue descubierta por el hombre blanco y así bautizada por haber ocurrido su nacimiento a la vida occidental en los días de pascua Florida (la abundancia de su vegetación y el impacto que sus contemplación produciría a los visitantes influyó en la elección del vocablo).

Ponce era un soldado cuyo valor se había hecho popular en las guerras de Granada y que había viajado a América con Colón en su segundo viaje. Victorioso en varias campañas de pacificación en las Antillas, en las que tuvo por leal colaborador a su famoso perro "Becerillo", fue nombrado por Ovando gobernador de Puerto Rico en 1509. El 23 de febrero de 1512, el rey Fernando firmó las capitulaciones por las que le autorizaba para descubrir y colonizar la isla de Bimini, le nombraba adelantado y gobernador y le encargaba de la cristianización de los indios. Y es que el gobernador, rico y poderoso, pero no precisamente joven, había dado en enamorarse de la huérfana hija de su primer y no logrado amor y bien alejada de él en años. Se hallaba consciente de que, por la diferencia de edad entre ellos existente, era difícil pretender un amor que no fuera el sumiso y reverente. Enterado por unos indios de que en las tierras del Norte un agua maravillosa devolvía la juventud a quien la bebiera, decidió jugarse a una carta su vida y arriesgar ésta –el premio lo valía–, si preciso fuera. Así, con un bergantin, una carabela y un galeón, llevando como piloto a Antón de Alaminos, levó anclas el 3 de marzo de 1513, dirigiéndose de San Germán a Aguadillo, en Puerto Rico, desde donde puso rumbo Norte. Tras visitar la isla de San Salvador, descubierta por Colón en su viaje primero, se enfrentó con el continente el 27 de marzo, Domingo de Resurrección, no llegando a desembarcar en las cercanías de San Agustín hasta el 2 de abril siguiente. Seis días permaneció en el lugar, no sin haber tomado posesión del territorio en nombre de su rey y sin haber probado inútilmente las virtudes rejuvenecedoras de los manantiales locales; prosiguió su viaje exploratorio hacia el Norte hasta que percibió frías corrientes marinas, optando por poner rumbo al Sur (25). Descubrió, sin embargo, la corriente cálida, Gulf Stream, también conocida como de Ponce de León. Para conmemorar tal presencia el escultor Enrique Monjó realizó una estatua de don Juan.

El LD aniversario de dicho descubrimiento de Florida se celebró debidamente en San Agustín el 11 de marzo de 1963. En el curso del amplio programa preparado, el Hispanic Institute or Florida rindió homenaje al embajador de España, D. Antonio Garrigues, y al director general de Información, D. Carlos Robles Piquer, en el curso de un almuerzo; y la casa que perteneció a la familia. Avero abrió sus puertas al público, cuidadosamente restaurada, en solemne ceremonia presidida por el vicepresidente de la República, Mr. Lyndon B. Johnson, y con asistencia del gobernador del Estado, Mr. Farris Bryant, los senadores Mr. Spessard L. Holland y George A. Smathers, y las aludidas autoridades españolas (26). La colocación de la primera piedra del edificio que España se comprometió a reconstruir con vistas a las fiestas centenarias fundacionales, fue colocada a continuación, y tras la visita a la Misión del Nombre de Dios, los actos se clausuraron con un banquete de gala presidido por el segundo magistrado de la nación, las demás personalidades mencionadas y los miembros de la Embajada que tuvieron el privilegio de asistir. Mr. Lyndon B. Johnson pronunció un discurso, a que he aludido anteriormente, y en el que, recordando sus contactos juveniles como tejano con el mundo hispánico, hizo justicia a la participación española en la Historia americana (27).

El Consulado general de España en Miami convocó un Premio Ponce de León, con motivo del Bicentenario de la Independencia de los Estados Unidos, en 1976, que fue otorgado al trabajo "Presencia española e hispánica en la Florida desde el Descubrimiento al Bicentenario", original de José A. Cubeñas.

Significado hispánico

Al acercarnos a la ciudad vieja, San Agustín Antigua, la Puerta española, flanqueada por dos cubos, nos saluda alegremente con el ondear de las banderas nacional norteamericana y roja y gualda. Si uno no va preparado, la contemplación de nuestros vibrantes colores produce una sin igual sorpresa: la sangre de españoles derramada en la región bien merece tal homenaje a su patria de origen, cuya enseña aparecerá en el curso de la visita de la urbe incontables veces, en las entradas de los edificios importantes, en la cima del Castillo de San Marcos (en este caso, la bandera con la cruz de Borgoña), a lo largo y lo ancho de las calles en forma de –numerosos– gallardetes, etc. El escudo local es el español con el Toisón de Oro, y la policía municipal lo luce en el hombro, como atributo de su autoridad. La visita a San Agustín es quizá el momento más inolvidable para un español en el curso de su visita a los Estados Unidos. La ciudad ostentó la capitalidad de Florida durante dos siglos y medio, en épocas en que el territorio gobernado no se reducía a los límites actuales del Estado que lleva tal nombre; punto clave de la política española en la región, por azares de la Historia se convirtió en el burgo más antiguo de los Estados Unidos; alberga en su seno construcciones que se proclaman las más viejas del país, fue escenario por vez primera de una serie de hechos trascendentales y conserva la fortificación militar más imponente y mejor conservada de todo el continente Norte: el Castillo de San Marcos.

Por ello, es justicia que en los Estados Unidos se haya celebrado solemnemente en 1965 el cuatricentenario de su fundación de St. Agustine y que los Gobiernos y pueblos de España y Norteamérica participaran con todo el entusiasmo que la oportunidad merecía. Las juntas local, estatal y nacional nombradas al efecto, la colaboración de los organismos españoles a través de la Embajada de España y la participación de los países hispanoamericanos directamente o a través de la Organización de los Estados Americanos, han conseguido que los esfuerzos de la Municipalidad de San Agustín, de la "St. Agustine Historical Society", de otras muchas asociaciones entusiastas y de prohombres locales y nacionales, produjeran un gran impacto en la opinión pública norteamericana y también en la de España y de los países hermanos, no siempre conscientes de lo que San Agustín supone como símbolo de nuestra presencia en el continente Norte. Buena prueba es el bien ilustrado artículo de Robert L. Conly, en el "National Geographie Magazine", en el que, al ocuparse de la historia de la ciudad, exclama: "En ningún otro lugar de los Estados Unidos la Historia es tan tangible y visible" (28).

Recorrido urbano

La "visitors route", o ruta de los visitantes, está marcada con signos rectangulares, que con un fondo rojo y amarillo destacan la silueta de los dos pilotes de la puerta de entrada: ellos y los magníficos folletos editados con la airosa y multicolor figura de un conquistador español a la cabeza nos podrán servir de guías, si es que no somos tan afortunados como para contar con la docta compañía de uno de los expertos en la historia local, por ejemplo, el historiador Charles W. Arnade. Unos pintorescos coches tirados por un caballo y dirigidos por un simpático conductor, o unos trenecitos eléctricos, alivian el inevitable cansancio que un largo itinerario ocasiona, porque hay mucho de hispánico que recorrer en San Agustín (29).

Comenzando por la "City Gate", o puerta de entrada, nos damos cuenta de que ésta forma parte de la muralla que los españoles construyeron a comienzos del siglo XVIII y que coronaron, a guisa de alambre de espino, con la planta yuca gloriosa, o "Spanish Bayonet"; los actuales pilotes, que datan de 1804, bordeaban un profundo foso que daba entrada a la ciudad –la única por tierra– a través de un puente levadizo. La vía principal, St. George –de nuevo hoy calle Real– nos mostrará: la antigua escuela (la única fabricada en madera, de mediados del siglo XVIII, que se salvó del fuego), con unos pintorescos maniquíes y un jardín que enmarca una estatua de Ponce de León; las casas Arrivas y Avero (debidamente restauradas), sede de la "St. Agustine Historical Restoration and Preservation Commission" (30); la mansión del gobernador D. Pablo de Hita y Salazar (hábilmente resucitada y con muchos elementos traídos de España por su propietario, el senador Walter P. Frazer), que sirvió de capilla durante la ocupación inglesa; la "Old Spanish Treasury", o antigua Tesorería española, que, en un principio de madera, fue construida con piedra de coquina en el siglo XVIII por su propietario, D. Esteban de Peán; las "Oliveros House" y "Benet House", y, por fin, la "Casa de Hidalgo", recreación de una casa española, acometida por el Gobierno español con planos del arquitecto Javier Barroso, para albergar sus servicios de información y turismo.

Así, llegamos a la plaza de la Constitución (cuyo nombre conserva), lugar de perfectas resonancias hispánicas, por su urbanización, su rumorosa tranquilidad, su vegetación, las edificaciones que la encuadran y la catedral que la preside en el costado Norte. Las obras de ésta, durante muchos años sede del arzobispo Joseph P. Hurley, tuvieron comienzo en 1793, debido a no existir más que las ruinas de la iglesia desaparecida durante la dominación inglesa. Procedentes del anterior templo se conservan registros que se remontan a 1594. Erigida a base de planos del ingeniero español Mariano de la Rocque y con dinero de la Real Hacienda y de los fieles, sufrió el fuego en 1887 (en 1870 había sido dedicada como catedral), siendo reparada, con algunas adiciones, como la torre, al año siguiente. En la actualidad ha recuperado su hispánico origen (26).

En el costado occidental de la plaza, el gobernador Canzo levantó su casa particular en los primeros años del siglo XVII, casa que se convirtió en la residencia oficial de la primera autoridad española y más tarde la inglesa; utilizada en los últimos años como Central de Correos, ha vuelto a ostentar sus características iniciales y pronto se librará de la servidumbre devastadora de los edificios públicos, con vistas a sus nuevas funciones como local de exposiciones. El mencionado gobernador estableció en el costado opuesto un mercado público, en donde se comprobaban las pesas y medidas; con estructura decimonónica se conserva todavía con el nombre de "mercado de los esclavos". Cerca de él se yergue la estatua de Ponce de León, en la que el conquistador señala con su brazo derecho el horizonte, el más allá, que coincide concretamente con el puente de los Leones (que sobre la bahía de Matanzas une a la ciudad con la isla Anastasia), así llamado por los emblemas que luce, alusivos al apellido de Ponce. En el centro de la plaza, establecida en 1598 de acuerdo con las reales instrucciones urbanísticas promulgadas en 1573, se levantó el obelisco conmemorativo del primer texto constitucional español de 1812, que da nombre al lugar, erigido bajo la dirección de D. Fernando de la Maza Arredondo, quien por su actividad al respecto recibió festivamente el nombre de "D. Fernando de la Plaza". Aunque Fernando VII ordenó en 1814 la destrucción de todo recuerdo conmemorativo de la obra de las Cortes de Cádiz, el obelisco todavía existe y sus placas orientas al asombrado viajero sobre la existencia en los Estados Unidos de un nombre y de un recuerdo tan próximo y tan significativo para la reciente Historia de España (31).

En la calle St. Francis (así llamada por encontrarse en ella el convento de San Francisco, sede de los superiores fray Alonso de Reinosa y fray Blas Montes, de fray Luis Jerónimo Oré, el gran cronista de Florida, y de fray Alonso Gregorio Escobedo, autor del poema –todavía inédito– "La Florida", entre otros, y núcleo durante los siglos XVII y XVIII de las Misiones de Florida y en el este de Estados Unidos, y algunas de cuyas celdas aún se conservan dentro del cuartel en que se ha convertido), nos tropezamos con la Casa Llambias, anterior a 1763, y con la "Oldest house", o casa más antigua, que data de 1703, y en la que vivió el canario D. Tomás González hasta que en 1763 abandonó Florida. Propiedad en la actualidad esta última de la "St. Augustine Historical Society", sus muros de coquina encierran un bien recreado ambiente hispánico, así como sus jardines adyacentes, que dan entrada a la biblioteca de la sociedad, especializada en la historia local. Unas banderas, con la roja y gualda al frente, nos habrán saludado a la entrada (32).

Cerca está la calle de Avilés, en honor de la ciudad cuna del fundador de San Agustín, D. Pedro Menéndez de Avilés. Este vínculo es el que ha servido de motor para que ambas localidades hayan convenido un programa de hermandad;

en su virtud, delegaciones de cada una de ellas han intercambiado visitas y la entrega del nombramiento respectivo ha tenido lugar en el curso de solemnes ceremonias. Fui testigo de la entrega, el 18 de octubre de 1962, por el embajador Garrigues, del artístico pergamino bilingüe en el que la ciudad de Avilés nombraba a San Agustín ciudad hermana (33). El acto se celebró en el tradicional hotel Ponce de León, gran estructura de estilo renacimiento español (construida en 1885 por Henry M. Flagler, uno de los cofundadores de la Standard Oil Co.), y que encierra muchos recuerdos españoles, entre otros los escudos de las provincias españolas. Dicho edificio hotelero ha sido dedicado a colegio universitario, con el nombre de "Flagler College", a finales de los años 60 y alberga estudiantes de materias humanísticas, sociológicas, etc. Otra institución educacional digna de mención es el "Colegio de ciegos y sordomudos", uno de los principales en su género del país. En la calle de Avilés están la "Fatio House", la "Casa O'Reilly" (así nombrada por el capellán irlandés que trabajó en la ciudad durante el segundo período español) y "Don Toledo House", todas de origen español. En la paralela calle de Córdova se encuentra el Hotel Córdova (antigua Casa Monica) (34). Otras calles de nombres españoles son las de Cádiz, Granada, Sevilla, Málaga, Saragossa, Valencia, Riberia, Cuna y Carrera. San Agustín limita al oeste con el río San Sebastián, que es atravesado por la King St., como resto del "Camino Real", que enlazaba con puntos del interior y del oeste de la península. En la calle Charlotte, el "Pan American Building" albergó en su día todo tipo de exhibiciones de los países hispánicos.

Misión del Nombre de Dios y Nuestra Señora de la Leche

En los alrededores de la ciudad, cerca del primera paraje que divisara Ponce de León, nos invita a entrar la Misión del Nombre de Dios en terrenos propiedad de la Iglesia Católica. En este punto desembarcó D. Pedro Menéndez de Avilés el 8 de septiembre de 1565. Había sido honrado por el rey D. Felipe con el título de adelantado, para que fundara en las costas de Florida tres puestos fortificados que impidieran la expansión francesa por las costas americanas y para que destruyera, caso de ya existir, cualquiera organizado por los hugonotes. Menéndez, por otra parte, había pasado por el dolor de que su hijo don Juan desapareciera en una borrasca en las costas de Florida, por lo que se mostró dispuesto a llevar a cabo el encargo real a sus expensas con tal de tener ocasión de hallar, quizá vivo, a su heredero. La expedición del almirante asturiano había divisado las costas de Florida el 28 de agosto anterior, festividad de San Agustín: de aquí el nombre de la futura ciudad. Pero él no había desembarcado (sí, en cambio, parte de su expedición), por dedicarse a buscar a los enemigos franceses, de cuyo establecimiento en las cercanías tenía noticias; el encuentro con los cuales ya hemos visto en qué forma tuvo lugar en la desembocadura del río St. John.

La fundación de la más antigua comunidad norteamericana se celebró, pues, el día en que se conmemora el nacimiento de la Virgen María, al desembarcar don Pedro con gran pompa, en compañía del padre Solís de Merás y de otros miembros de su expedición, siendo recibido por el padre *Francisco López de Mendoza Grajales,* quien, con un grupo, había bajado a tierra la noche anterior.

El adelantado tomó entonces solemne posesión del territorio en nombre del rey don Felipe. Este clérigo dijo a continuación la primera misa parroquial en el continente y en lugar que habría de resistir todos los embates del tiempo y permanecer cristiano desde aquel momento (35). Un sencillo altar elevado en los jardines de la Misión recuerda a los visitantes el acontecimiento, así como el precioso diorama figurado en el Museo cercano, en el que aparecen, rodilla en tierra, los jefes españoles ante los sorprendidos indios.

En memoria del padre López se inauguró el 13 de abril de 1958 un monumento en bronce, obra del escultor Ivan Mestrovic, de gran tamaño, en el que el misionero español abre amorosamente sus brazos en su primer encuentro con los nativos americanos; presidieron la concurrida ceremonia el arzobispo Hurley, el escultor y el consejero cultural de la Embajada de España en Wáshington, marqués de Santa Cruz de Inguanzo. En sus alrededores, la Iglesia está llevando a cabo el más considerable desembolso de cuantos han tenido lugar como consecuencia de las fiestas conmemorativas de la fundación: la construcción de una iglesia recordatoria del nacimiento del catolicismo norteamericano, dedicada a pedir a Dios nos preserve de la guerra atómica y de los asaltos del comunismo, y una cruz de acero de 70 metros de altura –consagrada el 30 de octubre de 1966 en presencia del arzobispo de Madrid y del embajador de España–, una biblioteca y un centro de investigación.

En los mismos terrenos de la Misión de Nombre de Dios se eleva hoy la *Shrine of Our Lady of La Leche,* o ermita de Nuestra Señora de la Leche, devoción muy extendida y fomentada entre los catolicos norteamericanos. Según reza el folleto en español que incluye fervorosas oraciones a la Virgen de las futuras y de las lactantes madres, la dicha devoción provino del milagro que realizó en Madrid, en 1598, una imagen de Nuestra Señora, rescatada de manos sacrílegas: la salvación de una madre y del hijo nonato debida a las preces del acongojado padre. En vista de ello, el rey Felipe III edificó a sus expensas, bajo tal advocación, un santuario en la capital de España. La imagen original se quemó en el incendio a que fue sometida por las turbas la iglesia de San Luis, de Madrid, el 13 de marzo de 1936, pero una réplica se conserva en San Agustín, en la capilla erigida en 1915, pequeño, recoleto y acogedor refugio de la fe (36).

La *Misión de Nombre de Dios* ocupa el primer puesto entre las establecidas en la cadena de Misiones que irradiaría desde San Agustín a Florida, Georgia y aun Carolina del Sur, y comenzaría a funcionar en 1566 o 1567, si bien no se cree que existiría capilla con estructura de piedra hasta 1597, los cimientos de la cual han sido descubiertos no hace mucho. Esta Misión, en que trabajó con tanto fruto el padre Francisco Pareja, se distinguió siempre por la fidelidad en su conversión al cristianismo de sus caciques y de los demás miembros de la tribu; la cacica doña María, que vivió a comienzos del siglo XVII, se hallaba casada con un soldado español, Clemente Vernal, y varios hijos fueron el resultado del matrimonio. Los gobernadores Canzo e Ibarra consolidaron la autoridad de la cacica y el obispo Altamirano pudo confirmarle el 2 de abril de 1606, junto con sus hijos, 200 indios y 20 españoles (37). La Misión, siempre ejemplo de civilidad, sirvió de amparo a los indios huidos del Norte y de oasis de hospitalidad para los visitantes, se tratara de gobernadores o dignatarios eclesiásticos (como el obispo Altamirano), o de españoles o extranjeros, como el viajero Dickinson. Cerca también a San Agustín se encontraban los distritos misionales de Río Dulce y San Sebastián, en el último de los cuales el cacique Gaspar se mostró invariable amigo de España (38).

Menéndez de Avilés, fundador

Una vez que tomó posesión, Menéndez procedió a la completa descarga de las naves; dos de ellas, la "Capitana" y la "San Pelayo", con demasiado calado para la bahía de Matanzas, hubieron de fondear lejos, por lo que su cargamento tuvo que ser transbordado en barcas, tras lo que fueron despachadas para Cuba en busca de auxilio. A la realización de tales tareas se hallaban dedicados, cuando al amanecer del día 11 las siluetas de los barcos de Ribaut se destacaron en el horizonte; difícilmente hubieran podido resistir los mal establecidos españoles el ataque de las numerosas fuerzas francesas de no haber sobrevenido una milagrosa tormenta que no sólo impidió a los enemigos entrar en la bahía o retornar a su punto de partida, sino que con su espesa lluvia y sus vientos huracanados dispersó la flota, hundiendo algunos barcos, arrojando otros contra la costa, empujando un grupo hacia el Sur. Fue entonces cuando el almirante, al darse cuenta de la situación concibió el arriesgado asalto por tierra a Fort Caroline, que se coronó –como hemos visto– con la victoria. A su regreso, cuatro sacerdotes salieron a recibirle con la cruz alzada, junto con la totalidad de las fuerzas de tierra y mar, mujeres y niños, cantándose un "Te Deum laudamus".

Cuatro días habían transcurrido, cuando unos indios trajeron al almirante la noticia de que un "inlet" o islita situada a unos 20 kilómetros de la ciudad había naufragado un grupo considerable de franceses, que hacían frente sin armas a los ataques de los nativos y a la ausencia de alimentos. Inmediatamente envió una patrulla de reconocimiento, que localizó unos 200 náufragos. Informados del desastre del Fort Caroline y ante la perspectiva de morir de inadición, se rindieron incondicionalmente, pero sólo salvaron la vida el 29 de septiembre aquellos que abjuraron de su fe protestante. Murieron en análogas circunstancias el 12 de octubre otros 150 –Ribaut incluido–, que, procedentes del Sur, arribaron días más tarde a la islita. El lugar se denominó en adelante "Matanzas" (39).

Dada su estragégica posición protectora de San Agustín, se construyó en 1569, en Matanzas, un fortín para una guarnición de 50 soldados. Desde una atalaya de madera seis soldados vigilaban permanentemente la posible llegada de un navío enemigo, para dar el oportuno aviso a San Marcos. Así cumplió su misión en el ataque pirata de marzo de 1683 (40), y en el bloqueo de Oglethorpe en junio y julio de 1740 (41). La necesidad de un fuerte de piedra se hizo evidente con el tiempo, y antes de 1742 estaba terminado; 50 hombres y seis cañones hicieron desistir a Oglethorpe en su nueva tentativa de 1743 (42). Bastante bien conservadas las paredes de esta fortaleza se visita tomando la carretera A1A, rumbo Sur; situada en la isla Rattlesnake se llega a ésta por un "ferry".

La conducta de Menéndez, objeto de controversias, debe ser juzgada teniendo en cuenta la potencia de las fuerzas francesas en comparación con la inferioridad de las españolas; consiguió, por otra parte, su objetivo desde el momento que extirpó para siempre todo intento francés de establecerse en las costas orientales del continente (el ataque con éxito del pirata Dominique de Gourges, en la primavera de 1568, no tuvo más consecuencia que la trágica muerte de los españoles que cayeron prisioneros) (43). Ante la negativa del gobernador de Cuba de prestarles socorros, don Pedro se dirigió personalmente a la isla; recorrió posteriormente las costas meridionales de Florida (44). Su ausencia fue de intranquilidad para San Agustín y San Mateo, y la situación se salvó con la llegada de una flota de 14 naves procedentes de España al mando de Sancho de Arciniega, portadora de 1.500 personas y abundantes provisiones (45). Visitó fructíferamente el almirante, según ya hemos visto, las tierras del Norte y fundó un fuerte en Santa Elena, por lo que en 1567 consideró conveniente viajar a España para informar a la Corona de la verdadera situación de Florida (46); en contra de sus cálculos y esperanzas no habría de regresar a Florida, primero por el tiempo que sus trabajos en pro de su nueva y querida tierra le consumirían, después, por el nombramiento que en 1574 el rey don Felipe le otorgó de capitán general de la Armada que preparaba para atacar los Países Bajos y las Islas Británicas, y por fin, por su muerte en Santander el 17 de septiembre de 1574, a la edad de cincuenta y cinco años (47). Al conmemorarse el 4º Centenario de ella, se celebraron en Avilés varios actos presididos por el duque de Cádiz.

Sus restos yacen en la iglesia de San Francisco, de su ciudad natal de Avilés, tras su traslado en 1956 desde la iglesia de San Nicolás, en cumplimiento de su voluntad testamentaria, con inolvidable desfile, en el que participó la dotación de un navío norteamericano de guerra. Representando a los Estados Unidos intervino su embajador Mr. John David Lodge, y en nombre de España actuó modestamente quien suscribe como orador: se hizo entrega de una bandera roja y gualda con destino a la Alcaldía de San Agustín (48). En la ermita de la Virgen de la Leche se exhibe el cajón fúnebre en que quedó encerrado el ataúd del almirante; en su costado, una leyenda en español indica el nombre completo y edad del fallecido, y la fecha y lugar de su deceso. Era éste quizá el único recuerdo y solo homenaje que podía contemplarse en San Agustín relacionado con su fundador —ciudad que cuenta con tantas estatuas de Ponce de León—, si se exceptúa el retrato de don Pedro, obra del pintor español Alberto Duce, que la Embajada de España, a través de su consejero cultural D. Manuel de la Calzada, donó a Mr. J. L. Pellicer, presidente de la Sociedad Histórica local, como colofón de la "Peregrinación a San Agustín", que se desarrolló a lo largo de los días 25 y 26 de enero de 1958, organizada por el Hispanic Institute y la Casa Ibérica del Rollins College. La injusticia fue reparada por el Ayuntamiento de Avilés al entregar el 28 de septiembre de 1972, en el curso de la visita de su Alcalde y otras personalidades, la reproducción de la estatua del Adelantado campeante en el parque de la ciudad asturiana.

Celebración del IV centenario de la fundación

Las conmemoraciones de la fundación de la ciudad por D. Pedro Menéndez de Avilés se concentraron en 1965, al cumplirse su IV centenario. Tres comisiones —local, estatal y nacional— se establecieron en los Estados Unidos con años de antelación y con el fin de coordinar esfuerzos y lograr los máximos repercusión y éxito en los planes esbozados. La nacional, presidida por Mr. Herber Wolfe, lleva la firma del presidente Kennedy en su Decreto de creación, y vinieron a formar parte de ella Mr. Edward H. Litchfield, canciller de la Universidad de Pittsburgh, Henry Ford II, el presidente de la Compañía Smith Corona, el arzobispo de San Agustín y los dos senadores de Florida, entre otros. La local, bajo la direción de Mr. Drisdale, y la estatal con el apoyo de los sucesivos gobernadores, llevaron el peso de la organización, confiada a los cuidados de la "St. Augustine Restoration and Preservation Commission" y de su director-ejecutivo, Mr. Earle Newton. En España, el Gobierno tuvo igualmente a bien la designación de una Comisión Nacional en la que se hallaban representados los sectores más importantes del país. De ámbito nacional es la emisión simultánea en el mes de agosto de 1965 por las Direcciones Generales de Correos norteamericana y española de un mismo sello, figurando un conquistador con bandera enarbolada de castillos y leones, una carabela al fondo y los colores rojo y amarillo predominando, con un valor respectivo de 0,05 dólares y tres pesetas. Con los mismos colores españoles, el Estado de Florida confeccionó las placas automovilísticas para el año 1965, bajo la mención "400 Aniversary".

Las conmemoraciones culminaron en torno a la decena comprendida entre el 28 de agosto y el 8 de septiembre de 1965. En los meses anteriores, actos de diversa entidad se habían celebrado, por ejemplo, la reunión Panamericana de Conservadores de Monumentos, auspiciada por la Unión Panamericana de Washington, organizada por su subdirector de Cultura, Guillermo de Zéndegui, y a la que asistió por España el arquitecto Sr. González Valcárcel; el estreno del drama histórico en el nuevo anfiteatro, original del reputado escritor Paul Green, titulado "The Cross and the Sword" (La Cruz y la Espada), en el que se ensalza la figura de Menéndez de Avilés y se relatan los primeros difíciles momentos de la Colonia (49). Actos de índole federal y estatal se desarrollaron en los primeros días del programa central; a las naciones hispánicas se dedicó el 4 de septiembre con la inauguración del Centro Pan Americano, presidida por el senador Spessard Holland y contando con la presencia del secretario general de la Organización de los Estados Americanos, D. José Antonio Mora; el secretario general adjunto de dicho organismo, Mr. William Sanders; el presidente interino del Consejo, D. Juan Plate, embajador del Paraguay –quien pronunció un elocuente e hispánico discurso– y la Delegación especialmente llegada desde España.

A la Delegación oficial española correspondió el papel de protagonista en los actos del día 5 presidida por el ministro de la Gobernación, teniente general D. Camilo Alonso Vega, y compuesta por una serie de personalidades españolas, asistió en pleno al banquete ofrecido por el gobernador electo de Florida, Mr. Haydon Burns, al gobernador hereditario (así rezaban las invitaciones), conde de Revillagigedo, como descendiente directo de Menéndez de Avilés, y se halló presente en la cena dada la noche anterior por el alcalde de la ciudad Mr. John D. Bailey. La inauguración de la "Casa de Hidalgo" constituyó el punto culminante de los actos; intervinieron como oradores el ministro de la Gobernación de España y el secretario del Interior de los Estados Unidos, Mr. Stewart Udall. Este dijo, entre otras cosas: "Debemos mucho al valor, la fe y los sueños de nuestros predecesores españoles. Siempre recordaremos con cariño y respeto estas hazañas y calidades ibéricas que contribuyeron a construir las Américas." Y más tarde: "La rica herencia que nos dejaron está patente hoy en cada uno de nuestros Estados: fe en el destino, determinación de alcanzar las metas propuestas, orgullo en la hermandaz de hombres libres y animosos." Ceremonia previa de simbólica significación se desarrolló al iniciarse las obras del Jardín Hispánico y al descubrise la estatua de Isabel la Católica, obra de Anna H. Huntington. Con los actos del día 8, misa solemne, oficiada por el arzobispo Mgr. Joseph P. Hurley, colocación de la primera piedra de la iglesia votiva, e inauguración de los trabajos de la gran Cruz –ya erigida– en los terrenos de la Misión de Nombre de Dios, se dieron por clausurados las efemérides conmemorativas, comienzo de las programadas para el transcurso del año subsiguiente (50).

Historia de San Agustín, posterior a su fundación

Al sobrino del almirante, D. Pedro Menéndez Marqués, debe San Agustín su supervivencia; ya había salvado la situación en 1570, cuando la falta de suministros amotinó las guarniciones de Santa Elena, San Mateo y San Agustín (51). La etapa de su gobierno de 1577 a 1589, fue crucial, coincidiendo, entre otros acontecimientos, con el famoso ataque de la flota de 20 buques con 2.000 hombres a bordo del pirata inglés Drake en 1586; aunque intentó prevenirlo la exigua guarnición de 150 hombres, no pudo evitar la quema de la ciudad y del fuerte (52). Para completar la diezmada fuerza de San Agustín no tuvo más remedio Menéndez Marqués que abandonar el fuerte de Santa Elena (53).

Magníficos gobernadores le sucedieron: Domingo Martínez de Avendaño (muerto de ataque al corazón) y Gonzalo Méndez Cancio, distinguido almirante (54). Durante el mandato del último, debido a las dificultades crecientes, al fuego con que la ciudad se prendió en 1599 y a la tormenta que la arrasó a los pocos meses, a la insurrección del indio Juanillo y sus amigos (cuyos fatales resultados para las Misiones hemos visto en Georgia), y a las alegaciones de existir otros mejores puertos y otros lugares más próximos a tierras fértiles, el Consejo de Indias decidió llevar a cabo una investigación sobre la situación de los indios de Florida y de su conversión al cristianismo, las posibilidades agrícolas de la región y sus recursos minerales, y la conveniencia o no de trasladar el emplazamiento del presidio (55). Por otra parte, el emprendedor gobernador, que sostenía la procedencia de no realizar cambios, ambicionaba la exploración de las regiones de Tama (Georgia) y Apalache (Florida occidental), que desdoblarían desde los cayos hasta la bahía de Chesapeake la expansión española asegurarían el aprovisionamiento de los Presidios y producirían el desarrollo de una próspera economía en Florida (56).

Con el fin de investigar todo ello, el 30 de agosto de 1602 desembarcó en San Agustín, ciudad que contaba con 225 soldados y otras 400 bocas más –entre ellas 57 esposas y 107 niños– (57), D. Fernando Valdés, hijo del gobernador de Cuba, provisto de la correspondiente Real Cédula. Desde el 31 de agosto al 23 de septiembre siguiente se celebró el primer juicio en regla que ha tenido lugar en el territorio de los Estados Unidos: el proceso de Florida. Comenzó con un sencillo acto de entrega por Valdés al gobernador de la Cédula Real, en presencia de Pedro Redondo Villegas, real investigador en materia de finanzas, y de Juan Oñate, consejero militar. Méndez Canzo besó el documento y en alta voz expresó su deseo de obedecer y cooperar, junto con sus subordinados, a las órdenes del rey, tras lo que devolvió la cédula a Valdés, de lo que levantó acta el escribano real Alonso Garcia La Vera. Valdés requirió a continuación a Canzó hiciera comparecer al tesorero real Juan Menéndez Marqués, al contador Bartolomé Argüelles y al inspector Alonso de las Alas, a fin de que seleccionaran de 12 a 18 testigos entre los habitantes de Florida, que pudieran actuar como testigos en el juicio. El trío eligió 18 entre soldados y misioneros. Las sesiones fueron presididas por el investigador real y el gobernador, con la asistencia del escribano y el aludido comité. Fueron oídos 21 testigos, cuyas deposiciones constituyen una inestimable fuente de información sobre la Florida de comienzos del siglo XVII y cuyo contenido está hoy al alcance de la mano gracias al historiador Arnade. El resultado de la investigación dio la razón a los partidarios de mantener San Agustín. La ciudad sobrevivió una vez más (58).

El peligro inglés se incrementó a lo largo del siglo XVII, cuyos piratas acechaban con creciente intensidad las flotas españolas. En la primavera de 1668 un navío español cayó en manos del pirata anglo Roberts Searles (alias Davis); al comprobar en San Agustín que contestaba con la contraseña identificadora, fue tomado su capitán por español, sin percatarse los desprevenidos ciudadanos que encerraba una temida tripulación de piratas. Cuando la ciudad dormía confiada invadieron las calles, matando hasta 60 españoles, saqueando las casas y quemando cuanto hallaron al paso, con la sola excepción del fuerte en el que habían conseguido refugiarse el gobernador y cuantos no habían podido huir a los bosques circundantes (59).

Antes los resultados de este ataque, las autoridades españolas comprendieron la necesidad inaplazable de construir un sólido fuerte de piedra, que pudiera proteger la población en caso de nuevo asalto y que resistiera a los incendios a que habían sido sometidos los hasta entonces existentes de madera. En el otoño de 1669 la reina regente, D.ª Mariana de Austria, promulgó una Cédula dirigida al virrey de México, con el fin de que proveyera los adecuados fondos para construir un fuerte inexpugnable con coquina, formación rocosa a bases de conchas, abundante en la vecina isla Anastasia (60). En recuerdo de tal determinación, todos los años se eligen en San Agustín en el curso del "Easter Week Festival" (Festival de la Semana de la Resurreción), tres personas que presiden todas las festividades, incluido el gran desfile, y que presentan a la reina regente, al reyniño D. Carlos II, y a la joven infanta Margarita María.

Castillo de San Marcos, el nunca tomado

Aquí llegamos a los alrededores del castillo de San Marcos, en los que la "zero stone", o piedra cero, marca el comienzo de la ruta que durante la etapa española, y después, uniría la costa oriental de Florida con la occidental de California. La mole del castillo, con cuatro cubos en sus esquinas, en magníficas condiciones de conservación, se destaca sobre el horizonte y proclama las excelencias de la ingeniería militar española, que ha hecho posible su subsistencia frente a los embates del tiempo, de los hombres y de la indiferencia decimonónica. De menores proporciones que otros españoles, como el Morro, de La Habana, o el de San Felipe, de Cartagena de Indias, su tamaño demostró ser suficiente para el propósito perseguido en su construcción: evitar su caída en manos enemigas y con él la ciudad y la región toda. Comenzada en 1672, puede decirse que vio el fin en 1696; Ignacio Daza se llamaba el ingeniero militar que lo proyectó y lo dirigió en sus primeras etapas, y por ese esfuerzo e intervención decisiva en la empresa, merecen recordarse los gobernadores Manuel de Cendoya (que lo inició), Pablo de Hita y Salazar, Juan Marqués Cabrera, Diego de Quiroga y Losada y Laureano de Torres y Ayala. El costo, estimado por Cendoya en 70.000 pesos, ascendió al final a la aproximada suma de 100.000 pesos (unos 150.000 dólares) (61).

Rodeado de profundo foso, se entra en él a través de una pasarela que desemboca en un amplio pasillo que conduce al gran patio central. Una solemne rampa –hoy escalera– comunica éste con el piso superior, en cuya extensa terraza se hallaban –y aún se hallan– estacionadas las piezas de artillería que defendían la fortificación por los cuatro lados. Una de las piezas conservadas, "La Sibila", lleva la indicación clara de 1737 como fecha de su nacimiento y de Juan Solano como artífice (62). El panorama que se divisa desde lo alto es maravilloso y obliga a echar a la imaginación a volar varios siglos atrás. Desde uno de los graderíos instalados en uno de los cubos se contempla de noche un espectáculo de luz y sonido, con Douglas Fairbans, jr., y Ralph Bellamy por protagonistas, en el que se reviven los tiempos hispánicos con gran amor y escrupulosidad histórica. Más de una vez un escalofrío –y no de frío precisamente– da la medida del impacto que la colorida narración produce en el espectador.

En el otoño de 1702, el flamante fuerte recibiría su bautismo de fuego, siendo José de Zúñiga y Cerda gobernador. Ocho barcos; al mando del gobernador de Carolina, Moore, apoyados por destacamentos terrestres dirigidos por el coronel Daniel, asediaron la ciudad. Consciente Zúñiga de su inferioridad, tuvo tiempo de ordenar que los 1.500 habitantes se refugiaran en el castillo. Dos meses duró el infructuoso sitio, hasta que la presencia de dos barcos españoles enviados como socorro decidieron a los ingleses a retirarse por tierra, no sin quemar sus transportes, material y provisiones, así como la ciudad, con la excepción de la ermita de Nuestra Señora de la Soledad y unas 20 casas de poca entidad (63). Este incendio puso en evidencia la necesidad de que la ciudad contara con obras de defensa para evitar las desastrosas consecuencias económicas que tal peligro ocasionaba. Dos líneas fortificadas entre la bahía de Matanzas y el río San Sebastián se elevaron poco a poco en los alrededores del fuerte, y otra al Sur, colocándose en cada una los correspondientes centinelas. Como complemento se construyó un nuevo fuerte, "Fort Mosa", dos millas al norte de la ciudad, para proteger al número creciente de negros que desertaban de las Colonias inglesas y buscaban refugio en los dominios de S. M. Católica (64).

Una nueva prueba sufrió el fuerte en mayo de 1740 con el ataque del general georgiano Oglethorpe. Menos mal que las defensas del castillo habían sido reforzadas por el ingeniero militar Antonio Arredondo y que seis navíos habían conseguido traer socorros de Cuba. Tras ocupar los pequeños fuertes vecinos de Picolata –en los márgenes del río St. John–, Diego y Mosa, se encontró el inglés impotente de dominar la bahía, dada la presencia de los navíos españoles y de la imposibilidad de entrar en ella para los buques ingleses de mayor calado. Oglethorpe desembarcó cañones en Anastasia Island y comenzó un sitio en regla, bombardeando la ciudad y el fuerte incesantemente durante veintisiete días. El 26 de junio unas patrullas compuestas de españoles y negros tomaron por sorpresa el Fort Mosa, matando al coronel Palmer (que había cometido en San Agustín una serie de tropelías en 1728) y cincuenta de sus hombres. El 7 de julio el gobernador sitiado, Manuel de Montiano, recibió dos nuevos barcos de socorro. Con el calor canicular, la escasez de agua potable y las enfermedades crecientes, los sitiadores dieron por terminados sus intentos. Oglethorpe se retiró, ante el júbilo de los sitiados, cuyas casas apenas habían sufrido con la guerra (65).

Los posteriores años, hasta 1763, pueden considerarse la edad de oro de San Agustín, en la que sus 3.000 almas gozaron de paz, de vida social brillante y de un relativo desahogo económico. Los Gobernadores –antes y ahora– que supieron medir las posibilidades del momento y aprovechar al máximo las circunstancias favorables, supieron también –son palabras de Zéndegui– "que su gobernación era el sol de una escala musical que tenia el do en Madrid; el re en Sevilla; el mi en México; y el fa en La Habana" (65b).

San Agustín, inglés y español

El 16 de marzo de 1763 el gobernador Melchor Feliú y los habitantes de San Agustín conocieron la triste noticia que les traía un teniente de la goleta inglesa "Bonetta" de la cesión por España de Florida a la Gran Bretaña; era el precio de la devolución de Cuba, que los ingleses habían tomado en el curso de la guerra de los Siete Años, en que España se vio envuelta como aliada de Francia y en la que ésta perdió el Canadá. Todos los residentes españoles se prepararon a partir, con la excepción de los funcionarios designados para cuidar de la venta de los bienes de los partientes. El 21 de junio de 1764 abandonaban la ciudad el gobernador y las últimas familias; muy pocos de entre ellas regresarían (66).

Manuel de Céspedes sería el gobernador que recibiría de vuelta Florida, el 12 de julio de 1784. En los veinte años transcurridos, las Trece Colonias habían luchado por la independencia, y Florida había sido un foco de leales a la Corona inglesa y refugio de huidos. Los menorquines sobrevivientes entre los traídos por el Dr. Turnbull a New Smyrna en 1768 se trasladarían en 1777 a San Agustín, en la que constituirían la base de población española –origen de las más antiguas familias actuales– en la segunda etapa de nuestro gobierno en Florida: figura prominente en el grupo sería el padre Pedro Camps, hasta su muerte, en 1790 (67). Una estatua en su memoria se yergue en St. Augustine desde 1975.

En el curso de la guerra de 1812, el general Matthews fue alentado por el presidente Madison para actuar en Florida, por lo que Fernandina y Fort Mosa cayeron en manos de los "patriotas", que fueron mandados retirar por el presidente ante las fuertes reclamaciones españolas e inglesas. So pretexto de restaurar el orden, frecuentes incursiones en territorio español se sucedieron en la segunda decena del siglo XIX. Los conflictos terminarían con la firma del Tratado de la cesión de Florida. El 10 de junio de 1821 el coronel Robert Butler recibiría la Florida Oriental y el castillo de San Marcos de manos del gobernador español José Coppinger.

DAYTONA Y NEW SMYRNA

Con San Agustín y Matanzas en el corazón prosigamos la gira, y detengámonos, siquiera sea un rato, en los "Marine Studios Aquarium" y Marineland. Llegaremos después a Daytona Beach y nos daremos el gusto, puesto que no es día de carreras automovilísticas, de recorrer su larga playa en el automóvil, sin peligro de embarrancamiento, tales son sus arenas compactas y la firmeza de su piso. De haber tenido tiempo sobrado podríamos habernos desviado hacia el interior y comprobado que existen localidades por nombre San Mateo, Andalusia y Seville; que un importante manantial de aguas termales se anuncia como "De Leon Springs" y que en la ciudad De Land funciona la Universidad Stetson, fundada por el famoso fabricante de sombreros.

Por la misma ruta 17, nos aproximaríamos a los emplazamientos de las misiones franciscanas San Diego de Salamototo, San Diego de Laca, San Antonio de Ecanape, San Luis de Acuera, San Salvador de Macaya y Santa Lucía.

Siempre por la carretera 1, nos topamos con New Smyrna, en cuya primera colonización tan importante papel tuvieron los menorquines. Establecida en el período de la dominación inglesa de la Florida, en 1768, por el Dr. Andreu Turnbull, recurrió éste a pobladores de Grecia, Italia y Menorca, isla en aquela época en manos de los ingleses; comprendió su creador, y comprendió bien, que los isleños –españoles de origen y súbditos de S. M. británica– podían ser un gran auxilio en la colonización inglesa en territorios tan españoles. La Colonia de "Les Mesquites", como eran denominados, tuvo un amargo fin en 1777: los indios, las enfermedades, el calor, las adversidades de todo tipo determinaron a los supervivientes a trasladarse en masa a San Agustín, contando con la ausencia en Inglaterra de Turnbull y la simpatía del gobernador inglés Patrick Tonyn. Stephen Vincent Benet, descendiente de aquellos, escribiría en 1926 "Spanish Bayonet", un relato de Sebastián Zafortezas y los menorquines de Florida (68). En frente de New Smyrna y protegiéndola del mar abierto, se halla la "Ponce de Leon Inlet".

CABO CAÑAVERAL: CENTRO ESPACIAL

Setenta y cinco kilómetros al Sur, carteles pertinentes nos indicarán que nos aproximamos al área reservada del Centro Espacial en Cabo Cañaveral o "John F. Kennedy Space Center". Fue muy discutida la disposición del presidente Johnson de otorgar el nombre de su antecesor al lugar a raíz de su trágico fin. El espectáculo de la base, actualmente en manos de la N. A. S. A. y de las Fuerzas Aéreas, tanto desde tierra como desde el aire, es impresionante como imagen representativa de nuestra época.

En tres sectores se divide Cabo Cañaveral: el espacio actualmente utilizado para el lanzamiento, el área que se prepara para los grandes proyectos futuros y el pueblo de Cocoa Beach, en donde residen cuantos allí trabajan. Impresiona el primero, situado en la parte triangular del Cabo, al elevar al cielo las torres de lanzamiento de los diferentes tipos de cohetes: "Atlas", "Titán", "Júpiter", "Thor", "Minuteman", que transportarían al cielo la cápsula espacial "Friendship 7", o el satélite "Telstar", o el "Tiros", o el "Ranger", o el "Mariner". Hace diecinueve años que el primer cohete fue disparado desde el Cabo, a base de un V-2 germano; en dicho período trancurrido muchas cosas han quedado ya antiguas (por ejemplo, los parapetos de sacos terreros del puesto de observación, sustituidos por fortificaciones acorazadas dotadas de toda suerte de instrumental y de televisión; la rampa de lanzamiento del proyecto Mercury, en homenaje al cual un gran número "Siete" y una placa con los nombres de los astronautas, por orden alfabético, han sido colocados, etc.); otras restan anacrónicamente de tiempos anteriores: moteles y residencias ruinosas, albergues en su día de veraneantes o un pequeño cementerio, cuyas losas más modernas datan de 1949.

En el área segunda, situada en la Merrit Island, los proyectos "Gemini" y "Apolo", de preparación y de envío de los hombres a la Luna, están siendo llevados a efecto, y entre los diferentes cohetes de tipo "Saturno", el "Saturno V" con una fuerza 1.000 veces más potente que la que impulsó a Glenn para circunvalar la Tierra; se ha construido para ello el edificio más grande del mundo, de 175 metros de altitud, en un espacio de 128 millones de pies cúbicos (el Pentágono ocupa sólo 57 millones). Cuatro vehículos espaciales de 120 metros de altura podrán instalarse simultáneamente, y para dejarlos salir las puertas tienen la altitud que sería necesaria para hacer pasar el edificio de las Naciones Unidas de Nueva York. Una enorme plataforma con cuatro gigantescos tanques en función de ruedas los transporta a las pistas de lanzamiento, a lo largo de una anchísima autopista especialmente cimentada al efecto (69).

WINTER PARK. WALT DISNEY WORLD. GALEONES HUNDIDOS

Tierra adentro, el condado de Orange nos familiarizará con las renombradas naranjas locales –hoy diezmadas.–, y su capital Orlando nos dará paso a la visita del extraordinario complejo de atracciones "Walt Disney World", con sus sectores del "Magic Kingdom", de EPCOT y de los parques secundarios y con la presencia de la mayoría de los países del planeta. Son los hermanos Arribas quienes protagonizan la nota española.

En Kissimmee, cerca de Orlando también, se reviven tiempos medievales españoles en un castillo en el que el reencarnado Conde Don Raimundo II y la Condesa María Adelaida ofrecen a los visitantes un banquete, un torneo a caballo, etc. Tiene su sede en Winter Park el Rollins College, con su tradición de hispanismo y su "Casa Ibérica".

Cerca de Sebastián fue hallado hace tiempo material español procedente de naufragios, pero ha sido Ft. Pierce la que ha atraído en fecha no lejana la atención sobre las cosas de España, como consecuencia de los afortunados trabajos de salvamento de los tesoros hundidos el 31 de julio de 1715 en las costas vecinas, transportados por 10 galeones españoles. Los barcos, que habían zarpado de La Habana tres días antes, rumbo a España, tropezaron con uno de los terribles huracanes tan frecuentes en la región; transportaban, entre otras cosas, lingotes y monedas de oro y plata procedentes de México, Perú y Nueva Granada. Los españoles consiguieron salvar parte del tesoro, valorado en catorce millones de dólares gracias a la colaboración de buceadores nativos, pero buena parte de él quedó sepultado en las arenas crecientes de la costa, siendo el objeto de frecuentes exploraciones de ilusionados buscadores que, las más de las veces, tuvieron que renunciar a sus proyectos, fracasados cuando no arruinados.

No figuran en este grupo Mr. Kip Wagner y su equipo, quienes formando la corporación "Real 8" consiguieron sacar de las profundidades del océano, a partir de 1 de mayo de 1964, una serie de objetos valiosos; el Estado de Florida les concedió una exclusiva a lo largo de cierta parte de la costa. Del interés de lo encontrado somos buenos testigos quienes asistimos a la Exposición "Pieces of Eight" (piezas de a ocho), organizada en las salas de la National Geographic Society, de Wáshington D. C., a fines de diciembre de 1964: numerosas monedas de oro y plata, algunas del tamaño del fondo de un vaso; un servicio de plata en condiciones de ser usado en la más refinada mesa, maravillosa porcelana traída de China en la nave de Acapulco; un ancla recubierta de una masa informe de óxidos, plantas y moluscos; un extraordinario collar de oro, de trabajo finísimo y gran longitud, que parece esculpido ayer, y tantas otras cosas dignas de mención. Lo encontrado proporcionó beneficios al Estado de Florida y al equipo buceador; España, la verdadera y original propietaria no ha recibido por un injusta jugada del destino nada. De la venta de las monedas a los coleccionistas mundiales se encargó el experto catalán Francisco Xavier Calico: ésta ha sido la única presencia de España en el asunto. El mismo grupo "Real 8" ha conseguido en 1965 análogos hallazgos en Sebastián Inlet, por un valor de $ 60.000, procedentes de otro barco perteneciente a la misma flota hundida en 1715 (70). Produjo gran sensación la subasta de más de mil piezas, en mayo de 1973, en el Hotel Waldorf Astoria de N. York.

NORTE DE MIAMI

Unos 150 kilómetros separan Ft. Pierce de Miami: su recorrido ahora es más rápido, merced al estupendo "Sunshine State Parkway" que, paralelo a la costa, se mete un poquito por el interior. Para alcanzarlo podemos tomar el "King's Highway" (Camino Real), entre Vero Beach y Ft. Pierce. Elegiremos, sin embargo, para bajar la carretera 1 ó, mejor, la A1A, siempre que sea posible. Así, atravesaremos el río St. Lucie, cerca del cual Ponce de Leon divisó el 21 de abril de 1513 algunas cabañas de indios, sin habitantes, encontraremos la Júpiter Inlet, a cuya próxima corriente denominó Ponce río de la Cruz días más tarde. En este lugar el conquistador español vio por primera vez en el continente Norte indios de los dos sexos, casi completamente desnudos; fue atacado por ellos, consiguiendo capturar uno para que le sirviera en lo sucesivo de intérprete, y allí erigió una cruz conmemorativa de piedra (71). En las proximidades de este punto, en Hobe Sound, naufragaría en 1696 una expedición de cuáqueros, en ruta para Filadelfia. Tras dos meses de cautiverio con los salvajes del lugar, fueron rescatados por una patrulla española a las órdenes del capitán López, quienes les acompañaron sanos y salvos hasta territorio inglés. Entre los liberados se hallaba Jonathan Dickinson, quien después escribiría sobre cuanto había visto y oído (72). Tal caballeresca actitud española es más de valorar, dado el contemporáneo encono de las luchas religiosas de las rivalidades hispano-inglesas por el dominio de la costa oriental del continente.

Continuando el descenso, la carretera A1A recorre las islas que protegen la costa durante muchos kilómetros, dotadas de playas, algunas muy populares: por ejemplo, Palm Beach, Boca Raton, Pompano Beach, Fort Lauderdale, Hollywood. Palm Beach es una isla conocida por su exclusiva clientela y por sus magníficas arenas: con 8.000 habitantes de residencia permanente, en invierno llega a albergar hasta 25.000 personas, siendo la mayor parte de ellas de gran posición económica, que organizan todas las temporadas excepcionales fiestas, para las que traen en aviones especiales a sus invitados. De los años veinte procede el auge de Palm Beach, de aquí que muchas de sus mansiones –demasiado grandes para los tiempos que hoy corren– ostenten un marcado estilo español, debido a la influencia del arquitecto Addison Mizner; así, el Everglades Club, las edificaciones de la finca "El Mirasol", St. Edward's Roman Catholic Church, con su "Stotesbury Arch" de estilo morisco, el Tennis Club (que recuerda a una Misión), etc.; y que gran número de sus calles ostenten nombres que sorprenden al viajero hispánico: Del Río, del Mar... Una visita al Flagler Museum, o a la Royal Poinciana Play-house, o la Society of Four Arts, merece la pena, lo mismo que un paseo por la Worth Avenue llamada la "Quinta Avenida del Sur" (73).

El emplazamiento de Boca Raton recibió la visita por vez primera de Menéndez de Avilés, y tiene fundamento la creencia de que en sus cercanías pereció el hijo del almirante, Juan, en 1565 (74). Hoy es Boca Raton localidad progresiva que cuenta con la pujante y nueva Universidad de Florida Atlantic. Tiene, además, de simpático el orgullo de sus habitantes por su ascendencia española, de aquí que sus principales fiestas anuales, en el curso del mes de febrero, se titulen "Fiestas de Boca de Raton" y se centren –en espectáculos, atuendos, decoraciones, comidas y bebidas– en torno al tema español, y en el marco de una moderna ciudad con también hispánicos edificios de Mizner. Boca Raton es un punto de atracción en los aficionados al deporte del polo y lo será de los expertos en liturgia, merced a su nuevo "Centro Mundial de Estudios Litúrgicos" (75). Fort Lauderdale es hoy uno de los lugares más solicitados, para vacación y reposo, en ese constante trasiego de población que ocasiona la huída de los ricos ante la invasión de la masa, y Hollywood-by-the Sea (que no es, claro está, la Meca del Cine) vuelve a ser frecuentado por centenares de automóviles, después de años de decadencia, que costaron a su creador, Joe Young, la ruína (76).

Tequesta. Misión jesuítica y fuerte

En este trayecto, y en la vecindad de Miami, fue fundada por los jesuitas, entre los indios tequesta, a poco de llegar a Florida en 1567, una misión a cargo del hermano Villarreal, que tuvo poco tiempo de duración. Previamente había establecido Menéndez de Avilés en el lugar un fuerte; su guarnición tuvo un final violento (77).

MIAMI

Y hénos en Miami, punto crucial hoy día de las comunicaciones intercontinentales. Clave en el abanico de las relaciones de las Américas entre sí y Europa, en especial España, su magnífico y moderno Aeropuerto internacional atiende a unos 20 millones de pasajeros al año (de ellos, 7 millones internacionales) y en 500.000 toneladas de carga, a través de sus 3.000 vuelos semanales a cargo de 85 compañías aéreas. Miami es el 2° aeropuerto de los EE.UU., después de Kennedy, en tráfico de pasajeros y tonelaje de carga internacional. Su puerto marítimo es, por otra parte, el primero en el mundo en el tema de cruceros: de él partieron en el otoño de 1986, 19 barcos semanales y a él acudieron unos 2.500 millónes de pasajeros en 1985. La importancia de Miami se ha acrecentado en los últimos 25 años con la creciente presencia de los hispanos que en el Condado de Dade residen en número superior a los 800.000 (en sus tres cuartos cubanos, procedentes del exilio impuesto por Fidel Castro).

Cuando se habla de Miami se incurre en una generalización, dado que se la confunde con el mencionado Condado de Dade al que pertenece. Cuenta éste con 27 municipios independientes, entre los que se distinguen la propia Miami, Miami Beach, North Miami, Hialeah, South Miami y Coral Gables, alcanzando en conjunto una población de unos 950.000 habitantes (a los que procede añadir los de las zonas cercanas que ascienden a 850.000). Al frente del Condado se halla un Alcalde electo (ejerce desde hace años Mr. Stephen P. Clark) y lo mismo a la cabeza de los distintos Municipios (Xavier Suárez es el de Miami).

La metrópolis del Gran Miami, más bien fea y urbanísticamente anodina hace cuatro lustros, hoy se ufana de una bella fila de pimpantes rascacielos (uno alcanza los 80 pisos), de una línea de Metrorail larga, moderna y montada en pilotes (las condiciones pantanosas del subsuelo no permiten túneles) y de otra de Metromover, también aérea, que comunica las principales zonas de "downtown" con vagones sin conductor. La zona de Miami Beach sigue ostentando un tradicional atractivo turístico, y el barrio de Coconut Grove ha conseguido captar un ambiente –con predominio del denominado "Artdeco" y con influencias españolas como en el Mayfair–, parejo al que se respira en el washingtoniano Georgetown o en el neoyorquino Greenwich Village. El "Key Biscayne" es abrigo de puertos deportivos, de edificios lujosos en sus playas y de mansiones señoriales, comparables a las de Coral Gables y otras islas aledañas. En el sudoeste de Miami se ha desarrollado el complejo "Paseos castellanos".

La minoría hispana constituye casi la mayoría –ya se ha apuntado– en el Condado y ello ha originado momentos de fricción con los coterráneos anglosajones. El hecho es que la lengua de Cervantes se escucha hoy, con aires caribeños, en aquél más que el inglés, y es usada en todo tipo de publicaciones, carteles y anuncios; que fue declarada en 1973 idioma oficial en el Condado (78) (un posterior referendum revocó por escasos votos tal condición); y que es admitida por doquier. La Guía telefónica, en sus páginas amarillas, se publica en español y puede pasarse en éste el examen de conducir –fui beneficiario–, así como la actuación ante los tribunales. La población hispanoparlante se agrupa en determinados barrios, lo que ha sido la causa de que los Alcaldes de Miami, North Miami y Hialeah sean hispanos. Es especialmente atractivo el sector colindante con la Calle Ocho, del Sudoeste, denominado "La Pequeña Habana", lleno de vida y de animación ciudadana, lo que motivó que la Legislatura del Estado designara en 1980 como Festival de Florida el "Miami's Annual Calle Ocho-Open House 8". No extrañará, pues, que entre los veinte apellidos más comunes en el Gran Miami figuren en los seis primeros puestos los siguientes (por este orden): Rodríguez, González, García, López, Hernández y Fernández (78b).

Se tropieza uno acá y allá con restaurantes españoles (Casa Juancho, Tío Pepe, Centro Vasco, Málaga, Las Cuevas del Sacromonte, El Cid, El Bodegón, Cervantes, etc.) y se contemplan en algunos comercios los carteles "English Spoken"; cabe leer en castellano "El Diario Las Américas" (dirigido por Horacio Aguirre) y las amplias secciones del "Miami Herald" (aparte de otra serie de periódicos), escuchar en él las emisiones de las radios Mundo, La Fabulosa, Cadena Azul, Radio Suave, WQBA, WCMQ, etc., y contemplar a lo largo de la jornada las imágenes hispanas de los canales televisivos 23 y 51 y las que periódicamente ofrecen otros. Los libreros y editores españoles estuvieron en su día agrupados en L. E. S. A., empresa hoy cerrada, pero pueden adquirirse novedades bibliográficas españolas en una serie de librerías alineadas predominantemente en aludida Calle Ocho. En la próxima de Flagler atiende al público la Hispanic Branch Library, muy bien surtida en el sector humanístico, al igual que la Biblioteca Central y otras municipales. Juegan en los varios frontones de la zona numerosos pelotaris y trabajan con fruto una serie de artistas ibéricos, algunos de forma permanente como Manuel Codeso en el género de revista, en el musical (Julio Iglesias, Raphael y Rocío Jurado con residencia legal, además de los visitantes Lola Flores, María Dolores Pradera, José Luis Perales, etc.), en el de la comedia (García Lorca, Valle Inclán, etc.) en el que son activas las Universidades, en el flamenco (en el Condado se han llegado a dar cita en un mes cinco espectáculos distintos) etc. La "Antología de la Zarzuela" obtuvo un gran éxito en fecha no lejana y cuenta dicho género con muchos seguidores.

También se denota la presencia de representaciones de diez Bancos y de empresas peninsulares, además de IBERIA y de una Cámara Española de Comercio. La representación oficial está cubierta por un Consulado General, una Oficina Comercial y otra de Turismo, ésta en tiempos con sede en Miami y hoy en la localidad de St. Augustine. Los españoles se agrupan en él "Casal Catalá", "Centro Asturiano", "Real Club Español", "Amigos de Madrid" y "Naturales de Santa Marta de Ortigueira", constituyendo una comunidad superior a los diez mil inscritos en el Consulado (en el Estado), con otros tantos que no lo están. Funciona un Instituto de Cultura Hispánica, cuyos orígenes deben hallarse en el similar de La Habana, así como una serie de Asociaciones, por ejemplo la A. G. U. E. (Asociación de Graduados en las Universidades Españolas) que enrola varios centenares de miembros, en su mayoría médicos.

El 12 de octubre de 1968 el Embajador de España inauguró el monumento al descubrimiento de América, escultura vanguardista de M. Martí, colocada en medio de un estanque y donada al Condado por el Gobierno español. En tal oportunidad, el Alcalde proclamó la Primera Semana Española, la cual adquirió a partir de 1973 la denominación de "Hispanic Heritage Week". El 12 de octubre de 1977 quedó destapada la estatua de Ponce de León, obra de Enrique Monjó, en un parque de la ciudad. Una exposición en torno a la figura de dicho conquistador fue abierta por S. A. R. el Conde de Barcelona en abril de 1985, quien fue muy agasajado durante su estancia en la ciudad, en particular por la Cámara Española de Comercio. Miami cuenta también con una estatua de Colón y, en torno a la fecha de su descubrimiento de América viene celebrándose desde hace catorce años, cada día con más importancia y repercusión, una serie de conmemoraciones hispánicas, encuadradas en el "Hispanic Heritage Festival", dirigido por Eloy Vázquez. En él participan conjuntos y artistas de todos los países hispanos, se elige a "Miss Hispanidad", se degusta una gigantesca paella al aire libre para 5.000 personas y se realizan exhibiciones culturales de vario tipo, con la participación de las autoridades, emisoras de radio y televisión, prensa y entidades de todo tipo. El buque-escuela "Juan Sebastián Elcano" incluye a Miami entre sus preferidas escalas en el curso de sus viajes de prácticas.

Ha sido Miami, por otra parte, triste escenario de la muerte por accidente del

Conde de Covadonga, el Infante don Alfonso de Borbón, primogénito delRey don Alfonso XIII. Al casarse con la dama cubana doña Edelmira Sampedro-Ocejo hubo de renunciar a sus derechos al trono de España: divorciado a los pocos años, se unió a doña Martha Rocafort y Altazurra. Murió en la esquina del Biscayne Boulevard y la Calle 82, en la mañana del 7 de septiembre de 1938. Enterrado en el Graceland Memorial Park, sus restos fueron trasladados a España el 23 de abril de 1985, para ser sepultados en el Monasterio de San Lorenzo de El Escorial.

La mencionada vía ciudadana, en el que falleció violentamente quien pudo ser Rey de España inspiró al poeta asturiano Alfonso Camín, en un tono no precisamente luctuoso:

"En la Avenida de los Vizcaínos,
altas palmeras cimeras,
cabello vegetal y talles finos.
Palmeras y palmeras, más palmeras
van en desfile y en tropel hermanas.
–¿Qué hacéis ahí palmeras antillanas?
Y me dicen airosas: –Servimos de modelo
a las mujeres norteamericanas;
copian sus ojos de la mar y el cielo
y de nosotros dimensión y altura,
rubias de sol y recortado el pelo;
les damos la garganta, la voz y la cintura
y, a cambio de esa moda y de ese modo,
ellas nos dan espacio en la llanura,
el aire y la raíz, nos lo dan todo..." (78c)

Tienen su sede en la zona, la Florida International University y la Universidad de Santo Tomás de Villanueva, además de la de Miami. Goza de positivo prestigio el Miami-Dade Community College.

Miami Beach, playa que fue visitada por Ponce de León en julio de 1513 (79) (reproduce el acontecimiento el Museo de Cera local), es la zona del Condado de Dade que ha gozado tradicionalmente de más fama (con la que está rivalizando ya el Centro de Miami), por su hilera de hoteles inmensos, tiendas caras y villas lujosas, con lugares de esparcimiento (el "Convention Center" y el "Miami-Beach Center for Performing Art") para los turistas que principalmente bajan en invierno desde el Norte del país. Por ser numerosa la comunidad judía, se celebró el 18 de agosto de 1985 un homenaje a Maimónides, con ocasión del 850 aniversario de su nacimiento, en la plaza contigua a la Sinagoga "Moisés". Se descubrió una placa a nombre del filósofo cordobés, en presencia de las autoridades y de representantes sefarditas de nueve países hispanoamericanos, miembros de la Federación Sefardita Latino-Americana (FESELA). Participó el representante de la ciudad en la Cámara estatal de Tallahassee, Alberto Gutman, sefardita de origen cubano (la comunidad sefardita de Miami Beach domina el español).

Una persona culta no puede dejar de visitar el *Monasterio de San Bernardo de Sacramenia*, en North Miami Beach (81). Al lado de los frívolos entretenimientos que prodiga la región, de las playas con sus escuetamente vestidos clientes y de las materialísticas sensaciones de la abundancia de los anuncios de neón, produce un choque tremendo la posibilidad de pasar un rato, a pocas millas de distancia, en el recoleto silencio de un claustro cisterciense del siglo XII, presidido por una estatua de Alfonso VII de León, de respirar el verdor de un bien cuidado jardín en torno de un pozo conventual, o de escuchar magnífica música polifónica a través de un bien ajustado sistema de altavoces. Fundado en 1141, en la provincia de Segovia, albergó monjes hasta la desamortización de Mendizabal en 1835.

Míster William Randolph Hearst consiguió vencer en 1925 las dificultades que se le oponían, y compró lo que quedaba de dicho cenobrio –muchas casas del pueblo se habían beneficiado de sus muros en ruina– embalando las piedras, debidamente numeradas, en 10.751 cajones; para ello fue necesario enviar a Sacramenia el equipo para dos aserraderos, comprar un bosque vecino para extraer la madera necesaria y construir una carretera hasta la próxima estación del ferrocarril. El cargamento pasó a la cuarentena al llegar a Nueva York, por venir las piedras envueltas en heno, que tuvo que ser sustituido por "excelsior", lo que ocasionó la apertura y la posterior clausura de todas y cada una de las cajas. En estos trabajos sobrevino la Depresión, y las cajas quedaron almacenadas en Nueva York. Después de 1951, dos industriales de Cincinnati, Moss y Edgemon, compraron las piedras; al abrir las cajas se comprobó que habían sido trastocados los números, por lo que la tarea de reordenarlas costó varios años y la suma de millón y medio de dólares. Este Monasterio católico ha sido comprado por una Congregación episcopaliana para ejercer sus servicios religiosos: el antiguo refectorio se utiliza como capilla y será conocido por el nombre de St. Bernard of Clairvaux, desapareciendo –con gran injusticia– la alusión a Sacramenia, su cuna y su razón de ser.

Al sur de Miami también se recorren la casa y los jardines de *Vizcaya* (así, con nombre español). Su estilo es, sin embargo, de renacimiento italiano, de acuerdo con los deseos de su constructor y propietario James Deering, fundador de la Compañía "International Harvester", fabricante de maquinarias agrícolas. Comenzada en 1914, no se terminó hasta 1925, poco antes del fallecimiento de Deering. El conjunto es de gran riqueza, tanto en su interior como en el exterior, cuyos jardines se alargan hasta el lujoso embarcadero en la costa. Junto a la reproducción en hierro forjado de la vieja carabela española "Vizcaya", que nos saluda a la entrada, valiosas piezas españolas nos aguardan en el primer piso: magníficas alfombras en varios de los salones, entre las que destacan las del siglo XV, perteneciente al almirante de Castilla, D. Fadrique Enriquez, las grandes lámparas procedentes de una catedral española y el retrato del conde de Altamira. La habitación de huéspedes recibe el nombre de "Espagnolette" (82). También de estilo renacimiento, en su modalidad española, es el palacio construido por la viuda de Dodge (el fabricante de automóviles de su nombre), amueblado con elementos traídos de España en los años veinte, entre ellos –según refleja Areilza– los escaños forales de la antigua Casa de Juntas de Guernica (82b).

Hay que admitir la posibilidad de permanecer indefinidas horas en el *Seaquarium*, el más grande espectáculo marino de la tierra, según rezan sus anuncios. A través del cristal, pueden observarse las vidas de 300 especies marinas contenidas en los ambientes propios a cada una de ellas; quien, por ejemplo, haya oído hablar de las pirañas sudamericanas, capaces de comerse un buey en cinco minutos, no tiene más que aproximarse a la ventana correspondiente. En el Tanque Grande, receptáculo de dos millones de litros de agua, habitan curiosos peces –tortugas gigantes, peces-espada, peces-sierra, etc.–, cuya contemplación es susceptible en su base, a través de iluminados enormes cristales y en su superfie; en ésta y en el fondo son alimentados por sus cuidadores, y un espectáculo es ver saltar a algunos ejemplares al divisar en alto el alimento que se les muestra. En el "Sea Circus Arena" es realmente divertido a asistir a la representación que se ofrece, teniendo a peces por protagonistas; lo mismo se escucha un concierto a cargo de virtuosas focas, que se asiste a un programa circense o a un partido de fútbol protagonizado por los simpáticos e inteligentes delfines. Menos divertido, aunque no menos apasionante, es divisar en un largo canal a los tiburones y la voraz manera con que atacan y engullen las presas que se ponen a su alcance.

Si de los peces pasamos a los monos, la *Monkey Jungle* merece una visita; al contrario de lo que ocurre en los parques zoológicos, los monos andan sueltos y son los visitantes quienes se mueven en jaulas construidas a lo largo de su recorrido por la jungla. Este sistema permite a los simios gozar de plena libertad y aproximarse a los humanos con la audacia y la desvergüenza características de nuestros congéneres, y a los visitantes contemplarlos en unas condiciones que difícilmente pueden darse –con seguridad– en otras partes del mundo. Junto a los clásicos pasatiempos de ver a los simios comer o enrabietarse por las provocaciones de chicos y adultos, unos simpáticos chimpancés ejecutan una serie de números de variedades de la mejor calidad, y un gigante gorila, del más grande tamaño, hace concebir el miedo que su escapada de la jaula podría producir entre los desprevenidos paseantes.

La ciudad cuenta con la moderna Florida International University, la privada de Santo Tomás de Villanova.

El municipio que más nos debe atraer en el área es el de Coral Gables, en el que tiene su sede la Universidad de Miami, con importantes Departamentos de Estudios Latinoamericanos y de idiomas en los que se imparte el español y en los que destaca el prof. Joaquín Roy, y creadora –conjuntamente con American Espress– en cinco categorías, del Premio Letras de Oro, el primero nacional de Literatura en español. El Decano de la "Graduate School of International Studies", Embajador Ambler N. Moss, fue uno de los fundadores del "Casar Catalá" local.

La ciudad de Coral Gables fue planeada por un soñador Mr. George Merrick, quien se arruinó en el empeño por culpa de un huracán, y quien dio nombres españoles a la mayoría de sus calles y plazas, al mismo tiempo que construyó entradas al recinto urbano de sabor hispánico y fomentó la elaboración de viviendas de estilo colonial. Así, aparecen en el callejero hasta veinte de personajes (Ponce de León, Coronado, Columbus, Fonseca, Pizarro...), siete del País Vasco (Viscaya, Alava, Deva,...), doce de Andalucía (Andalusia, Granada, Sevilla, Almería,...), siete de Cataluña (Catalonia, Gerona, Sarria, Monserrate,...), doce de Castilla (Castile, Segovia, Avila,...), cinco del Reino de León (Salamanca, Palencia,...), dos de Aragón (Aragón y Saragosa), tres de Murcia (Murcia, Lorca y Cartagena), dos de Cantabria (Santander y Santillana), otras tantas de Galicia (Coruña y Lugo), varias de monumentos (Alhambra, Alcázar, Giralda...)

y de Santos (San Ignacio, Santo Domingo...), etc., etc. Innecesario es comentar el homenaje que Mr. Merrick es acreedor de la nación española.

Coral Gables supo inspirar a dos grandes poetas españoles Juan Ramón Jiménez y Agustín de Foxá. "Tejas españolas –escribió éste– ruboriza los tejados de Coral Gables" (83): el poeta de Moguer vivió algunos años de su expatriación en "una casa blanca de Alhambra Circle" y en Coral Gables se le apareció su "mar tercero", "mismo y verde, verde mismo" (el Atlántico había sido con anterioridad gris y negro), el que le hace exclamar: "No era España, era la Florida de España, Coral Gables, donde está la España... aceptada por mí; esta España (Catalonia, Spain) guirnaldas de morada bugainvilia por las rejas" (83b).

También otro compatriota, el poeta asturiano Alfonso Camín alude en versos el edificio más alto del lugar, el del Hotel Biltmore:

"En mis recuerdos lo español retoza
y porque todo a mi ilusión se ciña,
nieta gentil de La Giralda moza,
me sale al paso La Giralda niña" (83c).

SECTOR MERIDIONAL

LOS CAYOS

Fuerte de Santa Lucía

Llegaremos pronto a los famosos *cayos* o *"Keys"*, colección de islas de corales y arrecifes que en amplio arco avanzan en dirección Sudoeste, en una longitud de 150 kilómetros, y quedando su extremidad, Key West, a pocas millas de la isla de Cuba. Ponce de León, en su viaje descubridor de 1513, les denominó "Mártires", porque "vistas desde lejos, las rocas que emergían se asemejaban a hombres que sufrían" (84). Asperos lugares debieron de ser en tiempos de España; Menéndez de Avilés fundó en uno de ellos el *fuerte de Santa Lucía,* siendo un fracaso, pues sus moradores murieron de hambre al no hallar en el lugar más alimento que pescado, y fallar, por lo peligroso de la región, los debidos socorros (85).En las investigaciones que años más tarde la Corona llevaría a cabo sobre la procedencia de mudar San Agustín, hubo, sin embargo, voces favorables al establecimiento en los "cayos" de un fuerte con una guarnición de 100 hombres (86).

Hoy se hallan enlazadas las islas por el ferrocarril de Flagler y por una muy buena carretera, la 1, que ha obligado a la construcción de multitud de puentes algunos de considerable longitud. No sería atractiva la vida en tales parajes si no tuvieran la compensación del deporte de la pesca y del turismo; aparte de la estrechez de algunos de los "cayos" de los vientos que impiden una normal vegetación y de los problemas que la distancia produce, la zona es visitada con más frecuencia de la deseada por los temidos huracanes, que, aunque previstos en la actualidad, obligan a veces a los habitantes a trasladarse al continente, a fin de evitar eventuales desgracias personales. Fui partícipe de su sentimiento de ansiedad en ocasión de coincidir con mi visita a la región el anuncio de otra –poco constructiva– de "Carla" o "Doris" o (los huracanes han dejado de llevar desde hace poco ese exclusivamente nombre femenino), que afortunadamente para la economía del lugar y nuestros planes turísticos cambió, con oportunidad, de rumbo. En el motel de uno de los "cayos" dormimos la noche de la incertidumbre, y la verdad es que el sueño no pudo ser muy restablecedor, teniendo en perspectiva una posible mala jugada de la Naturaleza, que es peligroso contrincante.

Al extremo se encuentra Key West o *Cayo Hueso* de los españoles (ha habido que pasar por Key Largo, Islamorada, Vaca, Paloma, Bahía Honda...); más allá, en mar libre, las Marquesas y las Tortugas, así bautizadas por Ponce de León en junio de 1513 (87). Cayo Hueso es una atractiva mezcla de España, Cuba y Norteamérica, y en sus tres kilómetros de ancho por cinco de largo una atmósfera romántica de aventuras se respira. Debiendo sus orígenes a náufragos víctimas de los huracanes, consolidó su existencia gracias al movimiento que su posición clave le proporcionó y a la visita frecuente de barcos regulares y de navíos corsarios o piratas. Hoy es el más importante exportador de tortugas vivas para los mercados que abastecen los restaurantes exquisitos. En la calle Elizabeth se conserva todavía la "Old Pirate House", refugio de José Gaspar y Juan Gómez, famosos malechores del mar; no hace mucho se descubrió en ella un calabozo y la espada que perteneció a Gómez. Marcada influencia española conservan muchos de sus edificios y típica artesanía peninsular en madera puede admirarse en balcones, ventanas, terrazas y balaustradas. Ernest Hemingway tuvo casa en Cayo Hueso, y también el popular pintor de pájaros John James Audubon (88). Es bien fácil de comprender el importante y estratégico papel que jugó en el curso de la guerra hispanonorteamericana en 1898. A causa de uno de los mencionados huracanes, naufragaron en 1622 los navíos españoles "Santa María de Atocha" y "Santa Margarita", el primero de 550 toneladas y galeón insignia de una flota de 23 buques. Los primeros casuales hallazgos del naufragio se produjeron en 1973, y desde entonces Mel Fisher y su compañía "Treasure Salvors" no han cesado en sus búsquedas que dieron como resultado el encuentro del "Santa Margarita" en 1980 (en este año se organizó una exposición del material rescatado, por un valor de 20 millones), y en 1985 del "Atocha" a unas 40 millas de Cayo Hueso, calculándose el valor de lo rescatado en unos 400 millones en barras de oro, monedas de plata de a ocho (unas 47 toneladas), joyas, cañones, etc. En Key West existe un Museo relacionado con el tema.

PARQUE DE EVERGLADES

Para salir de Key West en automóvil –en tiempos de buenas relaciones con Cuba, un barco "ferry" transportaba al viajero en pocas horas hasta La Habana– no hay otra solución sino rehacer el camino hasta casi Miami, menos mal que se hace corto si la radio capta las emisoras de Fidel Castro –como en la mayor parte de Florida– y le hacen a uno familiarizarse inevitablemente con cuanto acontece y se dice en la Perla de las Antillas. A dos tercios de camino un desvío en Homestead permite visitar el inmenso *parque de Everglades*, en manos del eficiente Servicio de los Parques Nacionales. Completamente incontaminado por la civilización moderna, es el reino de los animales salvajes y de las más variadas plantas. En gran parte inaccesible al turista medio, una de sus aldeas de pescadores fue, hasta no hace mucho, seguro refugio de criminales, no lejos de la bahía de Ponce de León. Quien goce contemplando una naturaleza desbordada y arriesgándose con el encuentro con cocodrilos, gatos salvajes o serpientes de cascabel, las Everglades le depararán una única oportunidad. Son, por otra parte, el último santuario de un grupo de indios seminolas, quienes tras las exterminadoras guerras a que de 1817 a 1818 y de 1835 a 1843 les sometieron los blancos no quisieron moverse a Oklahoma con el resto de sus hermanos de raza. Es muy triste verles en sus pobres chozas y con su bajísimo nivel de vida, entregados a sus ocupaciones tradicionales o sirviendo de comparsas en algunos espectáculos que empresas comerciales han montado en su torno, y más trayendo uno en las pupilas los adelantos modernos de la no lejana Miami Beach (89). Cuatro de ellos, presididos por Búfalo-Tigre, acudieron en 1958 a la Embajada de España en Washington para presentar los tratados firmados entre la nación semínola y España a fines del siglo XVIII, según los cuales este Reino se comprometía a ayudar a los indios y, en su caso, convertirlos en súbditos de la Corona; eran portadores de un mensaje escrito en piel de ciervo dirigido al Jefe de Estado. A la facción de miecosukees visitó al Embajador Mañueco en enero de 1984.

COSTA OCCIDENTAL: SUR DE SARASOTA

Ha llegado el momento de recorrer la costa oeste de Florida, para lo que tomaremos el Tamiami Trail o carretera 41, que nos llevará a Naples y a Fort Myers, no sin pasar por Bonita Springs y Estero. Aquí debemos detenernos un cierto tiempo, porque se encuentran próximas la isla de Estero –de 10 kilómetros de longitud, unida al continente por sendos puentes sobre "Matanzas Pass' y "Big San Carlos Pass"– y la pequeña isla "San Carlos".

La primera Misión jesuita en el Nuevo Mundo: San Carlos

En una de ellas, con más probabilidad en la primera, se estableció la Misión número uno que la Compañía de Jesús ha tenido en el Nuevo Mundo: *San Carlos*. La Florida Atlantic University y el Florida State Museum se proponen realizar en la isla, en el próximo futuro, excavaciones que se anuncian prometedoras (han sido hallados trozos de alfarería mora del siglo XV) (90). En la primavera de 1567 Menéndez de Avilés escoltó a los misioneros jesuitas padre Rogel y Villareal a San Carlos, en donde un Presidio al mando de Francisco de Reinoso había instalado el año antes y en donde el gobernador había ordenado la construcción de una casa para la cacica convertida doña Antonia y una capilla (91); esperanzado de encontrar entre los indios a su desaparecido hijo, tuvo que partir sin lograr su objetivo (92). Allí trabajó el padre Rogel hasta 1568, dedicado a la conversión de los indios y al cuidado espiritual de la guarnición, pero la Misión duró poco (93). La isla había sido visitada inicialmente por Ponce de León en el mes de mayo de 1513, tras recalar en Charlotte Harbor y las islas Captiva y Sanibel. En Estero ancló sus barcos, tomó agua y leña, y se informó de que un jefe llamado Carlos –así le pareció entender, y de aquí el nombre de la Misión– habitaba un poco más al Norte. No olvidemos que los indios de la región se denominaban calos, por lo que es posible que fuera tal nombre el que escuchara Ponce. Tras varios intentos de desembargo y varios sangrientos choques con los naturales, Ponce ordenó levar anclas hacia el Sur el 14 de junio (94).

Ponce de León: su muerte

Volvió a ser visitada Charlotte Harbor por Ponce de León en febrero de 1521, en el curso de su segunda expedición a la Florida en busca de la fuente de la juventud. Se trata de una amplia bahía, protegida en su entrada por una serie de islas por nombre Gasparilla (con Boca Grande y South Boca Grande), la Costa, Captiva y Sanibel, entre otras. Durante la ausencia de Ponce habían aparecido en ella Francisco Hernández de Córdoba y otros aventureros que habían predispuesto con su conducta –si fuera necesario– a los nativos contra el blanco (95). Cuando los 200 expedicionarios de Ponce comenzaron a construir casas, una vez desembarcados con 50 caballos, otros animales y una serie de instrumentos para cultivar la tierra, sufrieron los repetidos ataques de los indígenas, quienes consiguieron herir al jefe. De no haber ocurrido esto, quién sabe cuál hubiera sido el destino de la Colonia, pero sintiéndose morir quiso regresar entre los suyos, arrastrando consigo al resto de la expedición. Pocos días después de su llegada a Cuba expiró (96).

Este final de D. Juan Ponce, como todo el esfuerzo romántico de la búsqueda de la fuente milagrosa, fue poéticamente recogido por el dramaturgo norteamericano Eugenio O'Neill en su drama "La fuente" (97). La historia de Ponce de León ha sido también tratada por otros escritores norteamericanos: recordemos la novela de Robert C. Sands, "Boyuca" (1832), sobre la leyenda de la búsqueda de la juventud por Ponce (98); la obra de Simms, "Donna Florida" (1843), en la que Ponce de León sustituye al "Don Juan", de Byron (99); el poema de Edwin Arlington Robinson, "Ponce de León" (100), etc.

Quien no sea partidario de la lectura, podrá, no obstante, muy bien conocer la historia floridiana de nuestro compatriota si recae por los "Warm Mineral Springs", al norte de Punta Gorda, en la bahía aludida. Se trata de manantiales de aguas termales, en las que los artríticos hallan alivio, así como en sus barros –vendidos en saquitos–, con los que previamente se embadurnan. Instalados muy modernamente y anunciados con profusión, mi esposa y yo los visitamos atraídos por la novedad que un baño en agua caliente al aire libre suponía. Cuál sería nuestra sorpresa al advertir, junto a la piscina o la cafetería, un Ciclorama cuyas escenas, dispuestas en círculo y decoradas con efectivos paisajes poblados de bien vestidos maniquíes, contaban o, más bien, cantaban con iluminaciones y apagones sucesivos la historia del conquistador español, complementada por una cinta magnetofónica funcionante periódica y automáticamente. La entrada mostraba un precioso mapa de considerable tamaño, relatando las hazañas de los españoles en Florida. Buscando un baño caliente de agua, nos encontramos con un cálido baño de españolismo. Observando a tantos dolientes –predominantemente personas de edad– aliviados con la cura de aguas, volvemos a preguntarnos hasta qué punto estaba descaminado Ponce en la busca del agua milagrosa, que, si no devolverle la juventud, podía al menos retrasado su vejez y aminorado los achaques que ésta trae consigo.

SARASOTA, CAPITAL DEL CIRCO

Hemos dejado atrás Fort Myers, sede invernal que fue del inventor Thomas A. Edison, y en cuya "Casa del Haven Motor Court" pernoctamos, y llegamos a Sarasota, tras pasar cerca del "Siesta Key". Aparte de disfrutar de su playa, o Lido, varias cosas interesantes pueden hacerse en Sarasota, y no es la menor saborear la genuina cocina española del restaurante "Plaza", propiedad de Beni Alvarez, un español de Tampa. Era (¿existe todavía?) la ciudad el cuartel de invierno del mundialmente conocido *Circo Ringling and Barnunm & Bailey* y sede del *Museo del Circo* "Circus Hall of Fame". Recuerdos de pasadas grandezas, historia de estrellas circenses, antiguos aparatos, vagones en desuso, etc., podrán hacer en este último revivir la niñez a los aficionados a tal espectáculo (101).

Pero lo más importante de visitar, debido también al dinero del circo, son el *Museo de Arte Ringling,* la residencia de John and Mable Ringling *Ca D'Azan* y el Teatro Asolo. No puede el viajero menos de sorprenderse al encontrar en el oeste de Florida un Museo de la categoría del Ringling, tanto por la calidad del edificio en que se halla instalada (que recientemente ha sido dotado de los últimos adelantos en museología) como por la de las obras de arte que contiene: empezando por cuatro monumentales cartones de tapices pintados por Rubens para el rey de España, hasta cuadros de El Greco –dos–, como "Cristo en la Cruz"; dos Velázquez, como el retrato de Felipe IV; tres Murillos (una Inmaculada Concepción); "Doña Mariana de Austria", de Carreño; un Zurbarán. La residencia de los fundadores, así como sus jardines y estanques, se mantienen en perfectas condiciones y encierran igualmente piezas de gran valor (en aquélla puede contemplarse un notable Goya). El *Teatro Asolo,* edificado cerca de Venecia, a fines del siglo XVIII, transportado piedra a piedra en 1950 y reconstruido en Sarasota, alberga hoy representaciones de ópera de cámara, obras dramáticas, conciertos y proyección de películas (102).

Hay también en la ciudad, muy progresiva y dotada de elegantes comercios, un *Museo de coches antiguos* y de *instrumentos de música.*

BRADENTON. "THE CONQUISTADORS"

Hernando de Soto desembarca

Comparte Sarasota con Bradenton un notable aeropuerto, que, además de a las líneas regulares, sirve a las muchas avionetas particulares de propietarios de la región. Los municipios de Sarasota y Bradenton se confunden, y en las oportunidades en que he tenido de visitar el área, sólo me he dado cuenta del paso de la frontera al tropezar con el gran "shopping center", o centro bradentoniano de compras, denominado "Cortez Plaza". Nos hallamos ya en el cuartel general de la "Hernando De Soto Historial Society", o, más comúnmente. "The Conquistadors". Es ésta conocida en España, y sus componentes se han hecho populares porque desde 1962 cada dos o tres años han visitado la Península y recorrido varias ciudades españolas camino del pueblo de Barcarrota (Badajoz), cuna del conquistador Hernando de Soto, y localidad hermana –por ello– de Brandenton. Antes de partir para el penúltimo de los viajes citados, el presidente Johnson les recibió en la Casa Blanca para ser honrado con el título de "Conquistador honorario" (103). Y es que Soto, después de haberse enriquecido en el Perú y de haber casado en España con la aristocrática dama D.ª Isabel de Bobadilla, quiso continuar sus hazañas en el continente Norte, impresionado por los relatos de Cabeza de Vaca, obteniendo en el 1537 del emperador el nombramiento de adelantado de Florida. El 30 de mayo de 1539 saltó en tierra con los suyos, en lo que es hoy localidad de Bradenton. Había zarpado de La Habana el día 18 anterior, después de haber permanecido en la isla, y concretamente en Santiago, por espacio de casi un año, aprovisionándose de ganado y todo tipo de mercancías y dejar a su esposa en la retaguardia, y como gobernador, a su amigo Juan de Rojas. La despedida había sido solemne y brillante, de la misma manera que la de Sanlúcar de Barrameda en abril de 1538, con siete grandes barcos y tres pequeños, todos empavesados. No pudieron descender en Florida inmediatamente en busca de lugar apropiado, y su presencia fue festoneada en la costa por una colección de humaredas encendidas por los indios ribereños como advertencia a otras tribus lejanas de la arribada de extraños (104).

Durante muchos años se dudó acerca del lugar exacto del desembarco de Soto. La Comisión Nacional nombrada en 1935 por el Congreso de Estados Unidos con vistas a conmemorarse el CD aniversario del acontecimiento, llegó a la conclusión del situarlo en una punta de tierra, perteneciente hoy a Bradenton, en la entrada de la bahía de Tampa. Se conoce con el nombre de "Shaw's Point", o "Punta de Shaw". No pude evitar una sonrisa al enterarme, y varios amigos de Bradenton me bromearon en más de una ocasión sobre la procedencia de anteponer a dicho apellido el también mío de Fernández (la broma se publicó incluso en algún diario).

El poblado de Ucita fue el primero en recibir a los expedicionarios y en mostrarles los montículos sagrados –que todavía existen– y que luego se prodigarían ante su vista en el curso de su expedición por el continente. En Ucita halló una de sus patrullas a Juan Ortiz, quien, de no gritar con toda la fuerza de sus pulmones: "¡Por el amor de Dios y de la Virgen, no me mates!", acabara sus días a manos de los expedicionarios en el curso de un contraataque. Juan Ortiz, como participante de la expedición de Pánfilo de Narváez, cayó prisionero de los indios de Ucita. No pereció en una hoguera gracias a los amorosos ruegos de la hija del cacique. El encuentro con Ortiz sería para Soto de gran valor, ya que después de casi diez años de estancia en el país, había aprendido los dialectos locales y seriviría a su nuevo jefe de inapreciable intérprete (105). Hasta el 1 de agosto permaneció el grueso del ejército en la región; en tal fecha, los 550 hombres que lo componían, los 200 caballos y el numeroso ganado que le acompañaban comenzarían un viaje, largo y accidentado, del que pocos regresarían (106),uno de los magníficos episodios de la historia del progreso y del descubrimiento en el mundo moderno, en palabras de Simms, en la dedicatoria de una de las ediciones de su novela "Vasconcelos" (1856), en la que es Hernando de Soto el héroe (107).

Todos los años conmemora Bradenton en el mes de marzo la llegada de Soto y sus compañeros, a lo largo de una semana titulada en homenaje al conquistador. El último viernes de dicha semana, denominado "De Soto Day" es fiesta oficial en el Condado de Manatee. Con diversas alternativas viene celebrándose desde 1939, merced a la iniciativa del benemérito Dr. Sugg y otras personalidades locales. Actos de varia índole se desarrollan, a los que suelen ser invitados, además de representantes de la Embajada de España, el gobernador de Estado, senadores y diputados y otro gran número de personajes; impulsados en un principio por la casa Chrysler de automóviles, fabricante del "De Soto", hoy día están a cargo de "Los Conquistadores". Organización ésta cerrada y formada por 133 miembros –el mismo número de los jinetes que acompañaban a don Hernando–, la pertenencia a ella constituye un honor y otorga un sello de selección. Anualmente es elegido por votación secreta entre los miembros aquél que ha de representar la figura del conquistador español y aquellos 25 que le han de acompañar en la simulación del desembarco. Ni que decir tiene que los "Hernando de Soto" pasan a la historia local e incluso estatal con un signo de distinción sobre los demás conciudadanos, y que ello cuesta al elegido una enorme cantidad de esfuerzo personal y de dinero, ya que han de dedicar muchar horas a lo largo del año a viajar y representar la ciudad y la Asociación en tales menesteres. Menos mal que don Hernando redivivo no viaja solo en estas andanzas, sino que va bien acompañado por la reina anualmente elegida por "Los Conquistadores", a quien igualmente se exige generosa dedicación (108).

He tenido la fortuna de visitar varias veces –solo y en compañía de mi esposa– Bradenton, en días de fiesta y en épocas de normalidad, y siempre he encontrado el mismo afecto para España, para de Soto y su expedición y para cuanto su presencia en la región representa como vínculo de unión entre los dos países. Durante la "Semana De Soto" es especialmente emocionante contemplar las calles de la ciudad empavesadas con los colores rojo y gualda.

El primer día de la Semana comienza con la conmemoración del desembarco de De Soto y los suyos en la playa –debidamente acondicionada con tribunas, etcétera– del "Parque Nacional De Soto", constituido –como reza la piedra conmemorativa allí colocada por las "Daughters of America"– en la Punta de Shaw antes aludida, y en terrenos donados por el Dr. W. D. Sugg. Precedido por una danza ritual de unos indios –jóvenes de la localidad de ambos sexos– que deleitan a los espectadores con sus plegarias a las divinidades paganas y con sus cabriolas, la presencia de los españoles se hace patente con el ruido de los cañonazos y las salvas de los arcabuces de los invasores. Dos botes anclados en la playa saltan de pronto hechos pedazos y sus ocupantes –unos peleles realísticamente en ellos colocados– mueren ante el empuje de las armas españolas. Soto y sus hombres desembarcan, con los indios en derrota, y, desplegando en forma de flecha, con el jefe, un fraile franciscano, el pendón real y la Cruz de Cristo a la cabeza, avanzan por la playa y se arrodillan al tomar posesión del lugar en nombre de los reyes de España. Y todo esto, realizado con gran solemnidad y seriedad, ante un público inevitablemente emocionado, que admira la gallardía de los invasores, los bellos trajes españoles del siglo XVI y la poblada barba de "los conquistadores", quienes para la ocasión se la han dejado crecer a partir del día primero del año.

Los actos conmemorativos se sucederán en el resto de la Semana, y con una mezcla típicamente americana se alternarán la elección de reina –con desfile de candidatas en varias clases de atuendos–, comitiva de carrozas, acrobacias de aviones, esquí en nieve naranja (como Florida no es región fría, tienen que fabricarla y teñirla en grandes camiones) o competiciones de "twist" (con Hernando de Soto en uniforme, como protagonista), con actos más en la línea de Soto, como la invasión de la ciudad por los españoles y el consiguiente asalto al edificio de la Alcaldía y apresamiento de su presidente, del juez y de otros dignatarios, a quienes "los conquistadores" encierran en una jaula previamente preparada en la plaza, ante el regocijo de espectadores y participantes. Las celebraciones de 1966 contaron con la presencia del buque-escuela para guardiamarinas "Juan Sebastián Elcano" (109).

Gracias al entusiasmo del alcalde, de los concejales y de "los conquistadores" (algunos de cuyos nombres merecen destacarse, como los de Deane, Hardin, Thomas, Blount, Talley, Albright, Hall, Hood, Parker, Hoffman, etc.), se respira España por todos los rincones de Bradenton, lo cual tiene más mérito si se medita que, con excepción del romántico recuerdo de la estancia en el área de Hernando y los suyos, ningún lazo físico une con lo español a sus actuales habitantes anglosajones.

Así, en el "Bradenton Cabana Motor Hotel", la figura del conquistador se adjunta siempre al título del establecimiento: su bar recibe el nombre "De Soto", en un ambiente tranquilo decorado con brillante pintura del conquistador, y los lavabos o W. C. orientan a sus utilizadores con las palabras "Conquistadors" y "Conquistdorables", acompañadas de los correspondientes hispánicos esbozos. El "Manatee National Bank" (el "manatee" es una vaca marina, símbolo del Condado, un ejemplar del cual todavía se conserva en el South Florida Museum) obsequia a sus clientes con un gran mural en el vestíbulo central, debido a Earl La Pan, representando el desembarco de los españoles ante el asombro de los nativos, Hernando a caballo y la bandera roja y gualda portada por el alférez real. La representación de los automóviles Chrysler muestra en su fachada una elaborada escena sobre el mismo tema, esculpida en piedra. El Centro cívico de la ciudad, en donde la juventud se entretiene –Youth Center– ostenta un gran panel, en el que se recuerda la primera misa dicha en el lugar por los frailes acompañantes de De Soto. El gran puente que une a la ciudad con la vecina de Palmetto se denomina "De Soto". En los terrenos próximos al "De Soto National Park", la Iglesia católica ha elevado una considerable estatua de dicho conquistador, complementada por dos bajorrelieves, obra de Pérez Comendador.

El nuevo edificio del "South Florida Museum" dedica buena parte de su espacio a España y en su patio se yergue la figura ecuestre, en bronce, de don Hernando, empuñando una espada, de la que es también autor el mencionado escultor y que fue inaugurada en marzo de 1972.

Las siguientes calles del Condado de Manatee llevan nombres españoles: De Soto Dr., De Navarez Ave (¿Narváez?), Hernando Ave, Ponce de León St. Cortez Way, Eldorado Dr., San Juan Ave, Santiago Dr., Alamada Ave, Alcázar Dr., Alhambra Ave, Buena Vista Ave, Delmar Ave, Palma Sola Rd., Riva Lane, Marina Dr., Marino Ave, Portasuena Dr., Los Cedros Dr., etc.

BAHIA DE TAMPA

Para proseguir el viaje hacia Tampa, rumbo Norte, la mejor combinación es atravesar el fantástico puente de peaje "Sunshine Skyway", que con sus tramos sobre el agua de la bahía y las tierras circundantes, mide unos siete kilómetros, con una altitud en su punto máximo de 50 metros y una luz en su arco más amplio de cerca de 300 metros. Es muy bello el espectáculo de la bahía de Tampa que desde él se divisa. Al otro extremo del puente encontraremos la progresiva ciudad de St. Petersburg (el origen ruso de sus fundadores está fuera de duda, que alberga el "Salvador Dalí Museum", quizás la más completa colección en el mundo de obras del pintor de Port Lligat. Mecida en una de sus orillas en la ensenda de "Boca Ciega", a través de ella alcanzaremos Tampa. Estas dos ciudades se han asociado con la de Clearwater, juntas han construido un moderno aeropuerto y de acuerdo realizan una gran labor de promoción turística y económica bajo el lema "El triángulo dorado" y los colores rojo y gualda.

Pánfilo de Narváez emprende su última jornada

En este sector de la bahía, o quizá en algunas de las isletas situadas en su entrada, tomó posesión de la región en nombre de D. Carlos y D.ª Juana el 16 de abril de 1528 Pánfilo de Narváez, quien había obtenido una concesión real para explorar la región. Acompañábanle 600 colonos y soldados, varios frailes –entre ellos fray Juan Suárez–, las esposas de algunos de los anteriores, Alonso Enrique y el que posteriormente ganaría superior fama, Alvar Núñez Cabeza de Vaca, además de 42 caballos y otro ganado. En las riberas de la bahía tendría Pánfilo los primeros contactos con los nativos y adquiriría noticias de la existencia de tierras ricas al norte de la provincia de Apalache, por lo que a pocos días convocaría consejo y decidiría enviar parte de la expedición en los barcos bordeando la costa, siguiendo por tierra el grueso del ejército (110).

Martirio de fray Luis Cáncer, O. P.

También llegó a la bahía de Tampa, el día de la Ascensión de 1549, el barco que, enviado por el virrey de Nueva España, Mendoza, transportaba a los dominicos fray Luis Cáncer, fray Gregorio de Beteta, fray Diego de Tolosa, fray Juan García, el hermano lego Fuentes, la india conversa Magdalena y un grupo de expedicionarios. En una de las islas de la entrada pernoctaron fray Luis, fray Juan y Fuentes, en misión de reconocimiento, no obstante la mala acogida que recibieron de los naturales. Vueltos al barco y adentrado éste en la bahía, divisaron un poblado. Fray Luis, fray Diego, Fuentes y Magdalena desembarcaron, manteniendo amistoso intercambio con sus habitantes. Como éstos les indicaran que existía un magnífico puerto a día y medio de distancia, accedió fray Luis, a requerimiento de los nativos, a que sus compañeros hicieran la jornada por tierra, en tanto que él y el resto de los expedicionarios viajarían en el barco. Ocho días necesitó el inexperto piloto para dar con el puerto y otros tantos para entrar en él. El jueves de Córpus Christi, fray Luis y fray Juan bajaron a su tierra, celebraron misa y buscaron a sus compañeros; al día siguiente continuaron sus pesquisas y aparecieron unos indios, al fin, que prometieron traerlos sanos y salvos a la mañana siguiente. Acudieron los indios a la cita, y entre ellos Magdalena, que se había reunido con los suyos y se mostraba desnuda como las demás mujeres de la tribu, pero los padres no se encontraban entre ellos, si bien aquélla les aseguró de su existencia. Vueltos al barco, esperanzados con la noticia, pudieron comprobar la mentira al recibir la visita de Juan Muñoz, un expedicionario de Soto que, cautivo de los indios, había conseguido escapar en una canoa. El informó del martirio de fray Diego y de Fuentes. Dominó en la nave la decisión de partir, pero fray Luis optó por quedarse, al considerar ese su deber, y, tras pasar escribiendo el 24 de junio notas que sirvieron de testimonio de lo que antecede, ordenó, no obstante la advertencia en contra de sus compañeros, que un bote le desembarcara en la playa, en donde un grupo de indios se hallaban reunidos. Arrodillado en la arena, fue inmediatamente golpeado por los salvajes hasta que le quitaron la vida. No pudiendo ayudarle, el barco levó anclas, rumbo a Veracruz (111).

El fuerte y la Misión de Tocobaga

Fundó Menéndez de Avilés en la inmediaciones de la bahía de Tampa o de Tocobaga un fuerte, a cuyo mando dejó al capitán García de Cos, con 30 soldados. Visitado por Pedro Menéndez Márqués y el padre Rogel, los jesuitas tuvieron allí una Misión (112). El material recuperado en la Safety Harbor, y en Siete Robles, en la misma área, proporciona elemental información con respecto a sus avatares (113).

TAMPA

La ciudad de Tampa nació con la construcción en 1884 del ferrocarril que la había de unir con Jacksonville. Obra éste de Henry Bradley Plant, propietario de una serie de compañías marítimas, de inversiones y de hoteles, la ciudad dio un paso más adelante con la solemne inauguración en 1891 del "Tampa Bay Hotel", iniciativa también de Plant. De 400 metros de longitud, cinco pisos y 500 habitaciones, fue el centro de atracción turística de la costa oeste de Florida, hasta que, por razones que no son del caso, fue cedido a la ciudad, y ésta, a su vez, lo confió en 1933 en un contrato por noventa y nueve años, a la *Universidad de Tampa*. El peculiar edificio, de estilo árabe, con 13 minaretes –por cada uno de los meses del calendario musulmán–, se proclama, ufano, inspirado en la Alhambra de Granada, en cuanta propaganda existe en su torno. La verdad es que en nada se asemeja al palacio de los Abencerrajes y que en contraste con la belleza sin igual del palacio granadino en su incomparable marco, las paredes de su retendida copia no producen la más leve reacción estética favorable y se despegan del ambiente de Florida. En todo caso, la alegada inspiración es pretexto para recordar a los visitantes la existencia de la mansión real en que habitara Washington Irving y para que las autoridades universitarias pretendieran establecer especiales contactos con la ciudad del Darro y su Universidad con ocasión de las celebraciones programadas para 1966, conmemorativas del LXXV aniversario de la construcción del edificio (114).

El hotel que fue lugar de reposo y esparcimiento de los ricos, y, más tarde, cuando la guerra de Cuba, cuartel general de los "Rough Riders", con Teddy Roosevelt a su cabeza, es hoy dominio de un número relativamente reducido de estudiantes de varias especialidades, con un criterio minoritario, en contra del prevalente en la mayoría de las Universidades americanas. Complementando el antiguo edificio, nuevas construcciones se elevan, y junto a una moderna cafetería, una noble sala de juntas muestra su rancio estilo español: una mesa tocinera de nogal con 12 sillas y dos sillones con tallas del siglo XVII, un vargueño catalán del XVIII, dos cómodas con incrustaciones, alfombras y herrajes típicos, y dos reproducciones, obras de José Sanz, de "El Príncipe Baltasar Carlos", y "La Infanta Margarita de Austria", de Velázquez. ¿No es inesperado toparse en Tampa con dos "Velázquez" en "La Alhambra"? En un ala del edificio se alberga el "Tampa Municipal Museum", que reúne todos los muebles y objetos de valor del antiguo hotel; entre otras piezas, se exhibe un vargueño que se indica perteneció a los Reyes Católicos (115).

La encina de Hernando de Soto

Al salir al jardín con estas impresiones, se tropieza uno con una venerable encina, a la sombra de la cual –así lo proclama una vecina placa– Hernando de Soto mantuvo entrevistas con los indios timucuas de la región. Al marchar hacia Ocala, Soto dejaría en Tampa una pequeña fuerza al mando de Pedro de Calderón, con alimentos para dos años (116).

Recordando esta presencia y la no lejana de Ponce de León, dos centros cívicos y otros tantos clubs de jóvenes llevan los nombres de dichos conquistadores. Más moderna, pujante y numerosa en alumnado que la de Tampa es la *Universidad de South Florida*, situada en los alrededores de la ciudad, pasados los jardines Busch, un portento de la ornitología. El historiador Charles Arnade ha profesado en ella.

Ybor City, ciudad hispanoparlante

Tiene Tampa, además, el interés hispánico de acoger en su seno la Ybor City, o barrio poblado predominantemente por españoles –o sus descendientes–e italianos. Debe su nombre y su fundación a D. Vicente Martínez Ibor, quien, procedente de Cuba, se estableció primero, en 1869, en Key West, y en 1886, con su hermano Eduardo, en dicho sector de la bahía, originando así el movimiento que habría de convertir a Tampa en el centro de la industria cigarrera norteamericana (117). Proceden la mayoría de los hispánicos de Asturias y de Cuba, y su número, aún hoy, asciende a los 40.000, constituyendo la mayor concentración española en los Estados Unidos. No todos los hispanoparlantes son, sin embargo, hispánicos, ya que los numerosos italianos allí residentes hablan perfectamente el castellano sin apenas acento; cuando no existía radio, en la fábrica de cigarros se leían en voz alta novelas para distracción de los manufactureros, por lo que Galdós, Palacio Valdés, Fernán Caballero, Clarín y otros novelistas españoles llegaron a ser nombres familiares para los cigarreros de Tampa, y lo que es mejor, su estilo, su español limpio y castizo, y ésta fue la puerta por la que los italianos de Tampa entraron en convivencia con la lengua de Cervantes. Ello es compatible con que en algún sector se hablara una mezcla de español e inglés, con palabras del vocabulario del cigarrero. Son simpáticos los versos que recoge J. A. Balseiro, escritos por un barbero de Tampa en 1886 (117b).

Tienen que jurarle a uno no hallarse en país hispánico, cuando pasea por las calles de Ybor City, visita sus tiendas o frecuenta sus restaurantes o casinos; todo el mundo habla español como lengua primera, si bien puede utilizar el inglés si su interlocutor se lo requiere. Pero mientras nada se diga en contrario, el abre-coches será un hijo de Santiago de Compostela; en "La Casa Arte" atenderán unos asturianos, el guardia de la circulación ordenará el tráfico con el mismo aire que su colega ovetense, en la Cámara de Comercio recibirá un eficaz presidente, a mí me recibió José M1. Ballota –ingeniero de la Tampa Electric Co.– y las banderas que ondearán a lo largo de su calle principal serán las de los países hipánicos, aparte de poder contemplar los espacios en español del canal 10 de Televisión y escuchar durante todo el día las emisiones de radio "Latinísima".

Y si se desea comer bien en Tampa, no hay sino dirigirse al "Columbia" o a "Las Novedades" (118), en los que al mismo tiempo que ingerir genuinos vinos y platos de la lejana patria, se encontrará uno en un ambiente español cien por cien, unas veces inspirado en Goya, otras en Don Quijote, y siempre rodeado de típicos ejemplares de la raza. Para distraerse, por añadidura, al hispánico modo, basta con tomar localidades en el "Tampa Jai-Alai" (de gran popularidad en la región) o sentarse en una mesa del "Columbia" para contemplar el "show" español que BonzMart y su orquesta le ofrecen, o asistir a una de las representaciones de la compañía del "Spanish Little Theatre", que dirige René González, que unas veces pondrán en escena "Molinos de Vientos" y otras "Doña Francisquita", cuando no "Luisa Fernanda", siempre zarzuelas y a base de artistas locales. Las fiestas hispánicas tienen un "climax" en el curso del mes de febrero cuando una nube de barquitos invade la bahía escoltando el navío del famoso pirata José Gaspar, "Gasparilla", cuya figura es durante una semana la protagonista de una especie de colorido carnaval; el "Gasparillla Day" es fiesta laboral en el Condado Hillsborough), vistoso desfile de carrozas se organiza por la ciudad, y a cargo de Ybor City queda el que ha de celebrarse por la noche: una sopa de judías es servida gratis a quienes honran la comunidad hispánica con su presencia. La "Latin American Fiesta" de marzo tiene por presidenta a una reina elegida entre la comunidad hispánica, y el galardón para ellas y sus damas es un viaje en el curso del año por España. Amplios edificios albergan el "Centro Español" y "Centro Asturiano" –además del "Círculo Cubano"–, instituciones que sostienen eficientes y bien dotados hospitales. Se publican los periódicos "La Traducción-Prensa" (diario) y "La Gaceta" (semanario). ¿Se puede pedir más?

Las siguientes calles de Tampa llevan nombres españoles: Almería St., Barcelona St., Granada St., Sevilla S., Sevilla Circle, Columbia Dr., Columbia St., Columbus Dr., Ysabella Ave., De León Ave., De soto Ave., Cárdenas, Cortez Ave., Sagasta St., Pacheco Dr., Pradera Ave., Machado St., Sánchez St., Hernández Ct., Lozano Ave., Lorenzo Ave., Anita Blvd., Carmen St., Plácida Ave., Esperanza Ave., Santiago St., San Carlos St., San Isidro St., San José St., San Juan

St., San Luis St., San Pedro St., San Rafael St., Obispo St., Alma Pl., Colina Ave. Corona St., El Camino Blanco, El Portal Dr., El Prado Blvd, Empedrado St., Estrella St., Flora Vista Ave., Matanzas Ave., Mercado Ave., Paloma Pl., Perdiz St., Río Vista Ct., Sitios St. y Valle Dr.

SECTOR CENTRAL

En la prosecución de nuestra ruta hacia el norte de Florida, dos vías se nos deparan: la más directa, bordeando la costa, y la que nos lleva por el centro de la península, haciendo un giro hacia el Oeste. Si elegimos la primera, disfrutaremos de una serie de pintorescas bahías, buenas playas y saludables termas como Tarpon Springs –centro de la producción de esponjas naturales– o Weeki Wachee, en la que se ofrece un fascinante ballet bajo el agua a cargo de expertas nadadoras, verdaderas sirenas. La segunda, por la carretera 92, nos llevará a Winter Haven y a sus *Cypress Gardens,* sede del fabuloso espectáculo acuático tan popularizado por el Cinerama. En una exhuberante combinación de jardines y lagos, que el visitante puede recorrer a su antojo, una serie de motoras hacen acrobacías increíbles, unos payasos demuestran su dominio del esquí y un conjunto de bellas esquiadoras –los colores de cuyos trajes de baño se armonizan– ejecutan variados y difíciles números sobre el agua, que participan de su doble calidad artística y circense (119).

Un poco hacia el Sur, en Lake Wales, una gran torre ofrece periódicamente el concierto de su carillón electrónico, y desde febrero hasta Pascua de Resurrección puede contemplarse la representación de la Pasión del Señor; también es posible visitar la *Casa de Josefina,* así llamada en español por ser ese el nombre de la esposa de su primer propietario, el banquero Irving A. Yarnell, que la construyó en 1920. Especie de castillo renacentista no tiene en verdad mucho estilo español ni alberga piezas hispánicas más que en casos aislados, como el joyero que el guía asegura perteneció a la reina Isabel la Católica. En todo caso, tal es la abundancia de anuncios de la "Casa" que por todos los rincones de Florida se ven, que sirve para contribuir a marcar la continuada presencia de lo español en dicha región.

Narváez y Soto

En nuestro camino a Gainesville habremos de recorrer rutas aproximadas a las de Narváez o Soto. Al atravesar el río Withlacoochee recordaremos los trabajos que la expedición de don Pánfilo tuvo que afrontar para cruzarlo en simples maderos, la cual sería encontrada más al Norte por una tropa de indios tocando flautas y portadores de su jefe Dulchanchellin (su nombre inspiraría a Lope de Vega para el de uno de los personajes de "El Nuevo Mundo descubierto por Cristóbal Colón"), quien actuaría amistosamente para con los españoles (120); dichos expedicionarios verían por vez primera un "opossum" que Cabeza de Vaca describe muy gráficamente, y en diferente manera a como lo haría años más tarde el Hidalgo de Elvas (121). En la región de Ocala (en la que Osceola comenzaría la guerra semínola de 1835-1842) permanecería Hernando de Soto con su gente por un tiempo y tendría que hacer frente a dos ataques de indios, que pusieron a prueba sus condiciones de caudillo y su valor, no obstante ser derribado con su caballo "Aceituno" (122).

Esta ruta de Hernando de Soto, desde su desembarco hasta Tallahassee, fue repetida por 3.200 "boy-scouts" de trece condados de Florida, desde el 16 de noviembre de 1975 al 3 de abril de 1976; al final de su jornada desfilaron en el Festival de Primavera de Tallahasee.

SECTOR SEPTENTRIONAL

GAINESVILLE

En Gainesville tiene su asiento la *Universidad de Florida,* de relevancia para los estudios relacionados con Hispanoamérica. Es sede de la Escuela de Estudios Interamericanos, recordemos al profesor A. Curtis Wilgus, y de la Biblioteca P. K. Yonge, que contiene copias y fotocopias de más de 100.000 páginas de documentos referentes a Florida española (de 1519 a 1819), tomadas del Archivo General de Indias de Sevilla por la historiadora Mrs. Irene A. Wright (con fondos provistos por Mr. John B. Stetson, jr.), a quien tuve el honor de conocer en Washington, así como a su hija adoptiva, sevillana de origen. Pertenecientes a la Florida Historical Society, con los centenares de documentos y papeles comerciales de la firma Panton Leslie and Co., que actuó en Florida occidental durante la dominación española; dicha Sociedad publica la acreditada revista trimestral "Florida Historical Quarterly". La Universidad patrocinó, conjuntamente con el Instituto de Cooperación Iberoamericana, un simposio sobre las relaciones entre España y los Estados Unidos, en diciembre de 1983.

En los alrededores de Gainesville existió una Misión española, San Felasco (¿Fernando?), para excavar la cual llevó a cabo trabajos el profesor Charles Fairbaks (123). El condado correspondiente recibe el nombre de Alachua, derivado de "la Chua" (que en timucua significa hoyo), con que era conocido el rancho que más ganado alimentaba en épocas españolas (124).

TALLAHASSEE Y ALREDEDORES

A través de la carretera 27 llegamos a Tallahasee, capital del Estado desde 1824 (Florida quedó admitida en la Unión el 3 de marzo de 1845), como solución de compromiso entre Pensacola, que lo fue en 1822, y St. Augustine, en 1823, situadas, respectivamente, en los extremos del territorio. Tallahasee cuenta con la Florida State University. En su Capitolio fue inaugurada el 4 de septiembre de 1980, una Capilla ecuménica con placas relatando el desarrollo religioso de Florida, y en las que se recuerda a Ponce de León, iniciador del nombre en 1513 y portador de los primeros religiosos en 1521; a Tristán de Luna, fundador en 1559, en Pensacola, del primer establecimiento cristiano en Florida; y a Menéndez de Avilés, fundador del primero permanente, en 1565 en St. Augustine, con el P. Francisco López de Mendoza, a quien se debe, con otros compañeros, la primera Parroquia, la primera Misión (Nombre de Dios), el primer seminario y el primer hospital.

Hemos venido siguiendo bastante de cerca las rutas de Pánfilo de Narváez y Hernando de Soto. Habremos cruzado previamente el río Suwannee (denominado San Juan de Guacara por los españoles), y antes su afluente, el río Santa Fe (que conserva su nombre original). El primero pudieron atravesarlo los expedicionarios de Narváez gracias al auxilio encontrado en los nativos enemigos de los apalaches. Nosotros no sufriremos, afortunadamente, la desilusión que invadió a Pánfilo y los suyos cuando se aproximaron al poblado de Apalache. Les habían hablado de una ciudad comparable a México, resplandeciente por el oro de sus tejados y espléndida por las piedras de sus edificios; en su lugar, la avanzada exploradora al mando de Cabeza de Vaca encontró un poblado con 40 cabañas de palmas, agrupadas desordenadamente y separdas por estrechos y embarrados callejones. Y para aumentar el desengaño, sólo les esperaban mujeres y niños, y como botín maíz y pieles de venado. Las indagaciones realizadas en las cercanías confirmaron ser Apalache el poblado principal de la región, que sólo ofreció a los visitantes privaciones y muertes, ocasionadas por los continuos ataques de los nativos, que querían provocar la desapación de tan molestos huéspedes; entre las víctimas de las mortales flechas se contó el príncipe azteca don Pedro, de Tezcuco, fiel seguidor de fray Suárez, causando su desaparición gran consternación en las filas españolas (125).

Tras veinticinco penosos días, Narváez decidió dirigirse a Aute, aldea india en el actual emplazamiento de St. Marks, pero tampoco cambió con ello el curso de la empresa; renovados ataques de indios, escasez de alimentos (las ostras costeñas sirvieron en repetidas ocasiones de alivio) y la malaria quebrantaron la moral de la tropa, cuyos jefes, reunidos en consejo por Narváez, decidieron abandonar la región. Carentes de barcos, surgió la necesidad de obtenerlos tarea al parecer en un principio imposible; no existía entre ellos experto alguno en construcción naval, y carecían hasta de las más elementales herramientas, como martillos. Uno de los expedicionarios, sin embargo, ofreció su talento para dirigir la confección de unos rudimentarios botes, y ante la ilusión de la partida y la desesperación del momento, se aceptó su propuesta, que fue coronada a las siete semanas con la botadura de cinco embarcaciones de unos 10 metros de longitud. El ingenio y el esfuerzo que tuvieron que desplegar los hambrientos viajeros constituye una magnífica página en la Historia del hombre y del heroismo español. Por fin, el 22 de septiembre, los 243 supervivientes se acomodaron en las barquichuelas, que cargadas sobresalían tan sólo dos palmos sobre el agua, y zarparon, con sus camisas por velas, bautizando la bahía que abandonaron con el nombre de bahía de los Caballos, en homenaje y agradecimiento a los equinos –esos grandes camaradas de los conquistadores–, que con su carne y sus huesos habían contribuido poderosamente a hacer posible la partida (126).

Soto y las primeras
Navidades observadas en los Estados Unidos

La patrulla de Francisco Maldonado, enviada por Soto en la misión exploratoria poco después de su arribo a la región de Apalache el 6 de octubre de 1539, encontró restos de aquellos caballos muertos. La comprobación del incierto desastre acontecido en la expedición de Narváez contribuyó a que don Hernando (quien previamente había enviado de Juan de Añasco con órdenes para que Calderón y su gente abandonara Tampa y se reuniera con la expedición) decidiera el envío de Maldonado a La Habana en la pinaza o embarcación que quedara en Tampa, para buscar más provisiones y con órdenes de citarse con la expedición durante el verano en la bahía de Ochusse (¿Pensacola? ¿Mobile?). El 3 de marzo de 1540 Soto abandonó la región de Apalache –y Florida, por tanto– después de haber seguido un itinerario que coincide, más o menos, con las actuales localidades de Gainesville, Lake City, Live Oak y Tallahassee (127) (en esta última pasó las Navidades, las primeras observadas en el continente Norte) (128).

Misiones. Camino Real

El área comprendida entre los ríos Aucilla y Apalachicola (para los españoles Asile o Apalachicolo) con el Ochlockonee (río Lanas o Amarillo) por medio, fue objeto de intensificados intentos de civilización a partir de 1633 (129). Los esfuerzos de los misioneros lograron el establecimiento de numerosas Misiones que, con la excepción de alguna revuelta, tuvieron su momento de apogeo en 1675, cuando la pastoral visita del obispo Calderón (130). Con la creciente presión y presencia de los ingleses procedentes del Norte, según hemos visto en Georgia, el interés español por el área se redobló, con consecuencias que pudieron ser interesantes de haber dispuesto la Corona de medios materiales suficientes. La creciente desafección de los apalachicolos, impulsados por los ingleses, y la presencia en el flanco Oeste de los franceses que fundarían Biloxi en 1699, contribuían a aumentar la debilidad de los españoles, quienes no podrían al final resistir.

Uniendo a dichas Misiones con San Agustín, residencia del gobernador, se estableció un "Camino Real", jalonado por un rosario de ellas, a saber, según el doctor Mark F. Boyd (131): partiendo de dicha ciudad atravesando el río St. John's (Salamototo o San Juan), por el poblado de Picolata, se inclinaba hacia el Sur por la frontera de los condados de Clay y Putnam, entrando en el de Alachua, en el que se hallaba la Misión de Santo Tomás de Santa Fe o Santa Fe de Toluco, y un poco más al Sur, cerca de Gainesville, la de San Francisco de Potano; continuaba la ruta hacia el Noroeste, y, vadeado el río Santa Fe, se encontraba con la Misión de Santa Catalina de Afuyca, no lejos de Hildreth, en el límite de los condados de Columbia y Suwannee, en donde le aguardaba la Misión de San Juan de Guácara, después de haber pasado las Misiones Afuyca y Santa Cruz de Tarihica, en la línea actual de O'Brien y a distancia equidistante; cruzaba dicho río y se remontaba por el condado de Lafayette, a lo largo de la orilla derecha de aquél, hasta que al entrar en el condado de Madison torcía casi 90° hacia el Oeste, no lejos y paralelamente a sus límites con el de Taylor, con las Misiones de San Pedro de Potohiriba, Santa Elena de Machava y San Mateo de Tolapatafi, hasta llegar a San Miguel de Asile, en las márgenes del río Aucilla, en la localidad de Lamont; seguía entonces el trazado de la carretera 27 hasta llegar a Tallahassee, siendo festoneada por las Misiones de San Lorenzo de Ivitachuco, N. S. P. Concepción de Ayubale, San Francisco de Ocone, San Juan de

Aspalaga y San José de Ocuia, bifurcándose en dos ramas con Santa Cruz de Capola, San Martín de Tomole y Purificación de Tama, y San Pedro y San Pablo de Patale, San Antonio de Bacuqua, y San Cosme y San Damián de Escambe, que convergían en San Luis de Tamalí. No todas estas Misiones estaban dedicadas a los indios apalaches; Purificación de Tama era establecimiento de yamasíes, San Carlos de Chacatos y San Pedro de los Chines de indios chatots, y San Francisco de Ocone de los de esta denominación.

A través de aquel "Camino Real", o por la ruta marítima desde St. Marks a San Agustín, se transportaban todo el cereal que la fértil tierra de Florida Occidental producía y que los habitantes de la infecunda oriental necesitaban. Se tienen escasas informaciones acerca de este tráfago: se sabe por el gobernador Damián de Vega Castro y Pardo que en 1639 se despachó una fragata desde la capital a Apalache (132), que el capitán Juan de Florencia transportó en la "San Martín", en 1646, provisiones para el Presidio (133), y que el navío de un tal Ignacio de Losa arribó años después a San Agustín, procedente de Apalache, con cargamento de maíz (134).

Vicisitudes de la Misión de San Luis

San Luis es el punto más importante de todos los anteriores mencionados cuya Misión fue fundada probablemente en 1655, y cuyo fuerte aparece ya en papeles de 1675. Se encontraba a dos millas al oeste de Tallahassee y ha sido localizado gracias a las meritorias excavaciones del Sr. John W. Grifin, lo mismo que se deben al Dr. Hale G. Smith los hallazgos de San Francisco de Ocone, a 23 millas al sudeste de aquella ciudad, cerca de la población de Waukeenah (135). Cuando razones estratégicas aconsejaron el abandono de las Misiones en Georgia, el esfuerzo español se concentró en San Agustín, al Este, y en San Luis, al Oeste. San Agustín, sin embargo, resistió los embates de la Historia, en tanto que San Luis pereció; se debe su fin al coronel inglés James Moore, cuando atacó este sector en 1704.

Al mando de un considerable número de indios aliados y de ingleses, se presentó Moore por sorpresa ante Ayubale, el 25 de enero; se defendieron heroicamente durante todo el día el padre Angel de Miranda y un grupo de españoles y apalaches, parapetados en la iglesia y en el convento, terminando la resistencia con el fin de las municiones y a consecuencia del fuego con que los asaltantes prendieron los edificios. Al tener noticias de lo sucedido, el capitán Juan Ruiz Mexía salió del Presidio de San Luis con 30 españoles y 400 indios, pernoctando en Patale; al alborear del día siguiente, y con una exhortación del padre Juan de Parga como preámbulo, se encontraron en Ayubale con los ingleses, entablándose una batalla que terminó con derrota española, siendo muerto y decapitado el padre Parga, y hecho prisionero Mexía, quien fue obligado a presenciar el martirio de aquél. Las fuerzas de Moore cometieron toda suerte de atrocidades y desmanes, siendo los prisioneros torturados y asesinados. Trece Misiones quedaron destruidas, y la de San Lorenzo de Ivitachuco (cuyo cacique don Patricio tan buen cristiano era) se salvó, gracias a haber pagado su existencia con la entrega de todo cuanto valioso tenía (136).

"La vesanía con que se llevó a cabo esta sistemática tarea destructiva –hace exclamar a Zéndegui– no alcanza a explicarse con motivaciones tácticas, porque las misiones no constituían, propiamente, objetivos militares. Su razón última hay que rastrearla por la trastienda del sentimiento donde anidan inconfesables prejuicios, rivalidades y odios" (136 bis).

Otros asaltos contra el resto de las Misiones se sucedieron en el curso de los meses de junio y julio, muriendo el padre Manuel de Mendoza en Patale. Puede decirse que sólo sobrevivieron San Luis de Tamalí y San Lorenzo de Iviachuco, por lo que ante la falta de seguridad en caso de renovados ataques y la debilidad española para repelerlos, el teniente gobernador de San Luis (y sucesor de Mexía), Manuel Solana, recomendó al gobernador Zúñiga en San Agustín el abandono de la región de Apalache, lo que así se hizo. La mayoría de los colonos y de los indios amigos se dirigieron a Pensacola, y un grupo a San Agustín; San Luis fue evacuado y destruido por los españoles en julio de 1704, para no volver a renacer (137).

Fuerte de San Marcos

Ha quedado mencionado anteriormente St. Marks, o San Marcos, como campamento de Narváez y puerto exportador. San Marcos de Apalache mantuvo su influencia durante la relatada etapa de dominación española y en la subsiguiente inglesa. Como secuela de las condiciones agrícolas de la región y de su movimiento marítimo, un establecimiento (designado villa en un mapa de la época) de considerable entidad existía en 1683. Para su adecuada defensa, un fuerte de madera se levantó poco antes de 1680, pero un violento ataque de una combinada y numerosa fuerza de piratas franceses e ingleses sorprendió a la guarnición hispano-india en el curso de la primera mitad de 1682 (138).

Apremiado por una Real orden, el gobernador Juan Márquez de Cabrera encargó inmediatamente al ingeniero D. Juan de Siscara la creación de un segundo fuerte, también de madera, con bastiones en las esquinas, y situado justamente en la confluencia de los ríos Warcol y St. Marks. Se dio el mando al capitán Francisco Fuentes. El fuerte cayó en completa ruina a raíz de la desarticulación producida en los establecimientos españoles por la incursión de Moore en 1704. Las rivalidades que surgieron dentro de los indios creeks por su amistad con Inglaterra o con España y las peticiones al respecto de la facción amiga para el alzamiento de un fuerte que les sirviera de punto de apoyo y de defensa, decidió a las autoridades españolas a poner en funcionamiento de nuevo el antiguo fuerte. El capitán José Primo de Rivera llegó el 18 de marzo de 1718 con una fuerza de 70 hombres, y, como corolario, dos pueblos de indios apalaches regresaron para establecerse en los alrededores (139).

La reconstruida fortaleza de madera, de forma cuadrada, con cuatro bastiones y un puerto para embarcaciones de pequeño calado, por su situación en un terreno bajo, se veía expuesta con frecuencia a las inundaciones de los anteriormente mencionados ríos; en su interior existían una iglesia, unos almacenes y cuarteles para la tropa. Se evidenció pronto como necesaria la edificación de un fuerte de piedra; luego de varias dilaciones, el gobernador en funciones, Fulgencio García de Solís, consiguió en el 1754 los servicios de un experto ingeniero, D. Juan de Cotilla, quien durante cinco años, como "ingeniero extraordinario de la

Florida", y con la paga de 800 pesos, dibujó y dirigió la construcción del fuerte, que no se hallaba completamente terminado cuando la cesión de Florida a la Gran Bretaña en 1763 (en lo que se refiere a San Marcos, la transferencia no se verificó antes de 1764) (140).

Con la capitulación inglesa de Pensacola, el 9 de marzo de 1781, ante los ejércitos de Gálvez, la Florida Occidental pasó de nuevo a manos de España; por el Tratado de Versalles de 1783 fue cedida legalmente. Valiéndose del especial permiso para negociar con los indios creeks que el Gobierno español concedió en forma de monopolio a la firma Panton, Leslie and Co., un miembro de esta Compañía, Charles McLatchey, estableció un puesto comercial cerca de San Marcos (141). Los españoles no recuperaron el fuerte hasta 1787, el cual sufrió considerables obras de reparación en 1790, según consta en el plano dibujado por D. Luis de Bertucat (142).

ESTADO INDEPENDIENTE DE MUSCOGEE

El aventurero inglés *William A. Bowles*, casado con una india apalachicola o creek, en 1792 saqueó los almacenes que su competidor, Panton, protegido de los españoles, poseía en St. Marks; debido a esto y a otras series de fechorías, fue retenido prisionero durante cinco años, siendo paseado por las cárceles de La Habana, Madrid y Manila, hasta que consiguió escapar a la Colonia inglesa de Sierra Leona, al ser transportado de nuevo a España. Con el entusiasta apoyo inglés, organizó entonces una pequeña expedición, que tuvo por resultado su desembarco en la región y la proclamación por él, el 26 de octubre de 1799, del *Estado Independietne de Muscogee*. Los indios creeks le apoyaron, y el 5 de abril de 1800 declaró la guerra a España, capturando, el 19 de mayo, el fuerte de St. Marks. Tropas españolas procedentes de Pensacola pronto desalojaron el improvisado jefezuelo, que se refugió en el interior; el gobernador español Vicente Folch ofreció 4.500 dólares a quien lo entregara vivo o muerto. Detenido sólo en 1803, el Estado de Muscogee tuvo una existencia de facto algo más de tres años. Esta vez Bowles no pudo escapar y murió en el castillo del Morro, en La Habana, el 23 de diciembre de 1805 (143).

Con la desaparición de Bowles, San Marcos entró en una etapa de tranquilidad, tanta, que las autoridades españolas consideraron en 1808 la conviencia, por su inutilidad, de evacuar el fuerte. Sin embargo, se mantuvo una guarnición mandada en 1814 por D. Francisco Caso y Luengo (144).

A raíz de la guerra anglo-norteamericana, los agentes ingleses agitaron a los indios contra los territorios confiados a Jackson; alegando la inoperancia de las autoridades españolas para evitar tales incursiones, ordenó éste a sus tropas dirigirse hacia San Marcos, a donde llegaron el 6 de abril de 1818. Ante la negativa del comandante Caso y Luengo de rendirse, el capitán Twiggs tomó el fuerte en la mañana del día siguiente (145). Gran reacción produjo este hecho en el Congreso y en las Cortes de España e Inglaterra; el Gobierno de los Estados Unidos modificó su actitud y ordenó la retirada de sus fuerzas, lo mismo que de Pensacola en el verano de 1819. Las tropas españolas volvieron a ocupar San Marcos (146) hasta su definitiva retirada, como resultado del Tratado de cesión de la Florida a los Estados Unidos, llegando a Pensacola el 19 de julio de 1821, dos días después de la ceremonia de transferencia, realizada en dicha ciudad (147).

"FRANJA MILAGROSA"

Nos queda por conocer el sector occidental de Florida. Viajando desde Tallahassee, llegaremos a Pensacola, la que fue capital de la Florida Occidental española, por la carretera 90, y atravesando el río Apalachicola y las ciudades de Marianna, Ponce de León (desde ésta se divisa el pico más alto de la Florida) y Crestview, sede esta última anualmente, en el mes de abril, del "Bel Spanish Trail Festival". Recorriendo la costa, la ruta número 98 nos conducirá por lo que la progapanda turística de la región denomina "franja milagrosa" (miracle strip): excelentes y no muy frecuentadas playas (entre otras, Mexico Beach, no lejos del Cape San Blas), grandes posibilidades de pesca y vela, caza mayor y menor, buenos campos de golf, apreciables ciudades como Panamá City y Fort Walton Beach, localidades como San Blas y Santa Rosa, y una de las principales Bases aéreas del país, Eglin A. F. B., cercana a Valparaíso, con instalaciones para lanzamiento de cohetes.

Aterrizando en el aeropuerto municipal de Pensacola, saluda al viajero una gran placa que, encabezada con las palabras "Pensacola. Fiesta of the Five Flags", relata brevemente la historia ciudadana. El recién llegado se familiariza pronto con las cinco banderas que han ondeado en la ciudad, las mismas que en el resto de Florida, y que se ven inzadas con frecuencia en los mástiles de diferentes puntos estatales o con ocasión de determinadas festividades. España poseyó Pensacola desde 1559 a 1719, desde 1722 a 1763 y desde 1781 hasta 1821; Francia dominó entre 1719 y 1722; Gran Bretaña, desde 1763 a 1781; los Estados Unidos, en 1821 hasta 1861, y a partir de 1862; los Estados Confederados, en el período comprendido entre 1861 y 1862.

La "milagrosa franja" recibió la primera visita de hombres blancos con la expedición de Narváez, para la que no fue, en verdad, milagrosa. Los excesivamente cargados botes pudieron evitar su hundimiento gracias a las canoas que les fueron adosadas y tomadas a unos indios que huyeron ante su presencia. Al llegar a la isla Santa Rosa, una tormenta se desencanó, obligándoles a desembarcar. Muertos materialmente de sed por haberse podrido el agua de a bordo, varios fallecieron al beber la salada agua del mar, y los restantes decidieron arriesgarse a navegar, ante la perspectiva de una inevitable deshidratación. Así, se adentraron en la bahía de Pensacola, en la que, recibidos amistosamente en un principio, padecieron una emboscada que les obligó a replegarse –protegiendo la retirada Cabeza de Vaca– y hacerse de nuevo a la mar, no sin haber sufrido todos heridas (148).

En la misma bahía paró Francisco Maldonado cuando, por encargo de Soto, exploró la región en busca de río navegable y de puerto abrigado a fines de 1539. Se duda si aquí o en la bahía de Mobile –más parece probable en esta última– Maldonado aguardó a su jefe inútilmente en el curso del verano siguiente, en la cita concertada para proveer al conquistador de los necesarios refuerzos en hombres y materiales desde La Habana (149).

PENSACOLA

Al entrar en Pensacola, sorprende en seguida el encuentro con calles transversales que llevan por nombre González y Moreno. A poco de profundizar en la historia de la ciudad, comprendemos la justicia de tal recuerdo, González, español y rico propietario, tuvo gran influencia en los destinos de la Colonia y la mantuvo incluso después de la incorporación de Florida a los Estados Unidos, defendiendo gallardamente los derechos de los españoles frente a los nuevos ocupantes. Moreno era hijo del médico que acompañó al gobernador Gálvez cuando conquistó Pensacola en 1781, se casó tres veces y tuvo 27 hijos. Primer banquero de la ciudad (se conserva todavía el arcón en que, como caja de seguridad, guardaba su dinero), su nombre, por sí y por sus descendientes, quedó ligado para siempre a la historia de la ciudad.

Pero no son dichas calles las únicas con nombres españoles. La sorpresa sube de grado cuando se comprueba que forman precisamente los nombres anglosajones la excepción, frente a la abundancia de la nomenclatura hispánica. Partiendo de que las dos calles principales se denominan Cervantes y Palafox, se tropieza uno sucesivamente con las de Alcañiz, Zaragossa, Barcelona, Tarragona, Manresa, Reus, Intendencia, Commendancia, Baylen, etc. Palafox es, con mucho, la calle más importante de la ciudad: ancha, bien urbanizada, con un bello jardín en el centro, en cuyo comienzo una placa explica el origen aragonés del nombre, con la amplia iglesia católica de St. Michael y con el gran hotel San Carlos, cuyos frescos en el vestíbulo describen la presencia española; en su calzada se celebran todas las primaveras la "Fiesta de las Cinco Banderas", con un gran desfile de carrozas. El buque-escuela "Juan Sebastían Elcano" ha participado en las Fiestas de 1981 y 1984.

Pensacola cuenta con un Museo Hispánico, inaugurado por el Embajador de España, Angel Sagaz, en conmemoración del Gobernador Bernardo de Gálvez.

Primer establecimiento español

Como consecuencia de las urgencias que recibiera de su virrey de Nueva España, D. Luis de Velasco, para colonizar y evangelizar la Florida, el rey de España, D. Felipe II, le ordenó en 1557 que nombrara un gobernador que organizara una expedición destinada a dos puntos, uno indeterminado y otro en Santa Elena, en la costa de Carolina del Sur, para contrarrestar la presencia de los franceses. Velasco eligió para la tarea a *D. Tristán de Luna,* noble y rico y lugarteniente de Coronado en sus descubrimientos, quien en junio de 1559 zarpó de Veracruz con 500 soldados, 1.000 colonos, numerosos indios, 240 caballos y abundantes provisiones en 13 barcos. Al final de la accidentada travesía –en que buena parte de los animales y de los alimentos perecieron– y de dudar en la elección del lugar en que se encuentra Mobile, Luna consideró más conveniente el establecimiento en la bahía de Pensacola. En la isla de Santa Rosa desembarcaron (150), en la que se dijo la primera misa, y en conmemoración de la cual se eleva hoy a los cielos la cruz en la carretera 399, que atraviesa la isla en dirección a Fort Pickens, masiva fortaleza que data de 1834, situada en la entrada de la bahía y cárcel del indio Jerónimo, especialmente fortificada en 1898, cuando la guerra con España.

Conocedor don Tristán que sólo le quedaban provisiones para ochenta días, envió un galeón a México, y ordenó a dos patrullas inspeccionar la región en busca de sustento, una, en la que participó fray Pedro de Feria, y que recorrió el río Escambia aguas arriba, y otra, con el padre Domingo de la Anunciación, que exploró la tierra firme en el sector más oriental. Ninguna logró su objetivo. Por otra parte, el 19 de agosto se desencadenó un terrible huracán que hundió los barcos fondeados, con la excepción de uno, al que transportó el viento en volandas tierra adentro, suceso que fue juzgado por todos como obra del diablo. Una solución era necesaria para aliviar la situación, por lo que el propio Luna tomó el mando de una expedición que se adentró en el continente hasta el hoy condado de Talladega, en Alabama (151). Tras muchas penalidades, hubo de regresar al punto de partida y ordenar a su lugarteniente, Sauz, abandonar, después de siete meses de intentos, la empresa, dado el desánimo y aun la insubordinación que cundía entre los colonos capitaneados por Jorge Cerón (152).

El Domingo de Ramos de 1561 fray Domingo de la Anunciación celebró misa solemne y, antes de comulgar, se volvió a la congregación y, con la Sagrada Hostia en la mano, pidió a Luna se aproximara: la preguntó entonces solemnemente si se confesaba buen católico y, ante la afirmación, si no se declaraba culpable de injusticias y mal gobierno, a lo que, impresionado, don Tristán pidió perdón por sus pecados y faltas a todos los circundantes. El generoso gesto tuvo su efecto y provocó otros análogos en los disidentes que testimoniaron su renovada lealtad al jefe. Pero el hambre y la debilidad no eran buenas colaboradoras, por lo que a ninguna solución práctica se concluyó (153).

Menos mal que los socorros solicitados a México llegaron en dos barcos, bajo el mando de Angel de Villafañe, el 14 de marzo de 1561, quien traía la orden de trasladar la Colonia a la costa oriental de Florida, en Santa Elena, y de sustituir a Luna, que se encontraba enfermo. Cumplimentando las órdenes, zarpó éste vía La Habana en abril. Villafañe, con los colonos (muchos se quedaron en esta última ciudad), pusieron rumbo a aquel destino; una guarnición de unos 70 hombres fue conservada en Pensacola, con la consigna de que debería regresar a Nueva España si en seis meses no recibía órdenes en contrario (154). Así acabó el primer ensayo de colonización española en el área que, según se confirma en los llamados "Luna Papers", editados por renombrados eruditos en el materia, fue bautizada en dicha época "Bahía Filipina del Puerto de Santa María" (155).

Segundo establecimiento español

El segundo establecimiento español en Pensacola fue motivado por la inquietud causada entre las autoridades españolas por la presencia de La Salle en el Golfo de México y el correspondiente interés de Francia por el área. Bajo el mando del almirante D. Andrés Matías de Paz y el Dr. D. Carlos de Sigüenza y Góngora, una expedición reconoció en 1639 las costas del Golfo de México, desde Pensacola a la desembocadura del Mississippi, y recomendó la ocupación de aquella bahía (156). En su virtud, el virrey de Nueva España, conde de Montezuma, ordenó al alcalde mayor de Santa Fe de Guanajuato, *D. Andrés de Arriola,* preparar la expedición. Con el título de maestre de campo, levó anclas de Veracruz con 200 hombres a bordo de tres navíos, el 15 de octubre de 1698, no llegando a su destino hasta el 21 de noviembre siguiente. Allí se encontró al capitán Juan Jordán de Reina, quien procedente de España había llegado dos días antes vía La Habana. Inmediatamente de desembarcar, los expedicionarios se dedicaron a montar convenientemente los 18 cañones transportados, así como las edificaciones para albergar a la gente. El fuerte de "San Carlos de Austria" comenzó a ser construido en cuanto la madera necesaria estuvo disponible, con la forma de un cuadro de 100 varas de lado, con cuatro bastiones y con arreglo a los planos de Jayme Franck, presente para dirigir la obra (157).

No pudo ser más oportuna la ocupación, pues a los tres meses de haber comenzado a instalarse, una importante flota francesa, al mando de Pierre Lemoyne, señor de Iberville, apareció, solicitando permiso para entrar en la bahía; ante la negativa, los franceses pusieron rumbo al Oeste y procedieron a establecerse en Dauphin Island (más tarde en Mobile) y Biloxi. Arriola marchó cuando consideró que la fortificación se hallaba en condiciones de defensa, dejando el mando al sargento mayor D. Francisco Martínez y, en su ausencia, al capitán Jordán. A causa de su condición lignaria y a las especiales circunstancias de humedad, fuerza de los vientos, etc., el fuerte pronto se resintió en su construcción, lo que constituyó el objeto de interesante carta de Franck al secretario del Consejo de Indias, D. Martín de Sierra Alta, de fecha 19 de febrero de 1699. Por otra parte, la insalubridad del área y la dificultad de obtener provisiones directamente, elevaban de manera considerable el mantenimiento del Presidio hasta una cifra anual de 100.000 pesos. Varios incendios se produjeron, como el de 1704, que ocasionaron la destrucción de las edificaciones anejas al fuerte. Por todo ello, el gobernador Salinas Verona propuso en el 1712 su traslado a la isla de Santa Rosa (158).

La guerra de Sucesión al Trono de España alió a esta nación con Francia, por lo que sus establecimientos respectivos en el golfo de México se ayudaron mutuamente contra indios e ingleses. Pero terminada dicha guerra, las relaciones se deterioraron paulatinamente, de forma que el gobernador Salinas, al cesar en 1718, advirtió del inminente ataque francés al fuerte San Carlos y aconsejó el reforzamiento de su guarnición. Efectivamente, el 14 de mayo de 1719 el señor de Bienville ordenó un ataque combinado por mar y tierra, que sorprendió a los españoles y forzó al nuevo gobernador, D. Juan Pedro Matamoros, a rendirse (159). Enviados los prisioneros a La Habana, una flota que el gobernador de Cuba, D. Gregorio Guazo, preparaba para atacar Ft. George, en las Carolinas, fue enviada a Pensacola, al mando del almirante de la Torre, tomando el fuerte el 6 de agosto y haciendo 350 prisioneros (160). Como contestación, una numerosa expedición francesa, bajo las órdenes del conde de Champmeslin, atacó el establecimiento español el 18 de septiembre y, luego de diez horas de combate, consiguió la victoria. El fuerte quedó destruido, las edificaciones incendiadas y los cañones españoles arrojados a la bahía (161). ¡En cuatro meses Pensacola había cambiado cuatro veces de manos! Por los artículos de la paz, que terminó la guerra de la Cuádruple Alianza, Francia devolvió en 1722 a España Pensacola (162).

El fuerte San Carlos de Austria –otro lugar más en los Estados Unidos bajo la advocación española de este santo– muestra todavía sus restos en unas alturas que dominan la entrada de la bahía. A los pies hoy del Fort Barrancas (construido por los Estados Unidos en 1839), la definitiva estructura de 33 X 33 metros de San Carlos se elevó entre 1781 y 1790, adoptando una forma semicircular, a base de ladrillos, rodeada de un profundo foso. Estuvo en manos de los ingleses en 1814 y fue tomado por sus enemigos americanos, quienes lo restituyeron a España al finalizar la guerra de 1812. A raíz del levantamiento de los indios de 1818, se posesionaron de él los Estados Unidos, siendo devuelto a España al año siguiente. Paso definitivamente a poder de éstos cuando la cesión de Florida por España en 1821 (163).

Forma parte hoy el fuerte San Carlos de los extensos terrenos de la Naval Air Station, la Base número 1 en el país de la aviación naval norteamericana. Escuela de entrenamiento de los pilotos que han de servir en portaaviones, entre otros equipos españoles, dispone del "U. S. S. Lexigton" de dicho tipo del grupo de acróbatas supersónicos, famosos bajo el nombre "Blue Angels", de una exposición sobre las técnicas de supervivencia en caso de aislamiento en el Polo y en el Ecuador, y en su día de la presencia viva del primer ser viviente que voló en la estratosfera: la mona "Baker", cuya presentación personal debí a la eficacia de mi guía, la competente historiadora local Miss Ruby Parker. El Museo muestra el avión NC-4 en el que Albert C. Read y su tripulación atravesaron el Atlántico por vez primera en 1919 aterrizando en Lisboa.

Tercer establecimiento español

Para recuperar Pensacola y llevar a cabo lo que fue el tercer establecimiento español, el virrey de Nueva España escogió a *D. Alejandro Wauchope*, un escocés católico, segundo comandante de la Armada de Barlovento. Volvió a elegir la isla de Santa Rosa, por su situación estratégica, su posición defensiva contra los ataques de los indios y su abundancia en agua potable. Pronto un poblado levó sus paredes, y se tienen noticias de que ya en febrero de 1723 existía un almacén de 13 metros de largo, un polvorín, dos cuarteles de gran tamaño, la casa del capitán-gobernador y 32 viviendas. En un mapa de 1739 se incluyen jardines y huertas que los españoles cultivaban en la otra orilla de la bahía, en el lugar del segundo emplazamiento español. Los dibujos del comerciante Serres, que por encargo de una Compañía de La Habana visitó Pensacola en 1743, muestran no menos de 50 edificaciones (164). Pude visitar el emplazamiento del poblado en compañía del arqueólogo Mr. Norman Simons, su descubridor en 1961, y quien amablemente actuó de anfitrión durante mi visita a la ciudad. El hallazgo, resultado de varios años de trabajos, ha estado siendo investigado durante los veranos por equipos de estudiantes de la Florida State University de Tallahassee, bajo la dirección del profesor Hale Smith (165).

En 1763, con la cesión de Florida a Gran Bretaña, terminó el tercer período español. Durante los años subsiguientes construyeron los ingleses dos fuertes, el Fort Barrancas, en emplazamiento cercano al antiguo San Carlos (1771), y el Fort George, situado en la colina izquierda que domina la ciudad. Este último lugar está edificado hoy por los Caballeros de Colón (en el extremo de la calle Palafox).

Conquista de la ciudad por Gálvez

Declarada la guerra a Inglaterra por España, en ayuda de los revolucionarios

264

norteamericanos por su independencia, el gobernador de la Luisiana y de Mobile, D. Bernardo de Gálvez, quien a raíz de la toma de esta última ciudad había sido nombrado por Carlos III mariscal de campo y jefe de todas las operaciones españolas en América, convocó la "Junta de Guerra", que convino un plan de acción para la toma de Pensacola. Tras el amago de una primera expedición de 2.065 hombres, y de otra segunda, igualmente non-nata, consiguió Gálvez, en agosto de 1781, reunir en La Habana 3.800 hombres, pertenecientes al Cuerpo de Ejército arribado no hacía mucho de España. A ellos se les reunirían 2.000, procedentes de México, Puerto Rico y Santo Domingo. Pero la flota quedó dispersada a mediados de octubre por un terrible huracán, que dio al traste con los ilusionados proyectos del mariscal (166).

Gálvez reaccionó pronto de su desánimo, y convenció a la Junta de la procedencia de reorganizar la expedición y de la oportunidad para asestar el golpe final al poder inglés en Pensacola. El 8 de marzo avistó Gálvez con su convoy su primer objetivo, la isla de Santa Rosa. El fuego de los 140 cañones británicos de Barrancas Coloradas ocasionó una disparidad de criterios entre el general y el jefe de su escuadra, Calbó, que quedó zanjada con la decisión del primero de forzar personalmente la entrada de la bahía con el falucho "Valenzuela" y el bergantín "Galveztown": la operación fue coronada por el éxito, ante el aplauso de la armada y sin recibir daños de consideración. Como consecuencia, la noche siguiente toda la escuadra forzó el paso, sin que ningún barco fuera alcanzado (Calbó decidió retirarse a La Habana). El 22 se unieron a la fuerza expedicionaria Expeleta y 500 hombres, procedentes de Mobile, y el 23 llegaba la escuadra de Nueva Orleáns. A ellos se añadieron los 1.600 veteranos arribados el 19 de abril al mando del mariscal de Campo Juan Manuel de Cagigal, en los 20 navíos a las órdenes de José Solano. Las fuerzas de Gálvez sobrepasaron así la cifra de 7.000 hombres (167).

Decidido Gálvez a efectuar un ataque final, y tras un mes de estudiar la situación, dispuso que durante tres noches cavaran sus hombres una trinchera que permitiera acercar una batería del 24 a las fortificaciones inglesas. Varios duelos de artillería y asaltos, con sus correspondientes bajas en hombres, se sucedieron, hasta que el amanecer del 8 de mayo un proyectil español acertó con el polvorín del fuerte, originando una potente explosión que mató entre 80 y 100 defensores. Gálvez ordenó entonces el asalto y, a las tres de la tarde, el general Campbell izó la bandera blanca de la rendición. Por los términos de la capitulación, el general inglés entregó al general español la totalidad de la Florida Occidental, a cambio del compromiso por parte de éste de otorgar los honores de guerra a sus adversarios, de proteger a los no combatientes, de retituir los esclavos y de remitir los prisioneros a cualquier puerto que eligieran, con excepción de Jamaica y S. Agustín. La rendición formal del fuerte se realizó el 10 de mayo de 1781 (168).

Con grandes alegrías recibió el pueblo de La Habana la noticia, y la misma reacción se verificó en la Península, en la que la "Gaceta de Madrid" reprodujo el satisfecho informe del vencedor a su tío D. José de Gálvez, presidente del Consejo de Indias. La caída de Pensacola supuso un gran contratiempo a la causa inglesa en Norteamérica, y ocasionó una gran satisfacción y alivio a los fatigados ejércitos de Washington. Con esta culminación, el joven general español "había dado –en palabras de Thomson– la más importante ayuda a las Colonias americanas en su lucha por la independencia, a cuyo logro contribuyó más que ninguno otro hombre..., había hecho a los Estados Unidos el regalo más importante que un aliado nunca pudo hacer u ofrecer: la seguridad de la frontera Sudeste y Oeste" (169).

Carlos III, en reconocimiento del extraordinario hecho, ordenó que la bahía de Pensacola fuera bautizada con el nombre de Santa María de Gálvez; asimismo, el Fort George recibió el nombre de San Miguel; el Fort Barrancas, el de San Carlos; el Queen's Redoubt, el de fuerte San Bernardo, y el Prince of Wales Battery, el de fuerte Sombrero (179). Gálvez fue ascendido al empleo de teniente general, se añadió a su gobernación la Florida Occidental y se la independizó de Nueva España; su sueldo personal quedó elevado en 10.000 pesos durante la guerra, se le concedió el título de conde, y la R. O. de 12 de noviembre de 1781 se expresó en los siguientes términos: "... para perpetuar en la posteridad la memoria de la heroica acción en la que tú solo forzaste el paso de la bahía, puedes colocar como cimera de tu escudo de armas al bergantín "Galveztown", con el mote YO SOLO..." (171).

En esta campaña participó el venezolano Francisco de Miranda a las órdenes de Gálvez.

Cuarto establecimiento español

De esta forma comenzó el cuarto y último período de la Pensacola española. Con posterioridad a la cesión de Florida a España por Inglaterra por el Tratado de Versalles de 3 de septiembre de 1783, se mantendría la división inglesa de las dos Floridas; Pensacola se convertiría en la capital española de la occidental, al frente de la cual llegaron a estar nueve gobernadores (172).

Emplazada la actual Pensacola en tierra firme a orillas de la bahía de Escambia (el correspondiente condado guarda también este nombre) y no lejos del río Perdido, puede decirse que nació en 1750, cuando los españoles consideraron conveniente construir la empalizada de San Miguel para defensa de los indios cristianos del área. Así comenzó realmente el cuarto establecimiento español en Pensacola, si bien las obras de la nueva fundación no se iniciaron en serio hasta 1756, en que el emplazamiento de la tercera fue por completo abandonado, a raíz de un destructor huracán (173).

Tres orígenes tiene, según hemos podido deducir al comienzo de nuestra visita, el callejero pensacoleño: Aragón, Cataluña y la guerra española de la Independencia. Importante conexión con los acontecimientos peninsulares es contemplable en la nomenclatura de dos plazas que, con la de Extremadura, son aún las más significativas de la urbe: plaza Ferdinand VII y Seville. Seville se denominaba con anterioridad Constitución, y la de Ferdinand VII era conocida por Sevilla; he aquí como la vuelta al absolutismo del hijo de Carlos IV repercutió en la lejana Pensacola, originando la desaparición de la plaza de la Constitución, así nombrada, como la de San Agustín, en homenaje a la obra de las Cortes de Cádiz. El casco urbano, que incluye dichas calles, se identifica con la antigua ciudad española; se conservan casas de la época, como "Quina House" (de 1815, propiedad de Desiderio Quina, boticario), "Julee House" (construida en 1790 y reputada como la más antigua entre las supérstites) o "Home of illustrious ladies" (cuyo origen, debido a Gabriel Hernández, data de 1810); se saben los emplazamientos de la casa del gobernador, de la cárcel, etc. (174).

En la plaza Ferdinand VII se desarrolló la transferencia de Florida por España a los Estados Unidos. En aquélla solían las tropas españolas hacer instrucción y tenían lugar las ceremonias públicas. Aún hoy se hallan en ella el Ayuntamiento y los Tribunales de Justicia. El 17 de julio de 1821 apareció por el costado Norte el general Andrew Jackson, con el cuarto regimiento, y por el Sur el gobernador español José Callava, seguido de sus colaboradores y de los Dragones de Tarragona. Colocados los dos protagonistas en el centro de la plaza, comenzó a arriarse la bandera española hasta la mitad del mástil, en tanto que en otro se izaba la norteamericana con 24 estrellas; durante breves momentos ambas permanecieron a la misma altura, hasta que la española fue bajada por completo y la roja, blanca y azul subida al tope. Gritos de júbilo salieron de las gargantas americanas en tanto que los españoles sollozaban en silencio; ante tan doliente contraste, Jackson –que no era precisamente un sentimental– ordenó la suspensión de toda manifestación de alegría. Su relación, días antes, con Callava no había sido, sin embargo, amistosa, cuando el español –ignorante de la venta– se resistió a hacer entrega del mando al yanqui; éste optó por ordenar el encarcelamiento del gobernador, quien, encontrándose en casa celebrando una festividad familiar, prefirió no resistir y llevarse a la prisión a amigos y parientes, con los que allí prosiguió la reunión (175).

De estos momentos quedan gráfica constancia merced a los artistas Rudeen y Manuel Runyan en el Museo Histórico de Pensacola (en la calle Zaragossa, albergado en antigua iglesia episcopaliana), en el que pueden admirarse otros muchos momentos españoles: banderas, planos de la ciudad en sus diferentes evoluciones, historia de los distintos establecimientos, trajes de la época, etc., todo ordenado escrupulosamente por su directora, la amable Miss Leila Abercrombie, y además, una colección de postales de las distintas ciudades españolas que tienen calle en Pensacola y otra de fotos de Peñíscola y su castillo remitidas por la esposa del actor Heston, protagonista de la película "El Cid", filmada en aquella península, ¿Razón?: una de las explicaciones del nombre de Pensacola le hace proceder, a través de sucesivos cambios de pronunciación, del de Peñíscola.

Cerca del museo nos aguarda del cementerio de St. Michael, de ocho acres de extensión, que fue donado a los católicos de Pensacola por el rey de España en 1781. Administrado por la Iglesia durante muchos años, hoy depende del Municipio que lo mantiene con gran cuidado: no en balde cobija los restos de prominentes ciudadanos, 257 nacidos en el extranjero y 215 en el continente americano, 63 por 100 católicos, 25 por 100 protestantes y 12 por 100 de otras religiones: Moreno, González, la esposa de uno de los firmantes de la Declaración de la Independencia, dos senadores federales, el secretario de la Marina de la Confederación, etc. (176).

El "Panton Leslie Post" es otro paraje que no debemos perder en nuestra visita. El gobernador Zéspedes estimó que los servicios de los negociantes escoceses William Panton y John Leslie eran indispensables para conservar el comercio, frente a la competencia de los Estados Unidos y de Gran Bretaña, con los indios creek capitaneados por Alexander McGillivray, por lo que autorizó en 1785 a aquéllos a establecerse en Pensacola y montar un gran negocio en colaboración con el jefe indio. Así, comenzó una empresa que, como luego veremos, jugó un papel relevante en la política española. Cuando McGillivray falleció en 1793, recibió sepultura en el jardín de la casa. Esta sufrió grandes vicisitudes con la muerte de sus fundadores y de sus sucesivos propietarios: sus ruinas se muestran como un trozo memorable de la Historia patria (177).

Solemnes actos tuvieron por escenario Pensacola en 1959 al iniciarse las conmemoraciones centenarias de Florida. Tomando como punto de partida la llegada a sus tierras de Tristán de Luna y sus compañeros cuatrocientos años antes, se desarrollaron en el mes de agosto festividades que contaron con la presencia, entre otros, del representante personal del presidente Eisenhower, mister Robert Gray; el embajador de España, conde de Motrico; el gobernador del Estado, Mr. LeRoy Collins; el cónsul general de España en Nueva Orleáns, don José L. Aparicio, y el consejero de Información de la Embajada de España, don Luis Bolín, así como de dos minadores., "Duero" y "Sil", tripulados por marinos españoles y ccdidos a España por la marina de los Estados Unidos, como consecuencia del pacto de Asistencia Mutua (178).

Desfiles, cabalgatas, bailes y el desembarco de D. Tristán de Luna, con su aparatosa corte, no fueron más que la culminación de dos acontecimientos de la máxima relevancia cultural: la organización de una exposición y la construcción de la réplica del poblado español dibujado por Serres. La exposición instalada en las dos plantas de un nuevo edificio (destinado ulteriormente a motel) había sido inaugurada en mayo anterior, y contó durante todo el tiempo en que estuvo abierta con una constante y masiva afluencia de público; la componían objetos de varia procedencia, principalmente de España (préstamos de los Museos Naval, del Ejército y otros Centros, instalados y cuidados por la señorita Matilde Medina), dando una idea de la España de Felipe II y del esfuerzo español en Norteamérica, todo ello complementado con letreros informativos y en torno a un gran mapa relatando gráficamente la gesta española en dicho sector continental. La Aldea española, cuyos edificios todavía se yerguen, contenía una reproducción de la capilla, el fuerte, la casa del gobernador y una serie de viviendas existentes en 1743; construidos todos en madera, albergaron un selecto grupo de artesanos españoles –alfareros, herreros, plateros, bordadoras, etc.– vestidos con sus trajes típicos y venidos expresamente de España, que deleitaban a los numerosos visitantes con la realización en público de su reconocido arte.

NOMBRE ESPAÑOLES

Además de las localidades ya citadas portadoras de nombres españoles, podemos recordar en Florida: Alturas, Cortez, El Portal, Mayo, Naranja, Ponce de León, Punta Gorda, San Mateo, Seville, Valparaíso, Andalusia, Arredonda, Columbia, Hernando, Pedro y San Blas, además de los condados de León, De Soto y Santa Rosa.

PARTE SEGUNDA

ESTADOS EN LA ORILLA ORIENTAL DEL RIO MISSISSIPPI

Dos criterios –geográfico e histórico– han predominado en la agrupación en esta parte de los Estados arriba mencionados. Si la cuenca de un río constituye siempre un complejo geográfico heomogéneo, con mayor motivo lo formará el "padre de ríos", uno de los primeros del planeta por su longitud, su magnitud y la extensión de la región que riega y a la que sirve como medio fundamental de transporte. Desde el punto de vista histórico, tiene aún más razón de ser la distribución elegida; de no intervenir, hubiera sido lógico el tratamiento conjunto con los Estados, que, formando también la cuenca, se encuentran situados en su orilla derecha u occidental. Pero en lo que toca a la Historia, las dos márgenes han tenido vidas diferentes, y más en lo referente a España y a su contribución en su devenir.

Al finalizar la guerra entre Francia, España e Inglaterra por el Tratado de París en 1763, por el que la primera perdió en favor de la tercera el Canadá y el resto de sus Colonias en Norteamérica, la segunda entró en posesión de las tierras al oeste del Mississippi y de la isla de Nueva Orleáns, situada al Este, como pertenecientes a la parte más importante de la antigua Luisiana francesa, en tanto que a Inglaterra correspondieron las existentes en la margen izquierda de dicho río, o lo que es igual, al este de él. En los preliminares de paz, Francia había ofrecido a Inglaterra la Luisiana, pero poseedora de Cuba, prefirió exigir Florida a cambio de la recuperación de aquélla por España; para vencer la hispana resistencia a perder territorio tan estratégico y tan encarnizadamente defendido en épocas anteriores, Francia ofreció a su vecina meridional los territorios de la Luisiana, situados en la orilla occidental. Aunque parezca extraño a primera vista, tamaño regalo no fue recibido con estusiasmo en la Corte de Madrid, pues añadía mayores gastos, renovados esfuerzos, duplicada preocupación a un Estado decadente, cuyo grave problema era hacer frente a los muchos que sus dilatados reinos le producían. Primó, sin embargo, la consideración de que los grandes dominios que se venían a las manos de la Corona española servirían de faja de protección para Nueva España y las gobernaciones de él dependientes, como

Texas y Nuevo México, y de contención para los posibles intentos de expansión de los vecinos, bien fueran ingleses, bien los colonos que con el tiempo adquirirían la independencia, bien los franceses, cuya presencia buenos quebraderos de cabeza había dado a las autoridades españolas de Texas y cuya desaparición –con la correlativa transferencia de sus territorios a España– inauguraría una etapa de tranquilidad que no habría de durar, por desgracia, muchos años.

Por el tratado aludido, todas las tierras al este del Mississippi pasaban a poder de Inglaterra, incluida la Florida, y todas las del Oeste quedaban bajo el dominio del rey de España. De no haber acaecido una serie de sucesos posteriores, hubiera podido ocurrir la estabilización indefinida de esta línea fronteriza, dada la fuerza divisoria de la corriente del Mississippi y la posibilidad de que Inglaterra se hubiera conformado (quizá no tanto en el Norte), con consolidar un respetable Estado, que desde Key West a los Grandes Lagos (ellos incluidos) se prolongaba hacia el Norte por tierras canadienses parcialmente exploradas, tanto en dirección al Polo como rumbo al Oeste, todavía desconocido. Por otra parte, la regulación o gobierno dado por Inglaterra a estas dilatadas posesiones era diferente según su aproximación o lejanía a sus bordes orientales u occidentales.

Las Colonias establecidas en las cercanías de la costa contaron pronto con un crecido número de pobladores y con un tipo de gobierno que se asemejaba al de la metrópoli: éstas fueron las que se declararon en rebeldía y son las estudiadas, en definitiva, en la parte primera (con excepción de Florida), las que dieron nacimiento a los Trece Estados fundacionales. Dichas provincias se encontraban situadas entre el océano Atlántico, al Este, y las cadenas de los Apalaches, al Oeste; espacio suficiente para la expansión futura (no entrevista todavía la que se desarrollaría a lo largo del siglo XIX y siglo XX) y espacio todavía vacío, lleno de posibilidades y campo de acción sobrado para el espíritu aventurero más ambicioso. Pero las tierras al oeste de los Apalaches, ahora en manos inglesas, rastreadas en algunos sectores por los franceses descendidos en el curso del siglo XVII desde Canadá, y que por el tratado de 1763 habían pasado a Inglaterra, producirían por su enorme extensión difíciles problemas de defensa evidenciados en las guerras recientemente terminadas.

La "King's Proclamation", o Proclamación Real de 1763, decretó una línea –llamada "Ploclamation Line"– que remontaría la cresta de los Apalaches y que serviría de límite occidental para el establecimiento de los colonos procedentes del Este. La puesta en práctica de la disposición real acarreó incendios y destrucciones, llevados a cabo por el ejército regular inglés, de las cabinas y construcciones de los blancos que habían osado atravesar las barreras montañosas en desafío de aquel edicto de los estatutos provinciales y de la amenaza india. Ante la oposición de las Colonias de participar en los gastos que ocasionaba la defensa de la frontera y de un territorio que pertenecía con exclusividad a la Corona, el Gobierno inglés resolvió abandonar su responsabilidad de mantener la paz en aquellos territorios, y concentrar sus fuerzas en la costa, dados los incipientes amagos de sedición (1).

La creación de la línea había venido a beneficiar a los comerciantes con los indios que vieron retardar la llegada de los blancos y el asentamiento de éstos en los territorios por ellos controlados, a los indios que consiguieron retrasar la presencia extraña por varios años y a las Compañías inmobiliarias que tuvieron tiempo para organizarse. Con el debilitamiento de la vigilancia del ejército, como resultado de su paulatina retirada hacia el Este, se deparó a las Compañías la oportunidad para abrir brecha y comenzar su política rural. Así, ya en 1768, negociaron el Tratado de Fort Stanwix con Sir William Johnson, el procónsul de los indios, por el que los iroqueses vendieron por el equivalente a 50.000 dólares sus derechos a los territorios al este y al sur del río Ohio. Hubo, sin embargo, colonos que consiguieron su permanencia contra viento y marea, como en Kentucky o en la región de Natchez, Mississippi, en este caso aprovechándose del portillo abierto por el Decreto real al permitir establecimientos en Florida Occidental (2).

La "Proclamación Real" constituiría un sólido obstáculo legal para los negociadores revolucionarios en las tratativas preliminares de paz habidas con Francia y España; difícilmente podrían encontrar una réplica, basada en derecho, a las reclamaciones españolas sobre las comarcas comprendidas al oeste de la línea y alegar, bajo cualquier teoría aceptada de derecho internacional, soberanía sobre ellas: la Proclamación Real había específicamente reservado aquellos territorios a Inglaterra y denegado a las Trece Provincias todo derecho a ellos referente (3).

Llegamos aquí a un punto en el que conviene exponer en líneas generales la presencia de España en los Estados objeto de esta parte, y la estrecha forma en que quedó ligada con ellos. Fue primordialmente con ocasión de la rebeldía de los colonos contra la Gran Bretaña, de la Proclamación de la Independencia, de la guerra subsiguiente y del Tratado de París de 1783 entre la Madre Patria sajona y la nueva nación. De no estallar la revolución, la presencia española en la región se hubiera limitado quizá a relaciones fronterizas y a la resolución de los problemas causados en los residentes franceses por la cesión de la Luisiana por Francia. Estos elegirían en gran mayoría someterse al Gobierno de España antes que al de Inglaterra, por pensar acertadamente que había de encontrar, dado su catolicismo, mayor protección y comprensión ante los representantes de la borbónica majestad que de parte de los gobernantes protestantes anglosajones; así, muchos franceses cruzaron el Mississippi y abandonaron su residencia en las tierras situadas en su margen izquierda (4).

El estallido de la guerra entre Inglaterra y sus Colonias traería desde el principio la simpatía de España hacia los sublevados, simpatía que se concretaría en una serie de actos positivos de gran trascendencia para su causa y que más tarde sería uno de los motivos fundamentales de la declaración de guerra por parte de España, como antes lo había hecho Francia, el 21 de junio de 1779, contra su tradicional enemiga, y la participación de los ejércitos españoles en la contienda (5).

Esta región que nos ocupa –con la situada a la orilla derecha del Mississippi –fue el escenario de la bélica intervención española (con excepción de Pensacola, también arrebatada a los ingleses por las tropas de Gálvez en tan crucial oportunidad), intervención que, como hemos visto e iremos viendo, alcanzó notable resonancia y supuso una ayuda militar para los colonos, revestida de caracteres específicos: fue la única facilitada a la nueva nación por otra como tal, con su ejército regular, mandado por generales propios, y siguiendo las órdenes emanadas del superior gobierno, y en función de amigo y cobeligerante; es indudable que la colaboración directa francesa en hombres y material alcanzó cifras más respetables que la española, pero los galos, en un principio, intervinieron tan sólo como voluntarios, y más tarde encuadrados en el ejército revolucionario bajo el mando supremo de Washington. Merced a la bélica determinación española, muchos nativos de sus territorios –futuros componentes de la Unión– pudieron colaborar en la consecución de la independencia contra Inglaterra; de aquí que sus descendientes se enorgullezcan –al parigual que ocurre en el Este– de pertenecer a las prestigiosas Asociaciones de los Hijos y de las Hijas de la Revolución (6).

Pero es que, además, se da la feliz y significativa circunstancia de que dicha militar intervención española se caracterizó por su éxito, y los nombres de Fort Manchac, Baton Rouge, Natchez, Mobile, Pensacola, San Luis y San José son otros tantos de victorias españolas sobre los ingleses, sin contar junto a ellas derrota alguna. No quedarían en el valle del Mississippi más fuertes ingleses que Detroit y Mackinac. No contaban éstos con tal resultado cuando planearon sus campañas a base de conseguir –con la ayuda de sus aliados indios– la libre navegación del río Mississippi con la toma de puntos tan estratégicos como Nueva Orleáns. Con sus victorias y con vistas a la protección de los territorios al oeste del Mississippi, comenzaron los españoles a considerar sus derechos sobre los situados al Este, parte de los cuales había caído materialmente en su poder y en algunos de cuyos puntos se habían elevado fuertes que proclamaban la presencia española; otros actos o gestos motivados por el cuidado de establecer bases para las alegaciones posteriores de soberanía, completarían las actividades españolas en la región durante la guerra de la Independencia (7).

Las pretensiones españolas sobre los territorios al este del Mississippi recibieron el apoyo de Francia, y su representante diplomático, M. Chevalier de la Luzerne, insistentemente reclamó del Congreso reunido en Filadelfia su reconocimiento, condicionando a él la fundamental ayuda de su país. El Estado de Virginia, como excepción, dio pasos que contradecían los argumentos españoles, al elevar Clark en 1780, con la aprobación de Jefferson, el fuerte Jefferson en las márgenes orientales del Mississippi; pero los ataques de los indios chiscskasaw y las dificultades de suministros obligaron a su abandono al año siguiente: como única guarnición americana quedó la de Fort Nelson, en Louisville, así denominada en honor al rey francés Luis XVI y como agradecimiento a la colaboración gala. Con tal proceder, Virginia y los Estados del Sur, como Carolina del Norte, llegaron a irritar a los del Norte, sin intereses de tierras en el Oeste, temerosos de alinearse el apoyo y la amistad franceses. Cuando fracasó, por negativa inglesa, el intento de mediación de Rusia y Austria ofrecido a los Estados Unidos el 20 de mayo de 1781, el ministro La Luzerne pudo escribir a su Gobierno que los americanos, conociendo las realidades de su situación, se hallaban dispuestos a aceptar el río Ohio e incluso los Apalaches como frontera futura entre los Estados Unidos y España. Correspondió a Benjamín Franklin la suprema responsabilidad en las negociaciones para la paz que habría de sucederse, y en el verano de 1781, difícil para la causa americana, adoptó un enfoque realista y se mostró presto a hacer concesiones con el fin de conseguir la victoria (8).

En agosto de 1782 John Jay, que había servido como delegado de las Colonias de Madrid hasta el mes de junio, propuso como compromiso una línea limítrofe que se trazara desde Kanawha hasta la frontera con Georgia, y que salvaría para los Estados nacientes, Pennsylvania y la mayoría de los establecimientos en la región de Holston, pero que dejaría a Kentucky y Tennessee en territorio español (9). La posición inglesa claramente se mostraba, por otro lado, no dispuesta a ceder a los rebeldes más allá de la Línea, territorios que habían sido denegados a los súbditos leales a la Corona (10).

A las ofertas de mediación de Rusia y de Austria, contestó negativamente Floridablanca, "en documento poco divulgado y de interés innegable para la Historia de España y de los Estados Unidos" (11); en él deja sentada la lealtad de España al no consentir se abriesen las puertas a futuros atropellos contra el pueblo sublevado y al no hallarse dispuesto a firmar la paz si éste no conseguía su anhelada independencia.

La actitud del Gobierno de S. M. británica cambió, sin embargo, bruscamente con el nombramiento como jefe del Gabinete de Lord Schelburne y al percatarse los negociadores ingleses de que su posición debía ser justamente la opuesta de la francesa. Si ésta sostenía una frontera occidental de la nueva nación que limitaría su expansión en tal sentido, Inglaterra debería procurar lo contrario. Y así, ocurrió, que los delegados norteamericanos recibieron atónitos unas proposiciones de paz –insospechables, años y aun meses antes– que incorporaron al Tratado de Paz provisional, firmado el 30 de noviembre de 1782. La tan defendida "Proclamation Line", por la que la Corona se obligaba a proteger los intereses de los fieles indios aliados, fue arrumbada casi sin discusión y en su lugar se reconocían como pertenecientes a los Estados Unidos los territorios ingleses situados al oeste de las montañas Apalaches y al sur de los Grandes Lagos; los dominios de varias naciones indias quedaban bajo la esfera del nuevo país. El confín con Canadá se trazaba por parajes que coinciden con los actuales. y las pretensiones españolas se hacían retroceder a los márgenes occidentales del Mississippi y a las tierras al sur del paralelo 31° (12).

Con la nueva situación creada, tanto los Estados Unidos como España quisieron solucionar el problema de límites entre sus respectivos territorios. Correspondió al conde de Aranda la tarea de tratar con Jay, residente de nuevo en París, conversaciones que habían sido iniciadas a mediados de 1782. Comenzó el embajador español trazando con un lápiz rojo sobre uno de los mapas del Atlas de Mitchell la frontera que reclamaba España: comenzaba por el Lago Superior, pasaba por el Erie, seguía por la confluencia del río Conhaway con el Ohio, para dar en el recodo más entrante de la Carolina meridional, continuando hasta buscar como visual un lago en la tierra de los Apalaches que forma un río cuyo nombre se desconocía y desaguaba en el río Altamaha o George River, pero sin llegar a él, dejando así una indicación indecisa (13).

Conocedor Aranda de sus escasos conocimientos cartogáficos, recurrió a los expertos oficios de Rayneval, subsecretario de Vergennes, fijando como punto cardinal en la negociación con Jay la existencia de dos categorías de territorios británicos en la América serptentrional: las Colonias propiamente dichas, con población y límites conocidos, y los territorios de la Corona conquistados a otros Imperios, Canadá, Luisiana y Florida. La Memoria que redactó Rayneval complació a los españoles, dado que hacía herederos a éstos de los derechos adquiridos por Francia en Luisiana, si bien trazaba la línea limítrofe un tanto separada de la de Aranda. Las dificultades interiores de los Estados Unidos y el nombramiento de Gardoqui como representante español ante el Congreso norteamericano aplazaron la consecución de un acuerdo (14).

Entre tanto, el activo expansionismo de los colonos, no siempre pacífico, y la debilidad creciente de España, no obstante el patriotismo y habilidad de sus representantes en el continente, hicieron que quedara incontestado "de facto" el dominio yanki en la parte alta de la ribera oriental del Mississippi. No ocurrió lo mismo en el extremo sur del área disputada, en el que llegaron a originarse peligrosas tensiones. La ausencia de base jurídica en las pretensiones norteamericanas sobre este sector es reconocida por historiadores como Flagg Bemis (15). Ambas partes recurrieron a la preciosa alianza de los indios, quienes en esta oportunidad se inclinaron abiertamente del lado español: el caso de McGillivray es un ejemplo bien patente (16). La continuada presión norteamericana y la progresiva decadencia española desembocaron en la firma del Tratado de San Lorenzo en 1795, por el que prácticamente España abandonaba sus puntos de vista y cedía ante su vecino (17). Se vino así a poner en práctica la política aconsejada por Aranda a Floridablanca, en carta de 2 de marzo de 1783, cuando decía, entre otras cosas: "(puesto) que aquel nuevo dominio... lleva visos de ser tranquilo en su establecimiento, que es cuanto podemos desear, por lo mismo parecer ser nuestro interés el que empiece a vivir con semejante disposición, sin quedarle espina inmediata que mire con resentimiento, para que ni en los actuales vivientes ni en la tradición de sus sucesores se engendre un encono de vecinos..." (18).

Pero la presencia española se vertió en otro aspecto de suma importancia: aceptando el hecho de la material ocupación de las regiones de Kentucky y de Tennessee por los colonos procedentes del Este, España mostró sus simpatías hacia sus deseos de independencia de las Treces Provincias y de asociación con España bajo ciertas condiciones; hubo un momento en 1787 en el que todo el mundo creía que el Oeste se haría español, y en esta opinión abundaban las mismas autoridades españolas del área. Poco faltó para que, por propia voluntad de sus anglosajones habitantes, los territorios que hoy son Kentucky y Tennessee pasaran a depender de la Corona de España en el último cuarto de siglo XVIII, y justamente a los cinco años de la independencia del país. Lo que no se había podido retener por la fuerza estuvo a punto de obtenerse por medios pacíficos. No hace falta mucha imaginación para pensar en cuál habría sido el destino de la joven nación de haberse cuajado los anhelos secesionistas de una fracción de sus habitantes (19).

CAPITULO I

ILLINOIS, WISCONSIN, INDIANA, MICHIGAN Y OHIO

ILLINOIS, tierra de Lincoln

Es Illinois un nombre familiar en los papeles del estado español, en los documentos conservados en el Archivo de Indias de Sevilla y en los libros de Historia en los que se trata de los destinos de España. Data su inclusión activa en el mundo de ésta y su incorporación al acontecer de los tiempos en que España entró en posesión de la Luisiana, como consecuencia del Tratado de París, por el que Francia le cedió en 1763 tan vastos territorios. A partir de tal momento, el nombre de Illinois, correspondiente a un sector de nativos de la región, comienza a aparecer, pero, como en otros muchos casos, con una ortografía peculiar o hispanizada. Así, veremos alusiones a "Ylinoa", al "Ylinois" y al distrito de los "Ylinenses" (1). En el informe que Francisco Rui eleva al gobernador O'Reilly el 29 de octubre de 1769 se indica que el primer pueblo de los "Ylinenses" es el llamado de Santa Genoveva, o, por otro nombre, Misera (2). El que somete dos días más tarde el teniente gobernador Piernas incluye una descripción cuyo comienzo es de este tenor: "El país de los «Ylinoeses» es, en general, sano y fértil, con clima delicioso y apto para toda clase de plantas..." (3).

A las claras está que estas españolas noticias dan al "Ylinois" una mayor extensión que la actualmente ocupada por el Estado de su nombre; los españoles querían referirse, indudablemente, a la Alta Luisiana, que comprendía las tierras al Norte de lo que es hoy mitad del Estado de Arkansas. La realización de tamaña ampliación de territorio sería bien recibida por los "ilinenses" de la hora presentes, ellos que se preocupan tanto por su papel rector y por su hegemonía en el país, rivalizando con el tradicional poder de Nueva York. Al hablar así, nos estamos centrando en Chicago, la gran urbe del Estado, pero antes debemos dar una pincelada sobre el territorio que constituye su contorno.

Las matrículas de los automóviles de Illinois orgullosamente proclaman "land of Lincoln", acaparando así la atribución regional de este asesinado presidente, que, por otro lado, nació en Kenctuky, pero que pasó buena parte de su juventud en la región: New Salem le vio trabajar como empleado en una tienda, actuar como jefe de correos, luchar con Jack Armstrong y estudiar cuanto después habría de utilizar para obtener la silla senatorial y, por fin, la Casa Blanca. Ciudad abandonada durante largas épocas, New Salem ha sido restaurada en torno a la figura de Abraham. Pero no está enterrado en ella, sino en el cementerio de Springfield, en la que también se afanó, y que es la capital del Estado (4). (El ingreso en la Unión de éste lleva la fecha de 3 de diciembre de 1818).

También en Decatur vivió Lincoln durante un año. Hoy la ciudad –una de las de mayor crecimiento en el "Midwest"– es el centro de una demarcación productora de cereales y la sede de la A. E. Stanley Manufacturing Co., una de las más grandes en elaborar los cereales y los "soy-beans" o glicinas. El área formada por estas ciudades, justamente con Peoria –la segunda del Estado y sede de importantes fábricas de tractores oruga–, suele denominarse concretamente "tierra de Lincoln", y existe un itinerario en pos de las huellas del apóstol del abolicionismo y autor del "Discurso de Gettysburg" (5).

Al sur del Estado de Illinois existe el condado de Williamson, famoso por las escenas de violencia acaecidas en sus límites en el curso del siglo XX. Marion es la cabeza, pero la localidad de Herrin la depasa en popularidad por la matanza que presenció en junio de 1922 y por la muerte del matón S. Glenn Young, a sueldo de las autoridades estatales del Ku-Klux-Klan, en enero de 1925 (6). En el noroeste del Estado, Moline, la capital de la maquinaria agrícola en el país, es el lugar en que John Deere perfeccionó su arado mecánico, haciendo posible la conquista de las praderas y la conversión de éstas en el panero de la nación (7).

Illinois ocupa el 3º puesto entre los otros Estados de la Unión por su número de millonarios: 35.545 (7b).

LOS MORMONES

Las cercanías de la frontera con Iowa y Missouri constituyen una región fuertemente ligada a la historia de la secta de los mormones; se centra en torno de dos nombres: Nauvoo y Carthage. La primera de las dos ciudades, en tiempos de Zion del mormonismo y la más populosa de Illinois, fue causa de cierta intranquilidad en éste, al convertirse en un Estado autónomo dentro del otro y estar su legión mejor organizada que la milicia estatal; el moderno Nauvoo da nombre hoy a un apreciado vino y un maloliente queso Rocquefort. El profeta Joseph Smith, fundador de los mormones, declaró que el nombre Nauvoo le había sido dado por el ángel Moroni, que le inspiró para la constitución de la secta; comenzó la construcción de la urbe en 1840. Cuando Brigham Young, partidario de la poligamia, tomó el mando de los mormones, abandonó Nauvoo para comenzar el gran éxodo que acabaría en Salt Lake City. Nauvoo se convertiría en una ciudad de fantasmas hasta que la "Church of Jesus Crist of Latter Day Saints" (nombre oficial de la secta) la comprara y la convirtiera en lugar de peregrinación. En la cárcel de Carthage perecieron asesinados por la plebe en 1844 Joseph y Hyram Smith: el lugar es hoy reverenciado, y el hecho originó la aludida transmigración (8).

CHICAGO

Chicago es la culminación de su Estado, el primero en granos y carnes. Fundada por el padre Marquette y Louis Joliet, quienes regresaban del Sur, el nombre de Chicago es indio fonetizado en francés: la palabra india "checagoan" significaba fuerte, por el olor que el río despedía (9). Cualquiera que sea el modo de transporte que se elija para visitarla, se cuenta con un lugar de llegada excepcional: el aeropuerto internacional O'Hare –el segundo en tráfico–, la estación de ferrocarril –Chicago es quizá el nudo ferroviario preponderante en el país– y el Lake Shore Drive, con toda la cadena de muelles al Sur, en el lago Michigan, que hacen de la ciudad –y más después de la construcción del canal de San Lorenzo– uno de los puertos de mayor actividad de la tierra. Gran matadero de ganado porcino y vacuno, mercado mundial de cereales, poseedora de grandes altos hornos y fundiciones, corazón de América, como se considera a sí misma, pasa en la actualidad por momentos, si no de decadencia, de no progreso, lo que equivale a ésta. Su segundo puesto entre las populosas ciudades de los Estados Unidos ha tenido que cederlo a Los Angeles.

Su centro, conocido por "The Loop" (El Lazo), está vertebrado por el río Chicago, sobre el que se destacan los rascacielos del "Chicago Daily Tribune", el Wrigley del "chewing gum", o "chiclet", las dos torres gemelas, o "Marina towers", y el International Trade Mart; y por el ferrocarril elevado, que, arcaicamente, ocupa la calzada central de Wabash y de otras calles céntricas. En dicho sector se encuentran los famosos almacenes de Marshall Field, Sears y Montgomery Ward, todas creaciones locales: resulta que éste fue el pionero en 1872 de las ventas por catálogo, tan extendidas hoy en el país, y que Sears es una de las Empresas americanas que más dinero mueve (10).

Arte y Ciencia

Chicago cuenta con un excepcional Art Institute, en el que se atesoran una serie de obras artísticas españolas: un sensacional retablo medieval del canciller López de Ayala (11); dos obras de Martorell y Bermejo; "San Francisco y la calavera", "Fiesta en casa de Simón", "La Asunción de la Virgen" y "San Francisco", de El Greco; "San Juan", "Job" y "La criada", de Velázquez; "Dos monjes en el campo', de Murillo; "Crucifixión", "Bodegón" y "San Román", de Zurbarán; "Isidoro Máiquez", y "Seis episodios de la captura del bandido Morgato por el monje Pedro de Zaldívar", de Goya; así como otras de Picasso, "Sylvette", "El viejo guitarrista" y "Madre e hijo"; Dalí, "Mae West" e "Invenciones de los monstruos"; Miró, "Personajes con estrellas", "Tablero de ajedrez", y "Mujer y pájaros frente al sol"; Gris, etc.

En la plaza del Civic Center, la imponente escultura en acero representando un pájaro fantástico con la cabeza inclinada, donada por Picasso a la ciudad, da una nota hispánica al colosal conjunto urbano. A su inauguración, en el verano de 1967, asistieron 50.000 personas.

El Museo de Ciencia e Industria es otro de los parajes que hay que visitar en Chicago, y por su alejamiento del centro depara la oportunidad de recorrer la amplia avenida que bordea el lago tanto en la dirección Sur que ahora nos interesa como en la Norte; en cualquiera de sus tramos, considerables playas aliviarán, en el intenso verano de que Chicago también disfruta, el calor de sus agobiados ciudadanos. En el aludido museo puede verse a lo ancho de su extensa superficie todos los adelantos industriales logrados por Norteamérica en el último siglo, junto a un submarino alemán, sumergido, capturado en la gran guerra, o una colección natural de fetos que explica impresionantemente las distintas fases del nacimiento del ser humano, pasando por la reproducción de un gigantesco corazón, cuyos alvéolos o válvulas están a la disposición de la curiosidad táctil de sus espectadores.

Exposición colombina en 1892

El Museo de Ciencia e Industria es el único resto de la "Columbian World Exposition" de 1892, organizada para celebrar el descubrimiento de América. España estuvo representada en tan solemne oportunidad por la *Infanta Eulalia*. Los actos los presidió el vicepresidente de la Unión, Mr. Levi P. Morton, junto con varios miembros del Gobierno, en ausencia del presidente Harrison, quien tenía críticamente enferma a su esposa. Un desfile a base de 80.000 hombres, con la intervención de indios y de "cowboys", la actuación de 150 bandas de música (John Philip Sousa dirigió la Banda de la Marina) y un concierto en el que intervino un coro de 1.000 voces fueron otros tantos acontecimientos complementarios de la Exposición, que no pudo inaugurarse el día 12 de octubre, sino diez días más tarde. En momentos en que la campaña feminista para conseguir para la mujer el derecho al voto se hallaba en su cumbre, una Junta de señoras recibió el encargo de ayudar en la organización de los actos rememorativos y en la atención a los huéspedes y visitantes. El lema y justificación de su intervención se basaba en la reina Isabel, "sin la que Colón no hubiera descubierto América: "all in honor of Queen Isabella" (12).

En honor de ésta se emitió en 1893 una moneda de valor de $ 0,25, que alcanza hoy elevado precio entre los coleccionistas. Se trata de la única moneda conmemorativa de ese valor acuñada en los Estados Unidos y de la única que representa a un monarca extranjero; con ocasión de las festividades colombinas, también se emitió una moneda de un valor de $ 0,50, con la efigie de Colón en el anverso y de la carabela "Santa María" en el reverso. Esta fue la primera de las monedas recordativas que con posterioridad verían la luz en Estados Unidos (13).

La ciudad ha renunciado a su primer propósito de ser la sede de una Feria Internacional en 1992.

Congresos

Chicago es quizás la ciudad de los Estados Unidos mejor provista de hoteles, y de hoteles grandes. Por ello, es la ciudad preferida para los congresos de todo tipo, fenómeno que es una de las columnas sustentadoras de la vida y de la economía de los Estados Unidos. No hay ciudadano que se precie que no acuda, por lo menos una vez al año, a alguna convención de gentes con las que se halle relacionado por vínculos profesionales, ideológicos, de aficiones, etc. Aparte de la necesidad humana de desahogarse de vez en cuando con el semejante (lo que los latinos logran a diario en la calle o en la plaza), se explica la "convencionitis" de los norteamericanos por los beneficios que los asistentes logran –más que de oír los "papeles" que se leen– al darse a conocer y conocer a otros colegas, con enormes posibilidades de conseguir mejores empleos, y por ser los gastos que la asistencia implica objeto de pago por parte de la entidad en que trabajan o, al menos, de deducción en el fatídico momento del abono de los impuestos.

Los profesores de idiomas no son excepción en la corriente indicada, por lo que la *Modern Language Association,* que acoge a los profesores universitarios de lenguas vivas, y la *American Association of Teachers of Spanish and Portuguese,* que agrupa a todos los profesores de español y portugués, en todos los grados de la enseñanza (hay otras específicas para los demás idiomas), se reúnen correspondiendo a Chicago la sede cada dos años. Es impresionante el espectáculo de una reunión de varios miles de profesores –la mayoría norteamericanos, muchos españoles, cubanos, etc.– que dedican su vida a la enseñanza de nuestra lengua y de nuestra cultura, y que durante unos días invaden la ciudad y tienen por principal vínculo de unión y de preocupación los problemas relacionados con el castellano o los que suscitan diversos aspectos literarios de las obras escritas en él. Y así, a través de hasta diez seminarios, podrán oírse disquisiciones en torno a problemas de fonética, o sobre el color amarillo en la obra de Galdós, o la genialidad de Lope (el año de su centenario fue objeto su obra de un seminario completo y de los trabajos de un experto grupo de especialistas), o teniendo la figura de Unamuno por tema. Y en el curso de los almuerzos o de las cenas que se prodigan, los brindis u ofrecimientos se harán en la cristalina prosa de Azorín. Y en los intervalos de sesiones, las discusiones que se entablen irán sazonadas con castizas interjecciones o gesticulaciones mediterráneas.

La Convención republicana de 1952 en Chicago presenció la derrota de Taft ante Eisenhower como candidato presidencial, y de la misma ciudad salió el nombre de Adlai E. Stevenson como contrincante del general vencedor (14).

Contrastes en Chicago

Es Chicago la archidiócesis católica más populosa de los Estados Unidos, después de la de Los Angeles; es la Meca del aislacionismo –tan ardientemente sustentado por el "Chicago Daily Tribune" hasta la muerte, en 1956, de su propietario, el coronel Robert R. McCormick– (15); fue escenario del histérico belicismo antiespañol de William Randolph Hearst, promotor, a través de la cadena de sus periódicos, de la guerra contra España en 1898; es la sede de la organización "La Leche League International" (otro caso en que el hispánico nombre del blanco líquido se ha impuesto), promotora y propagadora del amamantamiento de los recién nacidos por sus madres (17), y es –ha sido– el cuartel general del crimen organizado (18). No quiere decirse con esto último que Nueva York o San Francisco se hallen libres de "gangsters", como "Lucky" Luciano o Vito Genovese, pero los nombres de Al Capone, Dillinger, Alberto Anastasia o Frank Costello se asocian, inevitablemente, al de Chicago.

Chicago acoge a un activo "Club Taurino", cuyos miembros no hace mucho viajaron en corporación a España, y alberga en la céntrica Monroe St. la "Sociedad Española de Beneficiencia, Instrucción y Recreo". Se han fundado hace años la Cámara de Comercio Hispano-Norteamericana, y la Hispanic Society of Chicago.

Los hispanos comienzan a presar políticamente en 1976 al proporcionar doscientos mil votos al candidato demócrata para la Alcaldía, bajo el liderazgo de Manuel Tercero.

UNIVERSIDADES DE ILLINOIS

En el campo de la enseñanza superior figuran en la gran metrópoli las Universidades de Chicago (fundada en 1890 con dinero de John D. Rockefeller) (19), y cuya biblioteca contiene las colecciones Durret –con documentos relacionados con los intentos independentistas de Kentucky– y Gardoqui –a base de copias en los archivos españoles sobre su actuación diplomática en los Estados Unidos (20) (en ella profesó J.Corominas)–, la Northwestern University –en el suburbio de Evanston–, la Loyola de los jesuitas (con un Instituto de Historia de la Compañía, que se ha ocupado, así como su revista trimestral "Mid-América", de las Misiones españolas en Norteamérica), de Paul University (de los padres de San Vicente), y Roosevelt University, además del Illinois Institute of Technology. Todas ellas cuentan con notables Departamentos de español, nutridos de numerosos profesores. En Urbana tiene su "campus" principal la Universidad de Illinois (su Medical Center puede visitarse en Chicago), y en Bloomington la Illinois Wesleyan University , muy activas también en el campo hispánico. Otras Universidades en el Estado son Bradley University, en Peoria; Eastern Illinois University, en Charleston; Millikin University, en Decatur; Northern Illinois University, en DeKalb; Southern Illinois University, en Carbondale, y Western Illinois University, en Macomb. El "Opus Dei" ha establecido en Chicago su casa central para toda Norteamérica, y ella es responsable de la revista semanal "Report".

PRESENCIA ESPAÑOLA

Sesenta y tantos años antes de los mormones, anduvieron victoriosos los españoles por el sector occidental de Illinois; los habitantes de Cahokia, cerca del actual East St. Louis, hicieron en 1780 causa común con aquéllos (que se hallaban estacionados en la otra orilla del Mississippi) para defenderse de los ataques de los indios. Una compañía de 300 en total tomó represalias (bajo el mando del coronel Montgomery) cerca del río Bear y de Prairie du Chien, en las proximidades de Keokuk, en la frontera de Iowa, Illinois y Missouri (21).

Mississippi abajo, y a unos 100 kilómetros de St. Louis, se encontraba Kaskasia, en rente de Santa Genoveva o Ste. Geneviève. Este establecimiento, con el de Cahokia, jugó especial papel en tiempos de la revolución, mereciendo reseñarse la participación española en los hechos que allí se sucedieron. A Kaskasia llegó Clark el 4 de julio de 1778, cumpliendo las instrucciones del gobernador de Virginia, Patrick Henry, que había aprobado el plan que le sometiera Clark el mes de diciembre anterior (22). La carencia de municiones, víveres y dinero para pagar a su gente puso en peligro su situación, salvada gracias a los giros y letras de cambio que Clark remitió a Nueva Orleáns al agente de Virginia, Pollock, aceptados por el gobernador español; éste adelantó a Pollock hasta 74.087 dólares para la compra de pólvora y otras provisiones, y le ayudó en la obtención de éstas (23). Don Bernardo de Gálvez, igualmente, permitió que los hombres de James Willing, llegados desde Pittsburgh en un bote armado, se unieran a las fuerzas de Clark, atravesando los territorios españoles (24). Posteriormente, Pollock se obligaría a título personal por la cantidad de 136.466 dólares, lo que le ocasionaría la ruina al no honrar sus compromisos el Estado de Virginia; diez años después sería rembolsado debidamente por los Gobiernos de dicho Estado y el federal (25).

Clark consiguió también la simpatía del teniente-gobernador español en San Luis, Fernando de Leyba, quien le aguardaba, merced a las confidencias que había recibido –como los demás comandantes españoles en el Mississippi– del agente español en Filadelfia Juan Miralles, informado de la empresa proyectada. Clark fue muy amablemente recibido por Leyba; en escrito a Patrick Henry confiesa que el jefe español le había ofrecido toda la fuerza que él pudiese levantar en el caso de un ataque de los indios procedentes de Detroit (26). Leyba y Clark llegaron a ser íntimos amigos. Todos los recursos de los establecimientos de San Luis –recuerda Thomson– quedaron abiertos a los de Kentucky, incluyendo más tarde la hospitalidad del propio hogar del teniente-gobernador y el cálido afecto de las damas de su familia (hay constancia de los amores de Clark con la hermana de aquél), Teresa (27).

Bien sabemos que la campaña de Clark culminaría con la toma definitiva de Vincennes, hoy en el Estado de Indiana (28). La victoria se debería en buena parte a la ayuda suministrada a Clark por Gálvez y Pollock. Clark no sólo había dependido de ellos para el suministro de sus tropas, sino que pudo continuar, gracias al crédito que le facilitaron, la conquista de la región y mantenerla. Sin la colaboración de aquéllos no habría podido mantener su "servicio de aprovisionamiento", Vincennes habría quedado definitivamente en manos inglesas y el plan inglés de conquistar la cuenca del Mississippi habría supuesto la pérdida del Oeste para los colonos, con las consecuencias correspondientes para el curso de la guerra (29).

Las relaciones de Kaskasia y de Cahokia con los españoles se incrementaron a raíz de la creciente huida de los católicos franceses habitantes de éstas hacia la orilla derecha del Mississippi; el padre Gibault recibió el nombramiento de párroco de Santa Genoveva en 1778; Gabriel Cerré, uno de los acaudalados ciudadanos de Kaskasia, emigró al lado español en 1779; Charles Gratiot, de Cahokia, le siguió a poco, etc. (30).

Años más tarde, los mineros a la orden de Julien Dubuque, súbdito del rey de España, explotaron yacimientos de plomo en el río Aple, cerca de la actual y occidental ciudad de Elizabeth. (31).

NOMBRES ESPAÑOLES

En el Estado de Illinois hay las siguientes localidades que llevan nombres hispánicos: Aledo, Alto Pass, Andalusía, Argenta, Aurora, Cerro Gordo, Cisne, Cordova, Cuba, De Soto, Eldorado, El Paso, Galena, Manito, Palos Heights, Palos Park, Perú, Plano, Polo, San José, Serena, Alma, Arena, Columbia, New Columbia, Havana, Hidalgo, Noble, Nevada, Lima, Sacramento, Seneca, Trilla y Toledo, esta última participante de la asociación mundial de ciudades que se enorgullecen de semejante nombre.

WISCONSIN, el Estado lechero

Descubierto por Jean Nicolet en 1634, su nombre significa "reunión de las aguas" (32). Situado Wisconsin al norte de Illinois, y con su borde oriental bañándose en el lago Michigan y parte del Norte en el Superior, nos pone en contacto con la región de los Grandes Lagos, dos de los cuales, el Ontario y el Erie, habíamos visto formando las orillas del Estado de Nueva York –también Pennsylvania– y comunicarse por las cataratas del Niágara. Son los Grandes Lagos el complejo hidrográfico de agua dulce más importante del globo, y colocados sobre el mapa de España apenas dejarían libre una franja de tierra. Su condición lacustre no otorga seguridad a la navegación por sus aguas, y sus tormentas empavorecen al más consumado nauta; naturalmente por sus aguas, y sus tormentas empavorecen al más consumado nauta; naturalmente que esto no ocurre en invierno, porque permanecen helados por espacio aproximado de cinco meses (33).

Wisconsin es el "Dairy State" o Estado lechero por excelencia: es el gran proveedor de productos lácteos en todas sus formas, tan intensamente consumidos en los Estados Unidos. Su otra riqueza eran los bosques, lugar de acción del legendario Bunyan, cerca de Wausau enterrado, pero el mal uso y los gigantescos incendios –no siempre fortuitos– han reducido la extensión silvícola y han ocasionado la enérgica intervención de los Servicios Forestales gubernamentales que supervisan el corte de los millares de árboles navideños que anualmente se venden (34).

Madison es una capital y comparte el "campus" de la Universidad de Wisconsin –con Departamento de español de tanta relevancia, que ha contado como profesores a Sánchez Barbudo, Sánchez Romeralo y Galmés– con Milwaukee, sede también de la Marquette University, de los padres jesuitas, y centro de una considerable colonia alemana, cuyo número llegó a preocupar a los aliados durante las pasadas guerras mundiales. Nada extrañará que la última ciudad mencionada tenga por industria principal la cerveza y que se respire germanismo en su ambiente, jardines, calles, plazas y folklore, uno de los más atractivos del país. Así se comprenderá el antiintervencionismo en 1917 de uno de sus populares dirigentes, Robert La Follete, fundador del partido progresista, en 1934 (35).

Senador por Wisconsin fue Joseph McCarthy, debelador de la infiltración comunista en las esferas gubernamentales norteamericanas en el curso de la última posguerra y hasta su muerte en 1957; el "McCarthysmo" dejó una enorme huella en la política del país, inseparable a su región de origen (36). Para otros, el nombre de ésta se halla ligado a los librepensadores seguidores del húngaro Agoston Haraszthy, fundador en 1842 de "The Humanist Society", en Sauk City, reputada como el paraíso de los ateos (37). Los inmigrantes finlandeses han contribuido notablemente al movimiento cooperativo, cuyo centro es la ciudad de Superior; los suizos, como Monroe y New Glarus como centros, se han puesto al frente de la industria de quesos, y los escandinavos llevan el peso de la madera; "Little Norway" es una pequeña localidad noruega, visitada asiduamente a causa de su tipismo. En la de "Mt. Horeb", las comunidades suizas y noruegas compiten en el juego "Le Hornuss", una especie de hockey con discos de goma (38). Watertown es la cuna de Carl Schurz, el teórico de la política, a quien Lincoln nombró ministro en España (39).

PRESENCIA ESPAÑOLA

Es uno de los Estados de la Unión (a ella se incorporó el 29 de mayo de 1848) que menor conexión tiene con las cosas de España. Fueron sus tierras occidentales, sin embargo, teatro de un hecho de armas victorioso para el súbdito del rey Carlos IV de España, Julien Dubuque: durante la guerra hispano-inglesa condujo en 1797 una expedición desde su residencia en Iowa –Mines d'Espagne–hasta Prairie du Chien, 50 millas al Norte, en Wisconsin, consiguiendo arrojar a los ingleses y a sus indios aliados y regresar a su punto de partida con un conserable botín (40).

NOMBRES ESPAÑOLES

Llevan nombres españoles los condados de Columbia y Vigas, y las ciudades de Alma, Centuria, Cuba, Río, Almena, Barron, De Soto, Polar, Lima Center, W. Lima, Casco, Columbia, Cornucopia, Deronda y Potosi.

INDIANA, "encrucijada de América"

Moja un pico de su rincón noroeste en el lago Michigan; el resto de sus límites son terrestres con Michigan al Norte. Ohio al Este, Illinois al Oeste y Kentucky al Sur. Esta situación estratégica entre vecinos tan dispares, influye en su fisonomía geográfica y psicológica. Hay quien toma la carretera 40, que atraviesa los Estados Unidos de Este a Oeste, desde Atlantic City hasta San Francisco, como la determinante de aquellas diferencias; el Sur, abundante en colinas, paisajes y tradición, es predominantemente agrícola –a base de pequeñas granjas–, aunque no carezca de industrias, como la de muebles de Evansville; la de whisky, en Lawrenceburg, o de cerveza, en Terre Haute, o las fábricas de municiones, en New Albany. El turismo veraniego es otra de las fuentes de ingresos del sector, y el condado de Brown se distribuye entre uno de los mejores parques federales y una serie de poblados habitados por escritores y artistas (41).

Un héroe de Vincennes, William H. Harrison, derrotaría las tropas de los indios de Tecumseh, la destrucción de cuya unidad en Tippecanoe supondría el acto final de la causa indígena en el Noroeste, y la implantación de la navegación a vapor en el Estado (42). Más al sur del Wabash, en New Harmony, fracasarían a comienzos del siglo XIX los intentos comunistoides de George Rapp (quien mostraba las huellas del arcángel Gabriel en la piedra sobre la que decía se le había aparecido) y Robert Owen (43).

Los habitantes de Indiana –Estado que entró en la Unión el 11 de diciembre de 1816–, conocidos por "Hoosiers", tienen un acento que en suavidad y lentitud se acerca a los del Sur, pero cuya "r" se desarrolla con la robustez, en el decir popular, del pecho de sus campesinas (44). Su dialecto ha sido recogido por James Whitcomb Riley, que no es el único escritor de que el Estado se envanece: Lew Wallace, autor de "Ben-Hur"; Booth Tarkington, Theodore Dreiser y Kin Hubbard, por no citar más que los populares para los lectores españoles; junto a ellos los compositores Cole Porter, Haogy Carmichael y Paul Dresser, y el actor Red Skelton completan el cuadro de celebridades locales, entre las que no parece merezca incluirse el "Kinsey Report" (45). John Hay, político de Indiana, escribió en 1781 un penetrante libro sobre las costumbres españolas: "Castilian Days" (46).

El sector norte de Indiana es más vigoroso, progresivo y rico que el sur, y, aunque también agrícola, es predominantemente industrial. La región de Calumet abunda en altos hornos, y East Chicago y Gary se hallan erizados de chimeneas. Fort Wayne produce los gramófonos y televisores Capehart-Fransworth y Magnavox, y South Bend ha sido la sede hasta el último año de la fábrica Studebaker de automóviles, como anteriormente lo había sido del Duesenberg, McFarlan, Lambert, Elcar, Davis y otras marcas pasadas a la historia (47).

UNIVERSIDADES

South Bend conserva famosa la católica Universidad de Notre Dame, conocida por la calidad de las enseñanzas que los padres de la Congregación de la Santa Cruz imparten, pero aún más por su excelente equipo de "rugby"; su "campus" impresiona, y sus extensos céspedes, el apacible riachuelo que lo atraviesa y el ritmo del paso de los peatones que lo frecuentan dan una inolvidable sensación de reposo, muy de agradecer en medio del ajetreo de la vida norteamericana. Conocí en ella a los profesores Carter y Ramiro Lagos. Es agradable el trayecto que la separa de Lafayette, asiento de la progresiva Purdue University; en el Departamento de español de ésta han enseñado los profesores Chandler, Brenes y McKinney, y los españoles Juan Luis Alborg, Salinero y Esteban Lendinez, y su jefe, Don Walther, poséen un hogar, perfecto oasis de ambiente y decoración españoles que en la oportunidad en que gocé de su hospitalidad se honraba con la alegre presencia del gran hispanista Walter Starkie.

Indiana University es otra de las prestigiosas instituciones de enseñanza superior del Estado: su "campus" principal se encuentra en Bloomington y su Departamento de español, cuando era dirigido por el profesor Dowling –y en el que trabajaban José Roca-Pons y Octavio Corvalán– estableció con el correspondiente de Purdue un programa conjunto y propio, a desarrollarse durante los inviernos en Madrid. Taylor University se alberga en Upland, y Valparaiso University en la ciudad de este nombre; Indianápolis –la capital del Estado– cuenta con Butler University y con el Instituto de Arte John Herron, que posee, entre otras notabilidades, los cuadros de "El Filósofo", de Zuloaga; "Muchacho soplando burbujas", atribuido a Murillo; un anónimo español del siglo XVI, cinco bocetos de Sorolla y dos grabados de Goya y de Picasso. Dicho Instituto colgó en sus muros, en febrero de 1963, la notable exposición "De El Greco a Goya", a base de cuadros españoles en las colecciones norteamericanas. (Indianápolis es escenario en primavera de la mayor carrera de automóviles del mundo.) La Universidad de Pauw, de confesión metodista, se halla en Greencastle.

PRESENCIA ESPAÑOLA

Vincennes, así nombrada por el capitán francés muerto en el 1736, se halla en el Sudoeste, en las márgenes del río Wabash (48). Durante la revolución, sus ciudadanos se situaron del lado independentista; tratándose en su mayoría de franceses, resistieron la dominación inglesa, por lo que participaron con Clark en la toma por éste de la ciudad el 24 de febrero de 1779 (49). La ayuda española fue preciosa en la consecución de tal objetivo, no sólo por los bienes materiales facilitados al caudillo revolucionario (50), sino por la colaboración personal que le prestó el súbdito español, coronel Vigo, comerciante, a las órdenes del gobernador español de San Luis. Poseedor de amplia fortuna, la puso Vigo al servicio de la lucha contra Inglaterra (uno de los condados de Illinois recibiría su nombre). Hallándose Clark en Kaskasia, comisionó a Vigo para reconocer la situación después de la toma de Vincennes por Hamilton el 15 de diciembre de 1778. Cinco millas antes de llegar a su destino cayó prisionero de los británicos y, aunque considerado espía rebelde, no se procedió contra él por su popularidad entre los ciudadanos de Vincennes y su condición de súbdito del rey de España. Hamilton le permitió marchar a condición de su pasividad durante la revolución. Aunque permaneció neutral, no pudo por menos de comunicar a Clark sus impresiones, que mucho valieron a éste en la toma definitiva de Vincennes (51).

Años más tarde, en 1786, Clark se replegaría a Vincennes en su fracasada expedición contra los indios, y al confiscar aquí las mercancías de tres comerciantes españoles, cometería el último error que ocasionaría el nombramiento de una comisión investigadora de su actuación, cuyo pronunciamiento desfavorable acarrearía su destitución y el ocaso de la buena estrella que hasta entonces le había acompañado (52).

Por la región septentrional del Estado la expedición española, que al mando de Eugenio Purré conquistó el fuerte de San José, en Michigan, en 1781, pasaría dos veces en los caminos de ida y vuelta (53).

NOMBRES ESPAÑOLES

Llevan nombres españoles en Indiana, el condado de Vigo y las ciudades de Aurora, Avila, Francisco, Galveston (en honor de Gálvez), Largo, López, Valparaíso, Buena Vista, San Jacinto, Amo, Vigo, Carmel, Cádiz, Nevada, Point Isabel, Santa Fe, Perú, Veracruz, Honduras y Plato.

MICHIGAN, el Reino de las Cuatro Ruedas

Dos penínsulas de diferente tamaño constituyen este Estado: la superior, en sentido horizontal, que arriesga sus costas entre los lagos Superior, Michigan y Huron, y la inferior, vertical (el historiador Bruce Catton ve en ella la forma de un mitón) (54), bañada por las aguas de los dos últimos. Un puente de siete kilómetros las conecta en la actualidad; en su borde sur estuvo emplazado el Fort Michilimackinac, levantado por los franceses en 1681 y destruido por los guerreros de Pontiac una vez pasó a manos de los británicos después de 1763. Estos lo reconstruyeron posteriormente, trasladando su emplazamiento a la vecina isla de Mackinac, en plena boca del estrecho (55), hoy paraíso turístico en el que la entrada de los automóviles está prohibida. La península septentrional, de 450 kilómetros de longitud, con escasa población, se distingue por el cobre de sus minas centrado en torno a Marquette, y por el canal de Sault Ste. Marie, frente a la provincia canadiense de Ontario, cuyas compuertas dejan pasar más tráfico que las de los canales de Panamá y Suez juntos (56). La península inferior puede ser dividida en dos sectores, trazando una línea horizontal desde Bay City. Aquí ocurre lo contrario que en Indiana: el sector nórdico es predominantemente agrícola y, después de etapas de crisis maderera, está resurgiendo como región ideal para vacaciones, deportes, caza y pesca; la meridional es eminentemente fabril, y su fortuna está ligada a la historia del automóvil (57). Michigan se convirtió en Estado el 26 de enero de 1837, y su capital es Lansing.

DETROIT Y LA INDUSTRIA AUTOMOVILÍSTICA

La localización de la industria del automóvil –nacida en Europa con los Panhard, De Dion, Daimler, etc.– en Detroit, no tiene otra explicación que el espíritu de empresa de una serie de hombres de la región. Gracias a ellos, los Estados de la Unión pudieron multiplicar sus contactos y explotar debidamente los inmensos recursos que su pródiga naturaleza les brindaba. El automóvil ha llegado a convertirse en una pieza esencial en la vida norteamericana, como ya ocurre en los países europeos, España incluida. Son excepción las familias que en los Estados Unidos no poseen uno o dos automóviles, lo que constituye a sus ciudadanos en sus más importantes consumidores (corresponde a la exportación un mínimo porcentaje, como lo es, en proporción, el de los automóviles extranjeros importados, quizá dejando aparte los alemanes y japoneses. La industria del automóvil ocupa en conjunto a unos 10 millones de personas, lo que da que pensar en la catástrofe nacional que se originaría si algún eslabón de la cadena fallara en algún momento (58).

En 1908 W. C. Durant agrupó las Empresas de David Buick y R. R. Olds, y poco más tarde la de Henry Leland, Cadillac Automobile (así denominada en honor del fundador de Detroit Antoine de La Motte Cadillac) (59); con ellas instituiría la General Motors Corporation, la mayor Sociedad privada del mundo, con un presupuesto superior al del Estado español. Con más de un centenar de fábricas extendidas por los Estados Unidos y países extranjeros, fabrica desde aviones a locomotoras, pasando por lavadoras y refrigeradores y, naturalmente, automóviles por las marcas Cadillac, Buick, Oldsmobile, Pontiac y Chevrolet con las modalidades en cada tipo (además del Opel en Alemania y el Vauxhall en Inglaterra). El Pontiac se fabrica en la localidad de su nombre, y el Buick y el Chevrolet en la de Flint (60).

En Detroit, que no pasaría de las manos inglesas a las estadounidenses hasta la firma del Tratado Jay el 11 de julio de 1796 (61), se localizan también las factorías Ford, cuyo fundador, Henry Ford, ha pasado a la historia como inventor de la fabricación en cadena, como poseedor de un peculiar y testarudo carácter y como enemigo de los sindicatos obreros y de los judíos. Mientras las acciones de la G. M. han sido poseídas a lo largo de su existencia por multitud de accionistas (no el menor la DuPont), Ford mantuvo su Empresa como un negocio familiar. De aquí el capital acumulado y la explicación de la potencia económica de la "Fundación Ford", institución benéfico-docente, creada por él mismo. Hoy día, la casa regida por Henry Ford II, lanza al mercado los automóviles Ford, Mercury, Lincoln y Falcon, además de otros variados productos industriales (62).

Chrysler es el tercer "grande" de Detroit, con sus automóviles Chrysler, De Soto, Dodge, Plymouth y Valiant, junto a una diversificada producción. En la lucha por el mercado, se ha distinguido en los último años la American Motors, unificada por George W. Romney (gobernador del Estado durante años) a base de las antiguas Nash y Hudson, y productora del automóvil Rambler (63). Si Detroit concentra la industria del automóvil, nada tiene de extraño que en ella radique el sindicato de los obreros participantes: la poderosa United Automobile Workers, regida en tiempos por el dinámico Walter Reuther (64).

Impresiona la llegada a los alrededores de Detroit, con el paisaje que se divisa de fábricas, altos hornos, etc., de las Compañías de automóviles, y de refinerías de varias Empesas, como la Marathon Oil Company, constructora del complejo petrolífero de La Coruña. Contrasta con ello el ambiente de la tranquila y cercana Dearborn, con el Greenfield Village, conjunto de 100 edificaciones, en las que se comprenden todas las fases de la vida nacional, tanto talleres de artesanía como hogares famosos –los originales– o lugares históricos, por ejemplo, los laboratorios de Edison, la cuna del aeroplano y el cobertizo en que se construyó el primer Ford; en el cercano "Henry Ford Museum", de 14 acres de extensión –cuyas fachadas son ampliaciones del Independence Hall, Congress Hall y Old City Hall de Filadelfia–, y a través de sus tres grandes sectores, puede estudiarse con completa realidad la evolución de las artes mecánicas (desde la máquina de coser a las de trillar, desde las locomotoras a los gramófonos), 22 tiendas equipadas con los utensilios de los primeros tiempos de la Historia patria y completas galerías con todo tipo de artes decorativas, incluyendo porcelanas, cristales, plata, muebles, etc. Un almuerzo en la Dearborn Inn, antigua mansión de Ford, me reconfortó de las energías desgastadas en los recorridos de las anteriores ejemplares instituciones (65).

Si Detroit no es interesante en lo que a su centro urbano se refiere y a sus interminables suburbios proletarios, son imponentes las zonas residenciales habitadas por gentes de muy elevada posición económica; de bastante bonito debe calificarse el frente que da al lago y que tiene como fondo a la canadiense ciudad de Windsor: en ocasiones es escenario de un impresionante espectáculo acuático entre ambas orillas, en el que los chorros de agua de las embarcaciones participantes componen un extraño y armonioso paisaje. Los magnates locales han procurado dotar a la ciudad de poderosas Instituciones culturales. Entre ella cabe mencionar a las Universidades de Detroit y Wayne, que con la cercana de Ann Arbor y la no lejana Michigan State University, en Lansing, forman el núcleo fundamental de la enseñanza superior en el Estado (en Mount Pleasant está la Central Michigan University; en Kalamazoo, la Western Michigan University, y en Ypsilanti, la Eastern Michigan University).

PRESENCIA ESPAÑOLA

Conquista del fuerte St. Joseph

Aunque parezca extraño a primera vista, la bandera española ha ondeado en Michigan en el año 1781 con pleno derecho soberano, el que da la conquista. Hasta aquellas latitudes llegaron las victoriosas armas del rey Católico, y su presencia en ella dio pie a las alegaciones de la Corte de Madrid en defensa de sus reclamaciones a las tierras al este del río Mississippi (66). La mayoría de los conocedores de la historia del continente Norte dan este episodio –que refuerza la idea de la extendida presencia nuestra a lo ancho y a lo largo de sus tierras– por silenciado. Ocurrió así (67): sabedor el nuevo teniente gobernador de San Luis, Cruzat, de los renovados preparativos ingleses para intentar conquistar la ciudad por segunda vez y de que almacenaban los efectivos en el fuerte del St. Joseph, decidió acudir a la máxima estratégica de atacar para evitar ser atacado, utilizando, además, la sorpresa. Encontró ayuda para su proyecto en los indios Heturno y Naguiquen (68) y en la población francesa de Cahokia, que deseaba resarcirse de las pérdidas sufridas por ella en un asalto anterior al fuerte (69). Como antecedente favorable de caso análogo, podía recordarse la afortunada conquista de Vincennes por Clark en 1779.

Partió la expedición de San Luis el 2 de enero de 1781 al mando del súbdito de S. M. C. Eugenio Purré o Pourée, con Carlos Tayon como segundo y Luis Chevalier como guía e intérprete, hijo del jefe francés del fuerte interesado, y que había sido maltratado por los británicos cuando entraron en posesión de éste; además de 65 soldados y unos 200 indios aliados (70). Con la adición de 12 soldados españoles estacionados a lo largo del río Illinois, marcho la fuerza los 600 kilómetros de recorrido a través de campos nevados y de territorios de tribus indias (que no molestaron a los viajeros), con abundante carga de provisiones para sobrevivir y comprar la neutralidad de los indígenas, pero con escasez de ropa de abrigo que los protegiera de las bajas temperaturas. Los días que transcurrieron hasta el 12 de febrero siguiente no fueron, pues, de placer; menos mal que el pequeño ejército pudo atravesar a pie el helado río St. Joseph y atacar por sorpresa el fuerte y las fortificaciones adyacentes. Ninguno de los asaltantes perdió la vida, y las provisiones encontradas quedaron distribuidas entre los participantes, indios incluidos. La bandera española fue ceremoniosamente izada (en tanto que la británica era apresada y llevada más tarde a San Luis como trofeo) y se tomó posesión del país en nombre de D. Carlos III (71).

Como el propósito de la expedición era defensivo y sólo se pretendía destruir las provisiones inglesas y su punto de apoyo para un futuro ataque a las posiciones españolas, y como las fuerzas de que disponía Cruzat no le permitían dejar en St. Joseph –tan distante de San Luis– una adecuada guarnición, Purré ordenó la retirada, tras un mínimo período de descanso y de quemar el fuerte y edificios adyacentes, con la excepción de la capilla. Con análogas dificultades regresó la partida, llegando sin novedad a su punto de origen en los primeros días de marzo (72).

El teniente gobernador informó coloridamente a sus jefes en Nueva Orleáns y en Madrid del éxito obtenido, por lo que la "Gaceta de Madrid" publicó el acontecimiento en su edición del 12 de marzo de 1782 (73). John Jay, representante de los independentistas en Madrid, al leerla, escribió con cierta ansiedad a su secretario de Relaciones Exteriores en Filadelfia el 28 de abril de dicho año, y de iguales inquietudes participaron los negociadores norteamericanos en París, cuyo horizonte no se había todavía aclarado por la final resolución inglesa de ceder a la nueva nación todos los territorios a la orilla este del Mississippi (74). José de Gálvez, a la sazón primer ministro del rey de España, felicitó por el triunfo, en carta número 62, fechada en El Pardo, el 15 de enero de 1782, a su sobrino Bernardo Gálvez, gobernador de Luisiana, y concedió a Eugenio Purré el rango de teniente del ejército, con media paga; a Carlos Tayon, el de subteniente, con media paga, y a Luis Chevalier, la recompensa que el gobernador juzgara procedente (75).

El referido fuerte St. Joseph se encontraba en un lugar que hoy pertenece al municipio de Niles –que por eso se titula "la ciudad de las cuatro banderas" (Francia, Inglaterra, España y Estados Unidos)– muy cercano a la ciudad de South Bend. En él una enorme piedra de 70 toneladas ostenta la inscripción "Fort St. Joseph. 1691-1781" y un vecino cartel explica brevemente su historia, de la que es último episodio el que acabamos de relatar. La inauguración del monumento, el 5 de julio de 1913, congregó a grandes masas de gentes de los alrededores, y un abigarrado desfile de tres kilómetros de longitud, con carrozas engalanadas, bandas de música y ataviadas señoritas y caballeros, marcó el punto culminante de la celebración. Hay proyectos de reconstruir el fuerte, de formar en su torno un gran parque y de organizar un festival anual; el mayor obstáculo con que se tropieza es la falta de dtos de las características de la fortificación. Existe un complementario museo, en el que, comprensiblemente, hay poca presencia española (76).

NOMBRES ESPAÑOLES

En el Estado de Michigan ostentan nombres españoles el condado de Isabella y las ciudades de Amasa, Armada, Caro, Coloma, Colón, Columbus, Corunna, Adrián, California, Disco, Palo, Alamo, Santiago, Manton, Alpena, Eldorado, Alba, Morán y Luna, además de la St. Ignace, en honor del vasco santo jesuita.

OHIO, puerta para el "Middle West"

Si el lector accede a participar en la visita a Ohio, compartirá la primera impresión favorable a la autopista 80, que desde Filadelfia nos hace atravesar Pennsylvania (Pennsylvania Turnpike) y después (como Ohio Turnpike) nos lleva cerca de Akron, Cleveland, Oberlin y Toledo, rumbo a Chicago. Fue la primera del género, y el punto de partida para el impresionante programa de carreteras federales y estatales que se ha desarollado y se desarrolla en los Estados Unidos. Si hay algo indudablemente bueno en este país es la fabulosa red caminera, que, con su tupida malla, cubre todo un inmenso territorio y la hace asequible a cualquiera de sus habitantes con posición financiera sin excepción para comprar un automóvil y para costear la gasolina, barata, en proporción al nivel de vida de los habitantes. Pero ello no quiere decir que la construcción de las numerosas autopistas que ya cruzan el país en varias direcciones haya salido a bajo precio: nada menos que un millón de dólares la milla o el kilómetro y medio (77). El Estado de Ohio tenía tiempo en el mismo presupuesto para las carreteras de que es responsable (existen, además, las federales, de las que cuida el Gobierno central) que el Estado español para las suyas, y Ohio no se distingue ni por su extensión ni por su riqueza.

Ohio, que no es todavía el Middle West, pero que puede considerarse como su comienzo, nunca descolló por los atractivos de sus minas, las excelencias de su temperatura o la bondad de sus tierras. Su colonización, procedente en buena parte de Nueva Inglaterra, progresó rápidamente por su estratégica situación de vanguardia –detrás de los territorios de las Trece Provincias primeras– y por ser paso obligado para las tierras lejanas, en pos de las cuales los más emprendedores irían. Su entrada en la Unión data del 1 de marzo de 1803. Se ha dicho de Ohio que es el hermano que permanece en el hogar y que cuando los otros lo abandonan en busca de aventuras o fortunas rápidas y fáciles, casa con una joven vecina, forma una familia, queda al cuidado de los padres y hereda la propiedad paterna a su muerte (78). Quizá por esta circunstancia vio nacer en sus ámbitos a siete presidentes: Grant, Hayes, Garfield, Harrison, McKinley, Taft y Harding (79).

De desviarnos en Oberlin, visitaríamos su renombrado colegio, el primero en el país que admitió a alumnas en igualdad de base con los estudiantes varones (80); de detenernos en Akron, nos percatatíamos de encontrarnos en la capital mundial del caucho con nombres como Firestone, Goodrich o Goodyear y de que su popularidad se hallaba ligada a los vuelos –no acompañados por el éxito– de los dirigibles Zeppelin. El centro de Cleveland es más bonito de lo que su condición de ciudad industrial norteamericana hace imaginar: el frente que da al lago Erie, con el Stadium Municipal, la plaza cercana con el monumento –de gran tamaño– a los héroes nacionales y las calles que en ella convergen dejan buen sabor de boca en una rápida visita a la ciudad, cuyo nombre figura frecuentemente en periódicos y carteleras, merced a la calidad de su Orquesta Sinfónica, o las excelencias de su Art Museum (que ha adquirido un "Retrato de D. Luis de Borbón", de Goya, y "Muerte de Adonis", de Ribera). Cyrus Eaton, el millonario amigo de Kruschev, era de Cleveland, pero no vivía, naturalmente, en el Hanna Building o en la Terminal Tower, rascacielos cuajados de oficinas, ni en la antigua y elegante Euclide Avenue, sino en el suburbio de Shaker Heights, al que las residencias de los ricos han huido (81). Western Reserve es el nombre de este último sector, cuyo costado occidental, o "Firelands", depara sorpresas por sus pueblecitos con historia propia, cuentos y leyendas.

En el sur del Estado, Springfield nos informará que en el sótano de su juzgado se inició el movimiento de los Clubs 4-H, que se preocupan de inculcar en la juventud el amor al campo y a la Naturaleza y la afición a las labores manuales (su central se halla en Washington D. C.), y en sus cercanías nos saludará el monumento a la mujer pionera, la "Madonna of the Trail" (82); en Dayton nos enteraremos de que Orville y Wilbur Wright construyeron su primer aeroplano en una de las tiendas de bicicletas de la ciudad (83) y de que "el cajero incorruptible" de James Ritty constituyó la génesis de la National Cash Register Company (84). En Zanesville, al este de Columbus, Earl Sloan produjo su linimento famoso (85). Nos queda por visitar Cincinnati, el núcleo de alemanes más considerable del país, la segunda ciudad del Estado y un potente centro industrial; es sede de la familia Taft, de la que salieron el presidente y su hijo Bob, "Mr. Republican", el senador, serio contrincante de Eisenhower para la Presidencia (86).

UNIVERSIDADES

Es Ohio uno de los Estados más abundantes en Universidades y Colegios. Además de los ya mencionados, existen la Western Reserve University y John Carroll, en Cleveland; College of Wooster, en la localidad del mismo nombre (y en el que enseñó Miron Peyton, un gran lopista); Universidad de Bowling Green, Marietta College, Ashland College y Miami University, en Oxford. La Ohio Wesleyan University, en la ciudad de Delaware, encierra unas notables biblioteca y hemeroteca sobre la guerra civil española. Cincinnati cuenta con la Xavier University y la University of Cincinnati; Bexley, con la Capital University; Granville, con la Denison University; Kent, con Kent State University; Ada, con Ohio Northern University, y Athens, con Ohio University. La Ohio State University tiene su "campus" en Columbus (en su Dep. de español profesó Elías Rivers), la University of Akron, en la localidad de este nombre; la de Dayton (marianista), en dicha ciudad; la Wittenberg University, en Springfield, y la Youngstow University, en Youngstown.

PRESENCIA ESPAÑOLA

La capital lleva por nombre nada menos que el de Columbus, en homenaje a la memoria del almirante descubridor (es cuna de James Thurber), y no sólo la capital, sino también otras localidades recuerdan al visionario navegante: Columbiana (cabeza del condado del mismo nombre), Columbia, Columbia Station, Columbia Hills y Columbus Grove. No es frecuente encontrar tan práctico colombinismo.

El río Ohio constituye el límite sur y buena parte del oriental del territorio estatal. La contemplación de su curso nos trae, inevitablemente, el recuerdo de las conversaciones en su torno al tratarse de la paz que daría la independencia a la nueva nación, y de la posibilidad de que, conforme propuso alguno de los representantes de las Provincias Unidas en París, hubiera constituido frontera con los territorios del rey de España; de haber cuajado la idea y perdurado, estarían hablando español en las orillas del lago Erie o en los alrededores de Chillicothe (87).

291

Para llegar a Toledo la carretera más bonita es la que bordea el lago, pues nos hace atravesar por una región que preside Sandusky, una ciudad prácticamente alemana. Nuestro destino no es la ciudad del Tajo, sino del Maumee (La Salle reclamó la región en nombre de Luis XIV en 1689). Ni que decir tiene que su nombre procede del de su homónima española, se cree que por la influencia de los escritos de Washington Irving desde España. Elegido el nombre de Toledo, la ciudad fue establecida oficialmente en 1837. Con ocasión de su I centenario se desarrolló un creciente movimiento cívico para mantener relaciones con la imperial ciudad, y gracias al entusiasmo del español Germán Erausquin y otros distinguidos ciudadanos, se logró el Convenio de hermandad entre las dos urbes (88).

El fuego sagrado del parentesco es mantenido por las comisiones respectivas e incluso incrementado, y todos los años se celebra en ambas ciudades, con coincidencia cronológica, "El día de las dos Toledos", que consiste en actos de varia índole, finalizados con un banquete con discursos. Ostenté la representación de Toledo (España), el 24 de mayo de 1963, y pude comprobar personalmente –así como mi colega Joaquín Gutiérrez Cano, también invitado–, el afecto que la ciudad hermana despierta en las riberas del Maumee y el cariño con que se guardan en la "Sala de Toledo (España)" de la Universidad, las espadas, damasquinados, cerámicas y fotografías donados por la Comisión toledana que, presidida por el alcalde, Sr. Montemayor, visitó Toledo (Ohio) en mayo de 1962. A juzgar por la satisfacción con que recibí la llave de la ciudad –de cristal– de manos del alcalde, Mr. John W. Potter, deduzco el preferente lugar en que han de figurar en las orillas del Tajo los recuerdos procedentes de la lejana hermana norteamericana (89). Los actos organizados para celebrar el XL aniversario de la hermandad fueron numerosos e importantes: entre otros, el bautizo de un parque público como "Toledo-Spain Plaza".

Toledo (Ohio), cuyas calles transversales llevan nombres de lagos nacionales y las verticales de padres de la patria, se enorgullece de su Museo de Arte, en el que se guardan valiosos cuadros (entre los españoles, dos Grecos –"La Anunciación" y "Cristo en Getsemaní"–, Velázquez –"Hombre con una copa de vino"–, Zurbarán –"La huida a Egipto"–, Ribera –"Un músico"– y Goya –"Niños con un carretón"–), y de su Universidad, que tiene por escudo el español imperial –con águila y cuarteles a base de castillos, leones, barras y demás–, rodeado del lema en castellano: "coadyuvando el presente, formando el porvenir" (90). El parque zoológico es otro de los orgullos locales, y con razón, como su Orquesta Sinfónica. Todo esto puede permitírselo una población que no llega al millón de habitantes, porque está apoyada por una floreciente industria. El mundo entero se ha pesado en las básculas que llevan el nombre de Toledo, y el que más y el que menos desearía poseer un automóvil "jeep" marca Willys; son toledanas las universalmente utilizadas bujías Champion, y es la ciudad considerada como uno de los centros mundiales de la industria del vidrio: cristales, espejos, pantallas de televisión, juegos de mesa, fibras aislantes y todo tipo de productos conexos. La primera fábrica data de 1880, la Libbey Glass Co., seguida de otras muchas, como las Owens-Illinois Glas Co., Libbey-Owens-Ford Glas Co., y la Owens-Corning Fiberglass Corp. (91).

NOMBRES ESPAÑOLES

Vale la pena destacar la existencia de urbes –aparte las colombinas reseñadas– con nombres relativos a varias de nuestras provincias, como Málaga, Toledo, Seville, Cádiz y Navarre, y a ciudades hispánicas, como Lima (de considerable magnitud), North Lima, Limaville, Santa Fe y Medina, además de las que se
refieren a otros aspectos de nuestro mundo, como Aurora, Buena Vista, Delta,
Fresno, Morral, Era, Nevada, New Matamoras, Saltillo, Vega, Seneca, Bolivar,
Río Grande, Pt. Isabel, Carmel, Alma y Toboso.

vale la pena destacar la existencia de urbes —aparte las columnas roseña-
das— con nombres relativos a varias de nuestras provincias, como Málaga, Toledo, Sevilla, Cádiz y Navarre; y a ciudades hispánicas, como Lima (de considerable magnitud), North Lima, Limeville, Santa Fe y Medina, además de las que se
refieren a otros aspectos de nuestro mundo, como Aurora, Buena Vista, Delta,
Fresno, Mortal Era, Nevada, New Matamoros, Saltillo, Vega, Séneca, Bolívar,
Rio Grande, Pr. Isabel, Carmel, Alma y Toboso.

CAPITULO II

KENTUCKY Y TENNESSEE

KENTUCKY, dominio de los «pura sangre»

Kentucky es conocido por su whisky –americano o "bourbon", no escocés– y sus caballos de carreras, y, sin embargo, 90 condados de los 120 que lo componen, se rigen por la ley seca, y cabalgar no es el deporte favorito de los kentuckianos. Son éstas algunas de las paradojas que nos ofrece la región, tan presionada en su historia por sus cuatro costados, por las influencias que distinguen al Norte del Sur y por los movimientos que se originaron de Este a Oeste. Ello explica su agitada historia y quizá el nivel de vida de algunos de sus sectores (1).

La capital del Estado es Francfor, cuyo emplazamiento fue recomendado por Wilkinson, propietario de terrenos en el lugar (2), pero es ciudad de escasa entidad. La de más peso es Louisville, la antigua Falls of Ohio, así rebautizada en agradecimiento a Luis XVI por la ayuda prestada a la revolución: situada en las márgenes del río Ohio, acoge a la Universidad de Louisville y es escenario del famoso Kentucky Derby (3). En sus inmediaciones de Bardstow se halla el monasterio de la Trapa de Gethsemaní, en el que residió como monje el conocido escritor convertido Thomas Merton. No lejos de Louisville, el Fort Knox almacena gran parte del oro del mundo (4). El centro de la cría de los "pura sangre" de carreras es Lexington, ciudad que alberga a la reputada Universidad de Kentucky (5).

El carbón es el primer artículo de exportación del Estado, lo que le coloca en el campo hullero sólo detrás de Pennsylvania y de West Virginia (6). El tabaco es otro de los artículos que constituyen la base económica de la región (7).

RELACIONES CON ESPAÑA. WILKINSON Y LOS CONATOS DE INDEPENDENCIA

Es interesante la historia de los primeros tiempos de Kentucky, tanto por lo que de enorme esfuerzo de los pioneros supuso como por la participación que en ella tuvo España hasta que, por la cesión de la Luisiana a Napoleón, desapareció la razón de ser de sus relaciones con la región. Prohibido el asentamiento de pobladores blancos por la "Proclamation" de 1763, los que se aventuraron a establecerse al oeste de los Apalaches hubieron de enfrentarse con todo género de peligros y obstáculos, empezando por las tropas regulares, que tenían órdenes de quemar cualquier cabina que se elevara. Con el Tratado de Fort Stanwix en 1768 con los iroqueses y la retirada del grueso del ejército, una serie de compañías inmobiliarias pusieron pie en el territorio de Kentucky, lo mismo que multitud de individuos que se dirigían al Oeste en busca de terrenos abundantes, prósperos y baratos y que bajo la iniciativa de Robertson se agruparon en la Watauga Association (8).

El desorden que tal colonización llevó consigo se tradujo más tarde en una serie de incidentes y disputas sobre los derechos de cada uno al establecimiento, que ninguno podía basar en precedente legal, desde el momento que todos habían realizado su acción en abierta transgresión del Decreto real. La "Ohio Company" hacía proceder su derecho de la concesión real que no dudaba había de obtener en el próximo futuro; un grupo de colonos independientes de Pennsylvania, fundadores de Harrodsburg, sostenían que el terreno salvaje, al no tener anterior dueño, devenía propiedad del primero que lo ocupara, lo cultivara y lo desarrollara; John Floyd y Benjamín Logan, que erigieron el poblado de Longan's Station pretendían apoyarse en una licencia otorgada por una dudosa autoridad de Virgina; la "Transylvania Land Company", de Richard Henderson, que había levantado Boonesborough, alegaba sus derechos de compra en 1775 de extensos terrenos a los indios cherokees en Sycamore Shoals (cuyo título tampoco estaba claro) (9).

Puede decirse que la colonización de Kentucky se abrió en 1774, a partir de la batalla contra los shawnees, en Point Pleasant. De los 350 colonos habitantes de Kentucky en 1775, ninguno había traído su familia consigo, hasta que uno de ellos, Daniel Boone, el delegado de la Compañía de Henderson, fua a buscar a su mujer y sus hijas, que se convirtieron en las primeras mujeres de Kentucky, lo mismo que Daniel en el primer residente verdadero de la región (10).

Otro de los pioneros se llamaba George Rogers Clark, quien pronto recibiría la confianza de los demás compañeros de fatigas para defenderlos de los ataques indios. Alerta a los abusos que la "Transylvania Co." cometía al elevar los precios de las tierras y hacer inútil el esfuerzo del inmigrante que se había aventurado hacia el Oeste para no encontrar luego recompensa, Clark promovió una reunión de los habitantes de los poblados antes citados (más los de un cuarto, Boiling Spring), en Harrodsburg, el 6 de junio de 1776, y en ella se acordó su nombramiento como representante y su viaje a la capital de Virginia, Williamsburg, con el fin de conseguir la consideración del territorio como otro condado más de Virginia, y la atribución de un sitio en la Asamblea provincial a su delegado. Después de accidentado viaje y superar muchas dificultades por parte de Henderson y sus amigos, Kentucky fue admitido como condado virginiano el 7 de diciembre siguiente (11). Las dotes de mando de Clark y la lealtad de sus tropas se evidenciarían a poco, en la lucha por la independencia, con la afortunada invasión del territorio inglés y la toma de Vincennes. Esta victoria y las de otros patriotas como Sullivan, Brohead y Shelby producirían inmediato efecto y una sensación de seguridad en las gentes que habían oído fabulosos relatos sobre

Kentucky. Cientos de familias se precipitarían en la región, y en seis meses se establecerían unas 20.000 personas (12).

En diciembre de 1783 entró en escena James Wilkinson, que se convertiría en el amo de los destinos de Kentucky por un cuarto de siglo. Se trataba de un pintoresco e inteligente personaje que, si como soldado había servido con Benedict Arnold, en Quebec, y Horatio Gates, en Saratoga, se destacaría más como reputar respetables cantidades en recompensa de su espionaje de Francia, España y Gran Bretaña. Con condiciones físicas indudables, no poseía el menor escrúpulo para traicionar al amigo o al benefactor, si semejante conducta podía aprovecharle. No obstante los riesgos por que pasó y los dineros que aceptó, tuvo la habilidad de capear los escándalos, investigaciones del Congreso, consejos de guerra y los juicios por traición sin que nada pudiera probársele; murió expatriado, sin embargo, en México, el 25 de diciembre de 1825 (13).

Parte de su historia se halla ligada a la política española, a la que sirvió movido por exclusivos motivos personales, bien alejados de cualquier tipo de idealismo. Si profesó algún apego a la causa española, no tuvo inconveniente en ser él quien mandara las tropas de ocupación de Nueva Orleáns, o las de Mobile, o quien ordenara la toma de fuertes españoles, como el de San Fernando. Con su presencia en Kentucky, la posición preeminente de Clark en la región se eclipsó, y no por el curso natural de las cosas, sino más bien por las maniobras del recién llegado.

Kentucky, en el primer año después de la paz, se hallaba en un gran estado de frustración y disgusto. La llegada de nuevos colonos añadía problemas a la incertidumbre de los títulos de dominio de los anteriormente establecidos; los indios continuaban sus persistentes, aislados y devastadores ataques, que hacían intranquila la vida en la región; las leyes de ésta eran hechas y administradas por los legisladores de Virginia, en cuyo lejano gobernador y en su Consejo residía exclusivamente el derecho de reclutar la milicia que rechazase los asaltos de los nativos. En el verano de 1784 el peligro indio se recrudeció, y en otoño la posibilidad de una invasión cherokee aparecía como inminente. Logan convocó entonces una reunión informal de la milicia en Danville para el 7 de noviembre, a fin de considerar la defensa de la frontera. En ella se acordó solicitar la admisión de Kentucky como Estado separado de la Virginia, para lo que se procedió a convocar elecciones previas de delegados en cada distrito (14).

Tres Convenciones se sucedieron en Danville (el 27 de diciembre de 1784, el 23 de mayo de 1785 y el 8 de agosto de dicho año), y en todas se planteó la necesidad de reconocimiento de Kentucky como Estado libre, soberano e independiente y de su unión a la recién establecida Confederación. El 10 de junio de 1786, la Asamblea de Virginia votó su separación como Estado, siempre que una Convención elegida por el pueblo lo solicitara de nuevo. Entre tanto, las repetidas escaramuzas de los indios, perpetradas aisladamente y por pequeñas patrullas, confirmaban la urgencia de tomar una decisión en el campo militar que viniera a suplir la escasa efectividad de los 300 hombres del ejército nacional del general Harmar, distribuidos en Fort Harmar y Fort Finney. La solución se encontró en Clark, quien propuso una ofensiva contra los indios como el mejor medio defensivo (15).

No obstante las dificultades con que tropezó para reclutar sus hombres, partió Clark en septiembre de 1786, haciendo caso omiso a la cercanía del invierno.

Por toda suerte de adversidades tuvo que pasar: deserciones progresivas, indisciplina de Logan, que optó por realizar un ataque independiente en lugar de reforzar el grueso de la expedición, la determinación de retirarse de Vincennes ante la falta de recursos, el desistimiento, en fin, del plan estratégico proyectado. Wilkinson, que había comenzado a extender la especie de la continua embriaguez de Clark como defecto que le incapacitaba para un mando eficaz, aprovechó esta falta de éxito para redoblar sus acometidas sobre su rival, quien a la postre le sirvió en bandeja el motivo que habría de desacreditarle y de ocasionar su ruina: Clark, con el designio de alimentar a su guarnición en Vincennes, había confiscado sus mercancías a tres comerciantes españoles, alegando que operaban en el territorio nacional sin licencia, que habían aprovisionado a los indios y que, en todo caso, la acción no era más que una mera represalia a las incautaciones españolas de las mercancías norteamericanas en su tránsito por el Mississippi. Por otra parte existía un extendido rumor –que el propio interesado se encargaba de difundir– de la organización por Clark de una expedición de voluntarios contra Natchez, destinada a abrir el comercio a través del gran río para los Estados Unidos, rumor que se vio confirmado por una carta del aventurero Thomas Green, de fecha 4 de diciembre de 1786 (16).

Todas estas circunstancias fueron aprovechadas por Wilkinson para hacer ver a sus conciudadanos en la Cuarta Convención, reunida en Danville en septiembre de 1786, cuán peligrosa era una actitud como la de Clark, que fácilmente podía acarrear una guerra con España, para la cual ni Kentucky, ni Virginia ni los Estados Unidos se hallaban preparados, punto en el que todos concordaban y por el que mostraban notoria ansiedad. El comité nombrado especialmente al efecto censuró oficialmente la conducta de Clark y le destituyó de su mando militar. La delegación de Virginia en el Congreso fue encargada de presentar sus excusas al representante español D. Diego Gardoqui. Wilkinson y dos de sus asociados recibieron el nombramiento de comisarios indios, en lugar de Clark y de dos de los suyos (17).

En julio de 1785, Gardoqui había llegado a Filadelfia con encargo del Gobierno español de explorar las posibilidades de establecer plenas relaciones diplomáticas con los Estados Unidos, siempre que éstos aceptaran el completo control por parte de España de las dos orillas del Mississippi, al sur del río Ohio. España ofrecía, por su parte, la concesión de privilegios comerciales, los cuales tenían especial atractivo, dada la magnitud del Imperio español y la costumbre española de pagar en oro y plata, metales escasos en el nuevo país, cuyo papel moneda acusaba la depreciación derivada de los años de guerra. El secretario de Asuntos Exteriores, John Jay, mantuvo varias conversaciones al respecto con Gardoqui, y el 29 de agosto de 1786 el Congreso, en sesión secreta, aprobó por siete votos contra cinco su aceptación de la propuesta de España, siempre que el control español del Mississippi se refiera a veinticinco años. El Congreso, con el designio de conseguir ventajas comerciales que beneficiaban a los Estados del Este, se mostraba dispuesto a sacrificar a los del Oeste –aunque sólo fuera por veinticinco años– en sus aspiraciones de expansión y de obtención de una salida directa a través del Mississippi (18).

Con la paralela aceptación por el Congreso y de la retención por los ingleses de los puestos de los Grandes Lagos, España y Gran Bretaña permanecían en los flancos de los Estados Unidos, apoyando a los indios, cuyas continuas incursiones harían imposible la vida en Kentucky y territorios vecinos. Aunque la política del Congreso se justificaba en el deseo de fortificar el régimen en el nuevo país antes de comprometerse en empresas superiores a los medios disponibles, que más que consolidarlo podían poner en peligro gravemente su estabilidad, la excitación cundió entre los habitantes en el Oeste, que comprobaban su abandono y la falta de interés por sus problemas en las esferas federales; excitación que se encargaron de azuzar los interesados en la secesión y el recientemente fundado periódico "The Kentucky Gazette". En la Quinta Convención, celebrada en septiembre de 1787, las demandas de separación de Virginia y de admisión como nuevo Estado fueron renovadas (19).

En el entretanto, Wilkinson había comenzado a poner en práctica un plan del que proyectaba extraer pingües ganancias económicas y la consolidación de su posición política en Kentucky; con fecha 20 de diciembre de 1786 había escrito a D. Francisco Cruzat, comandante español en San Luis, advirtiéndole de los preparativos belicosos de Clark, y había solicitado a Gardoqui un pasaporte para visitar Nueva Orleáns. No obstante la negativa de éste, no dudó Wilkinson en salir adelante con su plan. En junio de 1787 se embarcó para Nueva Orleáns, portador de un cargamento de cereales y de tabaco; sus previsiones habían sido acertadas, porque fue recibido calurosamente por el gobernador de la Luisiana, Miró, y pudo vender sus mercancías, libres de impuestos, con el apreciable beneficio de 35.000 dólares. Las autoridades españolas habían de procurar toda relación amistosa con personalidades prominentes de la frontera, que favorecieran el mantenimiento del "statu quo" pacífico y pudieran colaborar en la evitación de las crecientes presiones de los colonos del Este sobre los territorios españoles; por otra parte, las posiciones españolas, muy distanciadas entre sí y mal provistas de hombres y de material, se comunicaban principalmente remontando el río –ascensión lenta y dificultosa–, en tanto que su descenso –dirección en caso de ataque del enemigo– aparecía sencillo y rápido (20).

Tres meses permaneció Wilkinson como huésped de los españoles, entablando contactos diarios con Miró; Wilkinson se ofreció como cabeza de un movimiento secesionista en Kentucky, que influiría en los demás territorios al Oeste de las montañas en una dirección de acercamiento más estrecho con España: para confirmar sus intenciones prestó juramento de fidelidad al rey de España el 22 de agosto de 1787. El 5 de septiembre redactaría un memorial al rey, en el que sugería, en primer lugar, la concesión a su favor de la exclusiva de los derechos de comercio a través del Mississippi, alegando que los beneficios, que tamaño privilegio le reportaría, alentarían a sus conciudadanos de Kentucky a separarse de los Estados Unidos y aproximarse a España; en segundo lugar, se ofrecía como agente exclusivo para organizar el establecimiento de colonos en territorio español, promoviendo así nuevos lazos entre España y la frontera. Miró recibió con gran entusiasmo estas propuestas, y las despachó, con su apoyo, a Madrid (21).

Wilkinson retornaría en triunfo a Kentucky en febrero de 1788, tras viajar por mar y visitar Richmond, Pittsburgh y Ohio. Sus impresionantes resultados comerciales cambiarían la opinión popular hacia España, en la que se comenzaría a ver la futura causa del desarrollo de la región y la solución para salir de la difícil situación presente. Los precios aumentaron del día a la noche, y lo que se pagaba por dos dólares recibía nueve. Wilkinson, que empeazaba a considerarse a sí mismo el "Washington del Oeste", daba un paso más en sus planes como futuro jefe de la nueva, expansiva e independiente República al este del Mississippi (22). Se enteró Wilkinson en Richmond de la elaboración de la Constitución federal, por lo que se apresuró a llegar a Kentucky para preparar el terreno en contra de la ratificación y a favor de sus proyectos de secesión; simultáneamente envió una serie de barcazas a Nueva Orleans cargadas de tabaco, mantequilla, jamón y otras mercancías para probar a sus conciudadanos las ventajas de las buenas relaciones con España (23).

La entrada en vigor de la Constitución federal, con su ratificación por el noveno Estado, New Hampsire, el 21 de junio de 1788, apareció a los occidentales como una nueva fuente de beneficio para los orientales y de poca repercusión para los territorios al otro lado de las montañas. Las depredaciones continuadas en 1788, con los crímenes numerosos que los indios cometían, y la incapacidad del Gobierno federal de proteger a los colonos de tan mortales peligros, fueron reafirmando en éstos la idea de que nada podían esperar de los Estados Unidos, y sí, en cambio, de su independencia y asociación con Gran Bretaña y España, poderosos vecinos al Norte y al Sur, respectivamente (24). La traidora muerte perpetrada al jefe cherokee Old Tassel, en el curso de una entrevista para firmar la paz, junto con otros caciques, provocó un levantamiento general de indios, de cuyas desastrosas resultas apenas establecimiento alguno se salvó (25).

La Sexta Convención de Kentucky habría de reunirse el 28 de julio de 1788. Gardoqui había sostenido conversaciones previas con John Brown, el nuevo kentuckiano miembro de la delegación de Virginia en el Congreso, quien en carta confidencial a sus amigos de Kentucky (fecha 10 de julio de 1788) informaba de las seguridades dadas por Gardoqui de que si Kentucky declaraba su independencia y apoderaba a alguna persona apropiada a negociar con él, él (Gardoqui) tenía autoridad para otorgar la licencia de la navegación por el Mississippi, privilegio que nunca podría ser concedido si Kentucky continuaba formando parte de los Estados Unidos. Miró, por su lado, había remitido a Wilkinson hasta 18.700 dólares, para distribuir a 21 notables de Kentucky, a su elección. Entre los "amigos confidenciales" contaba Wilkinson con Harry Innes, secretario de Justicia; el aludido diputado John Brown y los jueces Caleb Wallace y Benjamín Sebastián; como "favorecedores de una separación de Virginia y de un amistoso acuerdo con España" se hallaban el famoso pionero Benjamín Logan, e Isaac Shelby, más tarde gobernador de Kentucky (26).

La Sexta Convención no llegó a conclusión definitiva y sí a la decisión de convocar otra nueva Asamblea para el 3 de noviembre siguiente. En el intervalo, la carta de Brown tuvo difusión, así como los proyectos británicos de apoyar la secesión en provecho de Inglaterra. Los ciudadanos se veían cada vez más inclinados a dar prioridad en sus decisiones a sus intereses locales, a su apego a la región antes que a los lejanos de la Unión, de cuyas ventajas no habían todavía participado. Wilkinson, por su parte, realizaba una labor de captación de adeptos a su proyecto, en reuniones privadas y conversaciones. Así pudo leer en la Séptima Convención el contenido de su memorial al rey de España, haciendo ver a los delegados las desventajas de la presente situación frente a las ventajas de una conexión futura con España. El momento había llegado de dar el paso definitivo: pidió a Brown que relatara las ofertas de Gardoqui, a lo que el requerido, sorprendido y molesto, no reaccionó como Wilkinson esperaba. Este, prudente, no quiso forzar más la situación, y la Convención se separó aprobando el memorial al rey, solicitando la navegación por el Mississippi y convocando para otra reunión en el próximo agosto. Con este compás de espera las gentes de Kentucky aspiraban a conocer la actitud del nuevo Gobierno de la Unión bajo la Constitución y su mayor comprensión a los problemas del Oeste que el anterior bajo la Confederación (27).

Al finalizar el año 1789, Wilkinson hizo un segundo viaje a Nueva Orleáns, en donde presentó un segundo memorial al rey de España, y desde donde regresó a Kentucky con dos mulas cargadas de plata. Pero éstas no podían compensarle, en verdad, de la titubeante política española, que no se decidía a dar un paso definitivo de apoyo a los secesionistas. Wilkinson, como Sevier y White, Robertson y Morgan, serían inevitablemente presa de la desilusión al enfrentarse con la realidad de la actitud española. En marzo de dicho año había recibido Miró una nueva definición de la política exterior española, formulada por el Consejo de ministros: se le ordenaba evitara por cualquier medio toda abierta acción que fomentara la insurreción en el Oeste de la nueva República; por otra parte, para disminuir la animosidad de los habitantes de la frontera, se reducía la tarifa sobre sus bienes de exportación a un 15 por 100, y en algunos casos a un 6 por 100, y se facilitaba la inmigración en territorio español de colonos norteamericanos. Corolario de esa política fue el despojo de Wilkinson de sus derechos comerciales monopolísticos y, consecuentemente, de las pingües ganancias que hasta entonces había realizado y que pensaba realizar (28). Por otro lado, cuando las hostilidades entre Inglaterra y España estuvieron a punto de estallar a raíz del asunto de Nutka, Jefferson, a la sazón secretario de Estado, se mostró dispuesto a ayudar a España e incluso pactar con ella una alianza a condición de que los británicos no ocuparan sus territorios de Luisiana, posibilidad a la que los Estados Unidos debían oponerse por todos los medios (29).

Wilkinson continuó, no obstante, actuando como agente secreto de España, y, al ascender en el ejército a empleo superior en 1791, consideró procedente hacerlo valer, por lo que solicitó a Miró un aumento en sus estipendios como espía. Con su nuevo ascenso a general de brigada a comienzos de 1792, ascendieron paralelamente sus retribuciones hasta la cantidad anual de 2.000 dólares (30). Sus servicios fueron útiles para prevenir los intentos de los revolucionarios franceses (que acababan de decapitar a Luis XVI) de recuperar el dominio de Francia en Luisiana; intervenían en el asunto el representante galo Edmond Genet, llegado el 16 de mayo de 1793, el naturalista André Michaux y el inevitable Clark. El gobernador de Luisiana, al protestar enérgicamente a Washington, obtuvo una actitud desaprobatoria de su Gobierno de aquellos manejos, que también fueron censurados por el sucesor de Genet, Joseph Fauchet. Sin embargo, Clark no suspendió sus preparativos bélicos, y el 25 de febrero de 1794 hacía un llamamiento en Kentucky a los voluntarios que deseasen como recompensa 2.000 acres de territorio español. Washington ordenó a Clark y los suyos desistieran de sus propósitos, dispuso la reconstrucción del Fort Massac en el bajo Ohio para que su guarnición impidiera todo intento de Clark de descender por el río y consiguió que el Congreso considerara un crimen la acción hostil de cualquier ciudadano contra un país con el que los Estados Unidos se hallasen en paz (31).

A pesar de ello, el lugarteniente de Clark, John Montgomery, levantó un fortín en el Ohio y comenzó a interrumpir el tráfico marítimo destinado a los dominios de S. M. Católica. Por su parte, Elijah Clarke, un pionero georgiano, atravesó el río Oconee con una partida de voluntarios y, en desafío al Estado federal y al de Georgia, se apoderó de una franja de las tierras de indios creks, estableciendo una República independiente. A su vez, Carondelet tomó las correspondientes contramedidas: envió mensajes a los indios aliados solicitando su ayuda, pidió al capitán general de La Habana permiso para contraatacar a Clarke, reforzó las guarniciones españolas en el Mississippi, armó una flota de barcazas que, con su movilidad, pudieran acudir al lugar más necesitado de su auxilio, constituyó un nuevo fuerte en el río Tombigbee y aumentó las cantidades de dinero suministradas a Wilkinson y a otros agentes. La sola adopción de estas medidas bastó para que Montgomery cesara en la obstrucción del trádico fluvial, pero es indudable que la posibilidad de que algún incidente se produjera, podía acarrear la ruptura de las hostilidades entre España y los Estados Unidos, cosa que ninguno de los dos países deseaba, al menos por el momento (32).

Los movimientos de fuerza de los ingleses, en aquella oportunidad aliados de los españoles, hacían presagiar el inevitable estallido, mucho más cuando los colonos norteamericanos se mostraban progresivamente presionantes e impacientes de expansionarse hacia el occidente. Wilkinson pedía más dinero en 1794, como recompensa a su éxito –según él– en dilatar la expedición de Clark, y como único medio de mantener la inclinación hacia España del grupo de amigos de Kentucky (una barca, transportando 6.000 dólares ocultos, fue capturada y malamente se salvó Wilkinson de las inevitables implicaciones) (33). Pero la victoria del ejército federal de Wayne en "Fallen Timbers", en 1794, contra los indios aliados de los ingleses, despejó de una vez el peligro de las incursiones de aquéllos en las tierras de los colonos, y la tranquilidad comenzó a renacer; el Gobierno central ganó prestigio y los territorios del Oeste comenzaron a percibir que también ellos contaban en la Unión. La idea de secesión inevitablemente comenzó a desvanecerse. (Había sido admitido en la Unión como Estado el 1 de junio de 1792.) La presión de los pobladores de Kentucky, que en 1795 alcanzarían los 200.000, harían las aspiraciones de una alianza con España insostenibles (34).

Por el Tratado de San Lorenzo, firmado por Tomas Pinckney el 27 de octubre de 1795, el Gobierno español reconocería –aunque con amargura– la realidad de la situación y renunciaría en favor de los Estados Unidos a toda pretensión sobre los territorios al este del Mississippi hasta un punto al Sur, y concedería la libertad de navegación por el Mississippi junto con el derecho de depósito en Nueva Orleáns (35). Como fin del drama, se dio la pintoresca casualidad de ser Wilkinson quien, en su calidad de comandante del ejército de ocupación de los Estados Unidos, presidiría la transferencia por España de los territorios cedidos en el tratado (36).

NOMBRES ESPAÑOLES

Hoy día sólo quedan como recuerdo español en Kentucky los cuadros existentes en museos, como el de Louisville, y algunos nombres esparcidos por su geografía: Cádiz, Columbia, Columbus, Lola, México, Sacramento, Sonora, Aurora, Cordova, Buena Vista, Delta, Meador, Alonzo, Palma y Varilla, y el Columbus Belmont State Park.

TENNESSEE, cuna de Ferragut

Comparte Tennessee con Kentucky la circunstancia de hallarse a mitad de camino entre el Norte y el Sur, por lo que sus características son una mezcla de las que distinguen ambos sectores del país. Tennessee, sin embargo, se alistó en la guerra de Sección con los Confederados, en tanto que Kentucky siguió las banderas de Lincoln, en cuyas tierras éste, por cierto, vio la luz. Cuando su asesinato, fue nombrado su vicepresidente presidente de la nación, Andrew Johnson, un teneseano, en honor del cual se llama el mejor y enorme hotel en Knoxville, la ciudad más oriental del Estado.

Otro presidente nativo de la región fue Andrew Jackson, cuya residencia "The Hermitage" en Nashville, es un frecuentado lugar de peregrinación nacional y, a mi modo de ver, la mansión histórica más interesante de visitar en los Estados Unidos, juntamente con Mount Vernon, de Washington, y Monticello, de Jefferson. No nos trae buenos recuerdos a los españoles la figura de Jackson, no obstante su participación en la "conspiración española" de Kentucky: dirigió las últimas operaciones militares que provocaron la retirada definitiva de España del continente norteamericano y recibió Florida de España; su carácter impetuoso y rudo ha quedado en los anales de la Historia, así como la tumultuosa y proletaria recepción que ofreció en la Casa Blanca el día de su inauguración: vencedor de los ingleses en Nueva Orleáns en 1815 y destructor de los semínolas, nada tiene de particular que no estuviese familiarizado con las suaves maneras de la política y de la diplomacia.

James K. Polk figura en la nómina de los presidentes: también nació en Tennessee, y España conoce de sus ambiciones expansionistas. Dos hijos de la región, con ayuda de sus conciudadanos, tocados con el gorro con cola de zorro, tuvieron excepcional participación en la incorporación de la hispánica Texas a la anglosajona Norteamérica: Sam Houston y David Crockett, el héroe del Alamo. En Knoxville nació el primer almirante de la Armada de los Estados Unidos, David Glasgow Farragut. Quién sabe si por influencia del medio –de otro modo es curiosa coincidencia– todas las anteriores personalidades (con la excepción de Johnson) han tenido una especial relación con las cosas de España.

SECTOR ORIENTAL

Hernando de Soto, de paso

Las estribaciones meridionales de los Apalaches, que aquí reciben el nombre de "Great Smokies", atraviesan el este de Tennessee. Esta montuosa región recibió en 1540 a los primeros hombres blancos –Hernando de Soto y sus expedicionarios– que pisaron el territorio del Estado (37). Les dejamos en Carolina del

Norte cuando, después de abandonar la actual Murphy, se disponían a atravesar la frontera actual. Quizá lo hicieran a través del paso "Angelico Gap" y siguieran un itinerario que coincide con la carretera 64: en todo caso, acamparon cerca de la ciudad de Chattanooga; la primera noticia de las andanzas de los españoles por aquellos parajes la saqué de las páginas introductorias del anuario telefónico local en el hotel "The Read House". Hay quien sostiene que Soto continuó su camino hacia el Oeste, alcanzando las proximidades de Manchester, en cuyo lugar construyó un fuerte (38), o de Franklin (39). Lo que sí es cierto es que pronto cambió de rumbo y que se dirigió hacia el Sur, entrando en el hoy Estado de Alabama. Meses después, don Hernando y su gente volverían a pisar tierras de Tennessee, al entrar en su región occidental.

CHATTANOOGA

La Universidad de Chattanooga –ciudad fronteriza con Georgia– actuó como anfitrión en la reunión regional de la "Tennessee Philological Association", en marzo de 1962, a la que tuve oportunidad de ser invitado. Se me deparó la oportunidad, pues, de visitar los edificios de dicha tranquila y escolástica institución, en la que el entusiasmo por lo hispánico y la conexa enseñanza corría a cargo de la profesora Miss Terrell Tatum, en homenaje a la cual un desconocido donante creó un premio anual destinado al alumno que presente el mejor trabajo sobre literatura española. Tuve un rato libre para conocer los alrededores y recorrer detenidamente la Lookout Mountain, excepcional mirador, desde el que se divisan en días claros hasta siete Estados y, por supuesto, la ciudad con el Moccasin Bend y el zigzagueante Tennessee; privilegiado lugar de refugio para las residencias de los acaudalados industriales de la región, fue escena, así como la vecina Missionary Ridge, de las famosas batallas que desde el 23 al 25 de noviembre se libraron entre las tropas de Grant, Sherman, Thomas y Hooker y las confederadas de Bragg, y que terminaron con la retirada de éstas de Tennessee. Chattanooga cuenta en su callejero con los siguientes nombres: Cádiz PL., Granada Dr., Mérida, Columbia ST., Alta Vista Dr., Chula Vista Dr., Delmart St., Lamar St., Monte Vista Dr., Linda Lane, Luna Lane, Palo verde Panorama, Plaza Circle, Rubio St. y Saluda.

KNOXVILLE

Knoxville es asiento de la Universidad de Tennessee, con una tradición de hispanistas de la talla de Gerald E. Wade. Su callejero incluye varios nombres españoles: Columbia Ave, Isabella Ave, Isabella Cir, Mendosa, Alamo Ave, Alma Ave, Alta Vista, Bonita Dr., Buena Rd., Buena Vista, Carta Rd., Juniper Dr., Panorama Dr., Valencia, Verbena y Vista Lane.

Nace el almirante menorquín

En el lugar denominado Stony Point, Campbell Station, a 15 kilómetros de

Knoxville, en la carretera a Nashville, nació, el 5 de julio de 1801, David Glasgow Farragut, quien llegaría a ser el primer almirante de los Estados Unidos. Aquella ciudad le dedicaría con el tiempo dos calles. Tiene el paraje especial interés para los españoles, porque en él vivió con su mujer el padre del recién nacido, Jorge Ferragut, español, natural de Menorca. Según su propia manifestación a su hijo, había nacido Jorge en la isla de Menorca (Ciudadela), el 29 de septiembre de 1755, la que había abandonado el 2 de abril de 1772 (40). Hay quien sostiene que llegó a Norteamérica con la expedición de menorquinos del Dr. Turnbull que fundaría New Smyrna en Florida (41).

Para el biógrafo de su hijo, Mr. Charles Lee Lewis, no hay duda de que Jorge Ferragut llegó a Nueva Orleans coincidiendo con el comienzo en Lexington de la revolución, el 19 de abril de 1775: tripulaba un pequeño barco mercante, con el que comerciaba entre La Habana y Veracruz. Cuando se enteró de la sublevación de las Colonias quiso alistarse contra los ingleses (cuya dominación había padecido en su isla natal) "para participar con su vida y su fortuna en la lucha por la independencia americana". Zarpó hacia Puerto Príncipe y allí cambió su cargamento por un cañón, armas cortas y municiones, con las que desembarcó, en marzo de 1776, en Charleston, C. S. Hacia 1778 supervisó en dicha ciudad la construcción de barcos de guerra, y se le encomendó el mando de uno de ellos, con el que intervino valientemente en la defensa de Savannah. Cuando esta plaza cayó en poder de los ingleses se retiró a Charleston, la que sufrió también pronto el asedio enemigo. Allí luchó hasta que fue hecho prisionero, el 12 de mayo de 1780, siendo más tarde canjeado (42). Combatió entonces con los ejércitos de tierra e incluso se dice que en la batalla de Cowpens salvó la vida a Washington (43).

Finalizada la guerra, Jorge se retiró con el grado de comandante de Caballería. Se estableció entonces como colono en Tennessee. Durante quince años de dura vida, alternó las ocupaciones de agricultor y leñador –morando en una cabaña de troncos– con la más peligrosa de luchar contra los pieles rojas. A los cuarenta años contrajo matrimonio con Elizabeth Shine, del que nació David (44). Con su nueva vida de familia, no se sintió seguro Jorge en Tennessee, constantemente sometido a los ataques indios; por otra parte, no lo consideró el mejor ambiente para la educación de sus hijos: la vecindad de gentes de distinta raza y religión (presbiterianos en su mayoría). Decidió entonces mudarse a Nueva Orleáns, ciudad que contaba con numerosos habitantes españoles a raíz de la reciente dependencia de Luisiana de España, y en la que la religión imperante –también entre el elemento francés– era la católica. El primer gobernador norteamericano, Mr. William Claiborne, aceptó sus servicios teniendo en cuenta su utilidad en una atmósfera hispano-francesa hostil (45).

David Glasgow Farragut (la original ortografía de Ferragut fue adaptada a la pronunciación inglesa) hablaba correctamente el español y ostentaba orgullosamente en su escudo la herradura, o "ferradura" (de ahí su apellido), del blasón de sus antepasados (46). Durante la guerra civil se puso al lado de la Unión y tuvo una victoriosa actuación al frente de la escuadra, en el río Mississippi, en Nueva Orleáns y Mobile. Murió el 14 de agosto de 1870, en Portsmouth, N. H. (47).

LA "TENNESSEE VALLEY AUTHORITY"

El gran complejo hidrográfico de la "Tennessee Valley Authority" (TVA) (que ocupa un área equivalente a las 4/5 de la superficie de Inglaterra) es la gran obra federal emprendida por Franklin D. Roosevelt con su "New Deal" –tan criticada por su socialismo– para salir del atolladero de la depresión y para suprimir la pobreza de una región erizada de dificultades y azotada por las periódicas inundaciones del titubeante río Tennessee. Obra en sus líneas generales de David Lilienthal, su conjunto de 36 presas escalonadas ha servido de ejemplo a otros proyectos de análoga envergadura en diferentes países y sigue siendo visitada por ingenieros y expertos de todas las partes del mundo. Su potencial hidráulico fue la principal razón de que en la próxima localidad de Oak Ridge se construyera la primera ciudad atómica. El uranio 235 que se produjo –y se produce– en Oak Ridge, dentro del mayor secreto y sin que cuantos trabajan en el proyecto conocieran exactamente el objetivo final, constituyó la base de la bomba atómica experimental de Alamogordo y de la explotada en Hiroshima (la de Nagasaki procedió del plutonio fabricado en Hanford, Estado de Washington). Sigue siendo Oak Ridge un lugar misterioso, rodeado de kilométricas tapias que se divisan desde lejos. Se visita su Museo de Energía Atómica, que es el primer centro permanente dedicado a relatar la historia del átomo (48).

También a través de los "Great Smokies", y concretamente del "Cumberland Gap" (hoy en el estratégico punto de confluencia de los Estados de Virginia, Kentucky y Tennessee), pasaron al Oeste los pioneros de Virginia y Carolina del Norte, encabezados por Daniel Boone, el cazador, en busca de pieles y de tierras en que asentarse (49). En la punta en que Tennessee –Estado estrecho y largo en el sentido horizontal– se introduce en el de North Carolina, se encuentra la hoy pequeña localidad de Jonesboro, que tan relevante papel jugó en los días posteriores a la independencia, y que sirvió de capital del Estado de Franklin, bajo el mando de John Sevier (59). La base del movimiento separatista que justificó el intento de creación de dicho Estado la halló Sevier en los condados extendidos a lo largo del río Holston (en cuyas márgenes está hoy Knoxville), de los que él se convirtió en indiscutible dirigente, y los que él extendió, merced a sus campañas contra los indios cherokes, 60 millas al Sur. Si en compañía de los pioneros nos movemos hacia el Oeste, atravesaremos el río y las montañas de Cumberlad para llegar a Nashville, la capital del Estado.

SECTOR CENTRAL

NASHVILLE, UNIVERSIDADES

En esta típica ciudad americana, por su parecido con cualquier otra del país, encontraremos, sin embargo, algunas cosas que han de atraer nuestra atención: la Biblioteca, la exacta reproducción del Partenón de Atenas (¡quién se va a figurar semejante hallazgo en el corazón de América!) en medio de un hermoso parque, y la Universidad de Vanderbilt, que, por iniciativa de Germán Bleiberg y con la colaboración de sus colegas, los profesores William H. Roberts y E. Inman Foz, reunió, en septiembre de 1964, a 150 hispanistas para conmemorar, a lo largo de cuatro días de trabajo, el centenario del nacimiento de Miguel de Unamuno (su hijo Fernando hallóse también presente) (51). Además de dicha Universidad –cuyo nombre se deriva del de Cornelius Vanderbilt, donante de cuantiosos fondos para su fundación–, en la que, junto a su eficiente Departamento de español (con profesores como Thomas especialista en catalán), ha venido funcionando una cátedra dedicada a la Historia de España, existe en Nashville la Fisk University, destinada a los estudiantes de color y la Tennessee Agricultural and Industrial State University. En Memphis se halla la Memphis State University; en Harrogate, la Lincoln Memorial University; en Jackson, la Union University, y la University of the South, en Sewanee. Nashville es la urbe del Tennesse central y de campos productores de tabaco y de ganados (52).

SECTOR OCCIDENTAL

MEMPHIS

Hernando de Soto descubre el Mississippi

El oeste del Estado abunda en campos de algodón, que convierten a Memphis en uno de los centros mundiales de tal fibra (53). Hay historiadores que sostienen que Hernando de Soto y sus hombres fueron los pioneros en visitar aquellos parajes, denominados entonces Chisca. El 8 de mayo de 1541 contemplaron allí por vez primera el Mississippi. Su descripción en la pluma de uno de los presentes, el hidalgo de Elvas, reza así: "El río tenía una anchura, por lo menos, de media legua. Si un hombre estuviera inmóvil en la otra orilla, no podría averiguarse si era hombre o no. El río era de una gran profundidad y con fuertes corrientes; el agua estaba siempre con barro y arrastraba muchos árboles y ramas" (54). Al río, el más ancho de los divisados hasta entonces por los atónitos españoles, acostumbrados a la modestia de los caudales fluviales patrios, Soto le denominó "El Río Grande de la Florida"; los indios le llamaban "Padre de los Ríos" o Mississippi (55). Un "De Soto Park", existe en Memphis, en pleno corazón de la ciudad. En él, un bloque de granito recuerda que cerca de dicho lugar Hernando de Soto descubrió el Mississippi en mayo de 1541 (56). Desde Memphis, los españoles continuarían su peligrosa jornada hacia el Oeste, después de atravesar dificultosamente el anchuroso cauce.

Memphis se encuentra cercana al emplazamiento de las antiguas Chickasaw Bluffs. En 1739, Bienville construyó el Fort Assomption, que tuvo poca vida (57). El gobernador de Natchez, Gayoso, siguiendo la política de contención de la expansión de los colonos del Este, consiguió de los indios chickasaws permiso para establecer en los "Ecores à Margot" (según era denominado el lugar) un fuerte. Apoyado por el Escuadrón Naval del Mississippi, arribó Gayoso al punto e inició, el 30 de mayo de 1795, las obras del puesto fortificado, al que bautizó como "San Fernando de las Barrancas" (58). Personalmente eligió el emplazamiento y dio órdenes concretas sobre su construcción. En el verano de dicho año, el fuerte se hallaba ya en concidiones de repeler un eventual ataque. Como consecuencia de la firma del Tratado de San Lorenzo, el 16 de marzo de 1797 fue evacuado San Fernando por su guarnición y el armamento y municiones se trasladaron a la orilla opuesta del río, en Fuerte Esperanza, en tanto que la edificación quedaba destruida por los partientes. Habían sido sus comandantes Elías Beauregard, Vicente Folch y Josef Deville Degoutin Bellechase (59).

En el período de la revolución, los "bluffs" habían sido testigos del paso de los barcos de los patriotas, que, remontando el río, llevaban a Fort Pitt (Pittsbutgh) las armas y provisiones proporcionadas por los españoles de Luisiana (60).

RELACIONES CON ESPAÑA. ROBERTSON Y LA INDEPENDENCIA DEL CUMBERLAND

Si Daniel Boone simboliza Kentucky, James Robertson es la figura más representativa de los primeros días de Tennessee, cuando el nombre que se barajaba era el de Cumberland. El participó personalmente en cuanto se llevó a cabo en los primeros veinte años de su existencia; de aquí su papel en los contactos que la región tuvo con España, con vistas a sus independencia y su posible anexión a ella. Cuando la "Transylvania Company" perdió sus derechos en Kentucky al convertirse éste en condado de Virginia, Henderson decidió, para compensar las pérdidas, organizar un establecimiento similar en la región de Cumberland, que calculaba había de caer, una vez hechas las correspondientes mediciones por Thomas Walker, en el área de Carolina del Norte (61).

Comisionó Henderson a Robertson para la empresa, el cual, en compañía de ocho camaradas, realizó, a fines de 1778, un viaje de exploración de cerca de 400 kilómetros, hasta un punto en el que se sienta hoy la capital, y que fue elegido como el más conveniente para el futuro asentamiento, que recibiría el nombre de Nashboro por Francis Nash, un carolino muerto en Germantown. La ciudad afrancesaría después su nombre, siguiendo la moda traída con la alianza francesa. Los nuevos colonos llegarían en el invierno de 1780 en dos expediciones: una, al mando de John Donelson, en botes portadores de las mujeres y de los niños, a lo largo del curso de los ríos, Tennessee y Cumberland, y otra, por tierra, a través de las de Kentucky, pasando ambas serias penalidades (62).

La lejanía del Gobierno de Carolina del Norte (una vez delimitadas las zonas de influencia), a unos 750 kilómetros de distancia, y con la interposición de una elevada cadena montañosa, determinó a los colonos a firmar, el 13 de mayo de 1780, el "Cumberland Compact", por el que se comprometían a regirse por sus propias normas. Los ataques indios y las dificultades de los primeros momentos pusieron en peligro de extinción a la Colonia; tanto, que Donelson se retiró a Kentucky con su familia. Salvó la situación la determinación de Robertson de quedarse y la atribución de terrenos por Carolina del Norte a sus soldados; individuos y compañías (como la patrocinada por William Blount) aprovecharon la oportunidad y emigraron en masa hacia el Oeste, de forma que en 1785 podían contarse ya 40 poblados. Su distribución geográfica en el valle del río, sin embargo, hizo su defensa extremadamente difícil contra las incursiones de los indios. Para terminar con éstas, Robertson decidió atacar, y con una fuerza de 130 voluntarios montados atravesó el río Tennesse durante la noche y sorprendió el campamento de los indios creeks en Coldwater, matando a 20 y poniendo en fuga al resto. Como represalia, McGillivray desencadenó una serie de ataques sobre Cumberland, cuya supervivencia confrontó momentos muy graves. A Robertson no le quedó otra solución que requerir el urgente y eficaz apoyo del gobernador de Carolina del Norte, Samuel Johnson, en el que encontró una fría acogida, aparte de una carencia de ánimo favorable y de medios para auxiliar a los lejanos colonos (63).

Se plantearon entonces los habitantes de Cumberland la posibilidad de encontrar en Inglaterra o en España, los vecinos del Oeste, las necesitadas ayudas y protección. Pero Robertson, consciente de su primaria responsabilidad por los establecimientos de que era promotor, consideró oportuno intentar previamente el contacto con el jefe indio McGillivray, sugiriéndole un ataque combinado Cumberland-Creek contra las posesiones españolas del golfo de México, y a fin de abrir una vía de comunicación independiente. Ante la indiferencia de McGillivray a su propuesta, decidió informar, a fines de 1788, a Miró de su disposición de que Cumberland entablara una comunidad de intereses con España, proposición ante la que éste reaccionó muy positivamente (64). Ya hemos visto que no era Robertson el único occidental en pensar en España al entrever la necesidad de una secesión de los Estados Unidos, y ya conocemos la actitud del Congreso en la sesión secreta de 29 de agosto de 1786 de acceder al control por España de las tierras al este del Mississippi por espacio de veinticinco años (65).

En estos contactos con España habría de tener especial intervención White, quien mantenía personales relaciones con Gardoqui, Miró, Sevier y Wilkinson, todos trabajando por la unión a España de los territorios en que eran responsables (66). El gobernador español de Pensacola, O'Neill, recibió una carta de McGillivray de fecha de 25 de abril de 1788, en la que éste le informaba de haber recibido una delegación procedente de Cumberland que le había comunicado el deseo de sus habitantes de convertirse en súbditos del rey de España y la determinación de aquella región de independizarse del Congreso, dado que este organismo no podía garantizar sus personas y propiedades ni promover su comercio. Las noticias traídas a Cumberland por Andrew Jackson acerca de la entrada en vigor de la Constitución federal, no cambiaron los sentimientos separatistas de sus habitantes, que consideraban el nuevo texto legal como un medio más a favor de los orientales y de poco interés para los habitantes al oeste de las montañas. Por el contrario, fue positiva, en cuanto a su decisión de secesión, la respuesta de Robertson al mensaje de Gardoqui traído por White, en el que informaba de la inclinación de su S. M. Católica a proporcionar a los habitantes de Cumberland la salvaguardia que necesitasen (67).

Ningún establecimiento de Cumberland se libró de los desastrosos resultados del ataque de los cherokees de 1788. Entre los muertos figuraban el coronel Anthony Bledsoe, el segundo de Robertson, y el hijo de éste, Peyton (68). En agosto de dicho año, Carolina del Norte accedió a la solicitud de Robertson de que en adelante Cumberland fuese designado Distrito de Miró, como demostración de la admiración de sus colonos hacia el gobernador español. El día 2 de septiembre siguiente, Robertson volvía a expresarse epistolarmente partidario de unirse a la nación que controlara el Mississippi (69). En septiembre de 1789, Robertson escribía todavía a Miró: "Acabamos de tener una Convención que ha acordado que nuestros miembros deben insistir en separarse de Carolina del Norte. Sin protección, tenemos que obedecer al nuevo Congreso de los Estados Unidos; hemos de desear una más interesante conexión. Los Estados Unidos no nos otorgan protección alguna. El Distrito de Miró es atacado diariamente y sus habitantes son asesinados, sin que exista provocación, por los indios creeks y cherokes. Por mi parte, veo las ventajss que nos puede proporcionar vuestro Gobierno" (70).

Pero la política española no estaba para meterse en berenjenales. Ya hemos visto las indicaciones del Consejo de ministros a Miró de evitar cualquier acción que fomentara la insurrección en el Oeste americano. Es lógico que Robertson se fuera desilusionando; por otra parte, la construcción de una vía hacia Nashville había provocado la llegada de una nueva masa de emigrantes no afectados todavía por las inquietudes que embargaban a los antiguos pobladores. En un hábil golpe, Washington nombró a Robertson general de brigada de las milicias del nuevo territorio del Noroeste (71). Fue Nashville objetivo de la planeada invasión de los creeks, chikamaugas y chikasaws en 1792, alentada por Carondelet, como primer paso de la evacuación de Cumberland, pero la resistencia del fuerte cercano de Buchanan's Station desmoralizó a los desunidos atacantes indios (72). El Tratado de San Lorenzo de 27 de octubre de 1795 pondría fin a las aspiraciones españolas sobre la región. Cumberland y el sur de Holston se unirían en 1796 y obtendrían la admisión en la Unión como Estado con el nombre de Tennessee, el día 1 de junio de dicho año.

NOMBRES ESPAÑOLES

Llevan nombres hispánicos en Tennessee las localidades de Alamo, Bogotá, Bolívar, Columbia, Medina, Saltillo, Santa Fe, Quito, Cuba, Cordova, Cerro Gordo, Nobles y Alto.

CAPITULO III

ALABAMA Y MISSISSIPPI

ALABAMA, Estado algodonero

Alabama ha ocupado últimamente las páginas de los periódicos por sus frecuentes disturbios raciales. Alabama es un característico Estado del Sur, con abundancia de negros entre sus habitantes, con una decidida posición antiyanqui en la guerra de Secesión (su capital, Montgomery, fue la primera de la Confederación hasta su traslado a Richmond), con enormes problemas en el camino de la integración étnica: la muerte de una niña de color en Birmingham, la matriculación de unos estudiantes de la misma raza en la Universidad de Alabama en Tuscaloosa, la marcha desde Selma a Montgomery, etc., son episodios de ese gran y difícil capítulo de los Estados Unidos de hoy. Su principal cultivo el algodón.

No existían problemas raciales en estas tierras cuando los españoles la pisaban con derecho de soberanía o cuando las defendían contra las presiones crecientes del este anglosajón. Dicha presencia tiene varias etapas que constituyen otras tantas sorpresas para quien sólo conoce de Alabama la historia próxima o no rasca en la homogénea fachada que hoy ostenta. Empecemos por constatar que, como recuerda el historiador del Estado Albert James Pickett (1), Alabama fue descubierta por Hernando de Soto y sus acompañantes. Ellos, en representación del hombre blanco, vieron los primeros paisajes, atravesaron sus ríos antes que otros, inauguraron los años de lucha con los nativos que defenderían su terruño hasta el límite de sus fuerzas. En realidad, otros españoles habían pisado anteriormente las tierras del Estado en el sector costero, pero sus breves contactos no deben quitar a Soto aquella gloria, como pionero explorador de kilómetros y kilómetros de su interior y experimentado conocedor de sus habitantes y de su geografía. Puesto que acabamos de visitar Tennessee, entraremos en Alabama en dirección Norte-Sur, para terminar nuestro recorrido en el Golfo de México.

PRESENCIA ESPAÑOLA

SECTOR SEPTENTRIONAL

Hernando de Soto desciende

Por el norte del Estado entró Hernando de Soto en 1540 con los suyos, y realizó un itinerario que bien me hubiera gustado repetir (brindo esta idea a los "Conquistadores" de Brandenton y a las Asociaciones posiblemente interesadas en Alabama). Hube de entrar en Alabama, sin embargo, por el aire, aterrizando en Hunstville, ciudad de rápido progreso industrial, y sede del arsenal de Redstone, del ejército de tierra, en donde Werner von Braun comenzó en los Estados Unidos los trabajos que, al poner en órbita un satélite con su cohete "Jupiter", salvarían el prestigio de los Estados Unidos en su lucha espacial con Rusia; el combustible que ha de empujar a los primeros humanos visitantes de la Luna se fabrica allí (2). Se halla cerca de un campamento juvenil veraniego que simbólica e hispánicamente se denomina "Pajarito".

Soto siguió más o menos, al abandonar las tierras de Tennessee, el trazado de la carretera 72 desde Bridgeport hacia Scottsboro, en el condado de Jackson, tomando el curso del río Tennessee (3).

Indudablemente, don Hernando deseaba dirigirse hacia el Sur, por lo que abandonó Tennessee y descenció para toparse a poco con el río Coosa, no sin antes reconocer las tierras que hoy acogen las localidades de Guntersville y Albertville. Siguió su curso hasta su confluencia con el río Tallapoosa, en punto cercano a la hoy capital del Estado, Montgomery, y a través de parajes que coinciden con Attalla, Gadsden, Talladega, Childersburg Lay Lake, Lay Dam, Mitchell Lake, Jordan Lake y Wetumpka. En este recorrido había atravesado la región de Coosa, cuya capital contaba con el núcleo de población nativa más numerosa de las diversas por ellos visitadas (4).

Juan de Ribas no consigue unir
las costas del Atlántico y Golfo de México

En la región fronteriza de Chiaha, años más tarde, 1567, aparecería otro grupo expedicionario español enviado por Menéndez de Avilés: el de Juan Pardo y el sargento Boyano, quienes construirían un fuerte en aquel lugar, en las proximidades de la moderna Rome, Georgia (5); uno de sus soldados e intérprete, Juan de Ribas, llegaría a Coosa. Aquí encontraría en una aldea capaz para acomodar 150 familias, restos del paso de la expedición de Soto; lanzas y trajes en las cabañas indias y cotas de malla, armas y vestidos europeos, en posesión de los nativos. La incursión de Ribas no conseguiría, sin embargo, uno de los objetivos marcados por sus superiores: el de unir las costas del Atlántico con las costas del Golfo de México por el interior (6).

En esta región de Coosa permaneció siete meses un grupo que llegó en la primavera de 1560 al mando de Mateo del Saúz, por órdenes de Tristán de Luna, el jefe de la Colonia mandada establecer por Felipe II en Pensacola, Florida. Venía con 150 infantes en busca de provisiones, dados los favorables informes proporcionados por el Capitán Alvaro Nieto, miembro de la expedición de Soto. La jornada hasta Coosa estuvo sembrada de adversidades y escasez de alimentos, y muchos murieron en el camino, víctimas de las hierbas venenosas ingeridas por sus hambrientos estómagos. Al cabo de cuarenta y tres días un bosque de castaños y nueces, dio vigor con sus frutos a las desfallecidas fuerzas, que así pudieron alcanzar su meta, Coosa, en la que durante tres meses gozaron de la hospitalidad de los indígenas (7).

En el interregno, los padres de la Anunciación y Domingo de Salazar, acompañantes de Saúz, trataron de convertir al Cristianismo –sin éxito– a sus anfitriones. Los indios coosa no estaban en aquellos momentos para sermones, pues se preparaban para atacar a sus odiados enemigos los Natchez. Para dicha empresa solicitaron la ayuda española, a la que no pudo negarse Saúz, que les facilitó dos capitanes, 50 infantes y algunos caballeros, además del padre de la Anunciación, que quiso acompañarles. Los resultados de la punitiva incursión –en el hoy Estado de Mississippi– fueron satisfactorios y, aparte de producir cantidades considerables de alimentos, sirvió para que, merced a los buenos oficios españoles, se resolvieran las rivalidades entre ambas facciones indias, sin que hubiera intervenido apenas derramamiento de sangre (8).

Envió entonces Saúz al capitán Cristóbal Ramírez y Arellano, sobrino de Luna, para comunicar a su tío las nuevas. No habiéndole encontrado en Nanipacana, Saúz decidió regresar a Pensacola, donde llegó en noviembre de 1560. Pero los expedicionarios de Coosa, pudo Saúz entonces comprobar, no habían sido olvidados: Luna había tratado por todos los medios a su alcance de trasladar los colonos españoles a Coosa, pero la desmoralización que entre ellos había cundido (según veremos más abajo) dio lugar a que una insubordinación contra el jefe se produjera, y predominara el parecer de Jorge Cerón, uno de los colonos, de que la mejor solución del problema por que atravesaban era la de abandonar la empresa y regresar al punto de partida (9).

BIRMINGHAM. CULLMAN

Cerca del condado de Talladega se sitúa la ciudad de Birmingham, el "Pittsburgh del Sur" y foco de inquietud racial. Su símbolo es la colosal figura de Vulcano (60 toneladas de hierro recubiertas de pintura de aluminio), segunda en los Estados Unidos después de la estatua de la Libertad, en Nueva York, y uno de los atractivos de la Exposición Internacional de San Luis en 1904. Su contemplación, encendida durante la noche en medio de millares de luces que impresionan la vista y ocultan la vulgaridad ciudadana que los rayos del sol destacan, me fue dada en la oportunidad de haber sido invitado al conocido "The Club", situado en estratégica y dominada colina (10). Cerca del aludido restaurante se alza un pintoresco edificio, "Vestavia", réplica del templo de Vesta, construido por un excéntrico ciudadano, que se dio el gustazo de vivir en un ambiente pretérito, de comer en triclinios, ser servido por criados togados, etc. Notable esfuerzo realiza Birmingham por dar a la cultura atención, balanceando el predominio industrial de su vida; su activa orquesta sinfónica contó en su día con la importante colaboración de los músicos españoles Ortiz y Benejan; varias Instituciones de enseñanza superior se asientan en su área: Birmingham Southern College, con Departamento de español, Howard College, un activo e incipiente club hispánico. Con ocasión del Festival de las Artes en 1971, reinó una intensa atmósfera española con participación de música, pintura, libros, etc., de España y la presencia del Embajador Sr. Argüelles y de la descendiente del último gobernador español de Florida Occidental, la cubana doña María Luisa Callava.

No se distingue Alabama por su catolicismo, punto en el que quizá se coloca en uno de los últimos lugares entre los Estados de la Unión, pero ello no obsta para que, al norte de Birmingham y a medio camino de Huntxville, la localidad de Cullman nos depare unas inolvidables horas de reposo y de retiro cristianos a la sombra de la abadía benedictina de San Bernardo y del conexo convento de monjas del Sagrado Corazón. En Cullman puede hallar uno, aparte del oasis católico, sorpresas como la de una gran iglesia moderna construida exclusivamente con materiales extraídos en los terrenos de la abadía, una cena abacial –en moderno comedor– precedida de generosos "whiskies", un conjunto musical de estudiantes utilizando como básico y armonioso instrumento un barreño, un colosal auditorio en la ciudad escenario de agradabale concierto, y la reproducción a escala reducida en el "Ave María Grotto", con modestos materiales, de los monumentos mundiales de más fama, como la basílica de San Pedro, las Misiones españolas en California, la ciudad de Jerusalén, la torre de Pisa, etcétera, etcétera, todo ello debido a la paciencia del hermano benedictino Joseph Zoettl, incapacitado físicamente para otros quehaceres de más envergadura.

SECTOR CENTRAL

Hernando de Soto contra Tuscaloosa
en la batalla de Mabila

Dejamos a Hernando de Soto, en parajes en los que hoy se asientan la capital estatal Montgomery, sede del Alabama State College, del Huntington College y de la "Air University", en la vecina "Maxwell Air Force Base". Acompañemos a nuestro compatriota en su descenso en octubre de 1540 hacia Talisin, en el condado de Dallas; Camden, en el condado de Wilcox, y Piache (actual Claiborne), en el condado de Monroe, siempre siguiendo el curso del río Alabama y en provincia habitada por los indios mobile (11). En este último sector encontró Soto a un gigante, el jefe de la tribu, por nombre Tuscaloosa, al que tomó prisionero al rehusar la ayuda de indios transportadores que aquél le solicitara. Aunque aparentemente cedió entonces al proporcionarle 400 de sus súbditos, puso en marcha planes que harían a Hernando enfrentarse con el más grave momento de su marcha continental: procuró ganarse la confianza de los españoles y llevarles al poblado de Mabila, que se encontraba probablemente en el condado de Clarke, entre los ríos Alabama y Tombigbee. Allí llegaron el 18 de octubre y en él entró Soto con un grupo de los suyos, no obstante las advertencias en contra de su lugarteniente Moscoso, enviado anticipadamente en misión exploradora. A duras penas pudieron escapar los españoles de la encerrona y reorganizarse fuera del recinto. Una terrible batalla se entabló entre los numerosos nativos y los aguerrido españoles, que mal pudieron luchar con el calor que el poblado en llamas ocasionaba a sus armaduras. El resultado fue de 20 muertos para los españoles y 148 heridos, en contra de los 2.000 indios muertos –incluidos Tuscaloosa y su hijo– y cientos de heridos (12).

Para reponerse de la contienda, acampó Soto con sus hombres en Mabila por espacio de un mes. En este tiempo recibió noticias del atraque de Maldonado con naves y provisiones a la próxima bahía de Achusi (¿Pensacola? ¿Mobile?): en lugar de congratularse con la alegría del necesitado ante tantas penalidades, temió que sus tropas se amotinaran y decidieran embarcarse para México; prefirió la muerte posible al reconocimiento de la derrota, por lo que tomó la heorica resolución de no dar señales de vida y de renunciar a la ayuda, poniendo en marcha de nuevo a la expedición, rumbo al Norte, el 9 de diciembre de 1540 (13).

Penalidades de Tristán de Luna

A los alrededores de Claiborne, en la localidad denominada Nanipacana, llegó D. Tristán de Luna con hasta 1.000 colonos españoles a fines de 1559, procedentes de Pensacola, en la que se limitó a dejar a un teniente con 50 hombres y esclavos negros que custodiaran el puerto. La expedición remontó el río, después de los informes suministrados por cuatro compañías de caballería que, al mando de Mateo de Saúz habían regresado dando cuenta de la existencia de maíz, judías y vegetales en la región, de los que tan necesitados estaban los hambrientos españoles. Los indios del lugar les revelaron el paso de Soto y los suyos diecinueve años antes y de la destrucción de Mabila y muerte de sus habitantes. Pero no duraron largo tiempo las provisiones, y de aquí que Luna enviara, como hemos visto, a Saúz a la región de Coosa (14).

Durante la ausencia de Saúz los colonos sufrieron toda suerte de adversidades, enfermedades y hambre. Para mantener la disciplina Luna tuvo que aplicar severas medidas que no mejoraron la situación; al cabo de varios meses don Tristán –tras reunir Consejo de guerra– no pudo por menos de reconocer la posición angustiosa en que se hallaban, por lo que ordenó regresar a Pensacola y despachó a fray Pedro de la Feria con dos barquitos –en los que partieron algunos de los soldados casados con sus esposas en Cuba– para que buscara auxilios en La Habana o México. Saúz y los suyos se enteraron del desastroso fin de la colonización de Nanipacana (que había sido bautizada por Luna, Nanipacana de la Santa Cruz) cuando el capitán Ramírez y Arellano, destacado por aquél, con 17 hombres, halló el establecimiento desierto y una nota, enterrada bajo un árbol, en el que le enteraba de lo sucedido (15).

SECTOR OCCIDENTAL

Hernando de Soto asciende

Volvamos con Hernando de Soto, acompañándole en el último trayecto a través de Alabama; puede servirnos de pauta la carretera 43 que nos hará pasar por Grove Hill, Thomasville, Dixons Mills, Linden y Old Spring Hill. Unas millas al este de Demopolis, descubrió el río Black Warrior, al que atravesó cerca de Erie, para llegar a Eutaw, cruzar el río Sipsey (que también descubrió), pasar cerca de Carrollton en el condado de Pickens y rebasar la frontera con el Estado de Mississippi (16).

No lejos de estas regiones halladas por Soto se ubica la ciudad de Tuscaloosa, así nombrada por el jefe indio muerto por el español. Incluida en sus contornos está la Universidad de Alabama, en la que tuve oportunidad de convivir con un grupo de notables profesores de español, como Manuel Ramírez, Enrique Ruiz Fornells y Jerome Schweizer. El segundo dirige una notable "Revista de estudios hispánicos". La antigua mansión del gobernador, edificada en 1829, sirve de University Faculty Club o lugar de reunión de los profesores (17).

Fuertes Confederación y Esteban

Hemos recorrido en pos de Soto la región ribereña a los ríos Tombigbee y Black Warrior, y hemos compartido unos momentos con los expedicionarios de Luna estacionados en Nanipacana, hoy condado de Monroe, entre los ríos Tombigbee y Alabama. Si dejamos transcurrir dos siglos largos, volveremos a ver por aquellos parajes a españoles a raíz de la toma de Natchez y Mobile por el gobernador de Luisiana, Bernardo de Gálvez, en 1779 y 1780. Para proteger estos establecimientos, contó España con dos fuertes: el fuerte Confederación (construido por los franceses con el nombre de Tombecbé, antes de 1763) (18), situado en el condado de Sumter (entre el río Tombigbee y la frontera con el Estado de Mississippi), y el fuerte Esteban, que el gobernador Esteban Miró mandó erigir en 1789, en el condado de Clarke, cerca de Jackson, y que con el nombre de St. Stephens (19) (se conserva la localidad del mismo nombre) daría mucho juego como capital del Territorio de Alabama, creado en el 1817 (éste entraría como Estado en la Unión el 14 de diciembre de 1819). Además del fortín se levantaban la iglesia y la casa para el comandante, aparte de otra serie de edificaciones en derredor. La misión del fuerte Esteban era defensiva, pero también servía primordialmente como punto de comercio, dese el momento en que los barcos que remontaban el Tombigbee no podían subir más a consecuencia de los rápidos existentes aguas arriba, por lo que los comerciantes norteamericanos allí acudían a recoger las mercancías (20).

Tratado de San Lorenzo. "Ellicott Line"

El fuerte Esteban permanecería en poder de España hasta su cesión a los Estados Unidos el 5 de mayo de 1799 (21), como consecuencia del Tratado de San Lorenzo firmado el 27 de octubre de 1795, y en el que actuó como representante de Washington Thomas Pinckney: en él se estipulaba el abandono por España de toda pretensión territorial al este del Mississippi hasta un punto al sur de Natchez, entre los paralelos 32° 28′ y 31° de latitud Norte, y la concesión de libertad de navegación por sus aguas con derecho a depósito en Nueva Orleáns. Por dicho documento, España venía a reconocer la realidad de la presión en dichas regiones de los norteamericanos colindantes y la imposibilidad de resistir con la fuerza por más tiempo (22), aparte de convenir las bases para una futura y progresiva amistad con su vecina.

La nueva línea fronteriza no aparecía marcada en el Tratado con claridad; diversos conflictos se originaron al pretender los del Norte áreas que los del Sur se resistían a entregar. Los problemas se agravaron con los rumores de los proyectos españoles de retroceder las tierras de Luisiana a los franceses, reincidentemente interesados en ellos desde que el Directorio había tomado el poder en 1795 y había despachado en marzo de 1796, en misión de espionaje, al general Victor Collot. Ante tales noticias los colonos norteamericanos no se hallaban dispuestos a que Francia, con renovados designios imperialistas (más los tendría a poco con el Gobierno absoluto de Napoleón), viniese a sustituir a España en los confines occidentales de la joven nación. Así, Andrew Ellicot, comisario norteamericano para marcar la nueva ruta, informaba a su Gobierno en 1797 de la existencia de tres conspiraciones: la resurrección de la proespañola de Wilkinson y sus amigos, la de los pobladores del Oeste para promover una revolución de los norteamericanos y franceses residentes en Luisiana y Florida, y la invasión proyectada por los hombres de la frontera de los dominios españoles en nombre de Gran Bretaña o de los Estados Unidos (23).

Por fin, España aceptó la línea limítrofe trazada después de ímprobas dificultades por Elliot y sir William Dunbar, éste en representación de España; la Ellicott Line trajo la sorpresa de que el fuerte Esteban quedaba a su Norte e incluido, por tanto, en la cesión. Cumpliendo lo pactado, fue entregado como antes hemos dicho (24). En las márgenes del río Mobile y en la latitud correspondiente, se colocó un mojón, en cuya cara Norte aparecía la inscripción "U. S. lat. 31°, 1799", y en su envés., "Dominios de S. M. Carlos IV. Lat 31°, 1799". En las proximidades, los norteamericanos construirían el Fort Stoddert, en el que junto a las tropas estacionadas funcionaría una oficina de aduanas. Más tarde sería abandonado y trasladado a Mt. Vernon, así llamado en recuerdo de la casa de Washington (26).

SECTOR MERIDIONAL

MOBILE

Alvarez de Pineda descubre

En la breve franja costera de Alabama, la presencia española fue no menos notable y antigua, siempre en torno a la bahía de Mobile. Correspondió a Alvarez de Pineda al conectar las costas de Alabama con la civilización occidental: enviado por Francisco de Garay, gobernador de Jamaica, a explorar las tierras del Norte, fue el primer blanco en tocarlas cuando con sus cuatro barcos entró en la bahía de Mobile, en el año 1519, a la que denominó Santo Espíritu, lo mismo que al río Mobile que en ella desagua. Como consecuencia de su recorrido por el Golfo de México, Pineda levantaría un mapa en el que incluiría Mobile, acompañado de un informe sobre los cuarenta días de su estancia allí (27).

Arriban Narváez y su gente en tres barcas

Siguió Pánfilo de Narváez con su gente en la visita el lugar: en el otoño de 1528 arribaron en tres barcas manufacturadas, después de tres ardientes días de viaje desde Pensacola. A las indicaciones que Cabeza de Vaca hizo de sed a los indios ribereños, respondieron los solicitados ofreciéndose a llenar las jarras con agua potable. El griego Doroteo Teodoro, el calafateador de las embarcaciones, no quiso aguardar a saciar su sequedad y con un negro se decidió a bajar a tierra con los indios, no obstante las advertencias contrarias de sus compañeros nunca volvieron. A la mañana siguiente, regresaron los indios en demanda de los dos rehenes dejados en prenda por los desaparecidos expedicionarios e invitando a los españoles a bajar si deseaban comer y beber. Ante el inminente ataque de indios en número creciente, los viajeros decidieron partir y poner rumbo al Oeste (28).

Maldonado acude a la cita con Soto

A cargo de Maldonado corrió la siguiente exploración a fines de 1539, por órdenes de Hernando de Soto, en misión informativa, y otra segunda en el verano de 1540, cumpliendo la cita que su jefe le indicara, después de haber viajado a Cuba en demanda de ayuda en hombres y provisiones. No coinciden los historiadores en si la bahía de Achusi u Ochuse, en la que convinieron el encuentro, corresponde a la de Pensacola de hoy o a la de Mobile, aunque parece más probable ésta (29).

Tampoco hay concordia en la presencia o no, en el curso de esta última visita, de doña Isabel, la esposa de Hernando. La leyenda de su estancia en la boca de la bahía en la Dauphin Island persiste, al menos, y la de haber sido sus manos las que plantaron las higueras que en ella todavía se conservan. Según ella, en la mañana de la partida de La Habana de las naves, Maldonado, Juan de Añasco –el tesorero de Soto– y Gómez Arias, se encontraron a bordo con doña Isabel, doña Leonor –su dama y prima natural– y varias criadas, y a poco de llegar a la isla, doña Isabel ordenó plantar una huerta y un jardín con las semillas traídas, descubriendo en las excavaciones que emprendió ídolos paganos correspondientes a antiguas razas de caníbales. En estos trabajos se pasarían el verano, tras lo què el grupo se desplazaría al continente en el lugar del actual Mobile hasta que llegaron noticias de la proximidad de hombres blancos y del desarrollo de una cruenta batalla (la de Mabila). Por fin, con los mensajeros despachados, apareció Rodrigo Rangel, secretario de don Hernando, quien trajo las novedades: de los resultados poco favorables de la empresa y de la decisión de don Hernando de continuarla –aun a riesgo de su vida– y de no comunicar a los suyos la llegada de las naves auxiliadoras; de las órdenes del jefe a Maldonado de regresar a Cuba para citarse de nuevo con él, un año más tarde en las bocas del río Grande (Mississippi); de su aprobación a la desobediencia de su esposa al embarcarse; y de la muerte de Nuño de Tobar, el marido de Leonor. Se cuenta también que el grupo, por decisión de Isabel, no retornó a Cuba y aguardó en la isla a la llegada del nuevo verano y la segunda cita concertada, y que sólo ante las noticias del desastroso fin de Soto accedió a zarpar, dejando enterradas sus joyas en un pozo cavado en la arena (30).

Exploración de Guido de los Bazares

Hasta la siguiente visita española transcurrieron casi veinte años. Cuando Felipe II decidió establecer Colonias en las costas nórdicas del Golfo de México, despachó con misión exploratoria a Guido de los Bazares con tres barcos y 60 hombres, que zarparon de Veracruz el 3 de septiembre de 1558. Arribados a la bahía de Mobile, la bautizaron con el nombre de Filipina. Los hombres de Bazares llegaron al río Tensaw y a Montrose, en el condado de Baldwin (en la otra orilla de la bahía). Allí permanecieron hasta el 3 de diciembre siguiente en que levaron anclas rumbo a México, a cuyo puerto de Veracruz llegaron once días después. El entusiasta informe elevado sobre las condiciones de Mobile recomendó establecer allí una Colonia (31).

Consecuencia de aquella exploración fue la organización de la expedición de Tristán de Luna al año siguiente. La bahía de Filipina recibió su visita, pero quedó pospuesta en su elección ante las preferencias que mostró hacia Pensacola. (Existe un expresivo cuadro de su desembarco en la región, debido al artista Edmond de Celle) (32).

Preferencias francesa e inglesa

Para las costas de Alabama se sucedió un largo período de soledad, al final del cual los franceses pusieron sus ojos en ellas. Correspondió a Iberville la visita a la bahía y a la isla en 1699, si bien fue en Biloxi en donde desembarcó (ya en la Pensacola se habían adelantado Arriola y su gente) sus hombres y materiales. Se apercibió pronto de que el lugar elegido no era el ideal para la fundación, por lo que consiguio en Francia, del ministro de Marina Pontchartrain, el permiso para trasladarlo 40 kilómetros arriba del río Mobile. Su hermano Bienville se encargó de la empresa, y los colonos fueron trasladados a comienzos de 1702. Inmediatamente comenzaron los trabajos de construcción del fuerte Louis de la Louisiane –en honor de Luis XIV– o Louis de la Mobile, como más tarde sería conocido (33). Mobile se convertiría en el centro de las actividades coloniales de Francia en Luisiana hasta 1720, y recibiría a las personalidades más sobresalientes en aquel campo (entre otras, St. Denis con su esposa española, Manuela Ramón) (34).

En el curso de la guerra de Pensacola entre España y Francia, Mobile fue atacado por una escuadra española, sin consecuencia, como represalia a los ataques franceses a Pensacola; con el Tratado de paz de 1720, los Gobiernos español y francés aceptarían las respectivas propuestas de sus establecimientos de Pensacola y Mobile de marcar el río Perdido como frontera entre ellos (35). Con la firma del Tratado de París de 1763, Mobile pasó a manos ingleas, que denominaron Fort Charlotte al antiguo Fort Condé, una vez debidamente reparado (36). En ellas duraría hasta que les fuera arrebatada por D. Bernardo de Gálvez en marzo de 1780.

Conquista de la ciudad por Gálvez

España había declarado la guerra a la Gran Bretaña y el gobernador español colaboraba con Washington en su tarea de independizar a las Colonias. El joven caudillo, tras sus victorias en Fort Manchac, Baton Rouge y Fort Panmure, había sido designado por Carlos III para conseguir el principal objetivo de sus tropas en América: expulsar a los ingleses del Golfo de México y de las riberas del Mississippi, "donde sus establecimientos tanto perjudican a nuestro comercio, así como a la seguridad de nuestras más valiosas posesiones" (37). Tras vencer resistencias en sus jefes de La Habana, Gálvez consiguió 567 hombres; así pudo reunir 754 y 12 embarcaciones de distintos tamaños. El 11 de enero de 1780 partió la expedición de Nueva Orleáns, sufriendo los graves contratiempos de larga calma al principio y de un furioso huracán después. Las pérdidas del consiguiente naufragio le fueron compensadas con la aparición de 20 barcos provenientes de Cuba (38).

El 29 de febrero se entabló por primera vez el fuego con el enemigo y comenzó un largo y caballeresco intercambio de correspondencia entre Gálvez y el comandante inglés Elias Durnford. El 9 de marzo dirigió una arenga a sus tropas el general español, con lo que se comenzaron la construcción de una serie de trincheras que permitieron el adecuado emplazamiento de las baterías. Varios duelos artilleros se sucedieron y varios combates se entablaron hasta que la bandera blanca de rendición ondeó en las fortificaciones de Mobile. A las diez de la mañana del día 14 las fuerzas españolas tomaron posesión de la plaza, haciendo 300 prisioneros y con pocas pérdidas propias (39).

Por fortuna para los sitiadores, la expedición de socorro, compuesta de 1.100 hombres procedentes de Pensacola y al mando de Campbell, no intervino en la lucha, no obstante hallarse sus vanguardias a la isla, y levantó el campo, retirándose a su punto de partida (40). Para prevenir un renovado ataque del enemigo, Gálvez ordenó la erección de un fuerte, cuyo emplazamiento es recordado todavía bajo el nombre de "Spanish Fort", en las márgenes del primero de los brazos del río que el viajero encuentra al proceder de Pensacola.

Como muestra del aprecio del rey por la victoria, recibió Gálvez el ascenso a mariscal de campo, y se le otorgó el mando de todas las operaciones españolas en América, con el título aumentado de gobernador de Luisiana y Mobile (41). El origen malagueño de Gálvez ha sido la causa de que Mobile y Málaga hayan convenido un pacto como ciudades hermanas. Se dice que a la catedral de esta última la falta una torre por haberse gastado el dinero disponible en la ayuda a la independencia norteamericana. En marzo de 1968, el alcalde de la ciudad española, Sr. Gutiérrez Mata, acompañado de otras personalidades, asistió a los "Días de Málaga" mobilenses y a la inauguración de la céntrica "Plaza de España", para la que donó la estatua de un "cenachero" (típico vendedor callejero de pescados), obra de Jaime Pimentel.

Treinta y tres años de gobierno español

Durante los treinta y tres años de gobierno español, Mobile quedó dependiente de Florida Occidental, con Pensacola por capital, y su región fue dividida en dos distritos: el de Baton Rouge, entre los ríos Pearl y Mississippi, y el de Mobile, entre los ríos Pearl y Perdido (32). En la ciudad residía un comandante que vivía en casa cercana al fuerte. Doce oficiales llegaron a ostentar tan honrado cargo y se distinguieron sobre los demás Vicente Folch, Manuel de Lanzos, Joaquín Osorno y Cayetano Pérez. El comandante ostentaba la autoridad civil y militar, y actuaba como juez y como notario. Existían además el alcalde y el tesorero real, en cuyo cargo ganó renombre Miguel Eslava; los descendientes de éste permanecieron en la ciudad en el curso del siglo XIX y sobresalieron en la política y los negocios. Trece sacerdotes ejercían su ministerio, bajo la dependencia del obispo de Luisiana y Florida, que fue Peñalver durante muchos años. La principal iglesia en tiempos franceses era Notre Dame, de Mobile, pero los españoles le cambiaron el nombre por el de la Inmaculada Concepción, que es el que recibió la catedral construida años después. Muchos comerciantes franceses e ingleses permanecieron en la ciudad y continuaron usando sus respectivos idiomas, si bien el español era el oficial. Durante dicho período progresó notoriamente la cría de ganado, existían bastantes molinos y funcionaron varios "cotton gins", que proporcionaron a sus propietarios rápidas ganancias (43). Las autoridades españolas hicieron numerosas concesiones en tierras y confirmaron algunas de las realizadas en tiempos ingleses, de forma que la mayoría, al presente, de la propiedad inmobiliaria de Mobile y sus alrededores se halla basada en documentos españoles (44).

Cuando la venta de Luisiana por Francia a los Estados Unidos, Jefferson alegó que Mobile estaba incluido en la compra, según su situación en los días coloniales franceses, en tanto que España sostenía, con más fundamento, que la suerte de Mobile se había desligado de Luisiana desde el Tratado de París de 1763, y que en 1783, al recuperar España Florida, había quedado incorporada a su sector occidental, en la misma forma en que había permanecido durante la dominación inglesa. Aunque se conservó en manos españolas, fue sometida a continuas presiones internas y externas por los territorios norteamericanos circunyacentes (45). Los colonos de la región del Tombigbee, que no se beneficiaban del ya libre puerto de Nueva Orleáns y tenían que utilizar en cambio el español de Mobile, sometido a aduanas, elevaron un memorial en 1809 al Congreso, solicitando permiso para crear el "Territorio de Mobile de los Estados Unidos", solicitud de la que no se derivó reacción alguna. Por otra parte, los norteamericanos residentes en el Distrito de Baton Rouge se sublevaron, capturando el fuerte, y proclamaron en 1810 el "Estado de Florida Occidental", izando una bandera azul con una estrella plateada; su independencia duró poco y fue incorporado a Luisiana (46).

Como el distrito de Mobile quedara todavía en poder de España, Reuben Kemper organizó una expedición para capturar la capital. Acampados en sus alrededores, el excesivo "whisky" ingerido antes del ataque impidió su asalto a la ciudad e hizo posible la captura de los sitiadores por los españoles sitiados; sus dirigentes fueron enviados al castillo del Morro de La Habana (47).

Ocupación de los Estados Unidos

La alianza hispano-británica contra Napoleón acarrearía la no beligerancia española a favor de Inglaterra en su guerra contra los Estados Unidos en 1812, de forma que los puertos españoles, entre ellos Mobile, fueron usados por los barcos ingleses; ello dio pie para que el Congreso, el 11 de mayo de dicho año, anexionara el distrito de Mobile a los Estados Unidos y el presidente Madison ordenara su ocupación; aunque los Estados Unidos no se hallaban en guerra con España, el general Wilkinson –otrora espía de España– zarpó de Nueva Orleáns y ocupó Mobile en marzo de 1813. El comandante español, Cayetano Pérez, evacuó el fuerte Carlota el 13 de abril siguiente, fecha en la que se izó la bandera de los Estados Unidos. Esta captura fue el único resultado positivo de la guerra de 1812 para los Estados Unidos (48).

Durante la guerra de Secesión, Mobile, que se encontraba en manos de los confederados, sería escenario el 5 de agosto de 1864 de uno de los grandes triunfos del contralmirante Farragut; la victoria le valdría un ascenso. Por otra parte, el "Spanish Fort", por su sólida construcción, jugaría papel clave en la resistencia terrestre que los confederados opondrían hasta el último momento a los atacantes (49).

MOBILE, HOY

Más de ciento cincuenta años han transcurrido desde que España abandonara Mobile y, sin embargo, se mantiene en la ciudad y en sus habitantes vivo su recuerdo. La visita a la urbe cuenta entre los mejores momentos de mi estancia en los Estados Unidos, en el curso de la cual tanto las autoridades municipales como las responsables de la Historical Development Commission y varios prominentes ciudadanos rivalizaron en mostrar su afecto por el país que yo en aquella ocasión representaba. Perviven descendientes de españoles que se muestran orgullosos de su sangre y con su conducta la honran (pongo por ejemplo a los descendientes de Pendás, a Leo Dekle); domina la población católica –caso excepcional en Alabama– como resultado de su pasado francohispánico; aparecen los hispánicos castillos y leones en el escudo de la ciudad y los colores rojo y gualda en los atributos del obispo católico; reza un letrero en el recinto de la catedral –de estilo clásico– que los terrenos en que se halla construida fueron cedidos por España para cementerio; me invitaron tras un asombroso concierto de la Orquesta Sinfónica local, dirigida por James Yestadt, a base de las 8.ª y 9.ª Sinfonías de Beethoven, a una recepción ofrecida por el director del Art Allied Cuncil, Mr. Charles Liner, y resultó que su casa estaba amueblada, adornada, etc., cien por cien en estilo español; figura nuestra bandera nacional en el despaho oficial del primer comisionado de la ciudad o alcalde; asistí a un almuerzo del grupo que iba a viajar a España en la primavera de 1965, encabezado por el segundo comisionado McNally, y no escuché más que frases ilusionadas y amables sobre el país que le esperaba; me entregó Mr. Trimmier, primer magistrado municipal, las llaves de la ciudad y el título de Hijo Adoptivo, tras expresar encendidos elogios a la obra de España, etc., etc.

Si se recorre la ciudad de la experta mano de Dewey Crowder se comprobarán los antiguos límites ciudadanos o las edificaciones con estilo español, como la casa del almirante confederado Semmes y la "Murphy High School", o el emplazamiento del "Spanish Fort", o las aportaciones españolas al "fuerte Carlota", o el magnífico lugar que ocupa la Plaza de España, delante del moderno Auditorio, en el centro de la antigua ciudad reconstruida, o la serie de calles que conservan nombres españoles como las de Columbia Dr., Columbus Av., Cortez Ct., Cortez Dr., De Soto Dr., Alba Ave., Espejo St., Juniper Av., Juniper St., Isabella Lane, Eslava St., Pineda Ct., Aragon St., Barcelona Dr., Cadiz St., Castile Dr., Cordova Ct., Cordova Dr., Seville Dr., Valencia Circle, Catalina Dr., Mercedes Rd., Juanita St., Linda Dr., Mimosa, Gonzales Rd., Marcela St., Rosa Dr., Valdez Dr., Altissimo Dr., San Carlos Dr., Santa Barbara Dr., Santos Dr., Vera Cruz St., St. Teresa St., Spanish Al., Acacia St., Altavista Dr., Bonita Dr., Camino St., Corto St., Del Barco St., Del Mar Dr., Del Monte Ct., Del San Largo Ave., Menas Ave., Panorama Blvd., Sierra Dr., Vega Dr., Vena Rd., Verbena Ct., Via Alta Dr., Vista Bonita Dr.

RELACIONES CON ESPAÑA, MCGILLIVRAY

Entre los años 1763 y 1799, los territorios al este del Mississippi fueron objeto de especial atención por parte de España; a partir de la guerra de la independencia norteamericana, con la contestada autoridad inglesa sobre ellos y la toma militar por España de algunos de sus puntos, fueron materia de reclamación como campo en el que el derecho de soberanía alcanzaba su pleno desarrollo. Ya hemos visto que en las discusiones del Tratado de paz, los nuevos Estados Unidos se mostraron dispuestos en algún momento a ceder ante las pretensiones españolas, pero Gran Bretaña, al cambiar finalmente su política hacia sus antiguas Colonias, quiso provocar deliberadamente un conflicto entre las antiguas aliadas a renunciar a favor de aquéllas todas sus posesiones entre los Apalaches y el río Mississippi hasta el paralelo 31º, por el Sur, cerca de Mobile, límites que España se negó a admitir (50). Por el contrario, España notificó a los Estados Unidos su propiedad de la orilla oriental del Mississippi hasta el río Ohio y del distrito al sur del río Tennessee y al oeste del río Flint, en lo que es hoy el centro de Georgia (51).

Esta disparidad de puntos de vista causaría tensiones entre los dos países durante varios años, y ocasionaría el retraso en reconocer por parte de España la independencia de los Estados Unidos. Para hacer valer sus derechos en el área descrita, España reforzó sus defensas militares, cerró el 14 de junio de 1784 la navegación del Mississippi a buques que no fueran españoles y desarrolló una política amistosa con las naciones indias, que mucho le ayudaron en sus designios. Enfrentado el Congreso con esta oposición española y con otra análoga en el Norte por parte de los ingleses, durante tres años no tomó otra iniciativa en el Oeste que prohibir los asentamientos de inmigrantes; e incluso el ejército fede-

323

ral, a las órdenes del general Harmar, se dedicó a quemar las cabañas de los ya instalados e impedir su regreso, de la misma manera que veinte años antes los soldados británicos habían actuado contra los que se habían atrevido a atravesar la "Proclamation Line". Los historiadores reconocen que España consiguió sus propósitos y tuvo éxito en su política durante la década correspondiente a los ochenta, en los que mantuvo estrechas conexiones con los establecimientos de Kentucky, Franklin y Cumberland, que estuvieron a punto de inclinarse al lado español; pero la creciente presión de los colonos, la consolidación del poder federal y la progresiva debilitación española harían que su actuación en los años noventa fuera menos afortunada y que terminara con la final renuncia a todas sus pretensiones (52).

Con la distribución territorial acaecida en 1763, tocó a Inglaterra la posesión de las tierras al este del Mississippi, de las que desaparecieron –Florida incluida–franceses y españoles. Los indios creeks quedaron a la exclusiva merced de la Gran Bretaña, la que con su "Proclamation Line" (que prohibía el establecimiento de colonos en su costado occidental) se granjeó su reconocimiento y su incondicional alianza en los posteriores y difíciles días de las luchas por la independencia. Al conseguirse ésta y esfumarse de la escena Inglaterra, la sustituyó España como apoyo contra las pretensiones de un nuevo enemigo, la joven Confederación norteamericana. En estos difíciles momentos, en 1783, la nación creek volvió sus ojos en demanda de caudillaje a un muchacho de veinticuatro años, Alexander McGillivray (53).

Hijo de escocés y de india (a su vez hija de un francés, Marchand, comandante del Fort Toulouse), McGillivray era un típico producto de la mezcla racial tan aceptada entre los creeks, y había nacido en Little Tallasie, no lejos de la capital Montgomery. A los catorce años había sido llevado a Charleston para recibir educación occidental, llegando a dominar el inglés en el curso de los tres años que duró su estancia allí. El estallido de la revolución supuso para la familia, leal a la corona, le pérdida de todos los bienes y la decisión de Alexander de luchar a favor de los británicos, que le nombraron coronel y comisario ante los indios creeks. De aquí que su aceptación por sus hermanos indios apareciera como cosa natural y que su caudillaje, tanto por la fuerza de las armas como por la habilidad de sus cartas escritas en pulcro e inteligente inglés, se confirmara como indiscutible. La nación creek ocupaba en aquellos momentos espacios que comprenden gran parte del Estado de Georgia, el Estado de Alabama y parte del Mississippi, y se había mantenido en contacto –no siempre pacífico– con los españoles, desde los días de Ponce de León, pasando por Narváez, Soto y los gobernadores de San Agustín (54).

Entró en escena McGillivray al oponerse al Tratado de Augusta, firmado el 1 de noviembre de 1783, por un grupo de jefes creeks, que cedieron al Estado de Georgia una amplia superficie comprendida entre los ríos Ogeechee y Oconee. El 1 de enero de 1784 escribió al gobernador español de Pensacola, Arturo O'-Neill, solicitando la protección del rey de España para la nación creek, desde el momento en que, como pueblo independiente, no podía ser cedido por Inglaterra a los Estados Unidos, en contra de su voluntad e intereses. Con la favorable respuesta de O'Neill se dirigió el 28 de marzo siguiente al gobernador de Luisiana, Esteban Miró, demandando la ayuda española y el permiso para la firma inglesa Panton, Leslie and Co., de realizar con los indios de su nación el comercio del que vivían y que la organización española no podía proporcionar; ante los peligros de que, de otro modo, dicho comercio se canalizara a través de los norteamericanos, Miró acabó por aceptar (55).

El 1 de junio de 1784 se firmó el Tratado de Pensacola, por el que España nombró a McGillivray comisario ante los creeks y se comprometió a defender a éstos en sus dominios al oeste del río Flint y sur del Tennessee; Georgia, al enterarse, comunicó en noviembre a McGillivray su intención de no colonizar la disputada región de España, en nombre de los jefes indios creeks, chickasaws y cherokees, en el que insistía en el no reconocimiento del Tratado entre los Estados Unidos y Gran Bretaña, por el que se cedían los territorios habitados por dichas naciones, en su decisión de no permitir por la fuerza el asentamiento en ellos de colonos, y en la necesidad de obtener una mayor ayuda de España. En cartas de 28 de marzo de 1786 y de 1 de mayo siguiente, informó, respectivamente, a O'Neill y a Miró del curso de la guerra que los indios creeks habían declarado a los Estados Unidos, a fin de hacer desaparecer los nuevos establecimientos. No consiguió la aprobación de las autoridades españolas a tal determinación, por lo que vio reducida considerablemente la ayuda militar que le proporcionaban, determinación que Miró modificó más tarde ante la amenaza de McGullivray de llegar a un acuerdo con ingleses o norteamericanos (56).

En febrero de 1787 visitó a McGillivray James White, en su papel de superintendente para los asuntos indios nombrado por el Congreso, tratando sin éxito de modificar la violenta actitud del jefe indio con respecto a los establecimientos de los colonos (57). No fueron más afortunadas las gestiones de Richard Winn, sucesor de White, en la primavera de 1788; el asesinato del jefe indio Old Tassel había enfurecido a sus indios cherokees, anteriormente mejor dispuestos a la paz. La proclamación del Congreso de 1 de septiembre ordenando la retirada de los inmigrantes de las tierras de indios no tuvo resultados tangibles, por la dificultad de llevarla a la práctica ante la escasez de fuerzas coactivas y la continuada actitud india de atacar los poblados de los blancos. El 2 de septiembre Robertson escribió a McGillivray en el sentido de que el Oeste debía unirse a la nación que controlara el Mississippi (58). Los comisionados enviados por Washington en 1789 no lograron mejor recepción del jefe indio que los anteriores (59).

Las cosas cambiaron, sin embargo, en el año siguiente, al insistir España en una más pacífica política que evitara cualquier incidente fronterizo. McGillivray decidió aceptar una invitación para visitar Nueva York, confiado en revigorizar así la ayuda española, probablemente inquieta por esta aproximación con las gentes de Washington. Los visitantes, McGillivray y otros 30 jefes creeks, a juzgar por el informe del agente español José de Viar, fueron agasajados en la ciudad del Hudson poco menos que como personas reales, y firmaron, primero, con Knox, y luego, con el propio Washington, el Tratado de Nueva York, que llevaba la fecha 13 de agosto de 1790. Por él, McGillivray renunció a la reclamación sobre la franja georgiana entre los ríos Oconee y Ogeechee y recibió las seguridades de Washington de que el Gobierno federal se opondría a los establecimientos del denominado proyecto Yazoo, fue nombrado general y obtuvo la pensión anual de 1.500 dólares, pero no recunció a sus conexiones con España ni al monopolio comercial de que se beneficiaba con su amigo Panton (60).

Como McGillivray esperaba, la reacción española se concretó en mayores promesas de ayuda y en la paga anual de 2.000 dólares, que Miró quedaba autorizado a aumentar si las circunstancias lo exigían. La paz de los creeks con los Estados Unidos no duró mucho. El gobernador de Luisiana, Carondelet, que había aprisionado a Bowles a petición de McGillivray (cuyas oficinas de la firma Panton había saqueado el 16 de enero de 1792 en St. Mark), convocó en Nueva Orleáns al jefe indio, con el que firmó, el 6 de julio de 1792, el Tratado de Nueva Orleáns por el que McGillivray se comprometía a declarar la guerra a los Estados Unidos para recuperar el territorio perteneciente a los crees, en tiempos ingleses, y España prometía el adecuado suministro de armas, la garantía de aquellos límites fronterizos y la pensión anual de 3.500 dólares (61).

La prevista invasión llevada a cabo por los creeks, cherokees y chickamaugas se realizó en septiembre. El último objetivo era Nashville, sobre la que convergerían tres columnas: la primera, al mando de "Doublehead"; la segunda, bajo "Middlestriker", y la tercera, con Watts. No pudo participar McGillivray, retenido en cama por fatal enfermedad; su ausencia se echó de menos, por las disputas que cerca de Nashville surgieron entre los jefes, y que producirían el final desastroso de la expedición (62). La muerte de McGillivray, el 17 de febrero de 1793, supondría un duro golpe para la supervivencia de sus planes políticos y de la nación creek; los negocios de Panton, Leslie and Co. continuarían, sin embargo, y en el jardín de la casa de éste, en Pensacola, hallarían eterno reposo los restos mortales del guerrero (63).

NOMBRES ESPAÑOLES

En la superficie de Alabama se conservan, además, una serie de nombres españoles. Así, el De Soto State Park, en el condado DeKalb, y el Monte Sano State Park, en el condado de Madison, y las localidades de Almería, Andalusia, Galera, Columbia, Columbiana, Cordova, Cuba, Docena, Gordo, Verbena, Madrid, Manila, Magnolia, Fleta, Ardilla, Alta, Alma, Bexar, Angel, Francisco, Valhermoso Sprs, Lavaca, Vida, Delta y Triana.

MISSISSIPPI, el Estado Magnolia

Mississippi es el Estado más pobre de la Unión, con el más bajo ingreso "per capita"; es el más radicalmente segregacionista (recordemos los disturbios provocados hace años por la integración en la Universidad de Mississippi, en Oxford, que con la Mississippi State University representa a la enseñanza superior en el Estado), quizá por la plétora de negros entre sus habitantes, que le convierten en el Estado más oscuro (casi superan el 50 por 100). Esta circunstancia se explica por su economía declaradamente rural, viviendo del campo el 90 por 100 de la población. Aunque la industrialización está entrando poco a poco y las perspectivas petrolíferas son buenas, el algodón es la base de la economía de la región, y de aquí el origen de la abundancia de la antigua mano de obra esclava (64). Ni que decir tiene que se alineó sin titubeos en las filas de la Confederación y en sus tierras se libró mayor número de fratricidas batallas que en ningún otro lugar, con excepción de Virginia. Como en los demás Estados del Sur, el "Spanish moss" cuelga de los árboles y da a su paisaje una apariencia de decoración teatral. Es el escenario de las andanzas de Tom Sawyer y Huckleberry Finn, los personajes de Mark Twain, émulos de Don Quijote y Sancho (65). Es la patria chica de William Faulkner (quien, por cierto, incluye a la familia apellidada Spain entre las de solera en la región (66).

El Estado del Mississippi tiene por apodo oficial el de "Magnolia", aparte de otros cuantos, y su capital es Jackson, ciudad no grande, situada más o menos en el centro de la comarca. Otras urbes notables son Natchez y Vicksburg, en las márgenes del Mississippi, ligadas a la Historia española (en esta última se emplazó el fuerte Nogales), Columbus, en el sector Noroeste, con fiestas como el "Annual Pilgrimage", en el mes de abril (la propaganda anunciadora presenta al descubridor acompañado de soldados españoles y enarbolando el pendón de Isabel y Fernando), y Biloxi, en la breve franja costera.

FRANJA COSTERA. PASCAGOULA

El distrito de Mobile, al que pertenecía la franja costera del Estado de Mississippi, no quedó incluido en la República de Florida Occidental, por lo que permaneció en manos españolas. Pasaría a poder de los Estados Unidos cuando aquellas tropas abandonaran Mobile, el 13 de abril de 1813, como consecuencia de la previa ocupación de la ciudad por los 600 hombres del general Wilkinson, de Florida Occidental hasta el río Perdido (67).

En dicha costa, las modernas ciudades de Biloxi y Gulfport cuentan con muy buenas playas e instalaciones para hacer grata una temporada de recreo y descanso. En la cercanía de los límites con el Estado de Alabama, la localidad de Pascagoula nos muestra la pervivencia de un antiguo fuerte español, en el que los turistas pueden contemplar la reconstitución de sucesos acaecidos entre sus paredes y en la región. Fundado en el 1721 por Joseph de la Pointe, su nieta casó con el capitán de los ejércitos españoles D. Enrique de Grimarest. Se trata del edificio más antiguo del área, construido a base de madera, conchas de ostras, barro y musgo. España lo poseyó desde 1780 a 1810 (68).

Existe la tradición de que el río Pascagoula canta al anochecer en recuerdo de los indígenas que voluntariamente se ahogaron en sus aguas, en expiación a haber traicionado el culto a una sirena como consecuencia de las prédicas de un misionero católico español (otra leyenda atribuye al canto fluvial a la inmolación de unos Romeo y Julieta nativos). (69). En sus contornos se encontraba –¿se encuentra?– el mayor magnolio del país: más de 4 metros mide su tronco de circunferencia, altura, 17 metros, y extensión de sus ramas, 31 metros.

En Pascagoula procede dedicar un recuerdo a Jorge Farragut –el menorquín, padre del almirante–, quien a raíz del fallecimiento de su esposa en Nueva Orleáns, se trasladó, en 1809, a vivir con sus hijos en el lugar denominado Point Plaquet, desde entonces "Farragut's Point". ¿Qué impresión sentiría al habitar de nuevos territorios españoles? Físicamente agotado, murió en Pascagoula, el 4 de junio de 1817, y en su cementerio yace (70).

La región del Mississippi, explorada también en primer término por España, recibió la atención como lugar de establecimiento por parte de Francia (tanto en la costa como en el interior) y pasó a manos de Inglatera en 1763, cuando Francia le cedió todos los dominios extendidos en la orilla este del Mississippi. En los años subsiguientes al estallido de la revolución, fue objeto de reclamación por parte de España, como consecuencia de las acciones militares y de ocupación llevadas a cabo. Los Estados Unidos no aceptaron estas pretensiones, originándose las fricciones que ya hemos visto (71).

Con la firma del Tratado de San Lorenzo en 1795, España renunció a las comarcas comprendidas al septentrión del paralelo 31°, latitud Norte, por lo que en el 1798 se creó el territorio de Mississippi, al que se añadieron algunas franjas cedidas por Georgia y Carolina del Sur. Abarcaba los Estados de Alabama y Mississippi, con la excepción de la franja costera al sur del paralelo 31°, que España perdió definitivamente en 1813. El sector occidental consiguió su admisión como Estado, con el nombre que hoy lleva, el 10 de diciembre de 1817; el teritorio de Alabama lo sería en 1819 (72).

PRESENCIA ESPAÑOLA

Su nombre

Lleva este Estado el nombre del "Padre de las Aguas", que es lo que significa Mississippi. Corresponde a Alonso Alvarez de Pineda el título de haber sido el primer español que divisara el río, en 1519, y comprobara la potabilidad de su caudal en su amplia desembocadura. Lo bautizó con el nombre de Espíritu Santo (73). Le siguieron en sus contactos Pánfilo de Narváez y sus desfallecidos compañeros, quienes en el otoño de 1528 surcaron, primero, el lago Borgne, procedentes de Mobile, y más tarde, viraron hacia el Chandeleur Sound, avistando las islas del mismo nombre y pisando, por fin, un trozo de tierra firme que formaba una de las márgenes del río (74). Más arriba, Hernando de Soto, lo atravesaría en mayo de 1513, denominándolo "el Río Grande de la Florida" (75).

Hernando de Soto hace justicia

Hacia mediados del mes de diciembre de 1540 pisaría Hernando de Soto con sus hombres las tierras del Estado del Mississippi, en las que, por encontrar abundante fruta y otros alimentos, decidió pasar el invierno. Durante su estancia se originó un incidente que puso en evidencia su recto y justiciero proceder: unos indios robaron varios cerdos, siendo dos muertos en el intento y otro condenado a perder sus manos; al poco tiempo, cuatro españoles cometieron algunas raterías en tiendas de indios: don Hernando condenó a muerte a dos de ellos y confiscó las propiedades de los otros dos (76).

Llegado el mes de marzo de 1541, y necesitando de indios que transportaran cargas al considerar la partida hacia el Oeste, Soto los solicitó a los jefes chickasaws, que se negaron e incendiaron el campamento durante la noche. A pesar de la confusión que tan inopinado acto introdujo entre los españoles durmientes, el orden pudo restablecerse después de haber muerto 11 soldados (Soto fue derribado de su caballo) y 50 caballos, y teniendo muchos españoles que luchar contra el frío, por haberse quedado desnudos y sus ropas quemadas. Reanudada la marcha, arribaron, en mayo, al gran río Mississippi, en el lugar que muchos historiadores sitúan en el actual Sunflower Landing y otros en el cercano Memphis (77). ¿Es este el lugar en que el escritor Simms encontró una ruda cruz –señal de la tumba de algún soldado de Soto–, y cuya emocionada contemplación le animaría a componer su extensa novela "Pelayo" (1835) y parte de su continuación, "El Conde Julián" (1845)? (78).

Mateo del Saúz hace paz

Otro grupo de españoles atravesó el territorio de Este a Oeste y viceversa en el año 1560. Se trataba de dos capitanes, 50 infantes y algunos caballeros –además del padre de la Anunciación–, que Mateo del Saúz, lugarteniente de Tristán de Luna en Coosa, estimó procedente facilitar a los indios coosa en su expedición contra sus enemigos, los indios natchez. Tras una espectacular despedida, se pusieron en marcha los expedicionarios, juntamente con 300 guerreros indígenas. Al llegar a un gran río (quizá el Pearl), en la vecindad de un gran poblado, el jefe indio pidió a los españoles omitieran sus acostumbrados toques de trompeta en el momento del Angelus, de forma de poder lograr la sorpresa pero, para su desilusión, no encontraron a nadie en el pueblo, con la excepción de un indio enemigo enfermo, al que mataron a golpes y al que los españoles trataron de salvar y el padre de la Anunciación, en vano, de convertir. Incendiaron las cabañas y apartaron maíz del encontrado para ser enviado a Saúz. Prosiguieron su marcha las tropas indo-hispanas, sin hallar trazas de contrarios, hasta que al asomarse al Mississippi obtuvieron la sumisión de los natchez, que, atemorizados, se había cruzado a la otra orilla, así como el pago por ellos de un tributo –tres veces al año– consistente en castañas, nueces y otros frutos. Gracias, pues, a los españoles, los antiguos enemigos resolvieron sus diferencias sin apenas derramamiento de sangre (79).

NATCHEZ

Bernardo de Gálvez y la guerra de la Independencia

Los españoles entraron de nuevo en escena cuando los colonos de la costa oriental se sublevaron contra Inglaterra en 1776. Bernardo de Gálvez, gobernador a la sazón en Luisiana, tomó un decidido partido a favor de los patriotas, no obstante la neutralidad de España. Proporcionó una inapreciable ayuda a aquéllos, como ya hemos visto, a través de Oliver Pollock, un irlandés católico, que había puesto su persona y su fortuna a disposición de la revolución, y de James Willing, a quienes suministró armas, municiones y otras provisiones. El 10 de Enero de 1778 partió Willing de Pittsburgh en una barca armada, y por el Ohio y el Mississippi llegó hasta Nueva Orleáns, no sin haber incendiado establecimientos y plantaciones pertenecientes a los ingleses. Gálvez les dejó manos libres para vender al botín obtenido en el viaje e hizo la vista gorda a la captura por Willing de dos embarcaciones británicas. Gálvez no permitió a Willing –dada su irregular conducta– regresar por el territorio español, pero sí autorizó a Robert George a conducir a sus hombres a través de aquél hasta las tierras de Illinois, con la condición de que se abstuvieran de todo acto contra los establecimientos ingleses (80).

Cuando España declaró la guerra a Inglatera, como amiga de los sublevados, el 21 de junio de 1779, conoció Gálvez el hecho antes que sus vecinos, ya rivales, ingleses, por lo que pudo tomar inmediatamente medidas y atacar el 6 de septiembre Fort Manchac, cuya guarnición no tuvo sino que rendírsele. Igual éxito tuvo con el fuerte de Baton Rouge, cuyo comandante, Dickson, izó bandera blanca el 21 siguiente. En los términos de la capitulación se incluyó el Fort Panmure, en Natchez, con una guarnición de 80 hombres.

Correspondió al capitán Juan de la Villebeuvre la grata tarea de recibir del capitán Anthony Forster la plaza de Natchez y el fuerte el día 5 de octubre. Acompañado por 50 soldados, el capitán español fue portador de la orden de rendición y de una carta del comerciante irlandés de Nueva Orleáns Oliver Pollock, explicando a los habitantes lo sucedido, elogiando el espíritu de libertad y la generosa conducta de Gálvez y anunciándoles las ventajas que para su comercio se les derivarían de su permanente conexión con Nueva Orleáns (81).

Por otra parte, el 22 de noviembre de 1780, el capitán español Baltasar de Villiers condujo un destacamento de tropas desde el puesto de Arkansas (Arkansas Post) hasta la opuesta ribera oriental del Mississippi. Tomó posesión formal del territorio del Mississippi en nombre del rey de España (82).

Casi dos años después de estas victorias, y mientras Gálvez continuaba su victoriosa lucha contra los ingleses, algunos de los vecinos de Natchez, entre ellos Anthony Hutchins, realistas ingleses y enemigos de los independentistas, planearon la reconquista de Fort Panmure y solicitaron auxilios del general Campbell, gobernador de Pensacola, quien les alentó en su empresa. Algunos de los colonos no participaron en semejantes propósitos, y uno de ellos, Alexander MacIntosh, que prosperaba bajo el gobierno español, informó al jefe del fuerte, capitán Juan de la Villebeuvre, de la conspiración. Este pudo repeler así un primer ataque de los sublevados, pero cayó, en cambio, en las redes de una falsificación de una carta de macIntosh, en que se indicaba la inevitable voladura del fuerte, y estimó procedente rendirse bajo la condición de no participar en lo sucesivo activamente en la guerra; la bandera británica fue izada, pero no por mucho tiempo, porque la derrota sangrienta de una partida de su gente y la noticia de la caída de Pensacola en manos de Gálvez desanimó a los dirigentes, quienes optaron por huir. Los españoles recuperaron el fuerte y los habitantes de Natchez renovaron el juramento de fidelidad a España. Los sublevados fueron tratados muy benévolamente por los vencedores (83).

Manuel Gayoso de Lemos. Su gobierno

Natchez se convirtió en un punto neurálgico en las relaciones hispano-norteamericanas, y su comandante, Manuel Gayoso de Lemos, jugó un importante y activo papel; por su simpatía e inteligencia, su excelente inglés, su matrimonio con una dama norteamericana y su popularidad entre los colonos de la región. Para el historiador Holmes, su personalidad no merece más que elogios, llegando a decir que consiguió otorgar a la fase final de la administración española en

Mississippi fama de liberalidad, honestidad y progreso. El mismo autor recoge el común comentario de los ciudadanos de Natchez en el momento de su partida: "El gobernador Gayoso ha sido el padre y el protector del distrito. Ha sido nuestro amigo verdadero, si bien nos hemos dado cuenta tarde." (84).

El distrito de Natchez, que se extendía desde Punta Cortada (Pointe Coupée), en el Sur, hasta la desembocadura del río Yazoo, en el Norte; desde el Mississippi, en el Oeste, hasta una frontera indeterminada, en el Este, tuvo por comandantes predecesores de Gayoso, además de Juan de la Villebeuvre, a Carlos de Grand-Pré, Esteban Miró, Pedro José Piernas, Francisco Collel, Felipe Treviño, Francisco Bouligny y nuevamente Carlos de Grand-Pré.

La actuación de Gayoso desde el juramento de su toma de posesión, el 19 de mayo de 1789, hasta su transferencia a Nueva Orleáns, el 29 de julio de 1797, estuvo esmaltada de aciertos, dando muestra en todo momento de una gran energía de carácter, así como de una exquisita diplomacia, especialmente en relación con los indios. Con éstos consiguió la firma de los Tratados de Natchez y de Nogales, que consolidaron la posición de España.

Mantuvo a lo largo de su mandato hábiles relaciones con Wilkinson, en sus intentos secesionistas (85), y encontró a James White, cuando éste actuaba como intermediario de Sevier, Wilkinson y Robertson, y abogaba por el reconocimiento por parte de España del Estado de Franklin (86).

Corrieron como responsabilidad de Gayoso la construcción, bajo órdenes de Carondelet, de los fuertes de San Fernando de las Barrancas, Esteban y Confederación, y fundamental intervención tuvo en la creación del Escuadrón Naval del Mississippi y de una milicia ciudadana, que tan magníficamente sirvieron la causa de España en su corto tiempo de vida. Gayoso se construiría una agradable residencia a unos tres kilómetros de Fort Panmure, en la que años más tarde, en junio de 1789, convalecería el recién nombrado gobernador del territorio de Mississippi, Winthrop Sargent, el autor del "Código", que tantas protestas levantaría (87).

Tratado de San Lorenzo. Línea Ellicott

Deseosos los ingleses de evitar la entrada en la guerra de los Estados Unidos a favor de su antigua aliada, Francia, y de conseguir por lo menos su neutralidad, se mostraron dispuestos a ceder definitivamente los puestos en el Northwestern Territory (Detroit, entre ellos), que habían retenido por la fuerza desde el fin de la independencia de los Estados Unidos. Se firmó así el Tratado Jay el 19 de noviembre de 1794 (88). Abandonadas de los ingleses (también lo habían sido, en 1783, y de los franceses, en 1763) y derrotadas en Fallen Timbers, las naciones indias cesaron en su bélica actitud y se mostraron dispuestas a iniciar una etapa de relaciones pacíficas con sus nuevos y ya poderosos vecinos: el 22 de febrero cesaron las hostilidades y el 3 de agosto de 1795 firmaron el Tratado de Greenville, por el que se conformaban con ciertos espacios de territorio en el Estado de Ohio, y con el que la Proclamation Line pasaba a la Historia (89).

El colapso, en 1795, de la oposición británica e india no trajo una paralela actitud española. El gobernador de Luisiana, barón de Carondelet, llevaba hacia adelante, por el contrario, sus planes de apoyar a la nueva conspiración en Kentucky de Wilkinson y otros amigos de España, como Benjamín Sebastian y Harry Innes. Al mismo tiempo, apoyaba militarmente las reclamaciones españolas de las comarcas al sur y al oeste del río Tennessee, con la erección del día 30 de mayo de 1795 por el gobernador Gayoso, de Natchez, del fuerte de "San Fernando", en el lugar denominado Chickasaw Bluffs, cercano a la hoy ciudad de Memphis (su propia guarnición lo destruiría dos años más tarde, al aproximarse las tropas de Wilkinson, que bajaban a ocupar Natchez) (90). Carondelet informaría a la superioridad, el 13 de junio del mismo año, del comienzo de la construcción del establecimiento de "Las Barracas de Marot" por Gayoso, localizado a 420 leguas de Nueva Orleáns, en el banco este del Mississippi, y para asegurar la comunicación con los puestos de la región de Ylinoa (91).

Pero las autoridades españolas no seguían la misma línea de Carondelet, gobernante cuidadoso de la grandeza de su patria y esforzado paladín del mantenimiento de su poder en el continente Norte; las guerras mantenidas en Europa y la turbia política seguida por Godoy hacían ver las acciones que se sucedían a lo lejos en el valle del Mississippi como un peligro que podría acarrear otra guerra con un nuevo país, los Estados Unidos, como algo inútil que no serviría para contener las crecientes mareas de colonos norteamericanos que presionaban sus fronteras, dirigiéndose hacia el Oeste. Así, el 27 de octubre de 1795, Godoy firmó con el emisario norteamericano, Thomas Pinckney, el Tratado de San Lorenzo, calificado por Holmes como "el más serio disparate de la política española en América". Por él, España renunciaba a las posiciones que había mantenido durante tantos años, considerando sujetos a su soberanía los territorios comprendidos al norte del paralelo 31º, al oriente del río Mississippi, y concedía la libre navegación por este río y el derecho a depósito en Nueva Orleáns por un período de tres años. Este "Tratado de amistad, límites, comercio y navegación" ha sido el primero de los firmados entre los dos países. Así reza el mármol descubierto por el embajador de los Estados Unidos, Mr. Angier Biddle Duke, y el director del Instituto de Cultura Hispánica, Gregorio Marañón, en la escalera principal del palacio de los Borbones del Monasterio de San Lorenzo de El Escorial, el día 18 de octubre de 1967, con ocasión de conmemorarse el cincuentenario de la fundación de la Cámara de Comercio Norteamericana en España (92).

Leal súbdito de S. M. Católica, no pudo por menos Carondelet de disponerse a cumplir las sucesivas órdenes superiores de Godoy (deseoso de desembarazarse de los problemas y gastos que la posesión de Luisiana ocasionaba a España), que cambiaban de intensidad y de sentido a compás de la marcha, favorable o no, de las negociaciones que sobre dicho tema había emprendido con los Estados Unidos. Natchez –incluido en la cesión– se convirtió en el punto neurálgico de los trámites conducentes a transferir la posesión de los territorios objeto del Tratado (93).

Para llevar a cabo la transferencia, arribó a Natchez el 14 de febrero de 1797 Andrew Ellicott, nombrado por Washington para representar a su país en la tarea de marcar la nueva línea fronteriza y de colocar a lo largo de ella los correspondientes mojones. El primer magistrado le había confiado también la tarea de informarle de las actividades de Wilkinson y sus amigos. Se demoró su llegada porque, aparte de detenerse en Pittsburgh, para hablar con Wilkinson, y en Cincinnati, fue informado por su comandante en Nuevo Madrid, en donde recibió muy amable acogida, de las órdenes de Carondelet de impedirle el descenso hasta que los nuevos puestos pudiesen ser evacuados cuando las aguas crecieran; en Chickasaw Bluffs le alcanzó una carta del gobernador de Natchez, Gayoso, notificándole que la evacuación no podía efectuarse por falta de barcos y rogándole dejara su escolta de 25 hombres en el Bayou Pierre para evitar cualquier posible incidente. En Natchez fue recibido con gran cortesía, y cuando Gayoso comenzaba los preparativos para la retirada, le llegaron contraórdenes de Carondelet, y a los pocos meses otras iguales, que impacientaron al delegado norteamericano y colocaron a Gayoso en una posición difícil (94).

Una cuestión suscitada el 1 de junio entre católicos y protestantes condujo a la formación, por un grupo de los habitantes de Natchez, de un Comité de Salud Pública (al que pertenecían Hutchins y Ellicott) que redactó un conjunto de cuatro artículos, afirmando su nueva condición de ciudadanos norteamericanos, pero respetando el temporal gobierno de España: Gayoso los aceptó y más tarde Carondelet. Ascendido éste y trasladado a Quito, le sucedió en la gobernación de Luisiana Gayoso, quien dejó a su anterior secretario, el capitán Stephen Minor, como comandante temporal del fuerte y gobernador civil y militar del distrito de Natchez. Minor tuvo que hacer frente a disturbios que suscitaron la rivalidad surgida entre Ellicott y Hutchins, y la situación se solucionó con la irrevocable orden de Godoy de evacuar los fuertes. En enero de 1798 Gayoso informó a Ellicott de la decisión de S. M., y el 30 de marzo las tropas españolas abandonaban los distintos fuertes, llevándose consigo la artillería, enseres y equipajes (95).

Con la colaboración de sir William Dunbar, nombrado por España para representarla en la delimitación de fronteras, procedió entonces Ellicott a la demarcación, teniendo que luchar con los mosquitos, la malaria, lluvias torrenciales, enemistad de los indios e incompetencia de sus ayudantes. Cuando llegaron al río Apalachicola, un ataque les forzó a guarecerse en San Agustín (96).

RELACIONES CON ESPAÑA. O'FALLON Y CLARK

Georgia, que había ratificado la Constitución federal, quiso apresurarse a ceder extensos terrenos occidentales, que reclamaba como suyos, a Compañías inmobiliarias, antes que el Congreso, federal acabara por negarle sus alegados derechos y optara, como así hizo –basándose en la "Northwest Ordenance" de 13 de julio de 1787–, por convertir aquéllos en territorio federal (97). Por el Acta de 21 de diciembre de 1789, vendió Georgia a 5/6 de céntimo por acre 25 millones de acres a las Tennessee, Virginia y South Carolina Yazoo Companies. Las tierras comprometidas estaban ocupadas por los indios y eran objeto de reclamación por parte de España. Entre los participantes en este enorme negocio figuraban Patrick Henry, William Blount, John Sevier, James Wilkinson, George Morgan, George Rogers Clark y Baron von Steuben. De los tres proyectos, el más ambicioso y criticable era el de South Carolina Company, que había de desarrollarse en una enorme franja a lo largo de la costa oriental del Mississippi y entre éste y el río Yazoo, al norte de la ciudad de Vicksburg (98). Había fracasado anteriormente William Davenport en su intento de organizar en 1785 el

"County of Bourbon" en la región de Natchez, y en 1787 una Colonia en Chickasaw Bluffs (99).

Con el intento de superar de algún modo las prevesibles objeciones españolas, la Compañía nombró como su agente general a James O'Fallon, irlandés y antiguo sacerdote católico. Para obtener la aprobación española, O'Fallon mantuvo nutrida correspondencia con Gardoqui, Miró y McGillivray; su punto de vista era que España debería permitir un establecimiento que habría de convertirse en Estado independiente y libre, centro del comercio con los indios, principal depósito de las mercancías que ascendían y descendían el Mississippi y considerable mercado de esclavos. Dada la significación de Nueva Orleáns en el futuro Estado, a éste le importaba predominantemente mantener estrechos lazos con España, a la que podría ser de gran utilidad contar con él entre los Estados Unidos y Nueva España, que quedaría así protegida de las posibles ambiciones de los agresivos colonos norteamericanos (100).

Aunque Miró fomentó la correspondencia con O'Fallon con el indudable designio de llegar a conocer a fondo sus intenciones verdaderas, no parece probable que el proyecto obtuviera en ningún momento una favorable acogida por parte española. Ante las ambigüedades de Miró, O'Fallon se impacientó primero y se asoció después a su nuevo cuñado, George Rogers Clark, en el reclutamiento de colonos de Kentucky para conquistar Natchez y Nueva Orleáns. Washington nombrado presidente de los Estados Unidos hacía tan sólo un año, se alarmó ante la posibilidad de que su país, enfrentado con graves problemas, se viera envuelto en una guerra internacional, por lo que promulgó, el 26 de agosto de 1790 una proclama, denunciando la expedición de Clark-O'Fallon y prohibiendo a todo ciudadano cooperar. Tal actitud y las fundadas denuncias formuladas por Wilkinson a la Compañía sobre irregularidades cometidas por O'Fallon culminaron con la destitución de éste y con la disipación de la borrasca que se cernía (101).

El estallido de la revolución francesa y la posterior decapitación de Luis XVI el 21 de enero de 1793, originó la guerra entre Francia de un lado, e Inglaterra, España, Holanda, Austria y Prusia del otro. Después de muchos debates, el 22 de abril Washington firmó la "Neutrality Proclamation", por la que precisaba la posición de su país en el conflicto y ordenaba a sus ciudadanos una "amistosa e imparcial" actitud (102). El día 8 de dicho mes había desembarcado en Charleston, desviado de Filadelfia por vientos contrarios, el ciudadano Edmond Genet, ministro galo enviado por los revolucionarios franceses como representante diplomático. Entre otros asuntos que traía en cartera figuraba la resurrección de los intereses franceses en la cuenca del Mississippi y la eventual recuperación de la Luisiana. Se había procurado para ello la colaboración de Clark, cuyos proyectos de atacar los establecimientos españoles con fuerzas reclutadas en Kentucky y contando con la cooperación de ciertos elementos franceses de los dominios españoles, eran conocidos de Thomas Paine, residente en París y amigo de O'Fallon (objeto de su carta de fecha 2 de febrero de 1793 a Genet, que éste leyó a su llegada a Filadelfia el 16 de mayo siguiente). Como contestación –bastante demorada– envió Genet a André Michaux, un eminente naturalista, quien, actuando como agente intermediario, visitó a Clark con gran contento de éste el 17 de septiembre en Louisville: Michaux obraba autorizado para promover la insurrección en los territorios españoles y la negociación de tratados con los indios. Paralelamente, Sociedades democráticas alentaron los aislamiento de voluntarios y la recaudación de fondos; Clark aportó 4.680 dólares y consiguió la colaboración de Benjamín Logan y John Montgomery (103).

Ante las indignadas protestas de España, enviadas por Carondelet a Washington, el Gobierno ordenó la supresión de todos los preparativos y el arresto de los agentes de Genet, y solicitó del Gobierno francés la retirada de su representante. La decisión costó a Jefferson la dimisión de su cargo de secretario de Estado. El nuevo ministro francés, Joseph Fauchet, llegado el 21 de febrero de 1794, suprimió a regañadientes el apoyo de su país a Clark, quien, no obstante, continuó sus preparativos bélicos: sus principales objetivos eran la toma de Natchez y de Nueva Orleáns. El 24 de marzo publicó Washington un decreto ordenando a Clark y sus amigos desistir de su empresa, y el 31 el ministro de Defensa Knox ordenó la reconstrucción del Fort Massac en el bajo Ohío para evitar el descenso por él de la expedición rebelde; en junio el Congreso calificó de crimen la participación de un ciudadano en acatos hostiles hacia cualquier potencia extranjera con la que los Estados Unidos mantenga pacíficas relaciones (104).

REPÚBLICA TRANS-OCONEE CLARKE

Las tropas federales no eran, sin embargo, suficientemente poderosas para compeler a Clark a detenerse, John Montgomery descendió el Cumberland hasta el Ohio a la cabeza de un contingente de colonos de la frontera y voluntarios franceses; allí construyó una empalizada fortificada para interrumpir el tráfico destinado a territorio español. Elijah Clarke, que había sido obligado a renunciar a su proyecto de invasión de Florida al carecer del apoyo francés, atravesó el río Oconee con un grupo de seguidores, en desafío a los Estados Unidos, a Georgia, a España y a los indios creeks, y se apoderó de una parte de las tierras ocupadas por éstos, proclamando una República independiente. Carondelet solicitó ayuda a los indios amigos, y permiso al capitán general de La Habana para contraatacar a Clarke. Para prevenir un ataque por el Mississippi, las guarniciones españolas fueron reforzadas y se equipó y armó una flota de embarcaciones de guerra. En cuanto a la posible invasión por tierra, se levantó el fuerte Confederación. Luis Lorimier, comandante español de Nuevo Madrid, levanto una partida de 600 indios que obligó a Montgomery a retirarse y dejar de interrumpir el tráfico. Nunca mejor dicho que la sangre no llegó al río; ningún incidente se produjo y los peligros de una guerra entre España y los Estados Unidos se alejaron. Clarke se quedó entre los indios y Clark se retiró amargado, para siempre, de toda actividad pública (105).

REPÚBLICA DE FLORIDA OCCIDENTAL

Después de la mencionada transferencia, España conservaba los sectores de Baton Rouge y Manchac, entre la isla de Orleáns y Natchez, así como la franja costera hasta Mobile. Aunque Baton Rouge pertenece en la hora presente al Estado de Luisiana, parece oportuno relatar ahora lo acaecido en esta región hasta su paso a manos norteamericanas. Abundaban en ella los residentes partidarios de la separación de España, que reclamaban contra la exclusión de su territorio en el "Lousiana Purchase"; se destacaban entre ellos los hermanos Kemper, residentes en terreno norteamericano, quienes cierto día se apoderaron por sorpresa del Bayou Sara bajo el dominio español. El comandante del Baton Rouge, capitán Carlos de Grand Pré, solicitó ayuda del marqués de Casa Calvo, gobernador español de Luisiana y quien todavía no había partido de Nueva Orleáns. El envío de un bote armado con algunos milicianos bastó para expulsar a los insurgentes. Análogos incidentes se sucedieron durante los años 1804 y 1805, entre los que sobresalió la proclamación –en agosto de 1804–, por parte de los Kemper, de la independencia del distrito y el despliegue de una bandera compuesta de siete franjas blancas y azules con dos estrellas en campo azul, actitud por la que más tarde pidieron perdón ante la autoridad militar de Grand Pré (106).

En 1807 sucedió a Grand Pré como comandante Carlos Dehault de Lassus, quien se mostró débil en reprimir los desórdenes y crímenes y en castigar los excesos de sus subordinados, con lo que los habitantes de Baton Rouge se manifestaron descontentos. Así las cosas, llegaron rumores de las intenciones de Napoleón de apoderarse de la provincia, posibilidad que los colonos no querían aceptar. Se reunieron en St. John's Plains el 20 de julio de 1810, con John Rhea presidiendo y, tras declararse contrarios a toda ocupación francesa, juraron su invariable fidelidad a España. En una segunda reunión celebrada el 25 de agosto, se formó un nuevo Gobierno, en el que figuraban Lassus, pero la interceptación de una carta de éste al gobernador de Pensacola solicitando ayuda militar puso en evidencia su verdadera discrepancia con cuanto estaba aceptando. Los dirigentes entonces convocaron a sus seguidores e izaron la bandera del nuevo Estado independiente y soberano: fondo azul con una estrela plateada en el centro. El 23 de septiembre avanzaron contra el fuerte, sorprendiendo a Lassus e hiriendo mortalmente al segundo comandante Luis de Grand Pré, hijo de Carlos. Tres días más tarde, los insurgentes formaron un Gobierno provisional, promulgaron una declaración de independencia y eligieron como presidente de la República a Fulwar Skipwith (107).

Pero el Gobierno de los Estados Unidos no estaba dispuesto a permitirlo; el gobernador del territorio de Orleáns, Claiborne, recibió órdenes el 27 de octubre de apoderarse del distrito secesionista. El fuerte de Baton Rouge se rindió fácilmente y la bandera de las estrellas y de las franjas ondearía en su cima inmediatamente. La República de Florida Occidental había durado menos de tres meses (108).

NOMBRES ESPAÑOLES

Junto a los restos de los compatriotas que en sus tierras perdieron sus vidas, Mississippi conserva algunos nombres que recuerdan la presencia de España: los condados de Bolívar, De Soto, Grenada y Tunica, y las localidades de Anguila, Clara, Columbia, Columbus, Cuevas, Flora, Grenada, Saltillo, Tunica, Santa Rosa, Quito, Delta, Hernando, Rio y Doloroso.

PARTE TERCERA

ESTADOS EN LA ORILLA OCCIDENTAL DEL MISSISSIPPI

Así como en la parte segunda agrupamos los Estados que, perteneciendo a la cuenca del Mississippi, quedan situados en su orilla izquierda y tocaron a Inglaterra cuando en 1763 Francia renunció a sus dominios norteamericanos, en la presente nos dedicaremos a otro grupo de Estados, beneficiarios también del gran río y de sus afluentes, y ocupantes de las tierras que se extienden desde su orilla derecha hacia occidente y que correspondieron a España por cesión de su vecino galo en la oportunidad anteriormente referida. En realidad, la Luisiana francesa con que Carlos III enriqueció sus Reinos, más o menos delimitada en el Sur, y con el río Mississippi por confín oriental, no tenía fronteras claras en el Oeste y en el Norte, imprecisión que fue aclarándose durante los años de gobierno español, si bien no completamente como consecuencia de la magnitud de su superficie. Cualquiera que eche una ojeada al mapa de los Estados Unidos comprobará que los objetos ahora de nuestra atención constituyen geográficamente dos series de Estados colocados en sendas filas en relación con la corriente del Mississippi: los primeros se incorporaron a la Unión con anterioridad a la guerra civil y bastante antes que los segundos, con excepción de Kansas.

Ni que decir tiene que el interés de cada uno de ellos disminuye desde el punto de vista español conforme se alejan de St. Luis y de Nueva Orleáns en las direcciones Norte y Oeste, por la sencilla razón de su distancia creciente y el poco tiempo que durante los años de su gobierno tuvo España para explorarlos y colonizarlos cumplidamente; quizá hubiera consumido tamaño empeño de ser otros los rumbos de las políticas interna y europea de S. M. Católica y de no haber surgido los problemas que la independencia de Norteamérica, tan ayudada por nuestros ejércitos, creara a los gobernantes españoles de Luisiana al manifestarse desde el principio una acusada presión de los colonos situados al oeste de los Apalaches sobre los territorios españoles para incorporar éstos a su área de influencia y, aún más, de su dominio.

Colorado, Wyoming y Montana, parte de cuya superficie quedó incluida en el "Lousiana Purchase", no son tratados en esta parte, sino en la quinta, donde quedarán agrupados con los Estados vecinos, a los que les une un evidente vínculo geográfico y el para nosotros primordial nexo de ser habitáculo de un valioso sector de nuestra población nacional, los pastores vascos. Dentro de nuestro inmediato comentario, el Estado de Luisiana merecerá el primer capítulo, y será Missouri el que ocupará el segundo no sólo por su importancia y la de su metrópoli, St. Louis, sino por constituir la cabecera en tiempos españoles de la Alta Luisiana.

FRANCIA CEDE LA LUISIANA A ESPAÑA

¿Cómo pasaron todos los Estados a poder de España? La anterior referencia a la cesión francesa a España no aclaraba que se debió a Luis XV, quien, por el Tratado de Fontainebleau de 3 de noviembre de 1762, confirmado –con la excepción de las llamadas parroquias de Florida– por el Tratado de París de 10 de febrero de 1763, hizo dejación a favor de los reyes de España de las tierras situadas en la orilla derecha del río Mississippi, junto a la isla de Orleáns. Luisiana se mantuvo en poder de España hasta que por el Tratado secreto de San Ildefonso de 1 de octubre de 1800 y por el subsiguiente del mismo nombre de 21 de marzo de 1801 fue cedida de nuevo a Francia, que no tardó en venderla a los Estados Unidos por el Tratado de París de 30 de abril de 1803. España consideró esta venta como ilegal desde el momento que, según el artículo 7.º del Tratado de San Ildefonso, Francia se comprometía a no ceder la Luisiana a otra tercera potencia (1). Una vez más Napoleón se portó con España de modo incalificable; ésta se quedó sin el territorio y sin el dinero que los Estados Unidos abonaron a Napoleón. Dado el mínimo esfuerzo que le había costado obtenerla, no tuvo el Corso inconveniente en venderla a un precio ridículamente bajo.

Con un poco más de detalle, las cosas se desarrollaron así: al finalizar la "guerra india y francesa" (French and Indian War) con la derrota de Montcalm en Quebec, en 1759, por los ejércitos ingleses de Wolfe, Francia consiguió envolver a España en la guerra europea de los Siete Años, mediante la firma del Pacto de Familia el 13 de agosto de 1761. Las tropas españolas al mando del marqués de Sarriá tomaron a los portugueses la plaza de Almeida en la Península, y el capitán general de Buenos Aires, D. Pedro Cevallos, conquistó la Colonia del Sacramento, pero los ingleses acabaron por apoderarse de La Habana en Cuba y de Manila en las islas Filipinas. Por la paz de París en 1763 España recuperó aquellas plazas y devolvió las ganadas, pero renunció a las Floridas a cambio de la Luisiana. En realidad, Francia desilusionada de sus aventuras americanas con la pérdida del Canadá y dando por terminados sus sueños imperiales trasatlánticos, se mostró dispuesta a entregar a Inglaterra la Luisiana, que le había proporcionado más gastos que ingresos y que constituía un pesado fardo que arrastrar para su poder declinante. Inglaterra no aceptó la oferta, por encontrarse satisfecha con las tierras pertenecientes a las Trece Colonias y no previendo que en unos años éstas se le sublevarían, causando un duro golpe a su Imperio colonial; prefirió las Floridas, cuya toma había con anterioridad inútilmente intentado, ofreciendo la devolución de La Habana para hacer el tratado más tolerable a los españoles. La resistencia de éstos quedó al fin vencida con la renuncia a su favor por Francia de Luisiana.

La cesión de tan vastos dominios no trajo consigo en España una alegría popular, por el desconocimiento, primero, de sus exactas dimensiones y de sus enormes posibilidades, y segundo, por los crecientes problemas que tamaña adquisición territorial añadía al vacilante poderío español, ya agobiado con los que proporcionaban sus enormes dominios en América, Asia y Africa y su posición clave en la revuelta Europa del siglo XVIII. Luisiana fue aceptada, sin embargo, como enorme faja de protección de los poderosos intereses españoles en el Virreinato de Nueva España contra las incursiones expansionistas francesas de que plano desaparecían, y las inglesas, cuyos puntos de partida quedaban extraordinariamente alejados.

La Luisiana, así bautizada por el explorador francés La Salle en honor de Luis XIV, ha sido y es considerada vulgarmente como un territorio y una empresa franceses heredados por los Estados Unidos y con un insignificante paréntesis de dominio español. El juicio es inexacto desde todos los puntos de vista: si recordamos que el primer establecimiento permanente en el hoy Estado de Luisiana tuvo lugar en 1714 en Natchitoches por St. Denis (el Fort de la Boulaye, fundado en 1699, tuvo apenas relevancia y por su aislamiento fue abandonado a poco), que hasta 1719 no nació Nueva Orleáns, y que el Tratado de Fontainebleau de 1762 incluyó la cesión del territorio a España, resulta que en realidd Luisiana estuvo nominalmente bajo el dominio galo alrededor de cincuenta años (o todo lo más sesenta). Por otra parte, si calculamos los años comprendidos ente 1762 y 1803, en cuyo 30 de noviembre último los franceses volvieron a tomar posesión de sus antiguas tierras, aparece que España tuvo dominio en la Luisiana por más de cuarenta años, cifra que no es tan inferior a la anterior como para que la presencia de España no sea debidamente destacada y justamente equiparada a la de Francia, y suponiendo para España una tan fuerte carga. Se da además la circunstancia de que, por la naturaleza histórica de las cosas, los años franceses se señalaron por los intentos de exploración y establecimiento, que no se lograron plenamente, y abarcaron reducidas regiones del territorio; éste careció de una organización gubernamental. Los años de gobierno español pusieron, por el contrario, en marcha la Colonia y echaron las bases de su posterior progreso; fue un período de organización, de sabias medidas, de aumento de población, de conversión de Nueva Orleáns en la ciudad más importante de continente Norte. Los gobernantes españoles se caracterizaron por su sensata política y recta actitud, de forma que en el momento de la partida del último, los propios habitantes franceses se opusieron, por preferir el progresivo gobierno español, al incierto de los franceses.

Por otra parte, Luisiana contribuyó a la independencia norteamericana contra Inglaterra de la mano de España; así ésta pudo prestar un servicio a la causa de la revolución que no siempre es justamente destacado: desalojar a Inglaterra de la cuenca del Mississippi y del sur de los Estados Unidos, impidiéndole la realización de su plan estratégico que, de haber salido victorioso, hubiera influido decisivamente en la suerte final de los sublevados (2). Inglaterra intentó cercar a los revolucionarios por medio de un arco que tenía por extremos Canadá y Florida, y que, apoyándose en la cuenca del Mississippi con Nueva Orleáns por punto de abastecimiento, los presionaría hacia el Este y los arrinconaría alllende los Apalaches; no era sino la misma táctica prevista por Luis XIV contra las Colonias inglesas al establecer una serie de fuertes en el valle del Mississippi para conseguir la alianza de los indios y estrangular la expansión de aquéllas hacia el Oeste, así como la maniobra intentada con posterioridad por los ingleses cuando su invasión de Luisiana en 1814-1815, que, de cumplirse, hubiera anulado los efectos de la "compra de la Luisiana" y cambiado el rumbo de la Historia de los Estados Unidos.

En noviembre de 1981 el Archivo Histórico Nacional de España fue sede de una importante exposición de documentos, dibujos y mapas cartográficos relativos a la presencia de España en Luisiana con motivo del Congreso de la Luisiana y de España en conmemoración de las leyes españolas en Luisiana.

ESPAÑA CEDE LA LUISIANA A FRANCIA. COMPRA POR LOS ESTADOS UNIDOS

El "Lousiana Purchase" ha sido calificado como la mayor ganga histórica en compra de terrenos. Los norteamericanos han sido especialistas en este ramo: la compra de la isla de Manhattan por 25 dólares no fue mal negocio, ni Alaska, ni el "Gadsden Purchase", pero no pueden compararse al de Luisiana. Unas 900.000 millas cuadradas de tierras costaron a los Estados Unidos 15 millones de dólares, que más tarde ascendieron a la cifra total de 27 millones con los intereses que se pagaron entre 1812 y 1823. En tal dilatada extensión, se crearían con el tiempo los Estados de Iowa, Kansas, Nebraska, Wyoming, Montana, North y South Dakota, Oklahoma, Louisiana, Minnesota, Missouri y Arkansas (hay quien incluye, indebidamente, Colorado, New México, Texas, Mississippi y Alabama). Si se piensa que sólo Luisiana produce ahora al año 616 millones de dólares en minerales y que Iowa valora su producción de maíz en 713 millones de dólares, deduciremos la calidad del negocio realizado (3). Y lo más curioso es que los gobernantes norteamericanos no pretendían dicha compra; bien es verdad que durante los últimos años del siglo XVIII hubo fricciones entre España y la nueva nación —como ya hemos visto— por causa de los dominios ribereños al Mississippi y la navegación de éste y el libre comercio a su través, pero no se les había pasado por la imaginación a los norteamericanos comprar los enormes terrenos yacentes al Oeste, de los que apenas tenían noticias y los que no codiciaban, dada la extensión de los ya poseídos.

El presidente Jefferson, enterado en 1801 de los rumores de compra de la Luisiana por Napoleón a España, comisionó a su ministro en París, Robert R. Livingston, en 1802, para que negociara con Francia la compra de la isla de Orleáns y de la Florida Occidental, es decir, un trozo de la costa del Golfo de México. Napoleón había planeado el renacimiento del poderío militar francés en el Golfo de México y había enviado un ejército a la isla de Santo Domingo para recuperarla del negro Toussaint que había ganado el control de la isla en la sublevación de 1791. Un ejército destinado a Luisiana tuvo que ser desviado a aquella isla, los intentos de sublevación de los franceses de Luisiana y de la expedición de Clark terminaron en fracaso (en parte merced a la decidida actitud de Washington), la fiebre amarilla diezmó a los soldados, y la inminencia de una guerra con Inglaterra, con su superior poderío marítimo (acrecentado poco después en Trafalgar) hacía temer la conquista de Nueva Orleáns —y de Luisiana— por sus fuerzas; todo ello impulsó a Napoleón a dar por terminados sus sueños americanos y entregar —por un montón de dinero del que tan necesitado estaba—

la Luisiana a los Estados Unidos, haciendo un flaco servicio a sus enemigos y sentando las bases del gran país que es hoy, bañado por los dos océanos, sueño no vislumbrado ni por los más ambiciosos expansionistas. Es explicable el asombro de los negociadores norteamericanos Livingston y James Monroe, cuando les fue ofrecida la compra del gran territorio. No obstante carecer de la autorización del presidente, firmaron el Tratado de transferencia el 30 de abril de 1803, siendo el plenipotenciario francés Talleyrand (4).

Aunque ahora extrañe, la adquisición no recibió unánimes elogios en el país beneficiado, y Jefferson, al ratificar lo realizado por sus enviados, fue criticado por haber gastado considerable dinero en terrenos inútiles (5). El trato no tuvo publicidad de inmediato; así se explica que el último gobernador español de Luisiana, D. Juan Manuel de Salcedo, hiciera la entrega material del sector sur (la Alta Luisiana sería cedida por el teniente gobernador D. Carlos Dehault De Lassus en San Luis, el 9 de marzo de 1804 (6), en ceremonia realizada en el cabildo de Nueva Orleáns el 30 de noviembre de 1803 (7). El representante francés, Pierre Clement de Laussat había llegado, sin embargo, en el marzo anterior, y a él correspondió actuar también en nombre de Francia en la transferencia del poder a los comisarios norteamericanos W. C. C. Claiborne y general James Wilkinson, la que tuvo lugar en la misma ciudad el 20 de diciembre de 1803 (8).

El nombre actual del Estado Lousiana, terminado en "a", procede del español, ya que en francés se denominaba "Louisiane".

CAPITULO PRIMERO

LUISIANA, el Estado Pelícano

SABOR Y CLAMOR

Si al abandonar Luisiana hubiera que resumir en una o dos palabras las impresiones de la estancia en ella, cabría recurrir a dos (siempre con el mismo consonante utilizado en la calificación de otros hispánicos Estados): sabor y clamor. Luisiana tiene un sabor inconfundible, y es algo que se aprecia inmediatamente de pisarla. Ya se va predispuesto por las lecturas de libros, la música escuchada, las películas contempladas, los amigos de la región conocidos. Pero la aproximación no desilusiona. Luisiana es el resultado de la combinación –única en los Estados Unidos– de razas de distinta procedencia y condición: anglosajones, indios, negros, franceses y españoles. La mezcla de estos dos últimos especialmente, creador del original tipo del "creole", es la que otorga un sabor característico a la región. El negro de Luisiana da la medida del bonachón de "Lo que el viento se llevó".

Tienen sabor las pequeñas poblaciones hispanofrancesas de la región y tiene atractivo sabor el "Vieux Carré" de Nueva Orleáns. En Luisiana vuelve uno a encontrarse con los placeres de una buena mesa y se disfruta –aparte de con la cocina francesa– con el típico arroz con leche o en forma de "jambalaya", se paladea el gumbo o sopa de pescado, se gusta con todo tipo de mariscos, o se engolosina uno con los "pralinés", delicia local a base de nueces que se ofrecen en todas las esquinas. En punto a bebidas, el Estado es la cuna de una serie de ellas, únicas en él o difundidas allende fronteras: el "Ramos Gin Fizz" (ginebra, huevos, azúcar, jugo de limón y de lima, agua de azahar, nata y soda), el "Roffignac" (whisky, Hembarig, granadina y agua de seltz) y "Sazerac" (whisky, licor de raíces amargas y azúcar, servido en copa enjuagada en ajenjo (1). No olvidemos que el "cock-tail", extendido hoy día por el mundo, nació en la farmacia de M.

Peychaud, de la calle Real de Nueva Orleáns, n.º 400; incluso la palabra se deriva de "coquetier" o huevera utilizada por el inventor para mantener las proporciones de sus mezclas (2).

Si el sentido gustativo tiene únicas oportunidades en Luisiana, aguardan al auditivo también momentos inmejorables. La misma mezcla racial de su población depara acentos en las lenguas habladas no hallados en otras partes del país; el lingüista se topará con ocasiones excepcionales, y el sociólogo, y el músico, y cuantos disfrutan con sonidos armoniosos o distintos. Quien participe en cualquiera de las fiestas que componen las dilatadas carnestolendas de Nueva Orleáns y, aún más, en el popular "Mardi Gras" (martes de carnaval) a lo largo de Canal St. o en alguno de los bailes o ceremonias en torno de la reina y del rey anualmente elegidos (nombramiento ansiado para quien desea recibir el más alto espaldarazo social), guardará en su oído un recuerdo de algazara, de alegre gritería, de pueblo que se extravierte en algo que se ha convertido en consustancial al lugar, desde que en 1830 un grupo de estudiantes aburridos quisieron divertirse antes de la llegada de la Cuaresma (3). Y no es el carnaval de la primera metrópoli la única fiesta de resonancia que en Luisiana se celebra: hay quien considera a éste el Estado por excelencia de los Festivales, pues casi todas las ciudades o localidades de alguna entidad desarrollan anualmente algún acontecimiento bullicioso: el Festival de la Fresa, en Hammond; "Vacaciones en Dixie", de Shreveport; "Yambilee", en Opelousas: Carnaval del Arroz, en Crowley; Festival del Azúcar, en New Iberia; Carnaval del Algodón, en Tallulah, etc. (4).

El ruido de la música de "jazz" será también algo que nos hará inevitablemente rememorar los días pasados en Luisiana. Los populares ritmos nacieron con los "blues" que los negros cantaban en los funerales, con trombones y otros instrumentos de aire, después tan popularizados. Las primeras bandas de "jazz", improvisando durante años en tabernas y barrios no frecuentados por señoras, se expandieron en 1914 a Chicago y otras grandes ciudades, con lo que un nuevo capítulo de la música mundial comenzó. Todavía puede escucharse "jazz" en Nueva Orleáns (si bien ocurre con él algo semejante a lo que con el flamenco en España, que no es en Sevilla ni en Granada en donde se ve el mejor) y, con suerte, algún entierro típico; de la ciudad salieron celebridades como Louis Armstrong y Jelly Roll Morton (5). Por el río Mississippi bajaron en su día los barcos de ruedas que formaron también una época, y los aires de "Show Boat" y otras comedias musicales nos trasladan inevitablemente años atrás. También nos queda la canción: "I came from Alabama... I'm gwyne to Louisiana... O! Susanna....". Y cuando levantamos el vuelo, las canciones, los trompetazos de "jazz" y el griterío de Carnaval, se conjuntan en nuestros oídos formando un clamor que, nos da la impresión, ayuda al avión a remontarse en los aires.

En la provincia de Sevilla existe un municipio por nombre "La Luisiana".

COLONIZACIÓN FRANCESA

Corrió a cargo de los franceses la primera colonización en Luisiana. El comerciante Louis Joliet y el jesuita P. Marquette descendieron en 1673 hasta el río Arkansas, procedentes de Canadá, y retornaron a su punto de partida convencidos de que el Mississippi desaguaba en el Golfo de México y no en el Pacífico. Casi diez años después, Robert Cavalier, Sieur de La Salle, un canadiense apoyado por el Gobierno francés, reconoció la cuenca del gran río por completo y reclamó para Francia todos los territorios comprendidos en ella. Pero los problemas y rivalidades con que tropezó, coronados por su asesinato en lo que es hoy Texas, le impidieron realizar sus planes. Los intentos constructivos de colonización de Luisiana por Francia no comenzaron hasta 1699 por Pierre le Moyne, señor de Iberville, y su hermano Jean Baptiste le Moyne, señor de Bienville; desde aquel año hasta 1712 Luisiana no fue más que una militar cabeza de puente (6).

Después de 1712 Luis XIV decidió convertir a Luisiana en una Colonia privada, a fin de ahorrarse los gastos que su desarrollo pudiera ocasionarle: se la cedió por quince años –desde Canadá al Golfo de México–, con una serie de privilegios comerciales y de todo tipo, al rico Antoine Crozat. Este nombró como gobernador a Antoine de la Mothe Cadillac, quien precedió a L'Epinay. Pero desde un punto de vista económico la empresa constituyó un fracaso, y Crozat consiguió ser relevado de sus compromisos en 1717, año en que John Law, el famoso banquero y cabeza de la compañía de Indias, aceptó hacerse cargo por un período de veinticinco años. Durante este período llegaron a la Colonia las primeras mujeres: al comienzo, procedentes de la vida airada; más tarde, en 1728, las "casket girls" –así llamadas por el baúl de que fueron provistas–, puestas al cuidado de las monjas Ursulinas. Manon Lescaut figuró entre estas primeras colonizadoras de la Luisiana (7).

En dicha etapa tuvo lugar la fundación de Nueva Orleáns –así nombrada en honor del duque regente en Francia–; en 1718 Bienville comenzó la tarea Mobile –la capital– soldados y provisiones a las edificaciones levantadas. Hasta 1722, Bienville no consiguió permiso para trasladar la capital a Nueva Orleáns. Vaudreuil, un buen gobernante, sucedió a Bienville en 1743, y el caballero de Kerlerec le remplazó diez años después. En su puesto, desde 1763, a Jean Jacques D'Abbadie tocó ser el último gobernador de Francia; cuando al año siguiente se enteró de la cesión del territorio a España, dejó en su puesto al capitán Phillippe Aubry (8).

POSESION POR LOS ESTADOS UNIDOS

Después de la toma de posesión de las vastas tierras incluidas en la "compra", éstas quedaron separadas en dos porciones: el Territorio de Orleáns, que comprendía la parte Sur hasta el paralelo 33º de latitud, y el Territorio de Luisiana, más tarde denominado Territorio de Missouri, que incluía el área al Norte de dicho paralelo. Al fin de un breve período provisional, William C. C. Claiborne fue nombrado gobernador en 1804, en cuyo cargo obtuvo la ayuda del español Jorge Farragut, padre del futuro almirante; en 1805 se estableció un sistema representativo semejante al existente en el vecino de Mississippi. En 1807, el territorio quedó dividido en 19 parroquias, con casi exactamente los límites e incluso el nombre de las circunscripciones creadas por los españoles. La momenclatura de "parishes" –hoy 64– se mantiene en Luisiana y es el único Estado que no utiliza la palabra condado. Anteriormente hemos visto, al tratar de Mississippi, cómo las denominadas parroquias de Florida, que no fueron consideradas por España incluidas en la "compra de Luisiana", se levantaron en 1810 y se proclamaron independientes, siendo a poco incorporadas a los Estados Unidos España no reconoció, sin embargo, la anexión hasta el Tratado de Washington de 1819, por el que aceptó el río Sabine como límite Oeste de Luisiana y frontera hispanonorteamericana (se vendió además Florida) (9).

El 30 de abril de 1812 el Congreso federal admitió a Luisiana como Estado de la Unión, siendo el 18.º en el tiempo y hoy el 32.º en tamaño. Con el estallido de la guerra de 1812, el nuevo Estado sería puesto a prueba. La primera etapa fue dura por culpa del intenso bloqueo a que la escuadra inglesa sometió a Nueva Orleáns, produciendo una paralización en el comercio, pero en la segunda tuvo que enfrentarse con la amenaza de la invasión enemiga. A fines de diciembre de 1814 se realizaron cuatro desembarcos, a los que contraatacaron las tropas norteamericanas al mando de Andrew Jackson, junto con los ciudadanos de Nueva Orleáns –unidos en la defensa común– e incluso los piratas de la calaña del renombrado Jean Laffite. La batalla comenzó el 1 de enero de 1815 y terminó ocho días después con la derrota inglesa (10).

Cuando la guerra civil, el primer tiro que sonó en Fort Sumter, C. S., el 12 de abril de 1861, fue ordenado por el general P. G. T. Beauregard, un nativo de Luisiana. El 26 de enero anterior Luisiana se había separado de la Unión, y el 12 de febrero se había proclamado Estado independiente. El 21 de marzo había ratificado la Constitución de la Confederación, en la que permanecería hasta el 11 de junio de 1865, fecha en la que la bandera de las siete estrellas se arrió en la ciudad de Shreveport, último baluarte de los disidentes. En la victoria de los federales participó activamente David G. Farragut, quien, antiguo vecino de Nueva Orleáns, bombardeó la ciudad y colaboró eficazmente en su toma por las tropas de tierra al mando del general Butler el 28 de abril de 1862 (11).

PRESENCIA ESPAÑOLA

a) CONQUISTADORES

Alvarez de Pineda, Narváez y Soto

Correspondió a los españoles, una vez más, la primacía en descubrir las tierras lusianenses: en 1519 Alonso Alvarez de Pineda vio el delta del Mississippi, y nueve años más tarde los expedicionarios de Pánfilo de Narváez, Cabeza de Vaca incluido, exploraron Lake Borgne, Chandeleur Sound y uno de los brazos de gran río (12).

Hernando de Soto y su gente pisaron los contornos del Estado en marzo de 1542, entrando por el Norte, siguiendo el curso del río Ouachita hasta la desembocadura de sus aguas en el Mississippi y pasando por las actuales localidades de Monroe y Columbia, con la esperanza de volver a ver el mar; el conquistador, que no había querido conectarse con Maldonado y sus compañeros que le habían esperado durante el verano de 1540 en Mobile, comprendía ahora –que contaba sólo con 300 hombres y 40 caballos desprovistos todos de las cosas más elementales– la necesidad de construir dos bergantines en la costa para enviar uno a México y otro a Cuba, a fin de conseguir ayuda e informar a su mujer y amigos de sus peripecias y supervivencia. El grueso de la expedición arribó al poblado de Guachoya, situado cerca de la hoy denominada Ferriday, en las márgenes del Mississippi, frente a Natchez. Seleccionó entonces Soto un pequeño grupo exploratorio al mando de Juan de Añasco, río abajo, con la misión de dar con el mar; ocho días después retornaron sin haber visto ni presentido tan deseado objetivo (los indios lugareños ignoraban incluso la existencia de aquél). Con un desesperado intento de salir de la situación, y sintiendo fallar sus fuerzas, solicitó ayuda de un jefe indio de la vecindad; no obteniéndola, le atacó, realizando gran mortandad (13).

Pero ya no era Hernando el de antes y la fiebre le iba consumiendo progresivamente. El 20 de mayo, sintiendo su fin próximo, reunió a sus oficiales y, con el consentimiento de éstos, eligió a Moscoso por su sucesor; después hizo testamento, confesó y expiró. Por miedo a que la noticia de su muerte provocara un levantamiento indio. Soto quedó provisionalmente enterrado en secreto, y, contando a los indios que había ascendido al Sol –él, que había aparecido ante ellos como el Hijo del Sol–, su cuerpo fue cargado en una canoa durante la noche, que se hundió poco a poco en medio de la corriente. Es el Mississippi, pues, la tumba de Hernando de Soto, uno de los grandes conquistadores españoles, y son las tierras de Luisiana las que probablemente tendrán que devolver sus huesos el día del Juicio Final (14).

Moscoso, después del sepelio, convocó inmediatamente a sus gentes y ordenó el regreso a México por tierra. Pusieron rumbo los expedicionarios hacia el Oeste, entraron en la región de los indios naguatex, en Texas, hasta el río Trinity, pero la proximidad del invierno les aconsejó volver grupas hasta el lugar en que su jefe muriera. Decidieron entonces construir a orillas del Mississippi siete bergantines, en los que zarparon el 3 de julio rumbo al mar. Diecisiete días tardaron en arribar al Golfo de México, a través del cual se dirigieron a Nueva España desembocando en el río Panuco, unos 250 kilómetros al norte de Veracruz. El virrey Antonio de Mendoza recibió espléndidamente a los derrotados expedicionarios en la ciudad de México, quienes acudieron directamente a la iglesia en acción de gracias (15).

b) GOBERNADORES

Antonio de Ulloa

En el verano de 1765, D. Antonio de Ulloa, nombrado gobernador español, escribió desde La Habana anunciando sus planes para la toma de posesión. Se retrasó ésta hasta la primavera siguiente, en que con 90 soldados, transportados en una nave, desembarcó en Nueva Orleáns ante la tenaz actitud de una minoría influyente que se resistía a aceptar el dominio de España. Tuvo que limitarse a tratar con Aubry y promulgar una serie de inteligentes medidas comerciales y de orden público, benéficas para los colonos, pero que fueron mal recibidas en los medios dirigentes, la actitud de los cuales e incluso del clero se empeoró cuando marchó hacia Balize en las bocas del Mississippi, y regresó casado con una dama peruana. Comprendiendo que con la fuerza disponible nada efectivo podía lograr, hubo de plegarse a la presión del Consejo Superior de Nueva Orleáns y partir, de noviembre de 1768, en un buque francés rumbo a La Habana, desde donde informó sobre la revuelta (16). Con Ulloa había venido el abuelo del que luego sería famoso historiador de Luisiana, Charles Etienne Gayarré, aragonés de origen, y autor de importantes obras, como "Historia de Luisiana" y "Felipe II" (17).

Alejandro O'Reilly

En agosto de 1769 se posesionó el nuevo gobernador, el irlandés teniente general Alejandro O'Reilly, con 24 barcos y 3.000 soldados. Esta vez los sublevados nada pudieron conseguir, y no tuvieron más remedio que conformarse con la presencia de España en sus tierra: O'Reilly arrestó, como medida preventiva, a once de los dirigentes de la rebelión, cinco de los cuales murieron después fusilados, entre ellos Nicolás Chauvin de Lafranière. Como segunda medida, comenzó la reorganización de la Colonia: declaró el español lengua oficial y en vigor las leyes de España. El Consejo Superior fue sustituido por la institución denominada Cabildo (compuesto de 10 miembros, presididos por el gobernador), fijó los precios de los alimentos y otras materias de primera necesidad, promovió el comercio con el exterior, estableció un sistema de concesiones de tierras y fomentó las buenas relaciones con los indios. Cuando en marzo de 1770 abandonó Luisiana, dejando como gobernador a D. Luis de Unzaga y Amézaga, O'Reilly había realizado una magnífica labor (18).

Luis de Unzaga

Unzaga dedicó sus esfuerzos a pacificar los ánimos de todos los habitantes y siguió la política de su antecesor de confiar posiciones claves en la administración a "creoles", animando a los españoles a matrimoniar con "creoles", en lo que él mismo dio el ejemplo. Promovió Unzaga la educación, la inmigración, la agricultrua y el buen gobierno; la plantación de tabaco fue introducida, y el comercio con todos los países fomentado. Cuando en el 1777 recibió el nombramiento de capitán general de Caracas, pudo marcharse satisfecho de haber colaborado inteligentemente en la prosperidad de Luisiana (19).

Correspondió a Unzaga el comienzo de la colaboración española con los sublevados de las Colonias. En esa inclinación favorable siguió la pauta marcada por su predecesor O'Reilly, quien, por su calidad de irlandés de origen, había intimado con el comerciante de Nueva Orleáns, Oliver Pollock, que le fuera presentado por otro irlandés, el padre Butler, rector del Colegio de los jesuitas de La Habana. Este triunvirato de católicos procedentes de la verde Erín, enemigos por religión y por historia de Inglaterra, influiría decisivamente en la posición adoptada por España ante la revolución norteamericana (20).

Ya hemos visto (21) la colaboración acogida de Unzaga al capitán Gibson y su grupo, portador del mensaje del general Charles Lee, de Virginia, para el gobernador español. Por ella, bien merecedor es de figurar en el libro de honor de la independencia norteamericana.

Quedó interinamente a cargo del Gobierno D. Bernardo de Gálvez, joven coronel que mereció la confirmación real como gobernador en 1779, al notificársele la declaración de guerra a Gran Bretaña. El Embajador norteamericano Joseph Jova le califica de caballeroso y apuesto militar. En la etapa hasta 1785, año en el que recayó en él el nombramiento de virrey de Nueva España, estimuló el comercio y redujo los impuestos sobre la exportación, ayudó a la agricultura, autorizando la importación de esclavos; con generosas concesiones de tierras alentó el establecimiento de inmigrantes y promovió una política de buena vecindad con los indios. Pero en el aspecto que más se distinguió fue en el relacionado con la rebelión de las Colonias, ayudándolas en la primera etapa y tomando activa parte militar en la segunda. Los descendientes de los lusianenses que lucharon contra Inglaterra a sus órdenes todavía se muestran orgullosos de sus hechos, que les capacitan para pertenecer a la estimada y patriótica Sociedad de los Hijos de la Revolución Americana, y así lo manifestó públicamente el prestigioso profesor de la Universidad de Tunale, Alcée Fortier, presidente de la Comisión para el "Louisiana Statehood Centennial", en el discurso oficial pronunciado para conmemorar tal centenario (22).

Era el nuevo gobernador hijo de Matías de Gálvez, en tiempos virrey de México, y sobrino de José de Gálvez, presidente entonces del Consejo de Indias. Con éste, y en sus tiempos de visitador general, había servido en Nueva Vizcaya y Sonora, por lo que su experiencia americana era considerable cuando desembarcó en Nueva Orleáns en 1776. Pronto hízose amigo de Oliver Pollock y pronto dio prácticas muestras de su simpatía por la nueva causa americana: abrió el puerto al comercio libre de los colonos y admitió en él la venta de las empresas efectuadas por éstos; con ello no hacía sino obedecer lo dispuesto por la R. O. de 23 de octubre de 1776. Pero hizo más: apresó con sus medios, en el abril siguiente, 11 barcos ingleses dedicados al contrabando y dio orden a los súbditos de dicha nacionalidad de abandonar Luisiana en el plazo de quince días (23).

Luisiana se convirtió en refugio de los norteamericanos que huían de los ingleses del otro lado del río y en terrenos de aprovisionamiento para las distintas necesidades en que aquí y allí los primeros iban incurriendo. Como agente oficial del Congreso actuaba Pollock, sirviéndole de auxilio financiero las arcas del Gobierno de la región. A finales de 1777, Gálvez había prestado a Pollock 74.087 dólares, y un cargamento, cuyo valor ascendía a 25.000 doblones de oro, había sido despachado directamente de los gubernamentales depósitos. En los comienzos de 1778, Pollock compró por cuenta propia mercancías por un valor de 10.900 doblones de oro, que fueron remitidas a Filadelfia río arriba. Estos y otros adelantos pusieron al irlandés en apretada situación financiera, que se fue salvando gracias a la actitud cooperativa de Gálvez, situación que obligó a aquél a reclamar al Congreso su reembolso (24). Hay quien afirma que en el primer año de su mandato Gálvez envió provisiones valoradas en 100.000 dólares, junto con otros cargamentos de Pollock (25).

Cuando llegaron las mercancías que el Gobierno de Madrid hizo arribar –a petición de Unzaga, trasladando el requerimiento del general Lee– de mano de don Eduardo Miguel, Gálvez se vio y se deseó para que su manejo pasase desa-

349

percibido a los ingleses (26). Para recoger el cargamento aparecio como comisionado por el Congreso el capitán James Willing, cuya desordenada conducta causó grandes dolares de cabeza al gobernador y a Pollock, no beneficiando ciertamente a la causa que pretendía servir. Al mando del barco "Rattletrap", descendió Willing por el Mississippi, apresando navíos, quemando plantaciones, expoliando a cuantos encontraba y permitiendo a sus gentes todo género de desenfrenos y crueldades. Su permanencia, notoria y vocinglera, colocó en difícil situación a la todavía neutral actitud del gobernador, quien hubo de forzar a Willing a devolver las propiedades arrebatadas. La estancia de los molestos huéspedes obligó al gobernador a proporcionar a Pollock la cantidad adicional de 24.023 pesos, y más tarde la de 15.948 pesos, con el objeto de habilitar la fragata "Rebeca", en la que pudiera retornar el grupo a su punto de origen. Pero Gálvez temió por la conducta de Willing, y autorizó el regreso de su gente por tierra, y a través del territorio español, a condición que la mandara Robert George, lo que así acaeció, llegando sano y salvo a su destino el cargamento que el Gobierno español había proporcionado (27). Willing regresó a Filadelfia por mar en el "Rebeca", provisto por Pollock con municiones, mosquetes, alimentos, mantas y medicinas integrantes del gran suministro procedente de España; pero el barco de Willing fue apresado y su jefe conducido a una cárcel de Nueva York (y posteriormente canjeado). Respecto al incidente Willing, Clark escribió al comandante de San Luis, Leyba: "... Ahora estoy convencido de lo que hace tiempo sospechaba, y es que todo ha sido motivado por la detestable conducta de un oficial americano..." (28).

Procede también aquí recordar la ayuda prestada por el binomio Gálvez-Pollock a las tropas de Clark en sus andanzas por el Noroeste. Ya habían supuesto un auxilio precioso las mercancías portadas por el teniente Linn y los "Corderos de Gibson", según vimos (29). Pero en donde aquella colaboración se mostró más eficaz fue en el aprovisionamiento del dirigente norteamericano en las dos conquistas de la ciudad de Vincennes y en el mantenimiento en jaque del general inglés Hamilton antes de caer prisionero. Y no sólo fue Clark el equipado, sino Montgomery y el Fort Jefferson. De no haber sido por la oportuna ayuda de Pollock, este último fuerte habría sucumbido. Tantas demandas financieras hubo de sufrir el generoso irlandés, que se vio forzado a hipotecar su casa y sus plantaciones, vender sus negros y pedir préstamos a todos sus amigos. No hay que olvidar que los comerciantes del distrito de Illinois se negaron a recibir de Clark como pago el papel-moneda emitido por el Congreso Continental, y solamente aceptaron las órdenes de pago giradas sobre Pollock en Nueva Orleáns. Si Robert Morris, banquero de Filadelfia, suele ser considerado como el gran financiero de la revolución, para el profesor James Alton, Oliver Pollock realizó la más considerable contribución monetaria individual a la causa de aquélla (30).

La R. O. notificando la declaración de guerra a Inglaterra el 21 de junio de 1779 llegó a Gálvez a primeros de agosto. Convocó entonces a los habitantes de Nueva Orleáns y les comunicó que España e Inglaterra se hallaban en guerra como "consecuencia del reconocimiento de la independencia americana", y requirió su ayuda. Trazó inmediatamente sus planes bélicos, conocedor de que en la guerra quien se adelanta tiene las de ganar, y de que sólo así podría sacar partido a las escasas fuerzas de que disponía. Un terrible huracán que causó graves daños en sus preparativos no hizo mella en su decisión de atacar por sorpresa el

Fort Manchac. La mañana del 27 de agosto el pequeño ejército partió, y en el camino se fue engrosando hasta alcanzar 1.472 hombres. Tras penosa marcha avistaron el fuerte el 6 de septiembre, que fue tomado al asalto el día sucesivo (31).

En el mes siguiente se rendiría el fuerte de Baton Rouge, y más tarde el de Panmure, en Natchez, según comentamos (32). El 14 de marzo de 1780 las fuerzas de Gálvez se posesionarían de Mobile, tras accidentado asedio, y el 10 de mayo de 1781 se verificaría la rendición formal de Pensacola. Con ello, desapareció del Oeste y del Sur la amenaza inglesa, y los independentistas podrían dedicarse a asestar el golpe final al poderío inglés.

Dejó profunda huella el paso de Bernardo de Gálvez por Luisiana. Sus dotes políticas indudables, su matrimonio con la joven "creole" Felicia de St. Maxen d'Estrehan y sus atractivos personales le atrajeron la simpatía de los habitantes del territorio, sentimientos que se acrecentaron con sus aciertos como administrador y sus éxitos como general (33). Jugó un importante papel en la revolución de los colonos, no sólo en el terreno militar, sino el del aprovisionamiento de los ejércitos de Washington y de Clark. Usó todos los fondos de que disponía en sus arcas, fondos que se asignaban oficialmente para el mantenimiento de la provincia que gobernaba, para la ayuda a la causa de los independentistas. Por ello, Pollock llamó la atención del Congreso sobre los grandes servicios prestados por Gálvez a la causa común y le expresó su deseo de que su retrato figurara en el Capitolio Federal "para perpetuar vuestra memoria en los Estados Unidos de América, ya que, figurando en vuestra sublime nación como gran soldado y caballero, habéis prestado un singular servicio en la gloriosa consecución de la libertad" (34).

Tan singulares servicios fueron debidamente reconocidos por el Presidente Ford en el año del Bicentenario de la Independencia al recordar que "don Bernardo de Gálvez, capitán general español y gobernador de la Luisiana española, condujo estas victoriosas campañas (proteger el frente meridional de las Colonias y mantener abierto a la navegación el río Mississippi) y en 1781 capturó a los británicos la muy fortificada ciudad de Pensacola. La ayuda a la Revolución por parte de Gálvez y de las tropas españolas mandadas por él no ha recibido siempre el reconocimiento que merece en nuestros libros de historia". Sin embargo, la ciudad, merced a la generosidad del Estado español, cuenta desde 1976 con una estatua ecuestre de don Bernardo, obra de Juan de Avalos.

Esteban Rodríguez Miró

Don Esteban Rodríguez Miró le sucedió como gobernador en 1785, si bien había actuado en tal capacidad durante las ausencias guerreras de Gálvez. Continuó en todos sus puntos la orientación de sus antecesores, y la liberal política comercial recomendada por Gálvez mereció la aprobación de S. M., con lo que la actividad y la prosperidad en Luisiana aumentaron. Ocurrió durante su gobierno el fuego en Nueva Orleáns, en 1788, en el que perecieron los edificios de la parte más céntrica de la ciudad. Miró comenzó inmediatamente los planes para su reconstrucción y recurrió a la ayuda de los ciudadanos pudientes. Uno de ellos, el español D. Andrés Almonester –natural de Mairena, Andalucía– costeó de su peculio el cabildo, la catedral, el presbiterio, el hospital, la Escuela pública y la iglesia del convento de las Ursulinas. Esta es la razón de que los edificios que constituyen el llamado "Vieux Carré", en el "French Quarter", sean todos españoles y no franceses como la gente vulgarmente cree; de la misma española época procede el "French Market" (35).

Barón de Carondelet

Trasladado Miró a España en 1791, fue nombrado gobernador D. Francisco Luis Héctor, barón de Carondelet. Su etapa se caracterizó por reformas administrativas y por intentar mantener y aun expandir los dominios a su cargo. Organizó la ciudad de Nueva Orleáns, construyó el canal de su nombre y tuvo que hacer frente al fuego que volvió a azotar a la capital en 1794. Sus oportunas medidas anularon el intento revolucionario de algunos ciudadanos de origen francés, exaltados con las nuevas de los sucesos acaecidos en Francia en 1789. Durante el mandato de Carondelet, se inauguró el primer teatro de Nueva Orleáns el 4 de octubre de 1792 (36); en 1794, Etienne de Boré consiguió granular el azúcar plantado el año anterior: ello supuso el comienzo de la industria azucarera en Luisiana. Con su traslado al Ecuador, en 1797, acabó su fructífero mandato (37). Una de las calles principales de Nueva Orleáns ostenta su nombre; como también, en su momento, el buque de guerra "USS Carondelet", que tomó parte activa en la contienda de Secesión y cuya bandera se conserva en el Museo Naval de Annapolis.

Manuel Gayoso, marqués de Casa Calvo
y Juan Manuel de Salcedo

En el período entre 1797 y 1803 tres oficiales desempeñaron la gobernación: don Manuel Gayoso de Lemos hasta su muerte, en 1799; el marqués de Casa Calvo, durante dos años, y D. Juan Manuel de Salcedo. Este último suspendió, a fines de 1802, el derecho de depósito, libre de impuestos, de las mercancías norteamericanas, determinación que causó el consiguiente malestar entre los perjudicados; a él correspondió realizar la cesión del territorio a Francia el 30 de noviembre de 1803 (38).

NUEVA ORLEANS

La visita a Nueva Orleáns es una de las que no hay que perderse en los Estados Unidos. La ciudad es distinta de sus hermanas del continente Norte y da una peculiar medida de lo que es el país hoy. No olvidemos que tanto Luisiana como su capital son típicamente sudistas no sólo en política, sino en situación geográfica y clima, con una media anual de 70,8° Farenheit en el sector más meridional. También es distinta en punto a población, ya que en Nueva Orleáns se ha concentrado el elemento "creole", que le da distinción y atractivo. Los "creoles" son, en realidad, los criollos (incluso la palabra procede de ésta), es decir, los blancos no anglosajones nacidos en la Colonia; su base originaria la constituyen, pues, los franceses y los españoles que, entremezclándose, han venido a formar un interesante tipo humano,

Hay quien acepta la existencia de negros "creoles", desde el momento que su origen tampoco está en el continente (dan a la palabra un sentido abarcador de todo el que no es indio o anglosajón), pero dicha ampliación no obedece a la realidad y es muy resentida por los verdadedos "creoles", que se sienten orgullosos de la pureza de su sangre blanca. Los "creoles" se caracterizan además por su religión católica heredada de sus mayores, haciendo de la archidiócesis de Nueva Orleáns un baluarte del catolicismo y constituyendo una excepción en el sur del país, que se distingue por su protestantismo y por su enemiga la integración racial, tan apoyada por la Iglesia. Esta posición ha valido a más de un católico recalcitrante la excomunión reciente por el fallecido arzobispo Rummel (39).

Sorprende Nueva Orleáns como ciudad moderna. Quien acuda preparado para disfrutar de sus sectores históricos –no se decepcionará– se encontrará captado por la belleza de sus recientes edificios y la amplitud, longitud y atractivos comercios de su avenida principal, Canal St., escenario de las famosas celebraciones de Carnaval. Canal St. enlaza el río Mississippi con el lago Pontchartrain, en cuyas márgenes se ha levantado un precioso barrio residencial y cuyas opuestas y lejanas orillas se unen ahora por un puente de 42 kilómetros de longitud. A este sector pertenece la "Spanish Fort Street" y las ruinas de "Fort Sr. John": en el cartel indicador se le denomina "Spanish Fort" y se relata que, francés en su origen, fue reconstruido por los españoles en 1779. En Canal St. los postes de los faroles de la luz están rodeados en sus cuatro costados de otras tantas placas que recuerdan las "cuatro dominaciones" a que la ciudad ha sido sometida en su historia: francesa, española, confederada y americana. A dicha arteria desembocan dos calles en homenaje a dos gobernadores españoles: Carondelet y Gálvez.

En el punto en que Canal St. desemboca en el río –que sinuosamente abraza a la urbe– el viandante será acogido por la gran Plaza de España, centrada por una monumental, antigua y luminosa fuente, rodeada de 50 bancos ornados con otros tantos escudos de las provincias españolas. A la ceremonia de la colocación de la primera piedra, en diciembre de 1968, asistieron los alcaldes de Madrid y Barcelona, Sres. Arias y Porcioles.

Otra vía principal es la Charles St., eje medular de un elegante distrito, poblado de lujosas "villas", en el que se alojan la Universidad de Loyola (de padres jesuitas) y la de Tulane, en cuyo Departamento de español conocí a los profesores D. W. McPheeters y Vázquez, y en el de Música, al hispanista Gilbert Chase. Esta última institución ha organizado tres Congresos de Lenguas y Literaturas Hispánicas de Luisiana (la Universidad estatal, en Baton Rouge, otros tres), siendo su promotor el prof. Gilberto Paolini y con la asistencia de Medardo Fraile, entre otros españoles. Otra Universidad en la ciudad es la de Dillard, dedicada exclusivamente a estudiantes de color: en ella ha sido activo impulsor de lo hispánico el profesor Saucedo. Es curioso señalar que una de las plazas que Charles St. atraviesa está presidida por una considerable estatua al general Lee, jefe militar de los ejércitos Confederados. Uno de los museos más notables lleva el nombre de Delgado, en recuerdo del generoso "creole" que donó los fondos para su constitución. Entre el Civic Center y el Municipal Auditorium, el "Garden of the Americas" centra la estatua de Bolívar.

EL ESPAÑOL "VIEUX CARRÉ"

Por supuesto que lo más sugestivo de realizar en Nueva Orleáns es la visita al español "Vieux Carré"; gracias a una magnífica guía, en cualquier quiosco comprable (40), se pueden ir localizando las casas y los rincones que proceden de los tiempos coloniales y comprobar con satisfacción que, casi sin excepción, todos los monumentos históricos de consideración provienen de la época hispánica, con posterioridad a los dos devastadores incendios. Lo que ocurre es que los representantes de su S. M. Católica siguieron en este sector la misma política que en los restantes aspectos de su Gobierno: mantener el estilo francés de forma de granjearse la simpatía y la colaboración –como las consiguieron– de los residentes de origen francés, que superaban en número, con mucho, a los españoles. Así se explica que la mayoría de las edificaciones no ostentan un típico carácter, al modo de la Península o de la arquitectura colonial en otros puntos de América. En ello coinciden muchos autores, entre ellos Hodding Carter.

Andrés Almonester

En la plaza más amplia del barrio, la Jackson Square, se sitúan, sin embargo, algunos edificios que tienen un aire peninsular, pero del siglo XVIII, naturalmente (41), como el de la Capitanía General de La Habana o el Ministerio de Hacienda de Madrid. Es uno de ellos el "Cabildo", levantado en 1795 gracias a la generosidad del español D. Andrés Almonester y Rojas (su retrato, pintado en 1796, cuelga de una de sus salas), y en sustición del inmueble anteriormente destruido por el fuego. Fue sede del "Muy Ilustre Cabildo", escena de los hechos más notables acaecidos en la gobernación de Luisiana durante la etapa española: en él residían los poderes ejecutivos, legislativo y judicial, y desde él se gobernaba todo el territorio. En el frontón superior a la entrada principal estuvo en tiempos colocado el escudo de España, hoy reemplazado por el águila sosteniendo los colores norteamericanos. En la Sala Capitular de este edificio, cuya erección fue dirigida por el propio Almonester, con la ayuda de Gilberto Guilleman, se desarrollaron las sucesivas transferencias del dominio de Luisiana. Hoy alberga las secciones histórica y artística del Luisiana State Museum. Un paseo entre sus muros o por sus soportales transporta, inevitable y melancólicamente, a las otras orillas del Atlántico (42).

Haciendo juego con el Cabildo, en el mismo costado de la Jackson Square y flanqueando a la catedral, se eleva "The Presbytere", o Casa Curial de los españoles. Planeada por Almonester con las mismas medidas y características que el otro edificio, con el fin de dotar de armonía a la plaza, se inició antes que el Cabildo, si bien no había sido completado cuando la cesión de Luisiana. En 1813 se terminó, manteniéndose el estilo primitivo y consiguiendo la belleza proyectada. La Iglesia lo cedió a la ciudad en 1853, y hoy contiene también otras secciones del anteriormente mencionado Museo (43). En sus salas ondean las banderas de castillos y leones y de Carlos III, y en sus exhibiciones, entre otras cosas, se incluye el plano de la ciudad, confeccionado por el español Carlos Trudeau, y el edicto del gobernador Carondelet penando severamente a los propietarios de esclavos.

La catedral de St. Louis, en medio del Cabildo y del Presbytere, data de 1794, en sustitución de la anterior, erigida en 1722 y destruida por el fuego. La costeó D. Andrés Almonester, a cambio de algunos honores cívicos y de que se dijera en ella en sufragio por su alma, a perpetuidad, una misa semanal, voluntad que hasta su reciente prohibión fue seguida. El edificio que hoy contemplamos es el mismo de entonces, si bien ha sido modificado en su aspecto externo, sin mantener su estilo original. Su interior, artísticamente sin relevancia, carece de ambiente hispánico, a no ser por las recientes vidrieras colocadas –regalo de España–, en las que se recogen momentos distintos del período español. Su recinto guarda los restos de D. Andrés Almonester, en tumba a los pies del altar de Nuestra Señora del Rosario, y con epitafio en su lengua natal (44), así como los del Gobernador Gayoso.

Fray Antonio de Sedella

Hasta 1793 Luisiana dependió de la diócesis de Cuba. En ese año a D. Luis de Peñalver y Cárdenas fue conferida la primera dignidad episcopal, posesionándose de su diócesis en julio de 1795. A partir de su solemne presentación, San Luis quedó consagrada como catedral, convirtiéndose así en la más antigua de las que han sobrevidido en el presente territorio de los Estados Unidos. Acompañó al obispo el padre capuchino Francisco Antonio Moreno y Arze, natural de Sedella (Granada), que fue nombrado cura párroco de la catedral, puesto en el que permaneció hasta su muerte, en 1829; a su entierro concurrieron millares de fieles, entre los que figuraba una delegación de masones con sus mandiles. Ello es muestra de la popularidad que había alcanzado la discutida figura de persona tan inteligente y virtuosa como la de fray Antonio de Sedella, según era comúnmente conocido. El y el pirata Lafitte –¡qué contraste!– se reparten los honores de ser las figuras más románticas del "Vieux Carré", difícilmente olvidados en Nueva Orleáns (45).

Micaela Almonester, baronesa de Pontalba

Si el Cabildo, la Catedral y el Presbiterio forman el costado norte de la Jackson Square (en tiempos españoles, "Plaza de Armas"), las edificaciones gemelas de la baronesa de Pontalba ocupan los lados derecho e izquierdo (el Sur queda abierto sobre el río). La plaza así consigue un perfecto y completo ambiente y puede decirse, sin exageración, que refleja la historia de la familia Almonester y, por ende, la de España. Porque la baronesa de Pontalba, así conocida por su desgraciado matrimonio con Joseph Xavier Celestin Delfau de Pontalba, y Micaela, por bautismo, era hija de D. Andrés Almonester y heredera de su cuantiosa fortuna, que ella supo acrecentar. De carácter impetuoso y de rara inteligencia, supo y pudo llevar a buen puerto su iniciativa de levantar los primeros bloques de viviendas-apartamentos existentes en el territorio de los Estados Unidos. Sus nobles proporciones, sus espaciosas balconadas a lo largo de sus extensas fachadas compuestas de tres pisos, sus barandillas de hierro bellamente trabajadas ostentando las letras entralazadas de "A" (Almonester) y "P" (Pontalba), sus acogedores soportales, la armonía cromática del rojo de sus ladrillos, el negro de sus balcones y el gris de sus tejados, constituyen un impresionante conjunto, que es fiel demostración de las dotes que adornaban a su impulsora y creadora (que intervino hasta en los mismos dibujos de las distintas partes de los inmuebles) (46).

Tras el fallecimiento de sus padres, la baronesa había vivido larga temporada en Francia, en la que estuvo a punto de perecer en 1834, asesinada por su suegro, quien acto seguido del intento se suicidó. Posteriormente decidió edificar los mencionados alojamientos, para lo que viajó a Nueva Orleáns, acompañada de sus dos hijos; en el otoño de 1850 pudo trasladarse a vivir a los nuevos edificios, que contenían 16 viviendas, y cuyo alquiler fue públicamente anunciado. A poco partió de nuevo para París, en donde murió en 1874. Sus herederos poseyeron los edificios Pontalba hasta el 1920; hoy son propiedad de la ciudad de Nueva Orleáns, y visitables, después de la restauración a que quedaron sometidos. El mobiliario expuesto procede de la casa de D. Fernando Puig, antigüedad conocida de más de un siglo (47). En la ciudad falleció el 9 de septiembre de 1783 el poeta Antonio Crespo y Neve, teniente de Caballería quien, apresado por los corsarios, sufrió innumerables calamidades, hasta llegar a N. Orleáns un mes antes. Había dejado una colección manuscrita de poesías, dedicada en 1782 a don Bernardo de Gálvez, cuyo retrato colocado al frente de la obra dibujó el mismo Crespo.

Alcanzaron considerable resonancia las conferencias cervantinas pronunciadas por Juan Antonio Cavestany en febrero de 1910 (47 bis).

Calles y casas españolas

Continuando el recorrido de las calles del "Vieux Carré" guía en mano, comprobaremos el origen español anteriormente anunciado de la mayoría –por no decir todas– de las antiguas mansiones. Desde hace unos años, además, en las principales esquinas se han colocado preciosas placas en azulejos talaveranos indicando el nombre español que la calle de referencia ostentó en tiempos. Bien satisfechos deben sentirse de la realización de tan histórica justicia cuantos intervinieron en ello, y en especial el donante de las numerosas placas, el Instituto de Cultura Hispánica, por medio de su director, Blas Piñar, y el alma de la idea, José Luis Aparicio, cónsul de España en la ciudad durante varios años. Así, se recuerda la existencia de las calles Real, Tolosa, San Pedro, del Arsenal, San Felipe, del Muelle, etc.

Si tomamos, por ejemplo, la calle Real (Royal Street), nos tropezaremos con una serie de casas, parándonos al azar en algunas, resultará que "The Old Gaz Bank" (número 339) fue construido en 1880 por D. Pablo Lanuesse; el "Patio Royal" (número 417) debe su erección al comerciante español D. José Faurie, antes de terminar el siglo XVIII; la "Spanish Comandancia" (número 519) albergó en su día los caballos del gobernador Miró; en 1792 se elevó la "Casa Merieul" (número 529), por D. Pedro de Aragón y Villegas, de cuya sucesión la compró el comerciante Merieult; éste es el autor, en 1798, de la "Court of Two Lions" (número 641), destinada a "Casa de Comercio"; el edificio "Royal Castilian Arms" tuvo su nacimiento en 1795, y gracias a Charles Lonbies; la "Patti's

Court" –así llamada por haber alojado en 1860 a la famosa cantante Adelina Patti– consta que escapó del fuego de 1794; etc., etc. (48).

Un paseo por las calles de "Vieux Carré" proporciona ratos inolvidables. Si es de noche, nos depara sensaciones inesperadas con los contrastes de sus calles estrechas, sus edificios y sus esquinas pintorescas a la luz de viejos reverberos, y nos pondrá en contacto con la vida alegre y divertida de Nueva Orleáns, sus animados cabarets, sus orquestas, sus espectáculos de "strip-tease"; si es de día, podremos visitar Museos e infinidad de anticuarios –como en ninguna otra parte del país– e incluso recibir invitación en alguna casa tradicional. Tuve la fortuna de ser huésped, con el entonces cónsul general, Ramón Parellada, de la conocida novelista Frances Parkinson Keyes, que tanto se ha ocupado de las hispánicas figuras de Santa Teresa, Santa Rosa y sor María de Agreda. Habitaba en la calle de Charles, número 1.113, en la amplia mansión denominada "Beauregard House", y su casa amueblada en estilo de la época –comienzos del siglo XIX– estaba poblada de recuerdos españoles, su conversación –que amablemente sostuvo en español– versó sobre varios temas hispánicos, y su cocinero compitió sin miedo con los más experimentados preparadores de gazpacho o paella. En su despacho, bajo el título de su nombramiento de Dama de Isabel la Católica, se mostraban los retratos dedicados de D. Alfonso XIII y de D.ª Victoria Eugenia.

A todas horas el turista hambriento podrá entrar en cualquiera de los numerosos y buenos restaurantes existentes en el "Carré", como Antoine's, Brennan's, Arnaud's, Galatoire's, Mena's Palace, Moran's, Tío Pepe, etc.; también en los alrededores de la ciudad, por ejemplo en "Tchoupitoulas Plantation Restaurant", instalado en plantación cuyo origen data de 1769, en tiempos españoles (49).

SECTOR MERIDIONAL

Cuando nos toque salir de Nueva Orleáns debemos prepararnos previamente sobre el país luisianense que vamos a recorrer, porque existen dos diferentes: uno, al norte del río Red, anglosajón, anglófono, protestante y con mayoría industrial, y otro al sur, francófono (y en sectores hispanófono), habitado predominantemente por gentes de origen francés y español, católicos dedicados a la agricultura y a la pesca. Así era, al menos, la situación de hace unos años, pues en el presente, esta delimitación se va emborronando por momentos. En la parte meridional se aposentaron los inmigrantes venidos durante el siglo XVIII; la septentrional, con algunas excepciones, fue preferida por los colonos norteamericanos que bajaron a Luisiana procedentes del Este o del Norte. El Sur es la tierra de los "bayours", o brazos en que se dispersa el Mississippi, de los terrenos pantanosos, de las marismas pobladas de reptiles y caimanes, de los cipreses invadidos por el "Spanish moss", de los elevados grados de la temperatura casi todo el año, es la parte comprendida entre la suela y la pala de la bota que asemeja el mapa del Estado. (El Norte sajón corresponde a la caña de dicho calzado) (50). En este sector se encuentra la Isla de Gato regalada en 1814 por el Estado de Luisiana al español don Juan de las Cuevas por su preciosa colaboración en la guerra contra Gran Bretaña de 1812; sus propietarios y herederos son las familias del político demócrata, Hale Buggs, quien le contó la anécdota al Embajador Areilza.

LOS "CAJUNS"

En el mediodía se establecieron los acadianos, o colonos franceses expulsados por los ingleses de su canadiense Acadia, luego Nova Scotia. Su calvario comenzó en 1713, cuando Francia los cedió a Inglaterra por el Tratado de Utrech. No obstante las estipulaciones en pro de su libertad de asentamiento y de religión, los gobernantes ingleses trataron de asimilarles. En 1755, ante el fracaso de sus intentos, fueron expulsados de Canadá y sus propiedades confiscadas; New Haven, Boston, New York, Filadelfia, Charleston y Savannah constituyeron los destinos de su diseminada población; pero incómodos en tierras de ingleses, se manejaron de forma de reunirse, por distintos caminos, en las hospitalarias –católicas y francesas– tierras de Luisiana. Los primeros acadianos –"cajuns", como fueron conocidos– llegaron en 1756 y se dirigieron a la St. James Parish. Un censo de 1787, eleborado por los españoles, precisa la existencia de 1587 "cajuns" en Luisiana, que serían 4.000 en 1790, aproximándose sus descendientes a la cifra de 50.000 en 1900. La epopeya de los acadianos tuvo su poeta en Longfellow quien, con su poema "Evangeline", escribió la tragedia de dos amantes que, separados, sólo se reúnen para que Evangeline Bellefontaine vea morir a Gabriel (51).

Los "cajuns" han sido tradicionalmente pobres y los "creoles" han cuidado bien de no ser confundidos con ellos. Se han dedicado al cultivo del arroz, obtienen la más cuantiosa cosecha de caña de azúcar en los Estados Unidos y pescan enormes cantidades de camarones. Siguen conservando su francés original, en una forma arcaica, aproximada al "patois". Es curioso escucharles o escuchar sus emisiones de radio, frecuentes en los aires del sector Sur. Forman cerca de una quinta parte de la población de Luisiana (3.230.000 habitantes, en 1960), en tanto que los negros constituyen un cuarto. Aparte de su gran proliferación, estos últimos fueron importados preferentemente para el cultivo de los campos de algodón, que es otro de los recursos eonómicos del Estado. Los relativamente recientes descubrimientos de petróleo en el bajo Mississippi y en el Sudoeste, con la instalación de la aneja industria petroquímica, cambiaron en su momento el aspecto de la región y el nivel de vida de los "cajuns" (52).

Fundaciones españolas

Vale la pena visitar algunas localidades de esta región meridional. Lake Charles deriva su nombre de D. Carlos Salia, español que se estableció en el lugar hacia 1781, y quien construyó la primera casa dentro de los límites de la ciudad (53). New Iberia deriva de la "Colonia de Iberia", fundada por un grupo de canarios traídos después de 1778, a expensas del rey, durante la gobernación de Gálvez, y que se dedicaron al cultivo del cáñamo y del lino y a la crianza del ganado: la Colonia es incluida en el censo realizao por las autoridades españolas entre 1785 y 1788, y contaba en este año con una población cercana a los 200 habitantes, número que se fue multiplicando y cuya estirpe sigue habitando hoy las tierras pobladas por sus antepasasos (54). En las cercanías de Opelousas existe una plantación, con un magnífico edificio de ladrillo, que fue concedida a Hipólito Chretien por el gobernador español en 1776 (55).

Todavía se habla español

Abajo de Nueva Orleáns se asoma la parroquia de St. Bernard, en las márgenes del Lake Borgne, en cuyo sector "Terre aux Boeufs" se asentó en 1778 un grupo de "isleños", procedentes de las Canarias, siendo gobernador D. Bernardo de Gálvez. Desde entonces, y hasta la segunda guerra mundial, el grupo se mantuvo unido e incontaminado de extrañas influencias, de modo que los descencientes de los primeros colonos consigueron conservar el español, sus costumbres, etcétera, al contrario de lo ocurrido en otros grupos de españoles de Luisiana. Se trata de un caso único, en la consecución de lo cual contribuyeron, además de los matrimonios, entre la misma gente y no con los de fuera, las ocupaciones a que predominantemente se dedicaron –la pesca de gambas y camarones, la caza con trampas, la agricultura de la caña de azúcar– que les permitían el alejamiento de los vecinos y la constante reunión con los propios que fomentaban los relatos de historia, los chistes y el mantenimiento del folklore nacional. Este grupo ha guardado el español como lengua propia, el cual, por obra de su aislamiento y de las poderosas influencias del inglés, francés, francés de la Luisiana, modismo del español hablado en el Caribe, etc., ha ido adquiriendo ciertas modalidades en la fonética y en el vocabulario, que constituye un caso interesantísimo para quienes se preocupen de nuestra lengua, su supervivencia y evolución, aspectos competentemente estudiados por el profesor Raymond R. MacCurdy (56). Delacroix es la ciudad de mayor entidad en la parroquia, y cuenta con unos 1.000 habitantes; las de Regio, Shell Beach e Yscloskey juntas alcanzan la cifra parecida (57).

Es esta una faceta de la presencia española en los Estados Unidos que suele pasar inadvertida incluso a quienes se ocupan de ella, lo que me hubiera ocurrido de no haber sido alertado por el profesor Roberts, jefe del Departamento de español de la Universidad de Southwestern Luisiana, en Lafayette. No lejos de la parroquia de St. Bernard, al sur también de la "ciudad de la Media Luna" (Nueva Orleáns), nos espera una localidad, por nombre nada menos que Barataria.

BATON ROUGE

Baton Rouge, al borde del sinuoso Mississippi, es la capital de Luisiana. Tiene la peculiridad de contar con un Capitolio en forma de rascacielos –34 pisos– inspirado, indudablemente, en la Giralda de Sevilla. Su terraza permite divisar ampliamente sus alrededores y formarse una idea del ataque de las fuerzas de Gálvez a la ciudad. En el "hall" del Capitolio ondean 10 banderas, ente ellas, la española de castillos y leones y la de Carlos III. El vestíbulo anterior a la Cámara de Representantes está decorado con mármol rosa español. En la fachada del edificio, ocho medallones contienen los perfiles de los hombres más representivos en la historia estatal: corresponde a Hernando de Soto el número primero. Las escaleras exteriores se componen de tantos escalones como Estados de la Unión, y los nombres de éstos subrayan aquéllos, por orden de su fecha de admisión.

En el parque adyacente al Capitolio se sitúa el "Old Arsenal Museum", instalado en el antiguo arsenal español. En la sala amplia de éste, 10 vitrinas, acompañadas de otras tantas banderas, se refieren a los distintos poderes que se relacionan con la historia de la ciudad: en primer término se muestra un maniquí representando la figura de Soto, acompañado de un mosquete de la época; en la cuarta aparece D. Bernardo de Gálvez junto a una silla española. Rodea al arsenal un jardín y se destaca en él un promontorio que se avanza sobre el río: dos antiguos cañones dan guardia a una placa, en la que se relata la batalla de Baton Rouge en 1779, y se recuerda como la única Revolución ganada fuera de las Trece Colonias.

Dando cara al Capitolio, y en prominente lugar de sus jardines, la estatua de Huey Pierce Long –protagonista de la novela de Robert Penn Warren, "All the King's Men"– nos trae a la memoria su extraordinaria influencia en la vida local e incluso nacional, sus aires dictatoriales, que le semejaban a Hitler, y su asesinato en las salas del Capitolio, hace ya más de treinta años. Fue una gran pérdida la muerte de la otra gran figura política de Luisiana. De-Lesseps-Morrison –nieto del perforador del Canal de Suez y preocupado estadista por los problemas de América toda–. A él se debió que Nueva Orleáns fuera elegida como sede de la Organización Municipal Interamericana (Interamerican Municipal Organization).

Ya en pleno núcleo comercial de Baton Rouge (así denominado por los franceses, que vieron en sus alrededores un ciprés desprovisto de corteza mostrando su rojo interior), nos topamos con un monumento erigido a los hijos de Luisiana muertos en la guerra, en la persona de un soldado sudista. Una vecina placa explica que las tropas de Gálvez y sus aliados nativos derrotaron a los ingleses en aquel sitio. No lejos, el antiguo Capitolio muestra influencias góticas y árabes entremezcladas, y más allá se enseña la casa del príncipe Charles Louis Napoleón Achille Murat, sobrino del emperador e hijo del invasor de España, que allí residió en 1821. En los cercanos terrenos de la Louisiana State University se descubrió la caldera en que Etienne de Boré consiguió granular, en 1794, el primer azúcar obtenido en Luisiana. La Southern University es la otra institución de enseñanza superior arraigada en la ciudad (58).

Baton Rouge ha mantenido últimamente especiales contactos con Vigo, España, y el Alcalde de éste, don Rafael I. Portanet, fue nombrado en su día Alcalde honorario de la ciudad luisianense.

Toma de la ciudad por Bernardo de Gálvez

Las dos anteriores alusiones a la participación de Baton Rouge en la lucha por la independencia nacional requieren una ampliación, siquiera sea breve. Tras la conquista de Fort Manchac por las tropas del gobernador español en Luisiana, Bernardo de Gálvez, a raíz de la declaración de guerra contra Inglaterra, el 21 de junio de 1779, se planteó la necesidad de proseguir la afortunada vía emprendida y complementarla con la toma de Baton Rouge . Unos días de recuperación dejó el jefe a sus cansadas tropas, que aprovechó para informarse de las defensas de la plaza. Llegó a la conclusión de que contaba con 13 cañones frente a los 10 suyos y de que disponía de unos 500 hombres. Sólo una brecha en los muros de la fortaleza, lograda por una adecuada preparación artillera, podría dar la posibilidad de que los infantes penetrasen en el recinto fortificado. La estratagema de distraer la atención de los sitiados para colocar a corta distancia una batería dio resultado y permitió que el fuego, comenzado en la madrugada del 21 de septiembre, destruyera tan considerablemente el fuerte que el comandante de éste, Alexander Dickson, no pudiera por menos de solicitar una tregua apenas pasado el mediodía. Dickson rindió el fuerte de Baton Rouge y el de Fort Panmure (59).

En el interregno, el capitán de Pointe Coupée, Carlos Grand Pré,. había ocupado con sus tropas de voluntarios los destacamentos británicos en Thomposn's Creek y Amite. Gálvez le recompensó nombrándole comandante del distrito (60). El gobernador de Nueva Orleáns completó sus éxitos militares con el dominio del lago Pontchartrain y la captura en el Mississippi de ocho embarcaciones enemigas.

ALREDEDORES
Galveztown y Valenzuela

Podemos tomar a Baton Rouge como punto de partida para varias excursiones que nos descubrirán restos y nos traerán recuerdos de la época española. La carretera 168, río abajo, nos llevará a Donaldsonville, cabeza de parroquia de la Ascensión (en español). Su nombre derivó de la Misión dedicada por el padre Revillagodos, con anterioridad a 1772. En esta parroquia y en la vecina de Assumption se instalaron en 1778 grupos de "isleños", o colonos, procedentes de las islas Canarias, merced a la facilidades dadas por el gobernador Bernardo de Gálvez. En honor de éste se fundaría Galveztown en la primera de las parroquias citadas, entre 1775 y 1789. Comandante del fuerte correspondiente sería D. Francisco Collel, quien daría nombre a Colyell Bay, no lejos del lago Maurepas (en el que puede disfrutar el aficionado a la pesca). La localidad más importante en la parroquia de Assumption sería Valenzuela, con 1.057 habitantes. Durante el siglo XIX, el español se mantuvo como la lengua dominante en ambas circunscripciones, y aunque a lo largo del siglo XX defiende su supervivencia, ha decaído extraordinariamente en los últimos tiempos (61).

Hispano-parlantes en los "bruslys"

Todavía existen hispano-parlantes –en número no superior a 300– en los siguientes puntos: Barton, Brusly Sacramento, Brusly Capite, Brusly Vives y Brusly McCall, en la primera de las parroquias mencionadas, y Brusly St. Martin, Brusly Maurin y Belle Rose, en la segunda. "Brusly" es la anglificación de la palabra francesa "brulé" y se refiere a los campos quemados, anteriormente con árboles y arbustos, para cultivar en ellos productos hortícolas. En el lenguaje español local, dichos campos se denominan "brulis". El profesor MacCurdy hace notar el fenómeno curioso de que este grupo español no ha mantenido contactos con el de St. Bernard, habiendo permanecido ignorados el uno del otro a lo largo de sus casi dos siglos de vecindad. Quizá su predominante ocupación agrícola y su no participación en las faenas pesqueras contribuyó a que este sector se viera más influido por sus vecinos ingleses y franceses, con la consiguiente mayor y más rápida pérdida de sus características originales. Se aprecia otra diferencia entre ambos grupos en la manera de recibir las palabras francesas en préstamo: los de St. Bernard las hispanizan o las adaptan a la fonética española, en tanto que los de los "brulis" conservan las palabras francesas, sin cambiar o intentar usar sonidos galos en las hispanizadas importaciones (62).

Las parroquias Feliciana y otros recuerdos

La ciudad de Gonzales se comprende en el área, y un poco hacia el Este, Hammond, el centro de producción de fresas en los Estados Unidos. Cruzando el río, y cercana a Burnside, se extiende la Bocage Plantation, construida por Marius Pons y regalada a su hija Françoise con ocasión de su boda, en 1801, con Cristophe Colomb, pretendido descendiente del almirante (63).

En la carretera 63, regresando al Norte (siempre con Baton Rouge como punto de referencia), nos aguardarán tumbas con nombres esañoles en la iglesia de St. Gabriel. Si tomamos la carretera 61-65 hacia el Norte, denominada "Old Spanish Trail", pasaremos por "El Cipresal del Diablo", para alcanzar St. Francisville, fundada por los Capuchinos a fines del siglo XVIII, merced a la concesión otorgada por el rey de España; aquí nos hallamos en la parroquia de West Feliciana, que, como su vecina la East Feliciana, tiene nombre de orige español y en tiempos fue poblada por compatriotas nuestros. Desviándonos por la carretera 124, llegaremos a la plantación Greenwood, cuyo primer propietario fue Oliver Pollock, gracias al privilegio que le facilitara su buen amigo el gobernador Gálvez (64).

SECTOR CENTRAL

NATCHITOCHES

Remontando su curso, el río Red nos llevará a la ciudad de Natchitoches, el establecimiento francés más antiguo de la Luisiana, fundado en 1714. Para conocer su contorno no hay mejor guía que el amable Mr. Charles Cunningham, director de los dos periódicos locales y presidente del Comité organizador de los actos que durante el 8 y el 9 de mayo de 1964 se celebraron para conmemorar el CCL aniversario fundacional. Como participación en ellos, envió el Instituto de Cultura Hispánica de Madrid una losa de piedra con destino a la fachada de la iglesia parroquial –restaurada recientemente–, recordatoria de la primera misa dicha en el lugar por el padre Margil, procedente del vecino Presidio de Los Adaes.

El explorador francés St. Denis (que casó con la española Manuela Ramón) fundó el fuerte de Saint Jean Baptiste y queda de él mención; St. Denis, que vi-

vió muchos años en la localidad, murió en ella y fue sepultado en un terreno
–según consta– en el que hoy funciona un "drug store". Situado Natchitoches en
la margen occidental del Red, no tuvo durante considerable tiempo iglesia, de
aquí que los servicios religiosos corrieran a cargo, durante ese período, de los
frailes españoles de Los Adaes; esto explica que los registros parroquiales que se
conservan recen en español. Guarda la ciudad bastante ambiente, y varios de sus
edificios mantienen su pátina antigua; en los alrededores se conservan todavía
plantaciones tradicionales, alguna con extensión de 10.000 acres. Es política
municipal la de influir en que las nuevas construcciones ostenten un cierto sabor antiguo.

Cuando la Luisiana pasó a manos de España en 1763, Natchitoches quedó
naturalmente en la nueva esfera de influencia, pero su comandante francés, M.
Athanase de Mezières y Clugny, notable parisiense (cuya hermana había casado
con el duque de Orleáns), permaneció en su puesto no obstante el cambio de soberanía. El gobernador O'Reilly, conocedor de las buenas relaciones que Mezie-
res mantenía con los indios de la región, le mandó llamar a Nueva Orleáns y,
después de conferenciar con él, le confirmó en su cargo. Así, Mezières fue uno
de los muchos franceses que se convirtió en súbdito del Rey Católico y colaboró
lealmente en el paternal gobierno que distinguió a los años de permanencia de
España en Luisiana. Hubo momentos, sin embargo en que envidiosos pusieron
su fidelidad en entredicho, pero sus hechos, su actitud siempre al unísono de la
del comandante español de Los Adaes, teniente González, y sus éxitos cerca de
las tribus amigas para que lo fueran también de España, confirmaron la visión
de O'Reilly, y motivaron su designación como gobernador interino de Texas durante la ausencia de D. Domingo Cabello, y que el visitador General, Croix, le
comunicara el 30 de septiembre de 1779 su nombramiento como gobernador en
propiedad. La corona premió así sus servicios a Mezières, pero éste no pudo
ejercer el cargo por morir en San Antonio el 2 de noviembre siguiente, no sin
antes recomendar al rey a sus cuatro hijos varones –dos ya oficiales del ejército–
y sus dos hijas (65).

Los Adaes: capital española de Texas Oriental

Cuando los franceses fundaron Natchitoches, las autoridades españolas te-
mieron por la intrusión gala en territorios de Texas. Las Misiones creadas en
1690 por D. Domingo de Terán, que habían sido abandonadas a los pocos años,
aparecieron como necesarias para contener el expansionismo vecino; por ello,
otra expedición al mando de D. Domingo Ramón, y con el padre Antonio Margil participando, echó los cimientos en 1716 de varias Misiones en torno a la actual localidad de Nacogdoches, en el este de Texas. Pero hicieron más: atravesando el río Sabine –que sirve hoy de frontera entre Texas y Luisiana–, levantaron la Misión de Los Adaes a unos 12 kilómetros de Natchitoches. Superando
unos años difíciles a causa de las incursiones francesas, el marqués de San Miguel de Aguayo, gobernador de Coahuila, las consolidó en 1721, añadiendo el
Presidio de Nuestra Señora del Pilar de los Adaes (66).

Curiosos de comprobar lo que quedaba de dicha presencia española, nos encaminamos Mr. Cunningham, el profesor Chandler y yo hacia la ciudad de Ro-

beline, cuya área abarca aquel emplazamiento. Una carretera estrecha conduce hasta una desviación, en la que una piedra anuncia la proximidad de Los Adaes. Se trata de una arboleda distribuida en dos lomas: en una estuvo el Presidio y en la otra la Misión; dos placas informan someramente de la significación del lugar. No queda rastro aparente alguno y tan sólo se perciben hondonadas, montículos, etc., que hacen presentir la existencia de pasadizos, trincheras o muros que quizá podrían ser halados si una expedición arqueológica se lo propusiera.

Es lástima que subsista tan poco de la capital española del este de Texas, pues esa fue la condición de Los Adaes por espacio de cincuenta años, hasta la transferencia en 1772 del Gobierno a San Antonio. La medida se tomó como resultado de la publicación de las Nuevas Regulaciones, basadas en el informe al término del viaje de 9.000 kilómetros que realizó en 1766 por los Presidios al norte de Nueva España; en su virtud, el gobernador Riperdá ordenó el traslado a San Antonio del comandante, soldados, misioneros y colonos de Los Adaes, orden que no todos aceptaron de buen grado (algunos la resistieron): su cumplimiento ocasionó a los viajeros muchos problemas, e incluso a algunos la muerte. En el afán de ahorrar gastos al erario español y de fortalecer, por otra parte, los establecimientos militares –suprimiendo los mal dotados, expuestos a los ataques indios–, capacitándoles para realizar una efectiva labor de defensa y de protección, Los Adaes no tenía razón de ser una vez que la soberanía española se ejercía en Luisiana y no había temor alguno de infiltraciones francesas. (Natchitoches, naturalmente, se hallaba bajo dominio español) (67).

Dado el régimen especial por el que se rigió Luisiana, se mantuvo la frontera entre este territorio y el vecino de Texas, incluido en las Provincias Internas, de modo que se precisaba un pasaporte especial para atravesarla: en ello debemos ver el origen de los límites de Texas y Luisiana. En el período desde 1803 –época de la compra de la Luisiana por Estados Unidos– a 1822 –año en que España perdió su soberanía en Texas– se suscitaron una serie de disputas hispano-norteamericanas en relación con el sector comprendido entre los ríos Sabine y Red; al final fue declarado neutral, aunque susceptible sí de colonización. Se tienen noticias de varias concesiones de terrenos otorgados durante la etapa española en la región; así, por ejemplo, D. Jacinto Mora recibió 207.360 acres en 1795, al este de Sabine, que recibieron el nombre de "Las Ormegas"; a Ed Murphy se le atribuyeron, en 1797, 12 millas cuadradas, que incluyen la localidad de Many, etc. (68).

El pastor protestante Timothy Flint visitó la región en el primer cuarto del siglo XIX en el curso de sus viajes por las tierras tributarias del Mississippi. En Natchitoches permaneció dos semanas, en las que gozó de la amabilidad de sus habitantes, del lujo que presidía en la mesa y del arte musical de las jóvenes, de los dos de las cuales –una española con sus "fandangos" y otra norteamericana– hizo cumplidos elogios. Intentó, sin éxito, el suministro de los últimos auxilios espirituales a un volteriano francés, Dr. Prevot, que había sido condenado a muerte por el asesinato del fiscal del distrito (69).

Se acercó Flint a Los Adaes, y su conocido relato es uno de los pocos testimonios sobre lo que se conservaba a comienzos del siglo XIX. La iglesia, construida de madera, tenía cuatro campanas y varias pinturas de santos que, por sus cualidades estéticas, provocaron una severa crítica en el viajero. Los naturales del país, de diferente fisonomía a la de los franceses, hablaban el español lentamente con una actitud pasiva de oyentes más que de parlantes; le hicieron beneficiario en gran medida de su hospitalidad y se mostraron simples y amigables en sus modales. Su estado de pobreza en aquel momento era considerable, como lo denotaban sus casas con paredes de barro, el pan de maíz (cuya fabricación Flint describe) que comían, sus vestidos, etc. (70).

Más progresivos están ahora los descendientes de los que recibieron a Flint y que se sitúan en los aledaños de Robeline; la comarca se denomina "Spanish Lake", y muchos de ellos son todavía hispanoparlantes (a su modo): al parecer, durante muchos años han practicado la política de no casarse fuera de su círculo. Su aspecto es decididamente hispánico y sus apellidos Mora, Ocón, Hernández, Hidalgo, etc., no dejan lugar a dudas. No están agrupados en un pueblo, pero acuden a la misa de ocho y media de la mañana, que se dice en la iglesia rural de St. Anne.

SECTOR SEPTENTRIONAL

Al norte del río Red entramos en el sector anglosajón del Estado. Remontando el Mississippi aguas arriba de su confluencia con aquél, la parroquia de Concordia incluye la localidad de Vidalia, cercana a Ferriday, en cuyas proximidades hay quien calcula falleció Hernando de Soto; aquellos nombres son españoles a causa del aposentamiento en sus límites de compatriotas (71). En esta Luisiana Central, Alexandría es la capital: la región es el paraíso de los pescadores. Más al Norte está la ciudad de Columbia y, continuando por la carretera 165, el progresivo núcleo urbano de Monroe a orillas del río Ouachita; por sus inmediaciones aseguran que pasó Soto (72). En febrero de 1783, D. Juan Bautista Filhiol recibió el nombramiento de comandante del puesto de los Washitas. Partiendo de Nueva Orleáns con un grupo de soldados y colonos, remontó los ríos Mississippi, Red y Ouachita, hasta desembarcar en 1785 en el emplazamiento de Monroe. Para defenderse de los ataques indios, levantó el fuerte Miró, en homenaje al gobernador español D. Esteban Miró, poblado que progresó en el curso de los años hasta que en 1819 cambió su nombre, con motivo de denominarse "James Monroe" el primer barco de vapor que navegó el río, abriendo una era de prosperidad a la región (73).

Monroe se halla conectada por la carretera 80 con Shreveport, que conserva el "King's Highway" o "Camino Real" de los españoles. Aquí hay inevitablemente que recordar las veces que Shreveport aparece en el epistolario desde Washington D. C. de D. Juan Valera. Sucedió que D. Santos Ollo, miembro de una casa comercial española de Larache, había comprado durante la guerra civil algodón al Gobierno sudista, exportándolo luego a México. Poco después de terminar la lucha fratricida, el Gobierno federal se apoderó en Shreveport de 1.369 pacas de algodón, cuyo valor ascendía a 700.000 dólares, las vendió en Nueva Orleáns y se embolsó el precio. El Sr. Ollo reclamaba dicha cantidad, y Valera confiaba en el éxito de la correspondiente gestión diplomática para salir de sus apuros económicos, gracias al tanto por ciento que le tocaría con arreglo al arancel. Pero Valera partiría con las ganas y su sucesor Muruaga tendría que defender ante el secretario de Estado, Bayard, los argumentos españoles (74).

NOMBRES ESPAÑOLES

En Luisiana llevan nombres españoles las parroquias de Ascensión, Concordia, De Soto, East Feliciana, Iberia y West Feliciana, y las localidades de Ama, Barataria, Bonita, Columbia, Gonzales, Lake Charles, Marrero, New Iberia, Vidalia, Alto, Bolívar, Columbus, Toro, Lunita, Castor, Magnolia y Lamar.

CAPITULO II

MISSOURI, centro de la Alta Luisiana

Históricamente Missouri nació y se desarrolló por una serie de sucesivas corrientes, en sentido Norte-Sur en una primera etapa, y en el inverso en una segunda, promotoras de su trasfondo franco-español y de una solera sin rival en el medio Oeste. Los franceses, procedentes de Canadá y después de Nueva Orleáns, fueron heredados por los españoles que tuvieron como punto de partida esta última ciudad. Bien es verdad que durante el Gobierno hispano hubo contactos –más otros considerables intentos fallidos– entre Missouri y Texas y Nuevo México, pero estas influencias no verticales carecieron de la trascendencia de las provenientes del Sur a través de "El Camino Real" o del excepcional complejo fluvial del Mississippi y sus afluentes.

La participación, sin embargo, de Missouri en el acontecer de los Estados Unidos lleva una dirección horizontal de Este a Oeste, y esta proyección es la que ha predominado en su formación actual. Los tejanos tienen especial predilección por Missouri, no en balde fue éste punto de partida de muchos de sus antepasados, no lejanos. En la guerra civil se alistó en el campo federal (la primera batalla terrestre de la fratricida contienda se produjo cerca de Boonville el 17 de junio de 1861) y sirvió –y aún sirve– durante la gran empresa de la colonización del Oeste, de estación de reposo primero, y de catapulta después para los decididos a emprender la gran jornada (1); de aquí el núcleo estratégico en que se convertiría San Luis gracias a los ferrocarriles (su estación llegó a ser quizá el principal centro ferroviario, con Chicago, del país y paso obligado para quien quería conocer las tierras allende el Mississippi) y hoy día merced a los progresos de la aviación (la primera reunión aérea tuvo lugar en ella en 1910 y dio cobijo a los pioneros pilotos norteamericanos, en homenaje a los cuales Lindberg, bautizó a su trasatlántico monoplano con el nombre de "Espíritu de San Luis" (2). Muchos habitantes del Oeste miran hacia Missouri como a una abuela, mo-

367

radora en la casa de los recuerdos infantiles y satisfecha con los progresos de sus descendientes.

Missouri cuenta con dos corrientes fluviales fundamentales: el Mississippi, que le sirve de frontera oriental, y el Missouri, que la divide por gala en dos, casi en perfecto sentido horizontal, bañando a ciudades de la entidad –de Norte a Sur– de St. Joseph, las gemelas Independence y Kansas City (en la frontera occidental con el Estado de Kansas), y Jefferson City (que cuenta con la Lincoln University, lo mismo que Kansas City con la que lleva su nombre). En el sector Sudoeste el complejo montañoso de los Ozark completa la variedad del paisaje de Missouri, y en dicha región se emplaza Springfled. La referida ciudad de Kansas City no debe ser confundida con su homónima en el Estado de Kansas: una equivocación a su costa puede ocasionar a su visitante un serio incidente, aunque la cosa es, por lo demás, bastante lógica dado su nombre, la vecindad –una calle las separa– con su rival y su papel de fronteriza con el otro Estado (3).

La historia de Kansas City, Missouri, e Independence ha ocupado en los últimos años la atención de los diarios del mundo por la razón de ser la segunda el hogar de Harry S. Truman y la primera escenario de su carrera profesional e incluso de sus fracasos (nació en Lamar, un poco más al sur del Estado) (4). Kansas City ha firmado un programa de hermandad con Sevilla, exteriorizado, entre otras manifestaciones, con la erección en la ciudad de Missouri de una reproducción de la Giralda de 40 metros de altura y de la fuente que existe en la plaza de la Virgen de los Reyes de la capital andaluza (5), y en Sevilla de un monolito dedicado a la urbe fraterna.

Columbia se denomina a sí misma la "Atenas de Missouri" (en parte se debe a su Universidad de Missouri) y alega haber dado albergue a la más antigua Escuela de Periodismo en el mundo (fundada en 1908). A no mucha distancia se halla Fulton, en cuyo Westminster College Winston Churchill habló en 1946 por vez primera del "Telón de Acero" que habría de dividir a la Europa de la posguerra (6). Jefferson Citty es la capital del Estado con un capitolio, de influencia renacentista italiana, guardían de famosas pinturas de Thomas Hart Benton. Hacia San Luis, la región en torno a Hermann nos trasportará por su similitud al valle del Rhin. El sector oriental es el de mayor huella franco-española, lo que no empece para que su septentrión sea representativamente muy norteamericano: vio nacer a Samuel Clemens en la localidad de Florida y en la cercana de Hannibal le vio crecer y escribir su primera novela, "Life on the Mississippi", con el nombre de Mark Twain. Un poco al Oeste se encuentra el origen de Jesse James, el trasunto norteamericano de nuestro Luis Candelas, cuya leyenda, como "Robin Hood" moderno, todavía pervive en el país (7).

Missouri se convirtió en Estado de la Unión el 10 de diciembre de 1817.

ST. LOUIS

St. Louis –o San Luis, durante la época española– es, sin discusión, la ciudad más impresionante del Estado, desde un punto de vista objetivo y desde el subjetivo español. Sigue siendo el "Gateway to the West", la Puerta hacia el Oeste, y para recordarlo se ha elevado en las márgenes del Mississippi y centrando la nueva urbanización que dará a la parte principal y antigua la belleza de que carecía, un *monumental arco de acero* con 210 metros de altura y de distancia entre sus extremos, con la forma invertida de una cadena colgando de una viga, y dotado con dos ascensores que suben hasta la cima, la cual es capaz de contener simultáneamente hasta 240 espectadores del paisaje en torno. El proyecto del arco se debe al conocido arquitecto Eero Saarinen, y cuantos se sitúen en la otra parte del río podrán contemplar a través de su luz la parte noble de la urbe; incluso algún arriesgado piloto, si es que las autoridades se lo permiten, quizá lo atraviese algún día. A sus pies se exhibió, durante años, una reproducción de la colombina carabela "Santa María", pero un día chocó con algo y se destrozó. Muy bello quedó este sector, con el parque extendido sobre la primitiva ciudad, con nuevos edificios de viviendas –lujosas, al objeto de atraer al centro vecinos de prestigio– en sustitución de ruinosos alojamientos, y con el Busch Memorial Stadium, adaptado –gracias a dos secciones móviles sobre rieles– para los deportes de "rugby" y pelota base (8).

Causa buena impresión la aproximación a St. Louis por vía aérea, tanto por las instalaciones modernas de su aeropuerto de Lambert como por su conexión de autopistas con el casco urbano, al que, al final, se entra por el "Kingshighway" o antiguo *Camino Real*. El día de mi aterrizaje –hace años– aparecían pegados a la pared profusión de carteles que decían: "Cervantes is the man" (Cervantes es el hombre); la extrañeza ante tan pública admiración por el autor del Quijote, se disipó a poco al explicar la complementaria información que se trataba de un candidato a la Alcaldía de la ciudad, descendiente de españoles, y quien ganó las elecciones posteriormente. En St. Louis existe Viceconsulado honorario de España; gusta ver, en pleno medio Oeste, el escudo de españa colocado en la puerta de la representación española.

De los viejos edificios no quedan en St. Louis sino la *Antigua Catedral,* consagrada a San Luis, rey de Francia, la cuarta norteamericana en el tiempo e inaugurada en 1834; su altar mayor está ocupado por una muy buena copia del Cristo, de Velázquez, obra de Charles Quest. En su museo encierra una conmovedora y bien timbrada campana, regalo en 1774 del teniente gobernador español D. Pedro J. Piernas y de su esposa a la primera iglesia católica levantada en la ciudad, de la que estaba encargado –como primer sacerdote residente– el padre Valentine; la campana fue bautizada con el nombre de sus donantes: Pedro José Felicitas (10).

En 1899 el ingeniero español Ricardo Galbis construyó en un casco un frontón de pelota vasca, el primero en los Estados Unidos. Tuvo corta vida porque no se consiguió que se aprobaran las apuestas y el interés del público decayó como consecuencia. Fue palacio de exhibiciones durante la Feria mundial a principios de la centuria.

En la misma área urbana se inauguró solemnemente en mayo de 1969 el *Pabellón español de la Feria de Nueva York,* donado por España a la ciudad de St. Louis y reconstruido a costa de ésta. Cuenta, como piedra angular, con una procedente de la tumba de la reina Isabel en Granada, con una estatua de la egregia dama, réplica de la que presidía uno de los patios de aquel edificio, gracias a la donación del Patronato "Doce de Octubre" (9), y con las demás obras de arte del Pabellón. Funcionó un tiempo como Centro Cultural, pero fue vendido a la cadena de hoteles Breekenridge, que edificó una torre de 18 pisos. Hoy es propiedad de la cadena Marriott.

Dos instituciones de enseñanza superior tienen a St. Louis por sede: la Universidad de St. Louis, de los jesuitas, situada en un envidiable sector de la ciudad y con edificios tan recientes como la Biblioteca Pío XII, y la Universidad de Washington, emplazada no lejos del Forest Park, escenario de la Exposición Internacional celebrada en 1904 conmemorando el centenario de la compra de Luisiana. A lo ancho de dicho enorme parque han quedado algunas notables edificaciones del certamen, como el que alberga los recuerdos de Lindberg, o el *City Art Museum*, en el que una buena muestra de arte español puede admirarse: un apóstol de El Greco, dos santos de Valdés Leal, un monje y un bodegón de Zurbarán, un retrato de Murillo, un Juan Gris, un Tapies y varios Picassos, entre otros, "La madre", de 1900. Tiene el museo una sala de arte hispanoárabe, a base de los muebles, tapices, etc., traídos del convento de Santa Isabel de Toledo. Aparte de varios bargueños, sobresalen en ella una alta puerta de dos hojas y un estupendo artesonado. También pertenece al Forest Park el McDonnell Planetarium, que, con su bella línea, simboliza al St. Louis del futuro (11).

Regresando al centro de la ciudad por Lindell Blvd., la bizantina mole de la nueva catedral católica nos detiene, y no por sus calidades estéticas precisamente, sino por la extrañeza que nos produce una tan suntuosa masa en lugar tan inesperado y nacida en 1914 con un estilo periclitado. Más interés tiene el "Wainright Building", en la calle Chestnut, obra del arquitecto Sullivan en 1891, y precedente, por su ligera estructura metálica, de los rascacielos que habrían de poblar el país, con especialidad Nueva York y Chicago. El "City Hall" o Ayuntamiento es de una marcada imitación francesa; vale la pena echar un vistazo a edificio de la estación ferroviaria con plaza delantera presidida desde 1940 por una espectacular y escultórica fuente del sueco Carl Milles. Un agradable rincón por su reconstruido ambiente, su luz de gas, sus buenos restaurantes y sus terrazas es la "Gaslight Square". Se cena igualmente bien en el "St. Louis Club", desde el que se divisa magníficamente la ciudad, o en el "River Queen" –barco típico de ruedas– (12).

La vida musical es activa en St. Louis, a base de una notable orquesta sinfónica, una temporada invernal de ópera y otra veraniega en el anfiteatro "Muny". Además de contar con el cuartel general de la poderosa Empresa de productos químicos "Monsanto", florecen en St. Louis los tradicionales molinos harineros y las fábricas, primero, de coches o carretas, más tarde, de vagones ferroviarios, que hicieron posibles las expediciones que se desperdigaron por el país rumbo al Oeste, y se cuentan las de utensilios de cocina esmaltados, pinturas, sombreros, cerveza, aviones y otra serie de productos que promueven el bienestar económico en la región.

PRESENCIA ESPAÑOLA

a) EN MISSOURI Y, CONCRETAMENTE, EN ST. LOUIS

La organización del Gobierno de los territorios españoles de la Alta Luisiana se configuró así: el capitán general, con sede en La Habana, constituía la máxima autoridad y de él dependía el gobernador de Nueva Orleáns, con mando específico en toda la demarcación. Para ocuparse más de cerca de la Alta Luisiana, y en forma delegada, un teniente gobernador residía en San Luis y tenía, a su vez, a sus órdenes varios comandantes, diseminados en diferentes puestos; sólo tres de entre ellos recibían pago por sus servicios, a saber: los de Santa Genoveva (Ste. Geneviève), Nuevo Borbón (New Bourbon) y Cabo Girardeau (Cape Girardeau). He aquí los tenientes gobernadores de San Luis que se sucedieron: en 1770, D. Pedro Piernas; 1775, D. Francisco Cruzat; 1778, D. Fernando de Leyba; 1780, D. Francisco Cruzat; 1787, D. Manuel Pérez; 1792, D. Zenón Trudeau, y 1779, D. Carlos Dehault De Lassus. Algunos de ellos eran de origen francés y más de uno de los españoles se hallaba casado con francesa (13).

Se inició la vida de St. Louis en el año 1764. Correspondió su paternidad a dos franceses, Pierre Laclede y su joven protegido Auguste Chouteau. Con el permiso del comandante francés de Nueva Orleáns, M. D'Abbadie, partieron con un grupo de colonos, en agosto de 1763, río arriba, y después de exploraciones preliminares, comenzaro a preparar el terreno para su fundación el 14 de febrero siguiente. No realizóse hasta abril la asignación de los lotes a repartir y el bautizo de la ciudad con el nombre del santo patrón del reinante monarca Luis XV (14), última conexión que fue olvidada con el tiempo, para perdurar la referente al Rey Cruzado; en cambio, una imponente estatua del cual cabalga sobre Forest Park, en frente al City Art Museum. Lo más curioso del caso es que si se recuerda la fecha en que Francia cedió a España la Luisiana y, por tanto, las tierras de que nos ocupamos al presente, tal fundación tuvo lugar en época española, por lo que no es forzado reclamar para el período español la inclusión del nacimiento de St. Louis.

Los ciudadanos de ésta se enorgullecen de haber tenido tres banderas –la francesa, la española y la norteamericana–; pero la primera estuvo tan sólo arbolada, sin derecho, hasta la toma de posesión por España de la ciudad y un día más, el que transcurrió desde la descensión de la bandera española y el izamiento de la francesa, cuando la transferencia del dominio de la Alta Luisiana a Norteamérica, a raíz de la famosa compra de Jefferson. Hay que reconocer, sin embargo, que aunque el mando francés "de facto" no pasó de los siempre difíciles días fundacionales y el progreso de la ciudad fue obra, en gran parte, del buen Gobierno español –unánimemente reputado–, la población se compuso casi siempre con exclusividad de franceses, y los ciudadanos más sobresalientes y emprendedores procedieron de aquel origen, comunicando así a la nueva urbe –con sus costumbres, carácter e incluso lengua– un aire francés del que en nuestros días sus hijos se vanaglorian.

Estos sentimientos se han hecho evidentes con las numerosas celebraciones acaecidas en el curso del año 1964, al conmemorarse los dos siglos de existencia, y con ocasión de la inauguración del Pabellón español. Junto al homenaje de cuantos colaboraron por la grandeza cívica, los recuerdos hacia Francia y España en la primera oportunidad citada fueron muy expresivos: en lo que se refiere a nuestro país, culminaron –con calles engalanadas– en un relevante acontecimiento social, al que concurrieron ostentando la representación oficial el cónsul general de España en Chicago, Carlos Villanueva, y elementos españoles de la Feria de Nueva York –incluido un cocinero– con su comisario, Miguel García de Sáez, al frente. Contrasta tan abierta actitud con el inexplicable silencio respecto a los cuarenta años de presencia de España en la ciudad, que es achacable a los folletos de propaganda impresos con ocasión del centenario.

Con la desaparición de Francia de la Luisiana y su sustitución por Inglaterra en la orilla izquierda del Mississippi, se produjo un fenómeno en nuestro sector: paralelamente a la marcha de las autoridades francesas, comenzaron a llegar en cantidades considerables colonos de dicha nacionalidad que deseaban establecerse en los nuevos dominios españoles. Y es que en éstos gobernaban gentes latinas y católicas, en contraposición con el Gobierno anglosajón y protestante en la otra orilla, que puso en zozobra a los galos del territorio. Así se originó una benéfica colaboración entre los gobernantes españoles y sus súbditos franceses, que redundó en el progreso de la región y en la fundamentación de las bases de la prosperidad que con el correr de los lustros alcanzarían Missouri y otros Estados vecinos (15). Muestra de esta armonía hispano-gala es el siguiente sucedido: cuando los británicos aparecieron, en otoño de 1765, a tomar posesión del fuerte Chartres –situado en frente de San Luis, en la otra orilla del río–, su comandante, M. Saint-Ange de Bellerive, se refugió en San Luis, de cuya plaza fue nombrado jefe hasta ser sucedido por el teniente-gobernador, D. Pedro Piernas, en 1770 (16).

St. Louis, conocida también por el nombre de "Paincourt", a causa de la escasez de pan a que por tiempos estuvo sometida, tenía al otro lado del río el establecimiento inglés de Cahokia, o Kaó (17). En éste habitaba el padre Luc Callet, quien en los primeros días fundacionales de San Luis atravesaba el Mississippi para administrar auxilios espirituales a los colonos desprovistos de cura permanente. A su muerte sería el padre Pierre Gibault, vecino de Kaskasia –en la otra ribera, más al Sur–, quien visitaría periódicamente a sus abandonados feligreses. La primera iglesia de la ciudad –modesto edificio de madera– sería bendecida por él en junio de 1770, en presencia del nuevo teniente-gobernador (18). El padre Gibault tendría en los años posteriores una valiosa participación en la lucha por la independencia norteamericana, y cuando Clark conquistó Kaskasia y le dio las seguridades de que bajo el nuevo régimen los católicos gozarían de plena libertad en su religión, se convirtió en un entusiasta colaborador de Clark y tuvo una decisiva intervención –gracias a su influencia sobre la población francesa– en la toma de Vincennes, en 1779. Esta activa participación en la contienda le granjeó el odio inglés, y, de no haberse refugiado en territorio español, mal lo hubiera pasado (19).

El padre capuchino Valentine Neufchateau vivió tres años en San Luis, pero es su hermano en religión, fray Bernardo de Limpach, quien debe ser considerado como el primer pastor de la población de St. Louis, al haber sido formalmente instalado, el 19 de mayo de 1776, por el teniente-gobernador D. Francisco Cruzat, cargo en el que permaneció hasta 1789, dos años antes de su muerte. Una temporada se quedó de nuevo St. Louis sin cura residente, recibiendo periódicas visitas, entre otros, del irlandés padre James Maxwell, procedente del Colegio de los irlandeses de Salamanca, y persona que pronto se hizo querer de todos. Cuando la cesión a Norteamérica, Maxwell fue el único sacerdote que se quedó, por lo que sirvió de fundamental vínculo entre el antiguo y el nuevo régimen (20).

Es curioso el informe de D. Pedro Piernas al gobernador O'Reilly de fecha 31 de octubre de 1769 sobre la tierra y el puesto a que había sido enviado: "El país de Ylinoeses es –dice– en general sano y fértil; su clima, delicioso y apto para toda clase de plantas, frutas y granos. En partes es montañoso y en otras al nivel... El territorio abunda en caza..." (antes había tenido problemas con los hielos, al remontar el río); estima la situación de San Luis alta y agradable, construida sobre rocas, por lo que no hay peligro de inundación (21). Como ya hemos comentado anteriormente, los españoles denominaban a esta región Ylinois y, algunas veces, Ylinoa o distrito de los Ylinenses (22).

El teniente-gobernador Fernando de Leyba

De fecha 11 de julio de 1778 es la carta que dirige al gobernador Gálvez don Fernando de Leyba dándole cuenta de su toma de posesión como comandante, al coronar noventa y tres días de viaje. Durante su gobierno, hasta su muerte, en San Luis, el 28 de junio de 1780 (fue enterrado en la iglesia), tuvo una actuación clave en años cruciales para la revolución norteamericana (23). A Leyba acudió frecuentemente Clark desde la otra orilla en demanda de dinero, armas y ropa para sus necesitadas tropas, y a su protección hubo de ampararse en más de una apurada ocasión. A las razones guerreras de estos contactos hay que añadir el amor que despertó en Clark la hermana del gobernador, Teresa de Leyba, la cual ingresó en un convento de monjas ursulinas en Nueva Orleáns a raíz del prematuro fallecimiento de don Fernando y de su esposa. Conocedor de la ruina en que había quedado la familia de Leyba, a causa de la depreciación de los vales del Estado de Virginia suscritos por el gobernador, Clark solicitó a Teresa en matrimonio (la había salvado de un incendio en el convento); ella declinó por haber emitido ya sus votos religiosos. En este romance de la vida real se aprecia gran paralelismo con "Evangelina", el relato acadiano de Longfellow (24).

Poca gente para mientes, por otra parte, en que una de las batallas de la revolución se libró en el Missouri español. Los ingleses, que deseaban recuperar los fuertes de Cahokia y Vincennes, conquistados por Clark, se prepararon en número de 300 para su captura y, como presupuesto, para la de San Luis, ayudados por 1.000 nativos aliados (25).

Sitio de la ciudad por los ingleses

Leyba tenía a su mando una pequeña guarnición, que pudo reforzar gracias a la ayuda de los indios amigos, y sólo dispuso de dos meses para prepararse contra la invasión procedente del Norte, que fuentes dignas de crédito anunciaban. El 17 de abril de 1780, el padre Bernardo de Limpach bendijo la colocació de la primera piedra del fuerte que Leyba ordenó construir en la loma cercana a la iglesia, dominando el río, y que recibió el nombre de San Carlos, en honor de S. M. Carlos III. Emplazó asimismo Leyba cinco cañones en puntos neurálgicos del perímetro de la ciudad. Cuando las fuerzas enemigas, al mando de Emanuel Hesse, aparecieron, sorprendieron en los campos cercanos a varios desgraciados, que perecieron en sus manos. A la una de la tarde del 26 de mayo, 650 indios se lanzaron al ataque, siendo rechazados por la guarnición española, compuesta por 25 soldados y 289 civiles. Dos horas de lucha bastaron para que se decidieran a renunciar a sus intentos y a retirarse, después de martirizar 32 prisioneros (26). Una roca, instalada en el "Spanish International Pavilion", ostenta una inscripción en bronce que dice: "En memoria del fuerte de San Carlos" que aquí fue construido por el comandante Leyba y sus soldados españoles, que derrotaron al Ejército inglés y defendieron así la permanencia de la revolución americana".

Por culpa de esta victoria, los ingleses se quedaron sin dominar el valle del Mississippi y realizar la operación envolvente, desde el Oeste, de las Colonias sublevadas, según su estrategia había planeado. Con esta derrota y la anterior en Vincennes, la guerra en el Oeste quedó perdida para ellos mucho antes de que la Paz de París pusiera fin formal a la lucha (27). Cantando tan señalada victoria, uno de los ciudadanos de St. Louis, Jean Baptiste Trudeau (propietario de una escuela desde 1774, en la que beneméritamente enseñó durante cincuenta años), escribió un poema titulado "Balada del año de la sorpresa" (28). Leyba fue ascendido a teniente coronel (29).

Está fechado en 1780 el valioso mapa de la ciudad de St. Louis hecho por Cruzat. En 1788, el teniente-gobernador D. Manuel Pérez propuso a Miró la reparación de las fortificaciones de San Luis y obtuvo la autorización (30). A Carondelet se deben las instrucciones recibidas por Carlos Howard de fecha 26 de noviembre de 1795 para organizar una expedición que defendiera la Alta Luisiana contra las incursiones procedentes del otro lado del Mississippi y reuniera, en su caso, las fuerzas españolas de San Luis y de los otros puestos dependientes (31).

Desarrollo del comercio

En 1793, el gobernador de Nueva Orleáns dio permiso a los comerciantes de San Luis para formar una única Compañía que explotara el comercio a lo largo del río Missouri: se denominó "Compañía de Exploradores del Alto Missouri" ("Company of Explorers of Upper Missouri"). La Compañía envió tres grandes expediciones de comercio y exploración desde San Luis: *1)*, en 1794, al mando de Jean Baptiste Trudeau, que resultó un desastre; *2)*, en 1795, sin éxito, por los ataques de los indios ponca, y *3)*, en 1796, al mando de James Mackay, pero que tampoco produjo resultados (32). Años más tarde, el galés John Evans, al servicio de dicha Compañía, remontaría el Missouri hasta sus fuentes, grabando el nombre de Carlos III en rocas y árboles para probar sus descubrimientos (33). Sería en 1808 el español Manuel Lisa quien pondría en marcha la "Missouri Fur Co.", que tantos éxitos cosecharía hasta 1820, fecha de su muerte (34).

Viaje de Pedro Vial desde Santa Fe

De 1792 es el Diario de Pedro Vial dando cuenta de su viaje desde Santa Fe a San Luis, por mandato del gobernador de Nuevo México, D. Fernando de la Concha, con José Vicente Villanueva y Vicente Espinosa. Esta es una de las relevantes hazañas de la época, por abrir unas posibilidades insospechadas en las comunicaciones entre tan distantes regiones. Estas noticias serían bien aprovechadas en el futuro por Zebulon Pike y cuantos le siguieron en la frecuentación del "Santa Fe Trail", o ruta de Santa Fe (35).

Los años subsiguientes a la independencia ya hemos visto que trajeron intranquilidad, desasosiego e incertidumbre al oeste de los Apalaches. Ello se reflejó en un aumento de la emigración hacia el oeste del Mississippi, que mayor hubiera sido de no requerir al principio las autoridades españolas la condición de catolicidad. En 1790, una afluencia de franceses se produjo por dos motivos: el fracaso de la colonización Barlow-Playfair en la región del Ohio y la huida del terror extendido en Francia a raíz de la revolución que llevaría a la guillotina a Luis XVI (36). El gobernador Carondelet autorizó en 1795 el establecimiento en territorio español de colonos norteamericanos sin distinción de fe. En 1796, el teniente-gobernador Trudeau informaba de la llegada diaria de familias de este origen. Puede calcularse que entre 1796 y 1804 se instalaron 5.000 de ellos. Según un informe de De Lassus, la población del Missouri español ascendía en 1799 a 8.000 almas (37).

Cesión de la Alta Luisiana

En el mes de febrero de 1804, una compañía norteamericana de infantería, al mando del capitán Amos Stoddard, se aposentó en Cahokia y cruzó posteriormente el río para disponer con la autoridad española los pormenores de la entrega de la Alta Luisiana a sus nuevos dueños. Traía Stoddard la representación de Francia y de los Estados Unidos. Todo marchó bien, excepto un penoso resfriado de D. Carlos Dehault De Lassus, que causó una demora en el día de la entrega. Por fin, el 9 de marzo la compañía de infantería se situó ante la casa del gobernador, en la calle Real. Gran muchedumbre se agolpaba, con lágrimas en los ojos, para presenciar el fin del paternal Gobierno cesante y para asustarse ante las inciertas perpectivas del nuevo régimen. La ceremonia consistió en la firma del acta de transmisión de dominio y en un discurso del español a sus queridos ciudadanos hispano-franceses y a los indios delawares, shawnees y sacs, de este tenor: "Vuestros antiguos padres, los españoles y los franceses, que dan la mano ahora a vuestro nuevo padre, los Estados Unidos, han renunciado a estas tierras por un acto de su buena voluntad y en virtud del último Tratado. El nuevo padre mantendrá y defenderá la tierra y protegerá a todos los blancos y pieles rojas que residan aquí. Viviréis tan felizmente como si los españoles estuvieran todavía...". La voz se le quebró en las últimas palabras, y a una señal convenida, los cañones del fuerte dispararon. La bandera española fue arriada. Izóse la francesa a continuación y, en lugar de ser descendida para dar paso a la de las estrellas y las franjas, permaneció durante el resto del día en el mástil, para complacer a ciertos elementos franceses; no se enarboló la norteamericana hasta el día siguiente. Así terminó oficialmente la presencia de España en Missouri (38).

b) EN EL NORTE DE ST LOUIS

St. Charles y los fuertes "Don Carlos"

Ha llegado el momento de salir de St. Louis y visitar los demás puestos fundados –y no fundados– por los españoles. Se sitúa al Norte –ciertamente, a no muy lejana distancia– el distrito de St. Charles. Su primitiva razón de ser radicaba en la necesidad de protección de St. Louis. Ya el gobernador Ulloa había impartido, el 7 de enero de 1767, instrucciones al capitán Francisco Rui para establecer dos fuertes en el río Missouri, justamente en su confluencia con el Mississippi. Rui cumplió la orden, pero las condiciones del lugar le movieron a reunir un consejo de guerra con sus subordinados, y el 2 de octubre de 1767 se decidió el envío de una consulta a Ulloa (39). No obstante, siguiendo las instrucciones, Rui llevó a cabo la misión encomendada, haciendo entrega, el 10 de marzo de 1769, al primer teniente-gobernador, D. Pedro Piernas, del fuerte de "Don Carlos, el Señor Príncipe de Asturias", y del fortín "Don Carlos Tercero el Rey", localizados, el primero, en el banco sur de la desembocadura del Missouri, y el segundo, en el Norte (40): se describen convenientemente en el acta de entrega y en el informe que el propio Francisco Rui hace al gobernador O'-Reilly con fecha 29 de octubre de 1769 (41).

Se fundó St. Charles en 1769 –en las márgenes del Missouri, río arriba, y en su sector de "Femme Osage", ruta 94–. Consiguió el pionero Daniel Boone 1.000 "arpents" de tierra, quien actuó como síndico, cargo oficial español, entre 1800 y 1804. La casa que se construyó allí con su hijo, de 1803 a 1810, y en que fue enterrado, se conserva (42). Hay también en St. Charles otras antiguas edificaciones. Vinieron a completar el sistema Portage de Sioux, en 1779, y La Charette, en 1797, y Côte Sans Dessein, en 1808, ya en época del dominio norteamericano (43).

San Fernando de Florissant

Al norte de St. Louis, pero en sus cercanías, y formando parte de su distrito, nació a la vida San Fernando de Florissant en 1786 (44). Esta es la fecha en que el primer comandante pasó a residir en tan fértil valle, en el que con anterioridad se habían ido estableciendo algunos colonos; correspondió a François Dunegant el nombramiento como autoridad civil y militar. Según consta en los archivos españoles de La Habana, se contaban ya en la época del censo de 1787 40 habitantes y siete plantaciones. El nombre –como es fácil de colegir– se debió al patronazgo espiritual que se atribuyó al santo rey de España, conquistador de Sevilla, y una iglesia en su honor se levantó en 1789. La existente en la actualidad –bajo la misma denominación– remplazó a la anterior en 1821, convirtiéndose así en la iglesia católica más antigua en la Alta Luisiana. Entre sus muros se enterró al padre J. Didier en 1790, quien mucho trabajó por la extensión del catolicismo en la región. En el vecino convento viviría entre 1819 y 1827 la madre Phillippine Duchesne, de la Orden del Sagrado Corazón –beatificada en 1940–, y en la iglesia sería ordenado sacerdote el padre De Smet, de gran influencia en los años posteriores. El altar mayor contiene una imagen de San Fernando (45). El baldío, cercano a la entrada principal, ha sido escenario de la instrucción militar a cargo de las tropas españolas. En los alrededores, y en la calle de St. Denis, se conserva todavía la casa de Eugenio Alvarez, de 1790, el único edificio superviviente de la época española, destinado a residencia del comandante (46).

Carondelet, hoy incluida en el sur de St. Louis, y nombrada así en homenaje al gobernador español, tuvo su origen urbano en 1767 como "Prairie à Catalan": conserva algunos edificios que datan de hace un siglo (47). Crève Coeur y Point Labadie completan los puetos que, con Florissant, formaban el distrito de San Luis (48).

c) EN EL SUR DE ST. LOUIS

Santa Genoveva

Podemos descender a los distritos del Sur por el río o tomando la carretera 61, que no es otra cosa que "El Camino Real", que unía a San Luis con Nuevo Madrid. El distrito de Ste. Geneviève (Santa Genoveva) comprendía, en primer lugar, esta localidad, situada aguas abajo del Mississippi, el más antiguo establecimiento permanente en las tierras de Missouri. Fundada en 1735, sirvió pronto de centro de reunión de los exploradores franceses de minas de plomo; los jesuitas de Kaskasia, poblado en la otra orilla del río, la hicieron objeto de periódicas visitas (49). Tanto para la fundación de St. Louis como para las distintas expediciones españolas con meta en aquella ciudad, Ste. Geneviève constituyó un punto obligado de descenso. El informe de Francisco Rui al gobernador O'Reilly de fecha 29 de octubre de 1769 califica a Santa Genoveva –por otro nombre, Misera– como el primer pueblo de los Ylinenses (50). Don Pedro Piernas lo describe en 1769 como habitado por unas 600 personas, contando los negros (un 10 por 100 tan sólo de blancos), y con casas esparcidas, dando a la población un aspecto de mayor tamaño que el real; detalla a varios de los ricos del lugar (51). En 1785 sufrió una grave inundación del Mississippi, y su habitantes –según el informe del gobernador Miró al conde de Gálvez, en La Habana, de 10 de julio de 1785– tuvieron que abandonar sus casas y perder todos sus enseres, refugiándose en una montaña cercana (52).

Se conservan todavía casas antiguas en la ciudad, tres, por lo menos, datando de época española: la "J. B. Valle House", de 1782 (con calabozos en sus sótanos); "Bolduc House", de 1770, y "Janis-Ziegler House", de 1790 (53). El ambiente de los edificios, de las calles y de las plazas ha mantenido en Ste. Geneviève el sabor de los tiempos antiguos: la campana de la parroquia situada en la plaza Du Bourg sigue tocando el "Angelus" a las seis, a las doce y a las dieciocho horas, las procesiones recorren las calles en las festividades religiosas, y en la Nochevieja las gentes se disfrazan y, cantando "La Guignolée", golpean las puertas de las casas en demanda de vino (54).

Nuevo Borbón y otros establecimientos

La ciudad de Mine à Breton pertenecía al distrito de Ste. Geneviève. Fue fundada por Francisco Azor como resultas del descubrimiento de una mina de plomo en 1773 (55). En 1797 se estableció allí, procedente de Virginia, Moses

Austin, quien mejoró el proceso de la fundición del mineral de plomo y obtuvo la concesión de una mina, construyó nuevos hornos y una torre en Herculaneum e intervino en el establecimiento de la ciudad de Potosí (56). New Bourbon, o Nuevo Borbón, surgió en 1793, y sus habitantes hicieron en noviembre de 1799 una colecta patriótica para ayudar al comandante español a sufragar los gastos militares ocasionados por la tensión existente con los Estados Unidos. También nació en época española St. Michaels, la luego Fredericktown (57). No lejos se halla la localidad por nombre De Soto (en San Luis, una calle honra el recuerdo de este conquistador).

Cabo Girardeau

El distrito de Cape Girardeau está ligado a la figura del canadiense Louis Lorimier, quien, al servicio de España, fundó su capital en 1793. El gobierno español le concedió exclusivos derechos de comercio con las tribus shawnee y delaware, residentes entre el Mississippi y el Arkansas (58). Por dicho lugar cruzaron los indios cherokees el Gran Río en su "Trail of Tears", o "Ruta de las lágrimas", cuando fueron sacados de sus tierras del Este y enviados a asentarse en el territorio de Oklahoma.

Nuevo Madrid

Más al Sur, siempre en el borde del río Mississippi, aparece anclada New Madrid, o Nuevo Madrid. Sus cimientos se deben, por concesión del representante español en Filadelfia, D. Diego Gardoqui, al grupo capitaneado por Jorge Morgan (14 de febrero de 1788) (59). Se cruzó una muy notable correspondencia de éste a Gardoqui y al gobernador Miró al respecto. Así, por ejemplo, en la carta fechada el 14 de abril de 1789, dirigida a Miró, incluye copia de otra de la misma fecha, firmada por varios de sus compañeros confundadores de Nuevo Madrid, dando cuenta de la elección del sitio a sus amigos de Fort Pitt (hoy Pittsburgh) y terminando con la afirmación de que todos gozaban de perfecta salud y se encontraban muy alentados con el descubrimiento de tan magníficos clima y territorio. Pedro Foucher fue nombrado el primer comandante de la nueva población, los habitantes de la cual, durante el período comprendido entre 1789 y 1796, firmaron una serie de juramentos de fidelidad al rey de España (60). Dicho comandante recibió al general norteamericano David Forman en 1790, quien informó: "Me dio una cena espléndida, al estilo español, con abundancia de buenos vienos y café sin crema." (61).

Siendo comandante de Nuevo Madrid, Louis Lorimier obligó, en 1794, a Montgomery, con una fuerza de 600 hombres, a abandonar el bloqueo del Mississippi, así como el fortín construido siguiendo las órdenes de Clark (62). Otro de los comandantes, Henri Peyroux de la Coudrenière, intervino activamente en 1803 en la captura de los famosos bandidos Mason y Harpe, cuyas fechorías les levaron a un desastroso fin (63). New Madrid pasaría por malos momentos cuando los terremotos de 1811 y 1812 sacudieron sus cimientos (64). Son a este respecto curiosas las noticias que proporciona sobre su vida y actividad, una vez repuesta de las terribles secuelas de aquellas conmociones naturales, el pastor protestante Timothy Flint, quien la visitó en los años veinte del siglo XIX. Es interesante su descripción del descenso en primavera de embarcaciones, sobrepasando el centenar, procedentes de Nueva York, Ohio, Kentucky, Tennessee, Illinois y Missouri (65).

NOMBRES ESPAÑOLES

Además de las localidades citadas, que tienen su origen en la época española por concesión del gobernador en Nueva Orleáns, existen en Missouri otra serie de ellas con vitola castellana, a saber: Alba, Amazonia, Aurora, Callao, Columbia, Concordia, Cuba, Delta, El Dorado Springs, Galena, Iberia, Lamar, Lamonte, La Plata, Laredo, Meta, México, Montserrat, Nevada, Polo, Potosí, Risco, Séneca, Spanish Lake, Isabella, Bolívar, Vista, Rollo, Brazito, Molino, Santa Fe, Florida, Chula, Santa Rosa, Salcedo, Terresita, Hércules, Avilla, Tunas, De Soto, Saco.

CAPITULO III

ARKANSAS, OKLAHOMA, KANSAS Y NEBRASKA

ARKANSAS, tierra de oportunidades

Derivado su nombre de una tribu de indios "arcansas", se sitúa el Estado de Arkansas –pronunciado sin razón aparente "Akansó" –entre Missouri, al Norte, y Luisiana, al Sur; Tennese y Mississippi, al Este, y Oklahoma y Texas, al Oeste. Su frontera oriental es el Gran Río, lo que ocasiona que buena parte de su territorio sea recorrido por los tributarios de aquél –St. Francis, White y Arkansas de Norte a Sur– y sea llano y de aluvión; en los sectores Norte y Oeste predominan las montañas Ozark, Boston y Ouachita, que otorgan una fisonomía completamente distinta al Estado (1). La capital, Little Rock –cuna del vencedor del Japón, general Douglas Mac Arthur– presume de poseer tres Capitolios, uno de los cuales, naturalmente, está sólo en uso para las funciones de gobierno. Se trata de una pequeña ciudad con tres puentes sobre el Arkansas, muy limpia por la ausencia de humo en sus aires, merced a la utilización del gas natural procedente de su región meridional de El Dorado (2). Little Rock ocupó los titulares de los diarios mundiales cuando la crisis racial de 1957, en que el presidente Eisenhower tuvo que enviar una división aerotransportada del ejército federal para forzar al gobernador del Estado Faubus a la admisión en la Central High School de dos niñas y tres niños negros (3).

Al sudeste de Little Rock, la ciudad de Stuttgart nos informa de su capacidad en la caza de los patos. La rodea una región llana, que fue en tiempos sede de extensas plantaciones de algodón; esquilmado el terreno primero y descubiertas después considerables aguas subterráneas, hoy está sembrada con feraces campos de arroz que, con el algodón, constituyen las fuentes de riqueza de Arkansas (4). Este Estado, que tomó decidida parte con los confederados en la guerra de Secesión, consiguió la admisión en la Unión el 15 de junio de 1836.

Al visitar Arkansas no debemos dejar de probar sus melones (produce unos tres millones al año), de recoger muérdago –de que es abundante– con los chiquillos para las fiestas de Navidad, de recordar sus producciones a comienzos de siglo de diamantes y perlas, de recorrer la pintoresca localidad de Eureka Springs, con todas sus calles empinadas y cuya iglesia católica tiene su entrada por el campanario; de asistir a algunas clases en la Universidad de Arkansas en la ciudad de Fayetteville, de bajar a sus minas de bauxita, y de recordar a Winthrop Rockefeller en su rancho de Petit Jean, dedicado a la cría de ganado Santa Gertrudis (5). Al partir, la bandera estatal –roja, blanca y azul– nos despedirá con sus tres estrellas –situadas debajo del nombre "Arkansas"–, una de las cuales recuerda a España, como nación que dominó su territorio (6). Nos llevamos tan emotivo recuerdo, junto con el de quien fue su senador en el Capitolio federal, William Fulbright, autor de la ley de su nombre, que ha servido –y sirve– para estrechar los lazos culturales entre los Estados Unidos y muchos países, uno de ellos España, merced a los profesores y alumnos de los respectivos países que han podido intercambiarse con los fondos provistos por aquella disposición legal.

PRESENCIA ESPAÑOLA

Hernando de Soto, el primer europeo

Hernando de Soto tuvo, con sus compañeros, la primacía europea en explorar Arkansas a fines de 1541 (7). Entrara en Arkansas bien por el emplazamiento de la ciudad de West Memphis, bien un poco más abajo en la confluencia del río St. Francis con el Mississippi, el hecho es que en la provincia de Pacaha encontró a su jefe en guerra con su vecino el cacique de Casqui (8). Consiguió reconciliarlos y les invitó a cenar; en agradecimiento, este último jefe le regaló su hija, en tanto que el antiguo rival le entregó dos hermanas, al decir de Elvas, con pechos opulentos (9). Prosiguió su marcha con rumbo que coincide más o menos con la carretera 70, pasando por paraje coincidente con la capital del Estado, hasta Hot Springs (10). Este punto, hoy sede de 300 hoteles, pensiones y casas termales que vierten por sus 47 manantiales un millón de galones de agua diarios (11), habría de ser considerado por Soto y los suyos lugar adecuado para invernar. En la aldea india de Autiamque se instalaron, y para los tres meses de su estancia en ella construyeron una alta empalizada en su derredor que les protegiera de los nativos que habían huido ante su presencia, dejando vacío el poblado; con los abundantes alimentos abandonados por éstos, con los conejos que podían cazar y con el fuego que encendían gracias a las maderas de los bosques cercanos, consiguieron sobrellevar el duro invierno y las copiosas nieves que cayeron. En marzo de 1542 se puso de nuevo en marcha la expedición y, pasando por las cercanías de las ciudades actuales de Arkadelphia y Camden, siguieron por el río Ouachita hasta su desembocadura en el Mississippi (12).

Algunos cerdos de la expedición quedaron atrás, y con el tiempo sus descendientes se hicieron salvajes todo el mundo los conoce bajo el nombre de "razorback hogs", y se han convertido en el símbolo legendario de Arkansas; se cuenta que, no obstante su gran tamaño, corren tan rápidos como un ciervo y pueden escurrirse por los desfiladeros de las montañas de siete centímetros de anchura. Todavía en muchos rincones de los Estados Unidos, cuando un ciudadano de

Arkansas aparece, se sigue el inevitable comentario al enterarse de su procedencia: "¡Arkansas, ah, el Estado de los «razorback hogs»!" (13).

GOBIERNO ESPAÑOL

a) *Arkansas Post*

Arkansas español estaba dividido en dos distritos: Arkansas Post y Esperanza, dependientes ambos del teniente gobernador de San Luis. Se conocen los nombres de algunos comandantes españoles de Arkansas Post: capitán chalmette, 1780; capitán Joseph Vallière, 1786-1790; Carlos Villemont, 1790-1801; Francisco Luengo, 1802-1803; Ignacio el Leno, 1803-1804 (14).

El pastor protestante Timothy Flint, cuando visitó Arkansas Post allá por el año 1820 y siguientes, junto a sus relatos sobre la llanura de sus alrededores, los defectos del Gobierno del recién creado territorio (funcionarios venales, influencias, etc.) y el carácter violento de sus habitantes, describió, aquella localidad, poblada entonces por 10.000 almas, y evoca los tiempos españoles, en los que las autoridades consistían en un comandante, un cura y un destacamento de soldados; relata también haber conocido a un anciano jefe indio Quawpaw, autor de una muy notable acción para con el jefe español. Ocurrió que un grupo de indios muskogees o creeks penetraron en Arkansas Post y, hallándolo desguarnecido en aquel momento, consiguieron raptar al hijo del comandante. Ante la angustia de éste al comprobar lo sucedido, el Quawpaw se prestó a recuperarle; siguió a los raptores y cuando les dio caza les envió un guerrero en desafío, según era costumbre entre dichas tribus al anunciar la guerra; los creeks, creyendo que se aproximaba un numeroso contingente hispanoindio, huyeron precipitadamente, abandonando todo, incluso el niño, que pudo retornar sano y salvo a sus agradecidos padres (15).

El Servicio de Parques Nacionales es responsable hoy del "Arkansas Post National Memorial". El terreno está muy cambiado con respecto a la época española; en realidad, la única estructura que se conserva de ela es un antiguo pozo, al que se ha enladrillado y cubierto con un tejado (16).

Este fuerte de Arkansas jugó un papel relevante durante la revolución norteamericana. Al depender de los gobernadores de Nueva Orleáns, éstos le hicieron participar desde un principio en su política de ayuda a los sublevados. Como consecuencia de las órdenes de Unzaga, recibió calurosamente a los agotados hombres de Linn, los llamados "corderos de Gibson", quienes, portadores de 9.000 libras de pólvora y otras vituallas, habían partido de aquel puerto entrado el invierno de 1777. En Arkansas Post pudieron recuperarse hasta la llegada de la primavera y partir, en suficientes condiciones físicas y con los pertrechos y alimentos proporcionados por los españoles, hacia Fort Pitt, protegidos por la prometida escolta militar al atravesar el país enemigo (17). También fue Arkansas Fort refugio de la expedición de Willing cuando, en enero de 1778, bajó por el Mississippi a bordo del navío "Rattletrap"; debido a las fechorías perpetradas por el grupo y al consiguiente soliviantamiento de los indios, un grupo de familias norteamericanas solicitaron a su comandante la protección del fuerte (18).

En la cercana desembocadura del río White en el Mississippi, François D'Armond –con el permiso español– fundó en 1766 lo que con el tiempo se denominaría Montgomery's Landing, por haber pasado a propiedad del general de este nombre (19). En el sector sur del Estado, por el que Soto salió, se instalaron, doscientos cincuenta años más tarde, colonias autorizadas por el gobernador español Carondelet; así, el 20 de junio de 1797 dio licencia al marqués de la Maison Rouge para traer 30 familias, que se agruparían en un área de 133.165 acres, que constituyeron la antigua localidad de Ecore Fabre, hoy Camden. Por otra parte, el barón de Bastrop consiguió aquiescencia en 1795 del mismo Carondelet para poblar en el presente condado de Ouachita 640.000 acres con 500 familias, a extenderse en el Bayou de Lair y Bayou Bartholomew, en los alrededores de la línea fronteriza con Luisiana (20). En este Estado –y no lejos de aquélla– existe hoy una localidad denominada Bastrop y otra cercana por nombre Bonita.

b) *Esperanza*

El distrito Esperanza o Hopefield tenía su cabeza en el emplazamiento de West Memphis, en las márgenes del Mississippi. De él dependerían los establecimientos que a lo largo del recorrido superior de los ríos White y Arkansas, se fijarían en torno a los terrenos de la ciudad de Dardanelle (21). Río Mississippi arriba y en el rincón Nordeste, Blytheville, centro de la región algodonera número uno del Estado, nos ofrece la mayor proporción en él de población negra que alcanza en Arkansas el 25 por 100, como término medio, de la total (22). No lejos de esta región, el condado de Lawrence nos trae también recuerdos de fundaciones españolas. Inmigrantes franceses –portadores de concesión real– se instalaron en 1766 en Lauratown bajo la dirección de Antoine Vincents, Le Bass, Le Mieux y Peter Guignolett. Le Mieux se halla representado todavía en el condado y lo mismo Guignolett en Portia. Hace pocos años se desenterraron en un campo arado de Lauratown 400 dólares españoles en monedas. Se tienen noticias de que en estos asentamientos y en los otros españoles en los contornos del Estado figuraban familias por nombre Winter, Stilwell, Philips, Hew, Scull..., cuyos descendientes sobreviven. Todas estas concesiones realizadas válidamente, según la ley española, han sido admitidas, no obstante el tiempo transcurrido, en sentencias de los Tribunales de los Estados Unidos, y algunas de las cuales han tenido lugar en el presente siglo (23).

NOMBRES ESPAÑOLES

En Arkansas existen tres condados con nombres españoles: Columbia, Nevada y Sebastian, y las siguientes localidades: Alma, Alpena, Cerrogordo, Columbus, El Dorado, Lavaca, Lepanto, Manila, Marianna, Mena, Ola, Magnolia, Casa, Havana, Lamar, Moro, Salado y Minorca.

OKLAHOMA, sede de las Cinco Tribus Civilizadas

Oklahoma significa "pueblo rojo", de aquí la elección de este nombre cuando se buscó un hogar para las tribus de indios o pieles rojas desplazadas del este y del sur del país. A raíz de la derrota del jefe seminola Assunwha en 1843, el Congreso de los Estados Unidos ordenó la deportación paulatina, aunque masiva, de las llamadas Cinco Tribus Civilizadas: choctaws, chickasaws, cherokees, creeks y seminolas, a una apartada –entonces– región, en la que, concentradas, dejaran de ser un problema al expansionismo de los blancos rectores de la nueva nación (24). Es curioso que en esa solución de constituir un territorio o Estado especial haya barajado como una de las favoritas del candente problema negro; los mismos "black muslims" abogan por ella, desde el momento en que proporcionaría la oportunidad a los hombres de color a desarrollarse sin tenerse que mezclar con los blancos, de acuerdo con uno de los postulados de dicha secta negro-musulmana.

En grupos formados por varios centenares, por vía terrestre y remontando ríos, fueron arribando a su nueva tierra, en este caso no ciertamente de promisión. Tribus acostumbradas a terrenos pantanosos, plenos de vegetación y de humedad, se vieron confinadas a una región desértica dominada por el polvo. Los sufrimientos que tuvieron que afrontar tanto en el camino –se denominó "ruta de las lágrimas" –como al establecerse, son de dominio popular, y las reservas en que se organizaron, si en su comienzo fueron extensas, viéronse reducidas paulatinamente cuando los blancos tambien allí empezaron a presionar; de los 137 millones de acres que ocupaban en 1887, hoy no alcanzan los 53. La mayoría de dichas reservas supervivientes son pobres, y con la excepción del caso de los indios osages, que se encontraron poseedores de valiosos yacimientos de petróleo, no han progresado mucho desde el aposentamiento de los antepasados de sus actuales habitantes. Y es que en el 1889 el Congreso abrió el territorio indio a la colonización de los blancos, y hasta el 16 de noviembre de 1907 no le concedería la categoría de Estado en paridad de derechos con los demás de la Unión (25).

Estos indios son administrados por la Oficina de Asuntos Indígenas del Ministerio del Interior en Washington, y notables esfuerzos se realizan por mejorar su suerte. Es verdad que mientras permanezcan en esa situación no tienen derecho a voto, pero no lo es menos que son libres de salir de las reservas y participar activamente en la vida nacional. El problema es el nivel de sus condiciones para competir. Es un hecho comprobado que mientras al norteamericano anglosajón de hoy no le agrada normalmente la posibilidad de entremezclar su sangre con el negro, se siente casi orgulloso cuando entre sus antepasados aparece un creek o seminola. Muchos choctaws viven en el sector Kiamichi, y las ciudades de Shawnee, Muskogee y Okmulgee denotan su origen indio. Un fenómeno de ahora es el crecimiento de su población, en lugar de decrecer como antaño. El fin de las exterminadoras guerras y los progresos en su higiene son los factores favorables para ello. En el último medio siglo han aumentado en 120.000 almas (26).

No han olvidado estas tribus las amistosas relaciones que mantuvieron en tiempos con España. Vimos la gestiones de los semínolas (al tratar de Florida).

En cuanto a los cherokees, recordaremos que en noviembre de 1966 el jefe de la tribu nombró "Gran Jefe Mata-Toro" al Embajador Merry del Val quien recibió en Washington los atributos correspondientes a su nueva jerarquía. Pocos meses después, en marzo de 1967, los indios creeks enviaron a Franco, mediante un delegado, una auténtica pipa de la paz y un mensaje de salutación, invitándole a visitarles en Oklahoma.

Oklahoma es conocida también fuera de sus límites por los pegadizos compases de la comedia musical que lleva su nombre (Premio Pulitzer, 1944), basada en la comedia "Green, grow the lilacs" ("Las lilas crecen verdes"), del nativo Lynn Riggs (27). Las torres de sus campos petrolíferos la han traído, por otra parte, al primer plano de la economía del país, torres que en el Oeste no se habían visto desde California. El descubrimiento del oro líquido revolucionó la vida agrícola y ganadera del estado, y el petróleo paga la mitad de los impuestos (28). Por todas partes comenzaron a elevarse los "derricks" extractores, y hasta en el Capitolio de Oklahoma City existe –cosa excepcional, en verdad– instalado uno (29). La capital tiene, sin embargo, un aire tranquilo y más provincial que la otra gran ciudad, Tulsa, en la que tienen el domicilio unas 700 Compañías relacionadas en mayor o menor medida con la industria del petróleo. En ésta sobresalen los nombres de Skelly –"Mr. Tulsa"–, Frank Phillips, Waite Philips, Thomas Gilcrease, William B. Skirvin: con la vida de cada uno de ellos podría escribirse una novela (30).

Casi todos los mencionados millonarios han invertido cuantiosas sumas en Instituciones o Fundaciones culturales. Así, en Tulsa, la University of Tulsa, el Philbrook Art Center, que entre otros cuadros, guarda uno precioso de Murillo, "La Virgen y el Niño", y la Gilcrease Foundation, para las artes indias; y en Bartlesville, el Museo Woolaroc (contracción de "woods" –bosques–, "lakes" –lagos– y "rocks" –rocas–), ahijado de la Phillips Petroleum Co., y dedicado a la Historia del sudoeste norteamericano (su sala 5.ª cuelga retratos, entre otros, de Colón, Coronado y Soto). Heredera de su padre, Skirvin y de su marido, fue Perle S. Mesta, ministro que fue de Estados Unidos en Luxemburgo, prominente dama de la sociedad washingtoniana e inspiradora de la comedia musical "Call me Madam" (31). Otras notables instituciones promotoras del saber son Langston University, en Langston; Oklahoma Baptist University, en Shawnee; Oklahoma City University, en Oklahoma City; Oklahoma State University, en Stillwater; Phillips University, en Enid, y University of Oklahoma, en Norman, ésta con magníficas Facultades de Geología e Ingeniería del Petróleo y con una editorial que ha impreso obras fundamentales sobre la presencia de España en Norteamérica (32).

Oklahoma, limitada prácticamente por Arkansas al Este, a través de la cadena montañosa de los Ozark; al Sur y al Oeste, y por Kansas, al Norte, tiene también llana una gran porción de su superficie, que la convierte en uno de los graneros del país, después de Kansas y North Dakota. De aquí el papel que el granjero juega y que comparte con el ganadero. No extrañará, así, que el propietario de uno de los mayores ranchos, Roy Turner, se convirtiera en una de las personalidades políticas sobresalientes en el Estado, cuya gobernación ostentó varios años (la autopista entre Tulsa y Oklahoma City lleva su nombre). Los caballos "palominos" –se conserva la expresión–, el ganado vacuno Hereford e incluso los cerdos, o "razorback hogs", que hemos visto en Arkansas, tienen tanta relevancia e influencia como las bombas extractoras del petróleo (33).

PRESENCIA ESPAÑOLA

Coronado inauguró, entre los blancos, las tierras de Oklahoma, en 1541, las del "llano estacado", que se alargan en su "panhandle", o mango, que introduce entre Texas y Kansas. En su viaje de regreso atravesó Oklahoma por un paraje situado entre Ponca City y Bartlesville (34). A partir de él, casi todas las expediciones españolas que se dirigieron a Kansas o Nebraska tuvieron a Oklahoma por paso obligado. Fray Juan de Padilla y sus acompañantes, Oñate y los suyos, el gobernador Peñalosa, Pedro de Villazur, en pos de su trágica muerte, etc. El historiador Octavio Gil Munilla sostiene que Hernando de Soto arribó a sus contornos en 1542, y esta es la creencia existente en el Estado (35). En Oklahoma finiquitó la desastrosa jornada de Francisco Leyva de Bonilla y Antonio Gutiérrez de Humaña, que perecieron a manos de los indios (36). Los españoles controlaron esta parte del país hasta la cesión de Luisiana, en 1803, y aportaron a su progreso el caballo y la oveja, cuya lana comenzó a ser utilizada por los indios navajos para sus apreciados tejidos y mantas, entre las que destacan las denominadas "Bayetas" (37).

NOMBRES ESPAÑOLES

Guardan nombres españoles los condados de Alfalfa y Cimarrón, las localidades de Alfalfa, Calera, Camargo, Carmen, Concho, Eldorado, El Reno, Panamá, Ramona, Vinita, Optima, Cestos, Fonda, Santa Fe, Salinas, Clarita, Blanco, Lamar, Isabella, Castaneda, Terral y Loco, y los ríos de vario caudal, Cimarrón (río de los Carneros Cimarrón), Verdigris, Aqua Frío Creek, Palo Duro Creek, Carrizozo Creek, Gallinas Creek y Cieneguilla del burro.

KANSAS, el granero del país

Al ascender desde Oklahoma a Kansas, seguimos la ruta de D. Francisco Vázquez de Coronado, el primer occidental en avistar, en 1541, su vasta extensión. Así se reconoce en el mural pintado por el artista John Stewart Curry en el Capitolio de Topeka, la capital del Estado. Entramos de lleno en la región denominada, por unos, las Grandes Llanuras, y por otros, el Gran Desierto. En su informe al emperador Carlos V con fecha 20 de octubre de aquel año, el conquistador decía: "Viajé por cuarenta y dos días desde que dejé la fuerza (en Nuevo México), viviendo sólo de la carne de los bueyes y vacas que matábamos... y marchando muchos días sin agua y cocinando la carne con el excremento de las vacas, porque no hay en este país ninguna clase de madera, con la excepción de los ríos o de los arroyos, que son pocos" (38). Esta es la primera descripción que el mundo ha tenido de estas tierras extensas, planas, sometidas a las más extremas temperaturas (corto e intenso el verano, largo y agudo el frío invernal), y que se han convertido en el granero del país. El grado pluviométrico de este lado occidental de Kansas recorrido por Coronado es sumamente bajo. Aunque otra cosa es la región oriental del Estado, con algunas alturas, árboles y lluvias en cierta abundancia, lo cierto es que dos tercios de Kansas están sujetos a aquelas limitaciones de precipitaciones atmosféricas (39).

No aparecían muy cultivadas estas tierras cuando los españoles las pisaron. Constituían el dominio del búfalo, en las que el desaparecido animal campaba como amo indiscutible. Además, el viento soplaba –sopla– sin cortapisa alguna. Los pioneros que llegaron a ellas tardaron en darse cuenta de la riqueza de su suelo y de sus posibilidades cerealísticas; no era su culpa, sin embargo, que las continuas sequías, por un lado, y la devastadora invasión de la langosta en 1874, vinieran a descorazonar hasta a los más templados. Poco a poco la introducción de la maquinaria y la lucha contra la periódica escasez de agua acabaron por imponer el cultivo de los cereales y convertir a Kansas en el granero de los Estados Unidos. El solo produce la quinta parte del trigo del país. Períodos de sequedad se han sucedido, alternándose con otros de prosperidad (40).

Muchos ven el futuro inseguro por la esquilmación de las tierras, pero otros miran con confianza a los abonos químicos. Un gran problema de los Estados Unidos en los últimos tiempos ha sido el de evitar la demasiada producción y conseguir un precio conveniente para los granjeros a base de comprar el Gobierno los excedentes, acumulando así enormes cantidades de alimentos en depósito; gracias a ellos, el rico país ha podido venir en ayuda de otras zonas menos afortunadas del globo, en las que el hambre hace presa a la mayoría de sus habitantes. Con tan abundantes excedentes, la lucha mundial contra aquel azote tiene en los Estados Unidos un poderoso paladín. Por otra parte, las obras de contención y canalización de las aguas de los ríos de la región, como el Missouri, el Platte, etcétera, amén de evitar los frecuentes desastres producidos por sus inundaciones, proporcionan enormes ventajas a la agricultura. Debido a la Missouri Valley Authority (M. V. A.), al igual que la realizada por Roosevelt en el Tennessee, miles de granjas se aprovechan de su beneficios, al mismo tiempo que millones de kilovatios de energía eléctrica han venido a ponerse a disposición de las industrias. Paralelamente a todos estos adelantos, y gracias a la creciente mecanización, la población agrícola en Kansas está disminuyendo en forma constante, dirigiéndose así hacia la industria una serie de nuevas energías humanas (41).

Kansas, que ingresó como Estado el 29 de enero de 1861, padeció en 1855 un anuncio de lo que sería años más tarde la guerra civil, cuando John Brown, habitante del Estado de Nueva York, pisó el entonces territorio, impulsado por las noticias recibidas de sus cinco hijos, trabajadores en él, acerca de los abusos cometidos por los blancos con los esclavos. Sangrienta lucha se entabló entre ambos bandos, granjas ardieron y ciudades fueron saqueadas por los contendientes. El presidente Buchanan ofreció un premio por la captura de Brown, quien en 1859 fue apresado en Harper's Ferry (Maryland) y ahorcado por su traición (42).

Un cierto espíritu religioso vióse mezclado en estas luchas, espíritu que todavía se conserva en el relevante papel que juegan las iglesias en la vida de Kansas de hoy. Otra manifestación del mismo espíritu es la figura de la campeona de la lucha contra el alcoholismo, Carry Nation. Desde 1889, en que a la edad de cuarenta y tres años se mudó a la ciudad de Medicine Lodge con su marido, ministro protestante, hasta 1911, en que murió, su actitud violenta consiguió la clausura de los salones y tabernas, en que los borrachos perdían la salud y su dinero. Influiría decisivamente en la promulgación de la ley seca federal, no sin haber permanecido en la cárcel numerosas veces, de haber sido golpeada y de haber participado en campañas, no siempre exentas de ridículo (43).

La capital de Kansas es Topeka, sede de un renombrado centro de entrenamiento psiquiátrico, la "Menninger Foundation" (44). En su Capitolio, el artista John Stewart Curry pintó un mural en el que figura Coronado como el primer blanco que pisó Kansas (45). Este Estado, que tiene por flor representativa el girasol, constituye el centro geográfico de la Unión, y en las cercanías de su frontera Norte existe un nomumento indicador (46). La Washburn University tiene su "campus" en la capital, en tanto que la Baker University, en la ciudad de Baldwin; la Kansas State University, en Manhattan; la Ottawa University, en Ottawa; la University de Kansas, en Lawrence; la Kansas University, en Salina, y la Universidad de Wichita, en la ciudad de este nombre. No escasean, pues, en el Estado instituciones de enseñanzas superior, sobre todo en proporción a su población de 2.178.000 habitantes, según el censo de 1960.

Wichita, la ciudad más populosa, y anteriormente centro ganadero, es hoy un emporio agrícola y asiento de una serie de industrias, especialmente la aeronáutica, que le convierte en uno de los principales núcleos del país. Le sigue en relevancia Kansas City, en la confluencia del Missouri y el Kansas, con el mayor elevador de granos conocido, y con gran actividad en el comercio de granos y carnes. En Abilene, en la carretera 40, que cruza de Este a Oeste los Estados Unidos, y entre Juntion City y Salina, se crió Dwight E. Eisenhower hasta su ingreso en la Academia Militar. En su área se asienta hoy el Eisenhower Museum (47), en cuyo jardín ha sido enterrado el vencedor de la Segunda Guerra Mundial.

PRESENCIA ESPAÑOLA

Vázquez de Coronado, "Don Quijote de América"

El sector oriental de Kansas difiere de la descripción del resto, anteriormente ofrecida. También a Coronado debemos su descripción primera: "... esta provincia de Quivira... a 950 leguas de México... es la mejor que he visto para producir todos los productos de España, porque, además de ser el campo muy negro y rico, está bien regado por arroyuelos, manantiales y ríos, y encontré en él ciruelas como las de España, y nueces y muy dulces uvas y moras" (38). Y como complemento, conejos, que, marchando al paso del caballo, eran fácilmente lanceables desde la silla. Junto a todo ello, indios que comían carne cruda –de lobo, a menudo–, que llevaban una tripa de vaca fresca alrededor del cuello, de la que, cuando sedientos, bebían sangre y jugo estomacal, y que afilaban pequeños cuchillos de pedernal en sus propios dientes. Constituía todo esto un ambiente miserable, en comparación con el cuadro que el indio apodado "el Turco" les había pintado en Nuevo México (49). La Quivira sospechada era otra cosa muy diferente, y Vázquez de Coronado –"Don Quijote de América" en la pluma de Donald Culross Peattie– (50), que se había entregado, lanza en ristre, en las llanuras de Kansas, en pos del oro de la soñada Quivira, se encontró al aproximarse a ella que se trataba tan sólo del sol de las grandes planicies, que, pasando el tiempo, se reflejaría en los campos, amarillos por el trigo, aun cuando no por el rey de los metales (51). No había riquezas, ni minerales nobles como en Perú o México, ni perlas en abundancia. El sueño de una noche de veranos se rompió de pronto, y don Francisco hubo de volverse, moribundo, a la Nueva España, derrotado en su empresa (52).

No se muestran los historiadores concordes en el emplazamiento de Quivira: unos la sitúan en el paralelo 40° latitud Norte, otros en el 39° entre el río Arkansas, en Great Bend, y la confluencia de los ríos Republican y Kansas, o mejor, entre Salina y Junction City (53). Fue aproximadamente en este punto en donde "el Turco" pereció ahorcado por traidor (54). Coronado y los suyos habían entrado en el Estado procedentes de Oklahoma, y llegados el día de San Pedro y San Pablo de 1541 (29 de junio) al río más ancho hallado en toda su expedición: el Arkansas, al que denominaron por los santos del día (55). El punto debió coincidir aproximadamente con Spearville (56). (No lejos de ella, Dodge City, en tiempos localidad ganadera famosa del Oeste y hoy gran centro triguero, se enorgullece de una iglesia católica dedicada al Sagrado Corazón, construida en 1915 en el estilo de las Misiones españolas de California [57].) Los expedicionarios continuaron su camino en dirección Nordeste hasta la actual Lyons, en el condado de Rice (58), (en la que se ha encontrado recientemente la armadura de un conquistador). Más tarde atravesaron el Smoky Hill River, alcanzando primero Quivira, y después un poblado indio en el río Republican, cerca de Belleville. No parece por ello muy probable que refleje la realidad del monumento erigido en Junction City por la "Quivira Historical Society", que marca el punto septentrional y oriental extremo del viaje de Coronado. Una gran colina al sudoeste de Salina se denomina "Coronado Heights" y se asegura que el conquistador subió a ella para divisar desde allí el gran valle y la aldea india de Quivira (59).

Fray Juan de Padilla, el protomártir

Con el capitán español participó en la expedición el franciscano fray Juan de Padilla, y durante su estancia en Quivira plantó una cruz de madera en la calle principal del poblado, ayudado por los indios locales, muy receptivos a la evangelización (60).

Después de que el grupo regresó a Nuevo México en abril de 1542, fray Juan de Padilla predicó un sermón en la misa de campaña que ofició días antes de la partida del ejército para Nueva España. En él comentó las Sagradas Escrituras y la obligación que por ellas él tenía de quedarse para evangelizar a los indios, así lo hizo, y vio marchar a sus compatrioras rumbo al Sur (61); con él permanecieron el hermano lego fray Luis de Escalona y los oblatos Lucas y Sebastián, a los que se unieron el soldado Andrés Do Campo, un negro libre y un indio mexicano. El general les dejó un caballo, mulas y ovejas (62). Fray Luis restó en Nuevo México con su criado negro Cristóbal, y los demás pusieron rumbo al Norte. Al aproximarse a Quivira tuvieron la alegría de encontrar la cruz plantada meses antes: el hallazgo era buen síntoma de la disposición favorable al cristianismo de los indios locales, los pawnees (63). Cercana a ellos, acampaba otra tribu de los indios guas, traicioneros y rivales de los primeros; advertido Padilla del peligro no quiso renunciar a su conversión. Entre las varias teorías emitidas sobre la muerte del padre, la de mayor veracidad, tomada de la declaración de Do Campo, es la de que fray Juan se adentró en el peligroso poblado, ordenando a sus compañeros aguardaran fuera. Presenciaron éstos cómo avanzó el misionero ante los hostiles indios, cómo se arrodilló para rezar por su conversión y cómo cayó muerto atravesado por las numerosas flechas que le dispararon (64).

Las ciudades de Council Grove y Herington, a 45 kilómetros de distancia entre sí, reclaman el honor de ser escena del primer martirio acaecido en el territorio de los Estados Unidos. Fray Juan de Padilla ostenta con justicia el título de protomártir de la causa cristiana en Norteamérica. La "Quivira Historical Society" ha erigido un monumento en Herington, marcando el lugar de su muerte; el obelisco contiene la siguiente inscripción: "Quivira. Juan de Padilla. Martyr for the Faith yielded his life here in 1542. Coronado 1541 –J. V. Brower 1896. Erected by Robert Henderson, C. R. Schillin and Rev. J. F. Leary for Quivira Historycal Society, 1904. Kansas U. S. A.–. Hay quien sostiene que el monumento a Coronado en Council Grove tiene más visos como lugar de martirio: se sitúa en la cima de una colina y puede ser contemplado desde muchas millas al este y al oeste de la ciudad (65). En la dirección que sigue la carretera 56 que une a las localidades citadas, pasaba el "Santa Fe Trail", que tanta influencia tuvo en los tiempos posteriores al Gobierno español; por ello, en ese trayecto, ha sido erigido el monumento a la "Madonna of the Trail", en homenaje a la mujer norteamericana que, acompañando al varón, contribuyó en gran manera, con su sacrificio y su valor, a abrir a la colonización los extensos territorios del Oeste.

Do Campo, los oblatos y el indio obtuvieron permiso para recoger el cadáver de fray Juan y lo enterraron en cierto punto, que situaron mediante un mapa que levantaron. Viajaron después a México, en compañía de dos perros que les ayudaron a lo largo del camino en la caza de conejos. Con un grupo de padres franciscanos retornaron al cabo de varios meses al lugar del martirio, y gracias al mapa pudieron dar con el cuerpo incorrupto de fray Juan. Le colocaron en un ataúd y se lo llevaron a Nuevo México y lo sepultaron en la capilla de la pequeña Misión de Isleta, en la que, según la tradición, se produjeron con posterioridad hechos milagrosos. Los padres franciscanos repusieron en su puesto las piedras que, cubriendo la tumba de Fray Juan, les habían orientado en su búsqueda: dicho montón ha perdurado hasta nuestros días, fue objeto de piadosa visita en los tiempos de la "Ruta de Santa Fe" y hoy está cuidado por los ciudadanos de Council Grove que evitan la depredación que suelen cometer los cazadores de recuerdos (66).

Juan de Oñate en el Reino de Quivira

En 1594, *Francisco Leyva de Bonilla* y *Antonio Gutiérrez de Humaña* se aventuraron en las tierras de Kansas allende el río Arkansas; se dirigieron hacia el Norte durante doce días y alcanzaron otro río (¿quizá el Republican?). En su camino de regreso, fueron asesinados por los indios (67). Estas noticias las lograron a los pocos años *D. Juan de Oñate* y sus compañeros de expedición, quienes, partidos de Nuevo México a fines de septiembre de 1601, deambularon por el Reino de Quivira durante dos meses. Ninguna novedad trajeron consigo de vuelta, excepto una sangrienta batalla que tuvieron que librar con unas tribus indias y las renovadas afirmaciones de un prisionero tomado, Miguel, de las fabulosas riquezas existentes más allá. Desengañados, no quisieron caer de nuevo en las falaces redes que la natural astucia de los nativos tendían a los ansiosos conquistadores, y se dirigieron al sudoeste. Aquí confirmaron la llaneza de la región en la que los carros se deslizaban fácilmente: con el tiempo esta indicación se demostraría muy útil (68).

Otras expediciones españolas

En 1706, ante la proximidad de los franceses provenientes de Canadá, *Juan Ulibarri* encabezó una expedición desde Santa Fe que alcanzó Kansas. En 1709, *el gobernador Valverde,* de Nuevo México, se dirigió a Quivira con fuerza armada de cierta consideración, pero no continuó más que hasta el norte del río Arkansas. En 1720, *D. Pedro de Villazur* pasaría por la región con otro grupo de españoles con el mismo designio antifrancés; le esperaría la muerte en el Estado de Nebraska (69).

Cuando el norteamericano Zebulon Pike partió de St. Louis el 24 de junio de 1806, en su exploratoria marcha pondría sus plantas en la región de los indios pawnees en las inmediaciones del río Republican el 25 de septiembre siguiente. Ondeaba una bandera española, regalada días antes por una expedición de 300 jinetes procedentes de Santa Fe, y pidió Pike que se quitaran aquellos colores para emplazar en su lugar los norteamericanos; ante la resistencia de los indios, accedió a que ondearan éstos tan sólo mientras durara su estancia y les devolvió la enseña roja y gualda para que la izaran, si querían, después de su partida. Para conmemorar el momento en que por primera vez ondeó en Arkansas la bandera de las estrellas y las franjas, el Estado erigió en 1901 un monolito. Pike continuaría su ruta por el río Arkansas en dirección Oeste hasta la localidad de Pueblo Colorado, en donde sería capturado por los españoles y llevado a Santa Fe (70).

Etapa de gobierno español

El desarrollo de Kansas –como lo reconoce muy bien una Guía en uso– comenzó durante la etapa de gobierno español. Pierre Laclède y Auguste Chouteau, fundadores de San Luis en 1764, desarrollaron sus negocios durante los años subsiguientes a la cesión de Luisiana a España. Enviaron agentes para el comercio de pieles a los extensos dominos occidentales, entre otros Kansas. Estos agentes, aunque no muy numerosos, prepararon el camino para que Kansas se convirtiera en territorio (71). El español Manuel Lisa fue el alma de la "Missouri Fur Co", creada en St. Louis en 1808, en colaboración con los Chouteau. Un año antes había establecido ya una serie de estaciones aguas arriba del río

Missouri, llegando a convertirse hasta su muerte en el más poderoso traficante en pieles de los Estados Unidos (72).

Aparte de la sangre del primer mártir y de los monumentos descritos, dejaron los españoles entre otros recuerdos, una estela romántica en Kansas, que haría exclamar a uno de sus escritores: "Vinieron llenos de color y gloria, con esperanzas tan intrépidas como vanas, vinieron con la sandalia humilde de los mártires misioneros y con la punta de la espada invencible de los caballeros de España" (73). Precisamente una de estas espadas, de doble filo, fue descubierta hace unos años en el condado de Finney y entregada a la "State Historical Society"; lleva el nombre de uno de los oficiales de Coronado, Juan Gallego, y su hoja contiene la siguiente inscripción: "no me desvaines sin razón; no me enfundes sin honor" (74).

NOMBRES ESPAÑOLES

Y, junto a lo anterior, una serie de localidades conservarían nuestra nomenclatura: Alma, Agrícola, Alta Vista, Bonita, Cimarrón, Columbus, Concordia, De Soto, El Dorado, Galena, Isabel, León, Morán, Rolla, Salinas, Séneca, Victoria, Arma, Havana, Perú, Lucas, Navarrete.

NEBRASKA o la Gran Llanura

Cuanto se ha dicho sobre la geografía de Kansas es aplicable a Nebraska. También pertenece al Gran Desierto, como lo calificara el pionero norteamericano Zebulon Pike, o a las Grandes Llanuras. Su superficie es sinónima de planicie, con la excepción de algunas colinas arenosas en el Oeste, que reciben el poco halagador nombre de "Badlands", o tierras malas; el Missouri le sirve de frontera oriental. Puede considerarse el Estado dividido por una cruz: su brazo horizontal está formado por el curso del río Platte –en sus sectores Norte y Sur–, con cuya denominación se insiste en su llanura, que es, en definitiva, el significado indio de la palabra Nebraska: "Río Llano"; él constituye la arteria vital del territorio y marca la dirección de la expansión hacia el Oeste: el "Lincoln Highway" bordea gran parte de su recorrido (75).

El brazo vertical viene indicado aproximadamente por el meridiano 100°, y significa separación de la vida civilizada en el Este, frente a la agitada –con aumento de la altitud y de la lluvia– existencia en el Oeste, rincón de bandoleros y jugadores, refugio de los perseguidos de la justicia (en los "Badlands") y dominio del más fuerte. Esta situación todavía se conserva en alguna medida, no obstante la mejora del nivel de vida en el Estado y los medios móviles con que se cuenta para imponer el orden público y para seguir las huellas de quienes huyen. El que quiera emociones, quizá las pueda encontrar todavía al oeste de Fort Kearney. Scotts Bluff se muestra, por otra parte, como un magnífico mezclador de japoneses, indios, mexicanos y sajones. Hacia el Norte se sitúa la mesa "Wild Horse", así nombrada por los rebaños de caballos salvajes que desde tiempos atrás merodeaban por la región. Procedían de los traídos por los españoles, dejados libres y criados después montaraces (76).

La escritora local Maria Sandoz, al referirse a Nebraska, comienza por recordar la frecuencia con que en las charlas de su padre aparecía el nombre de Coronado y sus exclamaciones sobre la razón del conquistador en la persecución de su sueño: Quivira, río de nueve kilómetros de ancho, peces como caballos, grandes canoas con águilas doradas en su proa (77). No andaba muy lejos de la verdad el conquistador: el Missouri se ha desbordado generosamente hasta hace poco en varios kilómetros de extensión, y por sus aguas –y las del Platte– se deslizan embarcaciones todos los días cargadas de una gran riqueza, la del ganado –derivada del "longhorn" español de Texas– que se conduce a Omaha, uno de los grandes mataderos del país. Los conquistadores no dieron con el metal amarillo, pero igual suerte corrieron cuantos cavaron en las "Black Hills", guardadoras, por otra parte, como luego se ha sabido, en Homestake, de la mina de oro más rica en el mundo (78). Nebraska encierra en sus campos –las antiguas praderas– el dorado fulgor del maíz, cereal en cuya producción es la primera. Miles de lagos esmaltan su superficie, con numerosos santuarios para la palmípeda familia: patos, gansos y otros tipos de ánades. Una sabia política de conservación ha repoblado varios sectores con venados y antílopes, pero el búfalo no volverá a correr en función de amo y señor de las praderas, como cuando rebaños gigantescos, ponía en fuga hasta a los más fieros ejemplares de la fauna terrestre (79).

Su recuerdo nos trae, inevitablemente, el de Bufallo Bill Cody, legendaria figura, muerto en 1917, quien sólo en dieciocho meses mató 4.820 búfalos. Su vida estuvo consagrada a la caza del animal y a la exterminación del indio, y hoy pervive merced al cine y a la televisión. Simboliza un tipo humano que ha conseguido apoderarse de la imaginación de varias generaciones. Cuando se cansó de proporcionar carne a los trabajadores que construían el ferrocarril transcontinental o de organizar el "Pony Express" (grupo de valerosos jinetes que acarreaban el correo desde St. Joseph, Missouri, hasta Sacramento, California), formó una banda de "cow-boys" y de indios que actuó con indiscutible éxito en los escenarios del Este y de Europa, portando consigo la imagen del lejano Oeste (80).

Es Omaha una gran ciudad, la segunda después de Denver, en el sector occidental del país, sin contar California (81). Es sede de la Creighton University y de la Municipal University of Omaha. Su "Joslyn Memorial for Music and Art" es una notable institución que albergó en 1962 una excepcional exposición de arte español, titulada "Soldados y Santos en la Vieja y en la Nueva España", con contribuciones de objetos y de cuadros procedentes de diversos rincones del país (el Museo posee un "San Francisco", de El Greco, y un "San Jerónimo", de Ribera). Anualmente Omaha es escenario de un festival organizado por Ak-Sar-Ben (Nebraska al revés), institución promotora del desarrollo industrial de Nebraska: el rey y la reina de Quivira (con inevitables ecos hispánicos) son elegidos y coronados en el curso de una colorida ceremonia (82).

Cerca de Omaha, el Puesto de Mando del Strategic Air Command está enterrado en una espesa masa de hormigón a prueba de las amenazas termonucleares. Todas las precauciones para la supervivencia han sido tomadas, y no parece que, haya peligro de que, en caso de conflagración atómica, perezcan por hambre, envenenamiento del aire o efectos de las partículas radiactivas cuantos se encierren en tan excepcional fortaleza. En la sala principal, un cuadro luminoso gigantesco da idea de la situación de las bases y de los aviones americanos en vuelo, y la más leve pulsación del correspondiente botón pone inmediatamente al habla, en cualquier lugar que se halle, con el jefe de la base requerida, por superlativa que sea la lejanía. Previendo el desencadenamiento de la guerra atómica, un Estado Mayor completo vuela permanentemente, por si acaso fallara el Puesto de Mando en Omaha. La utilización de un teléfono rojo pondría en movimiento la fuerza de mayor capacidad destructiva que ha visto la Historia, pero sería necesario que la orden fuera dada por el propio presidente de la República (83).

En los años 1923 y 1924, Mr. A. T. Hill, de la Nebraska State Historical Society, alegó haber descubierto el verdadero emplazamiento del lugar en que Zebulon Pike había izado por vez primera al bandera norteamericana. Se trataba de un paraje a unos 45 kilómetros al noroeste del monolito que hemos visto fue erigido en Kansas, en la región del río Republican. Cuál de los dos Estados tiene razón es tema que quizá sea difícil de aclarar. Nebraska entró a formar parte de la Unión como Estado el 1 de marzo de 1867 (84).

Lincoln, una amplia ciudad, es la capital del Estado. Ha sido llamada, a veces, "Ciudad Santa", por sus muchas iglesias (predominan las de torre en forma de cebolla, por el origen ruso de muchos de sus habitantes) y por la clausura de todo tipo de espectáculos los domingos. Es sede de la Nebraska Wesleyan University y de la Universidad de Nebraska (85). En su palacio legislativo, las dos Cámaras están decoradas con motivos que recuerdan las varias culturas que han florecido en Nebraska. En la sala occidental se recoge gráficamente el paso por el Estado de españoles y franceses y es entusiásticamente recordada la presencia de Vázquez de Coronado y sus hombres en el territorio estatal, en su búsqueda de Quivira (86).

PRESENCIA ESPAÑOLA

Vázquez de Coronado y Oñate

Vázquez de Coronado es reconocido como el primer blanco que pisó Nebraska (87). Algunos historiadores no se limitan a admitir su presencia en al paralelo 40° (88), coincidente con la frontera con Kansas, sino que le hacen avanzar hasta el emplazamiento de la propia Lincoln, en cuyos alrededores suponen tuvo lugar la ejecución de "el Turco" por traidor (89). Según el historiador Charles F. Lummis, Oñate pisó Nebraska también (90).

Diego de Peñalosa, y muerte de Pedro de Villazur

Existen dudas sobre si la expedición despachada por D. *Diego de Peñalosa* desde Nuevo México en 1662 alcanzó Nebraska. En todo caso, estableció contacto con las tierras al norte de Quivira, y su jefe convocó en consejo 70 caciques de la región (91). En 1720 el gobernador de Santa Fe se propuso destruir los establecimientos franceses de Illinois, sustituyendo sus habitantes por colonos de México. Cazadores y comerciantes habían descubierto una ruta a través de las Grandes Llanuras desde Santa Fe. Contaban los españoles con la colaboración de los indios osages, enemigos de los missouri (92). La partida preparada se componía de 42 soldados colonos, 60 indios y un sacerdote –a más de un considerable número de animales–, e iba al mando de D. Pedro de Villazur. Atravesó tres ríos: el Napestle (Arkansas), Jesús y María (meridional parte del Platte) y San Lorenzo (parte norte del Platte) (93). Los guías se equivocaron y condujeron a la expedición al campo de los missouri. Como éstos hablaban la misma lengua que los osages, no se percataron los españoles en un comienzo de su equivocación, y les entregaron 180 mosquetes (94). Antes de que los viajeros se dieran cuenta, cayeron los indios sobre ellos, entablándose tenaz batalla, que acabó con la muerte de casi todo el grupo español; el sacerdote acertó a salvarse por comprometerse a enseñar a los indios a montar a caballo. Gracias a ello, un día pudo escaparse y contar lo sucedido (95). El desastre debió de ocurrir cerca de la posterior ciudad de North Platte o en las inmediaciones de Columbus, en la confluencia de los ríos Platte y Loup (96).

Comerciantes anteriores a Lisa

Varios traficantes protegidos por España, precedieron a Lisa en sus exploraciones del país de los omaha y tribus contiguas. En 1789, un vecino de San Luis, llamado Juan Munico, tomó el primer contacto con los indios poncas, viviendo en el río Niobrara, al norte del Estado, el gobernador le concedió el monopolio del comercio en aquel sector como recompensa a su esfuerzo. Al año siguiente, Jacques d'Eglise obtuvo permiso para cazar en el Missouri y hubo otros que extendieron la influencia de las autoridades españolas en Nebraska. Para controlar y ampliar las transacciones en el Alto Missouri, un grupo de negociantes de San Luis organizó la "Compañía de Exploradores del Alto Missouri" en 1793. El delegado real les otorgó exclusivos derechos para el trato con los indios situados más al norte de los poncas. La compañía envió una serie de expediciones mercantiles (97).

Manuel Lisa

A 16 kilómetros al norte de Omaha se elevó en 1812 el Fort Lisa, así nombrado por su constructor y propietario, el español Manuel Lisa, quien arribó a St. Louis desde Nueva Orleáns en 1799. Cuando Lewis y Clark regresaron de su famoso viaje, Lisa planeó entablar comercio con los indios en el Sudoeste y con los españoles de Santa Fe. No pudiendo llevar a cabo estos planes, se dedicó en 1807 a abrir el intercambio con el Missouri. Entre dicha fecha y 1820, año de su muerte, Lisa realizó varios viajes río arriba. En 1817 transportó a St. Louis, en una sola remesa, pieles por valor de 35.000 dólares, cifra en aquellos tiempos muy considerable. Lisa se conquistó la amistad de la mayoría de los indios, con quienes trató y les proporcinó simientes de calabaza, nabo, alubia y patata y se las enseñó a cultivar. Esta amistad le serviú en el curso de la guerra de 1812, en la que, como ciudadano ya de los Estados Unidos, tomó parte en contra de Inglaterra. A él se debe la lealtad a Estados Unidos de los indios de la región del Missouri (98).

Lisa llegó a tener más de 100 blancos empleados en su Empresa, la "Missouri Fur Company", así como cientos de caballos y numeroso ganado. Se dice que ésta, en sus mejores días, manejó pieles y cueros por valor de 600.000 dólares. Fort Lisa se convirtió en el mayor puesto comercial de Nebraska. Entre sus muros vivió don Manuel largas temporadas, junto a su esposa india e hijos (tenía esposa blanca, con hijos, en St. Louis). Su esposa india era una princesa de la tribu omaha, mujer de belleza y valor: salvó una vez la vida de uno de sus hijos arrojándolo por encima de la empalizada antes de que indios enemigos lo asesinaran. La hija de ambos, Rosalía, se educó en un convento de St. Louis y casó con un granjero de Illinois (los hijos blancos de Lisa murieron aún niños) (99). Cuando el norteamericano Long acampó en 1819 cerca del fuerte Lisa, ofreció a don Manuel y a su esposa –en esta ocasión, la blanca, que pasaba una temporada con él; la india no se halló presente– una muy elaborada cena. Lisa y su Compañía tuvieron una especial significación para Nebraska, por el gran papel que jugaron al promover los comienzos del comercio y de los establecimientos permanentes en la región (100).

NOMBRES ESPAÑOLES

Ostentan nombres españoles: Alma, Anselmo, Aurora, Columbus, Madrid, Loma, Perú, Rulo, Valparaíso, Lamar, Panamá, Cordova, Almería, Eldorado, Séneca, Lorenzo.

la que, como ciudadano ya de los Estados Unidos, tomó parte en contra de Inglaterra. A él se debe la lealtad a Estados Unidos de los indios de la región del
Missouri (98).

Lisa llegó a tener más de 100 blancos empleados en su empresa, la "Missouri Fur Company", así como cientos de caballos y numeroso ganado. Se dice que
ésta, en sus mejores días, manejo pieles y cueros por valor de 600.000 dólares.
Por Lisa se convirtió en el mayor puesto comercial de Nebraska. Entre sus muros vivió don Manuel largas temporadas, junto a su esposa india e hijos (tenía
esposa blanca, con hijos, en St. Louis). Su esposa india era una princesa de la
tribu omaha, mujer de belleza y valor, salvó una vez la vida de uno de sus hijos
arrojándolo por encima de la empalizada antes de que indios enemigos lo asesinaran. La hija de ambos, Rosalie, se educó en un convento de St. Louis y casó
con un granjero de Illinois (los hijos blancos de Lisa murieron aún niños) (99).
Cuando el norteamericano Long acampó en 1819 cerca del fuerte Lisa, ofreció a
don Manuel y a su esposa –en esta ocasión, la blanca, que pasaba una temporada
con él; la india no se hallo presente– una muy elaborada cena. Lisa y su Compañía tuvieron una especial significación para Nebraska, por el gran papel que jugaron al promover los comienzos del comercio y de los establecimientos permanentes en la región (100).

NOMBRES ESPAÑOLES

Ostelan nombres españoles: Alma, Anselmo, Aurora, Columbus, Madrid,
Loma, Perú, Rulo, Valparaíso, Lamar, Panamá, Córdova, Almería, Eldorado,
Seneca, Lorenzo.

CAPITULO IV

LOS DOS DAKOTAS, MINNESSOTA E IOWA

DAKOTA DEL SUR Y DAKOTA DEL NORTE,
Estados Coyote y Sioux

Reconocidos como Estados separados el 2 de noviembre de 1889 (formaban un territorio desde 1861), constituyen, en realidad, una compacta región delimitada geométricamente; a través de los años de vida independiente, sin embargo, han ido labrando características que antes que diferenciarlos entre sí sirven tan sólo para distinguirlos. El Norte es rural, preocupado por las reformas agrarias, tranquilo, digno, no afanado por criterios turísticos, satisfechos de que lo tomen como es; su capital, Bismarck, adopta aires alemanes. El Sur tiene población más numerosa, ambiciones políticas no le faltan (pretendió ser la sede de las Naciones Unidas), se interesa por los turistas y cuenta con atracciones suficientes; su capital es Pierre, con sabor francés (1). En el rincón sudoeste del segundo de los Dakotas se dejan divisar desde lejos, cerca de Rapid City, cuatro estatuas de Washington, Jefferson, Lincoln y Teodoro Roosevelt, de 150 metros de altura, esculpidas en el Mount Rushmore. A pocos kilómetros, el escultor Korczak Ziolkowski está llevando a cabo el proyecto aun más gigantesco de esculpir una montaña completa como monumento al jefe sioux "Crazy Horse" (2).

La principal ciudad de Dakota del Sur es Sioux Falls, la única que sobrepasa en los dos Estados la cifra de 50.000 habitantes, y se considera orgullosamente la capital mundial de los faisanes; tal es la abundancia de caza en sus alrededores. Data su origen de los dos machos y de las cuatro hembras traídas en 1898 por el Dr. Zitlitz (3). Los geólogos atribuyen a las occidentales "Black Hills" una de las mayores ancianidades en la existencia del planeta. Su belleza está siendo progresivamente reconocida, así como la de su "Spearfish Canyon" o "Cañón Arpón", largo y estrecho. Paralelamente, dicha área fue habitación de antiquísimos animales antediluvianos: el "Dinosaur Park", de Rapid City, los muestra (4). Spearfish —esta vez, la ciudad— es escenario de la representación de la Pasión del Señor

–con antecedentes en el siglo XIII–, traída a la región por un alemán, Joseph Meier. Custer State Park es el único lugar en que puede contemplarse al búfalo vivo (5).

No obstante lo anteriormente dicho, es curiosa la escasez de vías de comunicación entre los dos Dakotas: con la excepción de tres o cuatro carreteras de segunda categoría, de Norte a Sur, todas las líneas de autobuses, ferrocarriles y aviones se dirigen en cada uno de ellos de Este a Oeste; podiéndolos en contacto con los Estados vecinos, pero no con ellos entre sí (6). Hay quien considera que, de haberse verificado la escisión de Dakota (que significa en indio "unida"), hubiera sido más sabio realizarla en el sentido opuesto, utilizando el río Missouri por frontera. En el Este, las antiguas praderas se han convertido en campos de trigo, los de mayor extensión de los Estados Unidos, el "panero del mundo", y el uso de las botas altas y los sombreros anchos ha quedado reducido a moda o mero atractivo turístico. Al oeste del "fangoso río", la ganadería es el principal recurso y la predominante ocupación, y las botas y los sombreros son utilizados profesionalmente (7). En Dakota del Sur, la ciudad de Pierre, en las márgenes orientales del río, tiene conciencia del empaque que imprime su capitalidad, y sus habitantes profesan la urbanidad que implica una población de funcionarios, en tanto que Fort Pierre, al otro lado del puente, es dominio de "cow-boys", de cabarets y de vida nocturna. Paralelamente, en Dakota el Norte, Bismarck –la capital– tiene la respetabilidad que sus habitantes de origen germano quisieron imprimirle al recordar al canciller de hierro, en tanto que, en el lado occidental del río, Mandan supone un completo cambio de ambiente, el que refleja su nombre proveniente de la tribu de indios mandan (8).

El año 1850 vio aparecer los primeros pioneros procedentes del Este. Su número se aumentó con el hallazgo en 1860 de oro en Montana, pero el jefe sioux Red Cloud consiguió forzar la firma de un Tratado por el que se respetaba a los indios los territorios al oeste del Missouiri y norte del Platte. Los años setenta suponen la presencia del ferrocarril y el comienzo del cultivo del trigo, el oro vegetal. Años después se decubriría el oro mineral en las montañas al oeste del Missouri, y, con el pretexto de dirigir una expedición científica, el general George Custer abriría el portillo para que un alud de aventureros se precipitara en las posesiones indias. Los años ochenta están caracterizados por el auge de la industria ganadera, en la que tuvo prominente intervención el joven Teodoro Roosevelt (9). Después se inició la riada de inmigrantes europeos, hambrientos de tierras: finlandeses, rusos, alemanes, menonitas (alemanes emigrados a Rusia), holandeses, escandinavos, con predominancia de noruegos, ingleses, irlandeses e islandeses. A ellos se debe principalmente la puesta en producción de las presentes riquezas de los dos Estados: trigo, ganadería, productos lácteos (10).

En Dakota del Sur se sitúa el centro geográfico de Norteamérica, Canadá incluido. Los dos cuentan con las más grandes reservas indias que se conservan en la Unión: "Pine Ridge", "Rosebud", "Crow Creek", "Cheyenne River" y "Standing Rock", en el del Sur, y "Fort Berthold", "Turtle Mountain" y "Fort Totten", en el del Norte. Nada tiene que extrañar que la posesión de los huesos del caudillo indio "Sitting Bull" estuviera a punto de ocasionar un grave conflicto entre ambos Estados. Muerto por la policía en 1890 en la porción sur de la reserva "Standing Rock", fue llevado a enterrar a Fort Yates, en el Norte. La acción legal interpuesta por el Sur para recuperarlo no condujo a resultados satisfactorios. Una noche, un grupo de fornidos meridionales abrieron la tumba: lo que de allí robaron recibió enterramiento en un estratégico lugar, divisando la confluencia de los ríos Missouri y Frand, y arrojaron encima 20 toneladas de cemento para evitar represalias. La sangre no llegó al río y, al final, los representantes del Norte fumaron la pipa de amistad con los del Sur (11).

La Universidad de North Dakota tiene un "campus" en la ciudad de Grand Forks, en tanto que la Dakota Wesleyan University reside en Mitchell y la State University of South Dakota se ampara en Vermillion.

PRESENCIA ESPAÑOLA

Entre 1750 y 1850 se desarrolló la primitiva historia de los Dakotas. En ella tuvo España intervención, pues no en balde quedaban incluidos en el territorio de Luisiana. Cuantos establecimientos comerciales fueron autorizados por los gobernadores de Nueva Orleáns para tratar con los indios de las praderas se relacionaron más o menos intensamente con la región. El primer colono blanco que residió en ella es Pierre Dorin (en 1775), quien, casado con una india de la tribu sioux, construyó una cabaña en el emplazamiento de Yankton. La primera instalación permanente fue obra de la "North West Fur Company" en Pembina cerca de la frontera canadientes. La "Compañía de Exploradores del Alto Missouri" comenzó sus operaciones en 1793, y en el curso de los años siguientes varias de sus expediciones recorrieron grandes distancias, sin duda alguna, hasta los Dakotas (12). A fines del siglo XVIII, el galés John Evans, al servicio de dicha Compañía, remontó el Missouri, alcanzando sus fuentes (en Montana) y grabando el nombre de Carlos III en rocas y árboles para probar sus descubrimientos (¿quedará legible alguna inscripción?) (13). Manuel Lisa tuvo una participación activa, como hemos visto, en Kansas y Nebraska, en la apertura de las Grandes Llanuras al hombre blanco. Sus agentes penetraron profundamente en las tierras regadas por el Missouri y su amistad con los indios sioux, manda, poncas, pawnees, cheyenes, crows y arikaras –varios de ellos, los dueños de los Dakotas– valieron a los Estados Unidos la fidelidad durante los difíciles momentos de la guerra de 1812 con Inglaterra, dueña del vecino Canadá (14). En el intento de enlazar San Luis con el restablecimiento de Nutka –dice Bolton–, España envió hombres que ascendieron por el río Missouri, por lo menos hasta el Yellowstone (15).

NOMBRES ESPAÑOLES

Llevan nombres españoles las siguientes localidades en North Dakota: Columbus, Medina, Portal, Alamo, Plaza, Grano, Fortuna, Loma, Adrian, Arena, Ruso, Silva, Raza, Juanita, Leal, Havana; en South Dakota: Aurora Center, Bonilla, Conde, Corona, Séneca, Isabel, Alpena, Capa, Avance, Columbia, Plana, Hermosa, además del condado de Aurora.

MINNESOTA, el Estado de la Estrella Polar

La región de los Diez Mil Lagos –Minnesota significa "aguas túrgidas o blanquecinas" (16)– tiene su extremo oriental en el Superior, el mayor y el menos levantino de los Grandes (el complejo de agua dulce más extenso del mundo), y limita al Occidente por el río Red, el único de los Estados Unidos que vierte sus aguas en dirección Norte, en la bahía de Hudson; se enorgullece de enviar también el precioso fluido hacia las costas atlánticas y en dirección Sur, con el Golfo de México por meta. Paraíso de los pescadores y cazadores y de cuantos aman los deportes relacionados con el agua líquida –vela– y sólida –esquí– y las emociones de la inmensidad y de la soledad, estuvo cubierta en tiempos por inacabables masas de bosques, en contraste con la ausencia sílvica de los Estados situados al Sur. Hoy no es, sin embargo, su principal riqueza la madera, por causa de las destrucciones perpetradas por descuidados explotadores, sino el hierro existente en extraordinaria profundidad y riqueza en las vetas de Mesabi Range: su extracción, incluso por el sistema de cielo abierto, y su expedición por vía fluvial, le colocan en excepcionales condiciones de competencia, no sólo en calidad, sino también en precio (18).

De no conocer el visitante su vagabundeo por Norteamérica, podría en cualquier momento creer que pisa los países escandinavos, dadas las características de su paisaje, de su clima, del ambiente que en él se respira y del tipo racial que se contempla. Y es que el territorio, especialmente en su sector occidental, está poblado por suecos, noruegos, daneses y finlandeses, que trajeron su patria consigo, incluidos –casi podríamos decir– sus escultores, como la estatua del Palacio de Justicia de St. Paul, obra de Carl Milles, lo denota. Los otros inmigrantes europeos que rivalizan en número y calidad con los escandinavos son los alemanes, no muy distintos, verdaderamente, en cuanto a raza (19).

Minnesota está simbolizado en la personalidad de varios de sus hijos: uno, Charles Lindbergh, nacido en Little Falls, en donde pasó los primeros diecisiete años de su vida, y en la que un parque y un museo han sido dedicados a su padre, parlamentario estatal (20); otro, Sinclair Lewis, nativo de Sauk Centre, autor de "Babbitt" y de "Main Street", la mejor pintura de la Minnesota de sus días (21); los hermanos Will y Charles Mayo, fundadores de la famosa clínica que todavía sigue atrayendo a los mejores especialistas –y a cuantos aspiran a serlo– y a los peores enfermos a su nativa ciudad de Rochester (22), y un último, que, en el tiempo, es el primero, el legendario leñador Paul Bunyan, a quien se le atribuyen hercúleas hazañas aquende y allende sus fronteras (23).

La capital del Estado es Saint Paul, sede de la Hamline University, al este del Mississippi, y poblada por alemanes; en la otra orilla, Minneapolis, obra de los suecos, alberga uno de los "campus" de la Universidad de Minnesota, en tanto que el otro corresponde a Duluth (así nombrada por su francés fundador), el gran puerto en el lago Superior, quizá el segundo de los Estados Unidos, después de Nueva York, no obstante su paralización en los meses invernales, en que las aguas lacustres se hielan (24). En Collegeville se asienta la tercera Universidad del Estado: St. John's University. Minnesota se organizó como territorio en 1849 y se convirtió en Estado el 11 de mayo de 1858.

PRESENCIA ESPAÑOLA

Minnesota perteneció a Luisiana, y su sector situado al oeste del Mississippi fue cedido por Francia a España en 1763; por ello quedó éste incluido en 1803 en el "Luisiana Purchase"; la parte oriental se incluyó en el Northwestern Territory. Nominalmente, pues, sus tierras dependieron del rey de España durante cuarenta años. Aparte de esta radical circunstancia, no existe –salvo error– otra relación histórica concreta de Minnesota con España, lo que no quita para que hogaño como antaño su amplia geografía pueda haber sido y sea escena del esfuerzo de más de uno de nuestros compatriotas.

NOMBRES ESPAÑOLES

Sólo así puede explicarse que se den localidades con las evocadoras denominaciones de Alvarado, Columbia Heights, St. Rosa, Santiago, Granada o Montevideo; los nombres de Fernando, Isabella, Carlos, Adrian, Victoria y Clara; los románticos de Alma, Aurora y Amor; el pintoresco Vergas, y los indiferentes de Almora, Mora, Reno y Altura, además del condado de Nobles.

IOWA, centro del "Middle West"

Iowa presume de ser un Estado tranquilo en medio de la agitación que invade a sus vecinos: la industrial y fabril en el oriental Illinois, y la propia de "cowboys" y terrenos de frontera en los occidentales de Nebraska y los Dakotas. Geográficamente se sitúa en el centro del "Middle West" y sus costados los forman las corrientes del Mississippi y del Missouri; entre ellos, grandes extensiones de terreno sin montañas, con pantanos, grandes bosques y cultivos mecanizados, con especialización en el maíz. Como consecuencia, abundantes rebaños alimentados con tan principal producto, complementado con los aditivos que la refinada dietética ganadera impone. Campos de cereales, animales pastando, pequeños cursos de agua: es el paisaje, monótono si se quiere, que se divisa en verano y aún en otoño; en el crudo invierno, la tierra y sus habitantes preparan la sementera y toman fuerzas para los afanados días de la recogida del fruto. Su relativamente escasa población y el alto grado de su productividad impresionaron ciertamente a Kruschev cuando en 1959 apareció por la granja de Roswell Garst (25). Los habitantes de Iowa se dedican a su trabajo y a mejorar su cultura; la controversia no les interesa y es significativo observar que batalla alguna se celebró jamás en su territorio, ni durante la guerra civil (26). Prefieren luchar con los cerdos, las vacas, las gallinas, etc., cuya carne dispersan por todo el país; ponen su orgullo en las ferias anuales en que exhiben sus ejemplares de Jerseys, Holsteins o Black Angus, cuando no las aún más rentables máquinas agrícolas modernas (27). Los extremos no son bien vistos en Iowa, y ni la segregación racial tiene allí carta de naturaleza (el primer caso que trató el Supremo Tribunal de Justicia del territorio de Iowa otorgó la libertad a un esclavo negro), ni las peticiones contra la pornografía por miedo a la introducción de la censura (28).

En punto a cultura, gran esfuerzo se ha hecho con la fundación de una serie de Universidades: Drake University, en Des Moines; Iowa State University of Science and Technology, en Ames; State University of Iowa, en Iowa City; Upper Iowa University, en Fayette, y University of Dubuque, en la localidad de este nombre. Quizá no sea ajeno a semejante esfuerzo el que la fábrica de plumas estilográficas –vehículos de cultura– W. A. Sheaffer esté situada en Fort Madison. No es de ayer la orquesta sinfónica de Cedar Rapids; del nuevo "Art Center" municipal, en Des Moines, es autor el arquitecto Saarinen. La Universidad de Iowa incorporó la primera a las tareas universitarias las artes creativas, equiparando el artista al docto profesor (29).

En 1847 llegaron holandeses que fundaron la ciudad de Pella, y en 1850 un grupo de alemanes, "La Comunidad de la Verdadera Inspiración", que construyó siete pueblos Amana y estableció una producción y un sistema de vida comunitaria. New Buda debió su origen a los húngaron huidos de la revolución de 1848 contra Austria, y Decorah a los Noruegos. Los menonitas se agruparon en torno a Kalona para desarrollar fructíferas granjas, y los checos de Spillville contaron con la presencia de Anton Dvorak, que pudo escribir música en la paz de su valle. Arribaron, por fin, los ingleses, importando los deportes del "cricket" y del polo (30).

El territorio de Iowa, creado en 1838, alcanzó la categoría de Estado el 28 de diciembre de 1846. Su capital y metrópoli es Des Moines.

PRESENCIA ESPAÑOLA

Si bien Iowa fue vista por primera vez en 1673, cuando Louis Joliet y el padre Marquette recorrieron el Alto Mississippi, la región no comenzó a entrar en la vida civilizada europea hasta el período en que España gobernó el territorio de Luisiana, en que Iowa estaba incluida. En 1769 apareció el primer comerciante que pisó sus tierras: Jean Marie Cardinal, quien murió en San Luis el 26 de mayo de 1780, formando parte de la guarnición española, en el asalto perpetrado por los ingleses en el curso de la guerra de la independencia (31). El 9 del mes de abril de dicho año, las márgenes del río Little Maquoketa, al norte de Dubuque, presenciaron el ataque de fuerzas armadas inglesas a comerciantes y mineros españoles, franceses y revolucionarios, que vieron partir a 17 compañeros como prisioneros (32). Como represalia se organizó una fuerza al mando del coronel Montgomery, contando en total con 300 hombres (100 españoles proporcionados por Leyba, el teniente gobernador de San Luis). Tomó río Illinois arriba hasta Peoria, para alcanzar después el río Rock (en el Estado de Illinois) y Prairie du Chien (en la actual frontera de Iowa con Wisconsin). Los indios de la región huyeron, pero sus poblados y depósitos de armas y provisiones quedaron quemados (33).

Años después, el irlandés Andrew Todd obtuvo del gobernador español en Nueva Orleáns, barón de Carondelet, la concesión de comercio exclusivo en el Alto Mississippi, a cambio de un impuesto del 6 por 100 (34). El gobernador Miró, por su parte, planeó la construcción de dos fuertes en las cercanías de la confluencia en el Mississippi de los ríos Des Moines e Iowa (35). En el otro costado del territorio, es posible que el galés John Evans, al servicio de la española "Compañía de Exploradores del Alto Missouri", recorriera sus márgenes orientales y tomara posesión simbólica de ellas en nombre de Carlos IV (36).

"Las Minas de España", de J. Dubuque

Pero las más significativas contribuciones españolas a la historia de Iowa son Julien Dubuque y el fortificado establecimiento que fundó, en los alrededores de la ciudad de su nombre, bajo el título "Les Mines d'Espagne" ("Las Minas de España"). Canadiense de procedencia, Dubuque se instaló en el lugar indicado, en 1785, convirtiéndose así en el primer colono blanco permanente en el Estado de Iowa (37). En septiembre de 1788 firmó un contrato con los caciques de los indios fox, por el que le reconocían la posesión de ciertas tierras y el derecho a explotar sus minas de plata (38); años después extendió sus operaciones a la otra orilla del río Mississippi, abriendo minas cerca de la actual ciudad de Elisabeth, en Illinois, y en territorio de Wisconsin, en donde hoy se asienta la localidad de Potosí (39). El reconocimiento formal a sus derechos le fue otorgado por el gobernador español, Carondelet, en 1796, y queda constancia del escrito peticionario de Dubuque. El momento de la solicitud no pudo ser elegido mejor, dado que las autoridades españolas fomentaban en aquellos años la venida de colonos; la inminencia de una guerra con Inglaterra primero y su posterior estallido en 1796, recomendaban la instalación en los aledaños de la frontera canadiense de gentes que cooperaran en la contención de un posible ataque británico (40). En aquella oportunidad, Dubuque colaboró como leal súbdito de S. M. Católica, y dirigió una expedición contra los ingleses instalados en Prairie du Chien, 75 kilómetros al Norte, en la otra orilla del Gran Río, consiguiendo su retirada y retornando victoriosos con un considerable botín (41).

Los negocios marchron bien a Dubuque, y el norteamericano comandante Stoddart pudo informar en 1804, tras hacerse cargo del gobierno de la Alta Luisiana, que el comercio en pieles de aquél podía calcularse, en el curso de los últimos quince años transcurridos, en la cifra anual de 203.000 dólares (42). Se conserva en el "Eagle Point Park", de Dubuque, una de las cabañas en que habitó el pionero; su cadáver reposa bajo una alta torre erigida en el escenario de sus afanes. Las fiestas centenarias de 1933, conmemorativas de la constitución del moderno municipio, contaron con la presencia de dos sobrinas, biznietas del fundador de las "Minas de España" (43).

NOMBRES ESPAÑOLES

Quedan con nombres castellanos los siguientes condados: Buena Vista, Cerro Gordo y Palo Alto (aparte del de Dubuque), y localidades: Alta Anita, Columbus Jct., Durango, Fonda, Madrid, Manila, Nevada, Toledo, Rubio, Farragut, Lima, Perú, Buena Vista, Palo, Traer, Ira, Morán, Panamá, Eldorado, Ventura, Séneca, Nevada, De Soto, California, Leon, Magnolia, Plano...

PARTE CUARTA

ESTADOS DEL SUDOESTE

CAPITULO PRIMERO

TEXAS, el Estado de la Estrella Solitaria

CALOR Y GRANDOR

En la breve calificación que me he propuesto hacer de los Estados más hispánicos de Norteamérica, a base de dos palabras terminadas en consonante agudo, me han parecido las más adecuadas para Texas; calor y grandor. En verdad, la primera es especialmente representativa de Texas. Puede disfrutarse de los ardores de su sol estival en casi sus cuatro puntos cardinales; hace calor en Houston, y en Galveston, y en la carretera a San Antonio, y en las inmediaciones de San Saba, y en el Este, y se siente en el "Panhandle" (mango de sartén), al Norte, granero del país, parte de la región denominada por los españoles "llano estacado". Menos mal que el aire acondicionado ha alcanzado una popularidad difícilmente igualada en cualquier otro Estado de la Unión, y suele proporcionar temperaturas que se aproximan muy favorablemente a las del Polo en los interiores de los edificios, en los autobuses, en los vehículos particulares o en cualquier espacio limitado por cuatro paredes.

Pero este calor característico de Texas, a que aludo, no es sólo el climatológico: es también el temperamental. El forastero es recibido con calor, pero calor de amistad, de corazón abierto, de simpatía. Es el texano franco de carácter, amigo de la sinceridad, generoso en el reparto de lo que le es propio, satisfecho de lo que es y de lo que posee. Su fama de fanfarronería es quizá escuela de su amor por la franqueza y de su innata oposición –que puede a veces rayar en brusquedad– a cuanto supone ausencia de genuidad o exceso de vacías formas. De todo esto hacen los texanos un culto, por lo que no ha de extrañar los frecuentes saludos matinales o vespertinos, o simplemente con la mano, que gentes desconocidas entre sí se prodigan al encontrarse en la calle, en la carretera o en una escalera. No es, pues, difícil creer la versión del origen del nombre del Estado: los españoles entendieron que los indios de la región al pronunciar sonidos que asemejaban a "tejas", querían indicarles el nombre de su nación, cuando en realidad les daban bienvenida y les calificaban de "amigos" (1); de aquí el lema oficial, "friendship", o amistad.

Al fundar el burgalés D. Martin de León en 1824 la ciudad de Victoria bautizó su arteria principal –en la que él moraba con otros allegados– "Calle de los Diez Amigos" (2); la vía, que en época posterior fue conocida por "The Street of the Ten Friends", recuperó su antiguo nombre en colorida ceremonia celebrada el 14 de abril de 1962. Simultáneamente, se inauguró en la intersección de la De Leon Plaza con la calle aludida –llevando la representación española D. Santiago de Churruca–, un monumento de las "Seis Banderas", al frente de las cuales ondeaba la española de los castillos y leones, se colocó una placa en la que se recordaba el origen español, y se abrió "La Ruta de las Seis Banderas", que une a Victoria con las localidades de Cuero, Goliad, Refugio, Port Lavaca y Edna (3). Al presidir el gobernador del Estado esos simbólicos actos, se pretendió, sin duda, reconocer el aprecio de Texas para las naciones que colaboraron en su formación histórica, y en especial para España, participante excepcional en la creación de ese cálido sentimiento de la amistad tan típico hoy en las tierras de Texas.

Y junto al calor, es el grandor la otra característica que llama la atención en Texas. Todo es grande en este Estado, que sólo ha sido sobrepasado en tamaño, entre sus compañeros de la Unión, por el recientemente incorporado de Alaska. De extensión tres veces superior a la Gran Bretaña, tiene cerca de 700.000 kilómetros cuadrados, y una costa de 700 kilómetros a lo largo del Golfo de México; sus extremos llegan a distar entre sí más de 1.100 kilómetros (4). Predominan en Texas grandes planicies, pero no faltan montañas de 2.000 metros de altura, como el Big Bend, en el Oeste, y los lagos, como el Travis o el Texoma, en el Norte y el Centro, o espesos bosques en el sector oriental. Siempre que surge el tema del texas en cualquier punto de los Estados Unidos surge el inevitable chiste o comentario irónico sobre el tamaño de aquel Estado o el orgullo que se atribuye a sus nativos (5). Sigue existiendo en la mentalidad del norteamericano no texano, la idea de Texas como la eterna frontera: el Oeste de los ganados, las mujeres valientes y los hombres prontos para la pelea. Quizá por ello, y para aprovechar y desviar al mismo tiempo tal idea, la propaganda turística del Estado juega con las palabras "front-tier" y "fun-tier" (fun = diversión), apoyándose en ésta para demostrar los completos atractivos que su superficie ofrece a los visitantes y a los indígenas (6).

Quien goce comiendo mariscos en cantidad, que visite Texas; recordará sin nostalgia las maravillas que se sirven en "El Mosquito", de Vigo. Y es precisamente la "Mosquito fleet", la flota Mosquito, la que en solemne ocasión anual se hace a la mar –previa espectacular católica bendición en Galveston– como en cualquier puerto del Cantábrico, y la que merodea en número no menor de 100 "trawlers" por las aguas del Golfo de México, para proporcionar satisfacciones únicas a los aficionados al buen pescado, bien en cualquiera de los restaurantes de Galveston, bien en los muy buenos de Houston. Puestos a elegir en ésta, vaya mi consejo por la "San Jacinto Inn", a la vera del crucero "Texas" –ex combatiente del Pacífico, fuera de servicio y objeto de turismo– y no lejos del monumento conmemorativo de la batalla de San Jacinto, por la que los texanos se independizaron en 1836 de México (7).

Tiene fama Texas de ser un Estado rico, y de contar con el mayor grupo de existentes millonarios. Produce el tercio del algodón nacional, tiene su suelo agujereado por infinidad de pozos de petróleo, sobrepasa a los demás Estados en la producción de vegetales, se vanagloria de tener la mejor ganadería de la Unión y cuenta con importantes fábricas de productos químicos, aviación, máquinas-herramientas y manufacturas de todas clases. Texas se ufana de ser la cuna del almirante Nimitz –héroe de la última victoria sobre el Japón– y de los presidentes Eisenhower y Johnson (8).

ESTADO SOBERANO E INDEPENDIENTE

Es el único Estado norteamericano que realmente puede presumir de haber tenido vida independiente (dejemos aparte los contactos de California, Luisiana y Florida) por espacio de casi diez años. La cosa sucedió así: los establecimientos anglosajones en Texas comenzaron con Moses Austin, gracias a la autorización que le concedió el virrey de Nueva España el 17 de enero de 1821 (9). Al caer la región bajo el gobierno mexicano, a continuación del término del régimen español, el número de inmigrantes aumentó, y los incidentes con las autoridades se sucedieron (10) hasta culminar en guerra declarada, que tuvo dos hitos: El Alamo, en cuyo sitio, puesto por el general mexicano Santa Ana, perecieron el 6 de marzo de 1836 William D. Travis, Davy Crockett y 187 teneseanos (11), y la batalla de San Jacinto, ganada por Sam Houston el 21 de abril siguiente, al grito de "¡Recordemos El Alamo! y en la que cayó prisionero Santa Ana (12).

Como corolario se proclamó el 22 de octubre la República independiente de Texas, y Sam Houston quedó nombrado su primer presidente. Su bandera contaba con una "estrella solitaria" (13). El sucesor de aquél, Mirabeau B. Lamar, desarrolló una intensa política para asegurar la independencia del nuevo país y firmó Tratados con Francia, Holanda, Bélgica y Gran Bretaña, e incluyo cayó en veleidades expansionistas, como su intento de penetración en Nuevo México (14). Por su parte, los mexicanos invadieron Texas en 1842 y conquistaron en la anexión de Texas a la Unión culminaron, después de una serie de incidentes, en la firma, el 12 de abril de 1844, de un Tratado, que sólo recibió la aprobación conjunta de las dos Cámaras federales el 28 de febrero de 1845 (16).

Así entró Texas a formar parte de la ya gran nación, constituyendo su ingreso –derivado de un acuerdo entre estipulantes soberanos– una excepción con respecto a la incorporación de los demás Estados, ya que no le queda excluida la posibilidad teórica de poder un día retirarse voluntariamente de la Unión, si así lo decidieran los texanos. Una cláusula de dicho Tratado autoriza a Texas a subdividirse, si un día lo estimara conveniente, en cinco Estados (17). Esta incorporación a los Estados Unidos por la puerta grande y esta situación única en su régimen constitucional produce inevitablemente una sensación de orgullo y superioridad a los descendientes de Austin.

CIUDADES (con excepción de San Antonio)

La capital del Estado, *Austin,* honra la memoria del hijo de Moses, Stephen Fuller, el padre de la independencia de Texas y su primer ministro de Negocios Extranjeros. La ciudad –que en un principio se denominó Waterloo– es anglosajona cien por cien, y, sin embargo, en la sala central de su Capitolio ofrece la contemplación de un gran escudo español, formando una especie de artística alfombra de mosaico en armoniosa combinación con otros cinco (Francia, México, Texas, Confederación y Estados Unidos), y en su vestíbulo la de un montón de nombres escritos en el suelo –puntos culminantes de la historia local–, como Gonzales, Bexar, Alamo, San Jacinto, Palo Alto y Palmito. En el próximo edificio, enel que se depositan los archivos estatales, ondea la bandera española de castillos y leones, escoltada por un escudo de las mismas características nacionales.

Las vías urbanas principales ostentan correlativamente los nombres de Río Grande, Nueces, San Antonio, Guadalupe, Lavaca, Colorado, Brazos y San Jacinto, y en el callejero local una rápida selección nos proporciona un complementario y significativo manojo hispánico: Alegría Rd., Alguno Rd., Balcones Trail, Columbia Dr., Coronado, Díaz, Galindo, Hidalgo, Juanita, León, Loyola Lane, Mariposa Dr., Palo Pinto, Pérez, Ramos, Reyes, Romería Rd., Trafalgar, Valdez, Vargas Rd., Vasquez y Zaragosa, además de una nutrida representación de nuestro santoral. No lejos de Austin posee el ex presidente Johnson su rancho, regado por el río Pedernales.

Ciudades populosas y progresivas son *Fort Worth* y Dallas, separadas por no larga distancia. En el intermedio, el Parque de "Las Seis Banderas" (la primera, la española) ofrece al público curioso las reproducciones de otros tantos pequeños poblados a base de las edificaciones, costumbres y acontecimientos destacados de los períodos correspondientes de la historia de Texas bajo cada una de las banderas.

Dallas, tristemente renombrada desde noviembre de 1963 como escenario del magnicidio del presidente Kennedy, alberga dos museos que tienen lucida representación del arte español: el Museo de Arte y el Museo Meadows, de la Southern Methodist Univ. En el primero, alternan con cinco aguafuertes y la "Figura de Cristo", de Goya, y un "San Juan", de El Greco, "San Onofre Ermitaño", de Ribera; dos Miró, un Juan de Juanes, y el "Acueducto de Segovia", de Valentín de Zubiaurre; en el segundo cuelgan "La Adoración de los Pastores", de El Greco; "El Borracho", de Ribera: "El Pícaro", de Murillo, y "Santa Catalina de Siena", de Zurbarán, además de dos retratos, de Pantoja, la "Capea", y "Picador", de Goya, y varias obras de Bayeu, Maella, Vicente López, Alenza y Sorolla.

En Dallas reside un grupo de hombres de empresa españoles, v. gr., los componentes de la familia Esteve, que, enraizados en la ciudad hace ya varias generaciones, mantienen los vínculos con España al matrimoniar los varones –nacidos en Texas– con muchachas de la Península, generalmente catalanas. En la ciudad tiene sede una Oficina Nacional de Turismo Español.

Houston es la otra gran ciudad de Texas. Situada en el interior, se ha convertido, no obstante, en el primer puerto del Estado –quizá el tercero del país– merced a la construcción de un bien equipado canal (18). Esta fue la razón prin-

410

cipal para trasladar a su ámbito el Consulado de España y para elevarlo a rango de Consulado General en 1976 en Galveston. En verano goza de una cálida y húmeda temperatura, merced a la cual el peatón se siente mascarón de proa. En los últimos años ha elevado enormes edificios, entre los que destacan el de la Compañía "Humble", filial de la Standard Oil, de 44 pisos, y en cuyo "Petroleum Club" –uno de los exclusivos– pende un gigantesco tapiz, preparado por geólogos petroleros a base de una colorida descripción de los estratos terrestres, dibujado por el artista local, David Addicks, y fabricado en la Real Fábrica de Tapices de Madrid.

El Museo de Arte Moderno ostenta en sus paredes un retrato de Pantoja, un cartón de Goya, una Virgen de Murillo y cuadros de Miró, Tapies, Feito y Millares. La Universidad de Houston cuenta con una obra de Chillida, en granito. La iglesia local de San Vicente de Paúl tiene indudables resonancias del estilo del arquitecto español Fissac. El nuevo Stadium o "Astrodome" está dotado (cuando cubierto) con instalación gigantesca de aire acondicionado. Un Instituto de Cultura Hispánica fue fundado en 1966 y se afilió al de Madrid en solemne acto el 14 de octubre de 1972. Rigió sus destinos el activo abogado Peter Sánchez Navarro. Existe otro Instituto en Corpus Christi. Tuvo una etapa activa el Instituto Bimilenario de la Lengua.

En 1970 recibió la aprobación legal la "Spain and Texas Society", y en 1975 un grupo de alumnos de la Universidad de Houston visitó Madrigal de las Altas Torres. El Departamento de español de ésta conmemoró en 1984 el Centenario de la muerte de Alfonso X el Sabio.

Con ocasión del desembarco el 21 de julio de 1969 de los astronautas del "Apolo XI" en la Luna, Houston y Huelva –protagonistas de excepción de las dos mayores gestas descubridoras– acordaron firmar un pacto de hermandad.

Aparecen incluidos en el callejero de Houston nombres españoles; vayan por ejemplo: Acacia, Alba, Alvarado, Amarillo, Arboles, Bosque, Brazos, Camargo Ct., Carmen, Cartagena, Columbia, Concho, Córdova, Coronado, De Soto, Durango, Esperanza, Hidalgo, José Castillo, Las Palmas, Mariposa, Navarro, N. Velasco, Picasso, Toledo, Valencia y Villanova, aparte de una larga teoría de santos.

Y llegamos a la isla de *Galveston,* que baña sus bordes en el Golfo de México. Descubierta probablemente en 1518 por Juan de Grijalva, poco después recibió la visita de Alonso Alvarez de Pineda, a quien se debe el primer mapa de las costas de Texas. Quedó bautizada como isla de San Luis por el lugarteniente de Soto, Moscoso, quien tocó en ella, en compañía de sus hombres, en su derrotado regreso a Nueva España, y quien quiso honrar así a su santo Patrón. También fue conocida como "Isla Blanca" e "Isla de Aranjuez". Pero José de Hevia, que hizo una inspección de la isla, bahía y puerto en 1785, dio a la bahía el nombre del virrey de México, D. Bernardo de Gálvez. A poco, la isla tomó la denominación de la bahía, y lo mismo la aglomeración urbana, que se iría elevando (19).

De Galveston hicieron su residencia en 1816 dos enemigos de España, en la lucha de México por su independencia, Luis Aury y Francisco Javier Mina, y durante varios años tuvo en ella asentados sus reales el temido pirata Lafitte (20). Galveston, que cuenta con una estupenda playa, es hoy una ciudad en decadencia; para sacarla de tamaña situación, un gran parque de diversiones se ha convertido en un foco de atracción para la turistas de dentro y fuera del Estado: el Stewart Beach Amserment Park.

CUARTEL GENERAL DE LA N. A. S. A.

No lejos de Houston, en dirección a Galveston, se encuentra el *cuartel general de la N. A. S. A.*, en el que se preparan los vuelos espaciales en sus ya numerosos y archiequipados edificios –verdadera metrópoli del futuro– en colaboración con el Centro Experimental de Huntsville (Alabama), y desde el que se transportan los proyectiles, vehículos y tripulantes a las plataformas de lanzamiento del Kennedy Center, situado en Cabo Cañaveral (21). Tuve ocasión de observar de cerca hace años algunos de los experimentos en planta, gracias a la amabilidad de las autoridades de N. A. S. A.

UNIVERSIDADES

En Austin está el "campus" de la Universidad de Texas, y en su Departamento de español figura un abundante alumnado y un excelente cuadro de profesores, entre los que destacaban, en 1964, Andersson, Tyler, Martínez López, Gullón, Max Insfrán, Michel, etc. Es quizá la institución de enseñanza superior más rica del país, pues no en balde es propietaria de numerosas acciones petrolíferas, y ello le permite editar interesantes publicaciones, dirigir una emisora de radio y televisión y contar con un número creciente de modernos edificios. En la ciudad se halla St. Edwards University, de confesión católica. Universidades en el Estado son también las siguientes: Baylor University, en Waco; Hardin-Simmons University, en Abilene; Midwestern University, en Wichita Falls; Southern Methodist University, en Dallas; Southwestern University, en Georgetown; Texas Christian University, en Fort Worth; Texas Woman's University, en Denton; Trinity University, en San Antonio, y en Houston: Texas Southern University (para estudiantes de color), University of Houston (con Departamento de español), University of St. Thomas, y Rice University (cuyo Departamento de español encabezó en su momento Jaime Castañeda).

PRESENCIA ESPAÑOLA

Naufragio e infortunios de Cabeza de Vaca

Galveston tiene, además, el interés de haber sido el punto de desembarco de Alvar Nuñez Cabeza de Vaca y sus compañeros náufragos, el 6 de noviembre de 1528. La arribada forzosa a sus costas era la culminación de una penosísima travesía en toscos botes, la última de cuyas escalas había sido la desembocadura del Mississippi (22). Los 80 supervivientes –entre los que no se contaba Narváez, el jefe–, desnudos, desnutridos y agotados, fueron bien acogidos por los indios de la localidad, pero con el paso del tiempo, la escasez de alimentos y las epidemias que se propagaron, su hospitalidad se cambió en hostilidad, quedando reducido el número de españoles a 15 cuando la primavera floreció. Con el nombre de "Malhado" quedó bautizada la isla. Para escapar de la muerte hubieron los esclavos blancos de dedicarse a la curación de los heridos y enfermos con un poco de audacia y muchas plegarias al Cielo y llegando Alvar Núñez a practicar con éxito una operación quirúrgica, la primera realizada dentro de los límites de la Unión (23).

Al cabo de seis años, en 1534, el futuro autor de los "Naufragios" consiguió huir, topándose en las márgenes del Guadalupe River tres compañeros de infortunio, los capitanes Andrés Dorantes y Alonso del Castillo y el esclavo moro Estebanico. Frustrado un intento de fuga de los cuatros, tuvieron que aplazar su realización al siguiente año en la época de recolección de las tunas en lo que son hoy condados Karnes y DeWitt (24). Pusieron entonces rumbo al oeste de Texas, la región de Big Spring, alargándose hasta lo que luego se denominaría "llano estacado" para seguir torciendo hacia Poniente y entrar en los territorios de Nuevo México (25). En estas andanzas vio Alvar Núñez por vez primera el búfalo (26), y los paisajes, habitantes y características de Texas serían conocidos por el mundo civilizado gracias a sus apasionantes comentarios, que se publicarían en Valladolid en 1542 (27).

Coronado, Moscoso y Oñate pisan Texas

Como consecuencia de los informes de Cabeza de Vaca a las autoridades españolas, organizóse la expedición de Vázquez de Coronado, quien en su viaje de ida a Quivira (Kansas) pisó Texas, celebrando en la fecha probable de 29 de mayo de 1541 el primer "Thanksgiving" de la historia norteamericana, en el Cañón de Palo Duro, en el "Bandhandle" o "mango de sartén" en el N. O., a cargo de Fray Juan de Padilla. El capítulo tejano de las "Daughters of the American Colonits" inauguró en 1959 allí una placa conmemorativa (28).

Juan de Oñate con sus hombres recorrería análogo trayecto en su búsqueda de los fabulosos territorios al Norte (29). Hay quien sostiene que Moscoso, con las tropas que el agonizante Soto le confiara, se alargó hasta el oriente de Texas (30). Pero ninguna de dichas expediciones españolas en el curso del siglo XVI hizo propósito de establecerse en sus confines. Y no se equivocaron: dada su extensión, inútil hubiera sido toda tentativa en los primeros tiempos de la conquista. Sólo cuando la colonización del norte de México comenzó a afianzarse y vinieron a conocimiento de los españoles los designios franceses de arraigarse y las revelaciones de sor María de Agreda, comenzó propiamente la acción española en lo que es hoy Texas (31). Y puestas manos a la obra, no escatimaron esfuerzos ni se doblegaron ante la diversidad, fiel compañera de muchas empresas españolas fundacionales. Y se levantarían varios Presidios –una decena– y se sembarían por doquier Misiones de franciscanos, que alcanzarían la cifra de 39 (32) y se construirían alrededor poblados y se agruparía a los indios para enseñarles la religión cristiana, el cultivo del suelo y la cría de ganado en forma científica, punto de partida de una de las actuales riquezas de la región. Por otra parte, una serie de ranchos se crearían, cuyo número se calcula en cifra aproximada a la treintena.

413

Sirvió de aldabonazo para la presencia permanente española en Texas la visita a este territorio del francés René Robert Cavalier, Sieur de La Salle. Había desembarcado en febrero de 1685, en Pass Cavallo, pasando entre la isla de Matagorda y la península del mismo nombre. Al cabo de muchas penalidades, decidió construir el "Fort St. Louis", unos siete kilómetros río arriba del Garcitas. Pero las cosas no le marcharon bien, y su colonización terminó con el asesinato de que fue víctima por sus propios hombres, el 20 de marzo de 1686 (33).

SECTOR ORIENTAL

Es éste precioso e inesperado. No refleja la imagen que se tiene del Estado de los vaqueros, con sus terrenos sin árboles, planicies predominantes y color castellano envolviéndolo todo. El paisaje que se divisa a ambos lados de las carreteras 59 y 69 es el de árboles abundantes, bosques cerrados a veces, vegetación densa, color verde como tema principal a base de robles, pinos o nogales y tremenda variación cromática al aproximarse a la ciudad de Tyler, primer centro mundial productor de rosas y sede anual del más brillante festival centrado en torno a la flor reina.

MISIONES Y PRESIDIOS

a) *Alonso de León y Domingo Terán de los Ríos*

En la reacción antifrancesa concerniente al sector más levantino, jugó el papel de protagonista el oficial D. Alonso de León, gobernador de Coahuila, a partir de 1688 y conocido por el apelativo "conquistador de Texas". Cinco incursiones realizó en el territorio texano, y en la de 1689 comprobó la destrucción del "Fort St. Louis" y la ausencia de franceses y se enteró del trágico fin del fundador de aquél (34). En 1690 procedió a echar bases de permanencia en compañía del franciscano padre Damián Massanet en el oriente de Texas.

Alonso de León y el padre Miguel Fontcuberta, compañero de Massenet, eligieron aquellos parajes para la creación de dos Misiones, una de ellas, *San Francisco de los Texas,* en el 24 de mayo de 1690 –próxima a donde hoy está Weches–; la otra, *Santa María,* cerca del río Neches, abierta por el otro colega, el padre Casañas (35). Carteles camineros indican el emplazamiento de aquella Misión, y una piedra conmemorativa recuerda a los visitantes la hazaña de un puñado de españoles. Su reciente reconstruida estructura, no obstante hallarse en el presente vacía, ayuda a la imaginación a rememorar sus azarosos días dentro del remanso que proporcionarían a sus moradores las frondas de los bosques circundantes. Una de sus campanas se guarda en la Baylor University. Fundóse una provincia en este sector y fue nombrado gobernador D. Domingo de Terán de los Ríos (36), hasta que en 1693 hubo de ser abandonado por tener que concentarse los esfuerzos españoles en la Florida occidental. Por San Francisco de los Texas pasaba el "camino real" hacia Natchitoches, uniendo el oriente de Texas con San Antonio y Santa Fe. Es la carretera 21, y no dejan de estar esmaltadas sus millas con letreros rememorativos de su antigua condición de "real" y de haber sido mandada abrir por el rey de España a su gobernador, el anteriormente aludido Terán (37).

b) *Domingo Ramón y el marqués de San Miguel de Aguayo*

Si el aventurero galo La Salle promovió los intentos colonizadores españoles de fines del siglo XVII, a comienzos del XVIII la presencia del traficante francés Saint Denis decidió a las autoridades hispanas a la organización de una red de Misiones y Presidios en puntos estratégicos del territorio. En 1716, en el curso de la expedición mandada por D. Domingo Ramón, y a la que pertenecían los padres Francisco Antonio Margil y Espinosa, se echaron los cimientos, no lejos de las anteriores fundaciones, de las *Misiones de San Francisco de los Neches, San José de los Nazonis, Nuestra Señora de la Purísima Concepción de los Aynais, Nuestra Señora de los Dolores de los Ai* –hoy San Augustine– y *Nuestra Señora de Guadalupe*. Esta se encontraba en el emplazamiento de Nacogdoches, notable burgo de la región, en cuyos contornos se muestran hoy día dos manantiales, por nombre "Los ojos del padre Margil", y una placa recordatoria de la Misión. En aquel burgo se construiría un fuerte hacia 1779, que todavía puede visitarse, bajo la denominación de "Old Stone Fort" (38). Completando el plan proyectado, en 1717 fundó Ramón la *Misión de San Miguel de los Adaes,* al lado de Natchitoches, en lo que es hoy Estado de Luisiana, y el *Presidio de Nuestra Señora de los Dolores,* en el actual Douglas (39).

Abandonadas temporalmente estas fundaciones por culpa de las incursiones francesas, el marqués de San Miguel de Aguayo, gobernador de Coahuila, las restableció en 1721, añadiendo el *Presidio de Nuestra Señora del Pilar de los Adaes,* cerca de la presente ciudad de Robeline (Luisiana) y no distante de la aneja Misión.

NACOGDOCHES

Antonio Gil y Barbo

Texas quedó erigida en Gobierno independiente, y Los Adaes se convirtió en su capital –según ya vimos– por espacio de cincuenta años (40), hasta la transferencia del Gobierno provincial a San Antonio en 1773, en los tiempos en que Luisiana era española y ya no había franceses de quienes defenderse (41). No aceptó la orden de retirada el burgalés Antonio Gil y Barbo. Utilizaría los abandonados muros de la Misión de Guadalupe para establecer una casa comercial. El y sus colaboradores habían de ser considerados los creadores de Nacogdoches (42). Uno de sus descendientes, Henry Arechiga, reside en Waco, y conserva todavía parte de los archivos familiares (43). Es interesante, por lo que refleja el ambiente en que vivió, el testamento de Gil y Barbo, publicado recientemente.

SAN ANTONIO

Martín de Alarcón y el padre Olivares

Completando ese esfuerzo español por guarnecer el este de Texas, y para no dejar muy aislados aquellos establecimientos, se estimó procedente fundar una ciudad intermedia. Esta es la razón de la existencia de San Antonio, cuya partida de nacimiento data del 1 de mayo de 1718, correspondiendo su conjunta paternidad al capitán D. Martín de Alarcón –acabado de designar gobernador de Texas– y al padre Antonio de Buenaventura Olivares, de la Orden de San Francisco. Ocurrió así: algunas diferencias habían surgido entre ellos poco después de su partida de Monclova, en México, por lo que dividieron sus hombres y sus animales. A la vera del arroyo San Pedro, don Martín levantó un fuerte, al que denominó San Fernando de Béjar: San Fernando por el entonces Príncipe de Asturias, después Fernando VI, y Béjar por el duque de este título, hermano del virrey, muerto en defensa de Budapest contra los turcos. A media milla de distancia del anterior fuerte, fray Antonio erigió una Misión, a la que tituló San Antonio de Valero, en honor del santo franciscano y del marqués de Valero, por aquel entonces virrey de México. A raíz de un posterior compromiso, la ciudad futura habría de llamarse San Antonio de Béjar (44). 16 familias canarias, enviadas por Felipe V, llegaron a San Antonio en 1731. Ellos fueron los primeros colonos en el Estado de Tejas; sus descendientes viven hoy en dicha ciudad o en sus alrededores. La plaza central de San Antonio ha recuperado recientemente su nombre original de "Plazas Yslas", el cual se puede leer en la placa frente a la Catedral. Aquéllos recibieron el título de "hidalgos".

El Alamo, San José y otras Misiones

Aquella Misión sería conocida y reverenciada más tarde con el nombre famoso de *El Alamo,* y se convertiría en uno de los santuarios patrióticos de los Estados Unidos, por haber sido el lugar de la resistencia enconada –según ya referimos– en 1836 de un grupo de ciudadanos anglosajones, con el legendario Crockett a la cabeza, contra las tropas mexicanas del general Santa Ana. Entre el Presidio y la Misión un pueblo de adobes se iría poco a poco elevando, y allí se emplazarían las casas de los oficiales y soldados con sus esposas indias, con las tiendas de los artesanos y alguna cantina, etc. (45). Restos de todo ello constituyen el encantador hispánico rincón conocido por "La Villita", que es una maravilla de recorrer, por su acabado ambiente, sus típicos rincones, sus evocadoras edificaciones con gran tino reconstruidas. Allí se desarrollan anualmente las "Noches del Viejo San Antonio", alegradas por los vistosos colores de los trajes regionales, los sabrosos platos de cocina, los hispánicos aires de músicos y danzantes.

El éxito de la Misión de San Antonio, atrayendo y civilizando a los indígenas de los contornos, promovió la fundación de otras en los alrededores. La primera, en 1720, fue la *Misión de San José* y *San Miguel de Aguayo,* hoy conocida por San José (46). En 1731 se levantaron tres más: *Nuestra Señora de la Purísima Concepción de María de Acuña* –en honor del virrey–, *San Francisco de la Es-*

pada y *San Juan Capistrano* (47). Elevadas a lo largo del río, en una distancia no superior a 12 kilómetros, se enlazaban entre sí por un sistema de acequias y acueductos. Muy bien se han conservado estas Misiones, y constituye su visita un incomparable peregrinaje hispánico. Tiene cada una su atractivo, y en todas destaca la magnitud de sus muros, la bondad de sus materiales y la importancia que alcanzaron, fiel reflejo del considerable centro en que San Antonio se convirtió desde los primeros días de su nacimiento.

No es posible hacer la historia detallada de las Misiones texanas, pero sí recordar su existencia, su papel operante en el momento histórico presente y su contribución en el futuro a un mayor estrechamiento de los lazos culturales hispano-norteamericanos. Cualquiera que visite, por ejemplo, la *Misión Concepción,* no podrá por menos de admirarse de la estructura de su iglesia (hoy en sevicio) y de la capacidad de su enfermería, desde cuyos lechos los dolientes podían seguir –como allá, cerca de la capital del Imperio, el rey Felipe II había seguido en monástica celda escurialense– la misa que se celebraba en el altar mayor. San Juan de Capistrano se ha beneficiado de la oportunidad de la Hemisfair 1968 para ver realzados en buena parte sus muros.

Aun el reacio a reconocer la obra civilizadora de España ha de quitarse el sombrero ante el maravilloso conjunto que forma la *Misión San José*, hoy bajo la guarda del Servicio Federal de Parques. Han sido reconstruidos la iglesia –con bóveda vencida hace años por los rigores del tiempo– y los cuarteles en que habitaban los indios, se almacenaban los granos o los aperos, o se practicaban y aprendían los oficios y las industrias; quedan en ruinas las moradas de los frailes por el romántico sabor que en ciertas circunstancias los muros derrumbados proporcionan. Y es que la evocación y la poesía se respiran en San José por doquier. Y allí está la famosa "Ventana de la Rosa", atribuida al amor del escultor criollo Pedro de Huizar por una muchacha española que, habiendo de venir de la Península, nunca llegó a reunirse con él; Huizar es autor también de la notable fachada de la iglesia. Dos joyas del arte colonial y dos argumentos a favor de los partidarios del barroco (48).

Todo este ambiente, con el que San José acoge al forastero, es obra, en gran parte, del entusiasmo y competencia de una dama, la señora Ethel Wilson Harris, quien se propuso restablecer y dar nueva vida a la Misión –lo que consiguió, merced a las muchas ayudas que de todas parte obtuvo– y difundir su historia y significación. En este último orden de cosas, escribió hace años el "Relato de San José", en colaboración con Frank Duane, comedia que tiene por lugar de acción, allá por 1777, la visita que el inspector, padre Morfi, realizó a la Misión en compañía del comandante De Croix, en momentos en que Huizar trabajaba en ella; y ha representado por primera vez, en julio de 1964, en memorable sesión, su nueva obra "Los indios de San José". No puede ser más adecuado el local en que esta comedia se ha estrenado: el "Teatro histórico de Texas", inaugurado en 1958, al aire libre, con espacioso anfiteatro, y situado en los propios terrenos de la Misión. En su ámbito se oyen por Navidad los sonidos españoles de la obra "Los Pastores", que desde los tiempos misionales viene ofreciéndose casi sin interrupción a la piedad de los sanantonianos. Benemérita es la obra de la señora Harris y merecedora del reconocimiento de España. La Historia pasada y la vida presente en San José, al alcance de la mano de cualquier curioso turista, constituyen un motivo de orgullo para quien siente en sus venas correr nuestra sangre.

El palacio y los gobernadores

Con no menos amor ha sido conservado en San Antonio el *palacio del gobernador español,* construido en 1722, y que sigue situado en el punto central de la urbe. Ha sido reconocido como "National Historic Landmark". De no aparatosa apariencia (lastimosamente alterada por la vecindad de los estridentes colores de un "drug store"), tiene el empaque y la dignidad de los estridentes colores res de un "drug store"), tiene el empaque y la dignidad de lo hispánico, y en su interior, la elegante sobriedad de una casa solariega del siglo XVIII, bien mantenida tierras de Texas. Es recoleto, acogedor y rumoroso su patio trasero, lleno de flores y de pájaros, centrado por una fuente y flanqueado por un amplio porche, y son de época los muebles expuestos. Estupendo marco para que la imaginación nos haga revivir escenas en aquellos ámbitos pasadas. Y presidiéndolo todo, un retrato del marqués de Valero. Y como tesoro, que nos muestra la presidente de la Asociación Histórica local, Mrs. Padgett, una elaborada colcha enviada como regalo de la salmantina y tejedora ciudad de Béjar.

Desde ese palacio se gobernaron los asuntos de Texas en el curso del siglo XVIII, y sus estancias fueron testigos de los dramáticos años precursores de la independencia de España. De él salió el nombramiento a favor de D. Miguel Ramos Arizpe para representar en las Cortes de Cádiz la provincia de Coahuila-Texas, encargo que desempeñó el designado con puntual solicitud (49).

Siendo su morador D. Manuel Salcedo, fue testigo de la rebelión de José Antonio Gutiérrez de Lara, quien, entusiasmado con su hermano por las exaltadas prédicas por la independencia del padre Miguel Hidalgo, consiguió con un grupo de sublevados tomar San Antonio y hacer prisionero al gobernador en los finales de 1810. No se consolidó su victoria, dado que a los tres meses Salcedo sería liberado y restituido a su puesto de mando en San Antonio (50). Pero Lara no se desanimó, acudió a Washington D. C. para obtener auxilios de Monroe en hombres y en armas, y en marzo de 1813 había logrado sitiar de nuevo la capital, con la colaboración del yanqui Magee, ciudad que fue asaltada el 2 de abril. Salcedo y 16 oficiales españoles recibieron horrible muerte, y la primera República independiente de Texas quedó proclamada el 17 de dicho mes. Cuatro meses tendría de duración, ya que las fuerzas realistas procedentes de Laredo vencieron en la batalla de Medina el 18 de agosto siguiente (51).

El Tratado de Florida confirmó a España la posesión de Texas, estipulación que no recibió general asenso en los expansionistas Estados de la Unión. En todo caso, ello supuso que México heredara de España sus extensos territorios cuando O'Donojú renunció para España la soberanía en los dominios mexicanos.

CALLES Y PLAZAS

Predispone a favor San Antonio cuando al entrar en su casco urbano se ven en sus calles balcones españoles y flores por doquier y cuando se oye por plazas y mercados la lengua de sor Juana Inés de la Cruz. Su población está formada en gran parte por mexicanos de procedencia relativamente reciente y por sucesores de los pobladores de la época colonial. Unos y otros constituyen hasta el tercio de sus habitantes, conservando los segundos un considerable dominio del español. Tal grupo ejerce en la actualidad gran influencia en la vida ciudadana e incluso estatal; pasaron los tiempos de la segregación en los que su condición hispánica les sometía a vejámenes y situaciones de injusta desigualdad. El representante del distrito en el Parlamento federal se apellidó González, hombre de gran prestigio local y nacional. Recorrí la ciudad en compañía del Sr. Henry Guerra, descendiente de una de las más antiguas familias sanantonianas. Su español era casi tan bueno como su inglés, pero su hidalga hospitalidad –y la de su esposa– superaban a éste. Durante años existió un Instituto de Cultura Hispánica. Cuando el Bicentenario, en 1976, fue fundada por el Cónsul General Sr. Martel la Orden de Granaderos y Damas de Gálvez, formada por personas relevantes de Texas. Su misión es la de recuperar para la historia americana, no sólo la figura de Gálvez, sino todas aquellas etapas históricas en las que se produjeron contribuciones españolas. El gobierno de España donó a la nueva Orden uniformes correspondientes a uno de los regimientos que a las órdenes de aquel Gobernador luchó por la independencia de los Estados Unidos, uniformes que son vestidos en solemnes ocasiones. Hoy en día existen escuadras de Granaderos en San Antonio, El Paso, Galveston y Houston. Las damas utilizan como símbolo distintivo de su condición y jerarquía medallas inspiradas en la Orden del Mérito Civil española, pero utilizando los colores de España. En sus Estatutos aparece como preceptiva una visita trianual al Rey de España, la primera de las cuales tuvo lugar en 1978 y obtuvo un gran eco en los medios de comunicación.

En la Universidad funciona el "Teatro de la Esperanza", fundado por el chicano Jorge A. Huertas.

La verdadera Historia de Texas comienza en San Antonio. Es esta ciudad, al decir de uno de sus cronistas sajones, la más preciada reliquia del Estado. La razón principal de su primitiva capitalidad fue la abundancia del agua que manaba no muy lejos, y cuyo cauce, formando coquetuelos meandros, habría de constituir uno de los atractivos metropolitanos. El recorrido del río San Antonio por el casco de la urbe, a través de unas conseguidas obras de canalización, se ha convertido en uno de los parajes más bonitos que encontrarse puede en urbana geografía y uno de los rincones del mundo más cargados de poesía y de romanticismo de la buena clase. Las parejas que quieran rodear a su amor del adecuado marco, que acudan a San Antonio, desciendan las escaleras que conducen al río y se paseen a la luz de los faroles por las bien pavimentadas riberas, o se dejen llevar en cualquiera de las balsas que en varias direcciones circulan, o tomen una copa, o pidan una cena en los restaurantes móviles que por el río se deslizan, o se detengan en el "Arneson River Theatre" y contemplen desde un empinado anfiteatro o desde las propias barcas la representación de "Fiesta Noche del Río", que se reflejará en las aguas que fluyen y separan el escenario del auditorio. Ese efecto que produce el ambiente, esa comida que sibaríticamente se ingiere, esas gentes alegres y hospitalarias, ese espectáculo a que se asiste, son españoles en gran parte e hispánicos en su totalidad; un vino de Rioja, un gazpacho o un cocido, un dúo de zarzuela o un zapateado flamenco, un olor del sevillano jazmín o unos ojos profundos de morena clara son hallazgos que pueden darse en cada esquina o en cada recoveco fluvial.

En el callejero de San Antonio muchos nombres españoles podemos leer: Alcázar, Alhambra, Ambrosia, Amor, Balboa, Buena Vista, Camargo, Caranza, Castano, Castillo, Columbus, Delgado, De Soto, Dolorosa, Espinosa, Flores, Golondrina, Hidalgo, La Paloma, Pérez, Querida, Ramona, Téllez, Teresa, Toledo, Valencia y Zavalla, por no citar más que unas cuantas.

CENTRO MILITAR

San Antonio, la primera urbe texana bajo los regímenes españoles y mexicano, ha sido sobrepasada en el presente siglo por los colosos urbanos de Houston, Dallas o Fort Worth. Pero la pérdida de hegemonía no implica la ausencia de progreso en la perla de Texas. Se trata de una ciudad en pleno desarrollo, que cuenta con industrias florecientes, como las fábricas de cerveza "Lone Star", y es la sede del más grande establecimiento militar de todo el país: el *Fuerte Sam Houston,* con el Cuartel General del Cuarto Ejército, y el *Broke Army Medical Center,* con un hospital de 2.000 camas, laboratorios y la Escuela Central de Sanidad Militar. Además, las fuerzas aéreas cuentan en San Antonio con la *Kelly Air Force Base* (enorme depósito de suministros), la *Lackland Air Force Base* (principal escuela para el entrenamiento de reclutas y futuros oficiales), la *Randolph Air Base* (Cuartel General ejecutivo del "Air Training Commard") y el *Centro de Medicina Aeroespacial* (centro de investigación para los viajes interplanetarios). Este aspecto de San Antonio, en el que la nota militar predomina, no puede extrañarnos si recordamos que en sus orígenes fue, sobre todo, el real de una relativamente poderosa guarnición militar española.

HEMISFAIR 1968

Proyectos conducentes a promover su desarrollo económico y aumentar sus intercambios comerciales con otros puntos del país e incluso del continente están en marcha; un paso adelante en este camino lo dio la "HemisFair 1968", que, bajo el lema "Confluencia de civilizaciones en América" y coincidiendo con el CCL Aniversario de la fundación de la ciudad, se inauguró el 6 de abril de 1968 y permaneció abierta seis meses. Presidió la ceremonia de apertura la Sra. Johnson, esposa del presidente; el gobernador de Texas, John Connally; el secretario del Interior, Stewart Udall; el ministro de Información y Turismo de España, Fraga Iribarne, y los embajadores de los países participantes. El Pabellón español, típica construcción de tipo andaluz, con azulejos, rejas y arcos morunos, comprendía en sus salas un itinerario histórico-artístico de España, con especial referencia al descubrimiento de América, la exploración y colonización del Nuevo Mundo y la ayuda española a la independencia de los Estados Unidos. Entre las obras de arte expuestas figuraban pinturas de El Greco, Velázquez, Ribera, Murillo, Pereda, Zurbarán y Goya, además del retrato, anónimo, de un conquistador español, de la cabeza romana de Agripina, de la armadura de Gran Capitán y del mapa del Virreinato de Nueva España (siglo XVIII), debido a José Antonio de Alzate y Ramírez. El ministro se halló, asimismo, presente en la celebración el 7 de abril del "Día de España".

Al "Día de Laredo", en junio siguiente, asistieron los alcaldes de Laredo (España), Laredo (Texas) y Nuevo Laredo (México). Hubo diversos contactos también entre San Antonio y las islas Canarias, las cuales ofrecieron, por medio del director del Pabellón español, Sr. Carbajosa, la leche de cabra del "gánigo de la paz" al alcalde sanantoniano, Mr. Walter McAllister, quien también recibió al término de la Feria, de manos del cónsul general de España en N. Orleáns, Juan José Cano, las llaves del Pabellón regalado por el Gobierno español a la ciudad la cual ostenta un pacto de hermandad con las capitales canarias Las Palmas y Santa Cruz de Tenerife.

SECTORES CENTRAL Y MERIDIONAL

Misiones y Presidios

TOMFRA

Al abandonar San Antonio con ánimo de recorrer algunas –al menos– de las Misiones en el centro y sur de Texas, no elegiremos mejor guía que Tomfra (Texas Old Misions and Forts Restoration Association) –personificada en su entusiasta y anterior Presidente, Srta. Henrietta Henry–, entidad que en su folleto divulgador, anzuelo para nuevos miembros, atribuye a las Misiones españolas y a la cultura que ellas difundieron las siguientes benéficas consecuencias para Texas: 1), plantaron las primeras semillas del progreso cultural de la región; 2), sin el esfuerzo misionero no se habría formado el núcleo civilizado que atrajera a los iniciadores de la colonización angloamericana. Bajo la dirección de sus sucesivos presidentes, Tomfra se ha propuesto la reconstrucción –y la previa e indispensable localización– del mayor número posible de Misiones y su inclusión en una soñada "Ruta de las Misiones de Texas" –"Texas Mission Trail"–, formando una hispánica cadena que abrace cordialmente la geografía del Estado. Para ello cuenta con ayudas oficiales privadas y, sobre todo, con el entusiasmo de sus miembros. Desde su fundación, ha organizado conferencias y viajes de interés histórico (entre otros, a España), ha promovido restauraciones y viene publicando trimestralmente un boletín "El Campanario" en el que se recogen artículos y noticias de interés. En uno de ellos, el P. Marion A. Habig llega a situar en Texas 36 misiones y 6 visitas submisiones, 9 presidios y 18 establecimientos; y en otro se contiene una selecta bibliografía para el estudio de las Misiones y de los Fuertes hispano-texanos.

Gracias a las gestiones de TOMFRA se guardan desde octubre de 1974, en la Casa-Museo de Valladolid, una bandera de los EE.UU. y una arqueta con tierra de las misiones y presidios españoles en Texas.

RÍOS TRINITY Y SAN GABRIEL

Si descendemos hasta Anahuac, en la desembocadura del Trinity River en la Galveston Bay, nos enteraremos de los recientes hallazgos del profesor Curtis

Tunnell de los restos de la *Misión de Nuestra Señora de la Luz del Orocoquisac* y del *Presidio de San Agustín de Ahumada* (52). Si tomamos, en cambio, la carretera 81 y ponemos rumbo a Rockdale, arribaremos a las márgenes del río San Gabriel. En sus contornos tuvieron vida una serie de establecimientos españoles; a excavar las ruinas de la *Misión de San Francisco Xavier de los Horcasitas* –fundada en 1746– y del Presidio del mismo nombre se dedicará el equipo que dirige el profesor William C. Massey (53). De ellos y de las *Misiones de San Ildefonso* y de *Nuestra Señora de la Candelaria,* creadas, respectivamente, en 1748 y 1749 (54), no quedan por el momento muchas trazas, en verdad, a no ser las lápidas conmemorativas levantadas en 1936, en las que se cuentan al caminante –tan pocos en Estados Unidos– los hechos sobresalientes de cada Misión. Fray Francisco Mariano de los Dolores y Viana inició la primera, y lástima fue que el martirio del padre José Ganzábal (55) y las circunstancias con él conexas determinaron el traslado de ella en 1755 a orillas del río San Marcos (56). De la Misión de San Ildefonso se observan restos de un dique y diversas obras de irrigación, y llegó a contar con 349 indios, a juzgar por las referencias del capitán José Joaquín de Eca y Muzquiz (57). Nuestra Señora de la Candelaria sufrió, como la anterior, las consecuencias de la muerte del padre Ganzábal, y hubo de ser trasladada también, andando el tiempo, cerca del río Nueces, en la carretera 55, cerca de la actual Montell (58). Es notable observar la primordial preocupación de los españoles, como baqueteados colonizadores, por el agua. Se percataron de que ésta era un problema fundamental en Texas, y procuraron emplazar las Misiones en las orillas de los ríos y construir acueductos, acequias y diques para embalsar el tesoro líquido y aprovecharlo en regadíos.

MENARD

La ciudad de Menard guarda preciosos restos de la acción española. Podemos dirigirnos por las rutas 81, 183 y 29. Unas horas de viaje y unos cientos de kilómetros bien valen un desvío a Menard, y no por los atractivos materiales que hoy puedan encontrase en su término, pero sí por los recuerdos españoles que allí nos esperan, por el orgullo con que sus vecinos los muestran y por la hospitalidad con que éstos reciben. Menard cuenta con 2.000 habitantes y está situada a trasmano de cualquier ruta importante de Texas. Hay que ir a buscarla, si se quiere gozar de ella, y éste es quizá uno de sus alicientes. Mr Wedell, como presidente de la Sociedad Histórica local, es nuestro guía. A visitar el emplazamiento de la *Misión de Santa Cruz de San Saba* nos conduce primero y allí hemos de figurarnos la escena tremenda del ataque de los temibles comanches, que dejaron en 1758 las edificaciones en ruinas y muertos los padres Alonso Giraldo de Terreros y José Santiesteban como mártires de la causa cristiana. El Fuerte, construido a cierta distancia, nada pudo evitar, y fue abandonado a raíz de la visita a la zona del Marqués de Rubí en 1766-67, acompañado por el capitán de Ingenieros, Nicolás Lafora, quien levantó un mapa y redactó un informe sobre él. A no mucha distancia se yerguen todavía las ruinas del *Presidio de San Luis de las Amarillas,* levantado por el coronel Diego Ortiz y Parrilla, y a ellas nos encaminamos después. Las tapias exteriores son vecinas en uno de sus costados del río San Saba, y sus restos dan idea de sus considerables proporciones. Alguna pared sostiene algún ruinoso arco y entre unas y otras se logra una aproximada idea del respetable tamaño del fuerte, uno de cuyos cubos atrae con su arrogancia la mirada del visitante. Interesante sería la reconstrucción de este Presidio, clave del poderío militar español en la región, y recompensadoras sorpresas podrían obtenerse, a buen seguro, de ahondar un poco (59).

CAMP WOOD

Es la localidad de Camp Wood la siguiente parada en nuestra gira misionera. Transcurre la etapa previa plena de rememoraciones extremeñas, debido a la orografía de la región y la frecuencia de chaparros y árboles retorcidos. No es aquí Texas llana, sino con abundancia de colinas, que hacen serpentear la carretera, librando de monotonía a la atención y acumulando algún que otro riesgo si el conductor no es especialmente experto. Más allá recibirán al viajero manchas de encinas, "sage brush" (artemisa), nogales o "pecans", que no por capricho conserva el cercano río el nombre de Nueces, etc. La tierra, en estos parajes blanquecina, tomará un color dorado hacia el Norte, por Odessa y por Lubock, en la llanura interminable, el "Llano estacado", de los españoles.

En Camp Wood, a la que nos lleva la carretera 83, estuvo la *Misión de San Lorenzo de la Santa Cruz,* fundada por D. Felipe de Rábago y Terán y fray Diego Jiménez. Es esta vez nuestro mentor Mr. James Greer, presidente de la Sociedad Histórica local. Con los datos proporcionados por un equipo de arqueólogos de la Universidad de Texas se reconstruyeron hace tiempo algunos muros con los mismos tipos de adobes utilizados en épocas españolas, pero los trabajos fueron interrumpidos por falta de información fidedigna. Ojalá en los archivos españoles o mexicanos puedan ser identificados pronto los datos que precisan los miembros de la "Camp Wood Historical Association" para dar cima a sus afanes de recreación fiel de las edificaciones misionales y convertir el lugar en uno de los atractivos histórico-turísticos de la región, si no del Estado. Bien se lo merecerían. Tal reedificación, justo homenaje sería a la memoria de los españoles heroicos que en 1762 se propusieron civilizar a los indios apaches y protegerles contra sus rivales comanches (60).

GOLIAD

Otra Misión y otro Presidio se sitúan en los alrededores de Goliad (cuyo nombre es el anagrama del apellido de Hidalgo, el héroe de la revolución mexicana), ciudad situada a mitad de camino entre Houston y San Antonio, el mismo que recorrieron muchas veces los españoles. Ambos han sido reconstruidos gracias a los generosos fondos provistos por Mrs. Kathryn O'Connor, presidente de la Sociedad Histórica de Victoria, y por cuyo motivo ha sido condecorada con la Orden de Isabel la Católica por S.M. Juan Carlos I, Rey de España. La *Misión de Nuestra Señora del Espíritu Santo,* de Zúñiga, fundada en el emplazamiento presente en 1749 (los anteriores, en los años 1722 –en el lugar del Fort St. Louis– y 1726), tuvo por objetivo cristianizar los indios caníbales de la región (61). Yérguense en el paisaje sus muros, con gran fidelidad levantados de nuevo, comprendiendo la iglesia y las habitaciones de los frailes y de los indios; se convirtió en la propietaria de los mayores ranchos de ganado en todo Texas, alcanzando el número de sus cabezas muchos miles.

A unos cuantos kilómetros de la Misión se alza el *Presidio de Nuestra Señora de Loreto de La Bahía,* construido por el capitán Orobio y Basterra en 1749, y fundado primeramente en 1722 por el marqués de Aguayo junto a la primitiva Misión. Bajo la dirección de sus sucesores, el capitán Manuel Ramírez de la Piscina, Francisco Tovar y Cazorla, las fortificaciones crecieron en solidez y se evidenciaron como útiles para resistir los frecuentes ataques de los indios (62). Cayeron, sin embargo, en manos de la expedición de Gutiérrez de Lara y Magee, en 1812, pero no supieron éstos librarse del sitio de tres meses que les impuso el gobernador Salcedo; tras varios incidentes y ser Gutiérrez juzgado y destituido, se deshizo por completo la expedición (63). Un superviviente, Henry Perry, regresó en 1817 al frente de una considerable fuerza militar: sus intentos de asaltar el Presidio fracasaron ante la aparición de tropas realistas, lo que llevó a Perry al suicidio (64). Otra partida armada, esta vez de 50 a 60 hombres, al mando de James Long, desembarcó en el otoño de 1821 en la desembocadura del río Guadalupe y cercó el fuerte; antes de veinticuatro horas había sido derrotado y hecho prisionero (65).

Tuvo importancia La Bahía, a juzgar por los muros en pie y por el terreno acotado de acuerdo con las avanzadas investigaciones. Es admirable la labor del arquitecto Mr. Strippling, de sus colaboradores técnicos y del peonaje –en su mayoría mexicano– trabajando bajo el abrasador sol estival, excavando allá, levantando paredes acullá, clasificando con extraordinario rigor científico y fidelidad histórica (en adecuados receptáculos, provistos de detallados datos sobre el hallazgo) cuantos instrumentos, botones, herrajes, clavos, piezas de cerámica, etc., han ido encontrando. En la iglesia, una antigua imagen de la Virgen de Loreto se muestra a la piedad mariana y a la general admiración artística, en una capilla lateral; en el altar mayor aparece un fresco moderno de pintor mexicano ante el que dice la misa dominical el cura de Goliad. Ambiente lugareño español se respira entre los muros de La Bahía, y hay que hacer esfuerzos para convencerse de que no nos movemos en la meseta castellana, sino en las tierras del Tío Sam, y eso que no debemos olvidar que la posterior historia del Presidio está muy ligada a la de la independencia de Texas. Para fomentar el interés y preservar la rica heredad asociada a la Bahía, en particular, y a las Misiones y Fuertes españoles en Texas, en general, la "The Kathryn O'Connor Foundation" ha creado el premio anual "La Bahía Award".

Cercana a la anterior Misión se yergue la *Misión de Nuestra Señora del Rosario,* establecida en 1754 por los franciscanos; tuvo más de cuarenta años de vida y llegó a poseer 30.000 cabezas de ganado. Buena suerte le tocó en punto a conservación al ser elegida como escuela para las familias de los soldados y pobladores en 1818, siendo sus primeros profesores Juan Manuel Zambrano y José Galán. Con posterioridad, albergaría una escuela femenina (66).

SECTORES SUDOCCIDENTAL Y OCCIDENTAL

Nos queda por recorrer el sector sur de Texas y el territorio próximo al Río Grande. Su historia española es considerable, lo cual no quita para que el hecho de una densa población hispanoparlante, procedente del otro lado de la frontera, deje de darle una peculiar impronta. En 31 condados situados en esta parte –entre los 254 que componen el Estado–, más del 50 por 100 de los niños asistentes a las escuelas públicas portan apellidos españoles. Muchas de las ciudades o localidades de menor tamaño muestran un gran porcentaje de hispanos (67). Uno de los representantes del sector ante el Congreso federal fue Eligio de la Garza, digno descendiente de sus emprendedores antepasados.

Naufragio. Los sobrevivientes desnudos

Además de la presencia de Pineda en 1519 en la desembocadura del gran río –en la ciudad de Corpus Cristi se yergue su estatua en bronce, obra del artista S. J. Coleman– al que él denominó río de las Palmas, cabe mencionar, por su consideración, el naufragio que sufrieron en sus inmediaciones, en la primavera de 1553 y producido por un terrible huracán desencadenado, 20 barcos que, partidos de Veracruz, se dirigían a Cuba y España. Sólo tres consiguieron su último destino, y uno retornó a su punto de partida; el resto fue víctima de los vientos enfurecidos, y sus tripulantes, en número de 300 –entre ellos cinco dominicos–, arrojados a las playas meridionales de Texas. Narra los incidentes que les sucedieron el historiador Horgan (68). Por toda defensa contra los agresivos indios comarcanos contaban los arribados con dos arcos, que a poco perdieron al vadear una corriente en sus intentos de regresar a pie a Nueva España, bordeando la costa. Un día los indios capturaron a dos españoles y, quitándoles los vestidos, los devolvieron desnudos al grupo itinerante. Estimando sus componentes, llenos de confusión y desesperación por las penosas circunstancias en que se encontraban, que dicho despojo significaba e indicaba el resentimiento de los indígenas ante la vestimenta de los intrusos en comparación con su desnudez, decidieron desnudarse todos –hombres, mujeres, niños, frailes–, con el fin de ganar así la amistad y la paz con sus belicosos anfitriones. Entre las muchas cosas, pues, en que los españoles fueron primeros en Norteamérica, podría incluirse esta fundación de una colonia desnudista. Tan tragicómica determinación de nada sirvió, porque los indios continuaron atacándoles, y hasta 100 náufragos murieron por obra de las flechas, las enfermedades, el hambre. Al llegar al Río Grande consiguieron atravesarlo, en pequeños grupos, en una lancha que encontraron, y no sin sufrir la hostilidad de los aborígenes. Entre los heridos figuraron fray Diego de la Cruz y fray Hernando Méndez, quienes resolvieron, a pesar de ello, no seguir a la expedición hacia el Sur y quedarse en la región a evangelizar a sus naturales.

Después de volver a cruzar a la orilla izquierda, fray Diego murió, no sin recibir los últimos sacramentos administrados por su compañero, quien le enterró en dicha orilla. Remontando el río, halló fray Hernando a un compatriota apellidado Vázquez y a una negra, con quienes compartió sus esfuerzos por sobrevivir; difícil debió de resultarles la convivencia careciendo los tres de vestidos, pero la situación se resolvió con la muerte del padre, el asesinato de la negra por los indios y la huida, en pos del grupo, de Vázquez. La ausencia de fray Diego y fray Hernando fue notada por sus tres hermanos de religión, por lo que dos de ellos retrocedieron, y, al llegar al río, lo remontaron por medio de la balsa, de la que la expedición había hecho tan fundamental uso. En medio de la corriente hallaron una isla, en la que decidieron atracar para reponer fuerzas; cuál no sería su susto cuando de pronto la isla se hundió, dándoles el consiguiente chapuzón, y partió después veloz aguas abajo: se trataba de una enorme ballena. No encontrando a los buscados, volvieron a unirse al grupo, pero de los tres dominicos sólo Fray Marcos de Mena llegaría a la ciudad de México, en unión de otros pocos supervivientes, en donde informaron de las peripecias sufridas. A todos les parecería un sueño hallarse a salvo, pero especialmente a fray Marcos, que se había visto enterrado en una tumba: tras el ataque de que fueron víctimas de los aborígenes los náufragos al alcanzar la costa. Mena quedó tan mortalmente herido que, no pudiendo seguir a sus compañeros en su huida y viéndose éstos precisados a abandonarle, le enterraron en una playa, dejando abierto un agujero en su sepulcro para que respirara hasta su fallecimiento; pero como no murió, pudo escapar de la fosa para contemplar los cadáveres de buena parte del grupo de sus enterradores, muertos por los indios.

EL PASO

Misiones y Presidios en el Río Grande

Remontemos ahora Río Grande en su sinuoso recorrido, y parémonos, tras larga boga, en El Paso, una de las principales ciudades de la región. Tuvo su primer origen en una iglesia de ramas y barro y en un monasterio techado con paja, levantados entre los indios mansos en 1659 (69); en 1668 una iglesia de mayor entidad quedó completada y bautizada con el nombre de *Nuestra Señora de Guadalupe de El Paso* (70). Cuando los colonos españoles de Santa Fe y otros poblados de Nuevo México hubieron de replegarse como consecuencia de la sublevación de los indios pueblos en 1680, se refugiaron en *El Paso del Norte*. Fundaron entonces, el gobernador D. Antonio Otermin y fray Francisco Ayeta, en 1682 y 1683, las *Misiones de San Antonio de la Isleta del Sur, San Francisco del Socorro del Sur, San Antonio de Senecu y San Lorenzo del Real*, a no gran distancia de la primera (71). En 1770 vino a añadirse la de *San Elizario* con el Presidio del mismo nombre (72). Durante toda la etapa del Gobierno español El Paso jugó un papel fundamental por su relevancia adquirida y por su posición clave, sobrepasando en población a otros núcleos urbanos como Santa Fe y Alburquerque. Esta zona –denominada de Chamizal– ha sido objeto de disputa entre los Estados Unidos y México, debido al cambio del curso del Río Grande, y sólo ha sido reglada en 1965, como consecuencia de la Declaración Conjunta Kennedy-López Mateos de 1962 y de la posterior Convención de 29 de agosto de 1963. José Mª de Areilza recoge en sus "Memorias Exteriores" su visita como primer Embajador a la ciudad para condecorar al obispo Metzger.

PRESIDIO

Si rehacemos en parte nuestra boga, descenderemos hasta Presidio, en el condado del mismo nombre y enfrente del Estado mexicano de Chihuahua. Este lugar tuvo por primer nombre el de Junta de los Ríos, pero recibió el de *Presidio del Norte* cuando el capitán Alonso Rubín de Celis fundó un establecimiento militar en 1759 (73). En esta vecindad habían sido levantadas en 1783-84 por los franciscanos las *Misiones de San Antonio de los Puliques, San Francisco de los Julimes, Santa María la Redonda, San Pedro de Alcántara, el Apóstol Santiago y San Cristóbal* (74). Se debió ello a caer la comarca bajo el dominio de los indios jumanos, tan deseosos de ser cristianizados, desde que recibieron las periódicas y misteriosas visitas de la "señora de azul", que no era sino la monja sor María de Agreda (1602-1665) en un fenómeno de bilocación. Como consecuencia de sus insistentes solicitudes de ser misionados, una partida dirigida por el capitán Juan Domínguez de Mendoza y el padre Nicolás López salió de El Paso el 15 de diciembre de 1683 y, siguiendo el curso del Río Grande, se internó en el inmenso territorio que se extendía a su izquierda, entrada que duró seis meses; como secuela, en el 13 de junio siguiente. Mendoza tomó posesión oficial y legal de las tierras al otro lado de aquel río. Texas de nuestros días (75).

En el sector mexicano de Monterrey se instalaron colonos españoles que acudían a trabajar en las minas descubiertas ya en 1579. Más al Norte no se aventuraron por el momento, pero cuando en la corte de Nueva España se consolidaron los rumores de asentamientos de franceses en Luisiana y dado que las Misiones del este de Texas habían sido abandonadas en 1693, se decidió el establecimiento en la región de un sistema defensivo que sirviera de protección a los territorios mexicanos. La *Misión de San Juan Bautista,* en un principio fundada en las márgenes del río Sabinas, en el Estado de Coahuila, se trasladó en 1700 a las llanuras de la orilla del Río Grande. En los tres años siguientes, dos nuevas Misiones elevarían sus paredes, *San Francisco Solano* y *San Bernardo,* al par que los cuarteles necesarios para albergar la guarnición de una tropa de 30, la "Compañía Volante" al mando del capitán Diego Ramón. El conjunto recibiría el nombre de *Presidio de San Juan Bautista del Río Grande* y en las décadas sucesivas constituiría un punto neurálgico en la historia española de la región –jugó un fundamental papel en los días revolucionarios– y base de la ciudad mexicana de Guerrero, situada al sur de Piedras Negras (76).

EAGLE PASS

En frente de Piedras Negras, y al otro lado del río, se yergue la ciudad estadounidense de Eagle Pass. Los indios de la región habían mantenido relaciones, pacíficas y belicosas, con los españoles en el curso de la primera mitad del siglo XVIII. A raíz de sus repetidas solicitudes de ser cristianizados, fray Manuel de la Cruz atravesó el río y se informó de la verdadera buena disposición de los naturales. Por órdenes del gobernador de Coahuila, partió el teniente Fernando del Bosque con los padres Juan Larios y Dionisio de San Buenaventura, 10 españoles y 20 indios aliados, con sus dos jefes, el 30 de abril de 1675, y cruzó el llamado por los indios río del Norte, en punto cercano a Eagle Pass. Eligiendo una dirección septentrional, exploró el grupo la región y tomó notas de ellas y de sus productos. El día 16 de mayo una campanita sonó para convocar a la primera misa que se oyó cantar en Texas, a cargo del padre Larios (77). Muchos de los indios asistentes en número 1.172 pidieron el bautismo, pero sólo les fue concedido –hasta su ulterior instrucción– a 55 niños. La sagrada ceremonia se desarrolló en lugar próximo a la moderna localidad de Del Río, al que denominaron "San Ysidro" (¿corresponderá a "San Felipe Springs" de nuestros días?) (78). Al sur de Del Río se elevaría en 1736 el Presidio Sacramento (79).

Ciudades fundadas por Escandón

El 5 de marzo de 1749 quedó formalmente fundada la ciudad de Camargo, al finalizar una solemne misa en presencia del teniente general D. José de Escandón (80). Camargo era el primer núcleo urbano entre los establecimientos propuestos por el organizador del Reino de Nuevo Santander, al nordeste de Nueva España, a lo largo del Río Grande. Había Escandón previamente convocado, en febrero de 1747 y en la desembocadura de este río, siete destacamentos armados equivalentes a 765 soldados, estacionados en una región con más de 120.000 millas cuadradas de extensión, para un cambio de impresiones. Como corolario había propuesto en un concienzudo y profundo estudio la creación de 14 centros –seis a lo largo del río–, en los que se agruparan colonos y se elevaran Misiones. Su punto de vista era diferente al imperante hasta entonces: más que Misiones, apoyadas en destacamentos militares, se debían formas agrupaciones de civiles que en sí tuviesen poder suficiente para superar los posibles ataques enemigos, contando, claro está, con fuerzas militares y religiosos evangelizadores. En la realización de su proyecto obtuvo la entusiasta colaboración de 500 familias, las que recibirían una cierta extensión de tierra libre, cantidades hasta 200 pesos y exención tributaria por diez años (81).

El 14 del mismo mes de marzo quedó también iniciada, en la orilla derecha, la comunidad de *Reynosa,* y en el curso del verano de 1750, poco más arriba, *Revilla,* denominada, posteriormente, Ciudad Guerrero. En 1753 se levantó, entre las dos, el núcleo de *Mier.* Por su parte, en la orilla izquierda –hoy Texas– fueron constituyéndose diversos centros: en el verano de 1750, *Dolores,* en el actual emplazamiento de San Ygnacio, bajo el patrocinio de José Vázquez Borrego (en el mismo año los franciscanos fundarían la Misión de Peñitas, luego la Lomita, origen de la localidad de Mission); a partir de 1753, los que serían la base de *Río Grande City* y *Roma;* el 15 de mayo de 1755, la villa de *Laredo,* a cargo de Tomás Sánchez (82). De la nomenclatura elegida se deduce inevitablemente el origen montañés de Escandón, recompensado por el rey en 1749 con el título de conde de Sierra Gorda, denominación derivada de uno de los complejos montañosos de la región (83).

Concesiones de tierras

Los referidos establecimientos funcionaron en los primeros años en forma colectiva y no procedió Escandón a conceder individualmente tierras hasta que los pobladores se hallaron verdaderamente asentados y los peligros de los ataques indios, más de temer para los granjeros aislados, decrecieron. Sólo hizo la excepción con el capitán Blas María de la Garza Falcón, con el fin de constituir urgentemente un punto fortificado a mitad de camino entre el Presidio de La

Bahía y el Río Grande, en las márgenes del río Nueces (84). Así, viajó aquél en 1760 con su familia, colonos y soldados, situándose en terrenos que años más tarde pasarían a pertenecer al famoso "King Ranch", hoy la mayor extensión terrícola en los Estados Unidos –más de 975.000 acres–, equivalentes casi a la del Estado de Connecticut, y perteneciente a la familia Kleber (85). "El Rancho Real de Santa Petronila" –así se llamó la concesión real– cumplió su papel de promotor de riqueza en el área, de defensor contra la algaradas de los pieles rojas y de civilizador, en suma: Garza bautizó muchos puntos de sus dominios y otorgó el nombre de la santa patrona de su hija María Gertrudis a una parcela de sus tierras y a un arroyo, que hoy día es la corriente principal del aludido King Ranch y que ha sido la causa, a su vez, del nombre del afamado ganado de "Santa Gertrudis" (86).

En 1767 una Comisión real llegó a Nuevo Santander para proceder al reparto de tierras; de las "Actas de la Visita General" derivan los títulos de muchas propiedades en este sector de Texas, no siendo raro que todavía los Tribunales tengan que acudir a ellos en los litigios que se suscitan. La Comisión distribuyó porciones de terreno, cuyo mínimo por cabeza de familia solían tener 1.500 varas de ancho por 25.000 varas de largo, dando la parte estrecha a una corriente de agua (87).

En 1772, el español José Salvador de la Garza obtuvo 59 leguas cuadradas de "El Potrero del Espíritu Santo", en cuyo extremo Sur hoy se levanta Brownsville. El ciudadano de Reynosa José Narciso Cavazos consiguió en 1781 medio millón de acres, conocidas por "San Juan de Carricitos", y que comprendía el condado de Willacy y buena parte de los vecinos de Hidalgo y Kenedy. Entre 1777 y 1798, el capitán Juan José Hinojosa recibió la concesión de "Llano Grande", y José María Ballí la vecina de "La Feria", ambas sobre el Río Grande; Eugenio y Bartolomé Fernández adquirieron "Concepción de Carricitos" con análoga situación (88).

En 1804 Juan José de la Garza obtuvo el título para la "Casa Blanca" sobre el río Nueces, en tanto que el "Rincón de Corpus Christi" correspondió a Ramón de Hinojosa. En 1807 la familia Pérez Rey, asociada con Manuel García, se estableció legalmente en el "Rincón de los Laureles", precedente de la División "Laureles", del King Ranch. La larga y estrecha isla, al otro lado de la laguna Madre –San Carlos de los Malaguitos–, fue donada al padre Nicolás Ballí, en la esperanza de que convirtiera a sus habitantes, los caníbales karankawas; si no consiguió sus propósitos, al menos dio su nombre, "Padre Island", a dicha faja costera (89), a la entrada de la cual puede contemplarse un retrato de Isabel la Católica, por cuya reina se denomina la fronteriza localidad en tierra firme. Kika de la Garza, descendiente de los anteriores, visitó a don Juan Carlos I en su calidad de Presidente de la Comisión de Agricultura a la Cámara de Representantes en abril de 1986.

NOMBRES ESPAÑOLES

Merece la pena hacer un censo, aunque a la ligera, de las localidades tejanas que llevan nombres españoles. Su número no puede por menos de sorprender, y más aún si se agrupan por temas. Llevan nombres propios: Adrián, Antón, Candelaria, Celina, Cristóbal, Clara, Concepción, Elsa, Esperanza, Gerónimo, Guadalupe, Inez, Joaquín, Lolita, Mercedes, Natalia, Perico, Petronila, Ricardo, Sarita, Socorro y Sebastián. Patronímicos: Aguilares, Alba, Bolívar, Bustamente, Dávila, De León, De Soto, Gómez, Gonzales, Guerra, Hidalgo, Morales, Medina, Mendoza, Navarro, Palacios, Los Sáenz, Romero, Saltillo, Valera, Vera, Zapata y Zavalla. Colores: Amarillo, Blanco, Celeste, Colorado y Quemado. Aspectos de la Naturaleza: Agua Dulce, Agua Nueva, Alamo, Alamo Alto, Alta Loma, Alto, Boca Chica, Charco, Coyote, Cuevas, Del Río, Del Valle, El Campo, El Lago, El Paso, El Sauz, Encinal, Encino, Era, Grulla, Hondo, Lagarto, La Paloma, Leona, Llano, Los Ebanos, Los Fresnos, Mico, Nevada, Palito Blanco, Palo Pinto, Plano, Río Frío, Río Grande, Río Hondo, Riomedina, Río Vista, Salado, Salmón, Sandía, Sierra Blanca, Vega y Víboras. Nombres de ciudades o fundaciones españolas: Carmona, Corpus Christi, Galveston, Laredo, La Villa, Loyola, Los Angeles, Puerto Rico, Saragoza, Segovia y Vigo. De Santos: San Antonio, San Benito, San Diego, San Elizario, San Felipe, San Gabriel, San Isidro, San Juan, San Marcos, San Patricio, San Pedro, Santa Elena, Santa María, Santa Rosa y San Ignacio. Relacionados con el ganado: Bovina, Bronco, Cornudas, Cuero, Ganado, La Feria, Matador y El Toro. Con la construcción: Balcones, Camillas, Casón, Frontón, Lajitas, Presidio, Refugio, Spanish Fort y Tornillo. Varios: Bandera, Bonanza, Bonita, Boquillas, Brazos, Canutillo Chico, Dinero, El Indio, La Joya, La Reforma, Loco, Nada, Orla, Progreso, Realitos y Talco.

Ciudades de Cíbola o de la Gran Quivira, no menos que el esfuerzo colonizador español se prosiguió aun después de llegar a la conclusión de la falsedad de semejantes leyendas, y quizá con más intensificada energía que con anterioridad. Por otra parte, ninguna raza de colonizadores que no fuera española habría aecchugado con empresa tan difícil, ardua e improductiva como civilizar la región de Nuevo México, que aún ahora se distingue por la sequedad de sus tierras (2).

LOS INDIOS PUEBLOS

El problema de Nuevo México, que poco a poco va siendo encauzado, es el del agua. Allí en donde la hay existen cultivos y la agricultura florece; donde no hay río cercano, la Naturaleza se muestra pelada y desprovista de la menor posibilidad económica. De aquí la vital significación de la cuenca del Río Grande que fue capada desde el principio por los españoles, utilizándola como vía de comunicación como orientación en la inmensidad y como lugar de asiento para los colonos que fueron viniendo y para las Misiones que comenzaron a fundarse (3) Los españoles aprovecharon su agua y la de otras corrientes fluviales para su utilización en ...tos ....temas de irrigación basados en cuanto habían aprendido de los moros. Los mismos indios habitaban predominantemente en dichas tierras riberteñas, me refiero a los indios sedentarios

CAPITULO II

NUEVO MEXICO, país del encanto

Si el Estado de Nuevo México ha sido uno de los últimos en entrar en la Unión (el 47º, el 6 de enero de 1912), para los españoles es uno de los primeros –por no decir el primero– entre los que componen el mosaico que es hoy Norteamérica. En otros ha pasado la Historia de España por su geografía, sus tierras han sido regadas con sangre ibérica, quedan edificios que hablan de nuestra civilización, pero en ninguno como en Nuevo México se conservan los monumentos vivos, que son sus habitantes, descendientes de los españoles que durante cuatro siglos se fueron estableciendo en aquel "Reino". Es impresionante pensar que desde 1539 los españoles estuvieron recorriendo sus tierras y que todavía en noviembre de 1820 el gobernador en ejercicio, Facundo Melgares, convocara y presidiera una reunión de los alcaldes de Nuevo México para considerar los medios disponibles para sufragar los gastos del viaje a España de D. Pedro Bautista Pino, aquel de quien el pueblo cantara la copla:

"¡Don Pedro Pino fue,
Don Pedro Pino volvió!",

como representante de la Colonia en las nuevas Cortes convocadas tras la sublevación de Riego en Cabezas de San Juan (1). La presencia de España en Nuevo México está transida de emociones al contemplar el abnegado interés de la Corona por el Reino lejano, de los virreyes, de los misioneros, de los españoles todos, que poco podían esperar de una región tan árida, falta de medios para enriquecer a sus eventuales pobladores y poblada por numerosas tribus indígenas, muchas de ellas rebeldes a la cristianización y, en ocasiones, a su vez, sometidas a sangrientos ataques de otras tribus enemigas. Si bien es verdad que el comienzo de la exploración se debió a la extendida fábula de la existencia de las Siete

431

Ciudades de Cibola o de la Gran Quivira, no lo es menos que el esfuerzo colonizador español se prosiguió aun después de llegar a la conclusión de la falsedad de semejantes leyendas y quizá con más intensificada energía que con anterioridad. Por otra parte, ninguna raza de colonizadores que no fuera española habría apechugado con empresa tan difícil, ardua e improductiva como civilizar la re gión de Nuevo México, que aún ahora se distingue por la sequedad de sus tierras (2).

LOS INDIOS PUEBLOS

El problema de Nuevo México, que poco a poco va siendo encauzado, es el del agua. Allí en donde la hay, existen cultivos y la agricultura florece; donde no hay río cercano, la Naturaleza se muestra pelada y desprovista de la menor posiblidada económica. De aquí la vital significación de la cuenca del Río Grande, que fue captada desde el principio por los españoles, utilizándola como vía de comunicación, como orientación en la inmensidad y como lugar de asiento para los colonos que fueron viniendo y para las Misiones que comenzaron a fundarse (3). Los españoles aprovecharon su agua y la de otras corrientes fluviales para su utilización en los campos, en los que organizaron sistemas de irrigación basados en cuanto habían aprendido de los moros. Los mismos indios habitaban predominantemente en dichas tierras ribereñas; me refiero a los indios sedentarios pueblos, que los españolas encontraron agrupados en número aproximado a 20 comunidades, habitadas por unas 20.000 almas. Parece ser que dichas tribus llevaban instaladas en la región un período aproximado a cinco siglos. De sus tres grupos principales, los zuñi, los tano y los keresan, los primeros vivían alejados del río, en dirección Oeste (4).

A ellos se debe la construcción de sus famosos edificios comunales de cuatro pisos –la primera planta, de cuatro habitaciones; la segunda, de tres; la tercera , de dos, y la cuarta, de una, con terrazas escalonadas y con pequeñas puertas o ventanas, a las que había que entrar por una escalera móvil. La explicación de esta originalidad, así como del tipo masivo de construcción, se halla en razones de defensa, en las condiciones climáticas, en los recursos naturales y en la organización social basada en el matriarcado (5). Estas edificaciones de adobes, que todavía pueden contemplarse en Taos, engañaron a fray Marcos con sus brillos al sol, al divisarlas de lejos y poseer una imaginación capaz de hacerle llegar a creer a sí mismo que había visto las legendarias Ciudades de Cibola. Las crónicas españolas describen la existencia en Pecos de dos grandes conjuntos de viviendas comunales, de cuatro plantas, conteniendo una 585 habitaciones y la otra 517, con cinco plazas y 16 kivas, o lugares de devoción (6).

Necesitados de defensa andaban los indios pueblos, dada la vecindad de tres naciones nómadas, que los atacaban incesantemente, incluso en época española, ocasionando constantes pesadillas a los gobernadores de S. M.: los comanches, los apaches y los navajos (7). La evangelización de todas estas tribus –las sedentarias y las nómadas– fue la principal y verdadera razón de que se mantuviese España en Nuevo México; la función de éste como avanzada protectora del virreinato de Nueva España, cuando otros países europeos comenzaron a prestar atención a Norteamérica, jugó durante el siglo XVIII tan sólo un papel subordinado con respecto a aquel primario motivo. La permanencia en Nuevo México no fue un buen negocio material: sólo entre 1609 y 1680 costó a España la conversión de los indios la cantidad de un millón de pesos, muy considerable, si se medita sobre todo en el valor de dicha moneda en aquella época (8). Desde un punto de vista espiritual constituyó, en cambio, una magnífica inversión: en pleno corazón de Norteamérica existe hoy un Estado, que envía sus representantes y dos senadores al Congreso federal, con nombres como Chavez –ya fallecido– o Montoya, que tiene una población en gran parte hispánica de origen e hispanoparlante, que se rige todavía en muchos aspectos por el derecho promulgado por los Reyes de España y que reza a Cristo en español y es súbdito de la Iglesia de Roma. Según el prof. D. Cutter, "estos son indios sin tribu –son llamados "genízaros"–, son ahora hispánicos, no son indios, viven la vida hispánica, hablan español, no saben su antigua lengua y viven como españoles a pesar de que tal vez no tienen una gota de sangre española. Tienen la cultura española en el sentido de su corazón, que es más importante que la sangre" (8 bis).

ETAPA MEXICANA

La revuelta de Texas, bajo la dirección de Bernardo Gutiérrez de Lara, salpicaría a Nuevo México, muy ligada, por otra parte, al acontecer revolucionario en Nueva españa. Pero el cambio de soberanía de España a la nueva nación se verificó pacíficamente. Las noticias de la cesión de los reales dominios, firmada por el virrey O'Donojú y Agustín de Iturbide, el 24 de julio de 1821, en Córdoba, y que compredía Centroamérica, California, Nuevo México y Texas, llegaron a Santa Fe el 26 de diciembre siguiente, junto con la de la entrada del futuro emperador en la capital federal. El 6 de enero de 1822 el gobernador Facundo Melgares presidió las festiyidades del nacimiento de una nueva nación: salvas de artillería retumbaron en el aire, un desfile militar alegró las calles, un cotillón fue dirigido en palacio por el alcalde Pedro Armendariz y, por la noche, una representación teatral trajo al recuerdo el Plan de Iguala. Un nuevo acto se iniciaba en la vida de Nuevo México (9).

La etapa de su permanencia bajo la bandera mexicana no habría de ser larga: las flamantes autoridades, que abrieron la mano al comercio con el Este, dando así iniciación a la famosa ruta de las caravanas entre San Luis y Santa Fe ("Santa Fe Trail") ocasionaron su propia perdición al fomentar los contactos entre neomexicanos y anglosajones e incluso el establecimiento de muchos de ellos en sus tierras (algunos casaron con nativas, como Charles Bent o el popular Kit Carson). La mejor organización de la nación norteamericana frente a los problemas que la mexicana estaba haciendo frente a sus primeras épocas de independencia, el aumento progresivo de los residentes anglos, las fricciones causadas por la diferencia de religión entre los protestantes recién llegados y los antiguos católicos residentes y el resentimiento de éstos contra los anteriores a causa de su explotación comercial y de su actitud no siempre respetuosa para sus tradiciones y modo de vida, fueron razones que vinieron acumulándose para un final rompimiento de hostilidades (10). Por otra parte, en la rebelión de los indios de 1837, que eligieron en Taos como gobernador a José González, y que fueron derrotaros en enero de 1838 por el gobernador mexicano Armijo, pudieron verse concomitancias de los norteamericanos (11). Otro episodio digno de recordación es el fiasco de la expedición a Santa Fe, organizada por el imperialista presidente del independiente Estado de Texas, Mirabeau B. Lamar, en 1841; su éxito envalentonó al gobernador Armijo para intentar una invasión de su vecino, y en 1842 fuerzas mexicanas capturaron San Antonio y Corpus Christi (12).

CONQUISTA POR LOS ESTADOS UNIDOS

Con las incorporación de Texas a los Estados Unidos, la guerra estalló entre éstos y México. El presidente Polk incluía Nuevo México en sus planes expansionistas hacia California. Pero no corrió la sangre cuando el ejército de Stephen Watts Kearny ocupó el territorio y entró en Santa Fe, el 18 de agosto de 1845 (13). Otra etapa comenzaba.

Por difíciles momentos pasó la civilización hispánica en Nuevo México a raíz de su incorporación a los Estados Unidos en 1848, por obra del Tratado de Guadalupe-Hidalgo con México. Sus habitantes quedaron separados de su madre patria –México– y de su abuela patria –España– y sometidos a las presiones de los invasores "anglos", que quisieron imponer su civilización, lengua y costumbres y procuraron suprimir lo más rápidamente posible cualquier huella de la civilización derrotada. Su defensa consistió en cerrarse en sí mismo, aislarse lo más posible de las influencias externas, fomentar la pervivencia de las queridas tradiciones y los cruces entre las antiguas familias, apiñarse en torno a la Iglesia católica, hablar, rezar y comer a la española (14). Episodios de esta lucha son los incidentes originados entre el primer obispo del Nuevo México anglosajón, Lamy, de origen francés, propulsor de novedades y no siempre protector de las tradiciones, y el clero hispánico (del que sólo quedaron 13), apoyados por la masa de los fieles y capitaneado por el famoso padre Martínez (15). La historia de esta ola, que un autor norteamericano califica de degradante (16), es la del intento de ahogar la cultura española, Así se relata en las novelas "Los espléndidos y despreocupados años cuarenta", de Gertrude Atherton, y "La muerte llama al arzobispo", de Willa Cather, y en el drama "Noche sobre Taos", de Anderson, en el que se escenifica la lucha de Pablo Montoya –símbolo de lo hispánico– contra los "anglos" en la década posterior a 1840 (17); la tensión culminaría en el levantamiento hispano-indio en Taos, en 19 de enero de 1847, seguido del asesinato del gobernador Bent y de la final victoria del coronel Price sobre los sublevados en la batalla de La Cañada, el día 24 siguiente (18). En esta oportunidad, los indios hicieron causa común con los hispanos –otrora sus enemigos–: intentaron liberarse de la dominación "angla" (19), personificada en el gobernador Bent, que pereció asesinado en Taos.

En la necesidad de buscar en sí mismos la autodefensa, resolviendo sus problemas sin acudir a autoridades externas, se halla el florecimiento de la *cofradia de los Penitentes,* que, con un origen similar a las hermandades de Semana Santa de España de conmemorar devota y dignamente el Viernes Santo y el Sábado Santo, se convirtió a partir de mediados del siglo XIX en una sociedad secreta, con férrea organización, que, desviada paulatinamente de sus objetivos fundacionales, llegó a administrar sangrienta justicia entre sus miembros, a defenderse violentametne contra sus enemigos y a repetir a lo vivo el Sacrificio de la Cruz, de cuya repetición muchas veces el émulo del Redentor fallecía por no poder superar los padecimientos que una realista crucifixión le había producido. La Iglesia católica ha adoptado en la hora presenta una inteligente política hacia esta organización –dividida en ramas en los sectores todavía hispánicos de Nuevo México, Colorado, etc.–, incorporándola y teniéndola bajo su control, de modo que se puedan evitar cualesquiera desviaciones que el alejamiento de la jerarquía eclesiástica y la ignorancia originen, remediando así la anterior actitud de otros obispos, que llegaron a separar del seno de la iglesia a sus adherentes (20).

En 1974 fue nombrado el primer arzobispo hispano en los Estados Unidos, para la diócesis de Santa Fe, Roberto Sánchez.

ACTUAL HISPANISMO DE NUEVO MÉXICO

La segunda guerra mundial ha supuesto un cambio en este estado de cosas, que, de continuar, terminará por acabar con esta permanencia hispánica: el aislamiento del ejército de la juventud neomexicana y su contacto con otros ambientes ha traído como inevitable corolario su mezcla con otras gentes –eran tradicionales anteriormente los matrimonios entre los hispánicos– y en muchos casos su no regreso a la patria chica; por otra parte, la participación más activa de Nuevo México en el acontecer nacional y el establecimiento en sus contornos del Centro Experimental Atómico de Alamogordo (en el Sureste), en cuya gran reserva se ensayó en 1945 la primera bomba atómica (21), aparte de otras industrias, ha originado una inmigración creciente de "anglos" –como son denominados por los naturales, cuantos no son originarios hispánicos, aunque sean chinos– (22) y una consiguiente aminoración en el porcentaje de los habitantes de origen español. Las regiones Norte y Oeste son las que mejor conservan sus tradiciones; no en balde se hallan pegadas a Colorado y Arizona, dos Estados también con notable predominio hispánico; los sectores del Este y de Sur, influidos por el coloso de Texas –que viene a considerarlos como tierras irredentas–, han evolucionado más hacia el mundo anglosajón (23). Los mismos nombres de las ciudades de esta última región tienen una predominancia inglesa (en contraste con los numerosos del resto de ella que conserva su ortografía española): Roeswell, Hobbs, Lovington, Carlsbad (con las famosas cuevas naturales de su nombre), etc.

Es Nuevo México, no obstante, todavía muy español: ello le da un tinte especial y una peculiaridad sobresaliente y le capacita para aportar el gran "melting pot", que son los Estados Unidos, un condimento bien aderezado, que ha de seguir contribuyendo a la originalidad de su futuro. Las discriminaciones raciales de que durante mucho tiempo han sido víctimas los hispanos –que eran apodados por los "anglos" "greasers", o grasientos–, como consecuencia de su bajo nivel económico en comparación con el de los yanquis, y de su ausencia de intervención en la política, han comenzado a perder fuerza, y así hemos podido observar la influencia del senador Chávez en la capital federal o el respeto de que goza el diplomático Franc Ortiz en el Departamento de Estado (Embajador de EE.UU. en Guatemala y Buenos Aires). Nos hallamos en un momento crucial para el porvenir de la civilización hispánica en Nuevo México: por el bien del país y por el orgullo que su existencia nos produce, todos los españoles en concreto y los hispanoparlantes en general debemos colaborar en lo posible en la gran labor que queda por realizar, y en la que muchas gentes están poniendo su contribución para lograr esa preservación; algunas de éstas, en verdad, son anglosajonas, conscientes de las riquezas inherentes a la tradición y de los males que toda extinción lleva consigo (24). Para acelerar el mejoramiento de la situación de los hispanos, el senador Montoya presentó en el Capitolio federal, el 11 de junio de 1969, la propuesta de establecer un Comité especial interministerial.

COLOR Y LENTOR

En el intento de esquematización cromática y musical de los Estados norteamericanos que más influencia española han recibido, dos palabras afloran a los labios al abordar Nuevo México, enmarcadas –como en ocasiones anteriores– con el mismo agudo consonante: color y lentor. Los contrastes de *color* son las primeras sensaciones que uno percibe no sólo al aterrizar, por ejemplo, en el aeropuerto de Alburquerque, sino al sobrevolar ya las tierras que se acercan a la frontera de Texas. Recuerda en eso Nuevo México a Castilla, esa tierra sobria y rica en contrastes coloridos, tan bien captados por Benjamín Palencia. Al abandonar el "panhandle" texano con sus llanas tierras y atravesar las fronteras, comprendemos la necesidad de los colonos españoles de plantar estacas –"llano estacado" le denominaron– en extensión de 30.000 millas cuadradas, limitada al Norte por el Canadian River y en el Oeste por el Pecos, y un tercio de la cual corresponde a Nuevo México (25). Ya estas tierras adquieren intensas y distintas tonalidades que impresionan por su armonía: grandes parcelas sin árboles, de color rosado en el llano, aumento de relieve con manchas oscuras verdes, tierras blancas o amarillas...

Los mismos contrastes se volverán a percibir al recorrer la región –al menos la que yo pude– en automóvil, alternándose los pardos colores de las tierras secas con los verdes varios e intensos de las vegas del Río Grande y las tonalidades suaves de las tierras de llanura con los contrastes de las elevadas de las montañas, progresivamente desprovistas de vegetación y mejoradas de clima. Buena experiencia son los 90 kilómetros, en gran parte ascendentes, que separan por carretera a Albuquerque de Santa Fe. Las calidades de los terrenos, en colaboración con los rayos del sol, aportan sorpresas en este derroche cromático que es Nuevo México, de forma que lo que al mediodía presenta unas superficies de determinado color, ostenta en el crepúsculo caracteres de completa novedad. Esta es la explicación de los nombres de las Sierras de Sangre de Cristo (al costado de Santa Fe) y de Sandía (al norte de Albuquerque), por los colores rojizos que sus españoles bautizantes –como cualquiera que las divise hoy– pudieron apreciar en ellas a la caída del sol.

También las casas participan en esta orgía de colores: cuando llegaron los españoles encontraron entre los indios un tipo de modesta edificación hecha a base de adobes, por no disponer de material más noble; con su gran poder de adaptación, nuestros compatriotas arrogaron tal tipo de construcción, si bien aportando a ella sustanciales modificaciones que la mejoraron y embellecieron. Para placer de los sentidos, dicho estilo ha podido conservarse, y para elogio de sus responsables está siendo fomentado incluso en las nuevas edificaciones que, si bien tienen por esqueleto hierro u hormigón armado; sus carnes muestran las mismas irisaciones rosas, celestes, marrones, amarillas, turquesas, etc., siempre en tono suave y sin estridencias. Y hay abundancia de flores, y los jardines son cuidados con esmero, y hasta el pan de molde –que en otras latitudes va envuelto en una funda incolora– allí ostenta descaradamente el rojo, amarillo y morado, combinación que en un primer momento me hizo pensar, como su inspirador, en el profesor republicano español de la Universidad local, Ramón Sender –el autor de "Novelas ejemplares de Cíbola"–, pero que luego comprobé no tenía tal origen político, sino el derivado del nombre de una marca "Rainbow" (arco iris).

Con tanto contraste de color, nada tiene de extraño que Nuevo México sea el paraíso de los artistas, el Estado con más residentes de ellos "per capita", que han elegido a varias de sus ciudades, principalmente Santa Fe, por su sede. Hay calles enteras de esta capital dedicadas a galerías de arte, como la Canyon Road, y el descuidado atuendo de los émulos de Picasso y el buen gusto de sus casas y estudios, completan la originalidad del espectáculo ciudadano (26).

El lentor que en seguida se percibe en Nuevo México es, a mi modo de ver, la otra característica. La selección de ésta no encierra ninguna intención peyorativa para la región, muy al contrario, ya que en el mundo en que vivimos –y mucho más en los Estados Unidos– lo opuesto a la prisa es algo valioso, como garantía de salud y de defensa contra la muerte fulminante por un ataque cardíaco. Nuevo México se aparece como un oasis en la excitación de la vida norteamericana; pude apreciarlo ya en el aeropuerto de Albuquerque, en el que, a causa de alguna llamada telefónica a realizar, arribé a su puerta de salida cuando el grupo de compañeros viajeros ya había partido para la ciudad en un autobús: pregunté entonces por el próximo y, ante su demora en arribar, solicité un taxi, de cuya especie no había ejemplar alguno en el aeropuerto; ante mi deseo de salir de aquel lugar de alguna forma, pedí consejo, que se me dio en el sentido de pedirlo a la ciudad, lo que hice; no recuerdo el tiempo que aguardé, no obstante mis repetidas reclamaciones, pero lo que sí sé es que mis interlocutores no cambiaron su paso e incluso me miraron con cara, en cierto modo, extrañada por mi impaciencia.

Comprobé que la misma escasez de apresuramiento se derrochaba en el camarero que me sirvió el almuerzo en Santa Fe, e incluso en el ascensor del hotel en que me hospedé; el agua que corre por un precioso ribazo en la capital me dio la impresión de que tampoco llevaba prisa, como no la ejercitan los visitantes en la mayoría de las ciudades del Estado, las que por su extensión –no digamos las atractivas calles de Santa Fe–, pueden recorrerse en el caballo de San Fernando como el mejor medio de transporte. Existen en Nuevo México plazas, y en éstas bancos, y lo que es más raro, gente que se sienta en ellos para descansar, charlar y gastar su tiempo; hasta el español que, para propio goce, se oye en las esquinas y en los bancos, es lento, tranquilo, rumoroso. Con estos atractivos, el segundo grupo de inmigrantes voluntarios (no forzados por razón de destino) lo constituyen cuantos desean cuidar su salud y pueden permitirse el lujo de la previsión; no se trata, pues, de enfermos ni de ancianos (aunque puede haberlos), sino de gente madura que, poseyendo suficientes medios económicos de subsistencia, elige la vida tranquila y feliz ante la agitada y no tan compensadora de otras latitudes del país.

PRESENCIA ESPAÑOLA

Mi primer encuentro con Nuevo México se verificó en Albuquerque: ya hemos visto cómo se verificó en el aeropuerto; continuó con el chófer del taxi, que, por fin, apareció y que, aunque anglosajón, profesaba la misma veneración por la lentitud que sus conciudadanos hispánicos: no hay duda de que hay cosas que impone la Naturaleza, y de que, como en Andalucía, los sajones que son captados por los climas cálidos, adquieren la mayoría de sus virtudes y de las que no lo son tanto. En la primera calle de consideración que atravesamos, un letrero saludaba al viajero, cuya traducción al castellano viene a significar: "Se desean turistas, no se les exige experiencia especial." El tono bromista del saludo acabó por hacerme "entrar" en ambiente: me sentía como en casa. Los sucesivos encuentros por doquier con hispanoparlantes confirmaron esta impresión; es emocionante escuchar la lengua de Garcilaso por las calles de Norteamérica hablada por gentes que la han aprendido de sus padres, de sus abuelos, etc., como nosotros, y no como resultado de meritorio estudio o de la agradable visita turística. Me percaté de que el español que yo oía procedía de descendientes de los compañeros de Vázquez de Coronado, de Chamuscado, de Espejo, de Oñate y de tantas otras expediciones y establecimientos con los que España pobló las tierras de Nuevo México.

Y lo magnífico es que su español es tan suyo como el de los demás hispanoparlantes, y sus títulos de propiedad lingüística tienen el mismo valor que el de los peninsulares, si no más, como consecuencia del mérito que aporta la lucha por la supervivencia y la resistencia a las presiones ambientes. No están ellos siempre tan seguros: cuando el hispánico taxista de Santa Fe, que me explicaba las notabilidades del recorrido callejero, se dio cuenta de mi origen español, añadía invariablemente "como decimos aquí..." a cada una de sus españolas frases, a modo de innecesaria disculpa a sus correctas expresiones, si bien para los peninsulares anticuadas en algunos casos.

Existen emisoras de radio que transmiten en español, y en los semanarios de Santa Fe, Bernalillo, Albuquerque, Santa Rosa y Española el lector de español puede saciar su sed en artículos y noticias redactadas con un gran encanto. Lo que ocurrió es que Nuevo México estuvo inevitablemente distanciado de la Península –desde el momento que sus contactos con ésta se verificaban a través de Nueva España, y no precisamente en la época de la aviación–, y aun bastante alejado de México, dadas las distancias que las separan, la pobreza entonces en medios de comunicación, los peligros que habían de arrostrarse en el camino, etc., (27). Ello sirvió, por otra parte, para mantener mejor su pureza, de modo que el español que hoy se escucha tiene resonancias, en la mayoría de los casos, renacentistas y aun medievales. Este es el español que aprendieron los indios pueblos, y éste es el que se escucha hoy cuando en los soportales del antiguo palacio del gobernador español de Santa Fe los vendedores indios de cacharros, de bisutería y de otras obras artesanas cambian impresiones entre sí acerca del negocio o del cliente con matices muy jocosos cuando el presunto forastero comprador, aunque no lo demuestre, entiende la lengua de Cervantes. Todavía se conservan nombres familiares como Lucero, Vigil, Apodaca, Aragón, Valencia...

Naturalmente que además de los descendientes de los españoles y además de los indios, hablan nuestra lengua los inmigrantes mexicanos que, en número de 300.000 (el 30 por 100 de la población), habitan en sus contornos. El castellano es considerado idioma oficial en el Estado en parigual con el inglés, y todavía puede ser utilizado ante el Congreso y los Tribunales neomexicanos con plena validez (28).

En 1974 se constituyó un Instituto de Cultura Hispánica en Santa Fe.

TRADICIONES

a) *Canciones y fiestas*

Los romances que llevaron a América los primeros colonizadores españoles se fueron transmitiendo de boca en boca y siguen recitándose por los hispanos y los indios de Nuevo México; así, "Gerineldo", "Delgadina", "La esposa infiel" y los demás recogidos de Aurelio M. Espinosa (29). Y lo mismo las canciones populares, los cuentos y los refranes (30). Las fiestas típicas siguen idéntica línea que las españolas y se centran en las ceremonias religiosas. Las procesiones callejeras están a la orden del día, cosa insólita en el resto de los Estados Unidos (31). La fortaleza de la unidad familiar se refleja en la relevancia que adquieren los bautizos (se impone a los recién nacidos el nombre del santo del día) y de las nupcias, en las que, amén del acto canónico, la cantidad y calidad de las viandas que se ingieren –rocidas con vino– al hispánico modo (muchas usuales recetas en la Península allí se conservan) y el baile que se organiza convierten a las bodas, no carentes de la "entrega" (o recitación de versos alusivos), en un acontecimiento inolvidable (32). Las damas de Nuevo México conservan la tradición de belleza, ojos negros, pie chico, buen talle y atractivo empaque de sus antepasadas, si bien no escandalizan, como sus abuelas, a más de un puritano viajero decimonónico al levantarse naturalmente las faldas hasta las rodillas para vadear un río (33).

b) *Representaciones teatrales*

Se conservan representaciones teatrales, y el espectáculo de "moros y cristianos", a caballo, que inauguraron los soldados de Oñate en 1598 (al celebrar la fundación de la primera capital, ante un auditorio en el que figuraban dos pueblos de indios) (34), todavía puede contemplarse en el día de hoy. "El auto de los Tres Reyes Magos", que se puso en escena, por ejemplo, en las Navidades de 1964, tiene el mismo antiguo origen, como los autos "Adán y Eva" o "Los Pastores", o "La Pasión", durante la Semana Santa (35). Por supuesto que, además de estas representaciones en español, no faltan otras en inglés que, dirigidas a los anglofonos, tienen por tema motivos españoles o la historia hispánica de Nuevo México, verbi gracia: "La entrada a Santa Fe del reconquistador don Diego de Vargas", original de Pedro Ribera Ortega.

Todas estas tradiciones son mantenidas vivas con la colaboración de dos organizaciones hispánicas: "La sociedad folklorística" y "Los caballeros de Vargas". La primera tiene más amplitud que la segunda en la admisión de sus socios, y está animada principalmente por distinguidas damas de la mejor sociedad (36). No hay actividad de consideración en aquel campo en el Antiguo Reino que no cuente con la participación de tan benemérita agrupación; es tradicional la anual "Merienda", en la que las damas lucen trajes, rebozos, mantillas, etc. –la mayoría conservados de sus antepasadas y en ocasiones confeccionados hace muchos lustros, y a veces procedentes de un ilusionado reciente viaje a España–, y en la que se sirven el tradicional chocolate con bizcochos y otras especialidades de la cocina peninsular. Los nombres de sus más recientes impulsores, D.ª Alicia Romero, D.ª Josefina Ortega y D.ª Belina Ramírez no dejan lugar a duda sobre la pureza de su ascendencia (37).

d) *"Los Caballeros de Vargas"*

"Los Caballeros de Vargas" es una agrupación de creación relativamente reciente (en 1956), para pertenecer a la cual se requiere no sólo ser varón y descendiente de los conquistadores, sino haber participado en la patrulla –cada año compuesta por 16, más uno que representa a Vargas– que actúa en la "entrada" que en el mes de septiembre de todos los años se ejecuta para conmemorar la reconquista de Santa Fe por D. Diego de Vargas en 1692; una simple multiplicación de los años transcurridos por el número indicado nos dará la cifra de los actuales "caballeros". Tienen éstos por escudo el de la familia Vargas, amablemente autorizados por los descendientes de don Diego, y en cuantos actos públicos intervienen, ya sean cívicos o religiosos, visten a la usanza militar española del siglo XVII.

Sus objetivos son los siguientes, según me informó Pedro Ribera Ortega, uno de sus activos componentes: "conservar viva la fascinante y patriótica historia de la América española; la promoción de los ideales y valores que supuso la humana reconquista de Vargas en 1692; mantener las armoniosas relaciones entre los hispanoparlantes descendientes de los conquistadores y sus vecinos indios; participar en las coloridas ceremonias religiosas que conmemoran la cristianización del Sudoeste; la activa asistencia en las históricas fiestas de Santa Fe (una deliciosa mezcla de lo religioso y de lo civil); llevar a cabo los planes que aboquen a la erección de un monumento al gran reconquistador De Vargas, y fomentar una sencilla y amistosa camaradería entre los caballeros y sus familias en reuniones a lo largo del año" (38).

Del mismo mencionado caballero son las siguientes frases escritas en nombre de sus camaradas y que transcribo literalmente: "Con todo el alma y con todo el corazón no hemos dejado de sentirnos hijos de nuestra Madre Patria España, todavía conservamos, aunque pobremente, nuestra fe cristiana, nuestro "hablar en cristiano" (aunque sea hablado con bastantes curiosos arcaísmos), nuestro orgullo de saber que somos verdaderos descendientes de los conquistadores españoles. El espíritu seráfico del gran Maestro, nuestro Padre San Francisco, aún nos tiene unidos a Cristo y a María Santísima; no hemos perdido de vista que esa misma espiritualidad atraía a la santa Reina doña Isabel y al Almirante Cristóbal Colón" (39).

"Los Caballeros de Vargas" participan en las anuales fiestas conmemorativas de la pacífica reconquista de Santa Fe por D. Diego Vargas el 14 de septiembre de 1692, tras la rebelión india de 1680, que a punto estuvo de hacer desaparecer para siempre todo rastro español en las riberas del río Grande. Tuvieron su comienzo aquéllas en 1712, por iniciativa del capitán Juan Páez Hurtado y un grupo de notables ciudadanos que promovieron la publicación de la "Proclamación y Ordenanza cívico-religiosa" de dicho año; constituyen en los Estados Unidos el festival ciudadano más antiguo (40).

En la actualidad se celebran en el primer fin de semana de septiembre, cuyo lunes siguiente es feriado, el Día del Trabajo en todos los Estados Unidos. Actos de toda índole se suceden: quema el viernes de "Zozobra" (muñeco gordinflón), bailes callejeros, desfiles, elección de reina, etc., pero constituyen el centro de las festividades una función religiosa y la reconstitución –o "entrada"– de la toma de la ciudad por los españoles (41).

MANIFESTACIONES RELIGIOSAS

a) *Procesiones*

También intervienen los "Caballeros" –llevando las andas– en las otras coloridas fiestas que tienen lugar en junio, el domingo después de Corpus Christi, en cumplimiento de un voto –si la reconquista se hacía sin pérdidas de vidas– de don Diego, y que se vienen celebrando desde el año en que éste conquistara la villa: son de índole predominantemente religiosa y mariana en torno a Nuestra Señora del Rosario, "La Conquistadora" –en español– y consiste en una procesión desde la catedral de Santa Fe a la ermita del Rosario –emplazada en los alrededores de la ciudad, en el lugar en que el ejército sitiador de don Diego acampara y el jefe español erigiera la primitiva–, llevando la imagen de la Virgen, procesión que vuelve a celebrarse en sentido contrario a los nueve días, en los que se ha cantado el novenario de misas por los agradecidos devotos de la Señora (42).

b) *"La Conquistadora"*

Impresiona encontrarse con "La Conquistadora" en el altar izquierdo de la catedral de San Francisco, el único que se conserva de la Misión de Nuestra Señora de la Asunción, elevada en 1627 por fray Alonso de Benavides y reconstruida, tras su destrucción en 1680, en 1713. La belleza de su imagen, la historia de sus hechos y la devoción que inspira, nos transportan en plena Norteamérica a un pueblecito cualquiera de Castilla o de Andalucía. La talla fue traída de España por el aludido franciscano en 1625, y es, por ello, la imagen más antigua existente de la Virgen en los Estados Unidos. No sufrió los devastadores resultados de la famosa rebelión india de 1680, porque una de sus devotas, Josefa López Zambrano de Grijalva, la apretó contra su pecho y huyó con ella, al par que sus compatriotas en retirada, a El Paso, en donde permaneció trece años. Reconquistada Santa Fe, volvió la imagen triunfadora a su ciudad el 16 de diciembre de 1693, y a partir del año siguiente se inició la tradición de las procesiones y misas de acción de gracias, convirtiéndose dichas festividades en el festival mariano número uno de Norteamérica (43).

La cofradía de Nuestra Señora del Rosario, "La Conquistadora", agrupa a los devotos de la Virgen y vela por el mantenimiento de la piedad mariana. Los actos descritos alcanzaron especial significación el año 1960 al conmemorarse el CCCL aniversario de la fundación de Santa Fe por el gobernador Peralta en 1610. Contaron con la presencia de las madrileñas señoritas de Pérez Balsera, descendientes en séptima generación de Vargas, y culminaron con la Coronación Papal de "La Conquistadora" por el Legado de Su Santidad Juan XXIII, su delegado apostólico en los Estados Unidos, arzobispo Egidio Vagnozzi (44). Bien satisfechos pueden considerarse con tan excepcional acontecimiento Mrs. Aileen O'Bryan, D. Pedro Ortega y fray Angélico Chavez, promotores de la devolución a la Virgen de su nombre español y de su devoción al hispánico modo después de la segunda guerra mundial, tras años de deshispanización originados por el arzobispo Lamy, que dio en denominarla "Our Lady of Victory". A ellos se debe también la resurrección de la cofradía –antigua en tres siglos–, la restauración de su altar y la construcción de un rico paso procesional.

c) *Las Navidades*

No para en éstas las celebraciones católico-religiosas en Nuevo México y, concretamente, en Santa Fe, la capital del Estado. En otras localidades adquieren igual brillantez y preponderancia las fiestas del Santo Patrón, y no sólo en comunidades con predominancia del elemento hispánico, sino también en los poblados de indios que, aunque mantengan ciertas tradiciones ancestrales, son cristianos en sus mayorías. Las Navidades gozan de un profundo significado religioso, a la usanza de los países descendientes de la Madre Patria; los fieles suelen asistir a la Misa del Gallo siguiendo el precedente marcado por Oñate y sus hombres en el 1598, y visitar los distintos nacimientos que florecen en distintas partes de la ciudad o del poblado; los chiquillos rondan a vecinos y amigos en demanda de aguinaldo, que allí se denomina "la pedida de los Oremos", por la frase que recitan:

> "Oremus, oremus
> Angelitos somos;
> a pedir aguinaldos
> y rezando oremus".

Se ejecutan las mexicanas "Posadas" en el atrio de una iglesia con las consiguientes paradas de casa en casa –en recuerdo de la búsqueda de alojamiento de San José con la Virgen– hasta que se llega a la elegida como destino, se representan los dramas medievales "Los Pastores", "Adán y Eva", "Las Apariciones de Nuestra Señora de Guadalupe" y "El Niño Perdido", y se rompen en todas las casas las coloridas piñatas, costumbre, esta última, mexicana. La fiesta de los Reyes Magos guarda gran significación, y los chicos –y grandes– aguardan con ilusión la llegada de los generosos monarcas venidos del Lejano Oriente, portadores de un sinfín de regalos (45).

SANTA FE

Su fundador Peralta y otros gobernadores

Santa Fe debe su origen al gobernador Peralta –el primer representante del rey después de la partida de Oñate– que la bautizó con el nombre de "La Villa Real de la Santa Fe de San Francisco de Asís" (46). Se convierte así en la segunda ciudad norteamericana (después de San Agustín) por razón de edad, y en la capital estatal más antigua entre todas las de la Unión. Con Peralta comienza la lista de la serie de gobernadores hasta 1680, que pasan el período de su mandato –por lo general tres años– en continuas rivalidades, como representantes del Estado, con los misioneros, brazo militante de la Iglesia: Ceballos, Eulate, Sotelo, Rosas, Pacheco, Manso, López de Mendizábal, Peñalosa, Otermín. Como en todas las polémicas, la razón anduvo por barrios, y junto a magníficos gobernadores y entrometidos frailes, hubo arbitrarios delegados reales y esforzados misioneros, defensores del bien de su grey. Estas disensiones fueron una de las causas del progresivo movimiento de inquietud de los indios, que no acababan de adaptarse a la cristiana civilización traída por los españoles y de resignarse al abandono de sus antiguas prácticas, que se resentían de la falta de protección, a veces, contra los ataques de sus enemigos, y que se rebelaban, especialmente en épocas de crisis, a surtir a los españoles las provisiones para que eran requeridos (47).

Rebelión de los indios pueblos en 1680

Este estado de descontento fue fraguando poco a poco merced a la potente personalidad del *indio Popé,* curandero de prestigio. Durante cinco años preparó la rebelión de sus hermanos de raza, que, convenida para el 13 de agosto de 1680. Se adelantó al 9 por haberse enterado los españoles de ella en ese mismo día. Cuando el *gobernador Otermín* pudo reaccionar, la mayor parte de la destrucción estaba consumada: la rebelión comprendió, casi sin excepción, todos los indios pueblos y la sufrieron todos los establecimientos hasta entonces fundados por los conquistadores. Un total de unos 400 españoles, entre ellos mujeres, niños y misioneros, perecieron y las haciendas quedaron destruidas hasta sus cimientos. El sitio de Santa Fe comenzó el 15 de agosto, después de rechazar Otermín un ultimátum de los sitiadores. En la mañana del 20, una salida de 100 de los sitiados consiguió una victoria sobre sus enemigos, que murieron en número de 300. Pero las noticias del general levantamiento y del convencimiento de la imposibilidad de una futura resistencia sin perspectivas de recibir socorros, determinaron al gobernador a ordenar la retirada de los 1.000 supervivientes de la ciudad en ruinas, la que se realizó el 21, sin que fuera molestados por los indios, escarmentados por la anterior carnicería (48).

Otros diseminados españoles se habían agrupado en torno al teniente gobernador García, en Isleta, hacia el Sur, quien no recibió las demandas de socorro de Otermín y quien incluso desconocía la heroica lucha desempeñada por los santafecinos. El 13 de septiembre se reunieron los dos grupos, formando un total de 2.520 supervivientes. Juntos se dirigieron a El Paso, en donde mantuvieron enarbolada la bandera de Nuevo México durante trece años. Se había destruido en unos días la labor de casi un siglo, y el esfuerzo económico gastado aparecía como inútil, pero los acontecimientos futuros demostrarían que todo no se había perdido y que España tenía todavía mucho que hacer en el antiguo Reino (49).

Los desgraciados refugiados, con parientes y hacienda desaparecidos en el curso de la rebelión, siguieron una vía paralela al Río Grande, la misma que había sido utilizada desde el siglo XVI por las expediciones de Chamuscado, Espejo y Oñate y, a lo largo del XVII, por las caravanas que cada tres años efectuaban el servicio de suministros a las Misiones y núcleos habitados españoles. Originadas corrientemente en la ciudad de México, los convoyes recorrían la ruta de Zacatecas, Durango, Parral y El Paso, tardando seis meses en llegar a Santa Fe; tiempo análogo solían invertir en distribuir por el país las mercancías y en hacer las reparaciones y otro tanto en regresar, con lo que año y medio transcurría en el viaje completo. Solían consistir en 32 vagones, tirados por ocho mulas, capaces de transportar cada uno dos toneladas de provisiones. En el viaje hacia el Norte, las mercancías consistían en alimentos, objetos para las Misiones, elementos para la construcción, vestidos, muebles, etc.; en el viaje de regreso los vagones iban cargados de cueros, mantas, piñones, ovejas y otros productos manufacturados por los indios (50).

En una de las caravanas llegaría a Santa Fe, en 1647, *fray Francisco de Ayeta,* y la misma ruta la recorrería varias veces en sus afanes por salvar la situación de la empobrecida posesión, evitar su paulatino deterioro y conseguir medios para revigorizarla económica y militarmente; sus esfuerzos no serían, sin embargo, bastantes para evitar el estallido de la rebelión (51). Encontrándose el padre Ayeta en El Paso el 25 de agosto de 1680, recibiría dos cartas, de fray Diego de Mendoza, pastor de la Misión de Socorro, y del granjero Juan Severiano Rodríguez de Suballe, informándole del desastre; desde El Paso organizaría con el comandante Pedro de Leiva las expediciones de auxilio –militares y de provisiones de alimentos– a los habitantes de Nuevo México en retirada. A su insistencia y sugerencia se debe el que el Reino de Nuevo México no desapareciera, porque, consciente del natural deseo de los entristecidos colonos de huir para siempre de la región de sus desgracias, comprendió que ello supondría el fin de cualquier intento de recuperación de lo perdido; era necesario su establecimiento en las cercanías de El Paso, en espera de tiempos mejores, y se imponía su permanencia, por lo que el gobernador de Nueva Vizcaya dispuso que los refugiados de Nuevo México que partieran sin autorización escrita de Otermín serían detenidos y devueltos a El Paso, bajo pena de muerte y de traición al rey. La buena voluntad de todos se impuso y juntos se dedicaron a la construcción de tres campamentos, que evolucionarían en ciudades, en los alrededores de la cercana Misión de Guadalupe (52).

444

Por la misma ruta, río arriba, se canalizarían los esfuerzos españoles de reconquista, siguiendo las huellas de la expedición de Oñate, y se orientarían con los accidentes geográficos bautizados por éste: Sierra de Robledo, por el soldado enterrado en su falda el 21 de marzo de 1598; Perrillo Spring, por el animalito que ayudó a alumbrar un manantial para los sedientos expedicionarios; Jornada del Muerto (Dead Man's March), al trayecto de 135 kilómetros de desierto sin agua, y Fra Cristóbal al lugar –y su cercana sierra– en que el Río Grande recuperaba su dirección hacia el Norte, en honor del capellán (53). El 5 de noviembre de 1681, con trompetas y banderas desplegadas, se pondrían en marcha las tropas mandadas por Otermín, que no encontrarían seres vivientes hasta Cochiti, en donde una avanzada al mando de Juan Domínguez de Mendoza estuvo a punto de ser víctima de una estratagema. En Isleta les aguardaban un grupo de fieles indios que en número de 385 les acompañaron en su viaje de regreso en el febrero siguiente a El Paso, en cuyas cercanías se aposentaron, fundando Isleta del Sur. La incursión había sido un fracaso (54). El general Domingo de Cruzate, sucesor de Otermín, se posesionó el 30 de agosto de 1683 y permaneció en el puesto hasta el 1689, con la excepción de un intervalo entre 1686 y 1688, a cargo de Pedro Reneros Posada. En 1689 Cruzate condujo un destacamento, que en lucha con los indios sía, ocasionó la muerte de 600 nativos, y con grave resultado preparó el terreno a la expedición pacificadora de su sucesor (55). Era éste D. Diego de Vargas Zapata Luján y Ponce de León, de noble familia y de considerable fortuna, que llegó a El Paso el 22 de febrero de 1891.

El Embajador Areilza visitó Isleta del Sur y recibió el homenaje en español de la "libre nación de los indios tiguas" (quedan unas cien personas) –las que recibieron tal condición por su fidelidad al Rey de España; el gobernador Salvador Granillo le nombró– "adelantado, cacique y gobernador" de la tribu.

Reconquista por Diego de Vargas: consecuencias

Se distinguía Vargas por su valor, su energía, su experiencia, su diplomacia, su nobleza de carácter, cualidades que habían de servirle en su futura campaña. Seis meses tan sólo tardó en partir al frente de una compañía de 60 españoles y 100 indios, después de haber planeado cuidadosamente su estrategia. Al aproximarse a un pueblo, los españoles le pondrían sitio de forma que ningún habitante pudiera escapar; nadie dispararía sino por orden de su jefe; todos los soldados cantarían por cinco veces alabanzas a la Virgen, de forma que los sitiados las escuchasen; los misioneros acompañantes tratarían entonces de persuadir a los jefes de su retorno al seno de la Iglesia y de su sumisión a la Corona; caso de aceptar los indios, los sacerdotes les absolverían de sus pecados y bautizarían a sus hijos nacidos en el interregno; caso de negarse, se procedería al asedio militar y a la toma del pueblo por la fuerza. La situación de los indios era propicia, porque, aparte de recordar las prácticas cristianas y la lengua española, grandes disensiones habían estallado entre las distintas facciones, especialmente a raíz de su disgusto por el tiránico gobierno de Popé y de los sangrientos ataques de los envalentonados apaches. Las gentes de Vargas hallaron, hasta la capital, todos los pueblos desiertos (56).

El 13 de septiembre de 1692 200 voces se elevaron a las cuatro de la mañana ante los dormidos muros de Santa Fe entonando cinco veces "¡Alabado sea el Santísimo Sacramento del Altar!". En plena oscuridad, y ateridos de frío, los indios se levantaron, temiendo la presencia de apaches, y atisbando hacia el campo, oyeron una voz, la de Vargas, que les decía: "No temáis. Soy católico y cuando el sol salga podréis ver en mi estandarte la imagen de la Virgen Bendita." Para asegurarse, los indios pidieron un toque de trompeta, siendo complacidos. Al clarear, tras varias exhortaciones a la paz, romper el dique de los depósitos de agua y la demostración de su fuerza, acabaron los indios por aceptar la oferta al final de la jornada. Dos indios desarmados avanzaron, y Vargas, descabalgando, les abrazó. Entró el capitán en la ciudad y en el palacio acompañado tan sólo por dos franciscanos, y dejando el ejército fuera a petición de los indios, que alegaban sustos en las mujeres y niños, y no obstante las advertencias en contra de los suyos. Este gesto de confianza le granjeó una cordial acogida de la población, que coreó entusiásticamente sus gritos de "Viva el Rey!" al levantar tres veces en la plaza el pendón real y que se arrodilló devota al entonar los padres el "Te Deum laudamus" (57).

Se retiró don Diego a dormir con sus tropas –en estado de alerta– en los alrededores, actitud que reforzó la primera buena impresión causada. Pudo reposar tranquilo, al haber reconquistado la capital del Reino sin derramamiento de sangre. En los días siguientes los caciques de varios pueblos acudieron a Santa Fe para rendir obediencia, y su visita a las regiones de Pecos y Taos produjeron la sumisión de dichas tribus y las de Sía y Jemez. Veintitrés pueblos habían sido pacificados y más de 2.000 indios serían bautizados. Y todo ello, sin haber costado a la Corona un maravedí, como no fueran los salarios de 50 hombres, pertenecientes a una fuerza auxiliadora procedente de Parral, en México (58).

Pero no todo iba a ser camino de rosas para Vargas. Después de su regreso a El Paso, el 20 de diciembre, tenía que proceder a la reconstrucción del Reino y de su capital, a reintegrar a sus hogares a los colonos, a poner en cultivo de nuevo las haciendas. El 4 de octubre de 1693 se puso en marcha la expedición compuesta de 100 guerreros españoles, indios aliados, 70 familias, 18 frailes, 1.000 mulas, 2.000 caballos, 900 cabezas de ganado, 18 vagones y tres cañones; llegaría a Santa Fe el 16 de diciembre en medio de una gran tensión, aunque ningún incidente ocurrió por el momento. Pero al ser invitados los indios a partir de la ciudad, que había sido devuelta a los concejales españoles, se resistieron. En los días transcurridos en el intento de conseguir su retirada voluntaria murieron 21 españoles de congelación, por falta de cobijo, por lo que hubo de obtener aquélla por la fuerza y recurriendo a la ejecución de 70 cabecillas (59).

Poco a poco las cosas fueron normalizándose, el tiempo mejoró, los frailes comenzaron a poner en pie sus Misiones destruidas, las haciendas volvieron otra vez a producir y nuevas familias se incorporaron procedentes de México. Se fundaron las primeras ciudades, después de Santa Fe y El Paso: Santa Cruz, en la primavera de 1695, y Bernalillo, en el otoño, en el antiguo emplazamiento de la finca de la familia Bernal (60).

La tormenta de un nuevo levantamiento estalló el 4 de junio de 1696, pero no se extendió tanto como la anterior; Vargas actuó rápida y severamente contra las tribus rebeldes, que asesinaron a cinco frailes y 21 soldados. Para fines de año el peligro estaba superado y los indios pueblos quedarían sometidos para siempre (61).

La petición de Vargas de ser nombrado para un segundo término no obtuvo aceptación empero, y en enero de 1697 llegó su sucesor, Pedro Rodríguez Cubero, quien a los pocos meses le encarceló y le tuvo entre rejas por espacio de año y medio. Cuando Felipe II conoció este tratamiento ordenó su inmediata libertad. En la ciudad de México Vargas pudo ser oído y recibió el nombramiento por otro período, de gobernador y capitán general de Nuevo México y de marqués de la Nava Brazinas. La real justicia había cumplido como lo que era, y el gobernador-marqués retornó a su querida ciudad de Santa Fe, en noviembre de 1703 (62).

Muerte de don Diego

Gran obra tenía por delante para reparar los desastres cometidos por su enemigo Cubero. Una de las primeras tareas era la reorganización del ejército. Una campaña contra los apaches se reveló como necesaria, y el capitán general se puso al frente de las tropas. Hacia Bernalillo se dirigió a comienzos de abril y más tarde a Taxique, en donde fue sorprendido por fuertes dolores y fiebre. Transportado a la casa del alcalde de Bernalillo, Fernando Durán y Chaves, Vargas comprendió la proximidad de su fin, por lo que dictó testamento el día 7. Entregó su alma a Dios el día 8 de abril de 1704 y recibió sepultura bajo el altar mayor de la iglesia parroquial de San Francisco. El nombre de Vargas se había hecho acreedor a figurar junto a los de los grandes conquistadores (63).

Siglo XVIII y primeros lustros del XIX

El siglo XVIII contempló un florecimiento de las Misiones, una perfecta armonía entre las autoridades religiosa y civil y un normal desarrollo de la vida hispanomexicana; la pacífica coexistencia de los colonos y de los indios pueblos vióse turbada, sin embargo, hasta 1763 por los intentos de infiltración francesa y por los continuos ataques de las tribus nómadas, navajos, comanches y especialmente apaches. La causa del aumento de esta presión guerrera se debió al descenso de los comanches desde el norte del país hasta el sur, a partir de 1706, obligando a los apaches a desviarse hacia el Oeste, de modo que ambas naciones quedaron en son de guerra, atenazando el Reino de Nuevo México. Los más irreconciliables enemigos fueron los apaches, pues con los potentes y peligrosos comanches se mantuvieron períodos de paz, en los que se intercambiaba un activo comercio y en los que los comancheros entraban libremente en territorio indio. Dos campañas, por otra parte, asestaron un duro golpe al poderío de los comanches: en 1717, con la expedición dirigida por *Juan de Padellao*, y en 1779, por el gobernador *Juan Bautista de Anza*, en la que el jefe indio pereció. En lo que se refiere a los apaches, la vacilante actitud española acabó entre 1775 y 1790, y una serie de ataques en sus guaridas se fueron sucediendo, destruyendo sus campamentos, luchando en cualquier momento, matando a tantos como posibles.

Hábiles militares como Hugo O'Conor, Teodoro de Croix y Juan Bautista de Anza, consiguieron que los apaches, ante la perspectiva de verse aniquilados, se avinieran a asentarse e incluso firmaran Tratados de Paz que habrían de regir hasta 1810 (64).

Un acontecimiento de trascendencia para las regiones cercanas al Río Grande representó el nombramiento de *José de Escandón* en 1746 como teniente general y reorganizador de todo el noroeste de la Nueva España (65).

Don Eusebio Durán y Chaves, desde su hacienda cercana a Albuquerque, partiría en 1774 para visitar a Carlos III. El rey, teniendo en cuenta los méritos contraídos por su familia en el Río Grande, le nombraría a su petición, en el curso de la audiencia que tuvo a bien concederle, alcalde perpetuo, con derecho de sucesión, de los pueblos de Sandía, San Felipe, Santo Domingo y Cochití (66).

De Santa Fe partiría en 1776 *fray Silvestre de Escalante* para indagar un paso por el Oeste para enlazar con las Misiones de California (67), y a Santa Fe llegaría en 1807, en concepto de prisionero, Zebulón Pike, el primer americano que había osado entrar en el Reino de Nuevo México y quien, al regresar a su tierra y publicar su Diario, informaría a sus conciudadanos por primera vez de la existencia de unas tierras que un día podrían ser colonizadas por ellos (68). Santa Fe sería el punto de partida de las visitas del médico *Larrañaga* en 1805 a los distintos establecimientos y Misiones con el ánimo de aplicar preventivamente la vacuna como gran descubrimiento de la moderna medicina; a pesar de la resistencia encontrada, pudo informar de las vacunaciones en masa en El Paso, Cebolleta, Albuquerque, Santa Fe, Laguna y Zuñi (69). En dicho año el gobernador *Joaquín Real Alencaster* aceptaría la propuesta de comercio con los indios de las llanuras, que dos de ellos, con un cierto James Pursley, le trajeron en 1805 (70). El mismo gobernador, alarmado por las infiltraciones de extranjeros, avisaría a sus superiores de la necesidad de reforzar la defensa de la provincia; pero poco podían éstos hacer cuando Napoleón había invadido la Península y Fernando VII había abdicado en él su corona (71). Respondiendo a la convocatoria de las Cortes de Cádiz, Nuevo México envió en 1810 a D. Pedro Bautista Pino, rico terrateniente, quien durante los tres años de estancia en España presentaría un programa urgente de recomendaciones en beneficio de su provincia (72).

RECORRIDO URBANO

En mi vista a Santa Fe tuve por "cicerone" a Antonio Taylor, fornido sajón –con sangre hispana–, de ojos claros y aire bohemio y de aspecto y hechos simpáticos; casado con la dama santafecina Mariana Vigil, de rancia familia hispánica, hablaba el español perfectamente; se trataba del hermano de la ex presidenta de la República, Lady Bird Johnson, más tarde nombrado vicecónsul honorario de España. Dedicado a la venta de productos de artesanía y antigüedades tanto locales como españoles o mexicanos, tenía un comercio abarrotado de tentaciones y una casa, en cuyos rincones se respiraba España, alhajada con piezas traídas de la Península, y en la que los muros se adaptaban a los muebles y puertas y no al revés.

Guarda Santa Fe una impresionante armonía en sus calles y plazas, en sus antiguos y sus modernos edificios, todos ellos de dos pisos como máximo. El estilo neomexicano se fomenta en las construcciones de nueva planta, y así, se da el caso de que la Central de Correos, el Museo de Bellas Artes, el "Hotel La Fonda", el Instituto de Artes y Oficios Indios, las estaciones de gasolina, etcétera, concuerden perfectamente con las casas de Borrego, Juan Rodríguez y Boyle, con las posteriores y decimonónicas de Felipe B. Delgado, Juan José Prada o Padre Gallegos y con la Misión de San Miguel y la "casa más antigua" (73).

La ciudad es hermana de Santa Fe de Granada.

Palacio del Gobernador, edificio público
más antiguo de Estados Unidos

Preside el *Palacio del Gobernador* la Plaza, centro de la ciudad, y con su sencilla estructura, protegida en su principal fachada por un amplio portal, nos transporta evocadoramente al otro lado del Atlántico. Dos placas, franqueando su entrada principal, informan al visitante de su historia, y su interior, hábilmente restaurado en 1909, alberga una exposición de objetos arqueológicos e históricos del sudoeste norteamericano. Se inició su edificación en 1610, la fecha de la fundación de la ciudad, y cuando la rebelión india en 1680 sufrió sólo parciales destrucciones (74).

Es la *Plaza* un lugar atractivo por su bien organizada jardinería, su tranquilidad, su ambiente español. En una de sus esquinas se yergue el Museo de Bellas Artes, y en su costado opuesto una placa nos recuerda que en aquel lugar erigió el gobernador Antonio del Valle, entre 1754 y 1760, la iglesia de Nuestra Señora de la Luz, más comúnmente conocida por *La Castrense,* destinada a la guarnición, y que allí permaneció hasta que el edificio fue derribado por Simón Delgado en 1859 para elevar su propia casa. Desde la ocupación norteamericana la iglesia había quedado desierta, y en 1851 el juez Baker intentó establecer su tribunal en ella, pero hubo de renunciar ante la firme actitud de Donaciano Vigil, el gobernador provisional. El retablo de La Castrense fue colocado primeramente en la iglesia de San Francisco, antecesora en su mismo emplazamiento de la catedral de San Francisco, y hoy podemos todavía contemplarlo en la moderna de Cristo Rey, en uno de los extremos de la ciudad, con Santiago Matamoros en el centro, la Sagrada Familia en la parte superior y San Antonio y San Ignacio en cada uno de los laterales (75).

La Catedral, custodia de "La Conquistadora"

No cuesta esfuerzo llegar a la *Catedral,* ya que sólo hay que recorrer una manzana de la calle por nombre San Francisco. Se colocó su primera piedra el 14 de julio de 1869, y todavía tiene sin acabar sus dos torres. Propulsada por el arzobispo Lamy, que llegó al país en 1850, luce un marcado estilo francés, ajeno por completo al ambiente local; encierra entre sus muros, además del retablo con la imagen de *La Conquistadora,* las tumbas de los franciscanos padre Asensio Zárate –muerto en San Lorenzo de los Pecuríes el 8 de mayo de 1759– y padre Jerónimo de la Llana –fallecido en Quaraí el 1 de abril de 1759–, según rezan las inscripciones en español (76).

Párrafo aparte merece la *Misión de San Miguel,* enclavada en paraje no lejano al centro de Santa Fe. Se remonta su antigüedad al año 1610, todo lo más a 1620, a juzgar por el comentario de fray Alonso de Benavides, custodio de los franciscanos a partir de 1965 y autor del famoso "Memorial sobre las Misiones neomexicanas". Se convierte así este templo en la iglesia en uso más antigua de los Estados Unidos (78). Las excavaciones realizadas en ella en 1955 –y parte de las cuales se muestran al público cerca del altar mayor a través de una especie de trampa– confirmaron aquella antigüedad (79). Sólo un techo ardió –excepcionalmente– cuando el levantamiento de 1680; a partir de la reconquista de Vargas volvió a abrirse al culto, debidamente rehabilitada, y en 1710 quedó completamente restaurada por las obras del marqués de la Peñuela, según consta en una de las vigas de la iglesia. En 1830 Simón Delgado colocó un tercer tejado, y fue objeto de nuevas reparaciones en 1887, a causa del desastre producido por una tormenta en 1872, que derribó su torre (80).

El altar data de 1798, gracias a la generosidad de D. José Antonio Ortiz. Sustituido en el siglo XIX por otro de estilo victoriano, ocupa hoy su primitivo emplazamiento, tras las obras de restauración de la iglesia a su genuino estado, terminadas en 1955. Siguen presidiendo el altar la estatua –"santo"– de San Miguel, en perfectas condiciones de conservación, y seis óleos representando al Arcángel vencedor de Lucifer, Santa Teresa de Ávila, Santa Gertrudis, San Luis, San Francisco, todos de una época comprendida entre 1710 y 1776, y todos originales de la iglesia. Otros dos óleos no han podido recuperarse, y en su lugar han sido colocados dos "santos" o cuadros de San Antonio y San Francisco (81). Completa la visita, llena de reminiscencias hispánicas, la contemplación y la audición de una gran y sonora campana, colocada hoy en la sacristía, que contiene la inscripción de: "San José, rogad por nosotros. 9 de agosto de 1356". Procedente de Andalucía, parece que arribó al Nuevo Mundo en 1712; se ignora la fecha de su llegada a Santa Fe (82).

La casa más antigua de Estados Unidos

Enfrente de San Miguel aguarda nuestra visita *la casa más antigua en los Estados Unidos.* Construidos sus muros básicos de adobe en el siglo XII y XIII por los indios pueblos, habitantes de la región, fueron aprovechados por los españoles, que elevaron con ladrillos de adobes la edificación hoy existente. Pudo salvarse de la destrucción de 1680, porque los indios la respetaron a causa de su primitivo origen indígena. Las más variadas gentes han sido sus usuarios: indios, brujas, misioneros, esclavos, aventureros, etc.; todo tipo de leyendas rodea el lugar que hoy está convertido en un museo que ofrece, además, la reconstitución de lo que era un hogar hace dos siglos (83).

No hace mucho se ha constituido la "Colonial New Mexico Historical Foundation" y se ha instalado en el "Old Cienaga Village Museum", el antiguo "Rancho de las Golondrinas", a unos 13 kms. al suroeste de Santa Fe.

No lejos de la catedral ubícase el hotel "La Fonda", centro social de la ciudad. Edificio no moderno, con aspecto externo de adobes, es confortable y tiene un acogedor patio central, en que se almuerza, presidido por una imagen de la Virgen de Guadalupe en azulejos. El comedor principal del hotel tiene entrada directa a la calle, y su decoración se armoniza con el nombre que ostenta de "Gate of Spain". En el vestíbulo principal, una de las paredes está cubierta totalmente por una gran pintura, conteniendo el mapa de Nuevo México con el escudo de España en el centro y figuras de conquistadores y misioneros a los costados, en tanto que los altavoces transmiten una suave música, la mayoría de las veces a base de pasodobles, sevillanas, canciones de "Los chavales de España", etc. También se puede dormir en Santa Fe en "La Posada Inn", "El Rey Motel" y "Hacienda El Gancho" (84).

Pintorescas calles nos hacen disfrutar de las delicias de ser peatón, y más si se llevan por nombres los de Don Gaspar, Don Diego, Coronado, De Vargas, García, Castillo, Delgado, Cerrillos, Agua Fría, etc. Como nos encontramos en la ciudad de los "dons" (los antiguos españoles así son denominados", el Teatro de Comedia no podía menos de titularse "Don Juan". Para reparar las fuerzas nos ofrecen sus especialidades "Three cities of Spain", "La cocina de Santa Fe", "El Corral" y "El Nido", y libros podemos comprar en "The Villagra Book Shop" o "La Conquistadora Book Shop" (85).

Si tomamos la Alameda y el Camino del Monte, arribaremos a los Museos de Arte Ceremonial Navajo y de Arte Popular Internacional: una sección de éste dedicada al arte colonial local nos familiariza con los "santos" (tablas) y "bultos" (esculturas) en su mayoría de temas religiosos, en los que se patentiza el encanto, dentro de su primitivismo, de las influencias españolas en los artistas indígenas del Nuevo Reino, los llamados santeros, entre los que destacan Molleno (¿Moreno?) y Aragón. Junto a un Santiago Caballero con sombrero hongo (al estilo de los que usan los indios en Bolivia). San Acacio se nos aparece crucificado y vestido con levita a la usanza decimonónica. Muchos "santos", obra del español Aragón, llegado a Nuevo México en 1820, nos muestran una más moderna influencia española. Un dicho nos describe con sus figuras en miniatura "el gran poder de Dios" y un retablo nos presenta en rojo al Santo Niño de Atocha; una colcha de lana o una jerga o alfombra nos hablan de la habilidad manual de las damas hispánicas, y un rincón, una tarima o asiento, un trasero o aparador, una silla, una mesa y un banco, por ejemplo, nos sugieren el ambiente de un hogar en el Nuevo México del siglo XVIII (86).

Distinto es el espectáculo, inesperado también por no similares razones, de la representación al aire libre, en el curso del verano, en un parque de los alrededores de una ópera, por ejemplo, "Tosca", cantada por la española Mirna Lacambra, con la Sierra de Sangre de Cristo por telón de fondo (87), o "La Vida Breve" (de mi abuelo paterno y Manuel de Falla), en agosto de 1975, y para cuyo programa me fueron solicitadas unas líneas introductorias.

SECTOR ORIENTAL

Cabeza de Vaca, el primer blanco

Corresponde el título de primer blanco que pisó tierra de Nuevo México a Alvar Núñez Cabeza de Vaca –junto con sus compañeros–, quien, después del naufragio en las costas de Galveston de la expedición de Pánfilo de Narváez, había sobrevivido a las duras penalidades infringidas por las tribus indígenas que le tuvieron por esclavo larga temporada. Pero sus habilidades de curandero le permitieron capear los malos tiempos y llegar vivo al año 1534, en que pudo reunirse con otros tres compañeros náufragos: Dorantes, Castillo y Esteban, este último un moro esclavo del primero. En 1535 consiguieron los cuatro huir hacia el Oeste, atravesar lo que luego se denominaría "Llano estacado", remontar hacia el Norte el río Pecos a cierta distancia, torcer hacia el Sudoeste, no lejos de la localidad de Artesia, y cruzar el Río Grande poco más arriba de El Paso, cerca de Mesilla y Las Cruces (88). Su posterior llegada a la ciudad de México y su relato de las riquezas entrevistas en su larga jornada y de las considerables edificaciones existentes en algunos de los pueblos atravesados, promovieron la decisión virreinal de organizar una expedición que confirmara los esperanzadores datos aportados por el intrépido explorador (89).

Ante la negativa de éste de ponerse a su frente (por sus proyectos de viajar a España y obtener la autorización regia para la realización en su beneficio de tamaña empresa), el virrey Antonio de Mendoza escogió a fray Marcos de Niza, compañero de Pizarro, en la conquista del Perú, y le asignó Esteban como guía, además, de una escolta de soldados. De ser ciertos los informes, el gobernador de Nueva Galicia, Francisco Vázquez de Coronado, acometería la conquista de las regiones nórdicas y la organización de los establecimientos de colonos (90).

SECTOR OCCIDENTAL

El Estado que, en su centro, es dividido por gala en dos por el Río Grande, tiene su parte occidental atravesada por el impresionante macizo montañoso de las Rocosas, que, con diferentes alturas, se subdividen en diversas sierras conocidas, casi en su totalidad, por nombres españoles. Así se explica que Nuevo México sea un reputado centro para los deportes de invierno y que la abundancia de su nieve traiga a muchos amantes del esquí. Las consiguientes bajas temperaturas invernales –como las secas y elevadas estivales en la llanura–, ocasionaron difíciles momentos a nuestros conquistadores y colonos, que padecieron mucho frío cuando las caravanas de aprovisionamiento faltaron o los ataques indios u otras circunstancias produjeron la destrucción de los alojamientos y de las ropas de abrigo.

Fray Marcos de Niza, el visionario

En la primavera de 1539 partió el grupo exploratorio a pie. Estebanico, en vanguardia, iba anunciando a su jefe la importancia de los poblados encontrados por medio de cruces de varios tamaños que le enviaba con los mensajeros indios, hasta que un día le remitió una tan grande como un hombre: la alegría de hallarse cerca de la meta se vio enturbiada por la muerte de Estebanico –junto con sus compañeros–, que se había adelantado a la ciudad, sin aguardar el grueso de la partida. Los indios que se hallaban con fray Marcos rehusaron seguir más adelante, temerosos de correr la suerte de sus hermanos: sólo dos accedieron a acompañar al fraile, quien al llegar a cierta distancia de la ciudad creyó contemplar –con la ayuda de su poderosa imaginación– lo que esperaba: edificaciones con fachadas de oro y con terrazas capaces de albergar un millar de personas, formando una agrupación urbana mayor que la ciudad de México. Para aumentar su entusiasmo, uno de los indios informó que esta era la más pequeña de las ya legendarias ciudades de Cibola. Dio fray Marcos gracias a la Divina Providencia, nombró a las tierras descubiertas Reino de San Francisco, construyó un altar con piedras rematadas por una cruz y tomó solemne posesión de toda la región de Cibola en nombre del emperador. Habiendo regresado en el verano, informó a Coronado y al virrey acerca de las tierras recorridas –algunas desiertas–, de la afabilidad de los nativos y de las exploraciones realizadas.

Vázquez de Coronado, el joven general

Con tan buenas nuevas, el virrey –que rechazó las entusiastas ofertas de Hernán Cortés para el comando de la empresa– otorgó a Vázquez de Coronado, el 6 de junio de 1540, la comisión de llevarla a cabo, y gracias al dinero de Mendoza y de la esposa de don Francisco, pudieron ponerse en marcha 336 hombres debidamente equipados, 100 indios, 552 caballos, 600 mulas, 5.000 ovejas y 500 cabezas de ganado. La mayoría de los componentes no había cumplido los treinta años (el general, aunque llegado a ellos, no los había pasado) y eran de nacionalidad española, con la excepción de algún portugués, escocés, siciliano o alemán. Sólo tres trajeron consigo sus esposas, y una de ellas actuó como enfermera –la primera del continente– y cabalgó más de 10.000 kilómetros en el curso de la expedición. No podían faltar varios religiosos, con fray Marcos de Niza a su cabeza. Dada la proximidad de Cibola al golfo de California –según los informes de éste–, una formación naval acompañaría al grupo de tierra y le serviría de base de aprovisionamiento (92). "Es quizás la empresa exploratoria individual más elaborada de la historia de Norteamerica", al decir de E. G. Bourne.

Pronto se dieron cuenta los viajeros de las exageraciones del fraile franciscano: ni los campos eran fructíferos, ni los indios tan amistosos, ni la tierra buscada estaba cerca del mar. André Maurois califica a los indios de cuentistas. Coronado tomó entonces la decisión de cambiar el rumbo hacia el Nordeste y de ponerse al frente de un grupo exploratorio de 50 hombres que, dada la lentitud de la caravana, pudiese adelantar las buenas nuevas que, sin duda, aguardaban. Entrando en Arizona recorrió Coronado su rincón sudeste, hasta llegar a la carretera 66, para torcer entonces hacia Levante. Mediado el verano divisó la avanzada la ciudad entrevista por fray Marcos, y para su gran desilusión el poblado no relucía de oro: se trataba de unas cabañas miserables de adobe, y los indios zuñis, sus habitantes, carecían hasta de alimentos para subsistir; fray Marcos recibió las reprimendas consiguientes (93).

Las ruinas de la ciudad de Cibola, Hawikuh para los nativos, se conservan a 22 kilómetros al sudoeste del subsistente pueblo de Zuñi, cerca de Ojo Caliente. En ella había muerto Esteban, en parte quizá por las demasiadas libertades que se había tomado con las mujeres indias, y en ella morirían, el 7 de julio, 20 indios al oponerse a los ejércitos del emperador; cuando los desilusionados conquistadores entraron en la ciudad, encontraron que las mujeres y niños habían huido y que el vulgar poblado estaba vacío de todo. Coronado, por lo pronto, instaló en ella su cuartel general y la bautizó con el nombre de Granada (94).

Inmediatamente enviaría a sus lugartenientes en exploración de las regiones vecinas: Pedro Tovar partiría el 15 de julio hacia el Noroeste, y en el plazo de un mes recorrería las tierras de los indios hopis y atisbaría la existencia de la conmoción geológica del Gran Cañón del Colorado, que sería contemplada por primera vez entre los blancos por D. García López de Cárdenas con la patrulla que salió el 25 de agosto desde Hawikuh (95).

Cuatro días más tarde, Hernando de Alvarado se dirigiría hacia el Este con vistas a confirmar los optimistas informes obtenidos sobre sus tierras. Hasta finales de noviembre no llegaría el grueso de la expedición al mando del capitán D. Tristán de Arellano; Coronado la dejaría reposar veinte días hasta su traslado a Alcanfor (cerca de la actual Bernalillo), cuyo emplazamiento –buscado por Cárdenas– le gustó cuando a él llegara en los primeros días de diciembre. Una guarnición de 30 hombres quedó en Granada hasta la retirada en abril de 1542 de la expedición a Nueva España (96).

Misioneros

Francisco Sánchez Chamuscado y su grupo serían los siguientes españoles que treinta y ocho años después visitarían el lugar (97), lo mismo que Espejo en 1583 (98). En 1598, D. Juan de Oñate asignó a esta región al padre Andrés Corchado (99), pero la activa labor misional no empezó hasta 1629, en que los frailes Roque de Figueredo, Agustín de Cuéllar y Francisco de la Madre de Dios fundaron la primera Misión en Hawikuh, bajo la advocación de la Inmaculada Concepción. En 1632 sufrirían el martirio los padres Francisco de Letrado y Martín de Arvide, consecuencia de lo cual el gobernador Francisco de la Mora Ceballos envió una punitiva expedición al mando de Tomás de Albizu. Un ataque de los apaches ocasionaría la muerte a fray Pedro de Avila y Ayala el 7 de agosto de 1670; se cree, sin embargo, que su sucesor no pereció en el curso de la rebelión de 1680 por haber huido a la sierra con los indios que sólo descendieron cuando Vargas les aseguró la paz (100).

ROCA "EL MORRO"

Acompañando a los expedicionarios españoles en su viaje hacia el Este, y especialmente a la patrulla exploratoria de Hernando de Alvarado (por parajes que vienen a coincidir con la carretera vecinal 53), nos tropezaremos con "El

Morro" (75 kilómetros al sudeste de Gallup), la famosa roca, hoy monumento nacional, que contiene esculpidas en sus varias caras 27 inscripciones, obra de otros tantos conquistadores que acamparon por sus alrededores y quisieron dejar huella escrita de su paso. La más antigua de ellas procede de D. Juan de Oñate el 16 de abril de 1606, no conservándose, si es que existió, la correspondiente a Coronado; pertenecen otras al gobernador D. Francisco Manuel de Silva Nieto, a D. Diego de Vargas, al gobernador Martínez, al insigne D. José de Payba y Basconcelos, al general Juan Pérez Hurtado, al obispo de Durango, don Martín de Elizacochea, en 1737 (el primer purpurado en visitar Nuevo México), etc. Es un impresionante lugar y un inigualable monumento a la gesta española en tierras norteamericanas (101).

ROCA DE ACOMA

Juan de Oñate y el asalto a la roca

Más al Este se sitúa Acoma, hoy una reserva india, inexpugnable roca, vista por vez primera en 1540 por Alvarado y su gente (y denominada por él Acuco), y posteriormente por Espejo. Pasó a la historia por el hecho de armas de que fue protagonista en la época de la expedición de Oñate. Ocurrió que, el 4 de diciembre de 1598, el sobrino del jefe, capitán Juan de Zaldívar, paró en Acoma con 30 soldados. Ante las invitaciones de los lugareños, y no sospechando traición alguna, trepó con seis de los suyos por el sendero hendido en la empinada roca; una nube de indios cayó sobre ellos, salvándose sólo tres que relataron lo sucedido. Enterado D. Juan de Oñate, y tras consultar al parecer de los frailes sobre las causas de una guerra justa, decidió atacar Acoma y nombrar jefe de la tropa punitiva a D. Vicente de Zaldívar, hermano del muerto, que arribó a su destino el 21 de enero de 1599. Al clarear del día siguiente se verificó el primer asalto, y sólo después de tres jornadas de furioso guerrear, Acoma se rindió, quedando el pueblo quemado y 600 indios muertos (102).

Severa justicia sería administrada a los prisioneros, y 60 muchachas indias escoltadas por el capitán Pérez de Villagrá –el futuro autor del poema en 30 cantos "La Historia de la Nueva México", en el que se relata el asalto a Acoma– serían enviadas al virrey para su distribución en los conventos y su conversión y educación. Oñate informaría a su superior de lo acaecido y le pediría refuerzos, que obtuvo en las personas de 73 soldados que arribaron al campamento del general en la Nochebuena de 1600; pero la justicia ejercida, el asalto concluido, habría de ser uno de los cargos contra Oñate en el juicio de "residencia" a que sería sometido al abandonar Nuevo México en la primavera de 1605 y perder a su único hijo en el curso de las últimas escaramuzas con los indios (103). En cualquier caso, el asalto a Acoma quedará para siempre como uno de los más maravillosos de toda la Historia de América, al decir del historiador Lummis (104).

Ramón J. Sender habla mucho de Acoma y del difícil acceso a la aldea, hasta hace pocos años, por un lugar secreto, a cuatro pies y en fila de a uno, en su novela "Los tontos de la Concepción".

LAGUNA

A unos kilómetros de Acoma, se encuentra Laguna, quizá uno de los pueblos mejor conocidos por su proximidad al ferrocarril y a la carretera 66. Su Misión de San José se construyó en 1699. Por cierto que uno de los pleitos sonados en la historia de Nuevo México se desarrolló en 1852 entre los pueblos de Acoma y Laguna por la posesión de una pintura de San José, de poderes milagrosos, regalo del rey don Carlos II a fray Juan Ramírez: mientras estuvo en la Misión de Acoma gozó este pueblo de prosperidad en contraste con las calamidades de todo género sufridas por el de Laguna, hasta que una delegación de éste consiguió de sus vecinos, al fin de arduas negociaciones, el préstamo de San José por un mes; llegado el término –y por mor de los felices resultados de su presencia– los vecinos de Laguna se negaron a la devolución, pasándose así meses y años. El veredicto del Tribunal de 1852 fue favorable a Acoma, y cuando una delegación se dirigió a recoger la milagrosa imagen encontraron a ésta a mitad de camino debajo de un árbol; la reintegraron a su primitiva iglesia, en la que aún hoy se venera (105).

SECTOR CENTRAL

ALBUQUERQUE

Su fundador Cuervo y Valdés

La carretera 66 nos ha llevado, por fin, a Albuquerque. Su erección corresponde a la segunda etapa de dominio español en Nuevo México, a raíz de la reconquista del Reino por D. Diego de Vargas. Una serie de establecimientos se planearon, y el 23 de abril de 1706 el gobernador Francisco Cuervo y Valdés decretó su creación bajo el nombre de "La Villa de San Francisco de Alburquerque" (con el tiempo esta última palabra perdió la primera erre), en honor del duque del mismo nombre, virrey de Nueva España; el Gobierno de Madrid ordenó más tarde el cambio de Santo, para sustituir al navarro misionero por San Felipe de Neri, patrón del primer Borbón reinante. La nueva ciudad se centró en la antigua hacienda de D. Luis Carbajal, que se había destruido en la rebelión de 1680. Treinta familias se trajeron de Santa Fe, y el gobernador contribuyó con una campana, el altar y las casullas para el culto. Los edificios oficiales y las viviendas fueron levantándose poco a poco con arreglo al plano preparado, teniendo por centro la tradicional Plaza Mayo, que todavía puede ser visitada (106).

Albuquerque, que fuera tercera en el tiempo, es hoy la primera ciudad de Nuevo México en extensión y población. "La Alianza Federal de Mercedes" centraliza en ella las reclamaciones que los 75 herederos de aquellos beneficiados por España con concesiones de tierras formulan ante las autoridades correspondientes. Los Tribunales de Justicia deben todavía, con ese motivo, estudiar el derecho español.

Tiene su sede en la ciudad un Cónsul Honorario de España, así como la entidad "La Zarzuela en Albuquerque" que, al promover el género lírico español, ha venido poniendo en escena obras como "La Verbena de la Paloma" en 1984.

La Universidad de New Mexico tiene en dicha ciudad su asiento, y sus modernos edificios muestran el aspecto de las construcciones de adobe típicas en el Estado. Su Art Museum patrocinó en 1986 una Exposición colectiva de fotografía española contemporánea. Su "Institute of Foreign Affaires", y su Departamento de español, y de Historia, destacan por su atención hacia lo hispánico. Otras instituciones de enseñanza superior en el Estado son: la Eastern New Mexico University, en Portales; el New Mexico Institute of Mining and Technology, en Socorro; la New Mexico Higlands University, en Las Vegas (N. M.), y la Western New Mexico University, en Silver City.

SUR DE ALBUQUERQUE

Misiones

Como Albuquerque, se fundaron *Los Padillas,* en 1705, y *Los Lunas,* en 1716, las dos ciudades al sur de aquélla (107). En la misma dirección, y siguiendo la carretera 85, nos aguarda *Isleta:* su pueblo no participó en la rebelión de 1680, y sirvió de refugio al gobernador Otermín en su retirada desde Santa Fe; sus habitantes se establecieron cerca de El Paso, en el nuevo núcleo de Isleta del Sur. Bajo la advocación de San Antonio y San Agustín estuvo sucesivamente la Misión de Isleta, y la tradición sostiene que los restos de fray Juan de Padilla fueron allí enterrados y que su cadáver sube a la superficie una vez al año, e incluso deambula por las calles del pueblo (108).

Belén y Socorro son otras dos ciudades que se conservan en la misma ruta; la segunda fue bautizada por Oñate, en recuerdo de la amistosa acogida dispensada por los nativos. Estos, como los de la *Misión de Sevilleta,* se unieron a los españoles en su retirada hacia El Paso en 1680. Los fundadores de su Misión –*Nuestra Señora del Socorro*–, los padres Antonio de Arteaga y García de Zúñiga, plantaron en su recinto las primeras vides de Nuevo México. A estos padres se debe también la fundación de *San Antonio de Senecu,* destruida por los apaches en 1675 (109).

Al sudeste de Albuquerque, y no lejos de las anteriores, existieron otras Misiones, de las que se dice que murieron de miedo. Y es que fueron víctimas de los ataques de los temidos apaches y comanches. Antes de la rebelión de 1680 ya estaban desiertas. La *Misión de la Inmaculada Concepción,* en Quarai, nació en 1629 por obra de fray Francisco de Acevedo –como las próximas de *San Miguel de Tajique* y *San Gregorio de Abó*–, y su sucesor, fray Gerónimo de la Llama, muerto en 1659, recibió sepultura definitiva en la catedral de Santa Fe. En los alrededores de las ruinas de Abó se conservan las de dos grandes iglesias, y un monasterio de la *Gran Quivira.* Este nombre, que durante mucho tiempo fue para los españoles sinónimo de Tierra Prometida o lugar de fabulosas riquezas, acabó por posarse en este modesto lugar, en el que, no obstante la magnitud de los edificios levantados, cuyos muros son elocuente testimonio, no resistió el embate de los indios guerreros y la falta de protección que ante sus incursiones sus habitantes sintieron (110).

Fin de la expedición de Coronado

Tomemos ahora la ruta que une a Albuquerque con Santa Fe. En un recorrido de unos 90 kilómetros se va ascendiendo poco a poco, al par que el paisaje cambia de color y pierde vegetación en cuanto se separa a la mitad del camino del verde cauce del Río Grande. La primera localidad de consideración con que nos topamos es *Bernalillo*. No podemos menos de recordar que nuestro trayecto lo estrenó Hernando de Alvarado con su gente en septiembre de 1540 y que el gran río lo bautizó como de Nuestra Señora (una de las muchas denominaciones que recibió en su historia), después de haber atravesado parajes que le recordaban a Castilla (111) (existe una placa recordatoria en los alrededores). Los indios que encontraron a su paso le saludaron con grandes muestras de cordialidad, lo que le animó a proseguir su viaje al Norte, hasta Taos, siempre con la guía de "Bigotes", uno de los caciques de Pecos. Como consecuencia del informe que remitió a Coronado, su general, recibió D. García López de Cárdenas, junto con 14 caballeros y un grupo de indios, el superior encargo de preparar para toda la expedición lugar adecuado en donde invernar. El paraje elegido fueron las 12 ciudades de Tiguex, en la orilla oeste del río, opuesta a la actual Bernalillo. A poco, en octubre, la primera nevada cayó, por lo que el aposentador español no vio más solución que rogar al cacique de *Alcanfor*, uno de los poblados vecinos, trasladara su gente a otra ciudad y dejara la suya para alojamiento de los españoles, de forma que el grueso del ejército cuando arribara tuviera cobijos en donde refugiarse. El cacique accedió y partió con sus súbditos. La elección complació a Coronado cuando llegó en diciembre. El grueso del ejército se incorporaría poco después del Año Nuevo de 1541 (112).

La resistencia del pueblo de *Moho*, 15 kilómetros al Norte, determinó a Coronado a infligirle el oportuno castigo: un sitio en regla comenzó en el mes de febrero. El éxito acompañó a los expedicionarios, que regresaron a sus cuarteles setenta y siete días más tarde, después de haber dado un escarmiento –con ánimo de ejemplar– a los resistentes indios (113).

Con las nuevas del emplazamiento de la Gran Quivira en las tierras del Norte facilitadas por el "Turco", un indio prisionero, partió el general con fray Juan de Padilla y un grupo de su gente. El resto pasó el invierno en Alcanfor bajo el mando del capitán Arellano. Durante el verano hicieron éstos incursiones en las regiones próximas, pero a su fin comenzaron a preocuparse por la suerte del jefe. Arellano dejó el mando a Barrionuevo y con 50 hombres se adelantó a Pecos. Allí dio la bienvenida al jefe, quien regresaba desalentado por el engaño de el "Turco", al no existir Quivira ni las ricas tierras prometidas (el traidor pereció agarrotado) (114). Coronado escribió desde Alcanfor al emperador el 20 de octubre de 1541 transmitiéndole sus desilusionadas impresiones; el frío, el hambre y los insectos se presentaban lúgubremente, por otra parte, a los españoles acampados. El 27 de diciembre don Francisco salió a montar a caballo con el capitán Rodrigo Maldonado y pronto se pusieron a competir. Coronado cayó por defecto del aparejo y una de las pezuñas del caballo de su contrincante le golpeó el cráneo; muchos días pasó entre la vida y la muerte; pero cuando se recuperó, un ansia enorme de retornar con los suyos le invadió. Dio la orden de regresar a Nueva España. La partida comenzó en abril de 1542. Con tan desastroso resultado, Carlos V ordenó no gastar más dinero de las arcas reales en análogo tipo de empresas (115).

La malograda "entrada" de Sánchez Chamuscado

En el mismo paraje cercano a Bernalillo fundaron la Misión de San Bartolomé en 1581 los frailes Agustín Rodríguez, Francisco López y Juan de Santa María, escoltados por Francisco Sánchez Chamuscado con sólo ocho soldados y cinco indios. Los misioneros habían obtenido permiso para su expedición, basándose en la necesidad de convertir a los indios del Norte, que en frecuentes ocasiones eran víctimas de los cazadores de esclavos, que lograban buen mercado para ellos en las minas que se estaban poniendo en explotación. Habían atravesado la frontera mexicana el 5 de junio de 1581, en las cercanías de El Paso, y habían remontado el río Conchos y más tarde el Río Grande, en las cercanías de Socorro. Llegarían hasta Taos, en el Norte, y, como hemos visto, hasta Acoma y Zuñi, en el Oeste. Una gran habilidad diplomática debieron de desplegar para moverse pacíficamente gente tan poca en región tan amplia; pero, al final, fueron pagados los frailes nada menos que con el martirio y Chamuscado con la muerte en su viaje de regreso, en abril de 1582. Hernando Gallegos, uno de los supervivientes, informó de la jornada a la posteridad (116).

Misiones

Antes de Bernalillo hemos contorneado Alameda, en donde estuvo, en tiempos, *San Francisco* –la Misión cuyas ruinas se alzan todavía–, y no lejos de ellas el pueblo de *Santa Ana*, que ostenta igualmente los restos de su antigua iglesia (117). *San Felipe* –cuyo nombre se debe a Castaño de Sosa–, queda también próximo y su Misión fue levantada por fray Cristóbal de Quiñones en 1605. Todas ellas pasaron por la destrucción de 1680 (118).

No así la de *Santo Domingo*, que fue hallada intacta por el gobernador Otermín en su retirada hacia el Sur, si bien sus tres frailes –Francisco Antonio Lorenzana, Juan de Talabán y José Montes de Oca– sufrieron el martirio el 10 de agosto. Pero si se salvó del fuego, no tuvo la misma fortuna con las inundaciones del río. Cuando reconstruida, en 1885, fue trasladada a corta distancia. Hoy polariza la atención de las gentes de los alrededores en su fiesta anual del 4 de agosto (119). El cercano pueblo indio se resiste a la electricidad y demás adelantos modernos, incluso a ser fotografiado. Tuve, sin embargo, la fortuna de poder disparar una instantánea de la fachada de la Misión, y ningún percance desagradable ocurrió. Indudablemente, se debió a la compañía de Mr. Robert Turner, mi amable anfitrión y entusiasta conocedor de la región.

Desviándonos por la carretera 44, se nos hace accesible el pueblo Sía, en cuyos contornos fray Alonso de Lugo edificó la *Misión de Nuestra Señora de la Asunción*, allá por el 1598. Los nativos se sumaron a la rebelión de 1680, y cuando el gobernador Cruzate intentó reconquistar Nuevo México, se desarrolló en Sía, el 1 de agosto de 1689, la más sangrienta batalla de toda la revuelta: 600 indios murieron y muchos cayeron prisioneros; no olvidarían en lo sucesivo esta sangrienta lección, y colaborarían eficazmente con Vargas cuando a los pocos años apareció con sus gentes (120). Carretera arriba, en Jemez, se yerguen las ruinas de las tres *Misiones de San Diego, San José y San Juan.* El capitán Barrionuevo bautizó los siete poblados encontrados en 1541 con el nombre de Aguas Calientes, que coincide con el moderno de Hot Springs (121).

Pero prosigamos nuestra marcha por la carretera 25. A poca distancia de ella nos aguarda el pueblo de Cochití, especialmente atractivo, el día 14 de julio, fecha de su conocido festival anual, o Danza de la Lluvia; aquí no tendremos los problemas que en Santo Domingo, y el pueblo nos ofrecerá una antigua Misión –la de *San Buenaventura*– levantada por Vargas en el lugar de la anterior quemada, dos kivas –no obstante ser católicos la mayoría de los indios que la habita– y una pintoresca plaza en el centro del pueblo, que fue descubierto por D. Juan de Oñate en 1598 (122).

SECTOR SEPTENTRIONAL

Misiones y el santuario de Chimayó

La vía que une a Santa Fe con Taos nos depara, como primer poblado que nos da la bienvenida, Tesuque, construido después de 1694, al occidente del antiguo, abandonado en 1680, cuando la rebelión. Tenían motivos para huir sus habitantes, desde el momento que en Tesuque se derramó la primera sangre el 9 de agosto, cuando un español, Cristóbal de Herrera, pereció asesinado. El padre Pío, que se hallaba ausente, también murió al día siguiente. Dos indios amigos se apresuraron, camino de Santa Fe, para informar de la revuelta. Los dirigentes de ésta decidieron adelantar su estallido antes de que los españoles pudieran reaccionar. La chispa que todo destruyó se encendió, pues, en Tesuque (123). En este pueblo, aún hoy en día ningún tesucuano puede ausentarse sin el permiso de su gobernador, Martín Vigil, o quien le haya sucedido (124).

A 21 kilómetros se sitúa la Misión de *Nambé,* fundada en 1598 por fray Cristóbal de Salazar; uno de sus sucesores, fray Tomás de Torres, recibió el martirio en 1680, al par que su iglesia fue destruida. La actual procede de 1729, en que el gobernador D. Juan Domingo de Bustamante la erigió a sus expensas, a fin de dar cabida al número progresivo de conversos. No se muestra, sin embargo, con su genuino aspecto, ya que ella, como otras en Nuevo México, ha sido víctima de inadecuadas restauraciones que le han dado un aire moderno, con pérdida de su carácter primigenio (125).

En una solitaria región, el *santuario de Chimayó* es la ansiada meta de cuantos confían en sus virtudes milagrosas para curar enfermedades, y viejos y jóvenes, hombres y mujeres, a caballo, en automóvil o a pie, tullidos y enfermos, acuden a rezar fervorosamente, uniéndose a la piedad de los mexicanos residentes en el lugar (no es Misión de indios). Cuándo se descubrieron las milagrosas virtudes de la tierra de Chimayó no se sabe, pero sí que en 1816 su propietario, D. Bernardo Abeyta, erigió una considerable iglesia. Dice la tradición que una pequeña cantidad de la tierra de Chimayó diluida en agua cura cualquier padecimiento si el recipendiario tiene sincera fe. No se cobra cantidad alguna por el tratamiento, pero los devotos hacen ofrendas en señal de agradecimiento. El santuario de Chimayó fue el motivo de un tremendo incidente a mediados del siglo pasado: la señora Carmela Chávez heredó de su padre el santuario, y con las cantidades recaudadas realizó extensas reparaciones en la iglesia e hizo cuantiosos donativos; sus relaciones con los franciscanos, aun con los franceses que sustituyeron a los españoles, siempre fueron excelentes. Pero un joven cura llegó a la parroquia y quiso obligar a la señora a donar el santuario a la Iglesia, bajo pena de excomunición: ante su negativa –por constituir su medio de subsistencia– la excomulgó, si bien el obispo, al enterarse, no mantuvo la decisión de su apasionado subordinado y la paz se restableció (126).

La *Misión de San Ildefonso* se encuentra en la región y en la carretera que lleva a "Rito de los Frijoles". En las revueltas de 1680 y 1696 murieron los padres Luis de Morales, Antonio Sánchez de Pro, Francisco Corvera y Antonio Moreno, y sus alrededores fueron escenario de dos terribles batallas entre los indios rebeldes y las tropas de Vargas, finalmente victoriosas. La cercana *Misión de Santa Clara* se mantuvo por largo tiempo en buen estado –no obstante su construcción en 1782–, constituyendo uno de los mejores ejemplos de la arquitectura de su género, pero no hace mucho, por el afán de modernizar su gran estructura, se comenzaron unas obras, su techo se vino abajo y con él todo el edificio (127).

SANTA CRUZ

Se asienta Santa Cruz a unos 45 kilómetros de la capital, siempre en dirección Norte. Se establecieron ya en el lugar colonos compañeros de Oñate, pero, forzados a huir, o muertos, cuando la rebelión, su fundación definitiva no se verificó hasta 1694, en que 66 familias fueron traídas por Vargas, constituyendo la segunda ciudad del Reino, después de Santa Fe. Recibiría el nombre de "La Villa Nueva de Santa Cruz de los Españoles Mexicanos del Rey Nuestro Señor Carlos Segundo", si bien sería conocida en los documentos como "La Villa Nueva de Santa Cruz de la Cañada". Acompañó a los colonos fray Antonio Moreno, que pronto moriría; la iglesia por él erigida sería sustituida por otra en 1733 y hasta hoy se ha mantenido, siendo la más grande y bonita de las iglesias dejadas por España en Nuevo México: cruciforme, contiene dos capillas dedicadas a la Virgen del Carmen y a San Francisco, la estatua de la cual es reputada como una de las mejores del siglo XVII. Santa Cruz ha perdido su otrora importancia (era la capital española del distrito norte de la provincia). En 1837 lucharon en sus alrededores las tropas mexicanas, mandadas por su gobernador, con los indios rebeldes, y también en 1847 –con cambio de papeles– el ejército del coronel Price contra los sublevados de Taos (128).

SAN JUAN

El gobernador Juan de Oñate y la fundación de San Gabriel

El pueblo de *San Juan* dista menos de 10 kilómetros de Santa Cruz. Cuando D. Juan de Oñate llegó a Nuevo México, en julio de 1598, los indios recibieron a los españoles muy amistosamente y desalojaron el primitivo poblado voluntariamente para dar morada a los inesperados huéspedes. Por tal cortesía, Oñate otorgó al lugar el nombre de "San Juan de los Caballeros" (129).

Era San Juan el hogar de *Popé*, por lo que se convirtió en el centro de la conjura antiespañola. De allí partió la orden de que el 10 de agosto de 1680 todos los pueblos se levantaran contra los blancos, los que perecieron en número no inferior a 400. Restaurado el antiguo sistema, toda traza de cristianismo fue destruida (los indios bautizados se lavaron con jugo de yuca para "purificarse") y el uso del español quedó prohibido. Popé, vestido ceremoniosamente, se convirtió en el emperador de los indios pueblos y gobernó en los años sucesivos con tremendo despotismo. Por esta actitud y los renovados ataques de los tradicionales enemigos de los pueblos, Popé fue depuesto, y, aunque restablecido a poco en su mandato, su prematura muerte le evitó presenciar el retorno de sus enemigos en la persona de Vargas. Una notable iglesia elevó éste en el lugar, y hubiera perdurado de no haber sido derribada en 1913 para construir en su lugar un edificio utilitario (130).

San Juan es hoy día una progresiva e industriosa localidad que reúne en su torno a gran gentío en sus fiestas anuales del 24 de junio (131).

A poco más de un kilómetro, al oeste de San Juan, se encontraba *San Gabriel*, el primer establecimiento español en el Sudoeste, y la primitiva capital de Nuevo México, fundada por Oñate el 8 de septiembre de 1598. Dicho día fue consagrada la capilla de la Misión, en un principio dedicada a San Francisco y más tarde a San Miguel. Sus exitentes ruinas se convierten así en los restos más antiguos de cualquier edificación europea levantada en Estados Unidos. Varias celebraciones se organizaron con motivo del acontecimiento: una misa cantada, con asistencia de los caciques de los alrededores; una representación teatral; un torneo a caballo; una corrida de toros –la primera celebrada en el continente Norte–, y una batalla simulada entre "moros y cristianos". En la mañana del 9, Oñate se reunió con los jefes indios presente y les pronunció un discurso sobre la política benévola de España hacia los indígenas y el deber de éstos de prestar juramento de fidelidad al rey de España (132). La Universidad de Nuevo México ha realizado durante los veranos de 1959 y 1960 investigaciones arqueológicas en el lugar, y son muy notables los hallazgos logrados por la profesora Florence Hawley Ellis, gracias a los cuales ha sido muy bien localizado el antiguo emplazamiento de San Gabriel (133).

San Gabriel se convirtió en la capital y Cuartel General de Oñate y punto de partida de las expediciones a las regiones vecinas. De San Gabriel partió la expedición contra Acoma, y de San Gabriel salió Oñate con un grupo de los suyos rumbo al Norte (134). San Gabriel constituiría el primer ensayo de explotación agrícola a base de las semillas y esquejes traídos de España, de trigo, centeno, avena, guisantes, cebollas, melones, melocotones, albaricoques, higos, almendras, nueces, castañas, vides y ciruelas, y de establecimiento ganadero con las ovejas (productoras de lana), vacas y caballos acompañantes de los expedicionarios. Sistemas de irrigación se establecieron, y los indios recibieron las debidas enseñanzas para el consiguiente desarrollo. Los españoles conocieron, al mismo tiempo, el chocolate y el tomate y disfrutaron con la abundancia de los piñones (135).

Con todo esto, la trascendencia del asenamiento se hacía prever: no podía ser menos, dadas las amplias concesiones obtenidas por Oñate –casado con una nieta de Hernán Cortés– del rey, quien, además de otorgarle el nombramiento de gobernador y un salario de 6.000 ducados al año, le dispensó en ocasiones –hasta el décimo– del quinto real, o participación en las ganancias de la conquista, y le autorizó a repartir tierras y a conceder títulos de "Hidalgo" (136). La empresa se había desarrollado bien desde el principio, y el grupo –compuesto de 129 soldados, 8 frailes, 83 vagones y 7.000 cabezas de ganado, a más de 400 colonos (130 con esposas e hijos) y un número considerable de indios (137)– había alcanzado sin novedad El Paso el 26 de abril de 1598. El día 30, tras solemne misa, había tomado el gobernador posesión de las tierras del Río Grande en nombre de sus reyes y se había arrodillado ante la Cruz; los expedicionarios se habían divertido con la representación teatral –rápidamente escrita y ensayada por el capitán D. Marcos Farfán de los Godos– en la que aparecían conquistadores, frailes e indios, y la primera puesta en escena en tierras norteamericanas (138).

TAOS

Antes de Taos procede que nos adentremos un poco en las montañas que custodian la *Misión de San Lorenzo de los Picuríes,* bien conservada, ostentando en su altar mayor una escurialense figura de su Patrón, junto con otras estatuas de la Virgen del Carmen y de San José. Su situación apartada ha sido su salvación, de modo que guarda su primitivo estilo, con muy pocas influencias subsiguientes. Conocido el pueblo por Coronado, la iglesia comenzó a construirse poco después de 1598 por fray Francisco de Zamora, y sufrió la quema en 1680, junto con su misionero, fray Matías Rendón. El actual edificio procede de años posteriores a 1706, y reúne la peculiaridad de la fabricación de sus muros con barro vertido en moldes, a la manera como se prepara el hormigón hoy día (139).

Y henos en Taos, a 128 kilómetros de Santa Fe, bajo cuya denominación se acogen las localidades de Taos, Ranchos de Taos y Pueblo de Taos.

Pueblo de Taos, con sus viviendas comunales indígenas de cinco pisos, es una visita que no puede ser omitida por quien recorra Nuevo México. Ya fueron divisadas por Hernando de Alvarado en 1540 y por Francisco de Barrionuevo al año siguiente, quienes bautizaron al conjunto con el nombre de Valladolid. Taos sería, sin embargo, el que perduraría como transcripción española del indígena Towih. Oñate visitó el lugar en 1598 y le asignó fray Francisco de Zamora a quien se debe la erección de la *Misión de San Jerónimo,* recinto, andando el tiempo, histórico no sólo por el martirio de sus misioneros en 1680, sino por haber sido el reducto de defensa de los indios en su rebelión de 1847, en el que murieron 150, al ser derribados a cañonazos sus sólidos muros por la artillería norteamericana. También el pueblo de Taos señaladamente participó en la revuelta de 1694 contra Vargas (para vencerlos éste hubo de sitiarlos) y no se levantó de nuevo en 1910 por haber llegado oportunamente la milicia del Estado (140).

Cuando visité el pueblo tuve la oportunidad de saludar a su gobernador indio (elegido anualmente), por nombre Teófilo Romero –su antecesor era Ceferino Martínez– y charlar con él en español (¡después de la partida de los españoles, hace ciento cincuenta años!). Amablemente me invitó a su casa –adornada con cromos de santos– y me mostró su bastón de mando con empuñadura de plata, regalo a sus predecesores del rey de España. Su figura, su cabeza tocada con moño y la especie de chilaba a rayas que le cubría constituían una colorida estampa difícil de olvidar. Me explicó que su pueblo conservaba –como los otros– la lengua, la religión y las tierras que España les legó, e inlcuso las costumbres y las danzas, por ejemplo, entre éstas, la de "Los Matachines" (que se halla recogida en discos fonográficos) (141).

En los *Ranchos de Taos* se conserva en muy buen estado la *Misión de San Francisco de Asís,* construida de adobe en 1755, de 36 metros de larga y con dos torres a su entrada, y considerada como una de las más pintorescas de Nuevo México. Su altar mayor contiene ocho cuadros antiguos de reconocido valor artístico. En el costado izquierdo del crucero cuelga una pintura representando a Cristo, en la que Este aparece, si se la contempla de día, de frente y descalzo, y si se la observa de noche, portando una cruz con su silueta en sombra, iluminada por lejanos, resplandadores: ¡un misterio! (142).

Taos, también conocida por *Fernández de Taos* (143), o *Don Fernando de Taos* (144), es una localidad situada equidistantemente a cinco kilómetros de las anteriores y que pasó por los desastres de la rebelión de 1680, de la que se salvaron sólo dos de sus habitantes: D. Fernando de Chaves y el sargento Sebastián de Herrera. Fundada de nuevo, después de Vargas, sufrió, en diciembre de 1761, un terrible ataque de los apaches, que obligó al gobernador Manuel de Portillo y Urrizola a dirigir una expedición de castigo, que dejó en el campo muertos a más de 400 indios (145). Para la historia posespañola, el lugar guarda el recuerdo del asesinato en su casa del primer gobernador norteamericano, Mr. Charles Bent, en 1847; de la estancia de Kit Carson, que se halla enterrado en su cementerio, y de la cura de almas ejercida por el famoso *padre Martínez* desde 1826 hasta 1856 (146).

Taos ha celebrado solemnemente en 1965 el CCCL aniversario de su segunda fundación, con motivo de lo cual se acuñó muy artística medalla. Los actos revistieron gran originalidad, tratándose de una localidad predominantemente habitada en la hora presente por artistas y abundante en galerías de arte. Aunque la mayoría de sus edificaciones son modernas, mantienen todas una unidad de ambiente de acuerdo a su estilo primitivo a base de adobes. En el "Kit Carson State Park" ondean permanentemente dos banderas rojo y gualda (junto a las de Estados Unidos y Nuevo México) y también a la entrada del principal café y de una tienda principal.

PECOS

No nos queda más que recordar la región de *Pecos,* al este de Santa Fe, de movida historia. De gran importancia en los tiempos del "Santa Fe Trail", vio desaparecer su último habitante en 1838, Agustín Pecos, por haberse trasladado los demás poco a poco a Jemez, descorazonados por su indefensión contra los continuos ataques de las tribus enemigas y, sobre todo, por la tremenda epidemia de sarampión, que en dos ocasiones había diezmado la población. Pero su iglesia todavía se eleva al cielo y las cuevas de los indios antepasados siguen siendo visitadas por sus descendientes (147).

Antonio de Espejo, en busca de Sánchez Chamuscado

Coronado conoció el pueblo en 1540, que en aquella época contaba con numerosa población y con dos grandes edificios comunales. En 1582 apareció por allí Antonio de Espejo, un comerciante adinerado, que con un equipo de 13 soldados y varios indios, además de fray Bernardino Beltrán, había decidido investigar la suerte acaecida a fray Agustín Rodríguez y otros compañeros de Chamuscado. Fueron bien recibidos por las tribus indias encontradas en el camino (Alcanfor, Acoma...) y pudieron enterarse, para su consternación, de la violenta muerte de los buscados. Más al Oeste, Espejo tuvo ocasión de coleccionar muestras de minerales, que llevó consigo a su regreso (148).

Gaspar Castano de Sosa y su patrulla

Otra expedición, al mando de Gaspar Castaño de Sosa, teniente gobernador de la provincia de Nuevo León, y formada por un grupo de 170 personas, acompañadas de abundante tren, había atravesado en diciembre de 1590 el Río Grande, cerca de Eagle Pass. Al frente de una patrulla exploratoria, había llegado a Pecos, tras salvar el pellejo a duras penas por haber confiado en exceso en la cordialidad de los nativos. Para el merecido escarmiento y con una audacia digna de los más arriesgados conquistadores, Castaño, con 19 soldados y 17 indios aliados, no se amilanó por las considerables fortificaciones, en las que los habitantes se hallaban parapetados; con la ayuda de dos cañoncitos, ganó la batalla el día final del año e impuso la paz a sus contrincantes. Más tarde estableció su cuartel general en el lugar que se llamaría, con el tiempo, Santo Domingo, y en todo momento mantuvo una severa política de protección al indio; pero había realizado su expedición sin comisión real y fue arrestado; cuando creía que el capitán Juan Morlete venía a honrarle en nombre del virrey, se encontró con la orden de regresar a México, en donde posteriormente sería juzgado y hallado culpable (149).

Cacique de Pecos era en 1680 Juan Ye, quien advirtió al misionero fray Fernando de Velasco de su muerte inminente (no se salvó de ella, sin embargo, al dirigirse a Galisteo a avisar a su colega) y quien colaboró con Vargas en su campaña contra Taos (150).

Otras Misiones existieron también en este sector: *San Cristóbal, San Lázaro, Santa Cruz de Galisteo, San Marcos, San Pedro del Cuchillo* y *Ciénaga* (151).

NOMBRES ESPAÑOLES

Nuestra estancia en New Mexico ha tocado a su fin. La Asociación civica "New Mexico Amigos" nos dice adiós, entre otras. Cuando el aeroplano se eleva sobre sus tierras, si echáramos mano del mapa para fijar una impresión general sobre lo visto y para hacer una lista-resumen de las localidades, ríos, picos y montañas con nombres españoles, la tarea sería demasiado larga y el lector se sentiría fatigado. En realidad, los nombres españoles sobrepasan, con mucho, en número a los ingleses. Los siguientes darán una medida de los que quedan sin mencionar: condados de Bernalillo, Chaves, De Baca, Dona Ana, Guadalupe, Hidalgo, Los Alamos, Luna, Mora, Otero, Río Arriba, Sandoval, San Juan, San Miguel, Santa Fe, Sierra, Socorro y Valencia, y localidades como Alameda, Alamogordo, Albuquerque, Alcalde, Archuleta, Belén, Bernalillo, Brazos, Capitán, Cardenas, Carne, Carrizozo, Cebolla, Ciénaga, Del Macho, Cimarrón, Columbus, Corona, Costilla, Cornudo Hills, Cuchillo, Cuba, Dulce, El Huérfano, El Rito, El Vado, Encino, Española, Estancia, Flora Vista, Gallegos, Glorieta, Golondrinas, Guadalupita, Isleta, Hachita, Hermanas, Laguna, La Huerta, La Liendre, La Madera, La Mesa, Las Cruces, Las Vegas, Loco Hills, Los Almos, Los Chávez, Los Hueros, Los Lunas, Luis López, Madrid, Magdalena, Mangas, Manuelito, Málaga, Mesilla Park, Mimbres, Mora, Mosquero, Ojo Feliz, Padilla, Penasco, Peralta, Pinos Altos, Portales, Ranchos of Taos, Ratón, Río Penasco, Río Hondo, Romeroville, San Antonio, San Felipe, San Juan, San Rafael, Santa Cruz, Santa Fe, Santa Rita, Santa Rosa, Santo Domingo, Socorro, Solana, Tierra Amarilla, Trujillo, Villanueva y Yeso. De las montañas, unas tienen por tema el religioso, como Sangre de Cristo, Sacramento, Nacimiento, Guadalupe, San Mateo, San Juan, San Andrés, San Pedro, Animas, Magdalena, Fra Cristóbal; otros, de animales, como Potrillo, Gallo, Burro, Caballo, Gallinas, o de aspectos naturales, como Alamo Hueco, Pinos Altos, Pedernal, Mimbres, Dátil, Los Pinos, Manzano, Sandía, Cebolleta.

CAPITULO III

ARIZONA, el Estado del Gran Cañón

FERVOR Y ESTUPOR

El Diccionario de la Real Academia Española de la Lengua incluye las siguientes acepciones de la palabra "fervor": "Calor intenso. Celo ardiente. Eficacia suma con que se hace una cosa". Todas ellas son aplicables a Arizona –como podría serlo a Nuevo México o a Texas–, y cada una refleja un aspecto sobresaliente y característico de este Estado. Su mismo nombre –de evidente origen español– da ya un poco idea de lo que nos aguarda en nuestra visita. En punto a calor, se lleva la palma en grados termométricos, y sus dos primeras urbes, Phoenix y Tucson, son las ciudades más cálidas de los Estados Unidos (1).

Pero este extremo verano cuenta con un factor digno de apreciar especialmente para los nacidos en Castilla: la sequedad de su ambiente. En Arizona no se respira humedad, no se siente uno agobiado por la intensidad del vapor que aumenta inevitablemente las molestias de la temperatura; en Arizona el aire es seco, y de aquí su importancia para la instalación de una serie de industrias electrónicas, las más avanzadas en el campo científico, que necesitan para su debido funcionamiento la atmósfera menos contaminada con otros agentes externos. Esta es la razón de que su capital, Phoenix, sea hoy día una de las ciudades de más rápido crecimiento, y quién sabe si en un futuro no lejano se colocará a la cabeza del movimiento técnico de los Estados Unidos; para su beneficio, las nuevas fábricas no necesitan enrarecer el aire con sus "poluciones", sus hollines y humos de todas clases, por lo que Phoenix podrá llegar a ser una poderosa ciudad industrial, con las ventajas que ello implica y sin los inconvenientes tradicionales anejos (2).

Estas altas temperaturas estivales tienen por corolario unas muy agradables en el invierno; mientras en los Estados septentrionales las nieves cubren los campos, en Arizona –en la mayor parte de su extensión– puede uno bañarse en las piscinas que casi todas las casas de un medio nivel poseen. Arizona se convierte así en un lugar ideal para el turismo y refugio de cuantos pueden permitirse el lujo de huir de los fríos y de elegir allí su residencia. Esta circunstancia climática hace también del territorio un lugar muy recomendado para todo tipo de enfermos (3).

La abundancia de calor trae una correlativa ausencia de agua, que ha ocasionado, en el curso de los tiempos, la formación de un tremendo desierto que cubre los dos tercios del Estado. La escasez del líquido elemento y la desnudez de vegetación con que la naturaleza ha dotado este sector del país se perciben el sobrevolar su geografía. Su aspecto general es rosado, y aun dominado en realidad por la llanura, cuenta con una serie de elevaciones que en sentido Sur-Norte atraviesan el centro del Estado y otorgan a su superficie un ritmo ondulado que quita monotonía a la vista y da la sensación de un gran mar de arena, en el que, por razones geológicas misteriorias, unas olas se han quedado petrificadas antes de romper (4): Santa Rita, Sierrita, Rincón, Santa Catalina, Santa Rosa, Quijotoa, Cimarrón, Picacho, San Francisco..., son algunos de los nombres que ostentan. Dichas elevaciones, que alcanzan honrosa altitud y proporción en algunos puntos de los condados septentrionales, ofrecen en invierno unos pocos lugares magníficos –como Flagstaff– para los deportes de nieve; Arizona depara, en rara simultaneidad, el baño en el llano y el esquí en la serranía (5).

El problema del agua ha influido sin duda de manera sobresaliente en la configuración del acontecer arizoniano; sólo los españoles, con su hábito a los climas difíciles y sus enormes dotes de arrojo y de aguante para las penalidades, pudieron encarar la ardua empresa de explorar y civilizar este sector del Sudoeste, cuyas características comparten el norte de México y, especialmente, su afín estado de Sonora. Varios ríos recorren la comarca y han pasado a la historia por su primordial intervención en las tareas colonizadoras: Santa Cruz, Gila, San Carlos, Verde... Su aprovechamiento para la irrigación, la prospección de pozos artesianos y la construcción de presas al septentrión han hecho posible que las flores alegren el paisaje desértico y que extensos oasis en valles, y en los que no lo son, prorporcionen vegetales y frutas de extraordinario sabor. Estos resultados, cuya obtención fue ya iniciada por los misioneros españoles en el área meridional del Estado, se han incrementado enormemente en los últimos tiempos, sobre todo, desde la puesta en marcha del Boulder Dam, enorme pantano que vierte la tercera parte de su caudal en Arizona (6).

Celo ardiente es la segunda acepción de "fervor". El simple recuerdo de la obra de los misioneros españoles basta para justificar su atribución a Arizona. Si en cualquier parte del mundo el celo misionero es digno de admiración, en esta árida región merece particular homenaje, dados los obstáculos climáticos y de todo tipo con que tuvieron que enfrentarse los hijos de San Ignacio y de San Francisco. Relativamente poco pobladas estaban las tierras de la Pimeria Alta cuando los españoles aparecieron (así las nombraron por razón de los indios pimas que en ellas predominaban); por ello, el entusiasmo de los jesuitas primero –desde el padre Kino hasta la expulsión de la Orden en 1767–, y de los franciscanos después –desde que sucedieron a los anteriores hasta que, con la independencia de México, desaparecieron las Misiones–, tuvo que superar muchas veces el desaliento ante la escasa mies lograda con los muchos esfuerzos realizados y las numerosas leguas recorridas. De gran ardor –en consonancia con el clima–debían de estar dotados estos misioneros para instalarse en las tierras más septentrionales de los dominos de España, exponerse a las dificultades a que la lejanía y las distancias les sometían y sufrir las periódicas devastaciones de los feroces apaches, que en una noche destruían la obra material, y la espiritual, a veces (por la muerte o el temor que introducían en los indios conversos), cuya granazón había costado años en aquistar. Bien es verdad que los pacíficos sobaipuris o papagos fueron campo fértil para la evangelización, y el florecimiento de las Misiones en Sonora y las que se establecieron en el hoy Estado de Arizona son prueba de ello, pero la rebelión de los pimas en 1751 y las constantes acometidas de los apaches hicieron retroceder los pasos avanzados y dificultar la de por sí ardua labor de cristianización.

La acepción "eficacia suma con que se hace una cosa" es muy aplicable a Arizona a través de diversas facetas y de distintas épocas: puestos a construir una Misión bella, los franciscanos españoles lo consiguieron en San Xavier de Bac (no lejos de Tucson), la más definitiva y la hoy mejor conservada muestra de la arquitectura religiosa española en Norteamérica; merecidas reputación y cotización gozan en todo el país, por su excepcional calidad, los productos artesanos (alfarería, tejidos, cestas...) de los indios navajos, que habitan las reservas del noroeste del Estado; poco corriente es la obra realizada por los hombres de empresa norteamericanos al adquirir en corto tiempo para Arizona un notable grado de progreso y desarrollo (sólo fue admitido como Estado el 14 de febrero de 1912, el último, con exclusión de Alaska y Hawaii), concatenado con un paralelo aumento de población, que de 334.162 habitantes en 1920 pasó a un millón en el censo de 1960 (su superficie de 113.956 millas cuadradas permite un aumento aun mayor) (7).

"Estupor" es la otra palabra que cuadra a nuestra actitud ante Arizona. En primer lugar, porque no nos hallábamos conveniente y previamente preparados sobre sus características (creo que es este un problema general); en segundo término, porque, aun habiendo ocurrido tal, la posición humana ante su naturaleza no puede ser otra. Dejando aparte su desierto, la configuración de su territorio y demás aspectos quizá merecedores de nuestra predisposición admirativa, Arizona cuenta con cuatro espectáculos acreedores a nuestra más reverente capacidad de estupor: el Gran Cañon del Colorado, el Desierto Pintado, el Bosque Petrificado y el Cráter del Meteorito.

Situado el Cráter del Meteorito a nueve kilómetros de la autopista 66, entre Winslow y Flagstaff, en el sector norte del territorio, aseguran los científicos que fue producido hace cincuenta mil años por un meteorito que, pesando entre un millón y 10 millones de toneladas, abrió un agujero que todavía tiene casi kilómetro y medio de diámetro y 600 metros de profundidad. La violencia de la escena debió de ser indescriptible. Un anejo museo muestra miles de trozos de minerales extra terrestres. El Bosque Petrificado ocupa nada menos que la extensión de 92.000 acres, y es hoy monumento nacional. Se compone de troncos de todos los tamaños y en diversas posiciones, petrificados con el paso del tiempo; se cree que los árboles originales no crecieron en el área, vinieron arrastrados por enormes inundaciones y fueron luego sepultados durante siglos por semitropicales ciénagas. El Desierto Pintado cubre una distancia de 400 kilómetros de tierras desnudas, en las que el hierro y otros minerales ofrecen un formidable arco iris de azules, naranjas, rojos y amarillos en el marco de un paisaje multiforme (8). Del Gran Cañón hablaremos a continuación:

PRESENCIA ESPAÑOLA

SECTOR OCCIDENTAL

EL GRAN CAÑÓN DEL COLORADO

El Gran Cañón del Colorado constituye el espectáculo natural más formidable, impresionante y grandioso de cuantos puedan contemplarse. El río de aquel nombre es uno de sus protagonistas, aunque sea divisado apenas al fondo del cañón; la madre tierra es el otro, que se presenta en el máximo esplendor de formas agudas, romas, imponentes y diminutas, y con colores de la más completa paleta. Su longitud, de 300 kilómetros, con recorrido tortuoso; su anchura –en momentos–, de 14 kilómetros, y su profundidad, que en su punto máximo alcanza el kilómetro y medio, proporcionan una fabulosa visión (9). Es visitable el Cañón desde sus costados Norte y Sur, si se utiliza el automóvil, el medio de locomoción en torno al cual el turismo del lugar está montado; por tren se alcanza el sector meridional lo mismo que por avión, aunque esta última forma no es aconsejable, dada la escasez y pequeñez de los aviones en servicio, y la lejanía y elementales instalaciones del aeropuerto en "Grand Canyon". Buena precaución es una previa reserva de habitación, dado que los alojamientos disponibles se reducen a "El Tovar Hotel" y dos o tres moteles más. Para el interesado en conocer personalmente las profundidades del Cañón existe la oportunidad de recorrer una distancia de 22 kilómetros a lomos de mula, siguiendo el "Bright Angel Trail", e incluso de dormir una o más noches en el fondo, en el "Phantom Ranch".

Tovar, el europeo que supo primero de su existencia

El primer europeo que tuvo noticias de tamaña maravilla fue el capitán español D. Pedro de Tovar, quien, como lugarteniente de D. Francisco Vázquez de Coronado, recibió la orden de explorar durante el máximo plazo de un mes la región al noroeste de Jawikhu, en donde el grueso de las fuerzas se encontraba. Habiendo partido el 15 de julio de 1540, visitó los poblados de los indios hopi y se agenció de éstos informes sobre la existencia del Cañón, pero, falto de tiempo, retornó a su punto de partida sin haberse acercado a aquél. De su intervención en el hecho sólo queda como recuerdo el nombre del acogedor hotel (10).

López de Cárdenas, quien lo descubrió

Ante las nuevas de Tovar, Coronado despachó el 25 de agosto a un grupo con D. García López de Cárdenas al frente; a éste cupo el privilegio de ser el primer occidental en divisar aquel portento geológico. No pudo, sin embargo, cruzarlo, no obstante los intentos realizados. El cronista de la expedición, Castañeda, enteró al mundo del suceso, sencillamente, a la manera como los españoles relataban sus descubrimientos (11). Correspondería a otro español la primacía en el cruce del Cañón, no inmediatamente, sino doscientos treinta y seis años después: el padre Francisco Garcés, quie, en el curso de uno de sus exploratorios viajes, lo atravesó en sentido Oeste-Este el día 26 de junio de 1776 (12). Pocas semanas después, el 8 de noviembre de 1776, otros españoles utilizarían por segunda vez dicho paso: los franciscanos Silvestre Vélez de Escalante y Francisco Atanasio Domínguez, en su camino de regreso de la incursión que les llevara hasta el lago Utah. El paraje sería conocido en lo sucesivo por "El Vado de los padres" o "Crossing of the Fathers" (13).

En el Centro de Información del Cañón se halla instalada una exposición que recoge los diversos aspectos geológicos e históricos de aquél; incluye la merecida mención a Cárdenas y al padre Garcés, y muestra la traducción del informe de Castañeda. En el sector Sudeste hay también unas elevaciones u oteros bautizados con los nombres de Cárdenas, Coronado, Morán y Escalante, y al final del recorrido Sudoeste, en el "Hermits Point", una campana procedente de una de las Misiones españolas nos despide. Un monumento a Powel, el primer norteamericano que transitó el Cañón en 1869, se destaca en uno de los observatorios sobre el Cañón, pero ninguno a los españoles pioneros en el lugar.

CURSO BAJO DEL COLORADO

Hernando de Alarcón. Melchor Díaz

Para aprovisionar al contigente de Coronado arriba referido, unas naves al mando de Hernando de Alarcón remontaron el golfo de California e incluso surcaron el río Colorado, entre California y Arizona, pero ante la falta de noticias (que llegaron cuando habían partido), su capitan optó por ordenar el regreso. También pisó tierra arizoniana en busca de Alarcón, con quien había convenido cita Melchor Díaz, soldado y Alcalde de Culiacán al mando de un grupo (14).

Juan de Oñate

Cincuenta años habían de pasar hasta que los españoles de nuevo exploraron dichas regiones, y así D. Juan de Oñate, en el otoño de 1604, las atravesaría primero de Este a Oeste, para realizar el camino contrario en el abril siguiente: procedente de San Juan, en Nuevo México, se aproximaría a la desembocadura del río Colorado (bautizándolo así), en el golfo de California, en busca de perlas y de bahías seguras. Esta sería la última expedición del gran gobernante (15).

El padre Francisco Garcés: martirio

Guarda la localidad de Yuma el recuerdo de la Misión española establecida por el comandante-general D. Teodoro de Croix, en 1779, y regida por los franciscanos padres Francisco Garcés y Juan Díaz, de un Presidio y de un estableci-

471

miento de colonos. No funcionaron bien las relaciones entre éstos y los indios, especialmente por la intromisión del ganado hispano en los campos de los nativos. El desastre se produjo con ocasión del tránsito por el lugar, y consiguientes días de descanso, del grupo expedicionario que, bajo el mando del capitán Rivera, se dirigía desde Sonora a California. Irritados ante la utilización por las caballerías viajeras de sus pastos, los yumas cayeron sobre los blancos el 17 de julio de 1781, matando a Rivera, Garcés, Díaz y 100 personas más. Pedro Fagés dirigió tres expediciones punitivas por orden de Croix, resultado de las cuales fue la liberación de 74 colonos prisioneros. La posibilidad de que los yumas repitieran tan sangriento incidente impulsó a las autoridades españolas a suprimir por el momento la vía de comunicación terrestre con California, quedando ésta pendiente de la vía marítima (16).

En la localidad californiana de Winterhaven (en frente de la arizoniana Yuma), la estatua levantada al padre Garcés, de bellas proporciones y en medio de una plaza, recuerda a los viandantes la sangre derramada por unos españoles que intentaban abrir el Oeste a la civilización occidental.

SECTOR SEPTENTRIONAL

Juan de Oñate en Tusayán

Durante su incursión, Oñate visitó una región que constituiría en el futuro la provincia de Tusayán. Hay constancia –ya lo vimos (17)– de su tránsito en la inscripción existente en "El Morro", la roca, que a pocos kilómetros, en el Estado de Nuevo México, retiene en sus paredes marcado recuerdo de una serie de conquistadores y misioneros que pasaron por su aledaños (18). Habitada por los indios hopi –moqui para los españoles–, sus tierras fueron objeto, a partir de las exploraciones de Oñate, de insistentes intentos de cristianización. En realidad, habían recibido previamente a D. Pedro de Tovar, en compañía del padre Juan de Padilla y de 18 jinetes, y no con una cálida bienvenida: llegados de noche a las inmediaciones del poblado de Awatobi, aguardaron escondidos hasta ser descubiertos al alba por los lugareños, que no se amedrentaron por la presencia de los extraños animales de cuatro patas y opusieron tenaz aunque no victoriosa resistencia a los intentos de los hombres blancos de pasar (19).

De no haber torcido fray Marcos de Niza hacia el Oriente –y consecuentemente Coronado–, las buscadas y famosas ciudades de Cibola hubieran sido las de Hopiland y no las de los indios zuñi (20). Todavía se conservan algunos poblados hopi, formando parte de una reserva, incluida a su vez en la mucho más extensa de los indios navajos, que ocupa la mitad norte del Estado de Arizona y un trozo del Nuevo México. En estas reservas, en las dos de apaches –en el Este–, en la de los indios papagos, en el Sur, y en las menores de los indios gila, en el centro –no lejos de Phoenix–, y en las cercanías del Cañón, en Hualpai, habitan unos 60.000 indios, lo cual otorga a Arizona una características especiales de diversos puntos de vista (21). Durante el mes de agosto continúa representándose en Hopiland la Danza de la Serpiente y de la Flauta, alternándose unos años en Hotevilla, Shipaulovi y Shongopovi, y otros en Walpi y Mishongnovi (22).

La *Misión de San Bernardino* fue el primer edificio erigido en 1629 por el hombre civilizado en Arizona. Se encontraba en la localidad hopi de Awatobi, y se debieron sus orígenes a los padres Francisco Porras, Andrés Gutiérrez y Cristóbal de la Concepción, quienes llegaron a la provincia de Tusayán el día de aquel santo patrón. Otras Misiones fundaron dichos padres en la misma época: *San Francisco de Oraibi, San Buenaventura de Mishongnovi, San Bartolomé de Shongopovi* y *Kisakobi.* El comienzo de su labor misional fue fructífero y contribuyó a ello un milagro atribuido al padre Porras, al devolver la vista a un hijo del cacique. Pero no duraría mucho la bonanza; el 28 de junio de 1633 el padre Porras moriría envenenado por los hechiceros de la tribu; se supone que parecida suerte correspondió a sus compañeros (se carece de datos ciertos) (23). Posteriormente, los padres José de Espeleta, José de Trujillo, José Figueroa y Agustín de Santa María misionaron en la región hasta que en la rebelión de los indios pueblos de 1680, en Nuevo México, perecieron a manos de los indios hopi; según la tradición conservada hasta hoy, Espeleta y uno de sus compañeros murieron despeñados desde los acantilados de Oraibi. Cuando la reconquista de Vargas en 1692, el general español marchó a Tusayán y recibió la sumisión de casi todos los pueblos antes aludidos. El cacique de Awatobi incluso le solicitó el envío de un misionero, por lo que el padre Garaycoechea visitó Tusayán en la primavera de 1700; le aguardaban, reconstruida en Awatobi, la iglesia incendiada durante el levantamiento y 73 indios que querían recibir el bautismo; pero en el resto de los poblados se topó con una actitud hostil, que cuando partió se exteriorizó violenta con sus hermanos de raza de Awatobi, a los que aniquilaron una noche por sorpresa, en venganza de sus buenas disposiciones cristianas, quedando destruidas por completo sus casas (24).

La novela de Ramón J. Sender "Los tontos de la Concepción" tiene lugar en este área. Tales indios abrían la boca para recibir las vibraciones acústicas y transmitirlas al tímpano, aliviando así a su innata sordera; su inevitable aspecto, originó el nombre que se conserva en el Río Tonto Basin, Tonto National Monument, etc.

Padre Vélez de Escalante

El padre Vélez de Escalante nos cuenta en su diario que pasó ocho días del mes de junio de 1775 en Tusayán. Era el primer misionero que se aventuraba en aquella tierra después del padre Garaycoechea, pero al constatar la invariable oposición de los indios a la evangelización, llegó a recomendar el establecimiento de un presidio en su territorio. Durante esta estancia concibió la idea de unir a Santa Fe con California, por medio de una ruta que rodeara el Cañón por el Norte, idea que puso en ejecución el año siguiente, partiendo de la capital de Nuevo México el 29 de julio de 1776. En su viaje de regreso a Santa Fe, atravesando «El Vado de los Padres», volvió a visitar los poblados de Hopi el 16 de noviembre siguiente (25).

Unos meses antes había pernoctado en ellos el padre Garcés –el 2 de julio de 1776–, después de cruzar por vez primera el Cañón, y en ruta para la Misión de San Xavier del Bac (26).

«*Inscription House*»

Al norte de la reserva de los navajos, y a unos 200 kilómetros de Flagstaff, se halla la "Inscription House", así llamada por el nombre apenas legible de "Carlos Arnaiz 1661", hendido en una de sus paredes. Ignórase de qué personaje se trata, aunque bien pudiera ser uno de los muchos españoles que se aventuraron por su cuenta en la región y quiso dejar constancia de su paso (27).

SECTOR ORIENTAL

Fray Marcos de Niza y Vázquez Coronado, en busca de las ciudades de Cibola

No se conservan indicios de que Cabeza de Vaca y sus tres compañeros de fatigas pusieran pie en el Estado de Arizona, pero está fuera de duda que, como secuela de sus declaraciones, el virrey de Nueva España envió como avanzada a fray Marcos de Niza en compañía del ex esclavo moro Estebanico; en el año 1539 ellos pisaron los primeros el territorio arizoniano, en camino a las ya legendarias ciudades de Cibola (28).

En 1540 el propio fray Marcos acompañó a la expedición que, en virtud de su testimonio, se organizó bajo el mando de D. Francisco Vázquez de Coronado, siguiendo la misma ruta anterior; Coronado y sus hombres estuvieron, pues, dentro de los contornos de Arizona: entraron por la parte Sudeste y, manteniendo la dirección Norte, llegaron a la hoy ruta 66, para torcer entonces a la derecha, rumbo a Nuevo México. Numerosas designaciones geográficas han quedado en Arizona como homenaje a semejante empresa: Coronado National Memorial Park, Coronado Mesa, Coronado Trail, Coronado Mountains, Padilla Mesa, Fray Marcos Mountains, aparte de las varias menciones en el Cañón del Colorado y en las calles de Tucson y Phoenix. Los nombres del rancho ganadero "Coronado", así como la "Coronado Carbon Company", la "Coronado Petroleum Company" y la "Coronado Exploration Company" tienen el mismo origen (29).

SECTOR MERIDIONAL

Los padres Salvatierra y Kino

Con independencia de estas penetraciones españolas en el norte de Arizona, procedentes de Nuevo México, otras de mayor resultado se realizaron por el Sur a partir de 1680, después de la rebelión de los indios pueblos. Correspondió el peso de esta empresa a los padres jesuitas y, entre ellos, al padre Eusebio Francisco Kino, natural de Segno, en los Alpes tiroleses, y quien durante su etapa de profesor de la Universidad de Ingolstadt hizo promesa de dedicarse a la conversión de los indios si se recuperaba de unas fiebres malignas. Desde 1687 a 1711 dedicó su vida a la salvación de las almas de los indios del sector norte de Nueva España, llegando a establecer 29 Misiones, con 73 visitas (o Misiones dependientes de las anteriores, en las que no había misionero residente), y bautizar más de 48.000 neófitos. De dichas Misiones, ocho se encontraban en el territorio de la moderna Arizona (30).

Tomando como punto de partida la de Nuestra Señora de los Dolores, en Sonora, visitó tribu tras tribu hasta realizar 13 incursiones al Estado que nos ocupa. Así recorrió casi todo su mediodía, levantando mapas que todavía causan admiración por su exactitud. Su última entrada en Arizona data de 1702. Con posterioridad permaneció en Dolores hasta que en marzo de 1711, contando setenta años, acudió a Magdalena a consagrar la capilla servida por su hermano en religión, el padre Agustín de Campos: durante la ceremonia se sintió inesperadamente indispuesto, y a poco murió (31). El Gobierno mexicano ha anunciado en mayo de 1966 el hallazgo de sus restos (32). El padre Luis Valverde, que le asistió en sus últimos momentos, relata que tuvo por lecho dos pieles de ternero como colchón, dos mantas de las usadas por los indios y una albarda por almohada.

En sus afanes apostólicos, el padre Kino contó desde 1691 con otro gigante que le acompañaría y completaría en sus conquistas espirituales: el padre Juan María Salvatierra, a quien tocó la responsabilidad asimismo de establecer, merced a su nombramiento, en 1690, de superior de la Compañía de Jesús en Sinaloa y Sonora (33), las Misiones en la Baja California, con Loreto por base. Kino y Salvatierra realizarían conjuntamente en 1701 su memorable jornada hacia el Oeste, con el fin de comprobar la peninsularidad de California y de indagar un posible pasaje hacia el mar: aunque se orearon en las costas del golfo no pudieron remontarlas hasta el Norte, por el agotamiento de las caballerías, pero sí divisar en el crepúsculo las opuestas y deducir la falta de pasaje marítimo a su través (34). En dos ocasiones posteriores haría el padre Kino la misma constatación que trasladó a los correspondientes mapas (35). Otro inseparable compañero del misionero fue el capitán Juan Mateo Manje, quien compartió sus penalidades y se desvivió por proteger con sus hombres al "sotana negra" (según era llamado el padre Kino por los indios) (36). Las andanzas misioneras del padre Kino han sido conocidas últimamente merced al descubrimiento por parte del hispanista Dr. Herbert E. Bolton, del "Diario" (en español) del jesuita (37).

Misión de San Gabriel de Guevavi

Solicitada la presencia de Salvatierra y Kino por una delegación de los indios sobaipuris, asentados en las márgenes del río de Santa Cruz, ambos procedieron a la fundación de *San Gabriel de Guevavi,* en punto cercano a Nogales, en la frontera actual con México. Se tienen noticias de que fray Juan de San Martín se hizo cargo de la Misión, con San Cayetano de Calabazas y San Luis de Bacuancos como visitas. Después de la muerte del padre Kino ningún misionero permaneció en Guevavi, hasta que, en 1731, fray Bautista Grasshoffer fue a ella destinado. Cuando la rebelión de los indios pimas, en 1751, el padre de Guevavi se salvó; no así los padres Francisco Xavier Saeta, Enrique Ruhen y Tomás Tello, residentes en Sonoita (Arizona) y Caborca (Sonora), quienes fueron muertos junto con unos 100 españoles más, la mayoría de ellos mineros en yacimientos recién descubiertos. La rebelión fue dirigida por un indio, Luis Saric, quien, con el prestigio del título de "capitán general de los pimas de las montañas", otorgado por el gobernador español D. Diego Ortiz Parrilla, pudo organizar con éxito el levantamiento (38). El visitador de los jesuitas, padre Juan Antonio Balthasar, redactaría con posterioridad un informe desfavorable para don Diego (39).

Aunque los misioneros regresaron a Arizona en 1752, ninguno hubo permanente en Guevavi hasta 1754. En 1763 se hizo cargo de ella fray Ignacio Pfefferkorn y le sucedieron fray Jimeno y fray Pedro Rafael Díaz. Cuando los jesuitas fueron expulsados de los dominios de España por el Decreto de Carlos III de 1767, se hizo cargo de Guevavi el franciscano Juan Crisóstomo Gil Bernabé: tomó entonces la Misión el nombre de los Santos Angeles de Guevavi. Con la desidia laboral de los indios y los ataques de los apaches en varias ocasiones, la Misión decayó rápidamente, hasta su abandono en 1784. Los muros se derrumbaron y el tiempo y los buscadores de tesoros acabaron su destrucción (40). Incluido hoy su emplazamiento en terrenos de propiedad particular, prometedoras excavaciones se están llevando a cabo por arqueólogos del Arizona State Museum. Nada subsiste, sin embargo, en pie que recuerde la existencia de los misioneros en aquel lugar.

Otras Misiones

Paralelamente a Guevavi, y como visita, se fundó la Misión de *Jamac* en una ranchería de Sobaipuris, junto a las ya referidas de Sonoita y Calabazas. De la de Jamac se conoce poco atañente a su fundación y duración, y en lo que se refiere al emplazamiento, sólo se sabe que se encontraba en el valle del río Santa Cruz, en las proximidades de la aludida frontera con México (41). No lejos se hallaba *San Marcelo de Sonoita*, fundada por Kino en el curso de uno de sus viajes, y más tarde conocida por San Ignacio de Sonoita. En ella fue asesinado el padre Enrique Ruhen, cuando la rebelión de los primas (21 de noviembre de 1751); volvió a ser visitada años después, pero, como Guevavi, quedó abandonada en 1784. De ella no resta ruina alguna (42).

Sí quedan trazas, además de una placa explicativa, de *San Cayetano de Calabazas*, en las cercanías de la autopista 19, a unos cuantos kilómetros de Nogales. Se atribuye su origen al padre Kino, en 1694, para el servicio de los indios papagos. Calabazas quedó dependiente de Tubac cuando Guevavi fue abandonado. Al construirse en 1791 una iglesia y una casa para el misionero, se constituyó en Misión autónoma. Al desaparecer los religiosos españoles con la independencia de México, la región de Calabazas pasó a manos de D. Manuel de la Gándara, gobernador de Sonora por los años cuarenta. El rancho, con su gran mansión de adobes rodeada por un ejército de peones y vaqueros, se convirtió en uno de los lugares más famosos de la época. Cuando gobernador, Gándara levantó un fortín militar de piedra dentro de sus propiedades para protegerlas de los ataques apaches. Un cambio en la fortuna política obligó a Gándara a huir a California, con lo que su rancho se perdió y con el tiempo sus edificaciones se derrumbaron (43).

Otras visitas de Guevavi fueron *Arivaca, San Francisco de Ati* y *San Luis Bacuancos,* abandonadas probablemente a raíz de la muerte del padre Kino (44).

Al este de Nogales se extiende el mencionado *Coronado National Memorial Park,* amplio parque conservado por el Servicio Federal y bautizado así por suponerse que el conquistador español entró en Arizona por aquella región o sus proximidades. Un poco más distante, y en el condado de Cochise, tuvo su existencia el *Rancho de San Bernardino,* muy famoso en la historia de la ganadería arizoniana. La propiedad –de una extensión de 73.240 acres, parte de los cuales pertenecen hoy a México– se originó en una concesión del Gobierno mexicano en 1822 a D. Ignacio Pérez. Pasó por varias manos, para acabar en las del famoso "sheriff" John Slaughter, quien en él vivió desde 1890 hasta 1922, año de su muerte. La casa, de estilo español, se convirtió en uno de los puntos de reunión del Sudoeste. Tomó su nombre de las ruinas de una antigua Misión situada en su término, de la que no se tienen otras referencias que las contenidas en el "Diario" del padre Garcés (45).

Misión de Tumacarori

Puesto que hemos entrado en Arizona de la mano del padre Kino, llevando la dirección Sur-Norte, proseguiremos el camino –por autopista 19, que sigue el valle del río Santa Cruz– hasta Tumacarori, a una distancia de 72 kilómetros de Tucson. A este área arribó el padre Kino en 1691, quien bautizó el poblado con el nombre de San Cayetano y dijo misa en un cobertizo improvisado por los propios indios sobaipuris. En 1698 ya había en el lugar –según testimonio del misionero– una casa de adobes, campos de trigo y rebaños de vacas, ovejas y cabras. La Misión, que funcionaba como visita de Guevavi, llegó a alcanzar gran prosperidad; pero la rebelión de los pimas constituyó un paso atrás. Al año siguiente, el pueblo indio se trasladó al presente emplazamiento de aquélla –anteriormente a cierta distancia–, y para protección de todos se fundó un Presidio en Tubac, cuatro kilómetros al Norte; la Misión recibió la nueva designación de San José de Tumacarori (46).

Consumada la expulsión de los jesuitas, San José fue atacado en 1769 por los apaches, que, sorprendiendo a los habitantes en pleno mediodía, quemaron las casas y la iglesia, de la que no quedaron más que las ruinas. Cuando Guevavi hubo de ser abandonada, Tumacacori se convirtió en Misión permanente y centro de las demás del distrito. Se cree que la presente iglesia comenzó a construirse en 1800 y que ya estaba en uso en 1822. Con la independencia de México sobrevino la decadencia de San José. La expulsión de los misioneros, colonos y soldados españoles, la indefensión de Tumacarori ante los apaches y la falta de la ayuda anual del Gobierno de S. M. Católica, que el mexicano no continuó facilitando para su sostenimiento, son unas cuantas de las razones por las que la Misión se vino abajo. Vendida en 1840 a un particular, en 1848 los indios abandonaron el lugar, llevándose las imágenes y otros objetos de valor a San Xavier del Bac, en donde hoy se hallan (47).

Una inspección a Tumacarori nos servirá para comprobar el buen estado de conservación de las ruinas de la iglesia y el cuidado que en ello pone el Servicio Nacional de Parques; el resto de los edificios –con la excepción de la capilla circular mortuoria– se derrumbó. Arqueólogos de aquel Servicio están realizando fructíferos trabajos de investigación y descubriendo los graneros, establos y alojamientos; en el edificio de una escuela de reciente construcción se han levantado los suelos para manifestar los pertenecientes a las antiguas edificaciones. El suelo de una especie de claustro aparece en inmejorables condiciones. Es curioso notar que buena medida del daño causado a la Misión en general, y en concreto a la iglesia, se ha debido a los "buscadores de los tesoros de los jesuitas" –aquí, como en otras partes–, que creían en la leyenda del oro sepultado por los padres al partir, suposición errónea, toda vez que la iglesia no comenzó a levantarse hasta treinta años después de su marcha. La reconstrucción –no completa todavía– se ha verificado en diversas etapas, la última en 1949, gracias a los procedimientos inventados por Mr. Rutherford J. Gettens y Mr. Charlie R. Steen. Con la guía de las pinturas rescatadas, llegaron estos expertos a la conclusión de que podría ser recreada la decoración interior con un suficiente grado de aproximación a la realidad (48).

La iglesia no es de grandes proporciones y, aparte de conservar sus muros y su techo, muestra trazas de los altares laterales, del púlpito, del altar mayor y de los característicos colores, todavía vivos, del retablo; existió un coro, pero el arco que lo sostenía se derrumbó. Sobre el altar mayor, la cúpula, en perfecto estado, se eleva a unos 11 metros sobre el suelo. Le sirve de remate una linterna, a la que asciende desde el exterior por unos escalones esculpidos en su superficie. La fachada de la iglesia consta de tres cuerpos: el primero, el portalón flanqueado por dos partes de columnas; el segundo, una ventana con igual adorno, y el tercero y superior, una especie de frontón, todo ello rematado por un medio círculo. Junto a la iglesia se conserva también el antiguo cementerio, y se alza un moderno museo, en el que se exhiben una serie de dioramas alusivos a la historia de Tumacarori (construcción de la iglesia, ataque de apaches y defensa, etc.), una pequeña estatua ecuestre en bronce del padre Kino, pistolas y otras armas de fuego, sables, una campana de madera, libros utilizados por los misioneros, etc. (49).

TUBAC

Presidio. Los Anza, padre e hijo

A cuatro kilómetros de Tumacarori, y siempre hacia el Norte, hallamos Tubac, un moderno conjunto de edificaciones, que, vecinas a un club de golf, albergan a una serie de artistas y galerías de arte. Se trata del emplazamiento del antiguo *Presidio de Tubac,* establecido en 1752 por orden del gobernador de Sonora, don Diego Ortiz Parilla, de fecha de 18 de marzo de dicho año, a raíz de la rebelión de los primas. De él, hoy, no queda rastro alguno y en su lugar se ha levantado un museo, en el que se muestran dos banderas españolas –una, blanca, con el escudo imperial en el centro, y otra, rojo y gualda– y una serie de recuerdos y guerreros españoles, además de otros objetos relativos a los indios de la región.

Tubac contaba, en 1745, 400 habitantes y diez años más tarde una cifra superior a los 500. Tuvo por comandantes a Juan Bautista de Anza, padre e hijo, el segundo de los cuales nació en el Presidio (50). De Tubac partió el joven para sus famosas expediciones a California, la primera con el objeto de explorar una ruta desde Sonora, y la segunda (el día 8 de enero de 1774), conduciendo un grupo de colonos cuidadosamente elegidos, con destino a la fundación de San Francisco. Con posterioridad, Anza "junior" sería nombrado gobernador de Nuevo México. Es el suyo uno de los ejemplos que contradicen las alegaciones de que los criollos no tenían oportunidad de participar en el alto Gobierno de los Reinos de Indias (51).

En 1754 se erigió en Tubac una iglesia, bajo la advocación de Santa Gertrudis, que servía a la guarnición y a los indios de las cercanías. Cuando el padre Garcés fundó en 1772, la ciudad de Tucson, se ordenó a la guarnición de Tubac trasladarse al nuevo puesto, lo que no se realizó hasta 1776. Tubac hubiera sido destruido completamente por los padres de no quedarse un grupo de colonos y acudir en su defensa un contingente de indios aliados primas. Varios escalones descendió hacia su decadencia en los años sucesivos, hasta que en 1856 se abrieron unas minas en las cercanas montañas de Santa Rita. Pasó Tubac entonces por unos años de apogeo e incluso vio salir a la luz el primer periódico de Arizona, "The Arizonian". Con la orden del Gobierno de la Unión de retirar todas las tropas para acudir al Este cuando la guerra civil estalló, quedó la ciudad sin defensa, y primero debido a los apaches y luego a unos bandidos mexicanos, acabaron sus muros en ruinas y emigrando hacia Tucson el resto de sus residentes (52).

Misión de San Xavier del Bac

1) *Padre Kino y otros jesuitas*

Con anterioridad a Tucson tenemos que desviarnos a la izquierda para entrar en la reserva de los indios papagos y visitar San Xavier del Bac, la más bonita de las Misiones españolas en Norteamérica. Tiene la peculiaridad de seguir atendiendo a los mismos indios para quienes fue fundada, de modo que no otros –si se exceptúan los turistas– disfrutan de las bellezas estéticas que esta joya arquitectónica nos depara.

Visitó el padre Kino por primera vez Bac (que significa "lugar en donde el agua subterránea emerge temporalmente en un cauce para desaparecer a poco") (53), atendiendo la solicitud que le hicieran los indios sobaipuris. Es curiosa su propia referencia a uno de sus sermones, en el que, con afán ejemplar, relató a los indios cómo en los tiempos antiguos los españoles no eran cristianos, la venida de Santiago a sus tierras a enseñarles la Fe, las dificultades del Apóstol en los primeros catorce años, en que sólo bautizó a unos pocos nativos y la aparición a él (en Zaragoza) de la Virgen consolándole y anunciándole que los españoles convertirían a las demás gentes del orbe (54). Esta argumentación de Kino, su utilización exclusiva de la lengua castellana y del nombre "Francisco Eusebio" y la hispanización de su apellido original de "Chini", son razones –entre otras– que demuestran la completa actuación y el perfecto sentimiento españoles durante su vida misional; desde este punto de vista debe enfocarse su apostolado en los Reinos de Indias al servicio –como leal súbdito– de los supremos intereses de la Corona de España.

A partir de 1692, Kino retornó a Bac muchas veces, siendo siempre cordialmente bienvenido por los indios comarcanos y siempre recibiendo la solicitud de enviar un misionero residente; en noviembre de 1697 pudo alojarse –en compañía del capitán Juan Mateo Manje– en una casa de adobes con vigas y un techo plano que los nativos habían construido para el promedio misionero; en abril de 1700 comprobó, por la información que le proporcionaron los indios congregados, que las conchas azules que habían visto en la Primería Alta procedían del océano Pacífico y no del golfo de California, con lo que se confirmaba su opinión sobre la peninsularidad de ésta y la posibilidad de hallar una ruta terrestre hasta el mar. El 28 de abril de 1700 se colocaron los cimientos de la primera iglesia, confiada a la protección de San Francisco Xavier (que quizá valga la pena recordar que era español); Kino escribió a su superior, padre Leal, solicitando ser nombrado primer residente. En abril de 1701 volvió Kino con Manje por San Xavier y encontró el poblado medio vacío: la mitad de los hombres habían partido como voluntarios a una expedición de la "Compañía Volante de Sonora", que, al mando del alférez Juan Bautista de Escalante, se había organizado para castigar a los apaches, ladrones de caballos y asesinos de seis primas (55).

El primer sacerdote permanente no sería, sin embargo, Kino, sino el padre Francisco Gonzalvo, en 1701, quien había acompañado a su tocayo en su visita de 1699. Con posterioridad al fallecimiento de Gonzalvo no sería posible el envío de nuevos misioneros hasta 1731, en que llegó el padre jesuita suizo Philip Segesser von Brunegg, instalado por el capitán Juan Bautista de Anza, el padre; no duró, sin embargo, su permanencia ni la de sus sucesores, los padres Stiger, Rapicani, Torres y Bauer. El padre Alonso Espinosa fue el jesuita más notable, después de Kino, y en Bac moró desde 1756 hasta 1766. Cuando la orden de expulsión, regentaba la Misión el padre José Neve (56).

2) *Padre Garcés* y *otros franciscanos*

Como remplazante franciscano se incorporó, el 29 de junio de 1768, a San Xavier del Bac, el puesto más septentrional de los dominios de España, el padre Francisco Hermenegildo Garcés. Le aguardaban 60 familias de indios y una iglesia de adobes alzada por Espinosa. Corrió San Xavier a su cargo hasta 1799, si bien durante esa época se halló ausente en una serie de viajes. Ya en octubre de 1768 alcanzó el río Gila –en donde sufrió una apoplejía–, para realizar una segunda "entrada" en el marzo siguiente y padecer en el curso de ella una insolación. Aparte de otras salidas –en cuyo intermedio reparó la iglesia– acompañó al joven Anza en la primera expedición a California, que duró desde el 8 de enero de 1774 al 10 de julio siguiente, y también en la segunda, que le retuvo ausente desde octubre de 1775 hasta septiembre de 1776. La Misión quedó atendida en estas etapas por los padres Juan Gorgoll y Félix de Gamarra, respectivamente.

Fray Juan Antonio Valverde sucedió a Garcés cuando éste fue trasladado a Yuma en 1779 (57).

Se debe al padre Juan Bautista Velderrain –quien se constituyó en Bac dos años después– el comienzo de la edificación de la actual iglesia de San Xavier, con el dinero prestado por D. Antonio Herreros, con la garantía de las futuras cosechas. Al morir en el 1790 Velderrain, le sustituyó fray Juan Bautista Llorenz, quien terminó la iglesia en 1797. Los nombres de los técnicos autores de esta maravilla arquitectónica se ignoran. Unos suponen que Pedro Bojorquez (cuya gracia aparece en una puerta) y otros, que los hermanos Gaona. Llorenz permaneció al frente de la Misión más allá de 1814, y a su sucesor, padre Juan Vaño, correspondió presenciar al paso de la soberanía de España a México, Fray Rafael Díaz tuvo que abandonar la Misión en 1828, y desde entonces quedó ésta sin padre espiritual. Días de abandono se sucedieron y el edificio comenzó a sufrir los embates del tiempo, de los buscadores de tesoros y de las tropas, que, a veces, allí se refugiaron (58).

Cuando por el Tratado de México los Estados Unidos obtuvieron los extensos territorios del Sudoeste, las tierras al sur del río Gila, entre las que se contaban San Xavier, quedaron en poder del primero. Más tarde, en 1854, por el denominado "Gadsden Purchase", los Estados Unidos adquirieron el sector comprendido entre la hoy establecida frontera y el río Gila, es decir, el territorio de que nos estamos ocupando. A partir de 1866, sacerdotes procedentes de Tucson visitaron San Xavier. Durante todos estos períodos y los que se sucedieron, San Xavier y sus obras de arte se salvaron gracias al amor de los indios, que los vieron, cuando el culto permanente se restableció. En 1873 unas monjas abrieron una escuela para indios, y en 1895 la Misión fue ofrecida de nuevo a la Orden franciscana. En 1913 se alojó el primer fraile, el padre Ferdinand Ortiz, y unos años después el padre Nicholas Perschl, todavía residente en San Xavier cuando tuve, en 1965, el placer de oírle contar relatos de la Misión de hace cincuenta años. Al obispo Henry Granjon se deben las obras de reparación que en 1906 salvaron los edificios; ideó, además, el arco de la parte posterior de la Misión, que es conocido por su nombre (59).

3) *Edificio*

Ostenta la fachada de la iglesia dos blancas torres, con terrazas, inacabada la de la derecha, que flanquean –en impresionante y colorido contraste– un rojizo cuerpo central que se compone de tres partes: portalón, balcón y frontispicio, en el que aparecen los leones de Castilla. El templo consta de una nave, y el crucero es suficientemente amplio como para albergar, junto con el altar mayor, dos capillas en cada uno de los costados, a cual más rica, en artística ornamentación. Construida con adobe cocido (lo que le ha otorgado una notable durabilidad), mide 33 metros de larga por siete de ancha. Sus paredes tienen un metro de espesor como término medio. Sobre el crucero se levanta una cúpula de 17 metros de altura. El retablo del altar mayor, de estilo churrigueresco, está presidido por una imagen vestida de San Francisco Xavier, y ostenta en su parte superior, en un rincón, la Inmaculada Concepción, con estatuas de San Pedro y San Pablo a sus lados; rematando el retablo se destacan un busto de Dios Padre y unos medallones de Adán y Eva. En la capilla de la izquierda, del Salvador, existe una reproducción del sepulcro del santo titular de la iglesia, rematada por una imagen de San Francisco de Asís; la de enfrente se halla bajo la advocación de la Virgen de las Angustias. Uno de los frescos del templo está dedicado a la Virgen del Pilar y abundan los motivos de la concha jacobea encima de las puertas y en otros muchos puntos de las naves. Dos hispánicos leones dan guardia al altar mayor (60).

Espléndida vista se goza desde la torre terminada, en la que las campanas se hacen oír a larga distancia convocando a misa a los indios feligreses. Desde allí se divisa el antiguo cementerio y la capilla funeraria, próximos a la iglesia, el convento de los padres, la vecina loma en la que se ha reproducido en tiempos recientes la gruta de Lourdes, el poblado indio, la plaza delantera de la iglesia, en otros tiempos adecuadamente enmarcada por edificaciones, etc. En una capillita, adosada al templo y con salida al claustro, se veneran dos imágenes españolas traídas de Tumacacori; en ella dicen la misa diaria los padres residentes.

San Xavier es escenario de una abigarrada fiesta a cargo de los indios el viernes siguientes a la Pascua de Resurrección, en el curso de la cual se conmemora el arribo de los conquistadores y misioneros, con el desfile de una vistosa comitiva con trajes de época. La visita a San Xavier del Bac quedará imperecederamente en el recuerdo de quienes la realicen y la evocación de la silueta blanca de su iglesia recortándose a lo lejos, confirmará siempre el merecido sobrenombre de "Paloma del Desierto" con que es conocida.

TUCSON

Y llegamos a Tucson, esta ciudad tan plena de casas de estilo español, bien sea el llamado colonial, bien el de adobes al modo de Nuevo México, de iglesias de todas las confesiones inspiradas en San Xavier del Bac (verbigracia, la episcopaliana de St. Phillis in the Hills), y con multitud de calles, la mayoría bautizadas con nombres en castellano que abarcan la más variada gama de temas, y que en ocasiones constituyen los nombres más bonitos y poéticos dados en ciudad hispánica alguna: sirvan como ejemplo –en transcripción literal– Alta Vista St., calle Primorosa, avenida Alegre, avenida de Sueños, calle de La Azucena, calle Mecedora, El Burrito Avenue, Flamenco Place, plaza del Encanto, Poquita Vista, vía Golondrina, calle Bendita, calle Loma Linda, camino Aire Fresco, camino A Los Vientos, Cerco del Corazón, Corrida de Venado, La Linda Rama, plaza de Lirios, placita del Lobo, Mañana Grande Place, etc., etc. Los conquistadores y misioneros son honrados en el callejero tucsoniense, con Balboa Ave., Alvarado Ave., Camino Coronado, Calle De Soto, Davila Cir., Cortez Place, Columbus Blvd., Soto Ave, camino de Anza, camino de Fray Marcos, calle Alarcón, Coronado Drive, Coronado Rd., El Tovar Ave., El Moraga Dr., camino Escalante, Escalante Rd., Ponce de León Rd., etc. También las ciudades y regiones españolas se hallan representadas: Zamora Pl., calle Zamora, Aragon Rd., calle Aragon, calle Barcelona, Granada Ave., Melilla St., Valencia Ave., Valencia Rd., camino Santiago, calle Sevilla, etc. Referente al santoral, tenemos paseo San Pedro, San Carlos Pl., San Felipe Dr., calle del Santo, camino del Santo, San Rafael Ave., Santa Cruz Ave, San Ignacio Dr. y tantos otros. Existe el Camino Real, el Camino del Norte, Spanish Trail, Camino Español, Camino del Rey, Los Reales Rd., Isabel Blvd., y como estos ejemplos podrían darse hasta una cifra próxima a los 800.

Tucson española recaudó la suma de 450 pesos para ayudar a los rebeldes que combatían a Inglaterra por su independencia.

Es Tucson sede de la *Universidad de Arizona,* instalada muy bellamente en un parque, poseedora de unas eficaces y prolíficas prensas universitarias y del *Arizona State Museum,* especialmente consagrado a los indios de la región; en esta última institución se ha distinguido el antropólogo Mr. Bernard Fontana, que tanta cooperación me prestó durante mi visita a la ciudad.

Pertenece también a la Universidad el *Museo de Arte,* en el que aguarda la sorpresa de la gran colección de obras del pintor español Fernando Gallego, procedentes del retablo de la catedral de Ciudad Rodrigo. Se trata tan sólo de la mitad, y aún así alcanzan la cifra de 26, algunas de considerable tamaño. Son obras de fines del siglo XV, que cuando la invasión napoleónica sufrieron graves daños en los dos asedios a que fue sometida la ciudad salmantina. Vendidas en 1877, pasaron por varias manos, hasta que las adquirió la fundación Samuel H. Kress, con destino al museo en que se exhiben (61). Formando parte de la colección Gallagher, a la que también aloja el museo, figuran cuadros de Picasso, Dalí, Miró e Hipólito Hidalgo de Caviedes (62). En otra sala puede admirarse un Ribera.

No lejos del "campus" universitario se halla la *Arizona Pioneer's Historical Society,* uno de cuyos rincones aparece dedicado a España: dos vitrinas ostentan recuerdos de todo tipo (pistolas, espadas, trajes, libros, planos de las Misiones de Kino, reproducciones de disposiciones legislativas, etc.). Una bandera española ondea en la sala, y una serie de valiosos documentos son custodiados celosamente en una caja fuerte por los historiadores Brinckerhoff, Faulk y Peterson. También la biblioteca alberga interesantes ejemplares. El moderno Palacio de Justicia se enorgullece de un aire barroco en consonancia con el estilo de San Xavier; en el jardín posterior del Ayuntamiento se levanta un monumento a la memoria de Eusebio Francisco Kino, formado por un considerable relieve en bronce enmarcado por un gran rectángulo pétreo.

Como fin de la estancia en Tucson procede un almuerzo en el restaurante "La Fuente", en el que se pueden comer unas magníficas judías con chorizo rodeado de carteles de toros de las plazas españolas, y una visita al almacén más prestigioso de la ciudad, "Jacome's", cuyo nombre es el de su propietario, de ascendencia hispanomexicana. Abunda en Tucson la población hispanoparlante, y sorprende tropezar en las esquinas de las calles, en las plazas, en los bares, etc., con gentes que se expresan en nuestro idioma, algunos descendientes de los colonos españoles, la mayoría procedentes de inmigraciones mexicanas recientes. La jerga denominada "Pachuco" también se deja oír (63). Existe magnífica hermandad entre las gentes y las autoridades situadas a ambos lados de la frontera, por sentirse pertenecientes a la misma tierra; los mexicanos no son objeto, en general, de menosprecio, lo contrario de lo que suele suceder en otras partes próximas a la línea internacional.

El "Antiguo y Honorable Pueblo de Tucson" debe su origen a una Misión establecida en un poblado indio en pleno desierto (64). El padre Kino paró en el lugar en 1694, en la ranchería "El Tusonino" (65). Como visita de San Xavier del Bac fue fundada una Misión en *San Cosme del Tucson,* pero a raíz del fallecimiento de aquel jesuita no hubo sacerdote que pudiese ocuparse de su servicio. Tucson es la hispanización del toponímico del lugar en dialecto papago; que significaba "al pie de la negra montaña" (el "Sentinel Peak", cercano a la ciudad), y lo usó por primera vez el padre Kino el 1 de noviembre de 1699 (66). En los mapas de este misionero de 1698 y 1701 aparece también el establecimiento de San Agustín del Oyaur, seis kilómetros al norte de San Cosme, para el que el religioso recomendó, en 1706, la fundación de una Misión (67). En los años subsiguientes, las únicas menciones que aparecen son para *San Agustín del Tucson.* Cuatro meses tan sólo duró en 1757 el intento del jesuita Middendorff de reconstruir la Misión: sus 10 soldados no pudieron resistir el ataque de 500 indios. En 1762 el capitán Francisco Elías González escoltó a 250 sobaipuris para su localización en el pueblo, al que denominó San José del Tucsón, por haberse verificado el día de la festividad del Patriarca. Al año siguiente se elevó una iglesia bajo su protección (68).

Padre Garcés. La primera
escuela de formación profesional

Antes de partir los jesuitas en 1767, la iglesia se había ya derrumbado. Cuando el padre Garcés vino procedente de San Xavier en 1772, procedió a la erección de alojamientos, una iglesia y una casa para el cura. Cuándo se terminó éstano se sabe con exactitud, si bien el padre Iturralde informó en 1797 haber visitado una iglesia de adobes con tejado de vigas. A la muerte del padre Garcés en 1781, el pueblo de Tucson comprendía la Misión de San Agustín y la ranchería de San José. Con el progresivo asentamiento de indios de diversa procedencia, se patentizó la necesidad de entrenarles y enseñarles en las distintas modalidades de las industrias manuales; así surgió en Tucson, a cargo de los franciscanos, la primera escuela de formación profesional en los Estados Unidos. Una notable concentración urbana se había consolidado en torno a San Agustín en 1814, pero la expulsión de dichos religiosos en 1828 ocasionaría que la "gente de razón" abandonara el pueblo para residir en el Presidio (69).

Presidio de San Agustín del Tucson

Desde 1756 el pueblo de Tucson tuvo estacionados intermitentemente soldados españoles, pero hasta 1776 no se estableció en el lugar un Presidio, al otro lado del río Santa Cruz. Como resultado de la reestructuración de las defensas fronterizas aconsejada por el marqués de Rubí en 1767, se ordenó la mudanza de la guarnición de Tubac a Tucson, cuyo emplazamiento fue elegido personalmente por don Hugo O'Conor, el comandante-inspector de la frontera el día 20 de agosto de 1775. Durante la construcción del Real Presidio de San Agustín del Tucson los soldados acamparon en el Pueblo. Las primeras fortificaciones consistían en una empalizada de madera levantada bajo las órdenes de D. Pedro Allende y Saavedra, quien tomó el mando el 11 de febrero de 1777 (el traslado de la guarnición se había efectuado bajo las órdenes del teniente Juan María Oliva). Murallas de adobe se elevaron, así como las necesarias edificaciones: la tarea no estaría terminada hasta 1781 y la superficie urbana comprendería una notable extensión. Tucson se convirtió, pues, en la única ciudad norteamericana rodeada de murallas a lo largo de su historia; tamaña configuración defensiva se patentizaba como necesaria ante los continuados ataques de los apaches. Los años comprendidos entre 1780 y 1810 llevaron aparejado un continuado progreso del Presidio, en el que tuvo especial participación el comandante D. José de Zúñiga –anterior jefe del de San Diego–, quien gobernó desde 1795 a 1810 (70).

No se poseen informes completos sobre la constitución del Presidio. Parece ser que la muralla tenía una altura de unos cuatro metros, y que en las esquinas del cuadrado fortificado se hallaba una torre dotada con dos cañones. En los primeros tiempos contaba con una sola entrada (situada en la intersección de las calles Main y Alameda), si bien más tarde recibió la adición de otra puerta. Los establos se orientaban hacia el sector Norte, con una plaza militar delantera; los cuarteles de los soldados en el Sur, dando a la Plaza de Armas, y los graneros y almacenes en el costado Este, juntamente con la capilla (71). La muralla se mantuvo en pie hasta los tiempos de la incorporación de la región a los Estados Unidos, y su emplazamiento venía a coincidir con la calle Pennington hasta el Palacio de Justicia, torcía por la Main St. –"Camino Real"– hasta la de Washington, se alargaba por ésta hasta cierta distancia, en que se dirigía hacia el Sur hasta enlazar con Pennington (72). De su existencia apenas queda un solo recuerdo, empotrado en una de las casas de las calles mencionadas.

PHOENIX Y SUS CERCANÍAS

Abandonamos con nostalgia Tucson, siempre rumbo Norte, por la carretera 84, que nos conduce a la conocida "Casa Grande" –hoy monumento nacional–, visitada por vez primera por el padre Kino en noviembre de 1694, gracias a las informaciones que le suministró el capitán Manje. Dentro de los antiguos muros de la torre de adobe de cuatro pisos que había sido elevada muchos siglos antes, el jesuita dijo misa (73).

Un poco más arriba está Phoenix, la capital del Estado. En su Capitolio y en su piso tercero, la serie de pinturas murales titulada "La Caravana del Progreso de Arizona" incluye los orígenes españoles. En el gran vestíbulo del aeropuerto y en uno de sus tres frescos, se muestran las gallardas figuras de un conquistador y de un misionero. A 13 kilómetros hacia el Sudeste se halla la "Marcos Niza Rock", en la que están inscritos el nombre de este fraile y la fecha de 1539, como recordatorio de su paso por la región en busca de las Siete Ciudades de Cíbola.

No faltan en Phoenix edificios e iglesias al estilo español –verbigracia, el templo de Brophy Prep. School–, ni calles con nombres españoles hasta un número –contando los alrededores– de 170. Sirvan de ejemplo: Aire Libre Ave.,

Camino de los Ranchos, El Camino Real, Vista del Cielo, avenida El Alba, Camino Del Contento, Loma Linda Dr., Mariposa St., Balboa Dr., Cortez Rd., Coronado Rd., Don Carlos Dr., Granada Rd., Almería Rd., etc.

Entre Phoenix y Flagstaff emerge la ciudad de Prescott, otra de las grandes urbes del Estado. Se tiene noticias de que el español Antonio de Espejo se adentró por esta comarca, en compañía de nueve hombres, durante el invierno de 1582-83. En el camino hubo un momento en que tuvieron que enfrentarse con 2.000 indios (74).

Minas españolas

Merece la pena tratar, aunque sea brevemente, de las minas descubiertas por los españoles y explotadas por ellos durante un considerable número de años. Se inicia su historia con la aludida expedición de Espejo, quien denunció yacimientos de plata y sales potásicas en las fuentes del río Verde, y que marca el comienzo de la minería en Arizona (75). Juan de Oñate halló también el metal argentífero en 1604, en las márgenes de los ríos Santa María y Bill Williams (76). Pero solamente a partir de las prospecciones realizadas por el padre Kino en 1705 pueden considerarse en actividad los trabajos mineros, que alcanzaron relativa significación a lo largo del siglo XVIII: unas minas se situaban en el condado de Mariposa –cerca de Phoenix–; otras, en las montañas de Santa Catalina –al Este de Tucson–; alguna por el Desierto Pintado (77). Si en 1736 se descubrieron los famosos depósitos "Bolas de Plata", en la frontera con Sonora, en 1750, se comenzó a trabajar el cobre en Ajo; el distrito de Quijotoa dio oro en 1774, y en 1777 funcionaba en Arivaca una comunidad minera (78).

En todo caso, quedó una dorada leyenda acerca de la riqueza de dichos criaderos (se dice que el altar mayor de San Xavier del Bac contenía plata por valor de $ 60.000), y su reciente hallazgo ha sido la preocupación en el pasado siglo y en el presente de numerosos buscadores, siempre ávidos de dar con un verdadero filón. Algunas fueron efectivamente excavadas y beneficiadas de nuevo; muchas siguen permaneciendo en el más profundo de los misterios. Entre las primeras figura la antigua mina de Montezuma, cerca de Vulture; entre la segunda se cuenta la "Iron Door" (Puerta de hierro), a la que se supone al norte de Tucson (79).

NOMBRES ESPAÑOLES

Dentro de la escasa lista de localidades de que el Estado de Arizona se compone, las siguientes llevan nombres españoles: Ajo, Casa Grande, Eloy, Guadalupe, Mesa, Nogales, Patagonia, Picacho, Salomé, San Carlos, San José, San Manuel, San Simón, Sierra Vista y Sonora, junto a Anita, Aguila, Agua Caliente, Amado, Bonita, Bosque, Camp Verde, Canyon Diablo, Carrizo, Concho, Cazador, Dos Cabezas, Estrella, La Palma, Ganado, Pica, Piedra y Séneca.

PARTE QUINTA
LOS ESTADOS DE LAS MONTAÑAS ROCOSAS

El macizo de las Montañas Rocosas es el factor determinante, en esta Quinta Parte, de la agrupación de una serie de Estados. Si en la Primera y Sexta son los océanos Atlántico y Pacífico, respectivamente, y en la Segunda y Tercera la gran corriente fluvial del Mississippi los que sirven de elemento unitivo, en la presente el gran complejo roquero, la cadena más importante en América del Norte, jugará el papel de protagonista. Y en verdad que lo merece, pues se trata nada menos que de un conjunto de unos 6.500 kilómetros de largo, que se extiende de Norte a Sur, desde México al océano Glacial Artico, con una anchura que oscila entre 600 y 650 kilómetros. Con arreglo a tal criterio, deberían haber sido también incluidos en esta parte los Estados de Nuevo México y Arizona, pero su situación sudoccidental ha dejado mayor impronta en ellos, y es predominante, sobre todo desde el punto de vista sustentado en este trabajo, a la de su condición serrana. Serán, pues, tratados a continuación: Colorado, Nevada, Utah, Wyoming, Montana e Idaho.

A Colorado se consagrará un capítulo especial: su pasado y su presente hispánicos plenamente lo justifican. Pero todos ellos constituyen el casi legendario Oeste, el famoso "Far-West" de las películas de "cow-boys", y, en especial, los tres últimos. Los Estados vecinos, tanto los de la costa de Pacífico –California, Oregón y Washington– como los fronterizos por la otra banda –Arizona, Nuevo México, Oklahoma y Texas– participan en las características con las que los "westerns" nos han familiarizado, pero no son típicos del "Oeste". En los Estados de que nos vamos a ocupar, todavía predomina la figura del vaquero –tan española en su origen– y la silueta del caballo –descendiente de los importados hace siglos de Andalucía (1)–: son Estados con economía ganadera. En unos y otros abundan las bellezas naturales, pues nos ofrecen nada menos que el Gran Cañón del Colorado, el Hell Canyon, en Idaho, y el Yellowstone National Park, en Wyoming, por citar tan sólo un trío excepcional.

Los territorios correspondientes a esta Parte Quinta se incluyeron históricamente en la esfera de influencia española (aunque ésta fuera discutida en los que

487

al territorio de Oregón se refiere). El hecho de que parte de los Estados de Montana y Wyoming pertenezcan a la cuenca del Mississippi y quedaran encuadrados, por tanto, en los dominios de Luisiana, no pareció razón suficiente para dejar de tratarlos aquí, dada su escasa incorporación real al acontecer histórico de aquella gobernación.

Estos estados, junto con los de la costa del Pacífico, cuentan con una característica desde nuestro punto e vista fundamental: la presencia en sus contornos de los pastores vascos. Son con justicia, pues, desde nuestro punto de vista, los Estados vascos de Norteamérica. Nuestros compatriotas están dejando en ellos, desde mediados del siglo pasado, una indudable impronta, y cualquier escritor que por un motivo u otro se ocupe de este sector del país, inevitablemente incluye comentarios de varia longitud sobre los vascos (2). «Todo el mundo les quiere», anota A. B. Guthrie, jr. (3). Estos constituyen el más directo y actual vínculo de España con la región.

Los primeros vascos llegaron a California cuando el descubrimiento del oro, en 1850; a partir de dicha fecha comenzó una afluencia intermitente de ellos, que en un primer momento se dedicaron al pastoreo y en una segunda etapa cambiaron a otras ocupaciones más lucrativas (4). En lo que a los vascos españoles se refiere, se establecieron predominantemente en Idaho –que cuenta con el núcleo más numeroso de vascos fuera de España–, en Nevada y Oregón, lo cual no quita que también haya habido o haya en los de California, Montana, Wyoming y Colorado (5). En 1860 un grupo de vascos arribó a Nevada, pero los nombres que primero se conocen son los de Antonio Azcuénaga y José Navarro, que, cabalgando –se les murieron las caballerías en el camino–, procedieron de Texas, y el de Julia Eizaguirre –objeto de una tesis en la Universidad de Idaho, original de Mr. John Edelfsen–, discutiéndose a cuál de ellos corresponde la primacía (6). No se sabe por qué dedicaron los vascos al pastoreo de las ovejas, dada que no era esa su común profesión: quizá vieron un campo inexplotado y de grandes posibilidades (7).

La vida de pastor no es realmente muelle, y el salario derivado tampoco se cifra entre los mejores, pero dado que además del sueldo recibían alojamiento y manutención y que practicaban una vida aislada que les obligaba a ahorrar toda su paga, muchos pudieron formar pronto un capital que les permitió convertirse en propietarios y muchos de ellos en millonarios. Hay que tener en cuenta que en un principio cobraban unos 40 dólares mensuales, cantidades que hoy reciben quintuplicadas cuando se emplean por vez primera en la profesión. Pasan en las montañas la primavera, el verano y el otoño, y bajan a los ranchos en invierno, en la "invernada", época de la "parisión", palabra con la que designan el nacimiento y los primeros cuidados de las crías. A causa de la nieve que suele cubrir la región en dicha época del año, los pastores deben estar muy vigilantes de las oveas parideras, para llevarlas al interior de los establos cuando dan síntomas de parto inminente; de otro modo, el alumbramiento en la nieve supondría la muerte por congelación del recién nacido. Otra cosa es cuando las crías tienen una cierta edad, en que puede se dejadas, con sus padres, a la intemperie (8).

Hace años los pastores se pasaban en el monte meses enteros, con la exclusiva compañía de las ovejas, el perro, el caballo y el rifle; su único contacto con el mundo era la periódica visita cada diez o doce días del "campero" con provisiones. Hoy el borreguero vive en un carro de campaña tirado por caballerías, dotado de cama, cocina de gas, lámpara de pilas o de keroseno y un receptor de transitores; le acompaña además un peón que recibe el nombre de "campero", quien, mientras él se ocupa de las 2.000 ovejas, se dedica a la preparación de la comida, al cuidado de las cuatro o cinco caballerías a su disposición, a la limpieza de los bártulos y, si llega el momento, a la cooperación en la defensa contra zorros y coyotes (pasaron los tiempos de los cuatreros) (9).

Para superar las dificultades de la venida de los pastores ocasionadas por las leyes migratorias de 1921 y 1924, el senador MacCarran, de Nevada, consiguió del Congreso federal, en 1952, la votación de una ley por la que se permitía la inmigración de vascos "fuera de cuota" y con posibilidad de lograr con posterioridad la residencia permanente. Debido a que la mayoría de los pastores cambiaban pronto de ocupación y la progresiva falta de brazos para las tareas pastoriles, se abolió aquella disposición legislativa, sustituyéndola por un estatuto firmado por los Gobiernos español y norteamericano, en el que se limita a tres años –prorrogables– la estancia de los pastores contratados, sin posibilidad de variar de oficio, so pena de expulsión del país. Para organizar estos contratos, se fundó en 1950 la "Californian Ranger Association", en la que más tarde se dieron cabida a los demás Estados cambiando el nombre por el de "Western Ranger Association" (10). Junto a esta agrupación de patronos, recientemente los pastores han creado una asociación para la defensa de sus intereses y con el fin de estar a salvo de las eventuales irregularidades a cometerse con ellos en su trabajo (11).

Los vasos se han distinguido siempre por su ejemplar honradez individual y civismo, y con orgullo proclaman que entre los vasos norteamericanos no se ha dado caso alguno de criminalidad. Aparte de la profundiad de sus convicciones religiosas, los vaseos han mantenido muy unida la institución de la familia en torno a la figura del padre y aun del abuelo (12). Procede, por último, señalar que no todos los pastores españoles de la región son vascos, no faltando entre ellos andaluces, castellanos y gallegos, que compiten con sus connacionales en ostentar el título de los mejores ovejeros del mundo (13). Se calcula que hoy viven en esta región unos 60.000 vascos, contando en esta cifra los descendientes de originarios del país hispanofrancés; trabajan con contrato temporal unos 1.200 (14).

CAPITULO PRIMERO

COLORADO, el más alto

ALTOR Y VIGOR

Llegando a Colorado en vuelo procedente del Oeste, el primer coloquio con las Montañas Rocosas predispone a su favor. Este complejo orográfico, el más importante de los Estados Unidos (excepción hecha de Alaska), impresiona en la manera que todo lo grande de la Naturaleza hace sentirse pequeños a los humanos, no obstante los adelantos técnicos de la civilización. Su altitud y su notable extensión convierten a Colorado en uno de los Estados más montañosos de la Unión y en el de superior cota sobre el nivel del mar, con el siguiente haber: 600 picos, de 4.000 metros de altura; 300, de 4.300 metros, y 52, de 4.700 metros, aproximadamente (1). Nada tiene de particular, pues, que surja el vocablo *altor* como uno de los dos simbolizadores de las características locales. Y es que las abundantes alturas que se alargan en el mapa en sentido Sur-Norte separan en dos las tierras coloradenses, que reverenciosas se arrastran a los pies del coloso, que generosamente las abraza. Esta situación geográfica y esta elevación hacia el cielo han tenido notable influjo en su Historia, la que en su vertiente oriental se ligó, en parte, a los avatares de la Luisiana y se incorporó en su lado occidental a los dominios españoles, siquiera sea de manera teórica. Dicha condición montañosa, en superlativo, favorece la cría ganadera; de aquí la presencia en sus ámbitos de una lucida representación de pastores vascos. Esta vocación por la ascensionalidad quizá explique la instalación en sus contornos de la Academia de las Fuerzas Aéreas y el puesto de mando de Norad, o defensa aérea del continente Norte. Y como a tal señor, tal honor, a tamaño altor, se precisaban corazones de pareja magnitud, por lo que sólo un hombre de las calidades de Rivera pudo –a mediados del siglo XVIII– perforar los misterios serranos y conquistar el título de primer europeo atravesador del complejo roquero (2).

Si damos, a vuelo de pájaro, una vuelta a la redonda por el Estado de Colorado (el 38.º en entrar en la Unión, el 1 de agosto de 1876, y el 33.º en población), una serie de impresiones se irán recogiendo en nuestras alforjas viajeras. En punto a concretarse en otro vocablo, aparece *vigor* como el mejor resumen de las características de los seres a quienes contemplamos. Porque suponen fuerza intelectual las investigaciones atmosféricas y atómicas que se desarrollan cerca de Boulder, sede de óptima Universidad, y reforzada tensión la permanente alerta del Norad; necesitaron excepcional vigor los padres Escalante y Domínguez en sus exploratorias correrías, lo mismo que Juan Bautista de Anza para derrotar al temible "Cuerno Verde"; ejemplo de legendarias energías fue el pueblo comanche, y avanzada civilización representaron los indios cesteros, establecidos en el siglo tercero de nuestra era en Mesa Verde; eficacia en la acción –segunda acepción de vigor– necesitó la creación "ex novo" por las autoridades españolas de un poblado a la manera occidental con indios salvajes como exclusivos habitantes, y pueden presumir de expresión enérgica –otra acepción– las estupendas obras artísticas de los santeros locales, que vertieron su inspiración y su piedad en "santos" y "bultos"; hay que reconocer un formidable vigor religioso en los penitentes, miembros de las distintas Moradas, quienes, a través de los años, consiguieron conservar las tradiciones de sus mayores, aun a costa de desviaciones heterodoxas, y vigor físico sublimado en valor y en heroísmo lo patentizaron hijos del Estado en el pasado conflicto guerrero; excepcional hispano vigor, por último, siembran cada día cuantos descendientes de los conquistadores pueblan el sector meridional, practicando sus costumbres, conservando su fe y hablando el idioma de Cervantes, que incluso radiofónicamente esparcen por los cuatro vientos.

PRESENCIA ESPAÑOLA

DENVER Y ALREDEDORES

Denver, la capital del Estado, es una atractiva ciudad. Por su situación próxima a las montañas (las Rocosas) y su aire seco y limpio recuerda a Madrid. Tiene notable parque con un arco por entrada, bellamente cuidado, que centra los edificios urbanos principales: el Capitolio, el Museo de Historia (Colorado State Museum, en el que trabaja el acogedor historiador Mr. Harry Kelsey), el Museo de Arte, la Biblioteca y el "City and Country Bldg", en el que se albergan los servicios del condado y de la ciudad.

Nada contiene de particular el *Capitolio* desde nuestro punto de vista. Tratándose de un Estado en el que la contribución hispánica es tan notable, no encierra referencia alguna a dicha aportación; en la rotonda existen unos cuantos murales que describen la Historia de Colorado, y del primero, reflejando la vida de los indios, se pasa al segundo, que representa a los "tramperos" o comerciantes en pieles procedentes del Este. Tampoco se dan alusiones en las puertas de los ascensores, que ilustran diversos aspectos de la vida del Estado. Solamente la bandera local, con la "C" (de Colorado) en rojo y su centro en amarillo, constituye un tributo a los españoles, si es que no se considera tal el retrato de don Casimiro Barela en una de las vidrieras de la cúpula, junto con otros de prohombres del Estado, dado que allí aparece este personaje en su calidad de senador del Estado por espacio de treinta años (representando a su distrito de Trinidad) y no como descendiente de los colonizadores hispanos (3). Con lo cual no quiero insinuar ausencia de afecto a España en el Capitolio: soy testigo de cómo respiraban en nuestro favor, en el verano de 1965, el vicegobernador, Mr. Robert Knous, y uno de los magistrados del Tribunal Supremo, Mr. Leonard v. B. Sutton, buen conocedor de nuestra lengua.

En el *Colorado State Museum,* dedicado a la historia del Estado, abundan los dioramas, muy bien conseguidos, en los que se relatan gráficamente varias escenas de la vida de los indios (la caza del búfalo es especialmente realista), de la búsqueda del oro a mediados del siglo XIX, etc. No se presta mucha atención a la presencia de España: sólo existe una vitrina con un mapa histórico sobre los primeros tiempos de Colorado, en el que se incluyen varias de las expediciones españolas, y otra, bajo el título de "Conquista española", que contiene un mapa dibujado a mano de las expediciones de Vargas y Escalante, una coraza, una cota de malla, un par de estribos de plata (procedentes del Perú), una hoja de espada (con la tradicional inscripción "no me saques sin razón, no me enfundes sin honor") y un dibujo de la bandera de Vargas, consistente en una Cruz de Borgoña con un escudo real en el centro. En el piso superior del Museo, y en una sección dedicada a armas, se exponen algunos objetos procedentes de la conquista española.

En el *Museo de Arte* se exhibe una notable colección de "santos" y "bultos", obras típicas producidas por los santeros de Nuevo México y del sur de Colorado, especialmente en el período comprendido entre 1750 y 1850, si bien la tradición aún continúa en algunas comunidades. Muchos de ellos fueron creados con destino a las "moradas" de las distintas cofradías de penitentes, que, con un origen parecido a las de Semana Santa de Sevilla, se componían y se componen –ya lo hemos visto (4)– de laicos, que practican especiales ceremonias religiosas y, en particular, las conmemorativas de la Pasión del Señor. Llaman la atención entre los "santos" –o pinturas en madera o cuero– un retablo formado por ocho tableros, atribuido a un maestro, Molleno, de comienzos del siglo XIX, una témpera con los tres arcángeles Miguel, Rafael y Gabriel, y otra, representando el Velo de la Verónica; entre los "bultos" –esculturas de madera cubiertas con yeso y pintadas– el "Carro de la Muerte", de descarnado realismo, obra del santero José Inez Herrera; varios crucifijos de diferente tamaño; un San Acacio crucificado (vestido de militar, con sus soldados en derredor) y una Santa Librada en la cruz (única mujer así representada).

Contiene también el Museo una sala barroca española, con un retrato de cuerpo entero, debido a Murillo, de D. Diego Félix de Esquivel y Aldama; una mesa; cuatro sillones fraileros; un magnífico bargueño con sus candelabros y otros objetos, y las paredes cubiertas con cordobanes y espejos, y el techo, con un artístico artesonado; un "San Jorge y el dragón", de un anónimo catalán del siglo XV; un "Abad con báculo", de anónimo castellano del mismo siglo; "La Adoración de los Reyes Magos", del Maestro del Retablo de los Reyes Católicos; una imagen de "El Santo" (San Fernando), del siglo XVII, y un "Bodegón", de Picasso, completan la representación del arte español (5).

Denver fue fundado en 1858, cuando el descubrimiento de las minas de plata (6). Se dice que su área fue pisada por vez primera por uno de los hermanos

493

Zaldívar, de la expedición de Oñate (7), y que el primer "trading post" establecido en su vecindad fue fundado en 1832 por L. Vasquez (8). No obstante aquella fecha originaria, cuenta con más de 70 calles con nombres españoles, debido a que su población hispánica supera los 25.000 (9); he aquí algunos de los cuales: Alameda Ave, Alamo, Dr., Barcelona, Cimarrón St., Columbia Pl., Colorado Blvd., Coronado Part-way, Cortez St., Durango St., El Camino Dr., Explorador Calle, Mariposa St., Medina Way, Panorama Lane, Toledo St., Tejón St., De Soto St., Verbena St., Vista Ln., Linda Vista Dr., etc. Denver auspicia un Instituto de Cultura Hispánica, presidido durante muchos años por el abogado Charles Vigil, descendiente de antigua familia de conquistadores.

Comprende 35 parques en su área, y en la cercana localidad de Golden reposa enterrado el legendario *Buffalo Bill,* con un museo complementario (10). A 45 kilómetros de la capital, que alberga a la Universidad de Denver, la localidad de Boulder acoge a la *Universidad de Colorado,* la única en el país que posee un glaciar para su consumo de agua, y situada en muy bello paraje al pie de las montañas (11). En su Departamento de español trabajan varios reputados profesores y entre ellos José de Onís, hijo de don Federico y descendiente del diplomático español que negoció el Tratado de cesión a los Estados Unidos de Florida. La Colorado State University tiene por emplazamiento la no muy lejana localidad de Fort Collins, también al Norte.

Cerca de Boulder, en Table Mountain, se está construyendo el *National Center for Atmospheric Research,* financiado por la National Science Foundation y administrado por una corporación, en la que participan 14 Universidades. Entre Boulder y Denver construyó en 1951 la *Atomic Energy Commission,* una planta que hoy, con otras cinco en Colorado, trata 3.500 toneladas diarias de uranio, de las 22.000 toneladas que se extraen de las minas de la región (12).

Fort Vasquez

A mitad de camino, en dirección del septentrión, por la carretera 85, y poco antes de Platteville, nos aguarda el "Fort Vasquez", hoy acertadamente reconstruido y al cuidado de la "Historical Society os Colorado". Se debió su fundación, en 1835, a los comerciantes Andrew Sublette y Louis Vasquez, hijo de español éste y nacido súbdito de S. M. Carlos IV, en la ciudad de San Luis (Missouri), el 3 de octubre de 1795. Huérfano de padre a temprana edad, Vasquez pronto participó en el comercio de cueros y pieles al servicio de otros comerciantes, tratando con varias tribus de indios. Recorrió así las cuentas de los ríos Laramie, Green, Big, Horn, Yellowstone, North y South Platte y Clear Creek, la última de las cuales, en los tiempos de los pioneros, era conocida por "Vasquez Fork". Gracias a tan dilatada experiencia, pudo independizarse y fundar, en unión de su socio, un fuerte, que se convirtió en uno de los centros comerciales de la región. En 1838 organizó una expedición, siguiendo la ruta de Santa Fe y el río Arkansas, para torcer al Norte y terminar en el South Platte. Queda una descripción hecha del fuerte en 1839 por E. Willard Smith, como "a nice place", fabricada con "daubies", o adobes (ladrillos secos al sol). El fuerte fue vendido en 1842 y Vasquez se dedicó a trabajar en los hoy Estados de Wyoming y Utah. Casado en St. Louis en 1846, murió en Westport (Missouri) en 1868 (13).

OESTE DE LAS ROCOSAS

Interesantes lugares para visitar nos ofecen las Rocosas. Por el Loveland Pass (casi a 4.000 metros de altura) atravesamos el "Continental Divide", o División Continental, cima de aquel gran complejo montañoso, que divide realmente en dos partes el Estado de Colorado. Esta cima jugó un papel de protagonista en su historia, ya que fue tomada como base teórica para delimitar el costado oeste de los territorios franceses –y luego españoles– de Luisiana. Así aparecen éstos en el sello postal conmemorativo de la compra de la Luisiana por Norteamérica (emitido en 1904) (14) y así fueron entendido por Jefferson cuando aquélla se llevó a cabo. Dados los derechos adquiridos previamente por España –como luego veremos– en buena porción del Estado de Colorado, nuestros Gobiernos no aceptaron tal divisoria, zajándose la discrepancia entre los puntos de vista norteamericano y español sólo en el Tratado de 1819 de cesión de Florida (15) en la manera que al comienzo vimos.

En la cima referida se sitúa la localidad de Climax, y en ella el primer coronágrafo solar del hemisferio occidental, un telescopio capaz de crear eclipses artificiales del sol, haciendo posible estudiar muchos aspectos de la actividad del astro rey, con anterioridad únicamente observables durante los eclipses totales (16). A corta distancia, el poblado minero de Fairplay muestra con orgullo el monumento a un hispánico burro, "Prunes", que trajo la buena suerte desde 1867 a 1930 a cuantos fueron sus propietarios (17). Más hacia el Oeste, la carretera 82 nos conducirá a *Aspen,* excepcional centro para los deportes de invierno, promovido por Mr. John L. Herron. Mr. Walter Paepcke, fundó en la ciudad el "Institute for Humanistic Studies", cuya celebración, en 1949, del II centenario de Goethe, a la que acudieron una serie de personalidades –pongo por caso, D. José Ortega y Gasset– consiguió gran resonancia. Entre otras actividades culturales, el Instituto concede un sustancioso premio anual e internacional a la persona que más se haya destacado en la promoción de la cultura, y organiza todos los meses de agosto un Festival de Música, que congrega a los aficionados a dicho arte (18). Al extremo oeste del Estado, la ciudad de Grand Junction, centro minero del uranio, nos introduce en el *Colorado National Monument,* 18.061 acres de monolitos de formas extrañas, cañones, acantilados cortados a pico, cuevas, bosques petrificados y restos prehistóricos con esqueletos de dinosauros y otros animales, cuya búsqueda es la ocupación de muchos aficionados (19).

Rivera, el primer europeo en atravesarlas

Los españoles hollaron los terrenos de este sector Oeste ya en el siglo XVIII. La existencia de minas, comunicada por los indios amigos, atrajo a los españoles hacia las montañas de La Plata, en los condados de La Plata y San Juan. El gobernador de Nuevo México, Tomás Vélez Cachupín, despachó varias expediciones exploratorias en los años sesenta (20). Una de ellas, al mando de D. Juan María de Rivera, partió de Santa Fe, según Bancroft y De Voto, en 1761 (21); en 1765, según Alfred B. Thomas (22). Le acompaban Joaquín Laín, Gregorio Sandoval y Pedro Mora, entre otros (23). Llevando una dirección Noroeste, pasaron por las estribaciones de las montañas de San Juan. En los cañones de La Plata obtuvieron algunas muestras de mineral y continuaron hacia el río Dolores. De aquí cruzaron al San Miguel. Dirigiéndose hacia el Este, atravesaron el Uncompahgre Plateau, desde el que descendieron al río Uncompahgre. Siguieron esta corriente hasta el Gunnison, en el que uno de los hombres grabó en la corteza de un chopo una cruz, las letras de su nombre y el año de la expedición (24). Este acto tuvo lugar cerca de la localidad de Sapinero. Se trata de la primera vez en que los hombres blancos atravesaron las Montañas Rocosas. Parece ser que el grupo retornó por la misma ruta. En 1775 algunos de los compañeros de Rivera regresaron al río Gunnison, adentrándose durante tres días, pero nada se sabe acerca de si actuaron por su cuenta o en virtud de órdenes superiores (25).

Los padres Vélez de Escalante y Domínguez

Este sector occidental fue también testigo del magnífico esfuerzo realizado por los padres Francisco Silvestre Vélez de Escalante y Atanasio Domínguez, quienes, animados por el padre Junípero Serra, organizaron una expedición, que partió de Santa Fe el 29 de julio de 1776 –el mismo año de la revolución independentista– y que, en palabras del historiador Alfred B. Thomas, es, incuestionablemente, la más sobresaliente exploración en el oeste de Colorado en el siglo XVIII (26). Con los padres iban 12, algunos compañeros anteriormente de Rivera; he aquí los nombres que se conocen: Joaquín Lain, Pedro Cisneros y Bernardo Miera (27). Dirigiéronse hacia el Noroeste, en pos de las montañas de La Plata, atravesaron una serie de corrientes de agua que procedían de la cadena de San Juan. De dichas corrientes y de los lugares que marcaban como excelentes emplazamientos de futuras ciudades españolas tomaron deliciosos esbozos a pluma (28). Su itinerario se ajusto, más o menos, a las siguientes líneas: Abiquiú, en el río Chama; río San Juan, al que llegaron el 5 de agosto (se cree que traspasaron la frontera entre Colorado y Nuevo México por los alrededores de la actual localidad de Caracas); torciendo más hacia el Noroeste, pusieron nombres a una serie de accidentes geográficos: Piedra Parada, Los Pinos, Florida y Las Animas. La parte oriental de La Plata la bautizó Escalante como Sierra de la Grulla, y al río La Plata, como de San Joaquín. Al descender al valle del río Dolores, los campamentos fueron denominados: Asunción, Agua Tapada, Cañón Agua Escondida, Miera, Laberinto y Ancón San Bernardo (29).

En la segunda quincena de agosto indagaron un paso en los rocosos desfiladeros del valle del Dolores y, no hallándolo, viraron hacia el Noroeste en busca de los indios sabuaganas, a quienes sabían situados en aquella dirección. Por fin, dieron con el Cañón del Yeso (Gypsum Canon), para escalar después las montañas y bajar al río San Miguel. Constituyó esta marcha una dura prueba, que dejó a las pezuñas de las caballerías sangrando. El San Miguel fue bautizado como río San Pedro. En dicho valle pasaron dos jornadas, al término de las cuales treparon al Uncompahgre Plateau, y a partir de cuya cima un indio les sirvió como guía para descolgarse hacia el río Uncompahgre. Siguieron el curso de éste hasta su confluencia con el Gunnison, en lugar próximo a Robideau. Allí se repusieron durante varios días; decidieron los padres después continuar la ruta –no obstante los consejos en contrario de varios indios amigos– y remontar la Plateau Creek hasta el Grand River, en los aledaños de Battlement Creek (30). En dirección Noroeste de nuevo, y a través de una difícil región, abordaron el río White, al que cristianizaron como San Clemente (31), y acamparon en la vecindad de Rangley (32). Hacia el 9 de septiembre cruzaron la frontera de Colorado con Utah, bordeando el río Green, derrotando a Poniente, hasta el lago Utah (33). Estas noticias, tomadas del "Diario" del padre Escalante, constituyen el primer relato serio de un sector del Estado que nos ocupa (34).

MESA VERDE, CENTRO DE LOS INDIOS CESTEROS

Bajando por la carretera 550, desde Grand Junction, se pasa por Delta, Montrose y Ouray, ciudad esta última denominada en honor del jefe indio Ute, que tanta influencia tuvo en la firma del Tratado de Paz por el que sus gentes accedieron a retirarse hacia Poniente. Ouray hablaba español, lo mismo que sus colaboradores Ignacio y Severo (35). Más al Sur, en el rincón sudoeste del Estado, se sitúa la ciudad de Durango (que mantiene relaciones con su homónima vizcaína), y no lejos, a medio camino de Utah, el "Mesa Verde National Park", que, cosa excepcional en los Estados Unidos, en un punto cercano coinciden cuatro Estados: Arizona, Nuevo México, Utah y Colorado. Mesa Verde es una alta y aislada meseta, así nombrada por un desconocido explorador español a causa de los bosques de enebros y pinos que la cubren. Dadas las circunstancias topográficas y climáticas de la región, la fertilidad de su tierra y la posibilidad de horadar cuevas propias para la vivienda y el almacenaje en sus escarpados muros, se convirtió en un centro de civilización y colonización precolombinas.

En Mesa Verde habitaron los indios cesteros entre los años 200 y 500 de nuestra Era, y, con cultura modificada, hasta los 700, a partir de los cuales experimentaron adelantos en la edificación de casas y pueblos y en las obras artesanas. Durante el siglo XI, gran parte de los indios se refugiaron en los muros rocosos, edificando en sus oquedades alojamientos, que adaptaron a las posibilidades de espacio. El "Cliff Palace", con 200 moradas formando terrazas y sus 23 "kivas", o salas de ceremonia y reunión, es el mayor conjunto conocido, descubierto po los hermanos Wetherill en 1888. Por sus inmediaciones acamparon el padre Escalante y sus acompañantes. La comarca hubo de ser abandonada por sus habitantes en 1276, a raíz de los veintitrés años consecutivos de sequía, que, imposibilitándoles la existencia, les obligaron a emigrar y establecerse en la cuenca del Río Grande, en la que Coronado –los indios pueblos– los encontró en 1540 (36).

SECTOR MERIDIONAL

Archuleta, o la primera penetración europea

Y nos aproximamos al sector sur del Estado de Colorado, cuya frontera con Nuevo México sirvió de escenario a diversas penetraciones españolas. En realidad, se trata de una región homogénea, en la que no existen diferencias entre el norte de Nuevo México y el sur de Colorado. Las Montañas Rocosas, en su parte central, y las estribaciones de menor altitud, en su costado oriental, albergando espaciosos valles, forman un conjunto de gran belleza, pero que ocasiona, a veces, dificultades de las comunicaciones, lo que forzó a los españoles a una constante búsqueda de los más convenientes pasos. No se tiene noticia cierta de que Coronado, Rodríguez y Espejo, Sosa u Oñate pusieran los pies en las tierras a que nos referimos (37), aunque hay historiadores que sostienen que Juan de Zaldivar, uno de los sobrinos de Oñate, las holló, alcanzado las inmediaciones de Denver, y bautizó al río como "Chato", aludiendo a la poca profundidad del cauce, con parecido significado al de su denominación sajona de "Platte" (38).

Sí, en cambio, se sabe seguro que a partir de la empresa colonizadora de Oñate los Españoles fueron extendiendo su esfera de influencia y asegurando paulatinamente su dominio en el sector. En la consecución de esta política, el gobernador de Nuevo México despachó en 1644 a Juan de Archuleta y un grupo de soldados, portadores también de la más concreta consigna de hacer regresar a varios indios de Taos que se habían refugiado en un lugar que luego sería llamado *El Cuartelejo*. Esta expedición constituye definitivamente la primera penetración conocida en el territorio de Colorado por los Europeos. Uno de los condados meridionales del Estado lleva el nombre de Archuleta como homenaje a dicho conquistador (también una localidad en el norte de Nuevo México). Se cree que por el Río Grande arriba se adentró hasta el valle de San Luis (39).

Diego de Vargas pisa Colorado

El diario del gobernador D. Diego de Vargas, durante mucho tiempo desconocido, ha sido descubierto recientemente por J. M. Espinosa (40) y nos informa de que el pacificador de Nuevo México pisó los terrenos de Colorado en el año 1694 y que durante varios días en ellos permaneció con su gente. Además, dichas noticias tienen la relevancia de hacernos constar, al referirse a accidentes geográficos portadores de nombres españoles, que con anterioridad a la de Vargas se habían realizado, indudablemente, diversas incursiones, que, aparte otras tareas, habían llevado a cabo la de bautizar al hispánico modo la neófita geografía

La expedición partió de Taos en la noche del 6 de julio con el objeto de distraer las fuerzas indias, alarmantemente belicosa e incrementadas en número en los alrededores, con posterioridad a la reconquista de Nuevo México en 1692, motivada por el cruento levantamiento de 1680. El gobernador comprendió que de atacar los indios no iban a tener fuerzas bastantes para rechazarlos, por lo que consideró procedente salir a campo abierto y conseguir entablar batalla con ellos en un terreno en el que los españoles pudieran aprovecharse de su capacidad maniobrera y de las ventajas que les proporcionaban los caballos y las armas de fuego, y, en todo caso, no regresar a Santa Fe por el camino corto. Prefiriendo dar un rodeo, se dirigieron hacia el Norte, en la cuenca del río Chama, actuando como regidor del grupo el capitán Lázaro de Misquia e intérprete Mathias Luxan.

Llegados a Arroyo Hondo, el capitán Juan de Olgin avisó de la presencia de una numerosa tropa india, con la cual a poco trabaron combate, con resultado favorable para los españoles, quienes obligaron a huir al enemigo, que dejó en el campo cinco muertos y varios heridos, a más de dos prisioneros, que informaron del conocimientos de los indios de los movimientos de los españoles y de haberles pisado los talones desde su partida, el día anterior. Pasado el Colorado Creek y seguido el Costilla Creek, entraron en el actual Colorado, ganando el río Culebra, para girar después hacia el Oeste; surgióles a poco el problema de vadear el Río Grande (al que Vargas denomina Río del Norte), lo que pudo realizarse el 10, dedicando el resto de dicho día y el siguiente a la caza del alce y del búfalo, de la provisión de cuya carne estaban muy necesitados los españoles. En el curso del 12 sobrevino un inesperado ataque de los indios utes, que, rechazados, a poco retornaron en son de paz: ocurrió que habían tomado a los españoles por indios pueblos –sus enemigos– disfrazados, y al darse cuenta de su error, quisieron reanudar las amistosas relaciones que con los españoles habían tenido antes de la rebelión de los otros en 1680. Descendiendo de nuevo, y costeando las cercanías de Antonito, salieron de Colorado, para remontar el denominado San Antonio, llegar al río de Ojo Caliente y a la confluencia del Chama con el Río Grande, el que volvieron a atravesar a la vista de San Juan, Pueblo, para entrar sin novedad en Santa Fe el día 16. Con Vargas viajó fray Juan de Alpuente, por lo que es el primer sacerdote que pisó Colorado y posiblemente el primero que ofreció en sus contornos el Santo Sacrificio de la Misa (41).

Juan Uribarri toma posesión del país

Años después, los indios picuríes huyeron, como los anteriores de Taos, a "El Cuartelejo", discutiéndose por los historiadores si ello ocurrió en 1696 o en 1704, o en ambas fechas. El caso es que Juan Uribarri fue enviado en 1706 a recuperarlos, en unión de 40 españoles y una centena de indios aliados. Partiendo de Taos pasó por Fernando Creek hacia las montañas, en dirección de Levante hasta Urac Creek, en cuyo momento, aconsejado por indios amigos, torció hacia el Norte, alcanzando la divisoria que separa el río Red de los tributarios del río Purgatoire; el nombre original de éste, en realidad, era "El Río de las Animas Perdidas en el Purgatorio", así bautizado por los españoles que murieron en cierta ocasión en sus cercanías, con posterioridad al padre que les acompañaba, por lo que no pudieron recibir la absolución (42) (de aquí el nombre de la ciudad y del condado de Las Animas). Atravesaron Uribarri y los suyos el Cuchara Pass, bordearon los Spanish Peaks y se aproximaron a las Greenhorn Mountains, mojándose en el río Arkansas justamente en los alrededores del Pueblo. Desde allí se dirigieron durante cinco días hacia "El Cuartelejo" (43).

La exacta localización de este punto ha sido objeto de discusión: mientras hay quien lo sitúa en el hoy Estado de Kansas, los historiadores Bolton y Thomas no dudan en emplazarlo en el Colorado y en las cercanías de la carretera 50. En este trozo de recorrido los españoles se enteraron de la presencia de los franceses a no muy larga distancia. Una vez arribado el grupo a "El Cuartelejo", Uribarri tomó posesión del país, con las ceremonias de costumbre, en nombre del rey de España D. Felipe V. Según el informe del propio Uribarri, el abanderado real D. Francisco de Valdés sacó su espada y Uribarri exclamó: "Caballeros, compañeros y amigos: Pacifiquemos por nuestras armas la gran y nueva provincia de San Luis y el gran establecimiento de Santo Domingo de El Cuartelejo como vasallos que somos de nuestro monarca, rey y señor natural, don Felipe V, que viva siempre." El abanderado preguntó: "¿Hay alguien que lo contradiga?" Todos respondieron: "No". El jefe entonces gritó: "Viva el rey, viva el rey, viva el rey", a lo que el abanderado cortó el aire en las cuatro direcciones; se dispararon las armas y los sombreros volaron (44).

Valverde y Pedro de Villazur

No volvieron los españoles a penetrar en Colorado hasta 1719, en que el gobernador Valverde de Nuevo México quiso castigar a los indios utes y comanches: el 15 de septiembre salieron de Santa Fe 105 españoles y 500 indios aliados, siguiendo una ruta similar a la de Uribarri, y acamparon en las márgenes del Purgatoire, cerca del solar de la futura ciudad de Trinidad. Prosiguiendo hasta el río Arkansas en las inmediaciones de Pueblo, hubieron de luchar con varias partidas de osos que se les interpusieron en el camino, y remontaron el curso de aquel río hasta una distancia que coincide con la ciudad de Las Animas. Aquí tuvieron noticias bastante exactas de la proximidad francesa, y después de unos días regresaron a Santa Fe, al parecer sin contratiempo alguno (45).

A raíz de los informes de Valverde sobre la vecindad gala y los facilitados al virrey de Nueva España por otros conductos, un Consejo de Guerra se reunió en México en enero de 1720 y dispuso que Valverde despachara una expedición para fijar la posición de los franceses en el Noroeste. Así, el día 16 de junio de dicho año, D. Pedro de Villazur partió de Santa Fe con 40 soldados, un grupo de colonos y comerciantes, 70 indios y un sacerdote. Adoptando ruta análoga a Uribarri, torcieron después de "El Cuartelejo" hacia el Norte, recorriendo casi todo el moderno Estado de Colorado y llegando al río South Platte, cuyo curso continuaron hasta el Estado de Nebraska. Como bien sabemos, fueron sorprendidos en su buena fe por los indios missouri, pereciendo en el ataque nocturno casi todos, con excepción del sacerdote, que pudo escapar y contar lo sucedido, y, al parecer, 10 ó 12 de los expedicionarios (46).

Juan Bautista de Anza: San Carlos de los Jupes

La siguiente visita española a Colorado transcurrió en 1750, cuando Bustamante y Tagle dirigieron una expedición punitiva contra los indios hasta el río Arkansas. Mucha más trascendencia tuvo la gran empresa llevada a cabo por D. Juan Bautista de Anza a poco de posesionarse de la gobernación de Nuevo México. El propósito perseguido era castigar a los indios comanches, que, bajo la dirección de su jefe Cuerno Verde (Green Horn), habían asesinado a unos colonos españoles. En agosto de 1779, un ejército compuesto por 645 hombres abandonó Santa Fe al mando de Anza. Bordeando en su mayor parte el cauce del Río Grande y cruzando riachuelos por nombre Las Nutrias, San Antonio, Conejos, Las Jaras, Los Tumbres (Río Alamo) y San Lorenzo (Piedra Pintada Creek), atravesaron aquel río cerca de la localidad actual de Del Norte. Continuaron bordeando el macizo de las Rocosas hasta aproximarse al terreno en que hoy está emplazada la ciudad de Salida. Después de orillar el río Arkansas, descendieron y cruzaron el río St. Charles y se toparon, el 3 de septiembre, con las fuerzas de Cuerno Verde, a las que derrotaron fulminantemente en las cercanías de Rye, muriendo en la batalla el jefe indio (47). Las montañas inmediatas al lugar de acción, así como un próximo río, quedaron bautizadas con su nombre, "Greenhorn", y en los aledaños de la carretera 85, en el condado de Pueblo, existe hoy un monumento elevado en 1932 por la Historical Society of Colorado, relatando el fin del "cruel azote" indio y la victoria de Anza, a cuya expedición se reconoce haber sido la primera en atravesar ciertas partes de Colorado.

Es curioso recordar que a poco de vencer a los comanches, Anza intentó realizar una política de paz con ellos. Originariamente asentados en el sur de Wyoming y en el norte de Colorado, a comienzos del siglo XVIII, presionaron con sus movimientos a los apaches hacia el Sur, forzaron el abandono de las Misiones de la región de San Gabriel y San Saba, en Texas, y sembraron el terror en este área y en el norte de Nuevo México. De aquí que la política española entre 1750 y 1786 fuera de suprimir las posibilidades de ataques de los comanches y de los apaches. Con el establecimiento de las provincias internas en 1776, el primer comandante general D. Teodoro de Croix fijó como punto cardinal de su política la implantación de la paz con los comanches. El gobernador Cachupín, de Nuevo México, ya había logrado en 1762 una tregua, y el comandante de Natchitoches, Athanase de Mezières, que había conseguido la amistad con varias naciones de indios, había dirigido sus esfuerzos en los años 1769-1776 a obtenerla con los comanches. Pero la sublevación de las Trece Provincias y la ruptura de la concordia por los comanches, aparte de otros factores, ocasionaron la renovación de las hostilidades, la defensa de Nuevo México por parte del gobernador Mendinueta y la organización de la expedición ya relatada de Anza. Gracias a la habilidad de éste, las relaciones comerciales hispanocomanches fueron aumentando, y los principales jefes comanches visitaron a Anza en Santa Fe en 1786 y firmaron en gran ceremonia un tratado de paz y alianza (48).

Los españoles concedieron el título de "general en jefe comandante" al jefe Ecueracapa o Cota de Malla, que representaba a los cuatro grupos de comanches. La rivalidad que por ello se suscitó entre éstos y los indios utes –antiguos aliados– fue hábilmente salvada por Anza. El 14 de julio de 1787 pudo informar Anza al comandante general Ugarte que el teniente general Paruanarimuco le había visitado y propuesto que los españoles ayudaran a su gente a hacerse sedentaria y cultivadora de trigo, y constituirse en localidades a orillas del río Napestle (Arkansas). Como le visitara de nuevo el día 25, Anza no pudo por menos –no obstante carecer de autoridad– de aprobar un programa de ayuda, por el que le proporcionó el 10 de agosto siguiente 30 cultivadores con herramientas y aperos de trabajo, bajo la dirección de un maestro por nombre Manuel Segura. Los dos jefes convinieron en denominar a la primera fundación San Carlos de los Jupes (los Jupes formaban uno de los grupos de los comanches). Para el siguiente octubre, 19 casas se habían terminado y muchas más habían sido empezadas. La exacta ubicación de San Carlos no ha sido posible, y tan sólo su localización a orillas del Arkansas. Para el nuevo pueblo, los españoles llevaron a su costa ovejas, bueyes, maíz y semillas (49).

Pronto los utes hicieron objeto a Anza de peticiones de ayudas análogas, a las que se les contestó favorablemente con la aprobación de Ugarte, que igualmente había dado su aquiescencia al proyecto de San Carlos. Pero he aquí que en este crucial momento surgió el traslado de Anza a otro puesto y su sustitución por Concha; los comanches vieron en ello un signo de la retirada de ayuda española, por lo que devolvieron a Nuevo México los operarios, el maestro y los aperos. Menos mal que Concha –quien había recibido unas instrucciones de Ugarte llenas de sabiduría sobre la psicología india y que proporcionaban extraordinaria luz sobre la generosa política española con respecto a los aborígenes– pudo ganarse de nuevo la confianza de los jupes y reanudar el trabajo interrumpido, terminándose las casas empezadas. En San Carlos permanecieron los comanches hasta enero de 1788, en que repentinamente la abandonaron, por causa del fallecimiento de una de las mujeres que Paruanarimuco estimaba, y siguiendo la costumbre comanche de abandonar el lugar en circunstancias tan tristes y trasladarse a larga distancia. No hubo manera de convencerles de lo erróneo de su determinación, ni posibilidad de establecer en el lugar a colonos españoles (50). Así acabó este intento de colaboración hispano-india de fijar en un pueblo, construido con pretensiones de permanente, a unas tribus nómadas, y que muy bien de la política hacia los indios de los españoles, que no dudaron en realizar unos considerables gastos en favor de unos recientes enemigos, a fin de lograr la paz con ellos y no su exterminación.

SAN LUIS Y SU VALLE

Su hispánica fundación

Las expediciones de Archuleta y Vargas entraron en Colorado por el valle de San Luis, en el que se halla la ciudad del mismo nombre, situada en la carretera 159 que une Denver con Santa Fe. Se trata del primer establecimiento permanente en el Estado de Colorado, y tiene su partida de nacimiento en 1851. Naturalmente que con anterioridad a dicho año, y en época española, hubo colonos asentados en dichas tierras, formando parte de ranchos o puestos militares, o asentados en grupos diseminados. Como afirma el historiador Lummis, los españoles se adelantaron a los sajones en medio siglo en poblar Colorado, así como se adelantaron varios siglos en descubrirlo (51). En dicho período habían sido concedidos algunos terrenos por el rey, pero los "grants" o donaciones más considerables tuvieron lugar durante la etapa de dominación mexicana, a saber: Nolan, Sangre de Cristo, Vigil y St. Vrain, etc. El de Sangre de Cristo correspondió en 1843 a Luis Lee, Narciso Beaubien y otros, e incluía lo que formaría el condado de Costilla y parte del de Taos en Nuevo México (52).

Ya el año antes habían intentado arraigarse en el mismo territorio Antonio José Martínez, Juan Manuel Salazar, Julián Gallegos, Venancio Jazquez y otros, pero sin éxito, a causa de los ataques indios. A la muerte de Narciso Beaubien, en la matanza de Taos, le sucedió en sus derechos su padre Carlos Beaubien, casado con una española, y a él se debe el logro de la fundación de la ciudad de San Luis de la Culebra, así llamada por haber llegado sus primeros pobladores –Faustino Medina, Mariano Pacheco, Ramón Rivera, Juan Manuel Salazar, Venancio Jazquez, Darío Gallegos, Antonio José Vallejos, Diego Gallegos, Juan Angel Vigil, Juan Ignacio Jacquez, José Gregorio Martínez y José Hilario Valdez– el día de San Luis, 21 de junio de 1851. Todos ellos procedían de Taos, incluso los sacerdotes que atendían a su salud espiritual (53).

Se construyó la primera iglesia en 1854, y no tuvo cura residente hasta 1881.

Desde 1923, la parroquia está a cargo de los padres teatinos; lo es su actual cura, el padre Martorell, mallorquín, quien, con su paisano el padre Bonet lleva muchos años en la región. Tuve oportunidad de charlar con él un rato en la casa rectoral acerca de las cosas hispánicas locales, así como con el simpático y gordo "sheriff", que muy amablemente me proporcionó una serie de curiosos datos. Todo ello sucedió en el curso de mi rápida visita al sur de Colorado, en el coche del amable amigo Mr. Charles Vigil, en la que pude apreciar el completo ambiente hispánico de San Luis, con casas bajas y calles amplias, y en la que en un bar que se cierra a las tantas de la madrugada encontré a medianoche charlando en nuestro idioma, sin prisas, a un grupo de parroquianos, que alternaban la cháchara y los piropos a unas chicas con el lanzamiento de unas bolas en la bolera del establecimiento. Dormimos en el "Hotel Don Carlos"; de no haber logrado alojamiento, hubiéramos podido pernoctar en el "Hotel Valencia".

La fundación de San Luis precedió a la de San Pablo (entonces San Pedro), que se llevó a cabo en 1852, y a la de San Acacio y Chama, en 1853, a corta distancia, en los bordes del río Culebra. Todos estos asentamientos eran hispánicos totalmente con carácter y nacionalidad de los pobladores que practicaban la religión católica. La autoridad nombrada por el propietario de la concesión residía en un Juez de Paz, quien con el cura regía los destinos de los nuevos entes; la protección contra los utes fue necesario, sin embargo, encomendarla a una guarnición federal que sentó sus reales en el Fort Massachusetts (54).

Fuerte español

Existió en la región un fuerte español. Como consecuencia de los ataques indios a los colonos españoles y ante el creciente aumento de norteamericanos que, como Zebulon Pike, irrumpían en los territorios españoles, el virrey de Nueva España, Venadito, consideró procedente la construcción de un fuerte en un lugar estratégico, que estuvo situado a unos 37 kilómetros al este de la localidad de Walsenburg, cerca de Sangre de Cristo Pass. Se tiene noticias de que el gobernador de Nuevo México, D. Facundo Melgares, cumplimentó las órdenes recibidas y que levantó el fuerte en el costado oriental del mencionado paso entre mayo de 1819 y octubre del mismo año. Ya el 18 de este mismo mes de octubre, unos 100 hombres vestidos de indios atacaron el fuerte, siendo rechazados por la escasa fuerza al mando de D. José Antonio Valenzuela; se cree que se trataba de americanos disfrazados a las órdenes de Benjamín O'Fallen. Por otra parte, la expedición que exploró en 1820 la región de las Montañas Rocosas bajo la dirección del Major Stephen H. Long, obtuvo noticias de los indios pawnees de una batalla llevada a cabo el año anterior por ellos contra los españoles, de la que regresaron con una serie de mercancías, dinero y caballos. Cuándo fue abandonado el fuerte nada sabemos; no me dio tiempo de visitar su emplazamiento, del que se podían apreciar los restos en 1934, cuando el profesor, Dr. Hafen, conoció el lugar y comprobó el tamaño del fuerte de unos 40 metros por 40 metros; por sus cercanías pasaba el "Old Taos Trail" o "Antigua Ruta de Taos", y a los pies de la loma en que se recostaba, corre el Oak Creek (55).

TRINIDAD Y CERCANÍAS

Si entramos en Colorado procedentes de Nuevo México, siguiendo el "Santa Fe Trail" (carretera 85), después de haber pasado por Ratón y Raton Pass, llegaremos a la ciudad coloradense de *Trinidad*, la más importante en el Sur, y que nació por los años sesenta del pasado siglo. Bien emplazada, tuvo por fundadores en 1859 a D. Juan Ignacio Airiz y otras gentes hispánicas procedentes del valle de San Luis y de Taos, que allí establecieron sus ranchos (56). Muchos nombres podrían recordarse al contemplar los documentos, fotografías y demás mementos recogidos en el "Pioneer Museum" de la "Old Baca House", mansión hasta 1920 de D. Felipe Baca, uno de los pioneros de la región con Vigil, Casimiro Barela (senador del Estado por treinta años), etc. En 1877 Trinidad se organizó como ciudad (57).

La *Ruta de Santa Fe* ("Santa Fe Trail") ensartaba Trinidad y torcía hacia el Noroeste, coincidiendo con las carreteras 350 y 50, que pasan por las localidades de La Junta, Las Animas (entre estas dos se halla el Fort Bent), Lamar, Granada y otras, hasta desaparecer en el estado de Kansas, camino de St. Louis, Missouri. A partir de 1821 frecuentarían aquella ruta Kit Carson, Ceran St. Vrain, los hermanos Bent, etc. En honor del primero existe una estatua ecuestre en Trinidad (58). No lejos de ésta, en el valle del río Purgatorio y en las estribaciones de la sierra de Sangre de Cristo, se agrupan unas cuantas familias y casas bajo el nombre de Madrid, poblado que surgió a causa de la explotación de los cercanos yacimientos de carbón, hoy abandonado, y su capilla de San Saturnino, sin culto (59).

Si continuando nuestro viaje hacia el Norte mantenemos la carretera 85, pasaremos por *Aguilar* (fundada en el 1867 por D. José Ramón Aguilar, prominente pionero del sur de Colorado) (60) antes de arribar a *Walsenburg*. Esta última se tituló primitivamente Plaza de Los Leones, por su iniciador D. Miguel Antonio León (61). Walsenburg es la cabeza del condado de Huérfano, denominación que llevan también un río una loma. El río fue bautizado por Uribarri como San Juan, y por Valverde como San Antonio. Cuándo uno y otro recibieron aquel apelativo no se sabe con certeza, pero sí que en 1808 y en 1809 ya eran así conocidos incluso por los extranjeros, según se desprende de documentos de la época y de la anónima descripción de las tierras de Nuevo México realizada por un francés, en 1818. El río Huérfano se atraviesa en la ruta hacia Pueblo, y la solitaria loma –originadora del nombre– emerge a la vista del viajero cuando transita por aquélla (62).

En las cercanías –si bien al otro lado de la carretera– está la localidad de *San Isabel,* que juntamente con *San Isabel Forest* deriva su nombre de la española y católica gobernante. Al oeste de Walsenburg nos saludan los *Spanish Peaks, Isabella and Ferdinand,* también en honor de la reina castellana y de su marido aragonés (63). Al norte de ellos, el pueblecito de *La Veta* guarda el Museo "Francisco Plaza", y en "La Veta Pass", unas millas al Oeste –por la carretera 160–, se ha levantado un monumento de granito rosa de Colorado, de dos metros de alto, a "Félix Mestas", con la siguiente inscripción que traduzco del inglés: "Monumento en honor de Félix B. Mestas, jr., nacido el 23 de agosto de 1921, en La Veta, Colorado. Murió el 29 de septiembre de 1944, Mt. Battaqua, Italia. Le tributamos homenaje (sigue una lista de 62 nombres de hispánicos hijos del condado de Huérfano que murieron en la segunda guerra mundial") (64).

La ruta 160 nos llevará en dirección a *Fort Garland,* hoy museo al cuidado de la State Historical Society de Colorado, y que guarda una serie de recuerdos españoles y de los primeros tiempos de la región, así como unos dioramas y cuadros que reproducen el advenimiento de diversas expediciones españolas a Colorado. Fue construido en 1858 para albergar la guarnición de fort Massachusetts, cuya clausura se consideró procedente, dada la mejor ubicación del nuevo fuerte y su capacidad para proteger a los aislados colonos de la región (65). Más al Oeste, está Alamosa, otro de los considerables núcleos urbanos de la comarca.

PUEBLO

El más populoso de todos los ayuntamientos del sur de Colorado es, sin embargo, Pueblo, en la carretera 85, y que supone, con el río Arkansas que la baña y que se dirige hacia el Estado de Kansas en dirección Oeste-Este, la línea divisoria de la región hispánica de Colorado. De sus 120.000 habitantes, el 30 por 100 son hispanoparlantes y buena parte, a juzgar por mi anfitrión, el abogado D. Liberato Martínez, dominan a la perfección nuestro idioma. La misma pude comprobar en la forma de expresarse de una de las emisoras locales que transmite en español exclusivamente: viajar por el centro de los Estados Unidos y escuchar en la radio del automóvil ininterrumpidamente nuestra lengua y nuestra música es una impresión difícilmente olvidable. En Pueblo residen descendientes de los primeros habitantes y mexicanos de reciente arribo; los "anglos" llaman a todos mexicano o "chicanos", en tanto que los procedentes de México denominan a los hispanoamericanos –como ellos a sí mismos con orgullo se califican– "manitos".

En Pueblo sigue existiendo la organización religiosa conocida por los *Penitentes,* quienes –según vimos (66)–, con un origen similar al de los cofrades sevillanos, conmemoran con especial énfasis la Pasión del Señor. Conservan hoy día su popularidad y se extienden por toda la región. Dicha asociación agrupa a sus miembros en capillas pequeñas, "moradas", en cuyas reuniones no se permite presencia de extraños. La religión católica se mantiene muy firme entre los hispanos, y éste es uno de los legados que España les ha dejado.

En 1842 se fundó en Fort Pueblo, que paso por una terrible tragedia el día de Navidad de 1854: sus habitantes, con el buen humor –y quizá algunos grados de alcohol– propio de la festividad, no tuvieron inconveniente en dejar pasar e invitar al jefe "Tierra Blanca" y una partida de sus indios utes, los cuales, a la postre de una acalorada disputa con ocasión del juego, asesinaron a todos los blancos, con excepción de uno que pudo huir. Como reacción a semejante acto, Kit Carson dirigió una expedición punitiva que sólo terminó cuando los utes se avinieron a las condiciones de paz impuestas. Dicho fuerte es hoy museo, inaugurado en 1959, que contiene una reconstrucción de tamaño natural del primitivo (67). Existe también en Pueblo un monumento a Colón.

En Pueblo fue apresado por los españoles el pionero norteamericano *Zebulon Pike,* quien, habiendo comenzado su viaje exploratorio del sector Sudoeste de los territorios comprendidos en la compra de la Luisiana el 15 de julio de 1806, alcanzó en febrero siguiente Sangre de Cristo y construyó una empalizada en la confluencia del río Conejos con el Río Grande; no comprendiéndose indudablemente la región en la cuenca del Mississippi y de sus tributarios, Pike se había posesionado de terreno extraño, por lo que fue llevado prisionero a Santa Fe y luego a Chihuahua hasta julio de 1807, en que quedó en libertad. A su regreso a los Estados Unidos, escribió un relato de su viaje y peripecias, que obtuvo un tremendo éxito de público y abrió los ojos de muchos sobre las posesiones españolas como posible asentamiento futuro (68).

A unas millas al Este del Pueblo, en la margen derecha del río Huérfano y en su confluencia con el Arkansas, existe una iglesia, resto de *Huérfano Abajo,* comunidad fundada en 1853 por Charles Autobees; todos los 15 de mayo los miembros de la St. Isidore's Society (también pude comprobar en el Museo de Denver que San Isidro es traducido por St. Isidore) acuden a venerar al canto madrileño, celebrándose procesión y acabando la fiesta con opípara comilona (69).

En Pueblo hay vías públicas denominadas así: Balboa, Coronado, De Soto, Cortez, Anita, Carmen, Loyola, Chapa, Corona, Mesa, Abriendo, Veta, Vista, Aurora, San Diego, San Mateo, Santa Ana, Santa Bárbara, Santa Clara, Santa Rosa, Grenadillo, etc.

COLORADO SPRINGS. LA ACADEMIA DE LAS FUERZAS AÉREAS

En nuestro recorrido por el Estado de Colorado, tan sólo nos resta por visitar Colorado Springs. En las próximas montañas, entre las que destaca el Pico Pike, de 4.200 metros, lugar preferido para esquiar, tiene su Cuartel General el *North American Air Defense Command* (NORAD), mando combinado canadoestadounidense para la defensa del continente Norte de América. Al septentrión de la ciudad se halla la *Air Force Academy,* inaugurada en el 1959 y ocupando la enorme extensión de 17.500 acres, que es recorrida por una carretera interior de 15 kilómetros de longitud (70). Todos sus edificios, de muy moderna factura, se esparcen por el "campus", destacándose entre ellos la capilla en forma de "V" invertida y el enorme estadio "Falcon".

En Colorado Springs nos encontramos con calles que portan los siguientes nombres: Balboa, Espanola, Columbia, Juan, San Juan, San Miguel, San Rafael, Santa Fe, Buena Ventura, Caramillo, Cucharras, El Parque, El Paso, Fontanero, Las Animas, etc.

El más notable museo de la ciudad es el *Taylor Museum,* que pertenece al Colorado Springs Art Center y que encierra la mejor colección de arte hispanocolonial del sudoeste de los Estados Unidos. Aparte de los "santos" y "bultos" que tiene expuestos en las salas abiertas al público, su colección excepcional sobre el tema alcanza la cifra aproximada de 1.000 piezas. Abundan las representaciones de San Francisco, San José –muy popular–, San Isidro, San Miguel, el Niño de Atocha, la Virgen en sus varias advocaciones, curiosas interpretaciones de la Santísima Trinidad. Los "santos" suelen ser en madera, si bien no faltan los más primitivos en cuero; muchos "bultos" son de tamaño natural, y en gran número están vestidos a la usanza española (el museo tiene un verdadero ropero para los "bultos"). Impresionantes "carros de la muerte" se muestran, así como una pesadísima y grande cruz, perteneciente a una congregación de penitentes (la mayoría de las obras de arte expuestas proceden de "moradas" pertenecientes a éstos). Es curioso observar que los muchos Cristos Crucificados que también existen aparecen con perilla y con muy varios atuendos, y que algunos tienen un angelito en la brecha de su costado. Este arte realista y popular de los santeros ha continuado hasta el siglo XX, como en el caso de José Dolores López, natural del pueblo de Córdova, que murió en 1938; el estilo más reciente tiende a no utilizar colores, y sólo a tratar la madera sacando el máximo partido a la materia prima (71).

NOMBRES ESPAÑOLES

Los condados que guardan nomenclatura española en Colorado son los siguientes: Alamosa, Baca, Conejos, Costilla, Dolores, El Paso, La Plata, Las Animas, Mesa, Mineral, Otero, Pueblo, Río Blanco, Río Grande, San Juan y San Miguel. Y las ciudades: Aguilar, Alamosa, Antonito, Arriba, Aurora, Blanca, Campo, Cortez, Del Norte, Dolores, Durango, Eldorado Springs, Granada, La Jara, La Junta, Lamar, Las Animas, La Veta, Monte Vista, Pueblo, San Luis, Trinidad, Valdez y Vilas.

CAPITULO II

NEVADA Y UTAH

NEVADA, el menos poblado

Es el menos poblado de los Estados federales, con excepción de Alaska, y su inmenso desierto debe considerarse como una especie de colchón intermedio entre California –cuyo sector oriental es igualmente desértico– y Utah (1). Su enorme extensión pelada es, como otras también existentes en el país, áspera, aunque rosada y llena de diferencias de nivel, con montañas que sobrapasan los 2.500 metros de altitud. Es de dominio público que la Comisión de Energía Atómica ha acotado un extenso sector de la superficie de Nevada para la experimentación de artefactos (2). Nevada formó parte de los dominios españoles y quedó incluida en la herencia que México tomó. Después del Tratado Guadalupe-Hidalgo de 2 de febrero de 1848, los Estados Unidos incluyeron en 1850 sus contornos en el territorio de Nuevo México. Ya en 1861 obtuvo la consideración de territorio separado, siendo admitida como Estado el 31 de octubre de 1864 (3).

La capital de Nevada –cuyo árbol oficial es el "piñón pine" –es la pequeña localidad de Carson City, pero las dos ciudades más importantes –prácticamente, las únicas– son Reno y Las Vegas. Cada una de ellas puede considerarse como una sucursal de San Francisco y de Los Angeles, respectivamente (4). En virtud del progreso creciente de la segunda y del estancamiento de la primera, Las Vegas se ha desarrollado extraordinariamente en los últimos años, en tanto que no ha ocurrido lo mismo a Reno. Las dos son ciudades rivales, porque las dos establecen su economía –que es la del Estado– sobre las mismas bases: los problemas matrimoniales, el juego y las diversiones (5). Pasaron los tiempos del auge de la explotación de las minas, como la de Comstock Lode, cuyos yacimientos de oro y de plata fueron descubiertos en 1859 y dieron progreso a Virginia City, hoy en plena decadencia (6).

Es muy fácil obtener un divorcio en Reno o en Las Vegas; es curioso, por otra parte, observar en las calles de esta última ciudad la proliferación de pequeñas y coquetonas capillas, a cuya puerta se anuncia "Capillas para bodas", como consecuencia de la facilidad que paralelamente existe para casarse. Si para el divorcio se requiere una residencia mínima de seis semanas en el Estado y la existencia de un motivo que puede comprender la crueldad mental en sus infinitas gamas, para casarse basta con firmar un papel y hacer un juramento. La industria de los divorcios no está en su mejor momento, como el que consiguió en 1947 al acabar la segunda guerra mundial. No se dan muchos casos de poligamia, porque los contrayentes han de jurar que no se hallan ligados por otro compromiso matrimonial, y ya sabemos cómo se persigue en los Estados Unidos al perjuro. Sí se dan ejemplos de parejas que acuden a Nevada para casarse con prisa y para evitar los trámites o permisos que en otros Estados se exigen (7).

LAS VEGAS

El juego

La otra gran fuente de ingreso es el juego. Hay que pisar las tierras de Nevada para darse cuenta de lo que el vicio supone. Tengo entendido que el espectáculo –aunque en escala diferente– se da en todos los rincones del Estado, si bien solamente doy fe del de Las Vegas. Ya en los vestíbulos del aeropuerto se interponen en el camino del viajero numerosas máquinas tragaperras raramente ociosas. Después, en todos los lugares a que pueda acudirse –ignoro en las casas particulares– no faltan los aludidos artefactos que vienen a constituir en la ciudad un elemento de tipismo local tan indispensable como el cartel de toros en España, o las góndolas en Venecia. En dos sectores principales se agrupan los establecimientos que se dedican primordialmente al juego: en "downtown", o centro de la ciudad, y a lo largo del "Strip", como se conoce al "Las Vegas Boulevard", avenida de nueve kilómetros de longitud, limitada a ambos costados por una letanía interminable de casinos, "cabarets", moteles, hoteles, gasolineras, etc.

Este "Strip" es el sector de los Estados Unidos que ha colmado plenamente la idea que, antes de conocer el país, tenía yo figurada –y creo que como yo muchos de los mortales foráneos a ella –acerca de las modernas ciudades norteamericanas; la arquitectura del sector moderno de Las Vegas (por lo menos construido en pleno desierto que puede apreciarse a través de las ventanas traseras de sus edificios) satisface bastante a las exigencias de la imaginación, especialmente si la contemplación se realiza durante la noche: la profusión de los más variados letreros y anuncios de neón, con la más completa gama de colores, temas y tamaños, y a lo largo de una distancia cuyo fin la vista no alcanza, constituye realmente un cuadro excepcional (8).

Por otra parte, todos los mejores establecimientos ofrecen un par de veces al día, como mínimo, una función cuya calidad rivaliza con la del vecino, no faltando los desnudos, respecto a los cuales no existen la más mínima limitación.

De esta forma, junto a una atractiva diversión, un restaurante con manjares bien aderezados, numerosos bares que sirven sin descanso todas las bebidas que se requieran a lo largo de las veinticuatro horas del día (las salas de juego no cierran jamás) y una atmósfera oportunamente climatizada, el amante del juego se siente en el ambiente ideal para intentar ganar algo y para perderlo todo; no hay duda de que hay quien pierde, dado el negocio que suponen semejantes tinglados y los elevados costos producidos por los espectáculos de referencia, a los que puede asistirse pagando un módico precio, a los que son costeados con las ganancias que el juego proporciona a sus empresarios. Algo parecido ocurre en los hoteles, el coste de cuyas habitaciones es reducido para los "standards" norteamericanos.

En el centro de la ciudad y en torno a la calle Fremont se domicilian las salas de juego de la primera época con sabor a antiguos "saloons", menos lujosas que las del otro sector, sin los espectáculos estupendos de aquéllas, menos lujosas que las del otro sector, sin los espectáculos estupendos de aquéllas, pero con no menor asistencia de clientes, aunque quizá de menor capacidad económica. Claro que en este tema de capacidad económica las apariencias pueden proporcionar un chasco. En todo caso, se ven atareadas con las máquinas tragaperras, sentadas alrededor del tapiz verde, jugando a la ruleta o al bacarrá o a la siete y media, las más variadas gentes, hombres y mujeres (con casi predominio de éstas), bien vestidos y modestamente trajeados, gordos y flacos, con caras de tahures y con aspecto de virtuosas amas de casa, jóvenes y viejos (algunos de éstos con misteriosas fuerzas para manejar las no ligeras palancas de las máquinas durante largos períodos de tiempo), sanos y enfermos (reparé afanada en el juego a una vieja, cuyo fin –dado su aspecto– temí presenciar), etc., etc. Si los ojos no actuaran y sólo se dejara al oído como orientador, más creería uno hallarse en una fábrica que en un lugar de diversión, dado el uniforme y persistente ruido de las palancas de las máquinas –por lo demás, muy variadas en combinaciones y temas (frutas, números, animales, palos de la baraja, etc.)–, que incesantemente bajan y suben, y de las monedas –de cinco, 10 ó 25 centavos–, que de cuando en cuando caen en montón en la bandeja de los afortunados ganadores.

Otras características ciudadanas

Las Vegas recibe su nombre de Antonio Armijo (9), el neomexicano que, al frente de un grupo de comerciantes, partió de Abiquiu en noviembre de 1829, siguiendo un itinerario parecido al que tres años antes había elegido Jedediah Smith explorando desde Salt Lake City una vía hacia California meridional; la caravana de 60 hombres, transcurridos ochenta y seis días de viaje, arribó a la Misión de San Gabriel. Dicha expedición logró unir Nuevo México con el Pacífico, a través de "El Vado de los Padres", estableciendo la ruta que tan frecuentada se vería con posterioridad, especialmente durante los años 1830 a 1850, y que sería conocida con el nombre de "Spanish Trail" (10).

Hoy quedan como recuerdos españoles en Las Vegas, nombres de hoteles, de restaurantes y de calles. Para pasar una o varias noches puede uno reservar habitaciones en el Casa Blanca Motel, El Cortez Hotel, El Rancho Vegas Hotel, Hacienda Hotel, La Concha Motel, Tropicana Hotel, Vista Hotel, etc.; una buena cena nos será servida en Acapulco, El Sombrero, El Toro, Fiesto o Macayo Vegas (también cenaremos cumplidamente en El Borracho o en Miguel de Reno); en el callejero ciudadano nos tropezamos con Balboa Av., Carrillo Av., Cervantes, Columbia Av., Garcés Av., Isabella Av., Isabel Av., Oquendo Rd., Cordova, Granada Cir., Bolivia Av. y Perú Av., un grupo de calles dedicadas a santos (por cierto, muy próximas al "Strip"), como San Pablo, Santa Inés, Santa Paula, Santa Clara, San Pedro y Santa Rosa, además de San José, Santiago, San Joaquín y San Mateo, en otros sectores y un abundante número de vías urbanas con los variados títulos –sirvan de ejemplo– de Alhambra Dr., Alturas Av., Bonita Dr., Caballero Wy., El Cajón, El Jardín Av., La Alameda, Las Flores, Las Lomas, Presidio Av., Paso De Oro, Sombra Cir. y Vía Vaquero.

Las Vegas y Reno cuentan con frontones de "jai-alai".

EL "HOOVER DAM" Y EL LAGO ARTIFICIAL MAYOR DE LA TIERRA

La vida cultural de Nevada se centra en torno a la University of Nevada, con sede en Reno, en la que sobresalen su Mackay School of Mines (en honor del famoso millonario, cuya familia fue su fundadora) y su Escuela de Periodismo (11). En el ámbito del Estado se embalsa el Lake Mead (quizá el lago artificial mayor de la tierra) con el Hoover Dam (o Boulder) a sus pies, que cuenta con el muro de presa más alto de los construidos por el ingenio humano (200 metros) y que sirve para embalsar las preciosas aguas del río Colorado, que suministran energía eléctrica y agua para los regadíos a los Estados de California, Utah, Nevada y Arizona.

PRESENCIA ESPAÑOLA

Su nombre

Es fácil colegir que su nombre proviene del complejo montañoso que bordea su frontera occidental: la Sierra Nevada. Se atribuye aquél al padre español Pedro Font, que la contempló, todavía cubierta del albo manto invernal, el 3 de abril de 1776, cerca de la unión de los ríos Sacramento y San Joaquín, junto con el grupo expedicionario de que formaba parte; en el mapa que dibujó en 1777 aparece tal denominación (12). Parece ser, sin embargo, que quien consagró el nombre de Sierra Nevada fue el coronel John C. Frémont en su informe oficial al Senado de los Estados Unidos, sobre su viaje al Oeste y su actuación en California. El propuso que el nuevo territorio se denominara "Sierra Nevada"; su sugerencia prosperó, pero tan sólo en su parte segunda (13). No encontró unánime aceptación el nombre, por considerar un grupo de residentes que su elección podía llevar a muchas gentes a ideas equivocadas sobre el país, ya que la sierra sólo lo tocaba tangencialmente y traer inevitablemente aneja la idea de nieve, fenómeno natural bien alejado del paisaje predominante en la región.

Existe la leyenda de que Alarcón, Ulloa, Cárdenas y Garcés, entre otros, denunciaron minerales en El Dorado, y de aquí que así lo bautizaran. Pero la verdad es que Alarcón y Ulloa llegaron tan sólo hasta Yuma, a 450 kilómetros de Nevada, y que no se cree verosímil que Cárdenas pisara aquellas tierras con su gente (14).

Padre Garcés, el primer blanco

Lo que sí es cierto es que el primer blanco que pisó Nevada fue el padre Francisco Garcés, quien partió de Sonora en 1775 con una expedición al mando de Juan Bautista de Anza; paró en la unión de los ríos Colorado y Gila, a fin de buscar lugar para una Misión. Sobre esta expedición escribió el padre Font e hizo el mapa aludido. En enero de 1776 estableció una residencia en el anterior emplazamiento de Fort Yuma. Visitó a sus hermanos en religión en San Gabriel. El 9 de abril partió de aquí, para regresar por el valle de San Fernando al Tulare Valley, cruzar el Mojave River... (15). Los habitantes de Las Vegas han querido honrar el inaugural viaje otorgando el nombre de Garcés a una de las calles céntricas de la ciudad, y la asociación "Dauhgters of the American Revolutión" ha titulado su grupo local "Garcés Chapter" (16). El padre Escalante no alcanzó a Nevada; quedó a 30 kilómetros de distancia cuando torció al Santa Clara Valley, en el más sudoeste extremo de Utah (17).

Pastores vascos

Existen vascos en Nevada desde el año 60 del pasado siglo, en que un grupo se dedicó al pastoreo. Antonio Azcuénaga estaba ya en McDemitt en 1877 (18). A partir de entonces gran número de paisanos acudieron al sector montañoso del Estado, y puede decirse que los españoles se concentraron en él y en Idaho, y más tarde en Oregón (19); en el curso de 1964, unos 538 pastores viajaron desde las Provincias Vascongadas a dichos Estados (20). Algunos vascos han alcanzado puestos de relevancia en Nevada, como Peter Echevarría, senador del Estado (21); Bob Laxalt, teniente gobernador, es también vasco de origen (22). En el sector Sur fundó D. Pedro Altube en 1873 su afamado "Spanish Ranch", y sus ovejas tuvieron un millón de acres de terreno para pacer. De él se comenta la frase: "Esta mañana salí de mi rancho, he cabalgado todo el día y esta noche dormiré en mi rancho" (23). De Pete Elia se cuenta que ignoraba la real existencia de sus propiedades que alcanzaron cifra parecida a la de Altube (24). Otros nombres dignos de recordar en este mundo ovejero son los de Garay, Itcaina, Etchart, Jaureguey y Saval, así como el del "Smoke Creek" de los hermanos Iriart, Duc y Poco, que comprendía 40.000 ovejas (25). Juan Calzagorta, ranchero de la región, se hizo popular por su fortaleza: cascaba con las manos hasta las herraduras más resistentes (26).

Hay quien ha denominado a los pastores vascos "centinelas solitarios del Oeste Americano", haciendo justicia a su soledad y a su permanente vigilia en defensa de los intereses que se le han encomendado (27). Se les puede ver concentrados a fines de mayo o comienzos de junio en Scraper Springs, cuando los empleados en las Compañías "Allied Land" y "Livestock" bajan de las montañas para el esquileo de sus ovejas (28). Se han convertido ya casi en tradición los Festivales Vascos de Elko (29), que suelen contar con la presencia del gobernador y demás autoridades, así como representantes oficiales españoles (en el celebrado en 1964 asistió Alvaro Iranzo, consejero comercial en San Francisco); consisten en un vistoso desfile de trajes regionales, un almuerzo abundante al estilo de la tierra, un espectáculo de canciones y bailes típicos y un festival en el "Sofball Park", a base de alzamiento de pesos (son campeones Benito Goitiandia y Luis Bastarrechea) y corte de troncos ("aitzcolaris"). Con tan fausto motivo el diario "Elko Daily Free Press" publica artículos en vascuence. Al festival celebrado en Reno y Sparks, en mayo de 1958, asistió el embajador de España, conde de Motrico –vasco de nacimiento–, junto con su colega francés y 5.000 personas más. Otros lugares para dar con vascos en Nevada son el "Hotel Comercio", en Elko (30), y el "Winnemuca Hotel", en la población de este nombre (31).

La Universidad de Nevada incluye un "Centro de Estudios Vascos", dotado de nutrida biblioteca compuesta de libros en español y en vascuence. Existe también un "Euzkaldunak Club".

NOMBRES ESPAÑOLES

Una siembra de nombres españoles se da en la geografía del Estado: ciudades de Las Vegas y Reno, condado de Esmeralda (puesto por J. M. Corey en 1860, por gustarle la palabra), localidades de Mina, Caliente, Aguas Calientes y Golconda, "Flag station" de Hoya y Vista, Santa Rosa Range, San Jacinto, Sacramento Pass, Pinto Creek, Rancho Romano, Cortez Mountains, Monte Cristo Range, San Antonio Mountains, Amargosa Desert, Amargosa River, Virgin River (originalmente río de la Virgen), La Madre Mountains, Potosi Mountain, Candelaria, Aurora, El Dorado, Alamo... (32).

UTAH, el Estado mormón

Sobrevolando el sector meridional de Utah, en el trayecto Las Vegas-Denver, una gran variedad de formas y colores se ofrecen abajo a la observación del pasajero curioso. Poco a poco van desfilando el *Zion National Park,* que se distingue por su color verde oscuro; el *Bryce Canyon National Park,* con el rojo como predominante; las blanquecinas tierras del *Glenn Canyon National Park,* amarillas en el valle cuando no rosas las tierras erosionadas, semejando a mesas, que dejan pasar el Green River (muy poco verde); el *Arches National Monument,* que adopta variadas formas y arcos naturales, unos ya derrumbados y otros en pie, como el "Landscape Arch", con una luz de 97 metros, la más amplia en el mundo entre las producidas por la Naturaleza...(33).

Desde un punto de vista turístico, el territorio de Utah es pintoresco. Pero siendo uno de los Estados de menor población relativa, apenas tiene carreteras en dirección Este a Oeste. De Norte a Sur, y en su costado oriental, corre el río Green, que penetra el Dinosaur National Monument (que también se extiende por el Estado de Colorado) y que desemboca en el Colorado; el espectáculo del trayecto de éste por el sector Sudeste es unánimemente elogiado como extraordinario con lugares como "Dead Horse Point", "The Needles" o las "Cliff Dwellings"; el río San Juan también afluye en el Colorado, y sus "Goosenecks" o meandros, de una profundidad de 500 metros, provocan la más sincera admiración (34).

En este sector Sudeste yacen ricas minas de uranio; de aquí que las localidades de Monticello, Blanding y Moab se estén desarrollando muy velozmente. Otras minas en el Estado son las de cobre, en Bingham, las más considerables en cielo abierto de los Estados Unidos (35). El 96 por 100 de las tierras de Utah son puro paisaje, y tan sólo el resto se cultiva.

Junto a la capital, Salt Lake City, se elevan dos importantes ciudades: Ogden y Provo siendo ésta la sede de la Universidad Brigham Young, que, aunque mormona de confesionalidad, acepta estudiantes de todas las creencias. Además, existen la University of Utah, en la capital, y la Utah State University, en Logan.

LOS "SANTOS DEL ÚLTIMO DÍA" Y LA POLIGAMIA

Referirse uno a Utah y pensar en los mormones es la misma cosa. Utah y los mormones están compenetrados en el pasado y en el presente, su constitución como Estado a ellos se debe, y la retrasada fecha en que tuvo lugar su incorporación a la Unión (4 de enero de 1896), por causa de ellos fue; la índole de su economía agrícola está influida por sus principios, su población sigue predominantemente dicha secta, y su capital, Salt Lake City, es la Roma de los mormones, su Zion (36).

No es el momento de recordar extensamente la historia de este grupo de creyentes cuyos orígenes se deben al profeta Joseph Smith (37). La revelación de la nueva religión confesó haberla recibido el año 1823, estando en Nueva York, de la voz del ángel Moroni (el que, en escultura dorada, remata todos los templos de la secta), hijo del arcángel Mormón, quien le guió para descubrir el Libro de la Verdad, oculto en un bosque no lejano a su casa. Resulta que aunque el libro estaba escrito en una lengua desconocida, Smith pudo traducirlo. Este es el Libro de Mormón, la Biblia de la nueva religión, inflamados por la cual los primeros adeptos de Smith se trasladaron al Estado de Illinois, en donde fundaron la ciudad de Nauvoo (38). La estancia en ésta duró hasta que, por causa del asesinato –en la cárcel en donde habían sido recluidos– del profeta y su hermano Hiran, el 27 de junio de 1844, el nuevo jefe, Brigham Young, ordenó abandonar la región y emigrar al Oeste (39). La peregrinación a través de extensos territorios con mujeres y niños constituye una proeza, en verdad, no menor a la de decidirse a asentarse, el 24 de junio de 1847, en las cercanías de Salt Lake , o Lago Salado, cuyas perspectivas se presentaban poco prometedoras para los recién llegados. Solamente la autoridad de Young pudo mantener reunido a su rebaño y proceder al asentamiento de la comunidad, a la fundación de Salt Lake City y a la puesta en marcha de su programa agrario (40).

En un principio los mormones se opusieron a la explotación de las minas, e incluso rechazaron a tiros a los extraños que intentaban entrar en sus dominios con tal designio. Un criterio realista salvó, sin embargo, a Utah del estancamiento, y pudo entrar de lleno en el mundo moderno de las Empresas industriales y financieras, convirtiendo a la Iglesia de los Santos del Ultimo Día (como es su hombre oficial) en una institución riquísima que posee la mayor parte del terreno en que se asienta Salt Lake City, dos Bancos, dos hoteles, un diario, una cadena de azucareras, etc. (41).

El punto combatido del mormonismo es su admisión de la poligamia, la que si bien le ayudó a remontar en poco tiempo la cifra de sus adeptos (el propio Brigham Young tenía 17 mujeres, con las que tuvo 56 hijos), le ocasionó persecuciones y la resistencia de los demás Estados a aceptar a Utah en calidad de par igual, mucho más cuando su sistema de gobierno no encajaba precisamente dentro de los cánones en uso. En 1872 el Congreso federal votó una ley por la que se prohibían los matrimonios plurales (forma de designar la poligamia); en 1882 autorizó la creación de una Comisión para controlar el registro de votos y las elecciones. La Ley de 1887, llamada Edmunds-Tucker, atacó a la Iglesia mormona en sus aspectos materiales, tratando al territorio casi como a una provincia conquistada. Por fin, en 1890, el presidente de la Iglesia mormona publicó el "Woodruff Manifiesto", por el que se adaptaba la secta a la ley matrimonial del país; sólo seis años después fue admitido Utah en la Unión (42).

Los miembros de la secta se denominan a sí mismos "santos", siendo "gentiles" el resto de los humanos (incluidos los judíos). Se hallan repartidos por el mundo en cifra cercana a los dos millones, y tienen por centro, en Salk Lake City, el Tabernáculo (célebre por su órgano y su coro) y el Templo, lugar secreto y misterioso en el que sólo pueden entrar en cierto número de mormones con determinado rango. Una gran parte de los mormones ejercen el sacerdocio, o al menos durante una etapa de su vida, y es esto condición indispensable para ser elegido por el presidente, como uno de los 12 apóstoles, quienes, al igual que los cardenales católicos, entre otras funciones, tienen a su vez la de nombrar presidente a la muerte del titular (43).

PRESENCIA ESPAÑOLA

Utah, cuyo nombre con diversas modificaciones procede de los indios utes, que originariamente habitaban aquel territorio (44), se orienta –basta mirar al mapa– al oeste del "Continental Divide", y, por tanto, nunca anduvo involucrado en los asuntos de la Luisiana. Al contrario, y teniendo por vecinos a sus costados –uno a cada lado– Colorado y Nevada, perteneció siempre teóricamente a España; no se vio tampoco envuelto en la disputa de Oregón a causa de su situación al sur del paralelo 42°, que constituye su frontera Norte (con excepción del pico cuadrado que le ha quitado el Estado de Wyoming). Por ello, cuando la independencia de México, este país pasó a dominar su superficie y lo cedió a los Estados Unidos por el Tratado Guadalupe-Hidalgo.

Los españoles fueron los primeros que tuvieron noticias de él y de los indios que lo poblaban, y en sus escritos aparece ya la palabra "Yutah". Hay algún historiador que sostiene que la expedición de D. García López de Cárdenas, al merodear en 1540 en torno al Cañón del Colorado, pisó las tierras que forman hoy el condado de San Juan en el sudeste del Estado (45).

Los padres Vélez de Escalante y Domínguez,
descubridores de Utah

Pero la primera entrada comprobada de los hombres blancos en Utah corresponde a dos frailes franciscanos españoles, Francisco Silvestre Vélez de Escalante y Atanasio Domínguez, acompañados por Joaquín Laín, Pedro Cisneros y Bernardo Miera, más otros nueve colegas. Partieron de Santa Fe el 29 de julio de 1776 con la misión de inventar una vía de comunicación entre Nuevo México y California (46). Las dificultades con que tropezaron, la aspereza del terreno que hubieron de recorrer y el extremismo del clima que tuvieron que soportar, hacen de esta empresa, que se alargó por caminos no hollados previamente por ser civilizado alguno unos 2.500 kilómetros, en lapso apenas superior a cinco meses, una de las hazañas más notables en los anales de la exploración y una de las menos conocidas.

Atravesaron en la primera parte de su jornada el sur y el oeste del Estado de Colorado, y entraron en el Estado de Utah por las cercanías de la carretera 40, en el sector Nordeste (47). Del valle del White pasaron al del río Green, cerca del "Dinosauro National Monument"; gracias al río Duchesne, perforaron las montañas Wasatch (48), llegando al lago Utah el día 23 de septiembre (49). Al ascender a una pequeña loma en la boca del cañón, divisaron el lago y el extenso valle de "Nuestra Señora de la Merced de los Timpanogotzis", como lo bautizaron los frailes. Hubieron de atraerse a los indios, que habían huido a la vista de los extraños visitantes, así como quemados sus campos; estimaron el valle bueno y confortable, y el lago generoso en pescado (50). Restos de dicha estadía es el nombre de la localidad de "Spanish Fork" a orillas del lago.

No sin haber comprado a los indígenas pescado seco, partieron los expedicionarios el día 26 de septiembre, rumbo a Monterrey (51). El 5 de octubre les cogió en Blackrock Springs, cerca de Milford. Colaborando con las dificultades del terreno, la deserción de los guías complicó la situación. Ante la proximidad de los fríos y las difíciles montañas que les aguardaban, estimaron oportuno considerar la procedencia de continuar la marcha hacia Monterrey o el retorno al punto de partida. Decidieron salir de dudas, echando a suerte, en la confianza que con las previas y fervorosas plegarias, Dios habría de indicar indirectamente el camino a tomar; la contestación fue el regreso, con lo que eligieron una dirección Sudeste (52).

Por el Ash Creek, entraron en el valle del río Virgin, en donde años más tarde el jefe mormón Brigham Young establecería su "Dixie of the Desert". El día 14 de octubre acamparon cerca de la actual Toquerville. Tras ascender a una meseta y bajar luego a una llanura, pasaron tres semanas intentando orientarse en el territorio que hoy forma la frontera entre Utah y Arizona, y buscar un paso al río Colorado. Tratándose de un desierto montañoso, con poca agua y escasez de vegetación, padecieron tremendas penalidades. El 18 de octubre registraron su estancia en San Samuel, hoy Cooper Pockets, y luego en Santa Gertrudis, a unos 15 kilómetros al sur de Pipe Spring National Monument, en Arizona, en cuyos contornos alcanzaron el extremo Norte de las montañas Kaibab; el 7 de noviembre dieron por fin con el tan deseado esguazo del río Colorado: el cruce se realizó sin mayor novedad. El lugar se denominaría en adelante *El Vado de los Padres* o "Crossing of the Fathers", con la casualidad de que pocos meses antes lo había igualmente descubierto otro español, el padre Garcés, que lo había atravesado en el mismo sentido (53). La ciudad de Santa Fe los recibiría el 2 de enero de 1777, después de haber recorrido 2.500 kilómetros (54).

En los terrenos del Palacio de Justicia de Provo se guarda una roca de granito con una placa de bronce a la memoria de los padres Escalante y Domínguez (55). Este era en realidad el jefe de la expedición, si bien Escalante ha alcanzado más fama por haber sido el autor del famoso Diario, un informe muy completo sobre los hallazgos realizados, entre otros, de plantas y animales: su descripción de los pájaros y los peces reúne notables condiciones científicas, y sus juicios suponen una guda comprensión para las posibilidades locales en materia de irrigación. Con el Diario se inicia, además, la historia de tal sector norteamericano, según reconoce en explicativo texto, narrador de la hazaña de los viajeros, la lápida conmemorativa número 33 del Estado, situada en la carretera número 91, al sur de Scipio (56). Spanish Fork y Cedar City tienen también monumentos a los frailes caminantes. Cerca de Monticello existe una placa en bronce, que ha sido colocada sobre el río Colorado, en Lee's Ferry, y otro monumento hay en Jensen (57). Además, en el sudeste del Estado, una localidad y un río se denominan Escalante, y se extiende en el sudoeste un "Escalante Desert". Recordemos, por otra parte, las veces que su nombre ha sido utilizado en el nomenclátor de otros Estados. No ha quedado, pues, falta de reconocimiento la hazaña de los padres franciscanos.

Otras presencias

Otras presencias de España en Utah: la utilización local de la palabra "cañón", en lugar de –o alternativamente con– "canyon": Echo Cañón, Weber Cañón, Ogden Cañón, etc. (58). El emblema floral de Utah es el "sego-lily", también conocido por "Spanish Mariposa", por haber visto en ella los españoles semejanza con dicho insecto (59). Un español llamado Mestas persiguió –sin éxito– las huellas de caballos robados, siguiendo el "Spanish-Ute Trail", desde Nuevo México al pueblo de Timpanogos (cerca del lago Utah), en 1805 (60). En 1813 los comerciantes Mauricio Arza y Lagos García estuvieron en Utah comerciando con cueros y esclavos (61). "Fort Buenaventura" se llamaba el fuerte levantado en el emplazamiento de Ogden, al oeste de las Montañas Wasatch, por Mi'es Goodyear en 1844-45 (62). Cuando Ashley y sus gentes, en los años veinte del siglo XIX, visitaron el Salt Lake, formaba parte del grupo el español Louis Vasquez, procedente de Colorado; se considera a dicha expedición la primera que circunnavegó el lago (63). Vasquez se estableció como comerciante en Salt Lake City en 1849; en 1855 vendió sus intereses a los mormones y regresó a Missouri (64).

Pastores vascos

Y, por último, la presencia actual y real de España en Utah, a través de los pastores vascos. Existe en el Estado una fuerte colonia vascongada, que tiene peso dentro de una comunidad que cuenta tan sólo con 830.000 habitantes. La influencia se deja sentir especialmente en la capital, Salt Lake City, en la que el "Hotel Hogar", fundado por Juan Landa (que llego al lugar en 1909), constituye el centro de reunión de los vascos del Estado (65). Una hija de dicho propietario, María Landa, alcanzó cierta celebridad en el mundo cinematográfico de Hollywood. Los pastores se esparcen en la primavera, verano y otoño por las montañas y en invierno bajan a los ranchos –en ocasiones muy distantes entre sí– y a la capital.

NOMBRES ESPAÑOLES

Llevan nombres españoles en Utah: las localidades de Pintura, La Sal, Columbia, Santa Clara, Lola, Oasis, Bonanza, Callao, Escalante, Spanish Fork, Alta, Mona, Loa, Manila, San Rafael, Santa Clara, Aurora, Salina y Vernal; los ríos Paria, San Juan y Escalante; las montañas de Confusión, La Sal y San Rafael; la Alhambra Rock; el Escalante Desert; Spanish Valley...

influencia se deja sentir especialmente en la capital, Salt Lake City, en la que el "Hotel Hogar", fundado por Juan Landa (que llegó al lugar en 1909) constituye el centro de reunión de los vascos del Estado (65). Una hija de dicho propietario, María Landa, alcanzó cierta celebridad en el mundo cinematográfico de Hollywood. Los pastores se esparcen en la primavera, verano y otoño por las montañas y en invierno bajan a los ranchos —en ocasiones muy distantes entre sí— y a la capital.

NOMBRES ESPAÑOLES

Llevan nombres españoles en Utah, las localidades de Pintura, La Sal, Columbia, Santa Clara, Lola, Oasis, Bonanza, Callao, Escalante, Spanish Fork, Alta, Mona, Loa, Manila, San Rafael, Santa Clara, Aurora, Salina y Vernal; los ríos Paria, San Juan y Escalante; las montañas de Confusion, La Sal y San Rafael; la Alhambra Rock, el Escalante Desert, Spanish Valley.

CAPITULO III

WYOMING, MONTANA E IDAHO

WYOMING, madre de ríos

Wyoming es uno de los típicos Estados del "Oeste", en donde todavía se ve al "cow-boy" en su salsa. Inmensos prados cubren el territorio y, desde 1864 –cuando un empleado del Gobierno perdió en diciembre su ganado y lo recuperó en la primavera en perfectas condiciones de salud y de peso–, grandes rebaños pacen en sus contornos, constituyendo la principal fuente de riqueza (1). Tardó el territorio en ser poblado, por no detenerse en él los afanados yanquis que se dirigían a la costa del Pacífico en busca de oro. A los franceses François y Louis Joseph de la Verendrye corresponde el haber sido los primeros blancos en pisar las tierras de Wyoming en el invierno de 1742-43 (2); el iniciador de la colonización anglo-sajona fue John Colter en 1806, al regresar con la expedición de Lewis y Clark del Pacífico y separarse de ellos para traficar con los indios de la región. Hasta 1842, sin embargo, ninguna misión oficial visitó el país: John Frémont dirigió la empresa, con la que abrió la segunda fase de la historia local (4). La inmigración se produciría hasta 1888 a lo largo del Oregon Trail, que a través de Wyoming tendría muchos puntos de apoyo que hoy se conservan como verdaderos monumentos. El primer grupo de colonos se asentó en Fort Bridger en 1853: se trataba de mormones (5). En 1868 Wyoming quedó admitido como territorio; hasta el 10 de julio de 1890 no lo consiguió como Estado.

De gran extensión, Wyoming tiene una reducida densidad de población humana, –no así de cabezas de ganado– en la proporción de veinte a uno– (6). Junto a esta principal riqueza, sus entrañas ofrecen petróleo, carbón (grandes yacimientos) y una serie de minerales (7). Sólo tres ciudades sobrepasan la cifra de 15.000 habitantes: Cheyenne, Laramie y Casper. Cheyenne, la capital y la ciudad más populosa del Estado, nació en 1867, como terminal del ferrocarril Unión Pacific; Laramie es la sede de la University of Wyoming e hija del ferrocarril "Chicago and North Western"; Casper, la segunda en población, fue uno de los puntos ligados al Oregon Trail, como Fort Laramie (fundado en 1834 y con guarnición federal a partir de 1849) e Independence Rock, un tremendo roquedal de granito, en el que a través de los años se han estampado más de 50.000 firmas. Sheridan es la ciudad más relevante en el sector norte (8).

Yellowstone Park

Quizá lo más sobresaliente de Wyoming sean sus bellezas naturales y, entre todas, su famoso *Yelowstone Park,* creado Parque Nacional en 1872, el primero de la serie que con posterioridad fueron sabiamente formándose a lo largo y lo ancho del país. En Yellowstone hay géiseres –o manantiales de agua caliente– en abundancia, espectaculares cataratas, amplias terrazas, un gran cañón erosionado por el río del mismo nombre, bosques fosilizados, volcanes de barro, el lago de Yellowstone de 30 kilómetros de longitud a una altura de más de 2.000 metros sobre el nivel de mar (la media del Estado), rebaños de búfalos –en otros lugares desaparecidos–, alces y ciervos, y variedades de osos que se acercan sin recelo –no sin mala intención– al millón de turistas que visitan anualmente el Parque (9). Vecino a éste, se expande el Teton National Forest, con sus elevados picos, los "Tetons", el mayor de los cuales alcanza la altura aproximada de 4.600 metros (10); otras montañas de consideración son Big Horn, Wind River y Absaroka (11) (con cuyo nombre se quiso designar al Estado [12]). En ellas toman sus aguas tres de los más caudalosos sistemas fluviales continentales: el Missouri, el Colorado y el Columbia (13).

PRESENCIA ESPAÑOLA

El Estado es atravesado en sentido Noroeste-Sudeste por el "Continental Divide" de las Montañas Rocosas: su sector oriental –tres cuartos– forma parte de la cuenca del río Mississippi y de sus tributarios, en virtud de lo cual perteneció a Luisiana y fue comprendido, por tanto, en la cesión que Francia hizo a España en tan enorme extensión de tierras en 1763; su sector occidental se extiende arriba y abajo del paralelo 42°, y siempre considerado por España como una prolongación de Oregón, se dividió entre este país y los Estados Unidos, a partir de aquella línea divisoria, a raíz del Tratado de 1819, en que estos últimos compraron la Florida a España y quedaron zanjados una serie de problemas existentes entre las dos naciones. Tanto, pues, su sector oriental como el occidental han tenido conexiones con el dominio de España, aunque sean predominantemente teóricas o, si se quiere, más jurídicas que prácticas, ya que la soberanía real no fue ejercida con efectividad por los representantes de S. M. Católica por razón de la lejanía de Wyoming de las vías de penetración de los conquistadores y misioneros españoles.

Dejando sentada la adscripción de Wyoming a la esfera de influencia española –el sector oriental, por cuarenta años (los de nuestro dominio en Luisiana) y el occidental, con una fecha que podría tener un hipotético origen en 1542, cuando el descubrimiento por Ferrelo de las tierras de Oregón y un fin de 1819 y 1822, fechas del Tratado de referencia y de la independencia de México–, puede afirmarse que ha habido conexiones españolas con dicho territorio a lo largo de la Historia. Bancroft recoge la posibilidad de que los españoles encontraran en él oro antes de 1650, abriendo canales para minas y construyendo casas; una matanza perpetrada en dicho año por los nativos no dejaría sobreviviente alguno y destruiría todo lo logrado (14). Hay quien sostiene que en 1865 se descubrieron restos de dicha colonización (15).

Cerca de la localidad de Laramie, el viajero español Jordana se sorprendió en 1876 al encontrar el "Spanish Trail", abierto por los exploradores españoles que pasaban desde California al interior, jalonando el derrotero que más adelante habían de seguir los pioneros (15 bis).

Lisa, Vasquez y otros comerciantes

El comerciante español Manuel Lisa, establecido en St. Louis, Missouri, fundó un imperio comercial que se extendió entre 1800 y 1820 por las tierras al Oeste del río Missouri. Sus colaboradores y él mismo recorrieron la gran región y consiguieron pacíficas relaciones y pingües negocios con los indios, que les proporcionaban pieles, cueros, etc. Se tiene noticias de que también las tierras de Wyoming fueron transitadas por ellos y de que Lisa, por tanto, tuvo informaciones directas acerca de esta región del país (16).

Otro comerciante español, Luis Vasquez, nacido en St. Louis en 1795, actuó como uno de los socios de Bridger en la erección y en las operaciones comerciales de Fort Bridger a partir de 1842 y hasta 1855 (17); por otra parte, se sabe que en el invierno de 1833-34 Vasquez negoció con los indios crows, con quienes se hallaba en buenos términos, y que en la primavera siguiente llevó a Fort William (posteriormente rebautizado como Fort Laramie) 30 fardos de pieles de búfalo y uno de pieles de castor (18). En 1855 vendió su participación a los mormones. Situado en el rincón Sudoeste del Estado de Wyoming, Fort Bridger fue con posterioridad un punto estratégico para el "Pony Express" (o correo que, a base de relevos de caballos, se organizó desde St. Joseph, Missouri, hasta Sacramento, California), y hoy puede visitarse su reconstruido edificio, así como su museo anejo.

Pastores vascos

En el este del Estado y en los alrededores de Cheyenne, quedó ya mencionado, pastorean vascos, quienes, conservando los rasgos de su raza, se han sabido adaptar a las características del país.

NOMBRES ESPAÑOLES

Pocos nombres españoles se destacan en su geografía: tan sólo el condado de Carbón, y las localidades de Alcova, Alta, Mona, Peru, Uva y Violan, además de la Moran Mountain.

MONTANA, el más desconocido

El Estado de Montana, al par de ser el más desconocido de la Unión, es uno de los que guarda más personalidad. De enorme extensión (semejante a la de Alemania), solo sobrepasada por Alaska, Texas y California (19), y con una prolongada frontera con Canadá (tan larga como la de este país con los Estados de North Dakota y Washington juntos), ofrece una escasa densidad de población, solamente batida por Nevada. Las Montañas Rocosas son de gran trascendencia en la configuración del Estado al ocupar su sector occidental. En el oriental, sus tierras forman la cuenca de los ríos Missouri y Yellowstone. Tres son los recursos principales del Estado, que ocupan, por otro lado, a la mayor parte de sus habitantes, casi toda nativa: las minas, la ganadería y la agricultura (20).

La mina fue la primera fuente de riqueza, y conserva su monta; el minero, sus costumbres, sus problemas, etc., han dejado una indeleble impronta en la vida del Estado. El coloso minero es la Anaconda Copper Mining Company que explota el cobre, el cinc, el manganeso, la plata, el oro (21). La ciudad de Butte es el centro principal de operaciones, dándose el caso poco frecuente de la involucración de las actividades ciudadanas con las extractivas. Consecuencia de ello, Butte es una ciudad tirando a fea y sucia, una urbe no ciertamente saludable y sede de vida alegre. De su loma (es el significado de Butte) se han extraído minerales por un valor muy superior a 4.000 millones de dólares. En Butte nació el sindicalismo norteamericano; el año 1881 vio la constitución del primer Sindicato de Mineros, que se amplió en 1891 a todo el Oeste, y en 1905 alcanzó esferas mundiales. Desde aquella fecha inicial se sucedieron una serie de huelgas: la de mayor gravedad en 1891, las trágicas de 1917, las más recientes de 1946, con el villanaje desmandado, amo de la situación durante sesenta horas (22).

Como protagonistas en el campo capitalista recordaremos los nombres de Marcus Daly, William Andrews Clark y Frederick Augustus Heinze; estos dos inauguraron la jornada de ocho horas antes de que fueran obligatorias en 1901 (23). En la actualidad, la Anaconda desarrolla una actividad social y cultural complementaria de la industrial, en la línea de muchas Compañías en los Estados Unidos: ha establecido un teatro, una biblioteca, salas de deporte, un club, etc. (24).

La ganadería es la segunda ocupación de los habitantes de Montana. Aquí se encuentran también, como en los otros Estados del Oeste, los "cow-boys", pero los "cow-boys" de verdad, en fraterna compañía con los pastores vascos. Juntamente apacientan un millón de cabezas de ganado vacuno y otras tantas ovejas. Su vida es, indudablemente, dura, pero es vida reconfortante, en contacto con la Naturaleza. Pero deben superarse a sí mismos constantemente en la lucha con ésta, con la geografía difícil de las Rocosas, con los tremendos fríos invernales, y esforzarse por ayudar al ganado en su nacimiento, en la supervivencia, cuando pasta, cuando ha de ser sacrificado. Pasan su vida al aire libre y sólo bajan a la ciudad en invierno. De no caer en el vicio del juego, los "cow-boys" y los pastores pueden acabar ricos y no tanto por lo que ganen, sino por lo que no han gastado en el curso de su vida. El "cow-boy" es, por ello, muy individualista, sentimiento característico de los habitantes de Montana, y que también cuadra a los hijos de Euzkadi (25).

La agricultura viene detrás en las fuentes de riqueza y, en definitiva, se halla ligada a la ganadería. En los últimos tiempos grandes modificaciones se han introducido en este campo, y gracias al predominio de la maquinaria, el granjero se ha aficionado a vivir en la ciudad y a trasladarse a sus campos en los modernos medios de transporte, e incluso se da el caso de que en los ranchos se coma hoy a base de alimentos comprados en los "supermarkets", de los que no se excluye la leche o las conservas vegetales. El trigo es el producto número uno en el campo de Montana. Para el granjero los máximos problemas son la lluvia y la interferencia en sus asuntos del Gobierno (26).

De accidentada geografía, de temperaturas extremas que abarcan los 50° bajo cero hasta los 110 sobre cero, Farenheit (27), con animales que campan por sus tierras en pleno estado de salvajismo, con la vida inquieta que producen las minas, con los peligros que a diario afrontan los "cow-boys", Montana es un Estado de tensión, con alegría, quizá en momentos cargado de violencia (28). Ya en 1860 un grupo de ciudadanos se asociaron para autodefenderse de los muchos bandidos que imponían su ley, y formaron los "Vigilantes", con pleno éxito para sus objetivos (29). Todo esto parece ser que ha pasado a la Historia y hoy se presenta más bien como una región con potenciales recursos para el turismo. Es uno de los paraísos de los cazadores, pues abunda en alces, ciervos, antílopes, osos negros, castores, visones, ratas azmizcleras, etc. (30).

Los primeros blancos en pisar el territorio fueron los franceses Verendryes, padre e hijo, en 1743 (31), y les siguieron Lewis y Clark, en 1805. Se convirtió en territorio en 1864 y alcanzó la categoría de Estado el 8 de noviembre de 1889. En sus contornos se conservan siete reservas de indios: una de ellas, la de Big Horn, custodia el "Custer Battlefield National Monument", en la que el general Custer, uno de los héroes locales, fue derrotado por los indios sioux el 25 de junio de 1876 (32). La capital del Estado es Helena, una pequeña urba. Butte es la ciudad minera por excelencia. Great Falls y Billings son las dos más progresivas en la hora presente: la primera, en las márgenes del Missouri, cuyas cataratas le dan el nombre; en la segunda se yergue un monumento ecuestre en bronce –no podía figurar el cobre como ausente– a Bill Hart, el prototipo del jinete montaraz (33). En Missoula está la State University of Montana, única en el ámbito del Estado.

PRESENCIA ESPAÑOLA

El sector oriental formó parte de Lousiana, y como tal pasó a posesión de España en 1763, hasta su retrocesión a Francia en 1803, que la vendió a los Estados Unidos en el mismo año (34). La occidental estaba comprendida en la disputa de Oregón, y los derechos españoles sobre ella fueron cedidos por el Tratado de 1819, merced al cual España vendió Florida a los Estados Unidos y zanjó con éstos una serie de problemas fronterizos. Estas tierras fueron escenario de los desvelos evangelizadores de los jesuitas franceses; uno de ellos, el padre Pierre Jean De Smet, tributó un homenaje a su fundador, el santo español, escribiendo en una piedra las siguientes palabras: "Sanctus Ignatius Patrones Montiun Die Julii 23, 1840" (35).

Su nombre

Más conexiones de Montana con España. Su nombre proviene de la palabra española *montaña*, desprovista de la tilde por inexistencia de ésta en el alfabeto anglosajón. Su aceptación se debió a los esfuerzos del representante por Ohio, Mr. James Ashley, cuando se planteó la creación del nuevo territorio, y en vista a las características de su geografía (36). El 5 de febrero de 1865, el gobernador Edgerton promulgó una resolución conjunta de las dos Cámaras estatales, instituyendo el sello oficial del Estado, en el que, bajo una escena compuesta de montañas, las cataratas del Missouri, un arado y un pico, aparece el lema –el oficial del Estado– "Oro y Plata" (en español) (37).

Lisa y otros comerciantes

Manuel Lisa, el emprendedor español nacido en Nueva Orleáns, al conocer en St. Louis (Missouri) los resultados de la expedición de Lewis y Clark, equipó una expedición de 42 hombres y los condujo aguas arriba del Yellowstone hasta su confluencia con el Big Horn; allí construyó, en 1807, el primer "trading post" de Montana. Lo bautizó con el nombre de Fort Ramón, por su hijo, pero los cazadores y comerciantes de la región lo conocieron por Fort Lisa o Fort Manuel. Su compañía –ya lo hemos visto en otros Estados– llegó a emplear muchas gentes y progresó hasta la muerte de Lisa, en 1820 (38). Hasta Montana se había adentrado con anterioridad el escocés Mackay en 1796, al servicio de su Compañía y, en busca de pieles para el comercio, remontó las aguas del Missouri, y lo mismo el galés John Evans, quien en las cortezas de muchos árboles dejó constancia de su presencia al servicio de S. M. el rey de España, Carlos IV (39). El arribo de españoles hasta estas regiones es confirmado por el gran historiador Bolton (40).

Pastores vascos

De los pastores vascos ya hemos tratado.

NOMBRES ESPAÑOLES

Uno de los condados del Estado se denomina Carbon; Montana tiene localidades con nombres como Columbia Falls, Columbus, Lima, Saco, St. Ignatius, Santa Rita, Andes, Alzada, Laredo, Loma, Lustre, De Borgia, Ovando.

IDAHO, paraíso del cazador

Adoptan las 83.557 millas cuadradas del Estado de Idaho la forma de una porra que, colgando de la frontera canadiense, apoya su grueso extremo en el paralelo 42°, o límite con los Estados de Utah y Nevada. Su frontera oriental está dibujada por la cadena de montañas del "Continental Divide" y por las denominadas Bitteroot; la occidental con Oregon y Washington viene marcada, en parte, por el curso del río Snake y, en parte, por el designio del hombre. Dos sectores se distinguen en su territorio: el septentrional, dominio de leñadores y mineros, y el meridional, tierra de ganaderos, agricultores y, cada vez más, industriales. El norte, de altas montañas, alguna como Mt. Borah, de 4.200 metros (41), ostenta paisajes y lagos alpinos, tales los de Pend Oreille –en cuyas orillas hubo en tiempos una base naval Farragut, nombrada en honor del descendiente de menorquines– (42), Coeur d'Alene, y Priest (43), paraíso –con los ríos del Estado– de los pescadores de salmón y truchas; sus bosques de abetos, alerces, cedros y pinos se extienden por superficies próximas a los 20 millones de acres explotados por Compañías potentes, otrora descuidados en su debido aprovechamiento, hoy controlados por los servicios Forestales, que tratan de evitar por todos los medios –publicidad, vigilancia, equipos móviles– la repetición de devastadores incendios como el de 1931, en el que ardieron 22.000 acres, o el de 1910, en el que se salvaron del achicharramiento 40 bomberos gracias a la energía –incluso acudió a la amenaza de su revólver– de E. C. Pulaski, que consiguió el necesario refugio en el túnel de una mina abandonada (44). También ostenta el sector norte el Hell's Unidos, superior a kilómetro y medio de profundidad (45). La caza mayor –lobos, antílopes, osos negros y grises, linces y alces– y la menor, –faisanes, perdices y patos– están a la orden del día en Idaho.

Los cazadores de pieles fueron los primeros visitantes de la región, en pos de la huella abierta por Lewis y Clark (46). Les siguieron los mineros en 1860, a raíz del descubrimiento del oro, en la posteriormente llamada Orofino Creek (existe una ciudad con dicho nombre español) (47). A este hallazgo sucedieron los de otros metales, pero si la minería de aquél está decadente, no le ocurre igual a la del plomo, cinc o plata en el distrito de Coeur d'Alène, con la ciudad del mismo nombre y las de Mullan, Kellogg y Wallace. Los yacimientos de fosfatos en las cercanías de Soda Springs y Pocatello suponen casi la mitad de las reservas del país. En su virtud, las Compañías Monsanto, Anaconda, San Francisco Chemical y otras han invertido una serie de millones en fábricas de productos químicos, lo que constituye un trascendental paso hacia la industrialización del Estado. Además, una serie de nuevos minerales ha comenzado a ser extraída en el Sudeste; niobium, magnetita, zirconio y monazite, el último de los cuales, muy raro en el globo terráqueo, es fundamental para la energía atómica. Idaho es el único Estado de Norteamérica con considerables reservas de antimonio (48).

Paralelamente a los mineros, aparecieron los agricultores: los primeros, un grupo de mormones procedentes de Utah. En las tierras meridionales, bañadas por el Snake y sus afluentes, fueron floreciendo plantaciones, y hoy se exporta trigo desde Palouse; patatas y cebollas desde Ashton, Pocatello, Burley, y Twin Falls; frutas, desde Lewiston (en donde se cría el caballo Appaloosa), etc. (49). Los ganaderos ya pastaban sus ganados en 1875; desde esa época, el "cow-boy" de Idaho se enseñoreó del paisaje, como sus hermanos de profesión y de espíritu hicieron en Montana y en Wyoming, y la figura del ganadero a caballo pasó a las pantallas del cine, primero, y más tarde, a la televisión, entreteniendo a sus seguidores durante más horas que ningún otro tipo de espectáculo conocido; el rodeo, otra faceta típica de la actividad del "cow-boy", con contar con muchos aficionados que disfrutan admirando la destreza y la fortaleza de los hábiles jinetes, no puede competir con los "westerns" en la afición de las multitudes. A causa de la abundancia en ganadería, es alta la producción de lana, quesos, mantequilla y leche condensada (50).

Tras la pionera expedición de Lewis y Clark, se establecieron en el sector meridional los hombres de John Jacob Astor, pero después de la guerra de 1812 estos territorios quedaron bajo la influencia británica durante tres décadas. Las cosas cambiaron con la arribada progresiva de colonos procedentes del Este; la tensión fue creciendo con la Gran Bretaña hasta zanjarse en 1846 con el establecimiento del paralelo 49° como frontera. No trajo esta solución pacífica la desaparición de la tensión guerrera en la región; entre 1870 y 1880 los indios "nezpercés" se levantaron, y Whitebird y Kamah fueron campos de batalla, que determinaron la derrota de los primitivos nativos y su retirada, al mando de su jefe Joseph, hacia tierras de Montana (51).

Idaho se convirtió en territorio en 1863 y consiguió su admisión como Estado el 3 de julio de 1890. En 1880 irrumpió la línea férrea del Northern Pacific, por el sector septentrional, y dos años más tarde la Oregon Short Line, por la región del Sur (52). Luego de los yanquis, contribuirían a poblar el Estado chinos, suecos y españoles, representados por el grupo de pastores vascos.

Boise es la capital del Estado, Pocatello su más próximo rival, Idaho Falls la ciudad principal desde el punto de vista comercial y Moscow –nada menos, en pleno corazón de los Estados Unidos– sede de la University of Idaho (53).

PRESENCIA ESPAÑOLA

Pastores vascos

Boise está situada en su feraz valle, escenario desde 1929 de una anual fiesta campestre, organizada en un principio por la "American Basque Fraternity", más tarde por la organización "La Social Independencia", y desde 1962 por la "Euskaldunak Organization" (54). Esta institución mantiene el "Basque Center" en Boise, con más de seis centenas de socios, promotor del grupo de danzas vascas (que representó al Estado de Idaho en la Feria Mundial de Seattle), de un orfeón y del "Baile de los Pastores", que se celebra el 27 de diciembre (55). Hay que tener en cuenta que en el listín telefónico de la capital aparecen incluidos unos 1.000 nombres vascos, equivalente a, por lo menos, 2.000 personas de tal origen, con lo que dicha ciudad, de 35.000 habitantes, se convierte en la mayor concentración urbana de vascos fuera de España y de Francia (56).

Se cree que el primer vasco que llegó a Idaho fue Antonio Azcuénaga, procedente de California, Oregón y Nevada. Muchos le siguieron, y, si al principio se dedicaron al pastoreo, cambiaron de profesión en cuanto pudieron (57). Hoy actúa ya una cuarta generación de vascos. Además de las referidas, existen la "Sociedad de Socorros Mutuos" y la "Fraternidad Vasco-Americana", las dos Sociedades mutuas de ayuda (58).

En Boise, la emisora de radio KBOI, transmite una emisión a las 9.30 de la noche de todos los lunes en vascuence, teniendo por locutor a Cecilio Javo (59).

Una institución en la ciudad es el "Hotel Valencia", propiedad de Benito Izueza –desde 1940 en que lo construyó– y que durante mucho tiempo ha sido el centro de reunión de la Colonia vasca de Boise (60). No deja de ser significativo su nombre, que bien podría ser "Hotel Guernica" u "Hotel Motrico", dada su potencial clientela predominantemente vasca, y que denota el patriotismo de alcance nacional de su propietario. Uno de los mejores clubs de Boise es "Joe's", propiedad de José Barroetabeña (61). Funciona también un Club Vasco.

Varias iglesias católicas existen en la capital, invariablemente impulsadas y sostenidas por los vascos; fue la primera la iglesia del Buen Pastor, financiada enteramente por los pastores vascos, pero es hoy la primordial la catedral de San Juan Evangelista, cuyo coadjutor es el capellán vasco D. Santos Recalde, que dice los domingos una misa en vascuence, en un altar regalado por el paisano José Domingo Aldecoa, en memoria de su hijo muerto en la segunda guerra mundial (62).

En las cercanías de Boise se encuentra una fábrica de chorizos, propiedad de Juan Lachiondo (63). En momentos de popularidad, el deporte del "jai-alai" contó en Boise con tres frontones, uno de ellos instalado en el viejo "Iberian Hotel": ninguno existe hoy (64).

Muchos vascos han alcanzado puestos importantes en Idaho, o se han destacado socialmente: Luis J. Bideganeta, secretario del Tribunal Supremo del Estado; Eustaquio Iríbar, Julio Echevarría, Julio Asumendi y Ricardo Pagoaga, vicepresidentes de diversos Bancos locales; Agustín Urresti, jefe de La Policía de la ciudad; Nash Barinaga, abogado en la localidad de Mountain Home; doña Esperanza Alegría, sobrina de D. Patricio, el famoso industrial de Legazpia; Delphine Aldecoa, operador de la torre de control del aeropuerto municipal de Boise, etc. (65).

Y entre todos, Juan y Daniel Achabal y su cuñado Zenón Eizaguirre, hijos de Juan Achabal y herederos de su fortuna ganadera. En torno a la localidad de Homedale –cuyo alcalde es, por cierto, José Eiguren– poseen sus dos extensos ranchos, a nombre de la "Jump Creek Sheep Company" (aparte de otros), con unas 100.000 cabezas de ganado y que se aumentan por término medio en cada invierno con unos 25.000 corderitos. Complementariamente, se dedican a la manufactura de la lana que esquilan (66).

Para Carmen Laforet, en su novela "Paralelo 35", existe en Idaho un país vasco americano, junto al país vasco español y el país vasco francés. "La tierra americana –dice– no los ha fundido ni uniformado a través del paso de las generaciones".

NOMBRES ESPAÑOLES

Localidades con nombres españoles existen en Idaho las siguientes: Alameda, Arco, Orofino, Ola, Mesa, De Lamar, Santa, Bonanza, Acequia, Salmon, Lorenzo, Carmen.

PARTE SEXTA

ESTADOS DE LA COSTA DEL PACIFICO

CAPITULO PRIMERO

CALIFORNIA, el más progresivo

Es California el tercer Estado de la Unión en tamaño (detrás de Alaska y Texas): se pueden recorrer 1.400 kilómetros en línea recta sin salir de sus límites. Esta distancia permite grandes diferencias de temperatura, humedad y flora entre sus extremos Norte y Sur. Por otra parte, en California se producen fenómenos únicos en la geografía del continente norteamericano, Alaska aparte: la montaña más alta (el monte Whitney de 4.500 metros de altura), el valle más profundo ("Death Valley", bajo el nivel del mar), los árboles más altos (los famosos sequoias del Yosemite National Park), el único volcán en actividad, un terrorífico desierto (el "Mojave")... Dos cordilleras la vertebran en sentido vertical, y entre ellas se sitúa el feraz valle Central (1). Para el escritor Irving Stone, la California de hoy es el resultado de las relaciones amorosas entre el sector Norte, frío, áspero, masculino, sajón, y el sector Sur, sensual, femenino, voluptuoso, cálido, hispánico (2). Si tal conjunción de características hacen de su territorio un lugar único, tierra prometida dentro de los Estados Unidos de hoy, no ha de extrañar que haya visto aumentada enormemente en los últimos años su población, que dentro de poco incluso sobrepasará a la del "Estado Imperio" de Nueva York. El aumento comenzó con los descubrimientos de las minas de oro a mediados del siglo XIX, y se completó con la construcción de los ferrocarriles transcontinentales; la expansión de la industria, después de la segunda guerra mundial, ha dado el último empujón al auge de su riqueza y a la consecución de uno de los mejores niveles medios de vida en los Estados Unidos, no obstante sus millones de habitantes (3). Ello explica que California sea el 2º Estado de la Unión en número de millonarios: 38.691.

Si queremos formular un resumido adelanto de nuestra estancia en California a base de dos palabras, que reúnan las características elegidas para las análogas de los fraternos Estados, éstas serán olor y rumor. El sentido del olfato goza de sin igual fiesta en este sector occidental del país, y de manera no común y excepcionalmente completa. Porque hay odoríferas flores en los centros de las carreteras para romper la monotonía del asfalto (recordemos la que conduce a Sacramento), y los naranjos invaden con el perfume de sus azahares los sectores al sur de Los Ángeles y el valle de San Joaquín; el monte bajo nos obsequia con sus esencias básicas si recorremos la ruta 49 (y otras tantas), y el "campus" de la Universidad de Stanford nos regalará con las penetrantes emanaciones de sus eucaliptos y magnolios. Olor a serranía y olor a mar salada serán fáciles de captar en los numerosos complejos montañosos y en las incontables playas, y en los puertos, el inconfundible tufillo que el comercio y la preparación gastronómica del pescado produce.

Mas no sólo hay olor en el terreno material, que California nació a la vida de la mano de los seráficos hijos del Santo de Asís: se respira también olor de santidad. No en balde las 21 Misiones vertebran la geografía regional y las campanas de "El Camino Real" evocan los afanes apostólicos de fray Junípero, el fundador, y de sus hermanos en religión. Hablar de California supone la automática asociación con la idea de los establecimientos franciscanos y con su entrada en la civilización de la mano de la Cruz. Pero como California es grande y tiene espacio para todo género de contrastes, también en sus contornos hay olor de pecado: Hollywood se ha convertido en sinónimo y símbolo de un ambiente y de unas normas de vida en escasa relación con los tradicionales principios de la moral; sus playas han sido testigo de las primeras exhibiciones de los trajes de baño "topless"; las más extrañas sectas, predicando credos con frecuencia inmorales, han conseguido cobijo y adeptos como en ninguna otra parte; San Francisco ha sido durante mucho tiempo, con Chicago, dominio privilegiado del hampa criminal, ciudad en la que se "huele" todavía –más bien en los inevitables relatos locales– al denso humo que se formó cuando el famoso incendio, obra del terremoto de 1906.

Otro sentido corporal del hombre trabaja activamente en California, el oído, tales son las sensaciones acústicas que por doquier se perciben, y que se condensan y armonizan en un denso rumor. La amanecida en California extraña a quien proceda de otro sector no occidental del país: un desordenado guirigay de voces y ruidos callejeros saludan al turista desprevenido, el cual completará su cuadro cuando, fuera de su alojamiento, compruebe la extraordinaria animación callejera, por ejemplo, de San Francisco, con gentes que hablan fuerte y gritan, con tranvías que chirrían, con automóviles que suenan sus bocinas. El ruido será complementado con los estampidos de los aviones a chorro, de los que tantos se fabrican en su territorio y en gran medida abundan en sus bases militares, y de los que sirven las numerosas líneas que cubren sus puntos cardinales (casi el 50 por 100 del tráfico entre Los Ángeles y San Francisco es aéreo), con el zumbido de los ocho millones largos de automóviles que frecuentan su red de autopistas, y con el más reposante tañer de las campanas de las iglesias de todas las denominaciones y, sobre todo, de las católicas, que se asocian al júbilo que quedó instaurado en California con la vibración de los badajos misionales. Rumor de truenos, rumor de borrascas, rumor de temblores terrestres, rumor del expansionismo económico vertiginoso, son sensaciones que no faltan a los habitantes del más progresivo de los Estados de la Unión.

PRESENCIA ESPAÑOLA

Su nombre

El origen del nombre "California" ha sido causa de apasionados debates. ¿Fue alguna palabra india mal entendida por los españoles? ¿Procedería de los vocablos latinos "callida fornax" por indicar el mucho calor que en ella se sentía? (4). Ya en 1849 el historiador Ticknor se inclinaba por situarlo en el libro de caballerías "Las Sergas de Esplandian" (5) (en la ciudad de San Clemente existe una Avenida Esplandian): esta es la teoría más bonita y aceptable. El autor de dicha novela, Garci Ordóñez de Montalbo, la presentó como quinto libro de su versión del "Amadís de Gaula", en la primera edición de Zaragoza de fecha probable de 1508. En ella aparece, ayudando a las fuerzas paganas que ponen sitio a Constantinopla, Calafia, reina de la isla de California. "Sabed –dice el autor– que a la diestra mano de las Indias, hubo una isla llamada California, muy llegada a la parte del Paraíso Terrenal, la cual fue poblada de mujeres negras, sin que algún hombre entre ellas hubiese, que casi como las amazonas era su manera de vivir. Estas eran de valientes cuerpos y esforzados y ardientes corazones y de grandes fuerzas; la ínsula en sí la más fuerte de rocosas y bravas peñas que en el mundo se hallaba; las sus armas eran todas de oro, y también las guarniciones de las bestias fieras, en que, después de las haber amansado, cabalgaban; que en toda la isla no había otro metal alguno..." (6). Al comentar Stone semejante prominencia de las mujeres con exclusión de los hombres (mataban los varones al nacer, dejando solamente los necesarios para la reproducción), no puede menos de exclamar: "Se parece un poco al actual Hollywood" (7).

Aplican ya el nombre de California Francisco Preciado (narrador de la expedición de Francisco de Ulloa en 1539 y 1540), Cabrillo en la relación de su viaje en 1542, Bernal Díaz del Castillo al contar las expediciones de Cortés del año 1535... Pero en las primeras épocas, la palabra California no se refería a la tierra a la que hoy cubre con su nombre, sino a una bahía (la de la Paz), un cabo (Punta Ballenas), o una isla, Por otra parte, el territorio recibió otros bautismos, menos afortunados, que el de Ordóñez: Nueva Albión por el pirata Drake, isla Carolina, Nueva Rusia... (8).

Descubrimiento y civilización

De dominio público es la presencia de España en la historia de California; este es un punto en el que coinciden incluso los menos letrados en ambas orillas del Atlántico. Viene inevitablemente a nuestro recuerdo la novela "La Reina Calafia", de Blasco Ibáñez, en la que, además de la leyenda de Montalbo, se recogen brillantemente una serie de aspectos y momentos españoles en la región

(9). Si en los Estados Unidos se sugiere el tema de la participación de España en su herencia, se presentan inmediatamente las Misiones californianas como resumen y símbolo. Pero la contribución española a la historia de California, que reviste extraordinario interés, no se limita a unas cuantas capillas erigidas por unos más o menos ilusos frailes, como algunos quieren presentar la cuestión (10).

La conquista y colonización por España de las tierras occidentales de los hoy Estados Unidos no se debió al azar, ni constituyó una bicoca que cayó como regalo en el rico panero del Imperio español. Resultado de una larga cadena de intentos, costó ríos de sangre, cantidades de dinero y esfuerzos y una serie prolongada de años. No hay que olvidar, por otra parte, que la ruta terrestre para alcanzarla estaba sembrada de dificultades (además de los indios enemigos), y que la marítima, a través del poco pacífico océano, se demostró difícil por las borrascas tremendas, las calmas interminables, los piratas ávidos de tesoros y, sobre todo, su desconocimiento. Los españoles fueron los primeros en levantar los mapas de las costas occidentales, y ello a costa de fracasos. No se debe a la diosa Fortuna la inclusión de la bella California de las Misiones en los dominios de S. M. Católica, sino a una ardua tarea, coronada felizmente por la tenacidad típica de los hijos de España. Cuando hoy se contemplan la feracidad del valle Central, las magníficas carreteras que recorren el Estado, las populosas urbes en él situadas, las florecientes industrias establecidas aquí y allí, inevitablemente se olvida las distintas circunstancias de su geografía en épocas prehispánicas: tierras sin cultivar, escasez de agua, complejos montañosos a veces insuperables de franquear y la existencia de una serie dispar de tribus indias, bastante atrasadas en general y no siempre pacíficas y amistosas, amas y señoras de su superfie. Reconoce André Maurois que los españoles introdujeron en California el naranjo, el albaricoquero, la higuera y el olivo, "mucho más preciosos que el oro y las perlas que ellos se llevaban de allí" (10 bis).

Tras el descubrimiento del mar del Sur (hoy Pacífico), en 1513, por Vasco Núñez de Balboa y del estrecho de Magallanes —como comunicación de dicha ingente masa de agua con el Atlántico— por el gran marino que le prestó su nombre, se planteó la necesidad de, al mismo tiempo que indagar la insularidad o peninsularidad de California, buscar un paso nórdico entre ambos océanos como camino para alcanzar las costas de Asia y demostrar que el Nuevo Mundo no era el Catay, en el que Colón se muriera creyendo. Varios siglos se gastaron en tamaña empresa y varias naciones pusieron a contribución su esfuerzo con la esperanza de obtener retribuidos beneficios, pero los españoles se distinguieron por la calidad y cantidad de sus expediciones, como en múltiples ocasiones profesó el diplomático Antonio Espinosa.

Bordearon las naves españolas las costas orientales y meridionales americanas en las primeras decenas del siglo XVI, y lo mismo las occidentales, correspondiendo al infatigable Hernán Cortés, así como a los marinos Cabrillo y Ferrelo, los puestos de adelantados en esta última empresa. Tocó a D. Antonio de Mendoza la sucesión en el virreinato, y mucho más tarde a Bucarelli, Flores y Revillagigedo, entre otros; en el siglo XVII y, especialmente a lo largo del XVIII, los marinos españoles perseverarán en sus intentos con el mismo entusiasmo que sus antepasados renacentistas. Los nombres de los navegantes Sebastián Vizcaíno, Iturbe, Cestero, Nicolás de Cardona, Pedro Porter Cassanate, Pérez, Heceta, Martínez Bodega y Quadra, y Malaspina quedarían para siempre inscritos entre los fautores del Oeste norteamericano.

Junto a la búsqueda de dicho paso, otras razones intervendrían en la organización de las expediciones exploratorias: en primer lugar, el deseo de evitar el establecimiento en aquel sector del Pacífico oriental de otra potencia extranjera, rivalidad que pronto comenzó a esbozarse en lo que a Inglaterra se refiere con la aparición de los piratas Drake y Cavendish a finales del siglo XVI (11) y que alcanzó su punto culminante en la Controversia de Nutka, zanjada en 1791 con un convenio amistoso que evitó una inminente conflagración (12); en cuanto a la presencia rusa en estas regiones, abierta con los descubrimientos de Behring y la subsiguiente colonización de Alaska (13), es evidente que, de no haber actuado eficaz y rápidamente los hombres de Carlos III ante las órdenes de éste (originadas por una información suministrada por su embajador en San Petersburbo, conde de Lacy, sobre los proyectos de Catalina la Grande de organizar colonias) (14), las costas de California se hubieran visto pobladas de súbditos del zar, más difíciles de desalojar que los establecimientos en las frías e inhóspitas tierras de Alaska. Se ha afirmado –y con razón– que España salvó a California –y quién sabe si a sus vecinos territorios– de convertirse en dominio ruso (15), rindiendo así un inestimable servicio a la consecución del "Destino Manifiesto" y a la formación de los Estados Unidos.

Otros tres motivos motores de las expediciones españolas existían y de muy diferente índole: uno, material, de afán de riquezas, representado en la búsqueda de criaderos de perlas; otro, espiritual, en el invariable designio de los reyes de España de conseguir la cristianización de las tribus indias aborígenes de los territorios al norte de Nueva España, y un tercero, la sistematización de un puerto, en el que el "galeón de Manila" pudiera refugiarse con seguridad contra tempestades y piratas (16). En estas empresas las más de las veces la iniciativa es real, y a costa de la hacienda del monarca se organizan; otras responden a impulsos particulares, y algunos, como Cardona o Porter, invierten en ellos cuantiosas sumas, no siempre reembolsadas (17).

Sobre el afán colonizador español, es interesante leer el Informe del Padre jesuita Gaspar Rodero en 1737, quien afirmaba que los territorios californianos "poseían un sano temperamento" y eran en ellos "regulares los tiempos según las estaciones del año".

Como reconocimiento a todos estos meritísimos esfuerzos, una emisión filatélica vio la luz en España en octubre de 1967, dentro de la ya tradicional serie de "Forjadores de América", y así aparecen reproducidas las efigies de Esteban José Martínez, Francisco Antonio Mourelle, Cayetano Valdés y Juan Francisco de la Bodega y Quadra, además de un mapa de la costa más septentrional del Pacífico americano, y dos paisajes, de San Elías en Alaska y un poblado de Nutka, a base de los dibujos tomados en la expedición de Malaspina (18). Con ocasión de su bicentenario, se lanzó un sello postal con la efigie de Fray Junípero Serra.

Si hacia la segunda mitad del siglo XVIII se concreta en este sector occidental el ardor misionero, puede decirse que se debió en gran medida a la personalidad del franciscano fray Junípero Serra. Por otra parte, no se podía cristianizar sin previamente conquistar y coloniza, y ésta fue la orden impartida por Carlos III, a través de su ministro de Estado, el marqués de Grimaldi al virrey, marqués de Croix, y al visitador general D. José de Gálvez. Gracias a la valía de estas tres personalidades y del siguiente virrey Antonio Bucarelli (19), la gran empresa de la colonización y evangelización de California pudo ponerse en marcha; merced a ellos y a un sinnúmero de españoles ilustres, los afamados "dons" en la historia norteamericana (20). Para proteger al "galeón de Manila", para frustrar los intentos rusos de establecimiento en California, la mejor solución –así se había decidido– era el establecimiento, junto a algunos Presidios militares –que llegaron a ser cuatro: San Diego, Monterrey, Santa Bárbara y San Francisco (21)–, de una serie de Misiones que cristianizaran y civilizaran a los indios de la región, convirtiéndoles en aliados de las armas de la política de España. Porque la tarea principal de los misioneros era la difusión de la fe, pero entre las otras, también relevantes, figuraban las de enseñar a los indios la lengua, la agricultura, las artes y los oficios, y la manera de gobernarse. Las Misiones habrían de ser sostenidas en buena parte por el rey, y sus gastos llegarían a superar los ocasionados por el gobierno militar y civil de Nuevo México y California juntos (22).

En costearlas tuvo participación fundamental el "Fondo Piadoso de las Californias", ideado por el padre Kino y puesto en ejecución por los padres Salvatierra y Ugarte. Tropezando el erario real con dificultades en 1696, decidieron –para la evangelización de California, en aquella época tan sólo la Baja– suscitar la generosidad de personas pudientes y reunir un capital, con cuyas rentas pudieran sostenerse los misioneros necesarios. Con el tiempo aumentó en cantidad, y cuando el Gobierno mexicano, heredero en las dos Californias del español desde 1822, secularizó en 1833 las propiedades eclesiásticas, se comprometió a abonar a la Iglesia una cantidad anual en concepto de los intereses producidos por los dichos bienes del Piadoso Fondo. Con la incorporación de la Alta California a los Estados Unidos, la Iglesia de este sector se consideró acreedora de los intereses impagados desde 1848, lo que ocasionó un litigio internacional entre México y los Estados Unidos, que se solucionó, en una primera fase, mediante el opinable arbitraje del embajador inglés en Washington, Sir Edward Thornton, en 1875, como efecto del cual el Gobierno mexicano abonó la cantidad fijada de 904.070,79 dólares, importe del 6 por 100 de los intereses durante veintiún años del valor fijado al Fondo de 1.436.033 dólares (43.080 dólares anuales correspondientes a la Iglesia norteamericana; otro tanto asignóse a la mexicana de Baja California). El conflicto no se zanjó entonces definitivamente, ya que en 1891 los obispos norteamericanos de California reclamaron los intereses devengados hasta la fecha; al surgir la desavenencia, las partes llevaron el asunto ante el Tribunal Internacional de Arbitraje, el cual, en 1902, condenó al Gobierno mexicano al pago de 1.420.682,67 dolares, en concepto de atrasos, más la cantidad anual, en lo sucesivo, de 43.050,99 dólares. El 1 de agosto de 1967, mediante el oportuno canje de notas entre ambos Gobiernos, se liquidó definitivamente el caso con el pago total por parte de México de 719.546 dólares.

A lo largo de las tierras comprendidas entre San Diego y Sonoma (al norte de San Francisco) fueron floreciendo poco a poco 23 Misiones en el curso de unos cincuenta años. Algunas alcanzaron verdadera prosperidad, cuyas causas y razones fueron discutidas, cuando no combatidas, en ocasiones, por la autoridad civil. Ecos de ella son las cartas del general norteamericano Sully, en 1849, desde Monterey, en las que recoge los comentarios de los naturales del lugar sobre los días felices (24) en que los padres reunían a sus fieles a toque de campana y en que sus conventos eran refugio para todos, buenos o malos (el derecho de asilo, mantenido por los padres, originó más de un conflicto), ricos o pobres, blancos o indios, españoles o extranjeros. Los nombres de los colaboradores de Serra, los padres Crespi, Palou –el autor de la biografía de fray Junípero–, Lasuén y López y los de los numerosos que les siguieron han merecido un lugar de excepció en la Historia de España y de California.

En su honor, se han constituido la "Asociación de Amigos de Fray Junípero Serra" de Petra (con una Sección Juniperiana en Palma) y los "Amigos de Fray Fermín Lasuén, de Vitoria.

Las Misiones fueron establecidas escalonadamente, de forma que distaran entre sí una jornada a caballo; el fatigado viajero podía acogerse de este modo a los amigables muros de la Misión y disfrutar de su bien abastecida cocina. La ruta que unía unas con otras recibió el nombre de "El Camino Real" (25), carretera que hoy ostenta el número 101. En 1904 nació la "El Camino Real Association", con el propósito de reavivar tan excepcional vía y promover la restauración de las Misiones que la jalonaban; consiguió sus objetivos ampliamente, dada la acertada reconstrucción a que han sido sometidas la mayoría de éstas, que muestran a cuantos las visitan un trozo de la común Historia hispano-norteamericana. Una serie de 125 campanas, réplicas de las existentes en las Misiones, colocadas en los bordes de "El Camino Real" a distancia de 10 millas, invitan a cualquiera que lo recorra hoy a dedicar un periódico recuerdo a los misioneros españoles (26).

Revivir el pasado español de California no es tarea difícil, ya que su ocupación constituye uno de los esfuerzos colonizadores mejor documentados. Si se medita en las condiciones ambientales, asombra el número de registros, cuentas, censos y diarios redactados en el curso de los primeros cincuenta años de la existencia de California. La formación legalista de los gobernantes y misioneros y los diferentes puntos de vista que sostuvieron a veces ante sus respectivos superiores contribuyeron a la producción de tan excepcional archivo (27).

SAN DIEGO

Rodríguez Cabrillo, descubridor

Pero ya es hora de que procedamos a visitar detenidamente California. Nuestro punto de partida podría ser diverso, pero elegiremos, sin dudar, el meridional. Por el Sur entraron los colonizadores españoles y hacia el Norte se dirigieron y extendieron. Esta será nuestra dirección. Colaborarán en nuestros propósitos "El Camino Real", o ruta 101, el "Cabrillo Highway", o ruta 1, y el "Pacific Coast Highway" (ruta 101, alterna) (28).

En cualquier caso, corresponde a San Diego la primacía de nuestra atención, porque en ella se verificó el descubrimiento de California para España y para el resto del mundo civilizado. Autor: el portugués Juan Rodríguez Cabrillo, al servicio del emperador Carlos V, con la ayuda de su piloto, el valenciano Bartolomé Ferrelo. Barcos: el "San Salvador" y el "Victoria", por cuenta de D. Pedro de Alvarado. Fecha: el 28 de septiembre de 1542. Nombre dado al lugar: San Miguel. Habrían salido del puerto de Navidad el 27 de junio de 1542. A los 27° habían bautizado Magdalena, a una bahía y a los 32°, cabo del Engaño, a un saliente costero (29).

En la península "Point Loma", a la entrada de la bahía de San Diego, se destaca hoy el Cabrillo National Monument, que ocupa 80 acres. Se cree que es el punto en que el navegante desembarcó, en una lengua de tierra, a la que bautizó "La Punta de los Guijarros" (hoy "Ballast Point"). El fuerte que se estableció allí sería denominado "Fuerte Guijarro". Se han descubierto recientemente en México documentos en que se demuestra que el primitivo nombre de aquél era "Real Fuerte de San Joaquín de Punta de Guijarros". Los portugueses regalaron en 1949 a la ciudad una estatua de Cabrillo, obra del escultor Alvaro de Bree. Cerca se encuentra la "Old Spanish Lighthouse", o antiguo faro español, que nada genuino tiene de tal, dada su construcción en 1850: quizá motivaciones románticas le otorgaron aquel adjetivo (30).

Sebastián Vizcaíno, primer cartógrafo

El 11 de noviembre de 1602 avistó Sebastián Vizcaíno un puerto que a primera vista le pareció muy seguro para las naos de Filipinas: lo denominó San Diego, por ser la festividad de este santo (31). "Es este puerto de San Diego muy bueno y capaz", dirá en su "Relación resumida" uno de los historiadores de la expedición, fray Antonio de la Ascensión, quien consignará, entre otras cosas, que los indios informaron de la proximidad de gente blanca: ¿dónde?, ¿quiénes? (32). Había tomado puerto el capitán con tres navíos: "San Diego", en el que iban, además de Vizcaíno, el piloto mayor Francisco de Bolaños, el maestre Baltasar de Armas y el cosmógrafo Jerónimo Martín Palacios; "Santo Tomás", al mando de Toribio Gómez de Corbán, con Juan Pascual como piloto y fray Antonio de la Ascensión como cosmógrafo, y la fragata "Tres Reyes", que tenía por corporal al alférez Sebastián Meléndez y por piloto a Antonio Flores (33).

Se trataba de la segunda expedición que en exploración de California Vizcaíno intentaba. La primera le había llevado al puerto de Zalagua, a las islas de Mazatlán y a la entrada del golfo de California, en uno de cuyos puertos –al que denominó de San Felipe– tomó solemne posesión de la tierra a la que bautizó con el nombre de Nueva Andalucía, de la misma manera que a una ensenada, al Noroeste, la denominó de La Paz, etc., pero no le había proporcionado la posibilidad de descubrir tierras más al Norte (34).

Esta segunda vez la expedición había sido preparada detalladamente y con tiempo, y las naves se habían hecho a la mar en Acapulco el 5 de mayo. Recorrida la ruta anterior y rebasado el cabo de San Lucas, visitaron una serie de puntos –que hispánicamente intitularon– levantándose el correspondiente mapa (35). El 19 de noviembre celebraron junta los expedicionarios y acordaron el sistema de señales para comunicarse unos barcos a otros los descubrimientos costeros. Frente a las islas de Santa Catalina fondearon diez días más tarde (36).

Gaspar de Portolá y fray Junípero Serra, los fundadores

1769 es la fecha fundamental en la historia de San Diego. El 1 de julio, dos expediciones, marítima y terrestre, se encontraron en el sitio. Formaban la marítima, en un principio, tres barcos, transportando tropas y cuatro misioneros: el "San Carlos", el "San Antonio" y el "San José", que habían zarpado del puerto de La Paz el 9 de enero, el 15 de febrero y el 16 de junio de 1769, respectivamente. El "San Carlos" acudió a la cita veinte días después del "San Antonio", en tanto que del "San José" nunca más se volvió a saber. La expedición terrestre se distribuyó en dos grupos: al mando del capitán D. Fernando de Rivera y Moncada, la vanguardia, y de D. Gaspar de Portolá –jefe de la expedición–, el resto, del que formaba parte el padre Junípero Serra. En ruta, el franciscano fundó la Misión de San Fernando de Vellicatá. (A Portolá, como gobernador del Presidio de Loreto, había tocado expulsar a los jesuitas de sus Misiones, en junio de 1767, en cumplimiento del Edicto de Carlos III). De los 219 hombres que habían salido dos meses antes, poco más de un centenar, y no todos sanos, acudió a la cita. Y es que fueron muchas las penalidades por que tuvieron que pasar (37).

El Estado de California celebró con gran entusiasmo el bicentenario de la fundación de San Diego, oportunidad en la que quiso contar con la hispana colaboración, según se especificaba en la Resolución que el gobernador Ronald Reagan entregó al embajador de España en Washington y que fue respaldada y completada con la visita a Madrid en junio de 1967 de una serie de personalidades californianas. La aportación solicitda se concretó en la celebración en San Diego de la "Semana de España", en abril de 1969, y en cuya inauguración, presidida por el alcalde Frank Curran y el obispo Francis J. Furey, representó al ministro de Información y Turismo, el director general León Herrera. Se instalaron la "Expotur", resumen de España, y Exposiciones de Documentos Históricos –a base de reproducciones procedentes de diversos archivos ibéricos–, del Teatro español, de Pintura Figurativa, del Libro Español y de Filatelia, además de contarse con la actuación del ballet de Paco Ruiz y con la presencia del buque escuela "Juan Sebastián Elcano" (38). España emitió un sello conmemorativo en tal oportunidad.

Existe en Cataluña una entidad titulada "Amigos de Gaspar de Portolá" y lleva el nombre de este capitán el Parador Nacional sito en Arties (Lérida), lugar de su nacimiento. Basándose en su figura, Cataluña y California firmaron un pacto de hermandad en mayo de 1986, con la presencia en Monterey del Presidente de la Generalitat, Jordi Pujol.

Tras dos semanas de descanso, el gobernador Portolá, con un grupo de los sanos, partió rumbo al Norte en busca de la bahía de Monterrey, una de las metas de la expedición, llevando en su compañía al teniente Pedro Fages, el sargento Ortega y al padre Crespi. Junípero Serra se quedó, a causa del mal estado de su ulcerada pierna. Seis meses transcurrieron hasta el retorno del jefe y los suyos sin haber alcanzado la apetecida meta. ¿Qué les había ocurrido? Desde el segundo día de camino aparecieron indios, que, queriendo acompañar a los expedicionarios, se resistieron a separarse de ellos, ocasionándoles entorpecimientos. Portolá calculó en cinco pueblos unos 6.000 indios. El capitán trató de seguir la costa, pero cuando no le fue posible tuvo que habérselas con profundos cañones, en uno de los cuales el grupo se enfrentó con una manada de plantígrados (de aquí el nombre de "Cañón de los Osos"), cuya carne pudieron probar. Con arduas dificultades tropezaron para hallar un paso en las montañas de Santa Lucía (así bautizadas por Vizcaíno, un 13 de diciembre), hasta que Ortega brindó como única solución la de trepar por una peligrosa pendiente. habiendo superado la penosa ascensión, el 26 de septiembre divisaron los expedicionarios una gran masa de agua: Portolá comisionó, sin éxito, a Rivera a averiguar si se trataba de la bahía de Monterrey. Continuando la marcha, la patrulla en vanguardia de Ortega trajo las alentadoras nuevas de haber divisado la bahía de San Francisco, de acuerdo con la descripción de Cabrera Bueno en 1732, piloto de los galeones de Manila. A los pocos días todo el grupo acampó en sus orillas. Comprendiendo que Monterrey quedaba al Sur, Portolá ordenó el regreso a San Diego, creyendo que no había logrado su objetivo; en realidad, lo había alcanzado –se detuvo en Monterrey– sin darse cuenta (39).

Misión de San Diego de Alcalá, la más antigua

Durante su ausencia, y a dos días tan sólo de su partida, fray Junípero Serra fundó, el 16 de julio, la Misión de San Diego de Alcalá (40). Poco después los indios atacaron el establecimiento, ocasionando destrozos, matando a un muchacho e hiriendo a dos. Durante varios meses Portolá se dedicó a supervisar la construcción del Presidio y de las casas que alojarían a cuantos permanecieran en San Diego. Dado que no retornaba el navío "San Antonio", enviado a San Blas por provisiones y socorros, Portolá llegó a considerar la retirada de San Diego y el retorno a Nueva España, vista la situación angustiosa de la primera fundación española en California. Fray Junípero Serra se mostró opuesto a esta determinación; salieron de dudas, y la situación quedó salvada, cuando, el 19 de marzo de 1770, apareció, para alivio de tantos sufrimientos, el ansiado navío (41).

En vista de ello, Portolá partió por tierra, en abril, de nuevo rumbo a Monterrey; fray Junípero se embarcó con el mismo destino en el "San Antonio". Para Portolá y sus hombres la jornada fue mucho más fácil y rápida, desde el momento en que era conocida en su mayor trayecto. Cierta soleada mañana alcanzaron una playa y comprobaron con satisfacción el buen estdo de conservación de una de las cruces que habían plantado la vez anterior. Los indígenas les contaron maravillados su iluminación en las noches de luna. Tras varias deducciones, concluyeron que se trataba precisamente de Monterrey (42).

Presidio. Nace el primer californiano

Al retirarse D. Gaspar de Portolá a Nueva España (43), conforme en un principio planeado (la hostería nacional inaugurada en el valle leridano de Arán en el verano de 1967 lleva su nombre), quedó al mando del Presidio de San Diego el capitán Fernando de Rivera y Moncada hasta su transferimiento, en 1774, a Monterrey. En San Diego le sustituyó el ya teniente D. José Francisco de Ortega, quien se trajo consigo a su mujer, D.ª María Antonia Carrillo, residente en Loreto. Ella y las esposas de otros soldados fueron las primeras damas occidentales en habitar California. En febrero de 1775, doña Antonia tuvo un hijo, el primer blanco nacido en el territorio (44).

En el curso del año siguiente, Ortega recibió la orden de fundar la Misión de San Juan de Capistrano, a unos 110 kilómetros de distancia de San Diego, con el objeto de establecer un apoyo en la ruta hacia el Norte que neutralizara las frecuentes incursiones de los indios de la región. Durante su ausencia, la Misión de San Diego padeció un violento ataque de los indios el 4 de noviembre de 1775. En la etapa en que el presidente de los franciscanos era el padre Fermín Lasuén (en tanto duró el viaje de Serra a México), había sido trasladada a nueve kilómetros de distancia del Presidio, de modo que cuando el asalto se produjo no pudo ser visto por los soldados de éste, ni defendidos sus habitantes. Murieron el padre Jaume, un herrero, Romero, y un carpintero, Urselino, a más de numerosos heridos entre los indios de la Misión. Ortega regresó inmediatamente al enterarse de los sucedido, pero tuvo la satisfacción de comprobar que nada grave había ocurrido a los habitantes del Presidio y que su familia se hallaba a salvo (45).

Rivera se personó en el enero siguiente con ese motivo, acompañado de don Juan Bautista de Anza, quien acababa de capitanear hasta Monterrey una expedición de colonos destinados a establecerse en la bahía de San Francisco. Se llevó a cabo el interrogatorio de los prisioneros, pero fue difícil dar con los cabecillas Carlos y Francisco. Por fin, se capturó al primero, quien, traído al Presidio, pudo escapar y refugiarse al asilo de la iglesia. Al reclamarlo Rivera y apresarlo por la fuerza, no obstante las advertencias en contra del padre Serra, fue excomulgado por éste. La tirantez entre las autoridades civiles y religiosas que este incidente ocasionó se vio aliviada con el nombramiento y consiguiente toma de posesión del capitán de Neve como nuevo gobernador. El capitán Rivera recibió la comisión de escoltar un grupo de colonos procedentes de Sonora hasta la Misión de San Gabriel, pero un ataque de los indios yumas liquidó a la expedición, pereciendo casi todos sus componentes, su jefe incluido (46).

Ortega permaneció en San Diego hasta 1782, en que recibió la orden de fundar un Presidio en Santa Bárbara. Quedó en su lugar el capitán D. José de Zúñiga (47). En 1787 correspondió a D. Juan Pablo Grijalva la comandancia, durante los ochos años que siguieron organizó 15 expediciones contra los salvajes, recibiendo en 1795 el encargo de fundar un Presidio a mitad de camino entre San Diego y Santa Bárbara, para cuyo emplazamiento eligió el valle de San José. En 1796, Grijalva obtuvo de la Corona la concesión de unos terrenos que formarían a poco el rancho Santiago de Santa Ana, al pie de las montañas de Santiago, a unos 120 kilómetros al norte de San Diego. Participaría como socio suyo D. José Antonio Yorba, su yerno, también adscrito al Presidio. El rancho se haría con el tiempo muy popular, y, sólo a seis kilómetros de El Camino Real, se convertiría en la parada obligada para cuantos transitaban esta ruta. Tocó a Grijalva recibir al navío "Discovery", con el capitán George Vancouver a bordo, lo mismo que a su sucesor, el comandante Rodríguez, le correspondió atender, en 1803, al barco americano "Betsey", con William Shaler como capitán (48).

Durante todo este tipo, la Misión de San Diego progresó, y a comienzos del siglo XIX contaba con 20.000 ovejas, 10.000 vacas y 1.250 caballos; cubría un área de 50.000 acres y gozaba de gran reputación por sus vinos. La Misión decayó al pasar el Gobierno de California a manos de México. En 1846 fue vendida a D. Santiago Argüello. Devueltos a la Iglesia Católica, en 1862, 22 acres, la restauración de la iglesia se inició en 1931, y pocos meses después se abrió al culto (49).

LA CIUDAD

Un sector de la ciudad de San Diego se denomina "Old Town": el lugar original de la primera Misión española en 1769, situada al sudeste del cruce de las carreteras 101 y 80. En el ámbito de Presidio Hill se alzó "El Presidio Real", derrumbado en 1835 (50). La "San Diego Historical Society" se propone reconstruirlo para 1969, cuando se cumpla el CC aniversario de su fundación. Se trata del Presidio más antiguo del Oeste norteamericano. Dicha Sociedad tiene su sede en el vecino Junípero Serra Museum (51). Cerca se sitúa la antigua plaza (en la esquina de Calhoun y Wallace Streets), también reconstruida guardando el sabor español. En el área, la "Casa de Estudillo", conocida por "Ramona's Marriage Place", ganó extendida popularidad, merced a la novela "Ramona", de Helen Hunt Jackson, que tiene por fondo la vida en la hispánica California (52).

Situado a 180 kilómetros, al sur de Los Angeles, y a 24 kilómetros de la frontera de México, San Diego alardea de una de las menores oscilaciones termométricas de los Estados Unidos: entre 54º F. y 70º F., y centra comarcas agrícolas de gran riqueza, distinguiéndose en ellas el cultivo del aguacate. La ciudad se extiende por las orillas de la "San Diego Bay", o Bahía, desde cuyo "Embarcadero" pueden visitarse muchos alrededores: entre otros, la vecina península de Coronado, con la ciudad del mismo nombre (en homenaje al conquistador español), lugar de veraneo, con abundantes hoteles (por ejemplo, el "Hotel del Coronado"). Su "Balboa Park" encierra en su notable extensión una serie de sorprendentes edificaciones de estilo renacimiento español (fue sede de dos exposiciones internacionales en 1915 y 1935): "El Prado", con el "Cabrillo Bridge"; el "Alcázar Garden" –inspirado en el de Sevilla–, con una estatua de El Cid, de Anna Hyatt Huntington; "La Laguna de las Flores"; el "Spanish Village Art Center"; el "Old Globe Theatre"; la "Fine Arts Gallery"; el "Organ Pavilion"; el "Balboa Park Bowl" (para conciertos); el "Balboa Stadium", y el Jardín Zoológico, San Diego cuenta con la California Western University (53).

La Casa de España desarrolla una notable actividad. El Institute for Hispanic Media a Culture, USC, patrocinó en 1984 un concurso literario sobre "La contribución de España a la Independencia de Estados Unidos".

ALREDEDORES DE SAN DIEGO

Al norte de San Diego se está desarrollando hoy día el área de "Mission Bay Park", no distante de la localidad de *La Jolla* (54), como uno de los "campus" de la Universidad de California y residencia del profesor español retirado D.

Américo Castro. Al sur de la ciudad se desarrolla el municipio de *Chula Vista,* del que, aparte su nombre, pueden anotarse dos datos: la celebración anual de la "Fiesta de la Luna" (que no tiene otro contenido hispánico que su título o los trajes típicos que en ella se lucen) y la edición de la revista "Toros", considerable publicación taurina en inglés, con numerosas fotografías y temas para los aficionados a la fiesta (55).

Si desde San Diego nos dirigimos tierra adentro, tropezaremos con una región predominantemente montañosa, con las *reservas indias* "Pechanga", "Pauma", "La Jolla", "Santa Ysabel" y "Viejas". La Misión de Pala, fundada en 1816, todavía atiende a los indios, para quienes fue establecida. No lejos, es visitable el *Palomar Observatory,* poseedor del telescopio más grande del mundo, instalado en una cúpula de 12 pisos de altura; antes habremos tenido que pasar por poblados como "La Mesa", "El Cajón", "Ramona", "Julián", "Mesa Grande", etc. Al este de las montañas aludidas se extiende, al Norte, el *Borrego State Park,* y al Sur, el *Anza Desert State Park,* constituyendo ambos un enorme desierto, con exclusiva flora salvaje, y hoy paraíso para el amante del "camping" en época no estival. Así como la parte meridional de dicha región lleva por nombre el del gran explorador español que la atravesó por vez primera, su lugar más destacado fue bautizado con el del capellán que acompañó a los colonos dirigidos por Anza: "Font's Point" (56).

Juan Bautista de Anza, al frente de colonos fundadores

Quizá sea el momento de recordar las hazañas de Juan Bautista de Anza, hijo. En 1774 recibió órdenes del virrey de encontrar una ruta desde Sonora a California, a través de la región del río Colorado. Comandante a la sazón del Presidio de Tubac, en Arizona, Anza, criollo de la región, siguió el curso del río Gila en compañía de tan sólo unos cuantos soldados. Al cabo de muchos despistes y pérdidas en el desierto. Anza consiguió conducir a los suyos a la Misión de San Gabriel. Al informar a su jefe en México del éxito, fue comisionado para reclutar colonos y conducirlos hasta la bahía de San Francisco. Cada uno recibiría paga desde el momento de su participación en la expedición, y tanto él como su familia tendrían derecho a diarias raciones de alimentos, a vestidos y a otros elementos de primera necesidad. El costo por colono venía a ascender a la suma de 800 dólares. El grupo se compondría de 240 personas. Tres divisiones se organizaron: la primera, bajo el mando de Anza; la segunda, al cuidado del sargento Juan Pablo Grijalva, y la tercera, a las órdenes del segundo teniente, D. Joaquín Moraga. Los expedicionarios viajaron juntos desde Sonora al desierto californiano, en el que pasaron la Navidad de 1775. Para atravesar éste, cada división marchó separadamente para mayor seguridad. Intenso frío acompañado de nieve, escasez de agua, pérdida por robo e hielo de gran parte de los caballos, fueron algunas de las dificultdes que el grupo hubo de afrontar y que las elevadas dotes de mando de Anza superaron. Pero el proyecto de Anza de alcanzar Monterrey por una nueva vía se presentó como arriesgado, por lo que consideró más produnte seguir la explorada ruta hacia San Gabriel. Después de atravesar el río Santa Ana y las "Del Trabuco Sierras", los cansado expedicionarios divisarían con alegría, el 4 de enero de 1776, el campanario de la Misión de San Gabriel (57).

La recreación de esta expedición se realizó en 1976 al conmemorarse el 200 aniversario por los Estados de Arizona y California, y dio lugar a fiestas en ciudades, pueblos y reservas de indios a lo largo de la ruta que culminaría con un festival en San Francisco.

SUR DE LOS ANGELES

Misión de San Luis Rey, la opulenta

Si partimos de San Diego por "El Camino Real", la segunda Misión que nos recibirá será la de *San Luis Rey*, cerca de la localidad de Oceanside. Ese puesto no lo ocupa en el tiempo, ya que correspondió a la de Carmel en Monterrey. Aquélla, por el contrario, fue la decimoctava en la lista de las Misiones californianas. Su consagración tuvo lugar el 13 de junio de 1798 por el padre Fermín Lasuén, sucesor de Serra en la presidencia de los franciscanos de la región. Allí quedó seis semanas, hasta comprobar en marcha la nueva fundación. Con el tiempo, San Luis se convirtió en una de las Misiones más progresivas y ricas, y ello en buena parte debido al padre Antonio Peyri, que la regentó durante treinta y tres años. Marchó en 1832, al considerar incompatible su presencia con la política de las autoridades mexicanas, y más de 500 indios le despidieron en el muelle de San Diego. Varios años de ruinas se sucedieron; vióse restaurada en 1950 (58).

San Juan de Capistrano, "la joya de las Misiones"

Camino arriba, nos tropezamos con la *Misión de San Juan de Capistrano*. Sus golondrinas nos traen a la memoria los aires de la canción hace años de moda. Iniciada por el propio padre Serra el 1 de noviembre de 1775, es la única que tuvo un doble nacimiento, porque, en realidad, había sido establecida por vez primera un año antes en la presente localización de San Luis Rey, una vez que fray Junípero consiguió convencer al capitán Rivera de la procedencia de levantar una Misión entre San Diego y San Gabriel; el ataque indio a San Diego recomendó –en aquellos momentos prologales de la evangelización– la retirada y el enterramiento de las campanas. Estas fueron colocadas en su campanario en 1797, pero las necesidades de la Misión aconsejaron en dicho año construir una más amplia iglesia, la que pudo elevarse gracias a los servicios de Isidoro Aguilar, constructor experto –muerto antes de su término–, lo que explica la existencia de seis cúpulas y su estilo diferente del usual en otras Misiones, más sencillas de concepción (59).

El terremoto de 1812 quitó la vida a 40 neófitos, al ser sepultados por los muros derrumbados de la iglesia: nunca fue reconstruida, y el culto continuó en la primitiva. Así, en esta Misión, muy romántica y bellamente restaurada, poblada de jardines y de pájaros, y conocida por el sobrenombre de "La joya de las Misiones", se enseñan los poderosos muros de la gran iglesia, la primitiva y recoleta capilla en la que el padre Serra dijo Misa (hoy presidida por un notable altar dorado traído de España en 1906, regalo del arzobispo Cantwell, de Los

Angeles), las campanas que tocaron a rebato cuando el ataque del pirata Bouchard en 1818, la estatua del fundador, varias fuentes pobladas de palomas, buganvillas por doquier adornando las paredes, etc. (60). Al partir, un letrero nos despide con un "Vaya con Dios".

EL FABULOSO DISNEYLAND Y OTROS PARQUES DE ATRACCIONES

Continuando por "El Camino Real", atravesamos extensos campos de naranjales y localidades por nombre El Toro, Santa Ana, Anaheim, asiento del fabuloso parque de atracciones que es "Disneyland" y Buena Park, con "Knott's Berry Farm" y "Ghost Town", todos paraísos para niños y lugares de diversión para los mayores (61). Si tomamos la carretera de la costa, nos invitarán a bañarnos las playas de San Onofre, Laguna, Corona del Mar, Huntington, Long Beach, Cabrillo, Palos Verdes, Redondo, Hermosa, Del Rey y Santa Mónica. También cruzaremos dos ríos bautizados en 1769 por la expedición de Portolá, Santa Ana y San Gabriel. En sus márgenes, estos españoles experimentarían los primeros terremotos, con el susto consiguiente, dado que uno de ellos llegó a durar un "Ave María" (62).

LOS ANGELES

Origen y presencia españoles

Y llegamos a Los Angeles. Se debe su fundación al gobernador español de California D. Felipe de Neve, quien en 1781 la bautizó con el nombre de "El Pueblo de Nuestra Señora la Reina de Los Angeles". Respondió su iniciación a la política inaugurada por dicha autoridad de constituir pueblos en los que se asentaran españoles que, independientemente de las Misiones franciscanas destinadas a los indios, dieran un firme contenido a la presencia de España y fueran el mejor auxiliar en la defensa del territorio contra enemigos y en su desarrollo económico. Antes de Los Angeles había sido fundado otro pueblo, San José de Guadalupe. De Neve encomendó al teniente Ortega la búsqueda de un lugar para la nueva fundación, y éste y su acompañante, el sargento Juan José Robles, recorrieron la regín hasta decidirse por las proximidades del río de la Porciúncula; su informe, sin embargo, no se llevó a la práctica hasta dos años después. Los colonos recibieron una parcela de terreno y en ella pudo cada uno ir edificando su morada, dando comienzo así a la populosa ciudad de nuestros días. Pero ninguna capilla se levantó, por lo que los angelenos tenían que desplazarse todos los domingos unos 15 kilómetros para asistir a Misa en la Misión de San Gabriel (63). Con el tiempo, una capilla sería erigida bajo la advocación de Nuestra Señora de los Angeles, y hoy puede visitarse en la "Old Spanish Plaza", situada un poco al sudoeste de la original, a causa de las inundaciones que sobrevinieron: la superviviente se erigió entre 1800 y 1812.

Hoy está la iglesia en manos de los padres claretianos y dedicada a los numerosos mexicanos que habitan aquel sector de Los Angeles; unos soportales externos ostentan unos murales describiendo escenas de los tiempos fundacionales

(64). En el costado occidental de la Plaza instaló su sede a fines de 1859 el primer obispo de Los Angeles (entonces Los Angeles-Monterey) el reverendo padre Tadeo Amat, natural de Barcelona. A sus esfuerzos se debió la construcción de la iglesia de Santa Vibiana, en que fue enterrado, y en cuya inauguración pronunció el sermón de circunstancias el arzobispo Sadoc Alemany, de San Francisco, en español; se tomó como modelo la iglesia de San Miguel del Puerto de la ciudad Condal. Le sucedió el obispo Francis Mora (65). Es interesante el proyecto de levantar una "Spanish Town" en torno a la Plaza, original del arquitecto Casto Fernández-Shaw.

En la esquina de las calles Wilshire y Park View, en el Mac Arthur Park, se yergue una estatua de Carlos III.

Olvera Street está cerca de la Plaza, y, con sus tiendas y establecimientos típicamente mexicanos, da una nota de color a este sector de la ciudad: forma parte de ella la casa "Avila Adobe", así llamaba por haber sido su dueño y constructor en 1818 el alcalde D. Francisco Avila (66). Volviendo a la Plaza –incluso en época norteamericana escena de corridas de toros–, un Banco nos depara la sorpresa de albergar una bandera rojo y gualda, y dos estatuas, situadas céntricamente enmedio de los jardines, dan satisfacción a nuestro espíritu hispánico: las del fundador de Los Angeles, el gobernador Felipe de Neve, y de fray Junípero Serra, padre de California. Con motivo del bicentenario de la muerte de ambos en 1984, se les tributaron ante aquellas sendos homenajes. En honor de éste ha sido bautizado el 30 de septiembre de 1963 un gran edificio destinado a albergar oficinas estatales en la esquina de Broadway y First Streets (por cierto, que dos de los legisladores que introdujeron el correspondiente proyecto de ley se llaman Moreno y Soto) (67). Existe una Casa de España que elige anualmente la Reina de la Hispanidad.

Los Angeles sirvió de escenario a una reunión de los rancheros y "dons" más influyentes de California cuando llegaron noticias de invasión de España por Napoleón v de la ascensión al trono español de su hermano José: furiosos contra el atropello cometido por el francés, juraron fidelidad a la Junta, y a propuesta de D. Antonio María Lugo, propietario del "Rancho San Antonio", situado al este de la ciudad en dirección de las montañas de San Bernardino, se estudiaron las medidas pertinentes para salvar la angustiosa situación en que la ausencia de barcos procedentes de Nueva España colocaba al territorio y a los Presidios que no recibían provisiones ni dinero para pagar a sus guarniciones (68).

Muchas son las calles y plazas del gran Los Angeles que ostentan nombres españoles: de fundadores, como Junipero Ave., De Neve Square, Crespi St. y Portola Ave.; de santos, como San Ysidro Drive, San Fernando Road, San Vicente Blvd. y San Diego Freeway; de escritores, como Cervantes Place –también Don Quixote Drive–, Lorca Road y Unamuno Ave. (ésta inaugurada con ocasión de su reciente centenario); de arte, como Goya Drive, Alhambra Ave. y Giralda Walk; de regiones o ciudades, así Galicia Drive, Andalusia Ave., Madrid Ave., Barcelona Drive y Lugo St.; de conquistadores, como De Soto St., Alvarado St., Balboa Blvd. y Pizarro St.; otros en general –y algunos con errores ortográficos–: Redondo St., Los Feliz Blvd., El Granada St., La Granada St., El Segundo Blvd., Centinela Blvd., Bienveneda Ave., Alamitas Ave., Cañón Drive, La Canada Blvd., El Reposa Dr., El Rosa Drive, El Abaca Place, La Brea Ave. y El Vista Court (69); de prominentes "dons": Sepúlveda Blvd., Figueroa St. y West Pico

Blvd. (en este último, el restaurante "El Matador", de ambiente taurino y con recuerdos de Manolete, Arruza y Luis Miguel Domínguín, y el que sirven comidas, bebidas y bailes españoles).

Los Tribunales de Justicia, que admiten hasta 80 lenguas diferentes, disponen de 200 intérpretes de español, muchos de ellos a tiempo completo.

LA CIUDAD

Los Angeles es la urbe de Norteamérica –y, por tanto, del mundo– que ocupa más kilómetros cuadrados –1.175– y hace pensar en lo que puedan ser las metrópolis del futuro. Si se añade –lo que procede– las localidades de Burbank, Pasadena, Beverly Hills, Alhambra (ciudad hermana de nuestra Granada), Culver City y Long Beach, la población alcanza la cifra de siete millones de habitantes aposentados en 10 millones de hectáreas (70).

Los Angeles recibe de noche a cuantos llegan por los aires cubierto con un grandioso manto de miradas de luces, como una terrestre "Vía Láctea": son muchos los minutos que transcurren desde que comienzan a divisarse las primeras luciérnagas urbanas hasta que se aterriza, y muchas, por tanto, las millas que ha habido que sobrevolar. Esta favorable impresión no se mejora con la luz del sol, dado que en este caso la cantidad –una vez más– no es compañero inseparable de la calidad. Las desiguales edificaciones, las fatigosas distancias, el persistente "smog" (mezcla de humo y de bruma) que, obra de las numerosas fábricas que la pueblan, cubre con frecuencia la ciudad, aunque es combatido tenázmente y con éxito, su predominante llanura desprovista de vegetación espontánea, etc..., no son factores favorables para contribuir a la belleza cívica.

No hay que olvidar que el auge de Los Angeles se debe exclusivamente a la voluntad del hombre. Como consecuencia de la construcción de dos ferrocarriles, el Southern Pacific, en 1876, y el Santa Fe, en 1885, se suscitó una tremenda rivalidad entre ambas Compañías, que querían establecer colonos en las tierras obtenidas del Gobierno; aquélla culminó cuando la segunda anunció el pasaje entre Kansas City y Los Angeles por un dólar. La población superó pronto a los 50.000 habitantes, pero en 1887, al rehusar los Bancos hipotecas que no tuvieran por base los precios anteriores al alza, las gentes comenzaron a abandonar la ciudad. Los elementos responsables se reunieron entonces y convinieron en renunciar a competencias ruinosas y en fundar la Cámara de Comercio de Los Angeles, verdadera impulsora de la presente prosperidad (71).

El agua es el gran problema que tuvo y tiene que enfrentar la ciudad, solucionado hoy por el Boulder Dam; pero el petróleo, por un lado, iniciador del auge fabril angeleno (California de Sur produce el 20 por 100 del petróleo norteamericano), y el descubrimiento del sol como materia publicitaria y el cine, por el otro, han dado a Los Angeles las palancas principales de su contemporánea expansión (72).

HOLLYWOOD, LA MECA DEL CINE

Recordemos que Hollywood –la "Ciudad Camaleón", según Blasco Ibáñez (73)–, está incluida en el perímetro de Los Angeles, y registremos la desilusión que uno se lleva al comprobar la fealdad de la famosa "meca" cinematográfica, que sólo encierra, por cierto, los estudios de cine de la Fox y Columbia (Culver City, los de la Metro; Burbank, los de la Warner; Universal City, los de Universal, etc.). Tuve suerte en mis visitas a los estudios: en los de la Warner vi filmar una escena de "can-can" de la película "International Race", protagonizada por Jack Lemon, Tony Curtis y Dorothy Provine, a quienes saludé, y en los de Columbia otra de "A ship of fools", en el momento de intervenir José Greco. Ningún ambiente cinematográfico se respira en Hollywood (se ha mantenido inteligentemente el nombre como unificador a efectos publicitarios), con la excepción de en el "Grauman's Chinese Theatre" en día de estreno, y no es frecuente tropezarse con algún astro de la pantalla en los "cabarets" o restaurantes de la ciudad; más fácil sería entrevistarlos en sus lujosas residencias de Beverly Hills –muchas de ellas de estilo español–, Bel-Air, San Fernando Valley, etcétera, si nos decidiéramos a llamar a su puerta. Estos barrios residenciales tampoco impresionan en la medida esperada, porque, todavía en etapa de desarrollo, conservan el desorden y la fealdad de una tierra seca o de un monte bajo de poco interés, y porque, con el fin de obtener para sus moradores la intimidad ansiada, las tapias de las fincas les protegen de indiscretas miradas (de admiradores o de cámaras de fotógrafos), siguiendo en este aspecto igualmente la tradición colonial española (74).

OTROS BARRIOS

En el nordeste de la ciudad encontramos el "Elysian Park": a la izquierda de su entrada un bloque de granito recuerda que D. Gaspar de Portolá y el padre Juan Crespi establecieron allí su campamento en ruta para Monterrey, y en el mismo sector, en la "Casa de Adobe" –en el número 4.605 de N. Figueroa St.–, a lo largo de sus habitaciones, cocina, baño y patio, se presentan una serie de muebles y utensilios típicos californianos. El próximo Southwestern Museum encierra colecciones de objetos de los indios de la región. "El Alisal", hoy monumento estatal, fue hogar del gran historiador *Charles F. Lummis,* quien se lo construyó con sus propias manos (75): España y los pueblos hispánicos deben a Lummis su gran defensa en la obra "Los exploradores del siglo XVI" y la impulsión de la restauración de las Misiones californianas (76). De estilo español son los edificios de la "Pasadena Community Playhouse"; el "Los Angeles Conty Arboretum" se sitúa en el antiguo "Rancho Santa Anita". En San Marino, la "Art-Gallery" se aloja en la antigua residencia del millonario *Henry E. Huntington,* que da también nombre a la famosa Biblioteca adyacente, guardadora de una magnífica colección de manuscritos, cartas y documentos de todo tipo referentes a la colonización española en el Sudoeste (77).

En el noroeste del "down-town" de Los Angeles se desenrollan el famoso Sunset Boulevard, el Hollywood Blvd. y el Wilshire Blvd., que pone el centro urbano en comunicación con Hollywood, Beverly Hills y Santa Mónica. En el área, la colina del Griffith Observatory nos permite divisar la ciudad en toda su extensión; el *Hollywood Bowl* nos dará la oportunidad de asistir a magníficos conciertos o a la presentación de ballets como el de Antonio, y el Greek Theatre ofrecerá espectáculos para 4.000 personas (78).

La Universidad de California, en Los Angeles, tiene aquí su "campus", y varios edificios acusan curiosas resonancias mudéjares; su Departamento de español ha contado con profesores de la talla de Barcia, o de visitantes como Alvar. Las Universidades de Loyola y Southern California, son las otras dos instituciones de enseñanza superior de Los Angeles; en el historial del Departamento de español de la última destaca el profesor Everett Hesse, y de su Facultad de Derecho fue decano en tiempos el eminente hispanista James Brown Scott, propulsor de la rehabilitación de Francisco de Vitoria como verdadero fundador del moderno Derecho Internacional. El suburbio de Pasadena alberga el fundamental "California Insitute of Technology" (CALTECH), así como la estación de la NASA que, en su cometido de la exploración espacial, ha mantenido la conexión con las españolas de Robledo de Chavela y Fresnedillas-Navalagamella.

Con motivo de las olimpiadas en el verano de 1984, visitaron Los Angeles además de los componentes de los equipos nacionales, el Ministro de Cultura Javier Solana, el Embajador de España Gabriel Mañueco, el Alcalde de Barcelona Pascual Maragall y Juan A. Samaranch, Presidente del Comité Olímpico Internacional.

Gregorio del Amo y otros españoles

De gran significación cultural para los españoles es la "Fundación Del Amo", creada en 1929 por D. Gregorio del Amo para promover el intercambio entre España y California, mediante becas destinadas a estudiantes de ambas. Su secretario fue el simpático D. Eugenio Cabrero (79). En Los Angeles residían el renombrado pianista valenciano José Iturbe y su hermana Amparo, concertista de primera fila, de quienes –y de su entorno– tan sugestiva descripción ha hecho el crítico Fernández Cid. Inolvidable recuerdo dejó de su etapa como cónsul, José Pérez del Arco.

A raíz de la huelga de vendimiadores en 1965, Luis Valdés fundó el "Teatro Campesino", vehículo de expresión de la literatura chicana.

ISLAS ADYACENTES

En mar abierto, y enfrente de Los Angeles, anclan las islas de Santa Catalina (así bautizada por Vizcaíno el 25 de noviembre de 1602), y San Clemente y Santa Bárbara, descubiertas por Cabrillo y avistadas por Vizcaíno (80). A 48 kilómetros al norte de la gran metrópoli se inauguró, en octubre de 1965, la nueva ciudad de Valencia, a la que se calcula en los próximos veinte años una población de 250.000 almas. Al solemne acto asistió el alcalde de la homónima ciudad española, D. Adolfo Rincón de Arellano (81).

Misión de San Gabriel, la hospitalaria

No lejos de Los Angeles ya hemos visto que se emplaza la *Misión de San Gabriel,* bastante anterior a aquel "pueblo" en su fundación. Con la aportación en 1771 de 10 nuevos franciscanos procedentes de la Baja California, el padre Serra contó con personal para continuar su labor misional, y, acortando el camino entre las Misiones de Monterrey y San Diego, bendijo, el 8 de septiembre del mismo año, el nacimiento de la de San Gabriel. Gozó de vida próspera desde el principio, y ya en 1774, el 22 de marzo, pudo recibir a la expedición de colonos de Anza y albergarlos durante los muchos meses que el capitán Rivera los retuvo hasta la fundación de San Francisco. En realidad, los edificios que hoy pueden admirarse fueron construidos en 1796, al trasladar los padres la Misión a siete kilómetros al Noroeste. Cuando en 1834 pasó a manos de un administrador civil, como secuela de las leyes desamortizadoras mexicanas, su granja contaba con 16.500 vacas. En 1908 se hicieron cargo de ella los padres claretianos (82).

Hoy San Gabriel posee una de las mejores colecciones de reliquias misionales, entre otras cosas, cuadros de la escuela de Murillo, copias de Rafael, Correggio y Andre del Sarto, esculturas españolas y una pila bautismal regalo del rey Carlos III (83). "La Fiesta de San Gabriel" se celebra anualmente en septiembre, y entre los actos organizados merece mención la "Tardeada" que, organizada en 1934, consiste en una recepción ofrecida en la Misión. En el "Campo Santo" existe desde 1961 una placa dedicada a las víctimas de la matanza perpetrada por los indios yumas en el río Colorado en julio de 1781, y anualmente "Los Campodrinos de San Gabriel" (su presidenta en 1965 era D.ª Isabel López de Fages) despositan ante ella una corona de flores (84).

Misión de San Fernando, Rey de España,
parada caminera obligada

La *Misión de San Fernando, Rey de España*, se orienta al norte de Los Angeles. La cuarta fundada por el vitoriano padre Lasuén, el 8 de septiembre de 1797, tuvo en un principio dificultades con su emplazamiento por tratarse de terrenos ocupados por el rancho de D. Francisco Reyes, alcalde de Los Angeles; la controversia terminó con el patronazgo de la Misión por Reyes y su padrinazgo del primer niño bautizado en la iglesia. La Misión progresó rápidamente, y en 1806 producía considerables cantidades de cueros, jabón, sebo y otras materias; llegó a poseer 13.000 vacas, 8.000 ovejas y 2.300 caballos. No situada en "El Camino Real", se convirtió, sin embargo, en una parada obligada para los viajeros de esta ruta, de forma que los padres tuvieron que añadir una hospedería a los edificios ya existentes en la Misión. En el momento de la transferencia de soberanía a México, la regentaba el padre Ibarra, que se resistió a renunciar a su fidelidad a España; no teniendo sucesor, pudo quedarse en su querida Misión hasta 1835. Años de abandono en manos de particulares se sucedieron; en 1896 inició Lummis una vigorosa campaña de reconstrucción, que verdaderamente progresó a partir de 1923, cuando los padres oblatos se hicieron cargo de sus edificios. Hoy se siguen admirando el antiguo órgano y el altar, cuya parte baja está compuesta de espejos. A la entrada del parque nos saluda una estatua de fray Junípero (85).

MONTAÑAS DE SANTA MÓNICA

Las montañas de Santa Mónica se extienden paralelas a la costa septentrional de Los Angeles, con el "Saddle Peak" (943 metros), desde el que se divisa la región. En este sector y en el oriental pueden visitarse algunos puntos que resumimos: el "Tapia Park", el "Corrigan Ranch" (en el que se han filmado millares de "películas del Oeste"), el "Soledad Canyon", las "Vasquez Rocks" (en recuerdo del famoso bandido Tiburcio Vázquez), el "Mount Wilson Observatory", cuatro montañas de altitud superior a los 3.500 metros (San Antonio, San Jacinto, San Bernardino y San Gorgonio), el "Joshua Tree National Monument", etcétera (86).

Misión de San Buenaventura, la bien conservada

San Buenaventura es la siguiente Misión en "El Camino Real", rumbo Norte, incluida en la ciudad de Ventura. La fundó el padre Serra el 31 de marzo de 1782, en un sitio descubierto para España cincuenta años antes por Cabrillo. En los primeros días de dicho mes de marzo había tenido lugar en la Misión de San Gabriel una reunión entre el gobernador Felipe de Neve, Serra, tres de sus franciscanos y el comandante en San Diego, Ortega, y en ella se había decidido las las fundaciones de San Buenaventura y Santa Bárbara, así como un Presido al lado de esta última. Era la primera vez que Neve, partidario del establecimiento de pueblos españoles con colonos europeos más que de Misiones para los indios, accedía a la fundación de éstas: alegaba la mayor baratura de los pueblos para el Erario español y su superior utilidad como elemento colaborador en la expansión de las fronteras hispánicas y en la defensa del territorio. De acuerdo con las instrucciones del comandante de Croix, las nuevas Misisones no desarrollarían industria alguna y se limitaría su único padre a la evangelización de los indios. Neve se proponía intervenir en la fundación, pero por órdenes superiores hubo de ausentarse; cuando volvió se encontró con San Buenaventura fundada según los cánones antiguos (87).

Desde el principio la Misión de San Buenaventura creció con vigor, recibió al capitán Vancouver en 1793 y tuvo entre sus padres a fray José Senán. El terremoto de 1812 le causó graves daños, en tanto que la secularización en 1836 no le afectó en la medida que a otras, gracias a la competencia del nuevo administrador Rafael González. El museo que, como el resto, puede hoy visitarse, muestra dos campanas de madera de las más antiguas que se conservan, así como un molino de aceite usado en los primeros tiempos.

A 15 kilómetros de Ventura, el "Rancho Cañada Larga" custodia las ruinas de la *Misión de Santa Gertrudis*, inaugurada al parecer por Serra en 1790. Destruida por el fuego a poco, no se reconstriyó hasta 1809, pero volvió a derrumbarse con el terremoto de 1812. Durante la aparición del pirata Bouchard, el padre Senán y sus feligreses se refugiaron en Santa Gertrudis (88).

SANTA BÁRBARA

Presidio

Santa Bárbara, también en "El Camino Real" y descubierta por Cabrillo en 1542, recibió su nombre de Sebastián Vizcaíno en 1602, por haberla avistado el día 4 de diciembre. A Ortega encargó el gobernador Neve, en 1782, la erección en aquel pareje de un Presidio; la reciente matanza de la expedición de colonos capitaneados por Rivera a cargo de los indios yumas, recomendaba el establecimiento de más guarniciones en puntos estratégicos. Con una considerable escolta y con su cuñado, el cabo Mariano Carrillo, partió Ortega de San Diego, visitó la Misión de San Juan de Capistrano (en ella pudo conversar con el jefe de la guardia, el veterano D. José Juan Domínguez), se reunió en San Gabriel con el padre Serra y el gobernador Neve, y continuó para el Norte, participando en la fundación de San Buenaventura (89).

Dirigiéndose después a Santa Bárbara, Ortega eligió para Presidio un dominante altozano distante de la playa kilómetro y medio tan sólo. Llegado Neve, el 21 de abril se levantó una cruz dentro de la gran empalizada ya levantada, y se tomó posesión oficial del lugar en nombre del rey Carlos III. Ortega quedó como comandante, y, con la colaboración de los soldados y marineros del galeón "San Blas", pudo llevar a cabo su propósito de edificar un Presidio, una sólida muralla de piedras y adobes, alojamientos para los jefes y soldados, capilla, almacenes, etc. Ortega permanecería en Santa Bárbara hasta 1786, en que fue transferido a Monterrey, pero cuando se retiró en 1795 obtuvo la concesión de un terreno no lejos de la ciudad, que recibiría el nombre de "Rancho de Nuestra Señora del Refugio". Esta finca sufriría grandemente cuando el ataque del pirata Bouchard, si bien no tardaría en reponerse (90).

La "Reina de las Misiones"

La Misión de Santa Bárbara no se fundó hasta 1787, siendo gobernador Pedro Fagés; no la vio, pues, Serra, correspondiendo su iniciación a fray Fermín Lasuén. Pronto progresó y contó en sus contornos con sucesivos edificios: el último, completado en 1820, resistió admirablemente hasta 1925, en que un terremoto le ocasionó considerables daños. Cuando los frailes españoles fueron expulsados por el Gobierno mexicano en 1833, vinieron a sustituirles franciscanos del convento de Zacatecas; por otra parte, el primer obispo de California, D. Francisco García Diego, trasladó en 1842 su sede a la Misión. Así pudieron salvarse sus edificios hasta nuestros días y constituir la única Misión que jamás ha salido de manos franciscanas desde su fundación (91).

Su fachada se conserva hoy día impresionante y la hace acreedora al título de "Reina de las Misiones" con que es conocida; en la explanada de su entrada se contemplan restos de su primitivo lavadero. La capilla, los claustros, los nuevos edificios del noviciado franciscano (que ostenta letreros en español), sus jardines, etcétera, valen la pena de ser visitados. Un rato de charla, por otra parte, con uno de sus residentes, el historiador Fr. Mainard Geiger, pone al tanto de formidables documentos contenidos en el archivo misional, como la carta autógrafa de Serra, defendiendo el no abandono de California, o un admirable cuadro sinóptico con dos entradas hecho en 1800, con el resumen de nacimientos, etc., de la Misión, y con el movimiento de ganados, producciones agrícolas, etc.

LA CIUDAD

Vale la pena un paseo por las calles y plazas de Santa Bárbara por el ambiente español que en ellas se respira; hay tantas con nombres españoles que la escritora Rosario Curletti les ha dedicado una obra titulada "Pathways to Pavements" (92). Así, Alameda Padre Serra, Alvarado, Arguello, Arrellaga, Ayala, Calandria, Calle Crespis, Calle Granada, Calle Noguera, Canon Perdido, Carrillo, De la Guerra, Ferrelo, Figueroa, Goleta, Juana María, Las Palmas, Lasuén, Micheltorena, Ortega, Paseo del Descanso, Plaza Rubio, Salsipuedes y otras muchas, en gran número dedicadas a santos.

Santa Bárbara es la ciudad que más ha conservado en California la huella española y que voluntariamente quiere mantenerla. Así se explica la brillantez de la "Old Spanish Days Fiesta", que anualmente se celebra, en agosto, y en el curso de cuyas cuatro jornadas hay "competición de vaqueros", "noches de ronda", "tardes de ronda", bailes españoles (en 1964 actuaron Antonio y su Ballet de Madrid), "La Cabalgata", "La Misa del Presidente" (en la Misión), "El desfile histórico", una especie de resumida feria de Sevilla –con profusión de caballos, "señoritas" con mantilla y "caballeros" con trajes cortos–, y "La Fiesta Pequeña", representación teatral en la Misión, que abre las festividades. Y todo ello con asistencia numerosa de participantes y espectadores, entre los que no faltan el gobernador del Estado, el alcalde de la ciudad, el presidente de los franciscanos y cónsules de los países hispánicos, con el de España al frente (93).

Don Pablo Sweetser, perteneciente a antigua familia española, nos acompañó a Toda y a mí en el recorrido de la ciudad. Almorzamos en "El Paseo", restaurante español muy genuino en decoración y cocina: se halla situado en un sector de la ciudad, reconstruido en ambiente español por un alemán de apellido Hoffman. En una de sus callejas –de medidas andaluzas– atraen la mirada dos azulejos conmemorativos adosados en sus paredes: uno, dedicado por el marqués de Viana en 1924, y el otro, por el conde de Monterrey. Centra el conjunto la casa que edificó para sí el comandante del Presidio, D. José de la Guerra Noriega, denominada hoy "Old De la Guerra House". Es ella escenario de la que fue popular novela de Richard H. Dana, "Dos años al pie del mástil" (94). Bajo el mando de Guerra ocurrió el desembarco en las costas de Santa Bárbara del pirata Bouchard, pero advertido el Comandante previamente por un contrabandista amigo, pudo preparar la defensa: ni intentó el ataque el pirata, ante la posibilidad de su derrota (95).

La oficina de Correos y un edificio del Gobierno ocupan parte del terreno que en tiempos perteneció al Presidio: "el Cuartel", que data de 1782, se conserva todavía, viniendo a ser el edificio más antiguo de la ciudad. No lejos están el "Lobero Theatre" (obra, en 1872, de José Lobero), la casa "Carrillo Adobe", la "Covarrubias Adobe" (elevada por D. Domingo Carrillo, pero propiedad, a partir de 1847, de la familia bajo cuyo nombre es conocida) y la "Historic Adobe". Estas dos últimas pertenecen en la hora presente a los "Rancheros Visitadores", organización de jinetes, quienes, en número de 500, participan en una gira de ocho días a través de las montañas y valles del condado de Santa Bárbara. En el nuevo Museo Histórico, la época española recibirá una atención relevante (96).

De marcado estilo español es la *Court House,* inaugurada en 1929, en sustitución de la anterior, quemada en un incendio. Su autor, el arquitecto William Mooser, ha sabido captar perfectamente el carácter andaluz y conseguir un feliz ejemplo de la posibilidad de adaptación a la época moderna de un espítiru que late en las bases históricas de la ciudad: su patio especialmente conseguido, los artesonados interiores de claras resonancias moriscas, sus blancas fachadas y sus rojas tejas, los pasillos internos flanqueados de artístiscos zócalos de azulejos e iluminados por típicos faroles, y las salas principales decoradas con motivos hispánicos; la sala de los Supervisores incluye grandes cuadros sobre Cabrillo, Vizcaíno, fray Junípero y Lasuén, debidos al artista Dan Sayre Groesbeck. Dos letreros en español pudimos leer en sus paredes: "Salud y pesetas. Gracias a Dios" y "Dios nos dio el campo; el arte humano edificó las ciudades" (97).

Bajando hasta el mar, el West Cabrillo Blvd. nos conduce hasta la piscina municipal denominada "Los Baños del Mar"; el East Cabrillo Blvd. nos llevará al Cabrillo State Park (98). La última razón de tan insistente recuerdo hacia dicho marino es la de su fallecimiento, el 3 de enero de 1543, en la vecina isla de San Miguel, o La Pasión: se cree que en ella reposa enterrado, y por eso sus compañeros la denominaron "Isla de Juan Rodríguez". Cabrillo murió por culpa de la caída que sufrió de una roca, de la consiguiente rotura de un brazo y de la gangrena que se le originó; designó a Bartolomé Ferrelo para que continuara al frente de la exploratoria empresa (99).

NORTE DE SANTA BARBARA

La costa occidental de Santa Bárbara ofrece magníficas playas: Gaviota, Refugio, El Capitán, Goleta y Arroyo Burro. Por ellas atravesó la expedición de Portolá, que tuvo dificultades en hacer pasar por sus arenas a los animales. Las bordea "El Camino Real", que bruscamente tuerce hacia el Norte, para alcanzar las montañas de Santa Inés, por el "Gaviota Pass". No lejos de éste, y después de unos kilómetros de desvío a la derecha, por la carretera 150, la localidad de Solvang nos recibirá con el ambiente danés que sus fundadores le dieron, y que ha conservado con los años, y nos ofrecerá fiestas al estilo típico escandinavo si aterrizamos en su demarcación en agosto (100).

La *Misión de Santa Inés,* en perfecto estado de restauración, cuenta con uno de los museos históricos mejores entre los existentes en la cadena misionera. Su capilla jamás sufrió de abandono. El misionero que la regentaba cuando la desamortización, consiguió que sus edificios y parte de sus tierras se dedicaran a un colegio de religiosos, primero de franciscanos, y luego, de hermanos de la Doctrina Cristiana, y, por otra parte, cuando fue abandonada, el padre que quedó convenció al albañil picapedrero para que se trasladara a vivir allí, con lo que pudo efectuar pequeñas reparaciones y evitar la progresiva ruina (101).

La Misión había sido fundada el 17 de septiembre de 1804 y, si sus comienzos fueron prósperos, los tiempos subsiguientes no confirmaron las esperanzas. El terremoto de 1812 causó graves destrucciones y, aunque reconstruida en 1817, cayó en las incendiarias manos de los indios que se levantaron en 1824, salvándose tan sólo la iglesia, en parte, gracias a los propios atacantes, que ayudaron a preservarla del fuego. Un feliz paréntesis para los destinos de la Misión lo constituyeron los años 1842 y 1845, en los que el gobernador mexicano Micheltorena, con grandes simpatías hacia España, mantuvo muy amistosas relaciones con los padres (102).

Misión de la Purísima Concepción, la combatida

Si el desvío de "EL Camino Real" lo realizamos por la carretera 150, a la izquierda nos tropezaremos con la localidad de Lompoc, en cuya jurisdicción –a unos seis kilómetros del poblado– se yergue la *Misión de la Purísima Concepción.* Su primer emplazamiento coincide con el moderno centro urbano, pero la gran raja que quedó a raíz del terremoto de 1812 aconsejó a los padres reedificarla un poco distante. Debe su nombre a la fecha de su fundación, por el padre Lasuén: 8 de diciembre de 1787. El padre más representativo de su historia, fray Mariano Payeras –otro mallorquín–, trabajo en ella durante veinte años y fue el alma de su reconstrucción, a raíz de aquel desastre geológico. Muerto en 1823, los indios se apoderaron de la Misión y levantaron un fuerte, para desalojarlos del cual tuvo dificultades una fuerza de 100 hombres enviada desde Monterrey por el gobernador mexicano. En 1934 comenzaron las obras de restauración, hábil y fielmente realizada, y hoy pueden admirarse el convento, la iglesia, los cuarteles y los jardines, en los que se ofrecen tan sólo las plantas cultivadas por los padres (103).

LA CAÑADA DE LOS OSOS

Hasta la siguiente *Misión de San Luis Obispo de Tolosa,* "El Camino Real" nos hace pasar por las localidades de Los Alamos, Santa María, Arroyo Grande y Avila Beach. San Luis tiene por emplazamiento "La Cañada de los Osos", así bautizada por D. Gaspar de Portolá en 1769, cuando su expedición se topó inesperadamente, con una partida de plantígrados que les cerraban el camino. La caza se organizó inmediatamente y dos osos cayeron bajo el plomo de los mosquetes; el teniente D. Pedro Fages y el grupo de voluntarios catalanes la gozó en el incidente (104).

Misión de San Luis Obispo de tolosa, la bien poblada

La Misión fue fundada el 1 de septiembre de 1772 por el padre Serra, rumbo a San Diego, en donde debía recoger las provisiones traídas para la Misión de Monterrey por los barcos "San Carlos" y "San Antonio", cuyos capitanes se resistían a aproximarse a aquella bahía. Al comienzo, con un solo padre, la Misión creció con rapidez, no obstante los tres ataques de indios que para 1774 ya había sufrido: El incendio de las cubiertas de bálago forzó a los misioneros a fabricar un tipo de teja que sería utilizado en lo sucesivo en todas las Misiones. Con el tiempo llegó a contar con muchos edificios para alojar a los indios, y en 1804 sus libros registran hasta 2.074 bautismos (105).

La figura más característica de su historia es la del padre Luis Martínez quien se enfrentó en frecuentes ocasiones con las autoridades civiles, que, después de 1810, en que México comenzó su rebelión contra la Madre Patria, le requerían para contribuir a los gastos que el territorio debía financiar, al no recibirse remesas de España. Consiguió proporcionar días de gran prosperidad a la Misión y mantuvo contactos comerciales directos con barcos ingleses y norteamericanos, que subrepticiamente se acercaban a sus costas. Cuando el ataque de Bouchard, el padre Martínez dirigió valientemente una compañía de indios en Santa Bárbara y San Juan de Capistrano. Al cabo de treinta y cuatro años de servicios en la Misión, la abandonó, en 1830, como consecuencia de las disposiciones del Gobierno mexicano (106).

SAN SIMEÓN, RESIDENCIA DE HEARTS

Hay muchos viñedos en el área del valle de San Luis. Siguiendo la costa, la ciudad de Morro Bay nos permite contemplar la roca "Morro", de casi 200 metros de altura, que emerge del mar como una inmensa cúpula. La extravagante residencia que William Randolph Hearts se mandó construir en *San Simeón* se halla poco más al Norte. Visitados hoy sus edificios como atracción turística, "La Casa Grande" –más bien con apariencia de catedral española que de castillo– y "La Casa del Monte" conservan muchas de las excepcionales obras de arte que el millonario acumuló para su placer personal y el de sus amigos (107).

LAS DIFÍCILES MONTAÑAS DE SANTA LUCÍA

Constituyen el telón de fondo de toda esta región las montañas de Santa Lucía, así bautizadas por Vizcaíno por haberlas divisado el 13 de diciembre. La dificultad de sus pasos, su considerable altitud y la profundidad de sus barrancas forzaron a la expedición de Portolá a realizar una de las más meritorias hazañas en la historia de las exploraciones. Destacados el sargento Ortega y una patrulla, varios días gastaron en la búsqueda del paso, que se resistía a mostrarse, y con el que, por fin, dieron; tras abrirse camino a punta de hacha por espesos bosques de pinos y recorrer durante dos horas un peligroso sendero sobre un profundo abismo, la totalidad del grupo trepó hasta la cima de la cadena para admirar el panorama que la región norte les presentaba. "Cuesta Pass" y "Paso Robles" (el nombre de uno de los cabos acompañantes de Ortega) quedarían como recuerdo de la hazaña (108).

EL FERAZ VALLE DE SAN JOAQUÍN (SECTOR MERIDIONAL)

Al este de Santa Lucía se extiende el *sector meridional del valle Central, o de San Joaquín,* cuyos feraces campos de algodón, viñedos y otros productos agrícolas se centran en torno a las ciudades de Fresno y Bakersfield. La producción de la uva moscatel nos explica que una de las localidades se denomine Málaga. Este valle es uno de los productivos parajes californianos, gracias al agua que pudo proporcionarse a sus otrora secas tierras: constituyen sus vegetales y frutas la base de una industria conservera de variado tipo, que se ha difundido por el mundo entero (109). Para trabajar en estos campos y en los similares del Estado se precisan los braceros mexicanos, que alcanzan cifra superior a los 450.000; los contratos se renuevan anualmente, y este problema ocasiona tensiones laborales incluso entre los países respectivos (110).

LOS GIGANTESCOS "SEQUOIAS"

Al este del valle, dos complejos forestales satisfacen la mayor capacidad humana de admiración: el *Sequoia National Park,* con los famosos "sequoia", los árboles gigantes (el denominado "General Sherman" tiene tres mil quinientos años de edad y mide 90 metros de alto por 12 metros de diámetro en la base), y el *Kings Canyon National Park,* con el árbol "General Grant", dos metros más corto que el "Sherman", pero dos más ancho en la base. A su costado oriental, el desierto Mojave contiene expacios no explorados todavía; a su derecha, el "Death Valley", o Valle de la Muerte, conjunto de 3.500 millas cuadradas, se prolonga por el Estado de Nevada (111).

Misión de San Miguel Arcángel, la muy extendida

San Simeón, o, mejor, el rancho que existió en tal lugar, perteneció a la *Misión de San Miguel Arcángel,* como dependían de ella también el rancho del Paso de Robles, el de la Asunción y el de Santa Isabel. Esto da idea de los extensos dominios que llegó a poseer la Misión y la prosperidad económica que alcanzó. Y eso que no figura entre las primeras, pues vio su comienzo el 25 de julio de 1797. Un destructor fuego puso en peligro su existencia en 1806, pero su pronta reconstrucción y la ampliación de su iglesia en 1816 le devolvieron su prosperidad e importancia. Fray Juan Cabot fue la personalidad sobresaliente a partir de 1880 y por treinta años. El último franciscano desapareció de sus contornos en 1840, y a poco la Misión se convirtió en uno de los más populares "saloóns" o lugares de entretenimiento a lo largo de "El Camino Real". La iglesia de San Miguel, abierta al culto, es una de las pocas cuyas pinturas y decoraciones no ha habido necesidad de restaurar (112).

Misión de San Antonio de Padua, la progresiva

La carretera 101, en dirección Norte, nos lleva, después de San Miguel, a San Ardo y San Lucas, y si nos desviamos aquí hacia la izquierda, nos conducirá a una reserva militar, en la que se emplaza la *Misión de San Antonio de Padua,* en las márgenes del río del mismo nombre. Esta es al tercera entre las fundaciones de fray Junípero, precedida solamente por San Diego y San Carlos. El 14 de julio de 1771 recibió la primera bendición y el primer voltear de campanas echadas al vuelo por el fraile franciscano en llamada a los indios lugareños. Tuvo la Misión una progresiva vida desde el principio, y de ella existen testimonios como los del gobernador Pedro Fages, en 1782 –no especialmente amigo de fray Junípero–, o del padre Font, en 1776, cuando Anza tuvo ocasión de detenerse en la Misión, en el curso de su segundo viaje. Ya en 1779 se construyó una iglesia de 44 metros de larga, ritmo laboral que se mantuvo en los años venideros, incluyendo un depósito de agua y un acueducto. San Antonio conservó cura residente hasta 1882, por lo que su deterioro se contuvo hasta esa fecha. En junio de 1950 se inauguraron las obras de restauración, que han mantenido intactos los alrededores de la Misión, en análoga manera a como se encontraban hace dos siglos (113).

Misión de Nuestra Señora de la Soledad, la desgraciada

Nuestra Señora de la Soledad es la siguiente Misión estacionada al borde de "El Camino Real". El nombre de Soledad, en realidad, había sido puesto por Portolá, cuando ante las preguntas que formularan los expedicionarios un indio contestase con sonidos y gestos que les sugirieron la palabra "soledad". Cuando el padre Lasuén estimó procedente inaugurar las obras de su fundación, el 9 de octubre de 1791, no dudó en aceptar el nombre existente en los mapas bajo la correspondiente advocación mariana. La designación se apareció desde el principio como no bien elegida, dada la ausencia de indios neófitos, con que tropezaron especialmente al principio, y las dificultades para prosperar, ya que sólo seis años después de su iniciación pudieron sustituirse por adobe las edificaciones a base de matorrales y zarzas. Por su parte, ya en 1805 la Misión experimentó una rápida decadencia, no siendo causa ajena la declaración de una epidemia que produjo gran mortandad entre los indios. Dos padres dejaron especial recuerdo de su paso por el recinto misional: fray Florencio Ibáñez, que, fallecido en 1818, yace allí (cerca de otra tumba, la del gobernador José Arillaga, que se refugió en la Misión para bien morir, en 1814) y fray Vicente Sarría, el último franciscano de Soledad, quien, presidente de la Orden en el momento de la secularización, fue hallado muerto ante el altar en mayo de 1835 y llevado en su ataúd solemnemente por sus fieles indios hasta la Misión de San Antonio (114).

MONTEREY

Rodríguez Cabrillo descubre la bahía y Vizcaíno la bautiza

Pasando González, Alisal y Salinas, podemos abandonar la carretera 101 y desviarnos hacia la cercana bahía de Monterrey. Henos en un punto fundamental en la colonización española de California. Descubierta por Carrillo en 1542, Vizcaíno la bautizó así, en honor del entonces virrey gobernante. Previamente, el 16 de diciembre de 1602, en una junta habida de capitanes, pilotos y cosmógrafos, se había decidido explorarla, por lo que Enrico Martínez sacó dos dibujos, luego muy utilizados. Se recorrió detenidamente el puerto, se descubrió el río que en ella desembocaba (que recibió el nombre de Carmelo), se comprobó la existencia de bosques vecinos de posible utilidad en caso de necesidad de reparaciones de los barcos y se constataron las condiciones de la bahía para proteger las naves que, procedentes de Oriente, necesitaran acogerse a sus refugio (115). No se derivó resultado alguno concreto del dscubrimiento en los muchos años subsiguientes; solamente cuando el rey Carlos III decidió de una vez la colonización de California se marcó Monterey como punto clave.

Portolá funda el Presidio

Monterey era la meta que Portolá persiguió en el curso de su expedición exploratoria en 1769, y su descubrimiento la consigna que dio a la patrulla del capitán Rivera al superar la travesía del macizo de Santa Lucía; pero ni el designado logró lo que se le encomendaba ni el propio Portolá, con Fages, Ortega, el padre Crespi y demás miembros de la expedición se apercibieron de su identidad cuando en sus orillas acamparon el 28 de noviembre al regresar desalentados después de haber alcanzado la bahía de San Francisco. Cuando don Gaspar decidió insistir en la búsqueda, organizando esta vez paralelamente una expedición por mar a base de la nave "San Antonio", en la que viajaba embarcado fray Junípero, dieron con la bahía, así como con la cruz que había sido plantada en su playa meses antes y a cuyo resplandor los nativos habían atribuido propiedades milagrosas. En una semana precedió la expedición terrestre a la marítima. Tras la solemne ceremonia de izar la bandera española, de tomar solemne posesión en nombre de Su Majestad y de bendecir el lugar el 1 de junio de 1770, se comenzaron las obras del Presidio y de la iglesia misional (116). En julio de 1970 Monterey ha conmemorado su fundación; también Lérida ha programado homenajes a Portolá. Sendas estatuas serán erigidas en Balaguer y Monterey, obra del escultor Monjó.

Misión de San Carlos, la segunda (Carmel)

Cuando D. Pedro Fages sucedió en el mando, una vez realizada la fundación, a Portolá (cuya partida estaba desde un principio convenida), días de fricción entre fray Junípero y el nuevo jefe se sucedieron, lo que motivó la decisión del franciscano de trasladar la Misión cinco millas hacia el Sur, al borde del río Carmelo. La capilla del Presidio se mantuvo, no obstante, para uso de la guarnición. La misión nació bajo la advocación de San Carlos Borromeo, pero su localización motivó que fuera conocida más tarde por el sobrenombre de Carmel. En su consecución tendría una primordial intervención el constructor Esteban Ruiz. La rivalidad Serra-Fages motivó un viaje del franciscano a México, en donde consiguió del virrey la destitución de su rival. En su puesto, fue nombrado el capitán Rivera y Moncada, con el que fray Junípero no mantuvo mejores relaciones (117).

Anza y los fundadores de San Francisco

En 1776 arribaron a Monterrey los colonos españoles que, dirigidos por Juan Bautista de Anza, se proponían fundar un establecimiento en la bahía de San Francisco. Retrasados en sus proyectos por la forzada temporada que tuvieron que pasar en la Misión de San Gabriel, como resultas del requerimiento de Rivera a Anza de que le acompañara con algunos de los suyos a San Diego, en donde se había producido un levantamiento indio, Anza decidió, después de muchas demoras, proceder a la realización de la comisión que le diera el virrey, aun a riesgo de contrariar al gobernador, en definitiva jefe territorial de todos. La razón de semejante actitud de Rivera se entiende si se recuerda su anterior redacción de un informe desfavorable a la fundación de San Francisco, la realización de la cual le había de colocar inevitablemente en difícil posición. Los colonos fueron recibidos jubilosamente por Serra y otros tres padres, y el volteo de las campanas hizo presentir a los expedicionarios la proximidad del logro de sus sueños (118).

A fin de preparar el terreno, Anza quiso explorar personalmente el futuro emplazamiento con unos cuantos de sus hombres, y, no obstante su precaria salud y la mucha fiebre que le abatía, ordenó ser montado en el caballo y partir para el Norte. Al regresar, Anza dejó instrucciones concretas a su lugarteniente Moraga para proceder a la fundación; había decidido intentar, por última vez, convencer a Rivera, o de lo contrario acudir hasta el propio virrey en México. No consiguió hablar con el gobernador, por lo que se vio forzado a partir, si bien a poco éste reflexionó y otorgó su permiso para el establecimiento del Presidio, aunque no para la Misión (119). No se amilanó por esta orden Serra, y cuando el paquebote "San Carlos" arribó para transportar los equipos y enseres que los colonos necesitaban, convenció a su capitán, D. Fernando Quirós, para que incluyera el material necesario para la futura Misión. La marcha por tierra de los fundadores sanfranciscanos se inició el 17 de junio en Monterrey con Grijalva al mando de la vanguardia, participando en el grupo los padres Francisco Palou y Pedro Benito Cambón (Serra quedó en San Carlos), a más de una considerable serie de indios y ganado (120).

Capital de California. Gobernador Felipe de Neve

Sustituyó a Rivera el gobernador Felipe de Neve. Con él la capital fue transferida de la Baja California a Monterrey, coincidiendo con la creación del nuevo puesto de comandante general a favor de D. Teodoro de Croix. Con ambos, un nuevo concepto entró a imperar en la civilización de las jóvenes tierras; había que insistir en su importancia como territorio español y en su papel defensivo ante las incursiones rusas, inglesas y de los piratas en general. Había que poblarlas, pues, con colonos españoles que, al mismo tiempo que promover el progreso del país, colaboran en las luchas contra los indios y contra los peligros exteriores. Para Neve, las Misiones no debían cumplir otra tarea que la espiritual y, si bien no consiguió modificación alguna en las existentes, su etapa de gobierno entre 1777 y 1784 y la subsiguiente hasta 1786 sólo vio la fundación de la Misión de San Buenaventura (121). Don Pedro Fages sustituyó a Neve en 1784, pero su confrontación con Serra, quien tanto había influido para su destitución en la primera etapa de gobierno, no se verificó por el fallecimiento del franciscano (122).

Fray Junípero Serra: muerte y enterramiento

Murió Serra el 28 de agosto de 1784 en su Misión de San Carlos Borromeo, en cuyo altar mayor yace, junto a sus compañeros de fatigas, Juan Crespi (muerto en 1782), Fermín Lasuén y Julián López. Con anterioridad a su muerte, Serra había recorrido las queridas Misiones fundadas durante su presidencia, como en son de despedida (123). En sus últimos momentos fue atendido por el padre Palou, quien, al retirarse en 1785 a México, escribiría la biografía del fundador de California (124). Fue enterrado Serra solemnemente con asistencia de los padres procedentes de varias Misiones, los colonos de Monterrey, centenares de indios y la dotación de un barco surto en el puerto. Los cañones de éste dispararon de media en media hora, siendo contestados por las baterías del Presidio. Una semana después grandes honras fúnebres se le tributaron, presididas por el entonces comandante del Presidio (125).

A partir de entonces, la fama de fray Junípero y de su obra se extendería por todo el mundo, y sería honrado en públicas y muy variadas maneras: estatuas suyas se elevarían en muchos puntos de California, y en 1910 una gran cruz se erigiría en la cima del monte Robidoux, California, recordando las fechas más memorables de su vida de misionero fundador (126). En el "Hall of Fame" del Capitolio federal, en Washington, una de las dos estatuas representando a California sería la de Serra, inaugurada el 28 de agosto de 1959; para ello había sido preciso hacerle previamente ciudadano norteamericano por Ley de 28 de agosto de 1934 (127). En su inauguración como gobernador de California, en diciembre de 1966, Ronald Reagan quiso jurar sobre la Biblia usada por el franciscano (128). Surgiría el "Serra International Club", con ramas en todo el mundo, como organización católica de laicos promotora de vocaciones sacerdotales (129). Paralelamente en su ciudad natal de Petra, en Mallorca, su casa se convertiría en museo y, adquirida por los rotarios de la isla, se donaría a la ciudad de San Francisco. En España se crearía una "Asociación de Amigos de Fray Junípero Serra" (130) y con su colaboración alcanzarían el merecido realce las solemnidades organizadas por el Ministerio de Información y Turismo en 1963 para conmemorar el CCL aniversario del nacimiento de fray Junípero. Hallóse presente con ellos el presidente del Tribunal Supremo de los Estados –antiguo gobernador de California– Mr. Earl Warren, el teniente gobernador del Estado, los alcaldes de San Francisco y Carmel y el postulador de la causa de beatificación del misionero, padre Moholy. Se acuñaron medallas –de oro, plata y cobre–, y una placa conteniendo los nombres de los franciscanos mallorquines que sirvieron en las Misiones californianas fue entregada en Petra por el teniente gobernador (131). Los actos programados en California en torno al 24 de noviembre se vieron truncados con ocasión del duelo nacional producido por el asesinato del presidente John F. Kennedy. Con ocasión del bicentenario de su fallecimiento, se organizaron conmemoraciones en 1984 en Monterrey y Petra, y se emitieron sellos postales con la efigie del misionero en las dos naciones. Un grupo de personalidades californianas viajó a la ciudad mallorquina, y un centenar de peregrinos de la isla balear se desplazó a California para hacer una gira por las Misiones fundadas por su paisano.

En Monterrey funciona la "Sociedad La Aurora", formada por miembros de origen español.

Visita del conde de La Perouse

Durante el gobierno de Fages fue Monterrey testigo de la visita del marino francés conde de La Perouse, como efecto de la invitación que le formulara el rey Carlos III. Las órdenes habían sido de permitirle anclar –el primer barco extranjero que lo obtuvo–, preveerle de lo necesario, mostrarle toda la posible cortesía y agasajarle así como a su tripulación. La visita se vio como un indicio del comienzo de relaciones comerciales con otros países, por lo que cábalas de todos los tipos se forjaron sobre las mercancías que California podría ofrecer: ¿ganado, productos hortícolas, pieles de oso y de nutria...? Días de espera se sucedieron, hasta la aparición de los visitantes en dos barcos el 14 de septiembre; recepciones se celebraron e incluso un baile, el primero celebrado en el Presidio, cenas, visitas a la Misión, retribución de las atenciones a bordo, etc. Cuando el 23 de septiembre las naves zarparon, dejaron una estela de recuerdos en la hasta entonces tranquila vida de Monterrey (132). Fages fue sustituido en 1741 por Ortega como gobernador, y se debió su partida a las continuas peticiones de su esposa por un traslado, quien no gozaba del lugar en la misma medida que su marido, y quien con su actitud más de una vez le colocó en situaciones difíciles (133). Don Antonio Romeu y D. José Joaquín de Arrillaga fueron los gobernadores que por enfermedad rápidamente se sucedieron hasta la toma de posesión de D. Diego Borica en octubre de 1794 (134).

California se independieza de España

Cuando el ataque del pirata Bouchard a Monterrey, en 1818, era gobernador D. Pablo Vicente Sola. Aunque notificado de su inminencia por el comandante de Santa Bárbara, no pudo evitar que 80 piratas saquearan e incendiaran el Presidio y sus alrededores (135). Sola desempeñaba su puesto de gobernador cuando la transmisión de poderes a México, y recibió una cortés despedida, siendo sucedido por el comandante del Presidio de San Francisco durante la época española, D. Luis Antonio Argüello, quien, como primer gobernador mexicano, desembarcó en Monterrey en noviembre de 1822, ciudad que le dispensó solemne recibimiento (136). La transferencia de soberanía de España a México se verificó, pues, en California pacíficamente; el país había permanecido leal a la Madre Patria, sin que se produjera la más mínima sublevación contra sus gobernantes, pero aceptó de buen grado las nuevas perspectivas políticas que se le presentaban. Monterrey continuó reteniendo la capitalidad, incluso cuando pasó California a manos de los Estados Unidos. Acerca de cómo conservaba sus características españolas en 1849, son curiosas las cartas del general Alfredo Sully, quien casó con Manuela de la Guerra, perteneciente a una de las mejores familias de la región (137).

Todos los años celebra Monterrey el aniversario de su fundación en ceremonia presidida por el Alcalde y la "Favorita", una joven descendiente de españoles.

LA CIUDAD

Guarda hoy Monterey (que ha perdido una "r") bastantes recuerdos españoles. El más significativo es el Presidio, denominado "Old Custom House", situado en la orilla de la bahía, y dedicado a la sede del "West Coast Branch of Defense Language Institute" (guarda una estatua de fray Junípero); la antigua capilla del Presidio, con una de las más elaboradas fachadas misioneras, es la única californiana que se mantiene procedente de un Presidio y se halla en uso desde 1795: los pescadores la visitan en septiembre y llevan en procesión a la bahía la imagen de Santa Rosalía para que bendiga las barcas. Otros edificios son "Casa Sobranes", "Casa del Oro", "Casa Gutiérrez" y "Casa Estrada"; "Casa Munras" es un magnífico motel emplazado en el antiguo "Rancho San Vicente", de D. Esteban Munras (138).

No faltan en Monterey calles con nombres españoles: así, Calle Principal, Soledad Drive, Alvarado St., Bonifacio Pl., Abrego St., Sobranes St., Del Monte Ave, etc. No será extraño tropezarse al pasear por ellas con letreros como "El Estero" (florería), "El Patio" (restaurante), o "El Adobe" (motel).

La ciudad –junto con la localidad de Pacific Grove– se emplaza al norte de la península del mismo nombre que se ha convertido en uno de los centros turísticos más activos de los Estados Unidos: con 27 hoteles, 110 moteles, nueve campos de golf y 46 iglesias de todas las denominaciones, ofrece al turista y a quienes buscan distracción y reposo cuanto puedan apetecer. Su costa está rematada por numerosos cabos, muchos de ellos con denominación española: Cabrillo, Lucas, Pinos, Pescadero y Lobos (que en su original era "Punta de Los Lobos Marinos") (139).

CARMEL Y LA MISIÓN, HOY

Elegido como presidente de las Misiones californianas, el padre Lasuén las gobernó durante veinte años; a él se debe la "edad de oro" de las Misiones Carmel, que decayó tras las leyes desamortizadoras de 1836, comenzó a ser reconstruida en 1882, convirtiéndose en parroquia en 1933, fecha en la que se inició la nueva etapa merced al entusiasmo de su pastor, padre Michael D. O'Connell y del arquitecto Mr. Harry W. Downie (140). Hoy se muestra al público maravillosamente restaurada; su patio delantero lleno de flores, su cementerio posterior enlosado de nombres hispánicos y con el monumento regalado en nombre del Instituto de Cultura Hispánica de Madrid por su director Alfredo Sánchez Bella, el patio interior de gran amplitud incluso para nuestra época, su campanario, sus edificaciones, la celda de fray Junípero, el monumento funerario de éste, obra del escultor Joe Mora, etc., etc., cautivan al visitante e impelen a la imaginación a transportarse con cierta melancolía muchos años atrás.

En torno a la Misión existe hoy Carmel, ciudad para el reposo y el descanso, con pintorescas callejas repletas de atractivos comercios y galerías de arte, y con una playa amplia festoneada un umbrosos árboles. Carmel es escenario anualmente del Festival Bach (141).

SUR DE SAN FRANCISCO

Misión de San Juan Bautista, la iglesia más amplia

La *Misión de San Juan Bautista* se asoma a los bordes de "El Camino Real". Su fundación se debe al padre Fermín Lasuén el 24 de junio de 1797, y en seis meses pudo contar con una capilla, un convento, un granero, cuartel e incluso viviendas para los neófitos. El nombre de la Misión está ligado al del padre Arroyo de la Cuesta, quien desde 1808 hasta 1833 estuvo a su servicio, y a quien se debe la construcción en 1812 de una iglesia de tres naves, la más amplia entre las existentes en la provincia. El contrató, en 1820, al carpintero Thomas Doak (convirtiéndole así en el primer yanqui residente en California) para la decoración de los muros de la iglesia. De su pluma salieron dos considerables obras —compendio la una de frases indias, exhaustivo estudio la segunda de la lengua Mutsumi–; no en balde conocía una docena de lenguas indígenas y predicaba en siete de ellas. La Misión se distinguió por la habilidad musical de los neófitos merced a los esfuerzos del padre Esteban Tapia, y el padre Cuesta compró en 1828 el órgano que hoy todavía se enseña en el museo (142).

SAN JUAN BAUTISTA

A partir de 1839, un pueblo de blancos comenzó a formarse en derredor de la Misión, conociéndose hoy por el mismo nombre de San Juan Bautista. El cementerio ha venido usándose hasta 1930, en que murió D.ª Ascensión Solórzano, última entre los indios de la Misión. Los largos soportales de ésta forman uno de los lados de su plaza principal; los restantes, que guardan una gran armonía en estilo, han sido declarados monumentos por el Estado, a saber: el "Plaza Hotel" (levantado sobre el primer piso de los cuarteles españoles), la "Castro House" (del general mexicano José de Castro), el "Plaza Stable", la "Zanetta Cottage". San Juan Bautista suele servir de escenario a concurridos rodeos (143).

Entre dicha localidad y Monterey, Castroville nos ofrece la mayor producción mundial de alcachofas (144).

Misión de Santa Cruz, la poco progresiva

Para llegar a la *Misión de Santa Cruz,* emplazada al norte de la bahía de Monterey, hay que desviarse de la carretera 101. Fundada el 25 de septiembre de 1791 en las márgenes del río San Lorenzo, no vio terminada su iglesia hasta 1794; de ella queda como recuerdo una iglesia de nueva planta, exacta reproducción de la antigua, si bien la mitad de tamaño.

SANTA CRUZ

Pueblo de Branciforte

El establecimiento en 1797 por el gobernador Diego Borica de un pueblo –el tercero– en las inmediaciones, Branciforte (en honor del virrey, marqués de tal nombre, casado con una hermana de Godoy), tuvo influencia en el escaso progreso de la Misión. El proyecto fue preparado concienzudamente, y cada colono –sano y trabajador– habría de recibir casa, muebles, herramientas, vestidos y una paga de 116 dólares durante cada uno de los dos primeros años, y de 66 dólares, igualmente periódica, en el curso de los tres siguientes. Junto a los colonos blancos habitarían indios en casas alternadas, en la creencia de que su mezcla contribuiría a acelerar el proceso de asimilación del nativo a la civilización occidental. La realidad nos satisfizo las esperanzas puestas, y Branciforte no alcanzó durante la etapa española un notable desarrollo. Más tarde evolucionaría en la localidad de Santa Cruz, lugar de veraneo –recuerdo "Casa del Rey Motel"– con magnífica playa muy concurrida por gentes procedentes del área de San Francisco. De Branciforte sólo queda como recuerdo una calle con ese nombre (145).

SAN JOSÉ

Misión de Santa Clara, la bien acogida

Y alcanzamos por "El Camino Real" la *Misión de Santa Clara,* situada en las proximidades de la ciudad de San José. Su fundación está ligada a la de San Francisco. Autorizada a "posteriori" ésta por el gobernador D. Fernando Rivera, no vio inconveniente en que el teniente Moraga y los padres Tomás de la Peña y José Murguía procedieran el 18 de enero de 1777 a comenzar los trabajos del nuevo establecimiento. La región se mostraba feraz en las márgenes del río San José de Guadalupe, y los indios, desde el principio, manifestaron buena disposición a la evangelización. Como corolario de una desastrosa inundación en 1784, la Misión tuvo que ser trasladada a otro emplazamiento en un alto, hasta su destrucción por un terremoto en 1818. Las edificaciones subsiguientes han durado hasta la fecha merced al cuidado que de ellas tomaron los jesuitas al dedicarlas en 1851 a un colegio que sigue abierto en nuestros días (146).

La historia de la Misión va pareja a la del primer pueblo de colonos españoles en California, San José de Guadalupe, obra del gobernador Felipe de Neve. Ya hemos visto cuáles eran las directivas que Neve traía de Croix y cuáles eran sus puntos de vista en cuanto a la política española en California. Comisionó al teniente Moraga para aquel cometido, quien, con algunos colonos de San Francisco, inició en junio de 1777 la comunidad que en poco tiempo habría de ser muy próspera; para noviembre ya funcionaba el Ayuntamiento. Las condiciones del lugar hicieron posible el florecimiento de cultivos remunerantes y la cría de buen ganado. No obstante su distancia de la Misión, unos cuatro kilómetros, hubo momentos de fricción con ésta por razones de jurisdicción, hasta que en 1801 un deslinde oficial fijó los respectivos límites (147).

Misión de San José de Guadalupe,
la de difícil existencia

Veintidós kilómetros al norte de la ciudad de San José, y en las márgenes orientales de la bahía de San Francisco, tuvo su existencia la *Misión de San Jose de Guadalupe,* hoy en la ciudad de Fremont. Nació veinte años después que el pueblo del mismo nombre, como consecuencia de la solicitud que el gobernador Borica, en nombre del padre Lasuén, formulara al virrey Branciforte. Concedido el permiso, el mencionado padre presidente, en compañía del sargento Pedro Amador y cinco soldados, procedió el 11 de junio de 1797 a su fundación. No fue fácil, sin embargo, la vida del nuevo establecimiento, porque los indios del valle se mostraron reacios a la evangelización y, con frecuencia, se opusieron con las armas a los pacíficos intentos de los padres. El propio Amador tuvo que dirigir una expedición, en la que hubo sangre derramada en abundancia y se hicieron muchos prisioneros (148).

Ya en época mexicana, en 1826, una fuerza bajo el mando de Mariano Vallejo libró una cruenta batalla contra 1.000 indios rebeldes dirigidos por Estanislao, un neófito de San José; cuando la derrota india se confirmó, el dirigente no pudo ser encontrado por haberse acogido al asilo de aquella iglesia. La figura del padre Narciso Durán es la más representativa de la Misión, en la que sirvió desde 1806 hasta 1833, año en que fue sustituido por un franciscano de nacionalidad mexicana procedente del convento de Zacatecas. Durante dos períodos actuó como presidente (1825-1827 y 1831-1838) y su acertada gestión ha sido comparada a la del padre Lasuén (149).

ALREDEDORES MERIDIONALES DE SAN FRANCISCO

A partir de San José, se forma una península rematada en su extremo Norte por la ciudad de San Francisco, península que es bañada por el océano y por la bahía de aquel nombre. En su vía dorsal la carretera 5 y varias cosas ofrece a nuestro interés: el "Portolá State Park", el "San Lorenzo Valley", la ciudad de

"Los Gatos", "La Honda Road", que nos llevará a la localidad de "San Gregorio", y al condado de San Mateo, la "Cañada Road", gracias a la cual visitaremos el "Pulgas Water Temple" en el "Crystal Springs Reservoir", etcétera (150).

No lejos de San José, ya en la bahía, *Palo Alto* nos dará entrada en la Universidad de Stanford, de tanto prestigio; se dice que aquel nombre procede del apodo del vasco D. Pedro Altube, que parecía como un roble, largo y estirado, y que tuvo uno de sus ranchos en la región (151) (antes habremos podido almorzar cumplidamente en el restaurante "Brave Bull", en el que los motivos taurinos imperan por doquier.) El "campus" universitario está urbanizado convenientemente y varias de sus calles responden a los nombres de Alvarado, Alameda, Salvatierra, etc. Predominan en Stanford los edificios con estilo de marcada influencia del romántico español, y se destaca, sobre todos, la torre de 95 metros, que alberga la Biblioteca Hoover sobre temas relacionados con la Guerra, la Paz y la Revolución. Centros de investigación hispánica son la "Bolivar House", la "Alvarado House", sede durante mucho tiempo del profesor Ronald Hilton y de su mensual publicación "Hispanic American Report", y El magnífico Departamento de español que contó con la dirección de Aurelio Espinosa (su padre y homónimo fue un benemérito hispanista) y la colaboración de la Sra. Schevill (continuadora de la hispánica labor de su marido) (152).

Un poco más al Norte, el "Allied Arts Guild", en *Menlo Park*, cuida de la conservación de lo que fue en tiempos "El Rancho de las Pulgas" (propiedad de la familia Argüello): son originales el granero y el cobertizo que hoy albergan tiendas de productos de artesanía. Antes de entrar a San Francisco por "El Camino Real", atravesaremos las localidades de San Carlos y San Mateo (153).

SAN FRANCISCO

Descubrimiento de la bahía por Ortega

Correspondió el honor de avistar por primera vez la bahía de San Francisco al sargento D. José Francisco Ortega, quien, con una patrulla de ocho hombres, había sido destacado en vanguardia por D. Gaspar de Portolá en búsqueda de la bahía de Monterrey (154). Erase el 1 ó 2 de noviembre de 1769. En lo alto de una cima nada pudo ver durante un tiempo, por culpa de la niebla que cubría el lugar –la famosa niebla sanfranciscana–, del paisaje que se extendía a sus pies, hasta que el horizonte se aclaró y le dejó divisar a lo lejos una gran masa de agua rodeada de boscosas costas y esmaltada con algunas islas. Con tan optimista informe, Portolá ordenó avanzar, y tras recorrer trayectos difíciles los días 4 y 5, al fin descendió con su grupo a la bahía, que parecía un brazo del Pacífico, y pudo dedicarse a descansar al borde del agua, bajo frondosos árboles, de las duras jornadas precedentes. Volvió Ortega a encargarse de la exploración de los alrededores y, amén de algun incidente sin trascendencia con los asustados indios, regresó a los cuatro días informando de que se trataba de la bahía que en el mapa de Cabrera Bueno aparecía como de San Francisco, y no de la de Monterrey: Ortega había sido el primer occidental en recorrerla. En vista de ello, Portolá decidió replegarse hacia el Sur en busca de aquella escurridiza ensenada (155).

567

En 1984 el condado de San Mateo adquiría el montículo denominado "Sweeney Ridge", en la ciudad de Pacífica, desde el que se avistó la bahía en 1768. El 12 de mayo se concluyeron los actos de su dedicación como Parque Nacional.

Fundación por Juan Bautista de Anza

La siguiente visita al área corrió a cargo de D. Juan Bautista de Anza con un pequeño grupo de sus hombres: había dejado en Monterrey a la expedición de colonos que por orden del virrey de Nueva España se proponían establecer un Presidio, una Colonia y una Misión en el lugar, y trataba de conseguir una posición adecuada para la futura fundación. Tuvo que recurrir a su gran fuerza de voluntad para llevar a cabo la misión exploratoria; por la fiebre que le aquejó en Monterrey quedó apenas sin movimientos y hubo de ser montado en el caballo por sus soldados. Anza seleccionó para su propósito, un punto rocoso en la margen sur de la bahía, teniendo enfrente, a distancia, Punta Reyes y por espectáculo unas cuantas islas diseminadas en la entrada. No sin inspeccionar la región y entablar amistosas relaciones con los indios lugareños a quienes hizo regalos, partió con sus hombres, decidido a dar inmediato nacimiento a la futura ciudad de San Francisco; si el gobernador Rivera continuaba en su manía de no permitir el establecimiento proyectado en contra de las superiores órdenes, Anza le convencería, y, de lo contrario, partiría para México a fin de poner el asunto en manos del virrey, lo que de mal grado se vio forzado a realizar (156).

El grupo expedicionario al mando del teniente José Moraga aguardaba impaciente noticias, cuando Grijalva, que había sido retenido por Rivera en San Gabriel, recibió por fin el permiso del gobernador –autoconvencido con retraso– de proceder a la fundación del Presidio de San Francisco. La llegada el 28 de mayo a Monterrey del mensajero con tan buenas nuevas llenó a todos de alegría; venían con él un pequeño grupo de soldados además de las familias de todos. Comenzaron inmediatamente los preparativos para la expedición. No obstante la negativa de Rivera acerca de la fundación de la Misión, fray Junípero se mostró dispuesto a enviar dos padres con los viajeros y a intentar aquélla por todos los medios. En el paquebote "San Carlos", que trajo provisiones para Monterrey y San Francisco, fueron cargados los materiales necesarios para el nuevo establecimiento más dos cañones para el fuerte; Serra aprovechó para incluir cuanto fuera preciso para la Misión (157).

El primer grupo que marchaba por tierra partió el 17 de junio, al mando de Grijalva, y a él se unió el jefe de la expedición Moraga, una vez supervisado el cargamento del "San Carlos"; también figuraban los padres Francisco Palou y Pedro Benito Cambón. Todo el mundo se mostraba contento. A las tribus del pasaje, extrañadas de tanto aparato, les llamaba la atención especialmente la blanca piel y el atuendo de las damas. Atravesaron unas tierras de gran belleza –siguiendo la ruta de Anza–, y la vanguardia al mando de Grijalva contempló la bahía el 27 de junio. La alegría cundió entre los expedicionarios, y más cuando comprobaron la bondad del lugar elegido por Anza; un recuerdo y miles de alabanzas volaron inmediatamente hacia el buen jefe ausente.

Descansaron convenientemente, se midió un cuadrado de 92 metros de lado para proceder a la construcción en él del Presidio y de las casas para soldados y colonos. Por pura coincidencia, comenzaron los trabajos el 4 de julio de 1776, el mismo día en que en las costas orientales del gran continente un puñado de pobladores se declaraba independiente de la Gran Bretaña y ponía las bases para los Estados Unidos de América (158).

Se hizo desear el paquebote "San Carlos"; por fin, un día de agosto se divisó a lo lejos su velera silueta. El 18 ancló en la bahía ante el general regocijo. Los trabajos se aceleraron, y el 17 de septiembre – día de las llagas de San Francisco– pudo celebrarse la toma formal de la posesión de las viviendas y de los edificios del Gobierno; se cantó un solemne "Te Deum", los escribanos levantaron solemne acta y los cañones dispararon sus salvas.

Misión de Nuestra Señora de los Dolores, la bien salvada

La orden para fundar la Misión no había llegado, sin embargo, y ante la premura del capitán del barco por zarpar, se tomó la decisión –bajo la responsabilidad de los marinos– de inaugurar la Misión de San Francisco el 4 de octubre de 1776, bendiciendo el lugar, enarbolándose la Cruz y celebrándose Misa. Instalóse la Misión a orillas de una laguna que Anza había bautizado con el nombre de Nuestra Señora de los Dolores; de aquí que fuere conocida en adelante como Dolores más que por el suyo verdadero. No tardó mucho en conocerse la aprobación de Rivera para cuanto había sido realizado sin su consentimiento, pero de acuerdo con las órdenes virreinales (159).

La Misión Dolores pronto se hizo popular entre los indios ribereños que se acogían a ella en busca de protección y alimento, pero lo mismo que acudían desertaban, situación que supuso un grave problema para el establecimiento, dado que la huída de neófitos ponía en peligro la misma existencia de la Misión. El tamaño de la península y las continuas brumas obstaculizaban, además, un desarrollo adecuado de la agricultura, sintiéndose la Misión comprimida al Norte por la expansiva colonia en torno al Presidio, y al Sur por las Misiones de San José y Santa Clara. Por ello, Dolores nunca logró el grado de prosperidad agrícola de sus hermanas; las epidemias que, por otra parte, la azotaron impidieron el asentamiento de una considerable población india. Se pensó incluso en su traslado más al Norte, pero si bien se llevó a cabo la nueva fundación, la anterior se conservó igualmente. En 1834 cayó en plena decadencia hasta su posterior devolución a la Iglesia Católica (160).

Su alejamiento de la vecina ciudad la salvó del famoso terremoto de 1906. Hoy se halla incrustada en plena urbe en la calle Dolores. El folleto "Información Turística de los E.U.A.", editado por el U.S. Department of Commerce, la incluye entre las obras más dignas de visitarse de la Arquitectura norteamericana. No queda más que la capilla y un recoleto cementerio con la estatua del padre Serra y muchas tumbas con nombres de hermanos nuestros en sangre, entre ellas las de los comandantes Moraga, el primero del Presidio, y Argüello, y de

D. Francisco de Haro, primer alcalde de San Francisco. Al lado de la pequeña capilla, se yergue una moderna y gran basílica católica, de estilo dispar, que con su mole realza la humildad de su vecina franciscana.

Amores del conde Rezanov y Conchita Argüello

La historia del Presidio de Yerba Buena –como en los primeros tiempos se le llamara– está especialmente ligada a la familia Argüello: José Darío Argüello fue su segundo comandante en 1786 quien casó con una sobrina de Moraga; en 1805 recibió la designación para el mismo puesto su hijo, Luis Antonio Argüello, con el tiempo primer gobernador mexicano de California. En 1806 el barco "Juno" ancló en la bahía: traía a bordo al conde Nicolai Petrovich Rezanov, enviado por el zar Alejandro de Rusia, con la misión de buscar suministro para los establecimientos rusos en Sitka y otros territorios nórdicos. Confiaba en inaugurar un intercambio comercial con California y solicitó permiso para cazar nutrias y focas en las aguas costeras. Su atractivo personal, su refinada educación y su figura conquistaron a la generalidad y especialmente a la hermana del comandante, Conchita. Si en cuanto al comercio, consiguió se enviara una petición al virrey, en lo que se refiere a la obtención de concesiones en el territorio, recibió del comandante el rechazo de plano a sus sugerencias: España no podía permitir la presencia de otra potencia en sus dominios (161).

En el curso de los días que se sucedieron, Rezanov participó en la vida diaria de los Argüello y pudo enamorarse rendidamente –con correspondencia– de Conchita; incluso fue invitado a visitar "El Rancho de las Pulgas". Rezanov, de cuarenta y cinco años, pidió a los padres consentimiento para esposar a su hija, de quince, petición de buen grado concedida, con la condición de obtener el permiso del Papa y de S. M. Carlos IV. Rezanov se preparó para partir de inmediato, proyectando saludar al zar, solicitar su influencia cerca de la Corte de Madrid, visitar la capital de España y, antes de un año, regresar a California. Nada se volvió a saber de Rezanov; muchos años inútilmente esperó Conchita, hasta saber de su muerte en las estepas de Siberia en marzo de 1807 (162); la desgraciada enamorada –la "Santa de las Castañuelas", según Blasco Ibáñez (163)– optó por ingresar como religiosa en un convento, en el que murió en 1857. Estos amores han inspirado a varios escritores: recordaremos aquí a la novela de Gertrude Atherton "Rezanov" y el relato de Aurelio M. Espinosa. La "Russian Hill", de San Francisco, quedó como recuerdo de novela tan romántica.

La estadía del ruso habría de tener, sin embargo, consecuencias, porque en 1812 los rusos establecerían un fuerte al norte de San Francisco, "Fort Ross", y practicarían la solicitada caza de la nutria y la foca en los Farallones y en las costas; las fuerzas del Presidio no eran suficientemente poderosas como para evitar tamaña intrusión, y el comandante tuvo que resignarse a "no darse cuenta" de las violaciones de soberanía que representaban. Los rusos permanecieron en dicho establecimiento hasta 1842, en que voluntariamente lo abandonaron (165).

LA CIUDAD

La fama de San Francisco como la más atractiva de las ciudades norteamericanas la tiene bien adquirida: es la ciudad más ciudad del continente, estratégicamente situada sobre sus 29 colinas, al borde de su maravillosa y amplia bahía (166). Su calle principal es Market St., se alarga hasta el "Embarcadero" y, a partir de ella, situada en posición transversal, una serie de calles en cuadrícula se dirigen al Norte y al Oeste, todas teniendo por fin el agua. Las orientadas al septentrión, de acusadas pendientes, aparte de por otros medios de transporte, son salvadas por el popular tranvía en el que el público rebosa, y que es accionado por un simple –y, al parecer del novato, peligroso– sistema de frenos, a cargo de unos imperturbables empleados con marcados rasgos orientales (167).

Son los responsables de dichos vagones miembros de la numerosa colonia china de San Francisco, la principal concentración amarilla fuera de Asia. *Chinatown* –con su propio Gobierno municipal– queda precisamente incluida en este empinado sector de San Francisco, y un paseo por sus calles transporta fácilmente –sin mucho exigir– a la imaginación a muy distante localización. Con la llegada en 1848 de los primeros inmigrantes, este barrio comenzó a poblarse con gran celeridad, no obstante las restricciones a que fueron sometidos; sufrió mucho a raíz del tremendo terremoto y consiguientes incendios que, comenzando el 18 de abril de 1906, se sucedieron durante varios días, arrasando el casco de la ciudad con excepción del Oeste y del Sur (168). No lejos de la Misión Dolores y en el sector occidental de Market St., se halla el Civic Center, con su Plaza, el "City Hall" o Ayuntamiento, el San Francisco Museum of Art, la Biblioteca y la Opera, entre otros magníficos y modernos edificios que otorgan al lugar un indudable empaque (169).

Muy ligado al resurgimiento de San Francisco, tras el terremoto, está el *Banco de América.* Su fundador, Amadeo P. Giannini, salvó de la quema dos millones de dólares en oro y títulos, por lo que al día siguiente pudo efectuar préstamos a los damnificados y echar las bases así del Banco de Italia, cuyo nombre cambio por el actual en venganza de la actitud guerrera de Mussolini (170). En el caso de la ciudad se encuentra, como institución de enseñanza superior, la Universidad de San Francisco de los Padres Jesuitas.

Si se recorre "Embarcadero" hacia el Norte, se tropieza uno inevitablemente con la visión de "Telegraph Hill", una colina desde la que se divisan en la vertiente de la bahía las islas Alcatraz, (nombre dado por Juan Manuel de Ayala por los pelícanos que la habitaban; hasta hace poco Penitenciaría), Angel, Yerba Buena y "Treasure", y en la vertiente Sur, volviéndose uno de espaldas, las lomas del centro de la ciudad que, con sus múltiples rascacielos, se asoman sobre la entrada del "Golden Gate". En el *Telegraph Hill* se alza la "Coit Memorial Tower" y una maciza estatua a Cristóbal Colón. Siguiendo por la orilla, el Fisherman's Wharf" o Muelle de Pescadores proporcionará suculentos ratos gastronómicos a quienes gusten de mariscos y pescados en general, servidos en los muchos restaurantes que en el lugar proliferan, o directamente en los puestos al aire libre, cuyos propietarios vocean su mercancía (171).

Más hacia el Oeste, y dominando el famoso puente del "Golden Gate", tiene su emplazamiento el *antiguo Presidio español* a que antes hicimos referencia (172). Es hoy éste sede del Sexto Cuerpo de Ejército de los Estados Unidos, que guarda con cariño los recuerdos españoles: en el club de oficiales que ocupa el sitio de la antigua fortaleza española, los diferentes salones ostentan nombres alusivos a militares de jerarquía, como Anza, Argüello, Moraga, Ortega y Portolá. El bar está adornado con frescos relatando episodios de la historia del Presidio; las cerillas y las servilletas, lo mismo que las alfombras de la entrada principal, incorporan el escudo de España como tema, y profusión de carteles fuera y dentro narran al visitante los antecedentes del lugar.

En el oeste de la ciudad, el Golden Gate Park cuenta con el *M. H. de Young Museum,* de cuya valiosa colección de pinturas no faltan El Greco y otros pintores españoles, y, en paseo preferente, con las estatuas a fray Junípero Serra y a Cervantes, ésta, de Joe Móra, y debida al patriotismo de los antiguos oficiales de Ingenieros, D. Juan Cebrián y D. Eusebio Molera (173). Otro monumento en San Francisco a hijos de España es el de El Cid, delante del Palacio de La Legión de Honor, en Lincoln Park, obra de Anna H. Huntington. Estos rincones, y los que luego describiré, pude visitarlos –en compañía del agregado comercial, Alvaro Iranzo–, gracias a la amabilidad y veteranía del jefe de la Oficina española de Turismo, el buen amigo Carlos Sánchez Pachón.

Abunda San Francisco en restaurantes, no digamos chinos, sino de todas las nacionalidades. En la línea española, vayan como ejemplos "Martin's español", "La Bodega" (en donde el andaluz dueño nos convidó, muy a la española, a una botella de vino), "Casa Madrid" (con espectáculo flamenco) y "El Matador", propiedad del gran taurófilo Barnaby Conrad, autor de varios libros sobre toros y de dos cuadros, uno sobre Manolete y el otro sobre la plaza de la Maestranza de Sevilla, que cuelgan en las paredes de su establecimiento. Funcionan en la ciudad la "Unión Española de California" compuesta por unos 600 miembros, así como el "Centro Cultural Vasco".

El catalán Sadoc Alemany, primer arzobispo

Español fue el primer arzobispo de San Francisco, monseñor José Sadoc Alemany, nacido en Vich en 1814 y residente en los Estados Unidos desde 1840, en que, a causa de la política anticlerical del Gobierno español de la época y de la confiscación de los bienes de las Ordenes religiosas, fue destinado por sus superiores dominicos a San José (Tennessee). Diez años después, el Papa Pío IX le nombró obispo de Monterey y, tres más tarde, primer arzobispo de San Francisco. Durante treinta y cinco años monseñor Sadoc permaneció al frente de los destinos de dicha diócesis, en el curso de los cuales promovió la construcción de la catedral, 150 iglesias más, 6 colegios, 18 escuelas, 5 asilos, 4 hospitales y 12 hospicios. Cuando pisó por vez primera la ciudad sólo existían 500 católicos y tres sacerdotes; al partir para el Concilio Vaticano I –del que no regresó–, los fieles ascendían a 250.000 y los sacerdotes sumaban 250. Murió en Cataluña en 1887, pero sus restos han sido trasladados a la ciudad escenario de sus afanes, en febrero de 1965. Un solemne funeral de cuerpo presente fue cantado en la "Old St. Mary's Church" (cuyo altar mayor está presidido por una notable reproducción de la Inmaculada de Murillo) y sus restos mortales recibieron sepultura en la Capilla del Arzobispo, en el mausoleo del cementerio de la Santa Cruz (Holy Cross) (174).

En San Francisco han trabajado también en otro orden de actividades dos españoles que se han destacado en el campo de la música: Isaac Albéniz, en el curso de la visita que realizó a los Estados Unidos a fines del siglo XIX, y Enrique Jordá, quien ha permanecido muchos años al frente de la Orquesta Sinfónica de la ciudad. Su opera ha presenciado en los últimos tiempos la actuación de cantantes españoles como Alfredo Kraus.

Con ocasión del 12 de octubre se celebra anualmente el "Festival de la Maza y de la Hispanidad así como la elección de cinco chicas jóvenes en el papel de la Reina Isabel y cuatro Princesas.

Calles con nombres españoles podemos contar, entre otras muchas, en San Francisco las siguientes: Alvarado St., Anza St., Arellano Ave., Argüello Blvd., Balboa St., Cardenas Ave., Cervantes Blvd., Columbus Ave., Cortez St., Crespi Dr., De Haro St., Delgado Pl., De Soto St., Dorantes Ave., Gabilan Way., Galindo Ave., Gálvez Ave., Garcés Dr., Guerrero St., Magellan Ave. (Magallanes), Marín St., Mendosa Ave., Moraga St., Noriega St., Ortega St., Peralta Ave., Pizarro Way., Portolá Dr., Quesada Av., Rivera St., Tovar Ave., Tapia Dr., Ulloa St., Valdez Av., Velasco Ave., Vidal Dr., Avila St., Barcelona Ave., Granada Ave., Linares Ave., Mallorca Way., Valencia St., El Camino del Mar, El Verano Way., Los Palmos Dr., Laguna Honda Blvd., Culebra Terrace, Higuera Ave., Teresita Blvd. y hasta tres docenas de santos españoles.

ALREDEDORES SEPTENTRIONALES DE SAN FRANCISCO

Hay que tener suerte para contemplar con buena visibilidad el famoso puente del *Golden Gate,* que une los extremos de la bahía. Se dice que es el puente más alto y de más amplia luz en el mundo, y la verdad es que la fama de su moderna belleza está bien merecida. En su extremo Norte, puede ser atalayado desde un observatorio "Vista Paint", especialmente construido al efecto; en él se expone una sección del cable –formado por la reunión de numerosos de una pulgada– de un metro de diámetro. Vigilan la entrada de la bahía, en mar abierto, las islas Farallón, nombre con el que fue conocida en un principio la bahía. La carretera, que sigue siendo la 101, nos lleva en primer término a *Sausalito,* Puertecillo de pescadores –con buenos restaurantes y abundancia de artistas–, que por su configuración orográfica y su vecindad a la bahía ha logrado adquirir un ambiente que nada tiene que envidiar al de Gandria, en Suiza, o Santa Margarita, en la Riviera italiana. En la península centrada por dicho St. Tropez californiano, y que constituye el condado de Marín, viven en varias localidades muchas gentes que trabajan en San Francisco y que diariamente atraviesan el puente. Una de aquéllas se denomina Tiburón y otra San Rafael, por la Misión allí establecida (175).

La *Misión de San Rafael Arcángel* es la penúltima de la serie fundada por los franciscanos españoles. Su existencia está ligada a la de Dolores en San Francisco, dado que se estudió durante tiempo la conveniencia de trasladar a otro emplazamiento, para su cura, a los muchos neófitos de ésta que, por culpa de la humedad y la bruma del lugar, mostraban ser fácil presa a las epidemias. El presidente padre Sarriá mucho dudó acerca de la nueva fundación, pero cuando fray Luis Gil se le ofreció voluntario, acabó por decidirse. Así, pues, el 14 de diciembre de 1817, inauguró los trabajos de la nueva Misión, cuyas edificaciones, al no haber pretendido ser desde el principio más que una asistencia de Dolores, carecen de la amplitud de la mayoría de sus hermanas. Dados los motivos sanitarios que movieron a su erección, tuvo gran significación el que el padre Gil fuera versado en medicina, la que ejerció entre los indios por espacio de dos años. Le sucedió el padre Juan Amorós, hombre enérgico que dio gran impulso a la Misión e incluso consiguió su independencia. Los intentos de suprimirla, así como Dolores, para constituir otra más al Norte, viéronse anulados por el padre Amorós que consagró a sus fieles trece años de su vida, hasta su muerte. Se hizo cargo entonces de la Misión un franciscano de Zacatecas, Fr. José Mercado, quien por sus conflictos con el general Mariano Vallejo dio ocasión a su expulsión y a que la Misión fuera secularizada, la primera entre todas las que habrían de padecer esa suerte (176).

SONOMA

Misión de San Francisco Solano, la última

Con unos cuantos más kilómetros que recorramos por la conocida carretera 101, arribaremos a la localidad de Sonoma, y con ello acabaremos nuestro peregrinaje misionero. En su plaza nos encontraremos con la antigua *Misión de San Francisco Solano,* hay convertida en museo que, entre otros recuerdos, encierra 62 óleos sobre las Misiones de Chris Jorgensen. En uso como parroquia de la ciudad –que comenzó a crece en 1834– hasta 1880, sus propiedades fueron vendidas y con el dinero, edificada una iglesia moderna. Restaurada en su genuino origen, hoy nos recuerda que fue el último de los baluartes erigidos por España para defender su esfera de influencia en California y extender la civilización occidental a los indios (177).

Es obra del padre José Altimira, de la Misión Dolores, quien deseando contar con un campo más fértil para su sed apostólica de almas propuso al comandante del Presidio Argüello su construcción, idea que a éste pareció muy bien, dada la próxima presencia de los rusos en Fort Ross. No concordó con ese parecer el presidente de los franciscanos, padre Senán, ni el padre de la Misión de San Rafael, padre Amorós, que no aceptaban la supresión propuesta de dicho establecimiento y el de Dolores por el nuevo a levantarse; la diferencia de pareceres se zanjó manteniendo los antiguos y creando el de San Francisco Solano. El padre Altimira clavó una cruz en el futuro emplazamiento el 4 de julio de

1823, siendo consagrada la iglesia de madera en abril del año siguiente. España se había retirado de California y los buenos tiempos de las Misiones habían pasado, por lo que el entusiasta padre no obtuvo las ayudas necesarias y sólo los rusos –por paradoja del destino– le proporcionaron artículos, entre otros unas campanas para el culto. En 1833 se hicieron cargo de ella los franciscanos de Zacatecas, pero, al igual que en San Rafael, hubieron de enfrentar las dificultades que la actitud del comandante mexicano les originaba (178).

En este valle se inauguraron en mayo de 1986 las Cavas de Freixenet por el Presidente de la Generalitat, Jordi Pujol, en el curso de su visita a California. Las nuevas bodegas "Gloria Ferrer" se nutren de viñedos que ocupan unas 110 hectáreas.

PROCLAMACIÓN DE LA REPÚBLICA INDEPENDIENTE DE CALIFORNIA

Mariano Vallejo, que así era el nombre de este último, instaló aquí su Cuartel General, y se conservan de su época aparte de la "Casa Grande" (su primer hogar), el "Swiss Hotel" (construido por su familia) y la "Salvador Vallejo Home". En Sonoma fue hecho prisionero cuando un grupo de colonos yanquis, dirigidos por el teniente John C. Fremont, se sublevaron e izaron la "Bear Flag" o Bandera del Oso el 14 de junio de 1846, proclamando la República independiente de California; no duró mucho a tope del mástil, ya que el 7 de julio, con la ocupación de Monterrey por el Comodoro John D. Sloat, quedó remplazada por la de las Bandas y las Estrellas. El 31 de mayo anterior el Congreso Federal había declarado la guerra a la vecina República Fremont hubo de rendir cuentas por su insubordinación. Dos años más tarde, México cedió Alta California a los Estados Unidos por el Tratado Guadalupe-Hidalgo; no tardó en ser admitida en la Unión como Estado el 9 de septiembre de 1850. Vallejo colaboró con las nuevas autoridades y llegó a ser senador estatal, e incluso una próxima ciudad lleva su nombre (179).

REGIÓN VINÍCOLA

Ese condado de Sonoma y el de Napa vecino constituyen la médula de la región vinícola californiana; Sta. Helena es su centro, y la carretera 29 su columna vertebra. Se debe su origen al húngaro Agoston Haraszthy quien plantó los primeros viñedos en Buena Vista en 1832 (180).

NORTE DE SAN FRANCISCO

BERKELEY

Por otro puente, además del Golden Gate, podemos salir de San Francisco: el Oakland Bay Bridge, que nos lleva a la localidad de este primer nombre, a las de Alameda y San Leandro (en ésta tienen vida el "Club Ibérico" y la "Sociedad Agustina de Aragón") y a la vecina Universidad de California, en Berkeley, con su característico "campanile". Este es su "campus" principal y más numeroso en alumnado, que cuenta con instituciones de superior nivel intelectual. Su Departamento de español es renombrado (recordemos a Montesinos y Rodríguez Moñino) y el de historia ha sido tradicionalmente asiento de destacados hispanistas, como Bancroft, Bolton, Hammond, King... (181).

Hubert Howe Bancroft tuvo una extraordinaria influencia en el progresivo interés en Estados Unidos por la historia de los pueblos hispánicos y su influencia en la norteamericana. Criticado por los historiadores eruditos por la forma burocrática de organizar la investigación histórica, en la que contó con la colaboración de 600 auxiliares que le ayudaron en la confección de sus 39 volúmenes, es indudable el enorme impacto que su obra produjo y la entidad de los manuscritos y libros por él recopilados, que quedaron a la disposición de los futuros investigadores. Su biblioteca, ya compuesta en 1890 por 50.000 volúmenes, pasó a ser propiedad de la Universidad de California en 1907, la que constituyó la excepcional Bancroft Library, dirigida hoy por el hispanista historiador George P. Hammond (182).

Otra figura excepcional en la historiografía norteamericana es *Herbert Eugene Bolton*, el gran maestro de varias generaciones de historiadores y el autor de obras definitivas sobre la presencia de España en Norteamérica. Su afán de colocar la obra española en el lugar que le correspondía dentro de la historia general del país y su teoría de enfocar el acontecer de los Estados Unidos en el cuadro general de las Américas, logró hondas repercusiones; sus hallazgos y aportaciones concretas, tales el Diario del padre Kino, supusieron aportaciones inestimables para el esclarecimiento de la verdad histórica. El nombre de Bolton aguarda el público homenaje que España le debe (183).

SACRAMENTO

Al salir de Berkeley suele desaparecer la bruma de la bahía y surge a poco el valle de San Joaquín en toda su luminosidad y florecimiento. Las dos direcciones de la carretera 40-80 quedan divididas por macizos de flores, y el camino hasta Sacramento, situado en el valle y en las márgenes del río de este nombre, se desliza muy amablemente. La entrada a esta ciudad, a través de un pequeño puente, nos lleva hasta el Capitolio, enmarcado por un estimable conjunto de edificios –uno de ellos ostenta el lema en inglés "dadme hombres parejos a mis montañas"– y en un bien trazado parque (184). Dentro del Capitolio varias satisfacciones nos aguardan: una bandera rojo y gualda en su rotonda alta –junto a otras–, un impresionante grupo escultórico en el vestíbulo presidido por Isabel la Católica, acogiendo maternalmente a un indio y a un español, y una serie de escenas de la Historia de California pintadas al fresco en las paredes del salón de entrada, de las cuales seis están dedicadas a la obra española y a sus protagonistas. En Sacramento existe un "Círculo Hispano".

La fiebre del oro hizo a Sacramento, que es la capital estatal desde 1854. Pero pronto la fuente de sus ingresos y del valle fue la agricultura. Con la inauguración el 19 de julio de 1963 de considerables obras de canalización, Sacramento se ha convertido en el segundo puerto fluvial de California. En la ciudad se enseña el "Sutter's Fort", construido por un pionero suizo en 1839, mucho antes del "golden rush": hoy es museo de los recuerdos conservados de aquella febril coyuntura (185).

VALLE DE SAN JOAQUÍN (SECTOR SEPTENTRIONAL)

Los granos preponderaron durante un tiempo como cultivo de la región, pero hoy han sido prácticamente sustituidos por los productos de regadío: remolacha, cebollas (en Vacaville), algodón (desde Pacheco Pass a Los Baños), espárragos (en el condado de Contra Costa), almendras (en Chico), peras (en Placerville), frutas en general (en Manteca y Merced), etc. Gallo, en Modesto, y Petri, en Escalón, son los mayores bodegueros (186). Cerca de Red Bluff, el "William B. Ide State Historical Monument" marca el emplazamiento de la casa del único presidente de California (187).

LA FIEBRE DEL ORO

Tuve ocasión de recorrer la región situada a lo largo de la carretera 49, en sentido de Norte-Sur, por la que se canalizó la fiebre del oro, causa durante muchos años de la repoblación de California, y a partir de que James Marshall descubriera las primeras pepitas en 1848 (188). Los españoles, según recuerda Lummis (189), lo habían descubierto siglos antes y se habían adelantado a Marshall diez años en su explotación. San Francisco entonces se convirtió en la capital de California, arrebatándosela a Monterey. Es curioso visitar poblaciones, con riqueza y animada vida en tiempos pretéritos, sumidas hoy en la soledad y dedicadas exclusivamente a la conservación de algunos locales para uso de turistas y de amantes de la tranquilidad. El juzgado de Mariposa, construido en 1854, es el más antiguo del Estado; Hornitos –con su plaza de estilo hispánico nos recuerda al famoso bandido Joaquín Murrieta, el vengador de los hispánicos a quienes los sajones –a veces con la violencia– impedían participar en la búsqueda del dorado metal; quedó inmortalizado en la obra literaria "Fulgor y muerte de Joaquín Murieta" de Pablo Neruda. La versión escénica en catalán está siendo difundida por el Teatro Lliure, de Barcelona. Jacksonville, Columbia, Angels Camp (en el condado de Calaveras), San Andreas, Mokelumne Hill, Amador City (con un museo), Placerville, Grass Valley (en donde residió Lola Montes) y Nevada City son otros tantos nombres que nos traen a la memoria una época que dio auge a California y que forma una parte muy representativa de su historia (190). también visité a Stockton y su Universidad del Pacífico, única institución en los Estados Unidos –al menos en los años sesenta– que ofrece enseñanzas completas en español.

SECTOR SEPTENTRIONAL DE CALIFORNIA

SIERRA NEVADA. EL "YOSEMITE NATIONAL PARK"

La "Sierra Nevada" se sitúa al este del valle Central y de la región anteriormente descrita. Constituye un enorme bloque que recorre el este de California de Norte a Sur, con alturas como las del Monte Whitney, que se aproximan a los 5.000 metros. La "Feather River Country", al norte del país del oro, toma este nombre del río que la baña, el que a su vez fue bautizado con su significado en español, "río de las Plumas", por el comandante D. Luis Argüello en 1820. Fronteriza con Nevada es la pequeña localidad de Portola, en honor del coloni- zador de California. En el sector meridional de esta demarcación se celebraron, en 1960, los Juegos Olímpicos Mundiales de Invierno, en el Squaw Valley State Park. Cerca está el extenso Lago Tahoe, dominando el Desolation Valley. Más al Sur nos aguardan las maravillas naturales del Yosemite National Park, en un valle de 10 kilómetros de longitud, cuyas paredes alcanzan la altura de 1.000 metros, como en el caso de "El Capitán" (191).

TRINITY ALPS

Al norte de California tenemos los Trinity Alps, que a veces son más com- pactos que Sierra Nevada. Allí está la región de Shasta, en donde a partir de 1849 comenzaron a aposentarse pobladores procedentes del Norte. En el Nor- deste, la ciudad de Alturas centra los Montes Warner, los que se atraviesan des- de el Este por el "Fandango Pass", así llamado por el baile allí celebrado por unos inmigrantes en 1855 al considerarse arribados felizmente a California, arri- bo que en verdad no fue tan venturoso, dado que los indios les sorprendieron en su alegría y les asesinaron sin compasión (192).

COSTA

Naufragio de Rodríguez Cermeñón

Nos queda por recorrer solamente la costa al norte de San Francisco. "Point Reyes" nos recuerda el naufragio –el primero comprobado en la historia naval de California– que en sus inmediaciones sufrió el navío "San Agustín", en 1595, al mando del español Sebastián Rodríguez Cermeñón. A un lado está la bahía Drake, en memoria del pirata inglés que visitó estas costas a fines de dicho siglo XVI. Doblando la punta, nos adentraremos en la bahía Bodega –próxima a la loca- lidad del mismo nombre–, en homenaje al marino español de tal apellido (193).

Veintiséis kilómetros y acostaremos Fort Ross, lugar en que se establecieron los rusos en 1812 para realizar el comercio de pieles con los naturales de la re- gión. La antigua casa del comandante es hoy un museo, y la iglesia de rito orto- doxo sigue funcionando. Pasaremos Point Arena antes de recalar en Mendocino, nombre que se aplica a un pequeño poblado y a un condado, y, muchos kilóme- tros más al Norte, al cabo descubierto por la expedición de Ferrelo en 1542 (an- tes habremos pasado por Pt. Cabrillo, Pt. Delgada y Punta Gorda y el Mendoci- no National Forest). Albion es otro nombre originado por la presencia de Drake. Fort Bragg es la ciudad más importante del sector (194).

El cabo Mendocino fue bautizado así por Ferrelo en 1543 en honor del virrey Mendoza promotor de la expedición, y de la que se hizo cargo aquel navegante por muerte de Cabrillo (195). A la misma lengua terrestre atracó Sebastián Vizcaíno con la capitana y la fragata de su expedición el 12 de enero de 1603; con ello cumplía la primera parte de la misión que le había sido encomendada. En dicho paraje, la junta de capitanes y pilotos aconsejó al general regresar y no proseguir con la segunda etapa proyectada, dada la estación invernal y las muchas enfermedades que aquejaban a la tripulación. Los vientos le empujaron involuntariamente, sin embargo, más al Norte (196).

BOSQUES DE "SEQUOIAS" GIGANTESCOS

En la región aledaña al Mendocino se yerguen algunos de los famosos árboles "Sequoia", o árboles rojos, de que tan abundante era California y de los que tan escasa ha quedado después de su desordenada utilización en la construcicón. Los parques "Humboldt", "Prairie Creek" y "Del Norte", encierran ejemplares de las especies más altas del mundo; se lleva el campeonato uno que mide 359 pies (en líneas generales, 120 metros), y le sigue el "Founder's Tree", con 347 pies (115 metros).

Heceta y Bodega

Eureka es la ciudad más populosa en la costa hasta rebasar los confines jurisdiccionales de Oregón, en la que también se sitúa Trinidad (197). Se debe el bautizo de este nombre a la expedición de D. Bruno de Heceta, que fondeó en el lugar el 9 de junio de 1775. Dos días después tomó solemne posesión en nombre del rey, y tocó a D. Juan Francisco de la Bodega y Cuadra y a D. Francisco A. Mourelle la tarea de levantar el correspondiente plano. Allí permanecieron hasta el 19 de junio (198).

UNIVERSIDADES

Además de las Universidades mencionadas en este capítulo, California comprende una numerosa serie de instituciones de enseñanza superior, de las que recordaremos las principales: California Institute of Technology en Pasadena, las Universidades de Redlands, San Francisco y Santa Clara en las respectivas ciudades de dichos nombres; los "campuses" de la Universidad de California en Davis, Riverside, Santa Bárbara y San Francisco –además de los de Los Angeles, Berkeley y La Jolla–; los Colegios estatales en Fresno, Sacramento, San José, San Diego y San Francisco en las ciudades con dicha denominación, además de los Colegios para muchachas en San Francisco y San Diego (en esta última hay también uno para muchachos), del Mount St. Mary's College en Los Angeles, del Pasadena College en Pasadena y del Pomona College en Claremont.

A lo largo de nuestro relato acerca de California han ido saliendo multitud de nombres españoles en localidades, ríos y montañas, explicando unas veces su origen y otras no. Pero no hemos agotado la lista. Mencionaremos los condados cuya nomenclatura se basa en nuestra lengua castellana: Alameda, Amador, Calaveras, Contra Costa, Del Norte, El Dorado, Fresno, Imperial, Los Angeles, Madera, Marín, Mariposa, Mendocino, Merced, Mono, Monterey, Nevada, Placer, Plumas, Sacramento, San Benito, San Bernardino, San Diego, San Francisco, San Joaquín, San Luis Obispo, San Mateo, Santa Bárbara, Santa Clara, Santa Cruz, Sierra, Solano y Ventura. En total, cuatro quintas partes de los condados californianos. Y las localidades de vario tamaño: Adelanto, Alameda, Alamo, Alhambra, Alisal, Alta Loma, Altaville, Alturas, Amador City, Aptos, Arlanza Vil, Arroyo Grande, Atascadero, Bodega, Borrego Sprs., Buena Park, Cabezón, Cádiz, Camarillo, Camino, Campo, Carpintería, Casitas, Castro Valley, Castroville, Chico, China, Chula Vista, Columbia, Corona, Coronado, Corte Madera, Costa Mesa, Del Dios, Del Mar, Del Paso, Esperanza, Famoso, Indio, La Jolla, La Mesa, La Mirada, La Puente, La Quinta, La Sierra, Loma, Linda, Lomita, Los Alamitos, Los Alamos, Los Angeles, Los Bancos, Los Gratos, Los Molinos, Los Nietos, Los Olivos, Madera, Málaga, Marina, Mariposa, Martínez, Mendocino, Merced, Mira, Loma, Miramar, Modesto, Montecito, Monterey, Monterey Park, Monte Río, Moraga, Moreno, Morro Bay, Murrieta, Nevada City, N. Sacramento, Novato, Nuevo, Oro Grande, Oroville, Pacifica, Pala, Palo Alto, Palo Verde, Palos Verdes Estates, Paso Robles, Pescadero, Pico Rivera, Planada, Pta. Arena, Portola, Pulga, Ramona, Rancho Santa Fe, Redondo Beach, Río Linda, Río Oso, Río Vista, Sacramento, Salida, Salinas, Sierra Madre, Sierraville, Solano Beach, Soledad, Sonora, S. Dos Palos, S. Laguna Sultana, Tiburón, Tres Pinos, Trinidad, Vacaville, Vallecitos, Vallejo, Ventura, Vidal, Vina, Vista, Yermo, Yerba Linda, Zamora y 41 localidades con nombres de santos y santas, entre las que destacan San Francisco y San Diego.

CAPITULO II

OREGON Y WASHINGTON

OREGON, el Estado castor

El primer establecimiento anglosajón se debe a John Jacob Astor, quien en 1811 fundó un "trading post" en la desembocadura del Columbia, Astoria, hoy todavía urbe de consideración, si bien dedicada a la pesca. Procedente de Nueva York, su imperio peletero tuvo que luchar con la competencia de los ingleses de la Columbia Británica; fue cedido a éstos en 1813 y recuperado cinco años más tarde (1). Durante los seis lustros siguientes, se desarrolló una pacífica lucha entre ambas influencias en el marco real de una especie de territorio neutral. En 1819, por el Tratado de la cesión de Florida, quedaron zanjadas las diferencias entre España y los Estados Unidos sobre los derechos de soberanía al norte del paralelo 42°, que se convirtió en la frontera nórdica de los dominios de S. M. el rey Fernando VII. Cuando en 1846 los Estados Unidos acordaron con Inglaterra que el paralelo 49° marcara la línea divisoria entre aquéllos y Canadá, no fue bien recibida tan "inútil adquisición de territorio" en los Estados del Este y en la capital federal (2). Oregon quedó oganizado como territorio en 1848, y admitido como Estado de la Unión el 14 de febrero de 1859. En 1853 se separó su franja Norte, que vino a convertirse en el territorio de Washington.

Hay tres sectores geográficos a distinguirse en Oregon: el "Great Basin", o región de gran altura media, con notables elevaciones, región de ganados, habitáculo de los vascos; los valles cerealísticos próximos al río Columbia, y el valle comprendido entre las cadenas costeras de montañas y el gran espinazo que, también en dirección Norte a Sur, es conocido por el nombre de Cascade Mountains (3). El *Columbia* es el paraíso del salmón, que, no obstante las presas y los aprovechamientos industriales a que está siendo sometido aquél, se mantiene fiel a su tradición y regresa a depositar sus huevas en los lugares mismos en que él vino a nacer (4). Las "Cascades" cuentan con promontorios considerables, y basta para afirmarlo los nombres de Mount Washington, Mount Adams, Mount Jefferson, Mount Shasta...

Bend y Klamath Falls son dos ciudades dedicadas a la industria de la madera que se extrae de dos espesos bosques: Deschutes y Fremont (5). En el "Great Basin", los grandes lagos –Silver, Summer, Goose, Abert–, alternan sus colores con los de los picos como el Hart, los aficionados a la caza pueden saciar su pasión cinegética –antílopes, ciervos, patos silvestres, etc.–, y la ganadería es objeto de amoroso cuidado –vacas, ovejas, caballos... (6). En todo caso, a lo largo de la geografía del Estado, nos encontramos con una flora salvaje que tiene resonancias españolas en sus nombres: el "Spanish Moss" o musgo, que cuelga también de los árboles, según vimos, de Florida y Luisiana, y que es excelente alimento para el ganado; la "chamisa", corta hierba de magníficas condiciones reproductoras de carne, y la "filaree" (procede de "alfilerilla"), planta que florece en los campos con colores azules (7).

Los Estados de Washington y Oregon están separados por el *Columbia*. Oregon –que ostenta en su sello oficial una carabela, como homenaje a España– es un Estado conservador, que no se preocupó por el oro y sus buscadores más que como posible mercado de absorción de los productos agrícolas de sus tierras, con lo que consiguió mayor riqueza para sus habitantes que con haberse dedicado éstos a la búsqueda del ansiado metal (8). La capital es Salem, con la Willamette University, pero la ciudad principal es Portland, a orillas del río Columbia. Su nombre le viene de la ciudad homónima en Maine, cuna de uno de sus fundadores, Francis W. Pettygrove (con Amos L. Lovejoy) (9). La ciudad es bella, con parques grandes y bello paisaje, y sede de la Universidad de Portland. Otras dos Universidades son: Pacific University, en la ciudad de Forest Grove, y la Universidad de Oregon, en Eugene.

PRESENCIA ESPAÑOLA

El Estado de Oregon conserva el nombre de un vasto territorio que fue objetivo de rivalidades internacionales y de cabildeos diplomáticos en la primera mitad del siglo XIX. Reclamado por España como consecuencia de sus exploraciones marítimas, considerado por Gran Bretaña como suyo a raíz de la presencia física de sus exploradores y comerciantes en pieles, ocupado por olas sucesivas de colonos provenientes del Este, tuvo una activa vida histórica a poco de entrar de manera permanente en la órbita del mundo occidental. Su nacimiento está marcado, sin embargo, con fechas mucho más lejanas, anteriores a la de la mayoría de las tierras del continente norte de América, con una antigüedad que ya ha rebasado los cuatrocientos años.

Su nombre

Pero si el conocimiento de la existencia de territorios no es de ayer precisamente y los derechos de España sobre ellos remontan a tan lejanos orígenes, el nombre de "Oregon" –como aparece hoy– tiene una modernidad decimonónica y unas indudables ataduras con nuestro mundo cultural. Muchas teorías se han esbozado para explicarlo, pero la mayoría de los expertos coinciden con la opinión sustentada por el arzobisto Blanchet: según él, Jonathan Carver atravesó el continente desde Boston, ciudad que abandonó en 1766 y a la que no regresó hasta 1768, y seis años más tarde publicó sus impresiones sobre el viaje trascontinental realizado y las tierras asomadas al borde del Pacífico; en aquéllas aparece, por vez primera, la palabra "Oregon". Explica el padre Blanchet que los españoles llevaron la delantera en explorar la región en la que tropezaron con indios de grandes orejas, a los que denominaron –según vimos (10)– orejones; al transcribir al inglés la palabra en su singular, Carver y cuantos le sucedieron cambiaron la "j" –cuyo sonido español no pronunciaban– por la "g", que mejor reflejaba la forma suave anglosajona de modular aquélla (11). En esta opinión abunda Andre Maurois en su "Historia de los Estados Unidos" (101).

EXPLORACIONES MARÍTIMAS

Dos tipos distintos de presencias han tenido los españoles en el territorio de Oregon: una, a lo largo de los siglos pasados, en las costas a cargo de los marinos españoles, con el papel descubridor que luego detallaremos y con la gloriosa tarea de bautizar cabos, bahías, ríos y decenas de accidentes geográficos; otra, en las altas tierras del Este, sembradas de altas prominencias, realizada por los pastores vascos desde fines del pasado siglo hasta la hora presente. Así, Oregon se nos muestra como abrazada a través del tiempo y del espacio por lo español, otrora en sus costas occidentales, hoy día en sus serranías levantinas y ligada a nosotros con lazos que reclamamos como indisolubles. Veamos en qué forma se desarrollaron los referidos contactos.

1) *Bartolomé Ferrelo alcanza el primero los 44° latitud Norte*

Como resultado de las exploraciones de Cortés en la Baja California y de los informes traídos por fray Marcos de Niza acerca de la existencia al norte de las ciudades de Cibola, el virrey D. Antonio de Mendoza consideró procedente realizar un esfuerzo más para tratar de incorporar a la esfera española las tierras septentrionales que tan prometedoras aparecían. Concordó con D. Pedro de Alvarado el pertrechamiento de 12 navíos; la muerte del conquistdor de Guatemala en la expedición de socorro al gobernador de Jalisco, no impidió la puesta en marcha del proyecto, ya que el virrey autorizó a que dos de los navíos preparados –el "San Salvador" y el "Victoria"– se confiaran al hábil marino D. Juan Rodríguez Cabrillo y a su piloto Bartolomé Ferrelo. La expedición zarpó del puerto de Navidad el 27 de junio de 1542. Cabrillo no ascendería más que hasta el paralelo 38° 41', por venírsele la muerte en la isla de San Miguel (12). Pero en su testamento ordenaría a Ferrelo prosiguiera sus tareas descubridoras, las que llevó a cabo con pleno éxito, pasando en enero de 1543 por los 40° latitud Norte, alcanzando el 10 de marzo siguiente los 44° (más o menos en la mitad de las costas del moderno Oregon), sufriendo tremendos fríos y siendo juguete de peligrosos vientos. Parece ser que desembarcó cerca del actual Port Orford (13). En el Sur, en los alrededores de los 42°, el Cape Ferrelo hace justicia a la presencia pionera del español, que fue el primero en entrar en contacto con aquella parte del continente y en hacerlo entrar en el ámbito de la civilización occidental.

2) Sebastián Rodríguez Cermeñón perece en sus intentos

Durante el gobierno del virrey D. Luis de Velasco en Nueva España, el navío "San Agustín", mandado por Rodríguez Cermeñón, fue despachado por el fin de reanudar los descubrimientos comenzados y de dar con un abrigado puerto para los navíos procedentes de las islas Filipinas, pero una tormenta lo hundió y nada se supo de los hallazgos (14).

3) Sebastián Vizcaíno bautiza la costa

Hay que aguardar a los albores del siglo XVII para que se manifieste una gran figura, la de Sebastián Vizcaíno. El virrey, conde de Monterrey, había recibido órdenes del rey Felipe II de proseguir los intentos de descubierta y penetración en la Alta California, con propósitos de expansión misional, control de las pesquerías de perlas y búsqueda de puertos aptos para el comercio con Asia. El primer viaje de Vizcaíno no interesa para nuestros presentes propósitos: el segundo, en cambio, reviste la trascendencia de que con los navíos "San Diego" y "Tres Reyes", y tras haber reunido Vizcaíno junta de capitanes y pilotos el día 13 de enero de 1603, en las cercanías del cabo Mendocino, sobre la conveniencia de continuar o no la exploración encomendada por el virrey –a poder ser, hsta los 44°–, llegó hasta los 43°, al cabo de ocho días de navegación. Según el cronista de la expedición, fray Antonio de la Ascensión, "aquí es la cabeza y fin del reyno y tierra firme de California y el principio y entrada para el estrecho de Anian" (15). En el curso de esta misión, una de las puntas avistadas recibió el nombre de San Sebastián. La elección se debió al santo patrono del capitán de la expedición: uno de los pocos casos en que el bautismo de lo descubierto no estuvo ligado al santo patrón del día en que se realizó (16). Queda como testimonio en el lugar una placa colocada entre dos palos con un texto en inglés, cuya traducción es la siguiente: "Historia de Oregon. Cabo San Sebastián. Los navegantes españoles fueron los primeros en explorar la costa norteamericana del Pacífico, comenzando cincuenta años después de que Colón descubriera los continentes occidentales. Sebastián Vizcaíno vio este cabo en 1603 y le nombró por el santo patrón del día de su descubrimiento. Otros navegantes españoles, británicos y americanos siguieron siglo y medio después" (como puede observarse, en la placa existe un error sobre la razón del título) (17). También bautizó Vizcaíno como Santa Ynes el río que desagua en las inmediaciones. Más al Norte se mantiene el Cape Blanco, que se debe a Martín de Aguilar, uno de los tenientes de Vizcaíno, y a cargo de quien corrió la primera investigación conocida de Umpqua River (18). El día 20 de enero de 1603 Vizcaíno ordenó el regreso de la expedición a Nueva España (19).

Trasladémonos ahora a la segunda mitad del siglo XVIII, cuando la Corte española recibió noticias de su embajador en San Petersburgo sobre los intentos rusos de expansión por las costas norteamericanas del Pacífico. Acto seguido, Carlos III, a través de su primer ministro, conde de Floridablanca, impartió instrucciones al virrey de Nueva España para que investigara el caso y dispusiera la ocupación de las tierras septentrionales de las costas americanas del Pacífico (20). El virrey designó a D. Juan Pérez para ejecutar una misión de exploración de dichas costas hasta el paralelo 60°, sin por el momento realizar ocupación alguna que pudiese traer conflicto con los rusos, acaso establecidos. El navío "Santiago" zarpó de San Blas el 24 de enero de 1774, pasó por Oregon en mayo, llegó hasta la isla hoy llamada Prince of Wales y regresó en julio, bordeando de nuevo aquellas costas (21). Cabe a Pérez la primacía en la exploración del litoral de British Columbia, Washington y Oregon y ser el primero que levantó un plano de ellas, si bien no realizó desembarco alguno. Púsose en contacto con los nativos de la región, pero no procedió a pisar sus tierras (23).

5) *Bruno Heceta y J. F. Bodega y Cuadra. Descubrimiento del río Columbia*

Como secuela de los informes de Pérez, que fueron mantenidos en secreto, el virrey despachó en 1775 al teniente Bruno Heceta, llevando a Pérez como segundo en la "Santiago" (la misma de Pérez en su primer viaje), acompañada de la goleta "Sonora", al mando del teniente D. Juan Francisco de Bodega y Cuadra. Habiendo zarpado el 16 de marzo arribaron a las orillas pacíficas de Washington. A causa de una serie de penalidades, la junta reunida por Heceta determinó que la "Sonora" tornase al punto de partida, decisión que Bodega consiguió no fuese mantenida por Heceta. Al fin de una tremenda tormenta, los dos navíos se separaron: Bodega costeó hasta el paralelo 57°, en el que dio la vuelta para descender explorando el sector meridional de Oregon; Heceta remontó hasta el estuario de Nutka, si bien le pasó inadvertido el estrecho de Juan de Fuca, y al regresar hacia el Sur ancló en la bahía en la que desemboca el río Columbia (24).

Se debe a Heceta la primera descripción del río Columbia, uno de los señeros de su geografía. Lo bautizó con el nombre de San Roque, que también impuso al luego Cape Disappointment, y con el de Cabo Frondoso, al Cape Adams; la bahía recibió la denominación de la Asunción. Quiso Heceta baja a tierra a la mañana siguiente de su arribada y comprobar si se trataba de un isla. De hallarse en presencia de un caudaloso río no tuvo dudas, al verificar la gran masa de agua dulce que empujaba al barco hacia el Sudoeste y le impidió aproximarse a la ribera, como proyectado. Las descripciones de Heceta de la bahía, los cabos y las montañas vecinas no dejan lugar a duda respecto a la identificación del lugar con la desembocadura del Columbia (25). En la bahía de Monterrey se reunieron la "Santiago" y la "Sonora", y juntas procedieron hasta San Blas, el puerto de partida en México. Después de esta expedición, los españoles adquirieron una idea bastante acabada de la costa Noroeste y supieron los primeros de la existencia del gran río.

CONTROVERSIA DE NUTKA

Tres años más tarde el capitán Cook divisaría las costas de Oregon (26), pero no penetraría en ella apenas, y, eso sí, bautizaría algunos puntos con nombres que en buena parte quedan: Cape Perpetua, Arago, etc. Los incidentes que pocos años después se conocerían con el nombre de "controversia de Nutka", originada por las pretensiones inglesas de dominio en las regiones que hoy pertenecen a Canadá, en torno a la isla de Vancouver y tierras próximas, originarían la organización de otras expediciones españolas que recorrieron las costas de Oregon. España sostenía sus derechos de soberanía basada en su primera presencia en dichas regiones, anterior a la de Cook, el primer inglés. Las circunstancias de la política interna española ocasionaían, al final, un debilitamiento de la posición nacional y el reconocimiento –triste– de no poder sostener con la fuerza de las armas lo que el derecho le otorgaba. Por los convenios de Nutka de 1790, 1793 y 1794 España renunció a sus pretensiones en el noroeste americano del Pacífico (27).

Pastores vascos

La otra presencia española en Oregon es la de los vascos en las sierras del Este. Dura vida la que llevan nuestros compatriotas en dichas regiones, como en las análogas de California, Nevada, Idaho y Montana (28). Se cree que el primero en pisar Oregon, en 1889, fue Antonio Azcuénaga, que se afincó en el Jordan Valley; luego se reunieron con él Agustín Azcuénaga, Juan Acarregui (que poseyó 5.000 cabezas) y Luis Yturraspe (con 7.000 cabezas). Llegó a ser tan numerosa la concentración de vascos en Jordan Valley, que durante muchos años pudo funcionar con éxito y plena concurrencia un frontón. Hoy siguen acudiendo naturales de las provincias Vascongadas españolas a Oregon, siendo en este Estado y en los de Nevada e Idaho en donde se agrupan (29). Uno de los senadores del Estado es Antonio Iturri, prestigioso abogado (30).

NOMBRES ESPAÑOLES

Como huella del paso de España, quedan en las costas de Oregon el Cape Falcon, la población de Manzanita, Tierra Del Mar, Heceta Head en Florence y la punta, el faro y la gran ensenada de Heceta (¿en la desembocadura del Columbia?), aparte de los ya descritos Cape Ferrelo, Cape blanco y Cape Sebastián y el monumento a Vizcaíno. Localidades en el resto del Estado con nombres españoles pueden citarse Toledo, Estacada, Salado, Leona, Columbia City, Bonanza, Alfalfa, Cornucopia, Chico, Flora, Camas Valley, La Grande, Moro, Galena, Paulina, Wasco y Vida, además del condado de Columbia; en las montañas tenemos a Cape Sebastián Summit, Camas Mountains, Eldorado Pass, Juniper Mountain, etc.

WASHINGTON, el Estado "columbiano"

Incluido al principio de su activa vida histórica en el territorio de Oregon, inició sus propios destinos cuando fue creado territorio independiente, en 1853, y aún más cuando consiguió la categoría de Estado, el 11 de noviembre de 1889. Su nombre llenó abundantes días y páginas de controversia: el primeramente propuesto fue el de Columbia, partiendo del nombre del río que lo atraviesa y en honor del descubridor de América; pero voces se alzaron ante el peligro de confusión que aquella denominación pudiera ofrecer con la de Distrito de Columbia otorgado a la capital federal, sin percartarse de que nuevamente propuesta —y que, al fin, logró éxito— incurría en los mismos defectos en relación con la ciudad sede del Gobierno central (32).

El Estado de Washington está lleno de vitalidad, tanto por lo que de progreso económico supone como por el conglomerado de razas que lo pueblan: suecos, finlandeses, noruegos, polacos, yugoslavos, chinos, japoneses, filipinos y anglosajones (33). Puede decirse que viven en dos sectores distintos: el oriental, dedicado a la agricultura y la ganadería, de clima extremo, a base de crudos inviernos y calurosos veranos, con Spocane por principal ciudad (sede de la Universidad Gonzaga, de los jesuitas) y Walla Walla, centro triguero, con la producción de manzanas más importante del país y modernas industrias conserveras de vegetales (34); y el occidental, con clima suave, gracias a las benéficas influencias marinas que ocasionan ocho meses de lluvias, y cielo gris, con la pesca —y su conserva Y la madera —Longview es el puerto exportador —entre las industrias más antiguas, con la construcción de barcos, en Tacoma, y de aviones Boeing en Seattle, con la fábrica nuclear de plutonio en Hanford, etc. (35).

Y en medio de las dos regiones, la impresionante cadena de las montañas *Cascade,* en las que descuellan Mount Rainier —de 4.500 metros—, Mount St. Helen y Mount Baker. Y en medio también, el curso del río Columbia, que atraviesa el Estado de Norte a Sur (le sirve en buena parte de frontera meridional), con sus potentes presas de Bonneville, productoras de aluminio y, sobre todo, el *Grand Coulee Dam,* inaugurado en 1914, fabuloso complejo productor de energía eléctrica y reserva enorme para regar las tierras orientales del Estado. Junto a estas ventajas, es posible que el salmón vaya desapareciendo de sus aguas, pero el hecho es que, gracias a los esfuerzos de los expertos piscícolas, el precioso pescado sigue remontando sus corrientes hasta tropezarse con el Grand Coulee (36).

Dos densos parques nacionales se custodian en Washington: el Olympic —en la península de su nombre, que albergó en 1792 un establecimiento español— y el Mount Rainier (37). Seattle es la ciudad de más relieve, cuyo auge —paralelismo con San Francisco —se inició en 1897 con el descubrimiento de oro en Klondike (Yukon); desde entonces es el lugar de paso casi indispensable para el joven Estado (38). En 1962 albergó la Feria Internacional, en la que, si bien España no participó oficialmente, hubo un pabellón particular —"Spanish Village Fiesta, Inc."—, en el que, reproduciéndose un pueblo español, intervinieron una serie de artesanos, camareros y artistas de España, que dieron una peculiar nota al certamen.

Seattle —sede de dos Universidades, la de Seattle y la de Washington— bordea el Puget Sound, como la otra metrópoli, Tacoma, asiento, a su vez, de otras dos

Universidades, Pacific Lutheran y Puget Sount. La Washington State University está en Pullman. Olympia es la capital del Estado.

PRESENCIA ESPAÑOLA

EXPLORACIONES MARÍTIMAS

1) *Juan de Fuca falsea la realidad*

No surcaron las aguas del hoy Estado de Washington las naves de los españoles Ferrelo y Vizcaíno en el curso de los siglos XVI y XVII, pero sí la expedición fletada en 1560 por el virrey de México, en la que parece ser participaba el marino griego Apóstolos Valerianos, mejor conocido por Juan de Fuca. Según la información que éste proporcionó en 1596 a Michael Lok, cónsul inglés en Alepo, había estado cuarenta años al servicio de España y actuando como piloto en la mencionada empresa descubridora de un hipotético paso –el estrecho de Anian–, comunicador en el sector norte de América de los océanos Atlántico y Pacífico: partido en 1592 con dos buques pequeños, a los 47° halló un largo brazo de mar, siguiendo el cual –son los informes de Fuca– navegó hasta el Atlántico, para regresar por aquél a México. Investigadores posteriores demostraron su falsedad, pero es undudable que Juan de Fuca visitó dichas costas, testimonio de lo cual es el nombre del estrecho que separa la isla de Vancouver de la costa continental (39).

2) *Juan Pérez levanta planos*

Cuando la Corona española decidió proceder a la ocupación de California, es decir, de las tierras al borde del Pacífico Noroeste, para evitar la penetración rusa –anunciada por su embajador en San Petersburgo– en el continente americano, varias expediciones marítimas fueron despachadas, que exploraron los distintos puntos de la costa hasta Alaska (40). Visitaron las tierras y las aguas de Oregon, y lo mismo sucedió con las de Washington y las próximas de la Columbia británica (41).

El virrey de México despachó en 1774 el navío "Santiago", al mando de don Juan Pérez, con Esteban Martínez como segundo, quienes se acercaron a la desembocadura del río Queets, en las costas de Washington y más tarde a las islas de Queen Charlotte, en su extremo Norte, y en las que buscaron aprovisionamientos de agua fresca; más al septentrión todavía avistaron la isla del Príncipe de Gales, en Alaska. El 22 de julio el navío puso rumbo al Sur, volvió a costear las anteriormente mencionadas islas y ancló el 2 de agosto en la bahía de Nutka, a la que Pérez bautizó como de San Lorenzo, en la posterior isla de Vancouver. Uno de los cabos cercanos ostenta hoy el nombre de Esteban Point, en honor de Martínez. Los intentos de obtener nuevamente agua fresca fracasaron, debido al desencadenamiento de una tremenda tormenta, por lo que, tras recobrar el bote lanzado con tal designio, el buque se hizo a la mar. El día 10 siguiente, Pérez denominó Sierra Nevada de Santa Rosalía a unas montañas que se conocen por

Mount Olympus: este hecho es recordado por una lápida conmemorativa en el Olympic National Park (42). Prácticamente, todas las costas del Estado de Washington quedaron bordeadas, si bien no recibieron otros intentos de desembarco. Pérez regresó a su base y pudo dibujar el primer plano de esta costa norteamericana del Pacífico; a él corresponde el honor de haber sido el primer descubridor de las islas Queen Charlotte, Prince of Wales y Vancouver, así como de las costas de Washington y parte de Oregon (43).

3) *Bruno Heceta y J. F. Bodega y Cuadra*

A la vista de los resultados obtenidos, una nueva expedición se organizó en 1775, al mando de D. Bruno Heceta, con la "Santiago", llevando a Pérez de segundo, y con la goleta "Sonora", con D. Francisco Bodega y Cuadra por capitán. La primera tierra que divisaron del Estado de Washington, al término de una difícil y lenta travesía, fue la península Olympic, que separa el Pacífico del Puget Sound, o bahía a la que se asoma Seattle (44). Empujados por una suave brisa, buscaron en las costas algún seguro abrigo, agenciándoselo la "Santigo" en lo que se denomina hoy Pt. Grenville, y unas millas al Norte, la goleta. El 14 de julio de 1775 Heceta ordenó arriar un bote, y acompañado por el padre Sierra, Cristóbal Revilla y el médico Dávalos, además de un grupo de marineros, bogaron hacia tierra. Si no fue posible al padre celebrar misa por culpa del mal tiempo, una cruz pudo ser erigida y Heceta tomar posesió en nombre del rey de España, denominando al lugar Rada de Bucarelli, en nombre del virrey. Grupos de indios presenciaron la ceremonia y traficaron después de ella de buen grado con las baratijas que los barbados rostros pálidos les ofrecieron (45).

Mientras tanto, la "Sonora" había pasado por momentos difíciles, al intentar evitar los escollos costeros y ser recibida por una multitud de indios que en un principio cantaban y les arrojaban plumas. Necesitados de agua fresca y alentados por la acogida, Bodega dispuso que el contramaestre, Pedro Santa Ana, y cinco hombres remaran en un bote a tierra. No bien desembarcaron, una horda de 300 vociferantes pieles rojas se abalanzaron sobre ellos, cortándoles en pedazos. Acto seguido se dirigieron a la "Sonora", que con grandes dificultades fue defendida por Bodega, su asistente y el piloto Mourelle, hasta que pudieron hacerse a la mar y reunirse con la "Santiago" (46). Con su tripulación reforzada, Bodega consiguió permiso de Heceta para proseguir hacia el Norte en sus exploraciones, en las que alcanzó el paralelo 58° (47); a su regreso ancló frente a la isla de Vancouver, y en el camino hizo varios desembarcos y comerció con los nativos; pero, a causa de la niebla, no vio el estrecho de Juan de Fuca. En su descenso hacia el Sur, ya hemos visto, al hablar del Estado de Oregon, cómo descubrió el río Columbia (49).

REACCIÓN ANTE LA LLEGADA DE COOK

El 7 de marzo de 1778, los navíos "Resolution" y "Discovery", bajo el mando de James Cook, avistaron las tierras de Oregon, pero no fondearon sino en la bahía que el capitán denominaría de Nootka, en la isla de Vancouver. Esta se convertiría en los años sucesivos en el centro del comercio de pieles y manzana de discordia con España. Los indios se mostraron desde el primer momento dispuestos al intercambio, pero los costaneros procuraron impedir a los del interior su participación en él. Una cosa sorprendió a los ingleses: el hallazgo de dos cucharas de plata en posesión de un indio, testimonio inexcusable de la anterior presencia española en la región (50). Siete años más tarde visitaría Nootka el capitán James Hanna, proveniente de China; pero sería a partir de 1786 cuando los británicos menudearían sus visitas a la región, siempre procedentes de Asia: entre ellos, John Meares (51).

4)   *Esteban José Martínez pasa hacia Nutka*

Noticioso el virrey de Nueva España, Flores, de la numerosa presencia británica en el Pacífico septentrional, y siguiendo las instrucciones impartidas desde Madrid, tomando como base los informes de La Perouse, despachó en las fragatas "Princesa" y "San Carlos" a D. Esteban José Martínez –antiguo compañero de Pérez–, quien llevaba como piloto a D. Gonzalo de Haro, con la orden de construir un fuerte en Nutka y ocupar la bahía en nombre del rey de España, dado el derecho de soberanía que a España correspondía sobre las costas americanas del Pacífico, por razones de primera exploración y toma de posesión. Habiendo zarpado el 8 de marzo de 1788, Martínez encontró en Nutka a los navíos norteamericanos "Lady Wastington" y "Columbia", al mando respectivo de los capitanes Gray (quien había bautizado como río Columbia a la gran corriente de agua) y Kendrick, pero no les puso inconveniente alguno, visto que sus pasaportes indicaban la veracidad de su viaje de circunvalación de la Tierra. Comenzó inmediatamente a apoderarse de una serie de barcos ingleses ("Iphigenia", "Northwest America", "Princess Royal" y "Argonaut"), levantó cuarteles, casas para viviendas, cocina y reparaciones, y montó un fuerte –San Miguel– con una batería de 10 cañones en una eminencia dominando la bahía. Con algunas de sus presas retornó al puerto de San Blas, en México (52). Es curioso recordar cómo el aniversario de la independencia de los Estados Unidos fue celebrado en Nutka el 4 de julio de 1789: la fragata "Columbia" disparó una salva de 13 cañonazos (por los años de libertad) y su capitán invitó a Martínez, oficiales de los navíos españoles y del "Argonaut" –prisioneros–, capellanes y misioneros a bordo a un magnífico banquete, en el que se brindó por el rey Carlos III. El "San Carlos" y el fuerte hicieron, a su vez, las salvas de ordenanza en honor de la nación amiga (53).

CONTROVERSIA DE NUTKA

G. Vancouver y J. F. Bodega y Cuadra

Cuando Meares se enteró en China del apresamiento de los navíos ingleses, tomó en cuanto pudo un barco rumbo a Londres. A poco de llegar, en abril de 1790, presentó un Memorial al Gobierno. El ambiente era propicio, porque tres meses antes el encargado de Negocios británico en Madrid, Anthony Merry, había enviado una información secreta, proveniente de México, sobre el apresamiento por Martínez de un navío inglés en Nutka. La respuesta transmitida por el embajador español, marqués del Campo, a la reclamación inglesa indicaba que para mantener la armonía felizmente existente entre ambas Coronas, Gran Bretaña debería admitir el derecho de soberanía español, por razones de descubrimiento y exploración, en las costas del Pacífico Norte. Gran Bretaña contestó con un ultimátum. Merry informó a su Gobierno en abril que el Gobierno español había ordenado un inventario de sus armamentos. Días después, España enviaba una nota a Gran Bretaña reconociendo la devolución de las propiedades confiscadas y considerando cerrado el incidente, pero reafirmando sus derechos de soberanía. En estos momentos arribó Meares. A la vista de su informe, el Gabinete inglés exigió satisfacción del Gobierno español, pidiendo, aparte de las restituciones e indemnizaciones, el reconocimiento del derecho libre a comerciar, navegar y pescar, así como el de tomar posesión de los establecimientos en aquellos lugares, no previamente ocupados por otras naciones europeas cuando se realicen con el consentimiento de los nativos. Dos meses duraron las negociaciones en el curso de las cuales Gran Bretaña se aseguró –para el caso de guerra– la amistad de Prusia y la alianza de Holanda, y España consiguió promesa de ayuda de Luis XVI de Francia, virtual prisionero de los revolucionarios de la Bastilla. La decapitación de éste y la tensión creciente, determinó al rey de España a seguir el consejo del conde de Floridablanca y aceptar la firma del Tratado propuesto por los ingleses, en el que permitía a éstos el comercio en las aguas del Pacífico Norte. Otro Convenio, con fecha 28 de octubre de 1790, admitía la devolución a los públicos de Gran Bretaña de los terrenos de que los españoles habían desposeído (54).

Para cumplimentar lo convenido, Gran Bretaña nombró al capitán Vancouver, y España a D. Juan Francisco Bodega y Cuadra. Bodega arribó a Nutka antes que su colega, a quien dio la bienvenida con una salva de 13 cañonazos disparada por las baterías del fuerte, y le invitó a una cena de cinco platos. Bodega desplegó sus muchas cualidades de inteligencia, simpatía y diplomacia para atraerse a Vancouver y sus compatriotas (55). Muestra de ello es el bautizo de la actual isla de Vancouver como "Quadra and Vancouver's Island", según aparece en el mapa que el marino inglés levantó a poco de la región (56). En ella inauguró S. M. el Rey don Juan Carlos I, en marzo de 1984, un monumento a su memoria. El Príncipe de Asturias, don Felipe, visitó el área cuando presidio el "Día de España" en la Feria Internacional Expo-86, de Vancouver en julio de 1986. "Quadra" se llama el buque oceanográfico canadiense, con destino al cual el Ministerio de Marina español donó, en julio de 1966, un retrato al óleo del marino español y una placa en forma de medallón, obra de Juan de Avalos (57). Bodega fue despedido con tristeza, a pesar de no haber realizado la transferencia de poderes para la que había sido enviado.

Hubo necesidad de que ambos Gobiernos firmaran los Convenios adicionales de 12 de febrero de 1793 y de 11 de enero de 1794, para que nuevos agentes llevaran a cabo la cesión de los dichos territorios que España abandonaba a Inglaterra. El 23 de marzo de 1795 canjearon en Nutka las correspondientes declaraciones Sir Thomas Pierce y D. Manuel de Alava (59). En recuerdo de éste, un cabo en la costa norte del Estado de Washington recibió el bautismo de su apellido: se trata del Finisterre de los Estados Unidos, en la longitud de 124° 44′

10″ al oeste del Cape Blanco (60). Así acabó la presencia física de España en la región; quedaron en la isla de Vancouver los nombres de Canal de Arro, Punta de San Gonzalo, Punta de San Juan, Canal de Alberni, bahía de Carrasco, Boca de Canavera, Ysla de Ferán, Boca de Saavedra, Punta San Rafael, Isla de Galiano and Valdes (al Norte); Canal de Nuestra Señora del Rosario, etc., según reza el aludido mapa de Vancouver publicado en 1798. Una colina, vecina a la futura capital de la Columbia Británica, Victoria, conservaría el nombre de Gonzales Hill, que le pusiera Manuel Quimper en 1790.

Pastores vascos

Los pastores vascos se concentran en el sector oriental, que, como hemos visto, está primordialmente dedicado a la agricultura y a la ganadería. Su número es, sin embargo, muy inferior al de los asentados en Oregon y en otros Estados "Vascos".

NOMBRES ESPAÑOLES

Restos de la época española en el Estado de Washington son los del establecimiento español que existió en 1792 en la punta más occidental, entre el Pacífico y el estrecho de Juan de Fuca, hoy incluido en una reserva de indios makah; las islas que componen el condado de San Juan en el "Strait of Georgia" (estrecho de Georgia), explorado en 1791 por el español Francisco Eliza: Patos, Sucia, San Juan López, Morán, etc.; en el condado denominado Island, las isla Camano y Fidalgo, con los burgos de Anacortes y San de Fuca; las poblaciones en las cercanías de Seattle por nombre Redondo, Medina, Chico...; Port Angeles, en el estrecho de Juan de Fuca; las localidades en el resto del Estado de Toledo, Málaga, Montesano, Camas, Orondo, Trinidad, Lamona, Plaza, Rosalía, Buena, Covada, Mesa, Sumas, Oroville, Ayer, Bandera, etc.; los picos Eldorada, Bonanza, Monte Cristo; los condados de Columbia y San Juan, etc.

PARTE SEPTIMA

LOS ESTADOS ALEJADOS

CAPITULO UNICO

ALASKA, HAWAII, más el territorio de Guam

ALASKA, el más grande

El distrito 24.º, Alakanuk, está representado en la Cámara de Diputados estatal por el padre jesuita español, Segundo Llorente. Es quizá su caso único en la Historia constitucional norteamericana, dada su elección por sus conciudadanos sin haber aparecido previamente como candidato; ello muestra la popularidad de que goza en su parroquia de 5.000 kilómetros cuadrados de extensión, con 800 esquimales católicos, situada en las costas del estrecho de Bering, enfrente de Siberia. Para acudir a la capital del Estado, Juneau, tiene que volar 2.000 kilómetros –no existe otro medio de comunicación–, lo cual no siempre es factible, debido al mal tiempo que de ordinario aflige a dicha región. Y, sin embargo, este hijo de San Ignacio está contento de realizar una notable labor en pro del mejoramiento espiritual y material de la gente de Alaska, con la que convive desde hace treinta y cinco años (1).

Correspondió a los rusos la primacía en el interés por Alaska, después les siguieron los españoles, y más tarde los ingleses y los norteamericanos. El explorador danés Vitus Bering, al servicio de Rusia, descubrió Alaska en 1741 (en 1728 había halldo el estrello que lleva su nombre), para morir en una de sus islas a poco (2). Alexander Baranov sería el primer gobernador, en nombre del zar, de 1790 a 1819, teniendo por sede Kodiak y más tarde Sitka, fundada en 1799 con el nombre de Nueva Arcángel (en ruso) (3). En Sitka se celebró la transferencia en 1877 del dominio ruso sobre Alaska a los Estados Unidos como consecuencia de la compra por la suma de 7.200.000 dólares, convenida en el Acuerdo de cesión de 30 de marzo de 1867 firmado en Washington por el secretario de Estado, Mr. William H. Seward y el representante del zar Alejandro II, barón Edouard Stoeckl. Tan colosal negocio no gozó de una favorable opinión pública norteamericana, la que dio en llamarle "la locura de Seward", y, sin embargo, lo fue estupendo: baste pensar que tan sólo el oro ha producido más de 1.000 millones de dólares (4).

Durante muchos años los asuntos de Alaska no consiguieron la atencion federal, incluso en los años posteriores a 1896, en que se descubrieron las minas de oro en Klondike. En 1912 se concedió una Cámara Legislativa al territorio, merced al Acta Orgánica de dicho año (5). Cuando el ataque de Pearl Harbor, en 1941, por los japoneses no existía base alguna militar en Alaska, y sólo dos meses después se comenzó la construcción de la autopista que la uniría con el resto del país. Alaska fue la única parte de Norteamérica invadida en junio de 1942 por los Hijos del Sol Naciente, quienes permanecieron en las islas Attu y Kiska, en el extremo occidental de las Aleutianas, hasta mayo de 1943, en que fueron reconquistadas. Pasado el día de la victoria se procedió a cerrar las bases, con lo que los malos días recomenzarían hasta que el recrudecimiento de la guerra fría aconsejara al Alto Estado Mayor a establecer un colosal sistema defensivo (6).

Si se reflexiona en los 70 kilómetros escasos que el estrecho de Bering separa a Norteamérica de la Unión Soviética, se comprende la importancia que Alaska ha adquirido en la estrategia surgida a raíz del comienzo de la rivalidad ruso-yanqui. El *Alaskan Command (ALCOM)* constituye el Séptimo de los Mandos Unificados de los Estados Unidos, y tiene por misión guardar la zona polar como posible portón para el ataque enemigo al corazón de Norteamérica. El comandante en jefe de dicha zona (CINCAL) dirige ALCOM desde su Cuartel General en la Base Aérea de Elmendorf, cerca de Anchorage. En el ALCOM se agrupan las fuerzas de Tierra, Mar y Aire, más las unidades de Infantería de Marina (7).

El *Cuartel General del Ejército de Tierra (USARAL)* se localiza en Fort Richardson, en la zona de Anchorage, pero existen puestos militares en Fort Wainright, Fort Greely y Eielson AFB; cuenta con dos batallones de proyectiles Nike-Hércules. La *Marina (ALSEAFRON)* ancla su base principal en la isla de Kodiak, de la que dependen el sector norte del océano Pacífico, el mar de Bering, el océano Artico y Canadá. El *Mando Aéreo (AAC)* tiene su sede central en la Base Aérea de Elmendorf, y controla todo el sistema de alerta (tanto por medio de aviones como por pantallas de radar) de la línea DEW (Distant Early Warning). Las estaciones de ésta son operadas por elementos civiles, y cualquier signo de presencia es transmitido casi instantánea y sucesivamente a ALCOM, al Cuartel General de NORAD (North Atlantic Defense), en Colorado Springs, y al Cuartel del SAC (Strategic Air Command), en Omaha. La línea DEW comenzó a funcionar el 31 de julio de 1957 (8).

Alaska se convirtió en el 49.° Estado de la Unión por la firma de la Ley correspondiente por el presidente Eisenhower el 7 de julio de 1958, después de los votos favorables de la Cámara de Representantes de 28 de mayo y del Senado de 30 de junio anteriores. Desde aquella fecha, dos senadores y un representante son los portavoces en Washington de los deseos y necesidades del nuevo Estado (9). Sus principales recursos son el oro, el carbón, la arena, la grava (encierra además casi todos los minerales estratégicos), petróleo, madera, la pesca y sus conservas (salmón, halibut, arenque, bacalao, cangrejos, etc.) y diversas variedades de pieles (mink, marta, castor, foca, rata-almizclera, etc.) (10).

Su población, de 226.167 habitantes (según el censo de 1960), cuenta con un 15 por 100 de esquimales, aleutianos e indios, y se extiende en una superficie de 586.400 millas cuadradas, doble que Texas y el 25 por 100 sobre el Círculo Polar Artico. Quinta parte en extensión del sector continental de los Estados Unidos, si se superpusiera a éste tocaría a los océanos Atlántico y Pacífico y a las fronteras canadiense y mexicana. Volando sobre Alaska hay que retrasar tres horas el reloj (11). Sus costas alcanzan una longitud de 39.000 kilómetros, cifra superior a las restantes del país. Así se explica por la extensión de la parte continental de Alaska, por la longitud del llamado "mango" (panhandle) meridional, en el que se encuentra la capital Juneau, por las 1.100 islas del archipiélago Alexander, situadas a lo largo de aquél, y por la cadena de las islas Aleutianas, que se dirigen hacia el Oeste en una longitud de 1.800 kilómetros (12). El pico más alto en Norteamérica es el alaskino Mt. McKinley, cercano a los 7.000 metros, coronado entre 1971 y 1986 por seis expediciones de alpinistas españoles, la última en junio de 1986 protagonizada por dos tinerfeños y patrocinada por Caja Canarias. Las carreteras del Estado suman 6.000 kilómetros, 3.000 de ellos transitables durante todo el año (13). La antigua Escuela de Minas y Colegio de Agricultura, de Fairbanks, se convirtió en Universidad de Alaska en 1935; en Anchorage reside la Alaska Methodist University (14).

Los católicos suman hoy en Alaska 22.500, distribuidos en la diócesis de Juneau y el vicariato de Fairbanks. Han sido los jesuitas quienes más han trabajado en este campo desde 1880 (15), pero corresponde la primacía en pisar aquel territorio y en decir misa en sus contornos a los franciscanos españoles: los padres Juan Riobo y Matías Nogueira celebraron el Santo Sacrificio el 13 de mayo de 1779, al desembarcar, en su calidad de capellanes, de las fragatas españolas "Favorita" y "Princesa" (16). Y es que nuestros compatriotas han tenido también en Alaska una notable presencia y una destacada actividad en las tareas descubridoras de sus mares y de sus tierras.

En 1983 se dedicó en Anchorage un monumento en memoria de Félix Rodríguez de la Fuente, el científico español muerto, en 1980 en accidente de aviación cuando filmaba con otros compañeros una carrera de trineos.

PRESENCIA ESPAÑOLA

EXPLORACIONES MARÍTIMAS

Dos etapas pueden distinguirse en la expansión marítima de España en el Pacífico Norte: la primera, de 1774 a 1779, en la que se realizaron las expediciones de Juan Pérez, Bruno Heceta, Arteaga y Bodega y Cuadra, y la segunda, de 1788 a 1792, en la que deben recordarse las de Esteban Martínez, Eliza, Fidalgo, Quimper, Valdés y Alcalá Galiano, Malaspina y Caamaño. Las razones que motivaron las de este último período son las de contener la expansión inglesa; las del anterior tuvieron por meta contrarrestar la actividad exploratoria rusa, denunciada por el embajador español en la Corte de los zares, conde de Lacy, en cartas de 1773 al secretario de Estado, marqués de Grimaldi (17).

1) *Juan Pérez, el primer europeo en arribar*

La primera expedición estuvo confiada al alférez de fragata Juan Pérez, por el virrey de Nueva España D. Antonio de Bucarelli y Ursúa, por ser el piloto más versado en los mares que habían de surcarse. El 25 de enero de 1774 zarpó dicho marino en la fragata "Santiago" con la instrucción de navegar hasta los 60° de latitud Norte, no debiendo realizar establecimiento alguno, aunque sí tomar posesión en nombre del rey de aquellos lugares que le pareciesen aptos para ser poblados, y más si en las ceranías descubriese algún extranjero; se le ordenaba primordialmente la obtención de la máxima información geográfica sobre los indios de la región, sus costumbres, sus impresiones sobre los posibles anteriores visitantes, etc. Según el diario del padre Juan Crespi, quien con fray Tomás de la Peña sirvió de capellán a la expedición, el 18 de julio de 1774 llegaron a tres islas –las actuales "Prince of Wales"–, bautizándolas con el nombre de Santa Margarita, patrona del día, situadas en los 55° 41', tierras meridionales de Alaska. Aquí los españoles vieron por vez primera a los indios, quizá de la tribu Haida, quienes, vestidos, de tez blanca, con pelo largo, cubiertos de pieles, se aproximaron a la "Santiago" cantando y echando plumas al agua en señal de bienvenida. De los 200 indios que en 21 canoas se aproximaron a la nave, sólo dos se aventuraron a subir, si bien el resto no tuvo inconveniente en recibir, con grandes muestras de contento, las baratijas y pañuelos que les fueron lanzados por la borda. Este viaje no produjo grandes resultados tangibles, pero tuvo gran resonancia por el descubrimiento de diversos puntos de la costa occidental (entre otros, Nutka), por aclarar la cuestión del no establecimiento –todavía– de los rusos en aquellas regiones, por servir de preparación para los ulteriores viajes que se organizaron y, en lo que a este capítulo respecta, por suponer el primer contacto español con Alaska, anterior al de los ingleses (18).

2) *Bruno Heceta y J. F. Bodega y Cuadra. Toma de posesión*

La segunda expedición que ordenó el virrey Bucarelli fue confiada al teniente de navío D. Bruno Heceta, con la fragata "Santiago", llevando como segundo a D. Juan Pérez; la goleta "Sonora", al mando de D. Juan Manuel de Ayala, con D. Juan Francisco de la Bodega y Cuadra como segundo y D. Francisco Mourelle como piloto, y el paquebote "San Carlos", mandado por el teniente de navío don Miguel Manrique, con D. José Cañizares como piloto. Las instrucciones se asemejaban a las del anterior viaje, con la diferencia de la latitud de 65° que debían alcazar. Levadas anclas en el puerto de San Blas el 16 de marzo de 1775, hubo que reajustar a poco los mandos por enfermedad de Manrique, quedando Ayala dirigiendo el "San Carlos" y Bodega la "Sonora". Como resultas de una serie de incidentes, narrados en este libro al tratar de los Estados de California, Oregon y Washington (19), las embarcaciones se separaron el 30 de julio (20).

La "Sonora" alcanzó el 15 de agosto el paralelo 57° de latitud y descubrió tierra de Alaska al día siguiente, observando montes altísimos, a uno de los cuales denominaron San Jacinto –hoy Mt. Edgecumbe–, situado en un cabo, al que llamaron Engaño, Cape Cook actual. Tras haber descubierto el día 17 el Port Mary –bautizado como de Guadalupe–, el 18 desembarcó D. Juan Francisco Bodega y Cuadra en otro más pequeño, dotado de una considerable playa, con 14 hombres armados, con el fin de tomar posesión y de conseguir provisiones de agua y leña: se cumplieron las formalidades, se designó al puerto como de Nuestra Señora de los Remedios y se trató con los indios, que mostraban un aire no demasiado tranquilizador. El 21 continuó la navegación, y el 22 se alcanzaron los 58°, pero dada la lastimosa situación sanitaria de la marinería y el frío reinante, ordenó Cuadra el regreso hacia el Sur, recorriendo la costa con bastante detalle y descubriendo y bautizando una serie de lugares: el 24 de agosto, Puerto de Bucarelli; día 26, isla de San Carlos; día 27, cabo San Agustín; día 28, ensenada del Príncipe... (21).

El 30 de agosto de 1775, ante los estragos que estaba haciendo el escorbuto en la tripulación, decidió abandonar las aguas de Alaska y poner rumbo a Monterrey, adonde llegó el 7 de octubre –al fin de penosa navegación, en la que Cuadra y Mourelle también enfermaron–, reuniéndose con la "Santiago" y el "San Carlos". De su navegación tomaron abundantes datos ambos navegantes en sus Diarios y en los mapas que levantaron, que supusieron un enorme avance en el conocimiento de las costas del Noroeste americano: el diario de Mourelle fue conocido en Europa y sirvió de mucho al capitán Cook en sus ulteriores exploraciones. Puede afirmarse sin exageración que la hazaña de Cuadra y Mourelle constituye uno de los más bellos capítulos del heroísmo humano, dada la pequeñes de su navío y lo reducido de su tripulación. S. M. el Rey recompensó sus servicios con distintas gracias (22).

3) *Ignacio de Arteaga y J. F. Bodega y Cuadra alcanzan los 61° latitud Norte*

Aunque era proyecto de los virreyes de Nueva España organizar expediciones anuales exploratorias del Pacífico Norte, ninguna pudo realizarse hasta 1779, debido a los cambios políticos surgidos en el escenario mundial, especialmente en el norteamericano, y a otros más absorbentes compromisos. Pero se tenían noticias de la progresiva presencia rusa en la región, y se presentó como urgente confiar al teniente de navío D. Ignacio de Arteaga y a D. Juan Francisco de la Bodega y Cuadra el mando respectivo de las fragatas "Princesa" (construida en San Blas) y "Favorita" (comprada por Bodega en el Perú y llevando a Mourelle como segundo). Considerable tiempo transcurrió desde que se decidió el envío de la expedición hasta que se levaron anclas el 11 de febrero de 1779: entre las instrucciones figuraba el alcanzar los 70° de latitud Norte (23).

Después de ochenta y dos días de navegación atracaron en el puerto Bucarelli, en la latitud de 55° 17′, y fondearon en un puerto contiguo, al que denominaron de Santa Cruz, el 3 de mayo, y al que así bautizaron solemnemente el día 13 con Misa cantada en tierra. Dada la amplitud del puerto de Bucarelli, que comprendía a su vez a otros 11, formando un conjunto capaz de albergar con plena seguridad "todas las embarcaciones que en el día surcan los mares en las cuatro partes del mundo" –en palabras de Arteaga–, se procedió al detenido recorrido de sus costas y al levantamiento del correspondiente plano, el primero de dicho sector de la isla Prince of Wales, tarea en la que invirtieron veintiséis días y que ocasionó el nacimiento de la siguiente nomenclatura: Puertos de San Antonio de Padua, de Nuestra Señora de la Asunción, de Mayoral, de la Caldera, de la Estrella, del Refugio y de los Dolores, ensenadas de San Alberto y del Almirante, bahías de Esquivel y de Juan de Arriaga, islas de San Fernando,

de San Juan Bautista y de la Madre de Dios, Canal de Portillo, Caños del Trocadero, Punta de la Arboleda, etc. (24).

Por fin, el 2 de julio, las dos fragatas continuaron rumbo al Norte. El día 9
ganaron la latitud de 58° 6′, y el 15 reconocieron el cabo de San Elías y contemplaron unas altas cimas nevadas que tuvieron por las de dicho nombre en la latitud de 59° 52′. Se sucedieron una serie de descubrimientos que quedaron refleja-
dos en los mapas con los nombres de Puerto de Santiago, –luego, bahía de Nu-
chik–, isla de la Magdalena, etc., y quedaron rebasados los 61°. Continuaron la
navegación, bordeando las costas en dirección a Poniente, y se refugiaron en una
abrigada ensenada: el 2 de agosto bajaron a tierra D. Juan Francisco de la Bodega, el segundo de la "Princesa", D. Fernando de Quirós (Arteaga no pudo, por
indisposición), los capellanes y tropa, y plantando la cruz con los requisitos de
ordenanza, tomaron posesión de la ensenada, a la que denominaron de Nuestra
Señora de Regla, así como a la mayor de las islas. Al volcán Iliamna dieron por
nombre el de Miranda (25).

Cerciorados de la inexistencia del famoso paso que comunicarse a los océanos Pacífico y Atlántico, decidieron regresar rumbo a Monterrey, fondeando en
la bahía de San Francisco el 14 de septiembre, en donde los expedicionarios se
enteraron de la guerra con Inglaterra. Más tarde llegaría a su conocimiento el
viaje del capitán Cook, por los parajes por ellos recorridos, en el curso del año
anterior. Muerto Bucarelli, correspondió al nuevo virrey D. Martín de Mayorga
felicitar a los expedicionarios y recompensarles con ascensos y otras distincio
nes (26).

4) *Esteban José Martínez toma posesión de una de las islas Aleutianas*

Casi diez años se pasaron sin que los españoles regresaran a la región, y durante ellos los ingleses realizaron grandes avances que luego serían difíciles a los
españoles de superar. La reacción ante aquéllos provocó, por fin, la organización de la cuarta expedición, que el comandante de San Blas, nada menos que
don Francisco de la Bodega y Cuadra, puso en manos de D. Esteban José Martínez, un veterano acompañante de D. Juan Pérez en su primera expedición, que
mandaría la fragata "Princesa", y de D. Gonzalo López de Haro, que dirigiría el
paquebote "San Carlos". La última razón de aquella determinación hay que
buscarla en los informes que el navegante francés, conde de La Perouse, diera en
febrero de 1786 en Santiago de Chile sobre la presencia en aguas del Pacífico
Norte de ingleses y rusos. Zarparon el 8 de marzo de 1788, y los navíos recalaron el 17 de mayo en Prince William Sound, tomando Martínez posesión del
puerto de Flores (en homenaje al Virrey promotor de la expedición). Tocaron
los 60° 7′, bautizando a un excelente puerto con el nombre de Floridablanca y
alargándose hasta las islas Aleutianas, en la parte septentrional de una de las
cuales, la de Unalaska, situada en los 167° de longitud Oeste, desembarcaron y
se posesionaron de ella en nombre del rey de España. En la isla Trinidad tropezaron con establecimientos rusos, con cuyo jefe, Delarof, mantuvieron amistosas
relaciones (27).

5) *Salvador Fidalgo repite recorridos anteriores*

La quinta expedición, a cargo de D. Esteban José Martínez, que tuvo por objeto la ocupación de San Lorenzo de Nutka, no siguió hasta Alaska, como tampoco la sexta, confiada a D. Francisco de Eliza, para revelar al grupo expedicionario de la anterior. Desde dicho punto partiría, el día 4 de mayo de 1790 a bordo del paquebote "San Carlos", la séptima confiada al teniente de navío don Salvador Fidalgo. El 23 del mismo mes se aproximaría a las tierras del Príncipe Guillermo, o "Prince William Sound", en los 60° 15′ de latitud Norte, fordeando en el puerto de Santiago y recorriendo el anchuroso golfo, abundante en ensenadas, al que denominó –después de tomar posesión– de Méndez. Con la experta guía de dos indios continuaron sus descubrimientos: puerto de Revillagigedo, isla de Conde, volcán Fidalgo y ensenada de Valdés. El 4 de julio recalaron en la isla de Unalaska, visitada por Martínez en 1788, en la que encontraron a los rusos, con los que entablaron cordiales contactos (28).

6) *Expedición científica de Alejandro Malaspina*

Volvieron los españoles a Alaska en 1791, con las corbetas "Descubierta" y "Atrevida", al mando de Alejandro Malaspina y José de Bustamante, respectivamente. Con el primordial fin de realizar una expedición científica, ascendieron hasta el Cape Edgecumbe –habían partido de Acapulco el 1 de mayo–, cuya distancia hasta Nutka midieron, y con lo que comprobaron la falsedad de la existencia del famoso estrecho de Anián, anunciado por Ferrer de Maldonado. Malaspina continuaría su viaje por el Pacífico, circunvalando la tierra y atesorando privilegiada información científica (29).

7) *Jacinto Caamaño toma los últimos contactos*

En 1792, Jacinto Caamaño exploraría con la fragata "Aranzazu" el sector norte del Pacífico y alcanzaría las islas del Príncipe de Gales y Reina Carlota, y las de Revillagigedo y Aristizábal, que aún conservan estos nombres. Con esta expedición se cerrarían la actividad española en la región y los últimos contactos oficiales con Alaska (30).

HOMENAJE A LUIS DE CÓRDOBA Y ANTONIO DE VALDÉS

Las ciudades de Valdez (azotada en 1964 por un terrible terremoto) y Cordova (31) fueron el principal motivo del viaje que el embajador de España en Washington, D. Antonio Garrigues, hizo a Alaska en septiembre de 1962, en compañía del consejero D. Nuño Aguirre de Cárcer. En el curso de la visita realizada al gobernador de Alaska en Juneau, Mr. William Egan, fueron entregados los retratos de D. Luis de Córdoba y D. Antonio de Valdés, con destino al Museo del Estado. Como huésped oficial en la base de Elmendorf del teniente general Mundy, comandante en jefe de todas las fuerzas militares en Alaska, el embajador voló en el avión personal de dicho jefe a las ciudades de Cordova y Valdez. En ambas recibió calurosos homenajes, a los que correspondió con el regalo de las respectivas reproducciones de los retratos anteriormente aludidos; los había solicitado en febrero de 1962 al embajador Yturralde, por un lado, el alcalde de Cordova, argumentado que su colocación en el auditorio cívico fomentaría el que los ciudadanos se percataran de la herencia española de la ciudad y se perpetuara el espíritu de exploración, aventura y descubrimientos que tanta importancia tiene en la historia de "nuestros dos países" (32), y por otro, los directivos de la Sociedad Histórica de Valdez al afirmar que los ciudadanos de Valdez se enorgullecían de su nombre y de la herencia legada por los exploradores españoles (33). Ni Córdoba, el capitán general de la Armada, ni Valdés, el secretario de Estado y de las Indias, anduvieron por las costas de Alaska, pero la impulsión a ellos debida de algunas de las expediciones marítimas que tuvieron como resultado la presencia española en aquellos parajes, les valió el que sus nombres hayan quedado como prenda del esfuerzo español en Alaska.

NOMBRES ESPAÑOLES

Como corolario de los viajes relatados, el litoral de Alaska quedó sembrado de nombres españoles, que, si no todos han subsistido, es posible sea ello achacable a la escasa publicidad que los españoles siempre dieron de sus descubrimientos. Aún así, es impresionante comprobar los que Luis Bolín ha espigado de los mapas locales y cuya enumeración consideró interesante transcribir (34): "... en el mapa de la región de Craig, que es el de Prince of Wales Island y sus proximidades –abarca desde los 132° a los 134° de longitud Oeste, y desde el paralelo 55° al 56°– he encontrado los siguientes: islas Españolas, de Heceta, de Anguilas, de Esquivel, de San Lorenzo, de San José, de la Culebra, de San Felipe, de las Animas, de Suémez, de San Ignacio, de San Fernando, de Catalina, de la Cruz, de San Alberto, de la Ballena, de la Balandra, de San Juan Bautista, de las Cabras, de Arboleda, de los Ladrones, de la Madre de Dios, de Coronado, de Ranchería y de Culebrinas; puntas Desconocida, de Bocas, de la Encarnación, de Santa Teresa, Lontana, de San Antonio, de Cocos, de San Rafael, de San Roque, Arrecife, Maravilla, de Santa Gertrudis, de Santo Tomás, del Crucero, de Milflores, de Azucenas, de Arboleda, de Quesada, de San José del Rosario, del Refugio, del Cangrejo, de la Providencia, de Amargura, Tranquila, del Batán, de las Lomas, de las Perlas, de San Sebastián, de Miravalles y del Blanquizal; bocas de Finas; sierra Derrumba; bahías de Anguilas, de Aguirre, de Veta, de la Fortaleza y de San Alberto; golfo de Esquivel; pasaje de Sonora; canal de San Cristóbal; calas de García, de Pedro y de la Arena; canal del Portillo; peñón de la Gaviota, de Granito, de la Arcada; lago y altos de la Fortaleza; cabo y monte de Bartolomé; puertos de San Antonio, de Alonso, de la Asunción, Carocal, Mayoral, Real, de la Real Marina, de Dolores, de Santa Cruz y de la Estrella; monte de la Pimienta; canal de San Nicolás; paso de las Palmas y paso de la Cruz; de la Pimienta; canal de San Nicolás; paso de las Palmas y paso de la Cruz; monte Juan; canal de Ulloa; cabo Fénix; cala Adrián; bahía de Farallón, monte de la Madre, el pasaje de Decisión, la isla Parida y punta Caimán.

"En Prince Rupert está la isla de las Vegas; en la región de Kechikan encuentro la cala y el poblado de Santa Ana y punta Caamaño; en la isla de Gravina, muy distante, por cierto, del puerto e isla de Gravina, en las proximidades de Cordova, están la bahía, la punta y el peñón Vallemar; la profunda boca de Quadra tiene próximos a los montes North Quadra y South Quadra y al canal de Revillagigedo. Cabo Decisión y puerto Toledo aparecen en el mapa de Port Alexandre, y en el de Dixon Entrance, el cabo y la bahía de Agustín, la de Cordova, el cabo Magdalena, el puerto y la punta de Bazán, el cabo Muzón, el puerto y peñón de Núñez y el cabo Chacón. Cerca de Sitka están la punta y los bajos de Fortuna, el puerto de Mar; la bahía de las Islas, en la de Chichagof, una de las mayores de Alaska, y también punta Engaño, en las proximidades de Mount Edgecumbe, la misma que durante algún tiempo llevó el nombre de cabo Cook.

"En la región de Mount Fairweather está punta Villaluenga y la bahía de Palma; cerca de Valdez, la ciudad que lleva el nombre del ministro de Marina, D. Antonio de Valdés y Bazán, el brazo y el puerto de Valdez; el glaciar de Malaspina y punta Muñoz se encuentran próximos a la bahía de Yukalat, y el monte del Diablo aparece la península de Kenai, al norte de la bahía, isla y pasaje de Nutka. En las cercanías de Cordova, nombre del capitán de Navío D. Luis de Córdoba y Córdoba, están el campo de aterrizaje y el aeropuerto de este nombre, la bahía de San Mateo, el puerto y la isla de Gravina y puerto Fidalgo" (35).

HAWAII, el alejado y último

Comienza así Vicente Blasco Ibáñez su capítulo X del libro I de "La vuelta al mundo de un novelista": "Cuando se examina la carta de navegar del Océano Pacífico, llama inmediatamente la atención un entrecruzamiento de líneas que cubre su parte superior. Son como los rayos de una rueda, con los filamentos de una telaraña, y el centro de esta periferia de líneas, que significan para los pilotos rumbos de navegación, se halla en el archipiélago de Hawaii" (36). Si en lugar de escribir lo que antecede en los años treinta, el novelista valenciano hubiera empuñado la pluma otros tantos después, se hubiera maravillado de comprobar los 1.818 barcos que el puerto de Honolulú recibe anualmente y los numerosos aviones de reacción que aterrizan a diario en su aeródromo, procedentes de los cuatro puntos de su rosa de los vientos (37). Tras el tremendo impacto del bombardeo de Pearl Harbor, el 7 de diciembre de 1941, por los japoneses, que precipitó en la guerra mundial a los Estados Unidos (38), las tranquilas islas polinésicas, otrora el "Paraíso del Pacífico", entraron activa y bruscamente en la llamada vida civilizada, con la creciente presencia, como residentes o como turistas, de "malihinis", o extranjeros, ante la melancolía de los "kammaainas", o nativos, por los tiempos que pasaron (39). Si desde el siglo XVI las islas recibieron visitas de europeos y tuvieron contactos más o menos permanentes con los blancos y aun con los amarillos, es a partir del siglo XIX que las islas comienzan a participar más intensamente en la historia occidental hasta desembocar en su presente situación de 50.º Estado de la Unión norteamericana.

A comienzos del siglo XIX Honolulú era ya un puerto de mucho movimiento, frecuentado por los barcos de Boston, que hacían escala en su viaje a Cantón. Su situación le convertía en un precioso punto de aprovisionamiento de carne, vegetales, agua, sal, maderas, etc. El progreso que todo ello trajo coincidió con –o quizás mejor, fue impulsado por– el Gobierno del rey Kamehamea I desde 1784 a 1819. Su moderna estatua preside uno de los paseos de Honolulú, ciudad por él fundada, y recuerda sus grandes empresas guerreras y civilizadoras, que le permitieron crear un imperio marítimo con la conquista de las islas vecinas, en los mismos años que Napoleón formaba su Imperio terrestre. Consiguió el apoyo de Vancouver y otros exploradores ingleses, comprándoles cañones y un barco de guerra; creó, además, una flota de canoas equipadas bélicamente (40).

A su muerte quedó como regente su esposa, Kaahumanu, quien, de costumbres licenciosas durante su vida matrimonial, impuso una severa disciplina moral durante su gobierno, coincidente con la decadencia de sus atractivos físicos. Mal aceptaron semejantes rigores los isleños, acostumbrados a la tradicional libertad de costumbres, por lo que respiraron con alivio al ascender al trono su hijo, ya mayor de edad, Kamehamea II. Este quiso, sin embargo, conocer Europa, y en un velero se embarcó con su esposa en 1824. No regresaría, por haber fallecido de melancolía, en Londres, a los pocos meses de llegar. Kaahumanu permanecería como regente hasta 1832, fecha de su defunción: durante su primera regencia llegarín, hacia 1820, los primeros misioneros protestantes, que colaborarían con ella en su política de austeridad (41).

Kamehamea III es llamado el "Franklin D. Roosevelt hawaiano", por el gran "Mahele", o "New Deal", que implantó en su país. El rey dividió el territorio en tres partes: un tercio para la Corona, un tercio para los jefes y un tercio para el pueblo (anteriormente no tenía éste participación alguna directa); de la parte que le correspondió cedió la mitad, ejemplo que siguieron muchos de los nobles. No dejó heredero al expirar, en 1847, por lo que fue elegido rey, entre los notables, David Kalakaua, quien realizó un viaje a los Estados Unidos y a Europa con el propósito de estudiar sus adelantos y la forma de introducirlos en su país. A poco falleció también, y su sucesión recayó en su hermana, Liliuo-Kalami (42).

Los elementos pro-americanos organizaron una revolución en 1893, consiguiendo destronarla. Un Tratado fue firmado inmediatamente entre el nuevo Gobierno y la administración Harrison, previendo la posibilidad de la anexión de las islas a los Estados Unidos, determinación que el presidente Cleveland se resistió a aceptar por considerarla injusta y obra de la coacción, hasta que no tuvo más remedio que ceder ante los hechos consumados y reconocer formalmente a la nueva República de Hawaii. Con el regreso de los republicanos al poder, con McKinley, la anexión se daba por descontado: la guerra con España la precipitó. La situación estratégica de Honolulú como punto de aprovisionamiento de la flota de Dewey, la necesidad de salvaguardar las comunicaciones con Filipinas y el peligro del expansionismo del Japón motivaron las resoluciones de la Cámara, de 15 de junio, y del Senado, de 6 de julio de 1898, y la firma del presidente, de 7 de julio. Las islas Hawaii pasaron materialmente a la soberanía americana el 12 de agosto siguiente, siendo organizadas como territorio (43).

Como resultado del plebiscito de 27 de junio de 1959, el presidente Eisenhower proclamó, el 21 de agosto de dicho año, la adición de una estrella a la bandera nacional, convirtiéndose así las ocho islas –Hawaii (con Hilo), Oahu (co Honolulú y Pearl Harbor), Kahoolawe, Lanai, Maui. Molokai, Kauai y Niihau–en el segundo Estado norteamericano no contiguo a los otros 48, y a una distancia de San Francisco de unos 3.500 kilómetros (44).

Merced a una propaganda bien orquestada, a la existencia de buenos hoteles en Honolulú al gusto norteamericano y al exotismo de sus paisajes, de sus mujeres, de sus collares, etc., las islas de Hawaii hoy son consideradas como uno de los paraísos turísticos, en cuya playa de Waikiki, cercana a la capital –no abundan las buenas en las islas– toman el sol y descansan docenas de yanquis (45). Los buques hundidos en Pearl Harbor y el monumento que representan han añadido a los encantos tropicales un matiz emocional de indudable eficacia, que se ha consolidado, al haber sido admitido Hawaii como Estado de la Unión. De este modo, los productos agrícolas, como la caña de azúcar o las piñas, han asegurado su mercado, constituyendo la fuente de ingresos de las islas, junto con la temperatura media anual de 74.6° Farenheit y los bellos paisajes que en ellas se pueden divisar (46). Entre los clientes de las piñas hawaiianas se cuenta España, quien, a su vez, exporta a las islas vinos, corcho y bisutería (47).

En el aspecto cultural, merece destacarse la Universidad de Hawaii, en Honolulú y su excelente cuadro de profesores, en el que sobresale el gran hispanista y buen amigo Edgar Knowlton.

PRESENCIA ESPAÑOLA

EXPLORACIONES MARÍTIMAS

1) *Fernando Magallanes y Juan Sebastián Elcano*

Es lugar común en las historias anglosajonas atribuir el descubrimiento de las islas Hawaii al capitán Cook, en 1778, quien las denominó "Sandwich Island", en honor de su protector, el "Earl of Sandwich" (es curioso que un nombre tan popular en la dieta norteamericana no haya conseguido afianzarse ante su rival nativa) (48). Pero la verdad es muy otra. En este terreno también corresponde la primacía a España. Y nada tiene de particular: durante los siglos XVI y XVII y parte del XVIII, el océano Pacífico fue prácticamente un mar español, surcado casi con exclusividad por las naves del Rey Católico procedentes del Oriente, con la excepción de las de algún pirata inglés (Drake) u holandés, y en competencia, en el mercado de las especias, con los portugueses, procedentes del Occidente. Con ser una masa de agua tan inmensa y con tener España que penetrar y colonizar tantas tierras en otras latitudes y surcar tan dilatados mares, pudieron los navegantes españoles ser los adelantados en el Mar del Sur desde que Magallanes lo cruzara con sus naves –y lo bautizara Pacífico– para mayor gloria de la Majestad de Carlos V, y Diego de Ribeiro lo introdujera bajo tal nombre, con su mapa de 1529, en la cartografía mundial.

Al zarpar, el 20 de septiembre de 1519, de Sanlúcar de Barrameda, cinco navíos, con 276 hombres, al mando del portugués Fernando Magallanes, España inauguraba la empresa más arriesgada y trascendente después del descubrimiento del Nuevo Mundo por Colón: la circunnavegación del globo terráqueo, coronada con éxito solamente por una de las naves, la "Victoria", al mando de Juan Sebastián Elcano, segundo del capitán, al arribar a Cádiz, el 6 de septiembre

1522, con 31 hombres, después de casi tres años de viaje. Entre otros hechos dignos de mención, se había descubierto, en marzo de 1521, el archipiélago de San Lázaro (más tarde rebautizado en honor del rey Felipe II de España), en una de cuyas islas Magallanes encontró muerte violenta, el 27 de abril de dicho año (49).

2) *Desastre de la expedición de García Jofre de Loaysa*

Dicho viaje produjo gran reacción en Portugal, que, por la Bula del Papa Alejandro VI, y más tarde por el Tratado de Tordesillas, se había repartido el mundo con España; por la necesidad de conocer la línea de demarcación de ambas esferas de influencia en el Lejano Oriente (50), el rey de España decidió enviar, para investigarla, una expedición al mando de García Jofre de Loaysa, con Elcano como piloto mayor. En julio de 1525 diéronse a la vela, en La Coruña, siete navíos que surcaban el Pacífico el 25 de mayo del siguiente año: sucesivamente murieron de disentería Loaysa, Elcano y el tercero en el mando, Alonso de Salazar; cuando, en noviembre de 1526, se alcanzaron las islas de las Especias, tan sólo quedaba un buque al mando de Martín de Iñiguez, quien también murió a poco, siendo sucedido por Hernando de la Torre (51).

3) *Alvaro de Saavedra, Náufragos en las islas*

Ante la ausencia de notivias de la expedición, Hernán Cortés decidió desde Nueva España enviar en su búsqueda a Alvaro de Saavedra, quien partió de Zacatula (México), el 31 de octubre de 1527. Al sur de la isla Kauai, una terrible tormenta hizo naufragar, en diciembre, a la "San Diego", mandada por Luis de Cardoza, y a la corbeta "Espíritu Santo", dirigida por Pedro Fuentes; la nave-almirante, el galeón "Florida", capeó el temporal y Saavedra pudo continuar hacia Guam y las Molucas, las que abandonó en junio de 1528, poniendo rumbo a Nueva España; no consiguió éste llegar a su destino, dado los vientos en contra y a pesar de los varios intentos, y acabó sus días en las costas septentrionales de Nueva Guinea, el 9 de octubre de 1529. La "Florida" consiguió, sin embargo, entrar en España, bordeando el cabo de Buena Esperanza en 1536 (52).

La expedición de Saavedra tiene interés en lo que concierne a las islas Hawaii, dado que a una de ellas, por obra del naufragio aludido, arribaron algunos españoles. La tradición oral de los hawaiianos narra la aparición de un barco de vela deshecho por el temporal y el refugio en tierra del capitán (a quien se denomina Kukanoloa), de su hermana (Kamalau) y otros compañeros. En recuerdo de su larga permanencia de rodillas en la playa, en acción de gracias por su salvación, el lugar conserva todavía el nombre de Kulou. Los nativos les recibieron cordialmente y les ofrecieron comida y alojamiento; con el tiempo, se casaron con hawaiianas, constituyéndose en progenitores de las mejores familias, como la de Kaikioewa, uno de los gobernadores de Kauai, o de los más cercanos colaboradores del emperador Kamehamea I, el "Napoleón de Oceanía", quienes se vanagloriaron de su ascendencia (53).

En mapa inglés del Pacífico septentrional, fechado en 1687, copia de otro español, aparece un grupo de islas en la latitud de las Hawaii, con la alusión a 1527, año del viaje de Saavedra. A esta fecha se remonta, pues, el conocimiento de los españoles del hoy 50.º Estado de Unión (54).

4) *Ruy López de Villalobos y Juan Gaetano, que levanta mapa*

No se cree que la expedición de Grijalva, enviada al Pacífico por Hernán Cortés, recalara en las islas Hawaii antes del asesinato de jefe en las islas de las Especias, en 1539 (55). Ruy López de Villalobos, en cambio, llevando como piloto mayor a Juan Caetano o Juan de Gaytán, y como primer piloto a Gaspar Rico, y al mando de seis naves, descubrió a los treinta días de navegación, desde Navidad, cerca de Acapulco (partió el 1 de noviembre de 1542), un grupo de islas bordeadas de corales y abundantes en cocos, a las que denominó "Islas del Rey", identificadas por muchos historiadores con Hawaii. Más tarde visitaron otro archipiélago, que en 1686 sería titulado como de las Carolinas, en homenaje al monarca reinante Carlos II de España. El honor de la invención de Hawaii para el occidente corresponde, pues, a Villalobos, Gaetano y Rico; si se atribuye comúnmente a Gaetano en 1555 es debido al mapa realizado por éste en dicho año (56).

5) *Alvaro de Mendaña y Pedro Sarmiento de Gamboa descubren el archipiélago de Salomón*

El descrubrimiento del archipiélago de Salomón, el 9 de febrero de 1568, correspondió a Alvaro de Mendaña y Pedro Sarmiento de Gamboa, tres años después del primer victorioso viaje logrado desde las islas Filipinas a las costas americanas por el padre Urdaneta, navegando al norte del paralelo 36° de latitud aprovechando los vientos occidentales e inaugurando la ruta del luego famoso "galeón de Manila" (57). Sarmiento había hecho saber al gobernador del Perú, D. Lope García de Castro, la tradición incaica de la visita de Tupac a las lejanas islas oceánicas, por lo que el virrey le confió el mando de la expedición, juntamente con su sobrino, Mendaña. Partieron del puerto del Callao el 19 de noviembre de 1567, y avistaron, el 27 de diciembre siguiente, la isla que bautizaron como de Ulloa, y que no era otra que la de Kauai, del grupo de las Hawaii (58).

A causa de haber cambiado varias veces de rumbo, no descubrieron Australia, aunque sí el archipiélago de Salomón, así denominado por suponer se trataba del ofir del rey bíblico. En una de sus islas, Isabel –cuyo nombre se conserva–, el piloto Hernán Gallego y Pedro Ortega construyeron un bergantín con el que descubrieron, entre otras, Guadalcanal (59), isla que tanta nombradía alcanzó en el último conflicto nipo-norteamericano. (En septiembre de 1964, las fuerzas navales españolas y las norteamericanas de la Base de Rota tributaron un homenaje, en la localidad gaditana de Guadalcanal, a Ortega [60].)

6) *Alvaro de Mendaña y Pedro Fernández de Quirós*
dan con las islas Marquesas

Las islas Salomón volvieron a ser visitadas por la segunda expedición de Mendaña, salida del Callao el 9 de abril de 1595, y esta vez con Pedro Fernández de Quirós como piloto mayor, llevando 378 personas, de ellas muchas mujeres, en seis buques. El 21 de julio atisbaron, por vez primera, el archipiélago de las Marquesas de Mendoza, así llamadas en honor del virrey del Perú. En el curso de esta expedición murió Mendaña el 18 de octubre de 1595, en la isla de Santa Cruz por él descubierta, tomando el mando conjuntamente, su esposa doña Isabel Barreto, como "Adelantada del Mar Océano", y Quirós. Durante los doscientos años subsiguientes las Salomón no volverían a ser encontradas (61).

7) *Pedro Fernández de Quirós y Juan Báez Torres*
avistan y bautizan Australia

El 21 de diciembre de 1605 zarpó de El Callao Quirós, esta vez con Luis Báez de Torres como piloto, dando el 14 de mayo de 1606 con una de las islas de Nuevas Hébridas. En tal fecha, por orden de su rey Felipe III y en el nombre de la Santísima Trinidad, tomó solemne posesión de todas las islas y tierras descubiertas y a descubrir por él hasta el Polo, conjunto al que bautizó con el nombre de Australia del Espíritu Santo, en honor de la dinastía reinante en España. El erudito Carlos Sanz demuestra convincentemente que éste fue el origen de la actual denominación del quinto continente, y no el de "terra australis": "si quizá es imposible mantener –dice– que los españoles fueron los primeros en pisar Australia, es, por el contrario, evidente que a ellos debe el mundo el conocimiento de la existencia de un vasto territorio en el sector sur del océano Pacífico". Hasta 50 informes elevó Quirós al rey en relación con sus descubrimientos, y el octavo de ellos, en el que calcula el tamaño de Australia como el de Europa y Asia Menor, incluidas las islas del Mediterráneo y del Atlántico, consiguió extraordinaria difusión en Europa, conociéndose ediciones de 1617 en Londres y París. No es de extrañar que Tasman y Cook tuvieran en cuenta el citado memorial de Quirós al acometer sus empresas exploratorias a mediados y a fines del siglo XVII (62).

Por su parte, Báez de Torres, al separarse de su jefe como consecuencia de una furiosa tempestad, bordeó la costa sur de Nueva Guinea –de aquí Torres Strait–, divisando por vez primera las tierras opuestas del continente australiano y descendiendo en algunas islas, que hoy forman parte de Australia. Son, por tanto, sus hombres y él los primeros blancos que tomaron un contacto físico con el novísimo continente (63).

El historiador francés Eliseo Reclus atribuye a Mendaña el hallazgo de las islas de Hawaii, Santa Cruz, Marquesas y Salomón. William Harvey, acompañante de Cook en 1778, encabeza su Diario, durante su estancia en Hawaii, con el título de "Mendaña Islands" (64).

En el mes de junio de 1743, el navío inglés "Centurion", al mando de Lord Anson, capturó el galeón de Manila al final de un sangriento combate. En él se custodiaba un mapa conteniendo todos los descubrimientos realizados hasta la fecha en el Pacífico por los españoles, descubrimientos que, al parecer, los gobernantes españoles trataban de mantener secretos. En dicho mapa se incluía un grupo de islas situadas en la misma latitud que las Hawaii, si bien unos 17° hacia el Este. La más meridional aparecía como "La Mesa" (Hawaii); hacia el Norte, "La Desgraciada" (Maui) y el triunvirato de "Los Monjes" (Kahoolawe, Lanai y Molokai). En el "Theatrum Orbis" de Ortelius, atlas publicado en Amberes en 1570, se incluyen unas islas bajo los mismos nombres de las reseñadas en el mapa del galeón. Dichas islas –las Hawaii– no se incluían, sin embargo, en la ruta normal de la nave de Acapulco, dado que en su trayecto hacia las Filipinas adoptaba una latitud más meridional –13° ó 14°–, en tanto que su viaje de regreso a Nueva España ascendía hasta el paralelo 30° (65).

En Waimea, en la isla de Kauai o "Gorden Island", desembarcó el 18 de enero de 1778 el capitán James Cook, y un monumento marca el lugar; otro, en la bahía de Kealakekua, en la isla de Hawaii o "Big Island", recuerda el sitio en que murió a manos de los guerreros nativos un año después (66). Le recibieron leyendas de blancos arribados en épocas pasadas y diferentes piezas de hierro, obra de europeos –españoles–; por otra parte, conocía indudablemente el mapa conseguido por Lord Anson y no dudó en identificar las islas de Mesa y de los Monjes, con las que acababa de localizar (67). A la misma conclusión llegó el navegante francés La Perouse en su viaje científico en 1786 (68).

El considerable aumento de la navegación inglesa en el Pacífico y la creciente valía de éste por las ventajas comerciales que sus aguas y sus costas proporcionaban ocasionaron una serie de fricciones con España, produciéndose incidentes, capturas de barcos ingleses, etc., que culminaron en la controversia de Nutka y es el casi estallido de la guerra entre España e Inglaterra, que se soslayó con la firma del Tratado de Nutka y la retirada por España de sus pretensiones monopolísticas (69). En lo que se refiere a las islas Hawaii, los capitanes Portlock y Dixon las visitaron en 1786, así como Meares en 1787 y 1788; Vancouver cinco veces en 1792, 1793 y 1794 (70).

8) *Esteban J. Martínez y Manuel Quimper*
aconsejan el establecimiento

En 1789 visitó las islas el oficial español Esteban J. Martínez; sus escritos al virrey de Nueva España aconsejando el establecimiento español en dichas islas por las ventajas de su posición estratégica y para evitar su ocupación por otra potencia, impulsaron a dicho real representante a enviar al teniente Manuel Quimper, quien en la primavera de 1791 exploró las islas y pudo hacer un informe sobre sus habitantes, productos y posibilidades comerciales; pero los asuntos internos españoles no permitirían la puesta en práctica de las ideas expansionistas de Quimper (71).

No para en lo descrito las relaciones de Hawaii con España. El primer ganado importado en la isla procedió de Santa Bárbara, California, en 1794, por obra de Vancouver, y los primeros caballos los transportó el capitán Cleveland desde el cabo San Lucas (72). Es, por otra parte, muy curiosa la figura del andaluz D. *Francisco de Paula Marín*, alias "Mianini", quien arribado a Hawaii en 1791, allí permaneció hasta la fecha de su muerte en 1837, no sin dejar una numerosa familia. Gozó de la confianza de Kamehamea I, a quien sirvió de intérprete y a quien atendió en su mortal enfermedad. A Marín se debe la implantación del cultivo de muchas frutas y flores en Hawaii, como las naranjas, los higos, las uvas, las rosas, etc. Ya en 1809 fabricaba mantequilla, carne en salazón para los barcos, vino, etc. Celoso practicante de su religión católica, parece ser que en secreto bautizó a más de 300 naturales. Su Diario, escrito en español, es de valor inapreciable (73).

Otro personaje español en las islas fue D. *Juan Elio de Castro*, residente desde 1814, a raíz de su liberación por el Capt. Kotzebue de las manos de las autoridades californianas que le habían condenado por trabajar con los rusos en el negocio de las pieles. Llegó a ser el secretario privado de Kamehamea I (74). Uno de los inventores norteamericanos de la bomba atómica, Luis W. Alvarez, es nieto de un notable médico español apellidado *Fernández Alvarez*, que, emigrado a California, fue conocido en adelante –y lo mismo su familia– por su último apellido, a la manera anglosajona. El Dr. Fernández practicó su profesión en Hawaii desde 1887 hasta 1896, en que, solicitada su colaboración en la lucha contra la lepra, se ausentó temporalmente para estudiar en la Universidad de John Hopkins y retornar después a las islas, en donde realizó por unos años una benemérita labor. Durante ellos ejerció el cargo de vicecónsul honorario de España en Honolulu (75).

Es indudable que en el curso de los años, como consecuencia de las navegaciones españolas por la región y aún más de los naufragios sufridos por muchos navíos, hubo españoles que se quedaron a vivir en las islas y se mezclaron, como sus antepasados de la expedición de Saavedra, con los indígenas. El ministro Henry Augustus Peirce constató en 1825 la existencia de *Ehus* en Hawaii, es decir, personas de ambos sexos con piel más clara que la de los nativos puros y con rasgos europeos. Peirce sostenía que la palabra "Ehus" provenía de una corrupción de la española "hijos" (76). A dicho tipo racial se refiere el busto que Blasco Ibáñez contempló en 1932, cuando realizaba su viaje alrededor del mundo, en el Museo Bishop de Honolulú (el original se conserva en Bremen, Alemania): desenterrado a comienzos de siglo al profundizar para la cimentación de un edificio; el catálogo lo titula "Capitán de buque español esculpido por un artista del país". Se trata de una cabeza con melena, bigote, perilla y gola rizada y, aunque sus facciones están ensanchadas como por obra de un espejo deformatorio, bien podrían pertenecer a un hidalgo pintado por El Greco (77). El novelista valenciano se encontró también con un mallorquín, antiguo bajo del Teatro Real, Joaquín Vanrell, dirigiendo la escuela de música local y emocionándose con la arenga en español que pronunció don Vicente a los postres del banquete que le ofreció la Asociación de la Prensa de Hawaii (78).

A lo largo del siglo XIX, e incluso a comienzos del XX, hubo núcleos españoles que se establecieron en las Hawaii, bien procedentes de Filipinas, bien de América (California, México y, más tarde, Puerto Rico), bien directamente de España. La presencia de D. Francisco de Paula Marín influyó en dicha inmigración, ya que los reclamó para los cultivos agrícolas y para la cría de ganado. El nombre *paniolos*, hoy sinónimo en las islas a jinetes, procede de dichos vaqueros o "españoles". A ellos se debe la introducción de los métodos de cría y de entrenamiento de los caballos, el uso del lazo, de las espuelas, del poncho y del sombrero hoy típicos hawaianos (79).

Las monedas españolas circularon, por otra parte, durante mucho tiempo en las islas, y especialmente la pieza de ocho o dólar español, y sólo hace relativamente poco tiempo fueron retirados de la circulación los reales. Con el descubrimiento del oro en California algunos españoles emigraron, en tanto que en el período comprendido entre 1907 y 1913 unos 8.000 andaluces se establecieron en las islas. En tal época inmigraron también labradores procedentes de Puerto Rico. En cualquier caso no parece que el número de españoles en ningún momento haya excedido la cifra de 1.430, correspondiente al censo de 1920 (80).

Hawaii ha sido visitada en el siglo XX por una serie de personalidades españolas, buena parte de ellas atendidas por el entonces vicecónsul honorario de nuestro país en Honolulú, el profesor de la Universidad de Hawaii, Mr. Irving O. Pecker (81). *Blasco Ibáñez* recorrió en la isla de Hawaii, Hilo y los peligrosos volcanes Mauna Loa, Mauna Kea y Kilauea, y en la de Oahu, la capital, en la que reside el gobernador en el antiguo palacio de la reina Lilou-Kalami (82). El príncipe de Asturias, *D. Juan de Borbón,* incluyó, en su viaje de luna de miel con la princesa Mercedes, Honolulú; entre otros agasajos, la princesa Kawananakoa le ofreció un magnífico "luau", reviviendo las ceremonias de la antigua monarquía con "kahilis", plumas, etc. (83). Su hijo, *don Juan Carlos,* se ha detenido igualmente en las islas, en compañía de la princesa Sofía, a fines de 1965, lo mismo que el *infante don Jaime,* con su esposa la duquesa de Segovia, en marzo de 1959. El alcalde de Barcelona, *Antonio M. Simarro,* recayó en Honolulú en agosto de 1956, en tanto que el alcalde de esta ciudad, Mr. Neal S. Blaisdell, recibió en Madrid la Medalla de Oro de la ciudad al asistir a los actos conmemorativos del CD aniversario de la capitalidad (84). Varias veces el buqueescuela español "Juan Sebastián Elcano" atracó en aquel puerto, la primer al final del reinado de D. Alfonso XIII, y la segunda con la República (85). En octubre de 1959, una tripulación española compuesta de 81 hombres se hizo cargo en Pearl Harbor del submarino "Kraken", que fue rebautizado con el nombre de "Almirante García de los Reyes", en virtur del Acuerdo militar hispanonorteamericano (86).

Territorio de Guam

El gobernador de la isla de Guam, Manuel L. F. Guerrero, desfiló después de los gobernadores de los 50.º Estados de la Unión en la caravana organizada en Washington en homenaje del nuevo presidente Lyndon B. Johnson, el día de su toma de posesión en enero de 1965. Sorprendía distinguir en la lista de las prominentes personalidades participantes un nombre tan español, al que se unieron en la recepción que le ofreció la "Guam Society of Washington" los de los dirigentes de ésta: Ben Calvo, Joe Borja, Nito Blas, Doris Sánchez (87) ("Miss Liberation" de 1964 se llamaba Elaine Torres, y "Miss Guam 1967", Esperanza Alvarez) (88). Guerrero ostenta su cargo desde que su antecesor renunció en enero de 1963, y coincidió su comienzo con las desastrosas consecuencias de un tifón que arrasó a la isla; anteriormente había pertenecido a la Primera Legislatura elegida como resultado de la "Organic Act" firmada por Truman en 1950, que atribuía el gobierno de la isla a la autoridad civil, y había sido nombrado por el presidente Kennedy en 1961 "Secretary of Guam", cargo semejante al de vicegobernador (89).

Por capital Agaña –cuyo centro urbano mantiene la "Plaza de España" (90) y una catedral bajo la advocación de "The Dulce Nombre de María" (91)– y con una extensión de 534 kilómetros cuadrados, Guam tiene una población de 67.044 personas. Sus residentes ostentan la ciudadanía norteamericana, pero no poseen el derecho a voto, dada la condición de territorio de la isla, distante unos 2.300 kilómetros de Manila y 7.500 kilómetros de San Francisco. Guam es actualmente la principal base en el Pacífico del "Strategic Air Command" de las Fuerzas Aéreas Norteamericanas, y se halla unida al resto del mundo por líneas aéreas y marítimas, éstas utilizando el puerto existente en San Luis de Apra Harbour desde la primera arribada de las naves españolas (92).

PRESENCIA ESPAÑOLA

Varias denominaciones han recibido Guam y las islas polinésicas de su grupo: "Islas de las Velas Latinas", dado por Magallanes al contemplar las ligeras y veloces embarcaciones, desde las que los nativos saludaron a los visitantes españoles; "Islas de los Ladrones", que guardaron durante mucho tiempo, por la lancha que los indígenas robaron a la anterior expedición mecionada, según relato de Pigafetta, e "Islas Marianas", todavía conservado, dado por los jesuitas, en honor de la reina Mariana de Austria, viuda del rey Felipe IV de España, y quien, como regente, alentó la acción misionera a fines del siglo XVII (otras islas Marianas son Saipán, Rota, Tinián y Agrinán) (93).

1) *Fernando Magallanes la descubre*

Fernando Magallanes descubrió Guam el 6 de marzo de 1521, en el curso de su famoso viaje. Hasta la mañana del 9 permaneció con su gente en la bahía de Umatac, sucediéndose diversos contactos –amistosos y guerreros– con los nativos (94), conocidos por los historiadores como chamorros, palabra de indudable origen español (95). Sin haber tropezado con Guam, el éxito de la primera circunnavegación del globo quizá no hubiera acompañado a la empresa de Magallanes-Elcano.

2) *La expedición de García Jofre de Loaysa se avitualla*

La expedición de García Jofre de Loaysa fue la segunda en tocar en Guam; el día 4 de septiembre de 1526, cuando intentaban anclar, apareció, junto con el grupo de nativos dándoles la bienvenida, el español Gonzalo de Vigo, perteneciente a la anterior tripulación descubridora. El barco visitante permaneció hasta el día 10 siguiente, y sus bodegas pudieron avituallarse adecuadamente (Loaysa y Elcano habían ya muerto) (96).

3) *Miguel López de Legazpi, camino de las Filipinas*

El tercer contacto español con la isla correspondió al general Miguel López de Legazpi cuando ancló el 22 de enero de 1565: tanto gustó el lugar al padre Urdaneta, miembro de la expedición, que propuso poblarla, a lo que no accedió el jefe, dadas las órdenes que llevaba concernientes a las Filipinas y a la prioridad que debía darse a su colonización; algunos incidentes se sucedieron, no obstante las órdenes del general de evitarlos, y el maestre de Campo, Mateo del Saúz, hubo de desembarcar al mando de 100 hombres, mientras los frailes Grijalva y Gaspar se dedicaban a estudiar las características de las islas, sobre las que escribieron un interesante informe (97).

4) *El padre Antonio Morga se queda a evangelizar*

En el año 1600 el navío "Santa Margarita" naufragó cerca de la isla de Rota, por causa de un tifón, y su cargamento fue objeto de botín entre los indígenas; el año siguiente, seis supervivientes lograron alcanzar al galeón español "Santo Tomás", navegando en las aguas circundantes; al enterarse de la existencia de otros 26 náufragos españoles en la isla, el padre Antonio de Morga consideró su deber no dejarles abandonados, y bajó de la nave para compartir su suerte (98). Tres años antes, un anónimo francsiscano, habitante en otra de las islas con los indígenas de resultadas de un naufragio, había conseguido informar a D. Lope de Ulloa, comandante de una flota que pasaba por las cercanías, de la necesidad de recibir misioneros; transmitido el mensaje al gobernador de Filipinas D. Francisco Tello, llegó la noticia al rey Felipe III, quien ordenó el establecimiento español en las islas de Ladrones. No tuvo éste realidad hasta 1668, en que el padre Sanvitores desembarcó en Guam (99).

5) *El padre Diego Luis de Sanvitores el "Apóstol de Guam"*

El castellano jesuita Diego Luis de Sanvitores consiguió para sí aquel encargo por su previo conocimiento de la isla y de sus instancias a la reina Mariana, quien, primero como esposa y luego como regente a la muerte de Felipe IV en 1665, tomó con mucho empeño la empresa. Le acompañaban cinco padres de su orden y algunos filipinos laicos (100).

Los comienzos misioneros no pudieron ser más fructíferos: en 1669 los indígenas habían ya ayudado a edificar una iglesia en Agaña; pero teniendo por iniciación el martirio del hermano Laurent en su visita a Anatjan, la situación se fue deteriorando –coincidiendo con las rivalidades de dos facciones locales–, lo que obligó al uso de la fuerza militar en la isla Tinián, en la que también perecieron asesinados el padre Luis Medina y el filipino Hipólito de la Cruz. El nuevo martirio del catequista Peralta y la declaración en abierta rebeldía de los nativos forzó a los españoles a construir un fuerte, *Santa Soledad,* en que montaron varios cañones. La llegada en junio de 1671 de cuatro nuevos padres, sin compañía de soldados, se simultaneó con un nuevo levantamiento alentado por los "makahnas", o brujos de las tribus, intranquilidad que culminó en el asesinato del padre Sanvitores y de su asistente filipino el 2 de abril de 1672. Tales sucesos provocaron el reforzamiento de la guarnición militar, que llevó a cabo una enérgica represión (101).

La tranquilidad se estableció al fin, y la semilla del cristianismo prendió entre los chamorros, de forma que la religión católica es todavía la predominante en la isla. Capilla e iglesias se elevaron por doquier, y los padres jesuitas introdujeron la vid, una variedad pequeña de banana, café, cacao, maíz, batata y otras plantas, así como los ganados vacuno y porcino, el carabao filipino, perros, gatos, ciervos y aves de corral (la lucha de gallos se ha convertido en el espectáculo local). A poco de la muerte de Sanvitores, nació el Colegio de San Juan de Letrán, dotado con 3.000 pesos anuales por la reina Mariana. Los agustinos sustituyeron el 2 de noviembre de 1769 a los jesuitas cuando el Edicto de expulsión de Carlos III (102). Sanvitores fue beatificado en octubre de 1985 por el Papa Juan Pablo II.

6) *Fuertes*

Durante los siglos XVII y XVIII se construyeron los siguientes fuertes militares: una empalizada (1671), Santa María de Guadalupe (1683), Santiago (1721), batería Merizo (1724), San Luis (1737), Ntra. Sra. del Carmen (1742), Santo Angel (1742), San Fernando (1772) y San Rafael (1799). En el s. XIX se levantarían: Santa Agueda (1800), Ntra. Sra. de los Dolores y la Santa Cruz (1801), San José (1803), el reconstruido Soledad (1803) y Semi-Reductos (1835). Quedan en pie: Santa Agueda, Santiago, Santo Angel, Soledad y San José. (De estos Fuertes se ocupa con detalle Yolanda Delgadillo y otros en su obra "Spanish Forts of Guam").

7) *Expediciones científicas*

Guam recibió la visita de la expedición científica enviada por Carlos IV de *Alejandro Malaspina* en febrero de 1792, trayendo a bordo a los botánicos Thaddaeus Haenke y Luis Née, el geólogo Pineda y el dibujante Ravenet, que permanecieron en la isla doce días. Las plantas y datos coleccionados quedaron depositados en el Jardín Botánico de Madrid en 1794 (103). Colaboró muy activamente con los hallazgos científicos en 1817 de la expedición Romanzoff, canciller del Imperio ruso, en la que participaba el botánico Adalbert von Chamisso, el sargento mayor de la guarnición española, Luis de Torres (104).

Una serie de notables gobernadores españoles pasaron por la isla en Guam: en 1681 fue nombrado D. Antonio de Saravia "con poderes enteramente independientes del virrey de México y del gobernador de Filipinas". Su primer acto consistió en la convocatoria de una Asamblea General de los isleños, en la que éstos prestaron acatamiento al rey de España en virtud de un acuerdo, en el que figuraban como iguales a los otros súbditos españoles (105). Don Damián Esplaña, D. Antonio Pimentel y D. Enrique de Olavide supieron evitar las incursiones y ataques de los piratas (106). Don Mariano Tobías produjo la más entusiasta admiración en el teniente Crozet, quien tuvo oportunidad de conocer personalmente la obra civilizadora realizada por dicho gobernador y por España en Guam, como partícipe de la expedición exploradora francesa de Marion-Dufresne; sus escritos sirvieron de base para que el abate Reynal, en su famosa "Historia", de tanta influencia en la revolución francesa, presentara su labor como la arquetípica de un hombre moderno cerca del "buen salvaje" (107). En el siglo XIX, D. Francisco Ramón de Villalobos, D. Pablo Pérez, D. Felipe de la Corte y D. Francisco Moscoso hicieron cuanto estuvo en su mano por mejorar la economía de la isla, combatir la lepra y otras enfermedades y conseguir la aclimatación de inmigrantes extranjeros para las labores agrícolas (108).

GUERRA DE 1898 CON LOS ESTADOS UNIDOS

Hallándose las cosas en esta situación, sobrevino, en 1898, la guerra hispano-norteamericana. Sin previo aviso, el crucero "Charleston" entró en la bahía de San Luis de Apra el 20 de junio; los fuertes Santiago y Santa Cruz no se le opusieron. Desembarcada la tropa, pudo el capitán Glass tomar posesión de la isla sin disparar un tiro, ante los asombrados y sorprendidos guarnición y pueblo, que ignoraban la existencia de la guerra. Los españoles fueron hechos prisioneros con su gobernador, D. Juan Marina, al frente y transportados a Manila. Así terminó el dominio efectivo de España en Guam (109).

Por el Tratado de París de 10 de diciembre de 1898, España cedió a los Estados Unidos las islas de Puerto Rico, Filipinas y Guam. Meses antes, España había vendido varias estratégicas islas del archipiélago de las Carolinas a Alemania, la cual compró más tarde el resto de dicho archipiélago, el grupo de las Palau y las Marianas, con la excepción de Guam (110).

NOTAS

INTRODUCCION

(1) "Treaties, conventions, international acts and agreements between the United States of America and other powers, 1776-1937" (4 vols), y "Treaties in force... on january 1966", ambos publicados por el Departamento de Estado, Government Printing Office, Washington D. C.

(2) TIME Magazine, 6 octubre 1967, p. 25.

(3) Ramón Pérez de Ayala: "El país del futuro", 125. Transcribe las frases de Teodoro Roosevelt, sacadas de sus artículos periodísticos "Capítulos de una posible autobiografía".

(3 b) Stephen Vincent Benet, Historia sucinta de los Estados Unidos, 107.

(4) "El Gobierno informa. XXV aniversario de la paz española", 389-98. "España y los Estados Unidos (26 de septiembre 1963)", 3-25.

(4 b) J. M. Ruiz Morales. Relaciones económicas entre España y los Estados Unidos, 17, 18.

(4 c) Idem, op. cit, 28-79.

(5) Boletín de la Dirección General de Archivos y Bibliotecas, n.º 62, nov-dic. 1961, 17.

(6) Discurso distribuido por la Secretaría de la Vicepresidencia de USA. Referencia aparecida en el diario "The St. Augustine Record", en fecha siguiente. MUNDO HISPANICO, n.º 181, abril 1963, 61.

(7) "The Spanish Element in Our Nationality". The Complete poetry and prose de Walt Whitman. Vol. II, 402-403.

(8) C. Lummis: "Los exploradores del siglo XVI", 94. "Herencia Hispánica". Art. en A B C, de Gastón Baquero, 18-9-1970.

(8 b) Manuel Fernández de Velasco. Relaciones España-Estados Unidos, 142-157.

(9) Michael Kraus: "The United States to 1865".

(10) Comienzan su obra en 1607, y en los capítulos "The planting of the colonies", "The early settlers", "The Colonial heritage" y "The Southern colonies", no existe alusión alguna a España.

(10 b) Isaac Asimov: "La formación de América del Norte".

(11) S. T. Williams: "La huella española en la literatura norteamericana". Vol. I, 55.

(12) H. E. Bolton: "The Spanish Borderlands", III-VI.

(13) Por ejemplo, los colaboradores de "The Catholics in the USA".

(14) J. T. Ellis: "Catholics in Colonial America". The American Ecclesiastical Review. Vol. CXXXVI, january-may 1957. F. J. Weber: "Catholicism in Colonial America". The Homilectic and Pastoral Review, july-september 1965. J. Thorning: Artículos publicados en diarios y revistas.

(17) R. P. Wright: "California's Missions", 30-1.
(18) C. W. Arnade: "Florida on trial", 11.
(19) B. De Voto: "The course of Empire", 48. H. E. Bolton: "Defensive Spanish Expansion", 61 (véase P. Bannon: Bolton...).
(20) "Our Flag". Office of Armed Forces Information & Education Dept. of Defense. U. S. Gobernment Printing Office. Washington D. C., 1962, 8.
(21) Artículos publicados en diario A B C, de Madrid, desde el 16 de abril de 1966 hasta el 27 mayo 1966.
(22) C. Lummis, op. cit., 46.
(23) M. Kraus, op. cit., 18-19.
(24) Lista de dichas ciudades en el Indice Geográfico de esta obra.
(25) Algunas de dichas calles, al tratar de las principales ciudades de USA.
(26) La dirección de su sede central se incluye en el Apéndice C1.
(27) Algunas se incluyen en el Apéndice A5.
(28) Página 148 de esta obra.
(29) R. Cartier: "Las 50 Américas", 163.
(30) B. De Voto, op. cit., 28.
(31) Idem, 30.
(32) C. Lummis, op. cit., 46.
(33) Stimpson: "A book about American History", 183.
(34) Es interesante el artículo de José M. Igual "El Atlántico Norte". Boletín R. S. G., 475-83.
(35) Edición 1965, 582.
(36) B. De Voto, op. cit., 15. C. G. Summersell: "Alabama History", 32, entre otras.
(37) B. De Voto, op. cit., 31.
(37 b) "To the Totem Shore, The Spanish Presence on the Northwest Coast". Dirigido por Santiago Saavedra.
(38) Idem, 48.
(39) Idem, 52.
(40) Idem, 288.
(41) P. Horgan: "Great River", 981.
(42) J. A. Caruso: "Southern Frontier", 17.
(43) C. G. Summersell. op. cit., 37, 42, 47.
(44) B. De Voto, op. cit., 52.
(45) T. H. Hittell: "Brief History of California", 18.
(46) Idem, 18.
(47) Stimpson, op. cit., 259.
(48) B. De Voto, op. cit., 198.
(49) C. C. Howes: "This Place called Kansas", 4.
(50) Nolie Mumey: "History of the Early Settlements of Denver", 23.
(51) B. De Voto, op. cit., 287.
(52) Idem, 288-297.
(53) L. A. Vigueras: "The Cartographer Diego Ribeiro". IMAGO MUNDI, XVI, 82.
(53 b) Andre Maurois: Historia de los Estados Unidos, 116.
(54) B. P. Thomson: "La ayuda española en la guerra de la independencia norteamericana", 13.
(55) M. Conrotte: "La intervención de España en la Independencia de los Estados Unidos de la América del Norte", 218.
(56) S. F. Bemis: "The Diplomacy of the American Revolution", 111.
(57) Dale Van Every. "A Company of Heroes", 23.
(57 b) St. V. Benet. op. cit., 37-50.
(57 c) Manuel Ballesteros: Conferencia pronunciada en el ICI de Madrid, el 6-6-1986.
(58) R. W. Van Alstyne: "Empire and Independence", 94-5.
(59) Idem, 115.
(60) Idem, 201.
(61) Idem, 162, 166.
(62) S. F. Bemis, op. cit., 110.
(63) M. Conrotte, op. cit., 6-7, 67.
(64) Idem, 26, 204. S. F. Bemis, op. cit., 41. R. W. Van Alstyne. op. cit., 90.
(65) R. W. Van Alstyne, op. cit., 96. S. F. Bemis, op. cit., 39, 41. M. Conrotte, op. cit., 204.

F. Morales Padrón: "Participación de España en la Independencia política de los Estados Unidos", 14.

(66) Stimpson, *op. cit.*, 118.
(67) M. Conrotte, *op. cit.*, 23, 68-70. R. W. Van Alstyne, *op. cit.*, 127. E. F. Klotz: "Los Corsarios americanos y España", 17 y siguientes.
(68) M. Conrotte, *op. cit.*, 70-3.
(69) Idem, 22-3.
(70) M. Conrotte, *op. cit.*, 26-7. B. P. Thomson, *op. cit.*, 25-7.
(71) B. P. Thomson, *op. cit.*, 26-32.
(72) Idem, 26.
(73) Idem, 30-1.
(74) Idem, 48-9. M. Conrotte, *op. cit.*, 28. F. Morales Padrón, *op. cit.*, 16-7.
(75) F. Morales Padrón, *op. cit.*, 16.
(76) M. Conrotte, *op. cit.*, 33-42.
(77) R. W. Van Alstyne, *op. cit.*, 125.
(78) B. P. Thomson, *op. cit.*, 111.
(79) Idem, 112-4. R. W. Van Alstyne, *op. cit.*, 125-6.
(80) J. F. Yela: "España ante la Independencia de los Estados Unidos". Vol. 2.º, 135-7. B. P. Thomson, *op. cit.*, 115-7.
(81) F. Morales Padrón, *op. cit.*, 25.
(82) Idem, 25.
(83) M. Conrotte, *op. cit.*, 50-5.
(84) F. Morales Padrón, *op. cit.*, 27-8. M. Conrotte, *op. cit.*, 47.
(85) S. F. Bemis, *op. cit.*, 84. M. Conrotte, *op. cit.*, 67-76. F. Morales Padrón, *op. cit.*, 28-9.
(86) M. Conrotte, *op. cit.*, 74-6. S. Bemis, *op. cit.*, 87. B. P. Thomson, *op. cit.*, 128. F. Morales Padrón, *op. cit.*, 30.
(87) S. F. Bemis, *op. cit.*, 110.
(88) M. Conrotte, *op. cit.*, 207-10.
(89) Stimpson, *op. cit.*, 146. Carta de María Isabel Solano sobre el Marqués del Socorro. Diario A B C, 27-9-1970, pág. 19.
(90) R. W. Van Alstyne, *op. cit.*, 90-1.
(91) Idem, 169-71.
(92) Idem, 121.
(93) Idem, 133.
(94) S. F. Bemis, *op. cit.*, 110.
(95) M. Conrotte, *op. cit.*, 94. B. P. Thomson, *op. cit.*, 169-172.
(96) B. P. Thomson, *op. cit.*, 82, 91.
(98) Idem, 126. M. Conrotte, *op. cit.*, 6.
(99) B. P. Thomson, *op. cit.*, 81-6. M. Conrotte, *op. cit.*, 96.
(100) B. P. Thomson, *op. cit.*, 87-8. S. F. Bemis, *op. cit.*, 102.
(101) S. F. Bemis, *op. cit.*, 102.
(102) J. T. Ellis, *op. cit.*, 13.
(103) R. P. Wright, *op. cit.*, 29.
(104) M. Conrotte, *op. cit.*, 108-9. F. Morales Padrón, *op. cit.*, 37. M. Fraga: "Spain's Contribution to the... Independence of the U. S.", 16.
(104 b) Miguel Gómez del Carapillo: El Conde de Aranda en su Embajada a Francia, 108.
(104 c) Actas del Congreso de Historia de los Estados Unidos, 42.
(104 d) José A. Armillas: La deuda de guerra de los EE.UU. para con España, 56, 61, 62.
(105) F. J. Weber, *op. cit.*, 843 y siguientes. H. E. Bolton: "The Mission as a Frontier Institution", 187-211 (véase P. Bannon: "Bolton...").
(106) La lista de las Misiones comprende el Apéndice A2.
(107) F. J. Weber, *op. cit.*, 844.
(108) Idem, 845.
(109) John Tate Lanning: "The Spanish Missions of Georgia", 104-5.
(110) J. A. Caruso, *op. cit.*, 20.
(111) W. Beck: "New Mexico", 61, 89-93.
(112) Idem, 43.
(113) Idem, 213.
(114) C. Lummis, *op. cit.*, 37.
(115) Idem, 50.

(116) P. Horgan, *op. cit.,* 146.
(117) Idem, 203.
(118) Alfred B. Thomas: "A Comanche Pueblo on the Arkansas River, 1787", 79 y siguientes.
(119) J. T. Lanning, *op. cit.,* 9, 11. C. W. Arnade, *op. cit.,* 61, 63.
(120) R. B. Wright, *op. cit.,* 70.
(121) B. De Voto, *op. cit.,* 18.
(122) J. A. Caruso, *op. cit.,* 24.
(123) C. G. Summersell, *op. cit.,* 54.
(124) Idem, 40.
(125) Raymond R. MacCurdy: "The Spanish Dialect in St. Bernard Parish. La.", 19-25. Idem: "A Spanish word-list of the «brulis»...", 547-8.
(126) Hodding Carter: "Doomed Road of Empire", 114-8, 121 y siguientes.
(127) Idem, 129.
(128) S. T. Williams, *op. cit.,* vol. I, 71, 445 (nota 88), 326, 542 (nota 152). J. T. Van Campen: "St. Augustine", 46-7, 52-3.
(129) Véanse los comentarios dedicados a los pastores vascos en las partes 5.ª y 6.ª de esta obra.
(130) Marcus Lee Hansen: "The Inmigrant in American History", 17. John F. Kennedy: "A Nation of Inmigrants", 136, 148 y siguientes, 108-9.
(131) Sol Silem: "La Historia de los Vascos en el Oeste de los Estados Unidos", New York, 1917 (en castellano y en inglés).
(132) Rafael Ossa Echaburu: "Pastores y pelotaris vascos en USA", 9-48.
(133) Adolfo Echevarría: Artículo publicado en "El Correo Español". "El Pueblo Vasco", 14-2-62.
(134) R. Ossa Echaburu, *op. cit.,* 82-4.
(135) A. Echevarría, *op. cit.,* 7-2-62, 15-2-62.
(136) Idem, 4-2-62. 13-2-62.
(137) Véase propaganda facilitada en Tampa, sobre Ibor City.
(137 b) José Ventura: Abastecimiento y poblamiento de Florida..., 54.
(137 c) Ramón M. Serrera: Pedro de Fagés, colonizador y cronista de Alta California, 243-253.
(138) Mair J. Benardete: "Hispanismo de los sefardíes levantinos", 164.
(139) Idem, 57, 167, 169, 171, 257.
(140) World Almanach 1986, N. York 1985, 259.
(141) World Almanach 1986, 259.
(142) Robert H. Talbert: Spanish-Name People in the Southwest and West, 19, 24, 29.
(143) Statistical Abstract of the United States. Cuadro 41.
(143 b) Idem, Cuadro 37.
(144) Julius Hook: The book of names, 79.
(144 b) Véase, por ejemplo, la declaración formulada por el Magistrado del Tribunal Supremo del Estado de Nueva York, D. Emilio Núñez, el 3-9-64 (distribuida por la Oficina de Información de la Embajada de España).
(144 c) J. F. Kennedy, *op. cit.,* 29-30, 148-9.
(144 d) ICIA, n.º 309, 15-3-84, pág. 5.
144 e) José M. Paz Agüeras: El futuro del Hispanismo en los Estados Unidos, 21.
(145) Guillermo Florit: "El primer almirante de los Estados Unidos, David Farragut", 1-15. Manuel Cencillo de Pineda: "David Glasgow Farragut", 69. "David Glasgow Farragut. Our First Admiral", 347, 367. Charles Lee Lewis: "David Glasgow Farragut, Admiral in the making", 1, 142.
(146) Mi artículo en la revista de Estudios Políticos: "El españolismo de Jorge Santayana". José M. Alonso Gamo: "Un español en el mundo: Santayana", 21-67.
(147) Información proporcionada al autor por el Dr. Walter C. Alvarez.
(148) Notas necrológicas aparecidas en los diarios. "The Washington Post" y "The New York Times", de 6-12-62.
(149) Nota precedente n.º 141.
(150) Vittorio Calvino: "Guida al cinema", 221.
(151) "Gazzetta del Popolo" (diario de Turín), 16-2-67: "Morto l'attore Antonio Moreno".
(152) Entre otras referencias, la comedia dramática de Eugenio O'Neil "The Fountain", en vol. I de "The plays of...". Random House New York, 1964.
(153) R. Cartier, *op. cit.,* 28-9. S. L. Millard Rosenberg: "Huellas de España en el Estado de

California", 12-4. Edna Deu Pree Nelson: "The California Dons", 190-2. Aurelio M. Espinosa: "Conchita Argüello".

(154)   P. Horgan, *op. cit.*, 231-7, 300, 304.
(155)   Idem, 206.
(156)   Idem, 269, 284, 289.
(157)   Idem, 128.
(158)   E. Deu Pree Nelson, *op. cit.*, 81-126.
(159)   P. Horgan, *op. cit.*, 332. H. Carter, *op. cit.*, 66-9, 82-3. Entre otros, J. A. Caruso, *op. cit.*, 37.
(161)   P. Horgan, *op. cit.*, 96.
(162)   Véanse datos completos en bibliografía. Consúltese, en especial, el capítulo V, parte segunda, tomo I de dicha obra de Williams.
(163)   P. Horgan, *op. cit.*, 163, 196.
(164)   S. T. Williams, *op. cit.*, 301, 528-9. W. Beck, *op. cit.*, 205.
(165)   J. T. Lanning, *op. cit.*, 11.
(166)   Véanse datos completos en bibliografía. S. T. Williams, *op. cit.*, vol. I, 402-6.
(167)   Enrique Sánchez Pedrote: "Las misiones españolas en la música sinfónica estadounidense", MUNDO HISPANICO, suplemento al número 183, junio 1963, 63-4.
(167 b) A. Fernández Cid. La música en los Estados Unidos. 60, 94.
(168)   Prent Duell: "Mission Architecture". Marcelino C. Peñuelas: "Lo español en el suroeste de los Estados Unidos", 241 y siguientes. Darío Fernández Flórez: "The Spanish Heritage in the United States", 281-7.
(169)   R. W. Sexton: "Spanish Influence on American Architecture and Decoration". S. T. Williams, *op. cit.*, vol. I, 406-27.
(170)   George R. Collins: "Antonio Gaudí: Structure and Form" (Perspecta 8).
(171)   S. T. Williams, *op. cit.*, vol. I, 386-7.
(172)   "The Glorious 50": folleto publicado por la State Mutual Life Assurance Co. of America, Worcester, Mass. "The World Almanach" (1966), 216-39.
(173)   C. G. Summersell, *op. cit.*, 622.
(174)   "The History and the Government of Lousiana", 8, 19, 20.
(175)   D. Fernández Flórez, *op. cit.*, 249-59.
(176)   Apéndice B3.
(177)   Sturgis E. Leavitt: "The Teaching of Spanish in the United States".
(178)   Ministero Pubblica Istruzione d'Italia: "Rivista di Legislazione Scolastica Comparata", 1967, 1-2, anno XXV, 85-6.
(179)   Apéndice B1.
(180)   Datos proporcionados al autor en la Oficina Federal de Educación del Departamento de HEW, Washington D. C.
(181)   Idem.
(182)   Las direcciones de ambas se hallan incluidas en el Apéndice C1.
(183)   E. Ruiz Fornells: "Las Universidades de los Estados Unidos se dan cita en España", MUNDO HISPANICO, septiembre 1963.
(184)   Diario SP, según resumen del Boletín de Información Española (OID), 17-XI-67.
(185)   S. E. Leavitt, *op. cit.*, 322.
(186)   Idem, 323, S. T. Williams, *op. cit.*, 285, 521. Para los distintos capítulos regionales de la AATSP, Apéndice C1.
(187)   S. T. Williams, *op. cit.*, 285, 521. Para los distintos capítulos universitarios de la SIGMA DELTA PI, Apéndice C1.
(188)   Página 122 y las notas 27 y 28 del capítulo II de la parte primera.
(189)   S. T. Williams, *op. cit.*, 285, 521, nota 151. S. E. Leavitt, *op. cit.*, 323. Véase la nota anterior 188.
(190)   Página 121 y nota 26 del capítulo II de la parte primera de esta obra.
(191)   Una lista de las Asociaciones hispánicas y españolas en USA, con sus direcciones, se contiene en el Apéndice C1.
(192)   Apéndice B2.
(193)   La lista de publicaciones periódicas en español y de las relacionadas con lo hispánico se contiene en los Apéndices D1 y D2.
(194)   S. E. Leavitt, *op. cit.*, S. L. Millard Rosenberg, *op. cit.*, 14-19.
(195)   George Carpenter Barker: "Pachuco...".
(196)   R. R. MacCurdy: "A Spanish word-list..." y "The Spanish Dialect in St. Bernard Parish, La.".

(197)   Aurelio M. Espinosa: "The Spanish Language in New Mexico and Southern Colorado". Marcelino C. Peñuelas, *op. cit.*
(198)   Apéndice D3.
(199)   Apéndice D1.
(200)   R. R. MacCurdy: "A tentative bibliography of the Spanish-language press in Louisiana, 1808-1871".
(201)   Véase la Bibliografía.
(202)   S. L. Millard Rosenberg, *op. cit.*, 11-2. M. C. Peñuelas, *op. cit.*, 173-86.
(203)   Gonzalo Menéndez Pidal: "Imagen del mundo hacia 1570", 87.
(204)   George R. Stewart: "names of the land".
(205)   F. Morales Padrón, *op. cit.*, 18.
(206)   "History of USA", LIFE, vol. II. 107.
(207)   J. A. Caruso, *op. cit.*, 11, 393. Stimpson, *op. cit.*, 183.
(208)   H. Carter, *op. cit.*, 4. Stimpson, *op. cit.*, 189. John Gunther: "Inside USA", 909-10.
(209)   W. Beck, *op. cit.*, 3. P. Horgan, *op. cit.*, 157.
(210)   G. R. Stewart, *op. cit.*
(211)   Irving Stone: "American Panorama", segunda parte, 39.
(212)   Stimpson, *op. cit.*, 261. G. R. Stewart, *op. cit.*
(213)   G. R. Stewart, *op. cit.*
(214)   Idem.
(215)   Idem.
(216)   Idem.
(217)   M. C. Peñuelas, *op. cit.*, 267-85.
(218)   J. Frank Dobie: "The Longhorns", 3.
(219)   P. Horgan, *op. cit.*, 128. J. F. Dobie, *op. cit.*, 4.
(220)   J. A. Caruso, *op. cit.*, 38. C. G. Summersell, *op. cit.*, 37.
(221)   J. A. Caruso, *op. cit.*, 14. Charles W. Arnade: "Cattle Raising in Spanish Florida 1513-1763", 2.
(222)   J. F. Dobie, *op. cit.*, 4. C. G. Summersell, *op. cit.*, 38.
(223)   W. Beck, *op. cit.*, 255, 258. Nina Otero: "Old Spain in Our Southwest", 56-9.
(224)   J. F. Dobie, *op. cit.*, 5.
(225)   C. W. Arnade, *op. cit.*, 2.
(226)   C. W. Arnade, *op. cit.*, 3, 4.
(227)   Idem, 6, 7.
(228)   J. F. Dobie, *op. cit.*, 5. Omer Englebert: "Fray Junípero Serra", 366.
(229)   J. F. Dobie, *op. cit.*, 1-2. J. Gunther, *op. cit.*, 948.
(230)   J. F. Dobie, *op. cit.*, 8.
(231)   Idem, 12.
(232)   Idem, 1-2.
(233)   P. Horgan, *op. cit.*, 109.
(234)   W. Beck, *op. cit.*, 29.
(235)   En carta dirigida al autor.
(236)   B. De Voto, *op. cit.*, 25.
(237)   P. Horgan, *op. cit.*, 212, 228. W. Beck, *op. cit.*, 263.
(238)   J. F. Dobie, *op. cir.*, 5.
(239)   Ronald Syme ha titulado su obra sobre Alvar Núñez: "First Man to Cross America".
(240)   Caldwell Delaney: "The Story of Mobile", 4. Arlie R. Slabaugh: "United States Commemorative Coinage", 95 y siguientes.
(241)   Dale Van Every: "Ark of Empire", 63.
(242)   C. F. Lummis, *op. cit.*, 103, 113.
(243)   R. Cartier, *op. cit.*, 164.
(244)   Folleto "The Old Spanish Trail", The Old Spanish Trail, Inc., Pioneer Hotel, Tucson, Arizona.
(245)   H. Carter, *op. cit.*, 1-6, 371-4 y el mapa de la contracubierta.
(246)   F. Morales Padrón: "Conquistadores españoles en Estados Unidos", 23. E. Deu. Pree Nelson, *op. cit.*, 85. O. Englebert, *op. cit.*, 160-72.
(247)   B. De Voto, *op. cit.*, 294. Le Roy R. Hafen: "Armijo's Journal of 1829-30".
(248)   B. De Voto, *op. cit.*, 360. Robert S. Weddle: "The San Saba Mission", 196.
(249)   "History of Coinage and Currency", 4.
(250)   Idem, 14.

620

(251)   Samuel Eliot Morison: "The Oxford History of American People", 143-5.
(252)   Roy Harrod: "The dollar", 7.
(253)   Burton Hobson: "Getting started in Coin collecting", 64-5.
(254)   Arthur Nussbaum: "A History of the Dollar", 36.
(255)   Idem, 46.
(256)   Idem, 53.
(257)   Idem, 56, 62, 84.
(258)   H. Carter, *op. cit.*, 24.
(259)   Antonio Miguel: "El dólar, ese hijo nuestro", Diario A B C, 9-11-60.
(260)   A. Nussbaum, *op. cit.*, 26.
(261)   "History of Coinage...", 28.
(262)   A. Nussbaum, *op. cit.*, 56.
(263)   Burton Hobson, *op. cit.*, 45-9. A. R. Slabaugh, *op. cit.*, 95 y siguientes.
(264)   B. Hobson, *op. cit.*, 64-5. Vicente Giner: "El signo $ es totalmente español", Diario A B C, 3-5-1968.
(265)   He aquí su detalle: 1 c.: Colón divisa las nuevas tierras; 2 c.: Desembarco de Colón; 3 c.: La "Santa María"; 4 c.: Las tres naves españolas de Colón, la "Pinta", la "Niña" y la "Santa María"; 5 c.: Colón solicita la ayuda de la reina Isabel de Castilla; 6 c.: Colón es recibido solemnemente en Barcelona (a la izquierda aparece una estatua del rey Fernando, y a la derecha, de Balboa); 8 c.: Colón recupera la Gracia Real; 10 c.: Colón presenta a los reyes los indios que trae consigo; 15 c.: Colón anuncia a los reyes su descubrimiento; 30 c.: Colón en la Rápida; 50 c.: Un mensajero alcanza a Colón; 1,00 dólar: Isabel ofrece sus joyas; 2,00 dólares: Colón en cadenas; 3,00 dólares: Colón describe su Tercer Viaje; 4,00 dólares: Isabel y Colón; 5,00 dólares: Colón.
(266)   B. De Voto, *op. cit.*, 286.
(267)   Los sellos conmemorativos aparecidos en los Estados Unidos, relacionados con temas españoles, son los siguientes: en 1904, el sello de 0,10 dólares mostrando el mapa de la Lousiana, cedida por España a Francia y vendida por ésta a USA en 1803; en la emisión de 1913, dedicada al canal de Panamá, el valor de 1 c. representa a Balboa; el de 5 c., al "Golden Gate", o puente sobre la bahía de San Francisco, descubierta por el sargento Ortega y su grupo, y el de 10 c., a dicha patrulla española; la roca "El Capitán", del Parque Yosemite, de California, es el tema del sello de 1 c., como lo es el Gran Cañón del Colorado (divisado por López de Cárdenas y sus hombres), en el valor de 2 c., y "Mesa Verde", de Colorado, en el valor de 4 c., los tres de la serie de 1934, de los Parques Nacionales; con ocasión de la Exposición California-Pacífico, San Diego –"1535-1935"–, fue objeto de su sello de 3 c., representando dicha bahía y Punta Loma; la Misión española de El Alamo aparece en el timbre de 3 c., conmemorativo, en 1936, del primer centenario de la independencia de Texas; en dicho año, la admisión de Arkansas como Estado de la Unión mereció la emisión de un sello de 3 c., en el que aparece el "Arkansas Post", establecimiento con historia española; en 1940, con motivo del IV centenario de Vázquez de Coronado, se lanzó el valor de 3 c., con las figuras del conquistador y sus capitanes; en 1945, al conmemorarse el I centenario de la admisión de Florida en la Unión, se imprimió un valor de 3 c., en el que figuraban, además del sello oficial del Estado y del Capitolio de Tallahassee, la antigua puerta española de la ciudad de San Agustín: el Palacio de los Gobernadores de Santa Fe es el protagonista de la estampilla de 3 c., con el que en 1946 se celebró la toma de la ciudad un siglo antes por el ejército norteamericano; en el dedicado al Estado de Mississippi, en 1948, se incluyen unas cuantas fechas relacionadas con la Historia de España; la bandera de los castilos y de los leones y la figura de un conquistador centran el ejemplar con que en 1965 se quiso contribuir al IV centenario de la fundación de San Agustín, Florida, por Menéndez de Avilés (el sello español emitido en tal oportunidad contiene los mismos dibujos y colores –rojo y amarillo–; y, en cierto modo, aparece España en los sellos conmemorativos de California (1950), Nevada (1951), Colorado (1951), Luisiana (1953), Nuevo México (1962) y Arizona (1961). (Véase Valerie Moolman: "U. S. Commemorative Stamps".)
(268)   M. M. Hoffman: "Antique Dubuque", 88.
(269)   D. Meyer: "The Heritage of Missouri", 102, 103. John Bakeless: "History's greatest Real State Bargain", 109.
(270)   H. Carter, *op. cit.*, 242-7.
(271)   D. Meyer, *op. cit.*, 102, 103.

(272)   Dale Van Every: "Ark of Empire", 176.
(273)   Idem, 179, 188.
(274)   Idem, 353-4.
(275)   D. Meyer, *op. cit.,* 102, 103.
(276)   John Halhem: "Biographical and Pictorial History of Arkansas", 26-7. W. S. Mc. Nutt...: "A History of Arkansas", 52. H. Carter, *op. cit.,* 240-3.
(277)   "Abridgement of the Debates of Congress from 1789 to 1856". Debate en el Senado, 18-3-1822. Intervención de Mr. Benton.
(278)   W. S. McNutt, *op. cit.,* 53.
(279)   Hubert Howe Bancroft: "Arizona and New Mexico", 647.
(280)   Stelio Tomei: "La piccola rivolta di «Re Tigre» è una spina nel fianco dell'America", Diario "Gazzetta del Popolo" (Turín), 27-8-1967, 3. C. M.: "Tierra o muerte". Rev. INDICE, n.º 253, sept. 1969, ps. 21-23.
(281)   W. Beck, *op. cit.,* 174. Caroline Bancroft: "Colorful Colorado", 32. O. M.: "History of the Parish of San Luis, Co.", 1.
(282)   M. M. Hoffman, *op. cit.,* 87-91.
(283)   L. Houck: "The Spanish Regime in Missouri", vol. I, 28 y siguientes.
(284)   E. Deu Pree Nelson, *op. cit.,* 142-56, 172-4, 181-4, 159, 164, 200.
(285)   "Southern California", 20.
(286)   Caldwell Delaney, *op. cit.,* 48, 49.
(287)   Mitchell Franklin: "The place of Thomas Jefferson in the expulsion of Spanish Medieval Law from Lousiana", 319-338.
(288)   Warren A. Beck: "New Mexico...", 133. Información facilitada al autor por don Pedro Ribera, miembro de la Asociación "Los Caballeros de Vargas".
(289)   Oliver La Fargue: "New Mexico", American Panorama, segunda parte, 219.
(290)   M. C. Peñuelas, *op. cit.,* 273-5.
(290 b) Donald Cutter: Lo hispánico en la Legislación de los EE.UU. En "Las Culturas hispánicas en los Estados Unidos", 123-129.
(291)   Texas Jurisprudence, 2d., section 10. Capacity and disabilities of wife. A) Generally, Section 1: Historical background. Common and civil law. (Texto facilitado al autor por el abogado de Houston, D. Pedro Sánchez Navarro, jr.).
(292)   Texas Jurisprudence, 2d., section 52. Property rights. A) Generally. (Idem).
(293)   1 Texas Jurisprudence, section 3. Historical. Adoption of common law as rule of decision (Idem).
(294)   1 Texas Jurisprudence, section 7. Abandonments. Legal title. Under Spanish and Mexican Law. (Idem).
(295)   6 Texas Jurisprudence. Bastardy, section 3. Historical. (Idem).
(296)   44 Texas Jurisprudence. Water, section 31. What law governs private rights. Rights and liabilities in particular waters. IX Natural water courses, section 73. Ownership of bed of water course. (Idem).
(297)   2 Texas Jurisprudence. Aliens, section 4. Naturalization under Mexico and the Republic. (Idem).
(298)   23 Texas Jurisprudence. IV Contracts and Conveyances, section 19. Law governing determination of validity. (Idem).
(298 b) D. Cutler, *op. cit.,* 129.

PARTE PRIMERA

CAPÍTULO PRIMERO: NUEVA INGLATERRA

(1)   National Geographic Magazine, vol. 122, nº 2, august 1962, 234 y mapa anejo.
(2)   Donald Wayne: "New Hampshire". American Panorama. Parte primera, 26.
(3)   Idem, 37.
(4)   Arthur Bartlett: "Maine". American Panorama. Parte primera, 1, 26.
(5)   Louise Dickinson Rich: "State O'Maine", 26. Charles M. Andrews: "The colonial period of American History", vol. I, 17.
(6)   José M. Igual: "El Atlántico Norte", 481.
(7)   F. Morales Padrón: "Participación de España en la independencia política de los Estados Unidos", 25.

(8)   John Gunther: "Inside USA", 491.
(9)   J. M. Igual, *op. cit.*, 481.
(10) Ramón Pérez de Ayala: "El país del futuro", 125.
(11) Juan Ramón Jiménez: "Diario de poeta y mar", 166.
(12) Idem, 166.
(13) George R. Collins: "Antonio Gaudí: Structure and Form", 63.
(14) Stanley T. Williams: "La huella española en la literatura norteamericana", volumen I, 377.
(15) Idem, 390. Véase el Catálogo del Museo.
(16) Carta del autor de Mrs. Miriam Jagger, Assistant to the Director of the "De Cordova Museum", 7-7-1965.
(17) George Santayana: "Personas y lugares", 185 y siguientes. Idem: "En la mitad del camino", 139 y siguientes.
(18) S. T. Williams, *op. cit.*, 63.
(19) Idem, 44.
(20) Idem, 45.
(21) Idem, 45, 50.
(22) Idem, 48.
(23) Idem, 49.
(24) Idem, 68.
(25) Idem, 67.
(26) Idem, 247-256. S. E. Leavitt, *op. cit.*, 311.
(27) S. T. Williams, *op. cit.*, 119.
(28) Idem, 257-9. S. E. Leavitt, *op. cit.*, 311-3.
(29) S. T. Williams, *op. cit.*, 121, 261-5. S. E. Leavitt, *op. cit.*, 313. Darío Fernández Flórez: "The Spanish Heritage in the United States", 321-7.
(30) S. T. Williams, *op. cit.*, 259-61. S. E. Leavitt, *op. cit.*, 310-1, 317.
(31) S. T. Williams, *op. cit.*, 273, 550.
(32) Idem, 203-5, 209-13.
(33) S. T. Williams, *op. cit.*, 212-3.
(34) Idem, 230-3.
(35) Idem, 240-1.
(36) Idem, 127.
(37) Christopher Lafarge: "Rhode Island". American Panorama. Primera parte, 78.
(38) J. M. Igual, *op. cit.*, 481.
(39) John F. Kennedy: "A Nation of Immigrants", 33.
(40) "Touro Synagogue. National Historic Shrine". National Park Service, Washington D. C.
(41) S. T. Williams, *op. cit.*, 559.
(42) Folleto "The U. S. Navy Honors Spanish Sailors, first world circumnavigators". Madrid, 1960. Comercial Española de Ediciones.
(43) S. T. Williams, *op. cit.*, 59.
(44) J. M. Igual, *op. cit.*, 481.
(45) S. T. Williams, *op. cit.*, 271. S. E. Leavitt, *op. cit.*, 316.
(46) S. T. Williams, *op. cit.*, 235.
(47) Idem, 215-6.
* (48) Páginas 71 y 72 de esta obra.

CAPÍTULO II: NUEVA YORK

(1)   Report of the U. S. Trust Cº of N.Y. 1980. En the Florida Handbook 1981-2.
(1 b) Carlos Fernández Shaw: "Poesías completas", 304.
(2)   Darío Fernández Flórez: *op. cit.*, 299-302.
(3)   Véase la bibliografía de este libro.
(4)   Apéndice C1.
(5)   Página 76 de esta obra
(6)   Mair José Benardete: "Hispanismo de los sefardíes levantinos", 157.
(7)   Idem, 169.
(8)   Idem, 257.

(9) Diario "The New York Times", 21-7-1964: "U. S. May Honor Jews' Cemetery".
(10) Federico García Lorca: "Poeta en Nueva York", 399-461.
(11) Diario "The New York Times": 21-7-1964: artículo citado.
(12) Diario A B C, 8-10-67, 95.
(13) Prensa española de abril y mayo de 1893.
(14) F. García Lorca, op. cit., 399-461.
(15) Folleto "La primera iglesia católica de Nueva York", por Adolfo Echevarría. José M. Areilza: Los vascos en la Hispanidad, 20, 21, 24.
(16) Idem.
(17) S. T. Williams, op. cit., 64.
(18) Idem, 65.
(19) Idem, 67-8.
(20) Idem, 161.
(21) J. R. Jiménez, op. cit., 31.
(22) F. García Lorca, op. cit., 399-461.
(23) S. E. Leavitt, op. cit., 315.
(24) J. R. Jiménez, op. cit., 98.
(25) Página 73 de esta obra.
(26) S. T. Williams, op. cit., 285, 521. S. E. Leavit, op. cit., 323. A. Marín: "La España de ayer y de hoy será mostrada a los americanos en la Spanish House de Nueva York". Diario A B C, Madrid, 3-5-1968.
(27) S. T. Williams, op. cit., 391-2.
(28) Beatrice G. Proske: "Archer Milton Huntington". "Handbook. Museum and Library Collections. The Hispanic Society of America". José García Mazas: "El Poeta y la Escultora". S. T. Williams, op. cit., 284-6, 391. W. Jaime Molins: "Un rincón de España en Nueva York", diario "La Prensa" (Buenos Aires), 23-2-64.
(29) S. T. Williams, op. cit., 392.
(30) Olga Raggio: "The Velez Blanco Patio. The Metropolitan Museum", 141-76.
(31) Carmen Gómez-Moreno y Margaret B. Freeman: "The Apse from San Martin at Fuentidueña". Bulletin The Metropolitan Museum of Art, june 1961. New York, 265-96.
(32) "New Official Guide Pavilion of Spain". New York World's Fair 1964-5. Madrid, 1965.
(33) Rockefeller Center: "A Photographic Narrative", edited by Samuel Chamberlain. Hastings House Publ., New York, 1961.
(33 b) María Lluisa Borras: Segrelles. Diario "La Vanguardia", 29-5-86, pág. 39.
(34) George R. Collins, op. cit., 63, 90.
(35) S. T. Williams, op. cit., 78, 446.
(36) Idem, 356.
(37) Idem, 78, 355.
(38) Idem, 356, 556.
(39) Idem, 356, 555.
(40) Idem, 78.
(41) Idem, 355-6, 555.
(42) Idem, 355, 555.
(43) Idem, 351, 553.
(44) Idem, 351.
(45) Idem, 353, 554.
(46) Idem, 353.
(47) Idem, 353, 554.
(48) Idem, 354.
(49) Idem, 354.
(50) Idem, 403, 578.
(51) Idem, 580.
(52) Idem, 578.
(53) Idem, 403, 579.
(54) Idem, 403, 578.
(55) Idem, 404, 579-80.
(56) Idem, 403.
(57) Idem, 403, 579-80.
(58) Idem, 403.

(59) F. García Lorca, *op. cit.*, 399-461.
(60) J. M. Igual, *op. cit.*, 479.

Capítulo III: NUEVA JERSEY, PENNSYLVANIA, DELAWARE, MARYLAND

(1) Carl L. Biemiller. "New Jersey". American Panorama. Primera parte, 119-20.
(2) Idem, 118.
(3) Juan F. Yela Utrilla: "España ante la independencia de los Estados Unidos". t. I, 395. S. F. Bemis, *op. cit.*, 88. M. Conrotte, *op. cit.*, 125-6.
(4) C. L. Biemiller, *op. cit.*, 123.
(5) Idem, 120.
(6) S. T. Williams, *op. cit.*, 84.
(7) C. L. Biemiller, *op. cit.*, 129.
(8) P. Horgan, *op. cit.*, 432-3.
(9) R. Cartier, *op. cit.*, 489.
(10) J. F. Yela Utrilla, *op. cit.*, t. I, 386-7.
(11) Información facilitada al autor por Víctor Pradera, 30-9-1967.
(12) Williams S. Baker: "Itineraries of General Washington", 251.
(13) M. Conrotte, *op. cit.*, 125-6.
(14) J. F. Yela Utrilla, *op. cit.*, 395, 396.
(15) Información facilitada al autor por Víctor Pradera, 30-9-1967.
(16) Nancy Shippen: "Her Journal".
(17) F. Morales Padrón, *op. cit.*, 22.
(18) Dale Van Every: "Ark of Empire", 96, 112, 125, 127, 127-9, 133, 146, 176-8, 188-9, 193, 195, 205.
(19) Cartas existentes en el Archivo de la Embajada de España en Washington.
(20) Directory of Philadelphia, 1791. Dale Van Every, *op. cit.*, 243.
(21) Información facilitada al autor por Víctor Pradera, 30-9-1967.
(22) S. T. Williams, *op. cit.*, 58, 438-9.
(23) P. Miguel de la Pinta Llorente: "Antonio Ruiz Padrón". Diario A B C, 3-11-1967.
(24) S. T. Williams, *op. cit.*, 45-6.
(25) Idem, 71.
(26) Idem, 64.
(27) Idem, 272. S. E. Leavitt, *op. cit.*, 314.
(28) S. T. Williams, *op. cit.*, 447.
(29) Idem, 47, 435.
(30) Idem, 553.
(31) Idem, 127.
(32) Idem, 390. Alfredo Escobar: La Exposición de Filadelfia: 39, 93, 150, 424.
(33) Idem, 386.
(34) William J. Gill: "Pittsburgh, Pattern for Progress". National Geographic Magazine. Vol. 127, march 1965, 343-71.
(35) Richard Gehman: "Amish Folk". National Geographic Magazine. Vol. 128, august 1965, 227-53.
(36) James Warner Bellah: "Delaware". American Panorama. Parte primera, 161.
(37) Idem, 152-3.
(38) S. T. Williams, *op. cit.*, 223.
(39) J. W. Bellah, *op. cit.*, 157-60. R. Cartier, *op. cit.*, 479-83.
(40) J. W. Bellah, *op. cit.*, 160.
(41) Información proporcionada al autor por la Fundación de referencia.
(42) J. W. Bellah: "Maryland". American Panorama. Parte primera, 276-7.
(43) Idem, 277.
(44) Idem, 281.
(45) Información proporcionada al autor por el Museo.
(46) J. W. Bellah, *op. cit.*, 283.
(47) S. T. Williams, *op. cit.*, 200-1.
(48) Idem, 505. S. E. Leavitt, *op. cit.*, 317.
(49) S. T. Williams, *op. cit.*, 247.
(50) Idem, 112.

(51) J. M. Igual, *op. cit.,* 485.
(52) Información proporcionada al autor en el lugar.

CAPÍTULO IV: WASHINGTON D. C.

(1) Sobre la ciudad en general, véanse de la National Geographic, vol. 126, dec. 1964, 735-83, y vol. 131, april 1967, 500-40.
(2) Páginas 30 y 81 de esta obra.
(3) Información proporcionada al autor por las Oficinas del Capitolio.
(4) R. Cartier, *op. cit.,* 450-5. J. & K. Walker: "The Washington Guidebook", 32-4.
(5) J. & K. Walker, *op. cit.,* 22, 32 y siguientes.
(6) Juan Valera: "Correspondencia de... (1859-1905)", 99.
(7) Miguel Delibes: "Washington, la anti-Nueva York". Diario "La Vanguardia Española", 11-1-1965. Idem: "Estados Unidos y yo", 64.
(8) Lonnelle Aikman: "The Living White House". National Geographic Magazine. Vol. 130, nov. 1966, 593-642.
(9) J. Valera, *op. cit.,* 84.
(10) Idem, 98.
(11) S. T. Williams, *op. cit.,* 188. National Geographic Magazine. Vol. 125, may 1964, 668 y siguientes.
(12) Misma Revista, vol. 127, january 1965, 1-37. Nota 70 del capítulo VI, parte primera de esta obra.
(13) "Our Capitol". U. S. Government Printing Office. Wash. 1963, 3. Lonnelle Aikman: "Under the Dome of Freedom". Nal. Gregraphic Magazine. Vol. 125. jan. 1964, 4-59.
(14) J. & K. Walker, *op. cit.,* 71-93. "The Capitol. Symbol of Freedom", 3rd. Edition, 87th
(14 a) Congress, U. S. Gov. Printing Office Washington, 1963, 92-3.
(14 b) A. Escobar: *op. cit.,* 29.
(15) "The Capitol. Symbol...", 94-103. J. & K. Walker, *op. cit.,* 74-7. También información facilitada al autor en las Oficinas del Capitolio.
(16) "The Capitol, Symbol...", 104-6. J. & K. Walker, *op. cit.,* 78-9.
(17) Nota 189 de la "Introducción" de esta obra.
(18) R. Cartier, *op. cit.,* 338-42. Arnold M. Rose: "Union Solidarity". The Univ. of Minnesota Press. Minneapolis, 1952.
(19) Folleto "The Smithsonian Institution". Publ. por idem. Washington, 1959.
(20) John Walker: "The National Gallery after a quarter of a Century". Nat. Geographic Magazine. Vol. 131, march 1967, 348-71, 372-85.
(21) J. & K. Walker, *op. cit.,* 200-3.
(22) MUNDO HISPANICO, n.º 201, dic. 1964, 48-50.
(23) MUNDO HISPANICO, n.º 232, julio 1967, 12-6.
(24) Texto en MUNDO HISPANICO, ídem, 71-3; n.º 236, nov. 1967, 67, y n.º 242, mayo 1968, 72.
(25) MUNDO HISPANICO, n.º 199, oct. 1964, 61-3, y n.º 237, dic. 1967, 30-35. Antonio Fernández Cid: "La música, lenguaje universal de aproximación", 10 noviembre 1967, diario A B C.
(26) De la lista de Representantes españoles en Washington, proporcionada al autor por el Jefe de los Archivos y Bibliotecas del Ministerio de Asuntos Exteriores, señor Santiago.
(27) Datos proporcionados al autor por el P. Lino Gómez Canedo, O. F. M.
(28) Información facilitada al autor por George R. Collins.
(29) Carta existente en el Archivo de la Embajada de España en Washington D. C.
(30) C. W. Arnade: "Florida on trial", 41-2, 52.
(31) Idem, 54-5.
(32) Idem, 27.
(33) Idem, 76.
(34) Idem, 32-3. Charles M. Andrews: "The Colonial Period of American History". Vol. I, 145.

CAPÍTULO V: LAS DOS VIRGINIAS, LAS DOS CAROLINAS Y GEORGIA

(1) "Virginia Heritage". Louis B. Wright, editor. Public Affairs Press. Washington, D. C., 1957.
(2) Clifford Dowdey: "Virginia". American Panorama. Parte primera, 295.
(3) Robert E. Baker: "Jamestown's Anniversary". Virginia Heritage, 48-50.
(4) Idem, 299.
(5) Página 44 de esta obra.
(6) Beatrice Gilman Proske: "Archer Milton Huntington", 24.
(7) Mapa en posesión del autor.
(8) Carta al autor del historiador P. Clifford M. Lewis, S. J., 30-6-64.
(9) John Tate Lanning. "The Spanish Missions of Georgia", 49 y siguientes.
(10) A Caruso: "The Southern Frontier", 113-6.
(11) "Report of the Virginia 350th Anniversary Commission" (1607-1957), 65, 125.
(12) S. T. Williams: "La huella de España en la literatura norteamericana". Vol. I, 434.
(13) Idem, 48.
(14) Idem, 60.
(15) Idem, 60-1, 246.
(16) Idem, 265-6. S. E. Leavitt, op. cit., 315.
(17) Ovid Williams Pierce: "North Carolina". American Panorama. Parte primera, 366-7.
(18) Idem, 368.
(19) Mapa en posesión del autor.
(20) R. Cartier: "Las 50 Américas", 433-5. J. Gunther: "Inside USA", 780.
(21) Dale Van Every: "Ark of Empire", 85-91.
(22) Dale Van Every, op. cit., 92-6.
(23) Idem, 125-7, 188-9.
(24) Idem, 127-9, 176-8.
(25) Idem, 178-83.
(26) Corydon Bell: "Map of the Cherokee Country", en folleto "unto these hills", 24-5. Cherokee Historical Association. Cherokee, N. C.
(27) Mary Ross: "With Pardo and Boyano...", 275-8. Información facilitada al autor por el P. Clifford M. Lewis, S. J., 21-8-1964.
(28) Mary Ross, op. cit., 282-3.
(29) J. A. Caruso, op. cit., 20. María Elena Malagón: Tesina sobre el tema, s/p.
(30) J. A. Caruso, op. cit., 20-1. María Elena Malagón, op. cit.
(31) J. A. Caruso, op. cit., 21. María Elena Malagón, op. cit.
(32) J. T. Lanning, op. cit., 224. J. T. Van Campen: "St. Augustine, capital of Florida", 32.
(33) J. A. Caruso, op. cit., 128 y siguientes.
(34) C. L. Lewis: "David Glasgow Farragut", 1.
(35) Juan F. Yela Utrilla: "España ante la Independencia de los Estados Unidos", t. I. 386-7. S. F. Bemis, op. cit., 88.
(36) S. T. Williams, op. cit., 559, nota 23. S. E. Leavitt, op. cit., 317.
(37) Folleto "Brookgreen Gardens History". Brookgreen Gardens, S. C., 1945.
(38) S. T. Williams, op. cit., 433, nota 47.
(39) J. A. Caruso, op. cit., 20-1. María Elena Malagón, op. cit.
(40) J. M. Igual: "El Atlántico Norte", 485.
(41) J. A. Caruso, op. cit., 67-71.
(42) J. T. Lanning, op. cit., 38-9.
(43) Idem, 39, 44-7. J. A. Caruso, op. cit., 111-2.
(44) J. T. Van Campen, op. cit., 18. C. W. Arnade: "Florida on trial", 27.
(45) J. T. Lanning, op. cit., 60-1.
(46) Idem, 61-2. C. W. Arnade, op. cit., 33.
(47) J. T. Lanning, op. cit., 63-4. C. W. Arnade, op. cit., 15, 33.
(48) J. A. Caruso, op. cit., 117.
(49) J. T. Lanning, op. cit., 201.
(50) Idem, 223-4.
(51) Idem, 229.
(52) Idem, 229. J. A. Caruso, op. cit., 137.
(53) J. T. Lanning, op. cit., 124. C. W. Arnade, op. cit., 38-40. Mary Ross, op. cit., da. 270-4, 282-3.

(54)   J. A. Caruso, *op. cit.*, 40-3.
(55)   R. Cartier, *op. cit.*, 428-30.
(56)   J. A. Caruso, *op. cit.*, 193, 198.
(57)   Idem, 198, 204.
(58)   J. Gunther, *op. cit.*, 863-4.
(59)   Calder Willingham: "Georgia". American Panorama. Parte primera, 405.
(60)   Idem, 410.
(61)   J. A. Caruso, *op. cit.*, 40-1.
(62)   Susan Vaughan: "Life in Alabama", 22.
(63)   C. W. Arnade, *op. cit.*, 39-40. Mary Ross, *op. cit.*, 280-3.
(64)   J. T. Lanning, *op. cit.*, 111-4.
(65)   Idem, 118.
(66)   Idem, 120-1.
(67)   Idem, 126.
(68)   Véase la Bibliografía.
(69)   Información facilitada al autor por el historiador P. Clifford M. Lewis, 21-8-64.
(70)   J. T. Lanning, *op. cit.*, 1-8.
(71)   Idem, 9 y siguientes.
(72)   Idem, 40-1.
(73)   Idem, 47-8.
(74)   Idem, 72, 74.
(75)   Idem, 87-9.
(76)   Idem, 95-6.
(77)   J. T. Lanning, *op. cit.*, 104-5.
(78)   Idem, 131-2.
(79)   Idem, 143-4.
(80)   Idem, 146-7.
(81)   Idem, 157.
(82)   Idem, 204.
(83)   Idem, 215.
(84)   Idem, 215.
(85)   Idem, 216.
(86)   Idem, 219.
(87)   Idem, 43, 48, 57.
(88)   Idem, 59, 60.
(89)   Idem, 60, 61.
(90)   Idem, 63.
(91)   Idem, 64-6.
(92)   Idem, 70, 72.
(93)   Idem, 82 y siguientes.
(94)   Idem, 94-5.
(95)   Idem, 96.
(96)   Idem, 97-100.
(97)   Idem, 109.
(98)   Idem, 105-7.
(99)   Idem, 128-31.
(100) Idem, 140-3.
(101) Idem, 147.
(102) Idem, 154-7.
(103) Idem, 204, 218, 220, 221.
(104) Idem, 74.
(105) Idem, 203.
(106) Idem, 216-7.
(107) Idem, 219.
(108) Idem, 70-1.
(109) Idem, 89-90.
(110) Idem, 108-9.
(111) Idem, 140-1.
(112) Idem, 226.
(113) J. A. Caruso, *op. cit.*, 223-5.

(114) "Fort Frederica, National Monument", folleto del National Park Service.
(115) c. Willingham, *op. cit.,* 409-10.
(116) J. T. Lanning, *op. cit.,* 71.
(117) Idem, 90.
(118) Idem, 170.
(119) Idem, 215-6.
(120) Idem, 218.
(121) Idem, 219.
(122) Idem, 228.
(123) Idem, 35-8.
(124) Idem, 74.
(125) Idem, 71, 79-81, 133, 135.
(126) Idem, 91-4.
(127) Idem, 96-7.
(128) Idem, 80.
(129) Idem, 127-35.
(130) Idem, 153.
(131) Idem, 6.
(132) Idem, 6.
(133) Idem, 76.
(134) Idem, 164-6.
(135) Idem, 167.
(136) Idem, 169, 264 nota 16.
(137) J. T. Lanning, *op. cit.,* 169.
(138) Idem, 170.
(139) Idem, 172.
(140) Idem, 172.
(141) Idem, 177-8.
(142) Idem, 182-3. J. A. Caruso, *op. cit.,* 132.
(143) J. T. Lanning, *op. cit.,* 183. J. A. Caruso, *op. cit.,* 133.
(144) J. T. Lanning, *op. cit.,* 188.
(145) Idem, 185-6. J. A. Caruso, *op. cit.,* 134-5.
(146) J. A. Caruso, *op. cit.,* 209-10.
(147) C. Lee Lewis: "David Glasglow Farragut", 1.

CAPÍTULO VI: FLORIDA

(1) Budd Schullberg: "Florida". American Panorama. Primera parte, 412.
(2) Páginas 78 y 79 y nota 207 de la Introducción.
(3) R. Cartier: "Las 50 Américas", 420.
(4) C. W. Arnade: "Cattle Raising in Spanish Florida, 1513-1763", 3.
(5) C. E. Wright: "100.000 azaleas. Palatkas's Plants Bloom Ahead of March Fete". Diario "New York Times", 21-2-1965.
(5 b) Ana Rosa Núñez: "La Florida en Juan Ramón Jiménez, 9, 12, 13.
(6) B. Schullberg, *op. cit.,* 415-7. Octavia W. Goodbar: "Windows of Learning", 1. J. T. Van Campen: "St. Augustine, capital of Florida", 66-7.
(6 b) Report of the US Trust Cº of N.Y. 1980. The Florida Handbook 1981-82.
(7) J. A. Caruso, *op. cit.,* 367-8.
(8) Idem, 368-70.
(9) Idem, 370-1.
(10) Idem, 359-60.
(11) Idem, 361-5.
(12) Idem, 221. J. T. Van Campen, *op. cit.,* 37.
(13) J. A. Caruso, *op. cit.,* 72. 84-5.
(14) Idem, 85-6.
(15) Idem, 91-2. J. T. Van Campen, *op. cit.,* 10-11.
(16) J. A. Caruso, *op. cit.,* 92. J. T. Van Campen, *op. cit.,* 11.
(17) J. A. Caruso, *op. cit.,* 92-3. J. T. Van Campen, *op. cit.,* 12.

(18)   J. A. Caruso, *op. cit.*, 93-8. J. T. Van Campen, *op. cit.*, 12-3.
(19)   J. A. Caruso, *op. cit.*, 98.
(20)   J. T. Lanning, *op. cit.*, 40-1.
(21)   Idem, 9-10.
(22)   Idem, 79. C. W. Arnade: "Florida on trial", 18, 24, 60-70.
(23)   J. T. Lanning, *op. cit.*, 80, 210.
(24)   Información facilitada al autor por el P. Clifford M. Lewis, S. J., 21-8-64.
(25)   J. A. Caruso, *op. cit.*, 14-5. J. T. Van Campen, *op. cit.*, 4.
(26)   Periódico "St. Augustine Record", 12-3-1963.
(27)   Páginas 23 y 24 de este libro.
(28)   Robert L. Conly: "St. Augustine, Nation's City". National Geographic Magazine, february 1966, 200.
(29)   "Visitor's Guide to Historical St. Augustine". The Record Press, Inc. St. Augustine, 1960.
(30)   C. V. Arnade: "The Avero Story...", periódico "The St. Augustine Record", 11-3-63.
(31)   "Visitor's Guide...". J. T. Van Campen, *op. cit.*, 54.
(32)   "Visitor's Guide...". John L. Vollbrecht: "St. Augustine's Historical Heritage", 28 y siguientes.
(33)   Periódico "The St. Augustine Record", 18-10-62.
(34)   "Visitor's Guide...".
(35)   J. A. Caruso, *op. cit.*, 92. J. T. Van Campen, *op. cit.*, 11. Harry J. Byrne: "The Financial Structure of the Church in the U. S.". En "Catholic Church in USA", dirigido por Louis J. Putz, 93. "The Founding of Saint Augustine". St. Augustine Foundation. St. Augustine, 1965.
(36)   Hoja "Santuario de Ntra. Sra. de la Leche" (en español), editada por la Misión.
(37)   J. T. Lanning, *op. cit.*, 17, 63, 71, 75, 79, 147, 152.
(38)   Idem, 10, 80, 239, nota 3.
(39)   J. A. Caruso, *op. cit.*, 98-103. J. T. Van Campen, *op. cit.*, 14-5.
(40)   J. T. Van Campen, *op. cit.*, 31.
(41)   Idem, 39. J. A. Caruso, *op. cit.*, 221-2.
(42)   Albert C. Manucy: "Castillo de San Macos", 31.
(43)   J. T. Van Campen, *op. cit.*, 18. J. A. Caruso, *op. cit.*, 104-7.
(44)   J. T. Van Campen, *op. cit.*, 16-8.
(45)   Idem, 18, 26.
(46)   Idem, 18.
(47)   Idem, 19.
(48)   Revista MUNDO HISPANICO, n.º 104, noviembre 1956, 28 y siguientes.
(49)   Programa de representación del drama.
(50)   Prensa española y la de St. Augustine de dichas fechas y, en especial, MUNDO HISPANICO, n.º 211, octubre 1965, 42-5.
(51)   J. T. Van Campen, *op. cit.*, 18, 19.
(52)   Idem, 20-2.
(53)   Idem, 23.
(54)   C. W. Arnade: "Florida on trial", 4-8, 12.
(55)   Idem, 8-10. J. T. Lanning, *op. cit.*, 119.
(56)   J. T. Lanning, *op. cit.*, 11-8.
(57)   C. W. Arnade, *op. cit.*, 8.
(58)   Idem, 21-90. J. T. Lanning, *op. cit.*, 120-6.
(59)   J. T. Van Campen, *op. cit.*, 29, 30.
(60)   Idem, 30.
(61)   Idem, 30-1. A. C. Manucy, *op. cit.*, 8-26.
(62)   Periódico "The St. Augustine Record", 19-10-62 (incluye fotografía).
(63)   J. T. Van Campen, *op. cit.*, 34. A. C. Manucy, *op. cit.*, 28. C. W. Arnade. "The Architecture of Spanish St. Augustine", 156.
(64)   J. T. Van Campen, *op. cit.*, 35-6. C. W. Arnade, *op. cit.*, 152.
(65)   J. T. Van Campen, *op. cit.*, 37-40. A. C. Manucy, *op. cit.*, 29-30.
(65 b) Guillermo de Zeindegui: Terra Florida, 167.
(66)   J. T. Van Campen, *op. cit.*, 43-4.
(67)   Idem, 52-3. Nota 128 de la Introducción de esta obra y nota 68 del presente capítulo.
(68)   Nota anterior.

(69) Información facilitada a los visitantes por el Centro. Robert G. Whalen: "Visit to the Three Cape Kennedys", diario "The New York Times", 13-12-1964. R. Cartier: "Las 50 Américas", 425-8.

(70) James Atwater: "Spanish Gold Two Fathoms Deep". Look Magazine, XV, 1965, 66-71. Lawrence Dame: "The Gold Bug", diario "The New York Times", 31-1-1965, XX7. Nota 12 del capítulo IV, parte primera de esta obra.

(71) J. A. Caruso, op. cit., 15.

(72) J. T. Van Campen, op. cit., 32-3, J. T. Lanning, op. cit., 224-5.

(73) Lawrence Dame: "Staid Palm Beach is unable to resist change", diario "The New York Times", 17-1-65 (Sección Turismo). R. Cartier, op. cit., 422-3.

(74) J. T. Van Campen, op. cit., 9.

(75) Propaganda sobre las fiestas locales. C. E. Wright: "A new University in the making at Boca Raton", diario "The New York Times", 29-11-64 (Sección Turismo).

(76) Budd Schullberg, op. cit., 420.

(77) J. T. Van Campen, op. cit., 23 C. W. Arnade: "Florida on trial", 3. J. A. Caruso, op. cit., 111. Lopotegui y Zubillaga: "Historia de la Iglesia en la América española", 457-9.

(78) Página 76 de esta obra.

(78 b) Julins Hook: The book of the names, 92.

(78 c) José A. Balseiro: Presencia Hispánica en la Florida, 17-18.

(79) J. A. Caruso, op. cit., 16.

(80) B. Schullberg, op. cit., 418-20.

(81) Jack Bondurant: The Strange Story of the Ancient Spanish Monastery (folleto). Agnes Ash: "Cloister to tourist site church", diario "The New York Times", 6-12-64 (Sección Turismo).

(82) Folleto descriptivo de la Casa y Jardines de "Vizcaya". Publ. del Museo de Arte del condado de Dade.

(82 b) José M. de Areilza: Memorias Exteriores.

(83) Agustín de Foxá: "En la otra orilla".

(83 b) Ana R. Núñez: La Florida en Juan R. Jiménez, 8-10.

(83 c) José A. Balseiro, op. cit., 17.

(84) J. A. Caruso, op. cit., 15. William a. Naughton: "¿Qué dicen los nombres geográficos?" Revista AMERICAS, enero 1965, 31.

(85) C. W. Arnade: "Florida on trial", 78, 85.

(86) Idem, 17, 50, 59.

(87) J. A. Caruso, op. cit., 15, 16.

(88) Marjorie C. Houck: "Key West Forecast is for sun and visitors". Diario "The New York Times", 6-12-64 (Sección Turismo). B. Schullberg, op. cit., 416.

(89) B. Schullberg, op. cit., 422-4.

(90) Información facilitada al autor por el P. Clifford M. Lewis, S. J., 21-8-64.

(91) J. T. Lanning, op. cit., 43. J. A. Caruso, op. cit., 110. Lopetegui y Zubillaga: "Historia de la Iglesia en la América española", 452 y siguientes.

(92) J. T. Van Campen, op. cit., 16.

(93) J. T. Lanning, op. cit., 43. C. W. Arnade, op. cit., 3.

(94) J. A. Caruso, op. cit., 15-6.

(95) Idem, 17.

(96) Idem, 17.

(97) Obras completas de Eugenio O'Neill. Random House. New York, 1964. Volumen I. 377-454.

(98) S. T. Williams, op. cit., 304.

(99) Idem, 533.

(100) Idem, 551.

(101) Guía del "Hall of Fame".

(102) "A Short Guide. 50 Masterpieces in the John and Mable Ringling Museum of Art". Sarasota, 1961. Creighton Gilbert: "The Asolo Theater". Ringling Museum. Sarasota, 1959.

(103) Diarios ARRIBA e INFORMACIONES (Madrid), de 20-6-62. A B C y ARRIBA, de 23-6-62. Revista BLANCO Y NEGRO, de 30-6-62. ARRIBA, de 4-7-62. Portada del diario YA, de 19-7-64. Diario "Bradenton Herald", de las mismas fechas. También A B C de 12-5-67, y F. Villagrán: "Hernando de Soto", A B C, 13-5-67.

(104) J. A. Caruso, op. cit., 34-6.

(105) Idem, 36-8.
(106) Idem, 38.
(107) S. T. Williams, op. cit., 308.
(108) Folleto "Annual 1962 De Soto Celebration".
(109) Diario "The Bradenton Herald", del 18-3-62 al 26-3-62.
(110) J. A. Caruso, op. cit., 22-3.
(111) Idem, 51-55.
(112) J. T. Lanning, op. cit., 43. C. W. Arnade, op. cit., 18. J. A. Caruso, op. cit., 111. Lopote-gui y Zubillaga, op. cit., 452 y siguientes.
(113) Información facilitada al autor por el P. Clifford M. Lewis, S. J., 21-8-64.
(114) Información facilitada al autor por la Universidad de Tampa. Página 197 de esta obra y nota n.º 6 del presente capítulo.
(115) Idem.
(116) J. A. Caruso, op. cit., 38.
(117) Páginas 53 y 54 de esta obra y nota n.º 137 de su introducción.
(117 b) José A. Balgeiro, op. cit., 82-83.
(118) B. Schullberg, op. cit., 427.
(119) Idem, 424-5.
(120) J. A. Caruso, op. cit., 24, 25.
(121) Idem, 25.
(122) Idem, 38, 39.
(123) Información facilitada al autor por el P. Clifford M. Lewis, S. J., 21-8-64.
(124) C. W. Arnade: "Cattle Raising in Spanish Florida, 1513-1763", 8.
(125) J. A. Caruso, op. cit., 25-6.
(126) Idem, 26-8. C. E. Wright: "Florida's Apalachicola Area Is Astir". Diario "The New York Times", 3-1-65 (Sección Turismo).
(127) J. A. Caruso, op. cit., 40. C. E. Wright, op. cit., Susan Vaugham: "Life in Alabama", 20.
(128) Folleto "Tour Map of Florida's capital city", Tallahasee Chamber of Commerce.
(129) J. T. Lanning, op. cit., 164-6.
(130) Hale G. Smith: "A Spanish Mission Site", en "Here They Once Stood", 108, 110. Mark F. Boyd: "Fort San Luis", en idem, 10.
(131) H. G. Smith, op. cit., 111. M. F. Boyd, op. cit., 11-13. J. T. Van Campen: "St. Augusti-ne, capital of Florida", 24.
(132) M. F. Boyd: "The Fortifications of San Marcos de Apalache", 3.
(133) Idem, 4.
(134) Idem, 4.
(135) J. T. Lanning, op. cit., 167. John W. Griffin: "Excavations at the Site of San Luis", en "Here They Once Stood", 137-60.
(136) J. T. Lanning, op. cit., 185-7. M. F. Boyd: "Fort San Luis", 14-8.
(136 b) Guillermo Zendegui: Terra Florida, 133-4.
(137) M. F. Boyd, op. cit., 41-59.
(138) M. F. Boyd: "The Fortifications of San Marcos...", 4, 5.
(139) Idem, 7-9.
(140) Idem, 11-13. C. W. Arnade: "The Architecture of Spanish St. Augustine", 161-7.
(141) J. A. Caruso, op. cit., 260-2. M. F. Boyd, op. cit., 15-6.
(142) M. F. Boyd, op. cit., 16-9.
(143) J. A. Caruso, op. cit., 263-6. M. F. Boyd, op. cit., 19-21. C. E. Wright, op. cit., Dale Van Every: "Ark of Empire", 120-5.
(144) M. F. Boyd, op. cit., 21.
(145) J. A. Caruso, op. cit., 372. M. F. Boyd, op. cit., 21-22.
(146) J. A. Caruso, op. cit., 373-4. M. F. Boyd, op. cit., 24-5.
(147) M. F. Boyd, op. cit., 25-6.
(148) J. A. Caruso, op. cit., 28, 29.
(149) Idem, 45-6, 58.
(150) Idem, 57-8 C. G. Summersell: "Alabama History", 54.
(151) J. A. Caruso, op. cit., 58-9.
(152) Idem, 62-3.
(153) Idem, 64-5.
(154) Idem, 65. C. G. Summersell, op. cit., 56.
(155) "The Luna Papers, 1559-1561". Vols. I y II, por Herbert Ingram Priestley, 1928. W. B.

Skinner, Norman Simmons y Tone Kegerreis: "Notes on Bahía Filipina del Puerto de Santa María". Publ. por la Pensacola Historical Society.

(156) "1719-1723: Pensacola's French Period". Revista "Vía Pensacola", august.1963, 8.
(157) "Arriola's Report on the Founding of Pensacola". Florida Historical Quarterly. Vol. 37, nos. 3 y 4. 232-45.
(158) Idem.
(159) J. A. Caruso, op. cit., 178-9. "1719-1723: Pensacola...", 8.
(160) J. A. Caruso, op. cit., 179. "1719-1723: Pensacola...", 9.
(161) J. A. Caruso, op. cit., 180-1. "1719-1723: Pensacola...", 9.
(162) F. Blair Reeves: "Fort San Carlos", Historic American Buildings Survey. Habs. FLA, 144, 2.
(163) Idem, 1-3.
(164) Norman Simons: "Panzacola or Puenta de Siguenza...", en Pensacola Historic Landmarks, 4-5.
(165) "Class Excavates Spanish Village". Diario "The New York Times", 7-6-64. "Dig Up Village of Spaniards on U. S. Island". Diario "Chicago Tribune", 12-7-64.
(166) B. P. Thomson: "La ayuda española en la guerra de la Independencia norteamericana", 163-72.
(167) Idem, 173-90.
(168) Idem, 190-2. J. A. Caruso, op. cit., 253-5.
(169) B. P. Thomson, op. cit., 193.
(170) Stanley Faye: "Spanish Fortifications of Pensacola", Florida Historical Quarterly. Vol. 37, 291.
(171) B. P. Thomson, 195-6.
(172) Apéndice A1.
(173) Norman Simmons: "Panzacola...", 5.
(174) "Pensacola Historic Landmarks", 10-6.
(175) J. A. Caruso, op. cit., 374-5. Mrs. Daniel B. Smith: "Plaza Ferdinand VII, en Pensacola", en "Pensacola Historic Landmarks", 8-9.
(176) "Pensacola Historic Landmarks", 6-7.
(177) J. A. Caruso, op. cit., 266. "Pensacola Historic Landmarks", 12.
(178) Prensa española, agosto 1959. Revista "Vía Pensacola", septiembre 1959, 8, 9, 12.

PARTE SEGUNDA

(1) Dale Van Every: "A company of heroes", 8-9.
(2) Idem, 9 y siguientes.
(3) Idem, 275.
(4) Dorrell Kilduff & C. H. Pygman: "Illinois, hystory, government, geography", 20. C. W. Alvord: "The Illinois Country", vol. 1.º, 346.
(5) B. P. Thomson: "La ayuda española en la guerra de la Independencia norteamericana", 128. F. Morales Padrón: "Participación de España en la independencia política de los Estados Unidos", 30.
(6) Folleto "The Important Participación which Louisiana had in the American Revolution".
(7) Dale Van Every, op. cit., 272-3. Cl. W. Alvord, op. cit., 348. Páginas 42 y 43 de esta obra.
(8) Dale Van Every, op. cit., 273-9.
(9) Idem, 302. S. F. Bemis: "The Diplomacy of the American Revolution", 101, 104, 107. M. Conrotte: "La intervención de España en la independencia de la América del Norte", 129-31.
(10) Dale Van Every, op. cit., 302.
(11) M. Conrotte, op. cit., 129-31.
(12) Dale Van Every, op. cit., 305-8. M. Conrotte, op. cit., 152-8.
(13) M. Conrotte, op. cit., 170.
(14) Idem, 171-9.
(15) S. F. Bemis, op. cit., 97.
(16) Páginas 305-308 de esta obra.
(17) Páginas 298 y 299 de esta obra.

(18) M. Conrotte, *op. cit.,* 183.
(19) Páginas 277-84 y 290-2 de esta obra.

CAPÍTULO PRIMERO: ILLINOIS, WISCONSIN, INDIANA, MICHIGAN Y OHIO

(1)   Louis Houck: "The Spanish Regime in Missouri". Vol. I, 1.
(2)   Idem, 62.
(3)   Idem, 69.
(4)   Clyde Brion Davis: "Illinois". American Panorama. Parte primera, 195.
(5)   Idem, 194-5.
(6)   Idem, 202-4.
(7)   Idem, 192-3.
(7 b) Report of the U.S. Trust Cº of N.Y. 1980. The Florida Handbook 1981-2.
(8)   Idem, 190-2. Robert Paul Jordan: "Illinois. The City and the Plain". National Geographic Magazine. Vol. 131, june 1967, 778-80. Páginas 499-500 de esta obra.
(9)   R. Cartier: "Las 50 Américas", 300.
(10) Clyde Brion Davis, *op. cit.,* 198-9. R. P. Jordan, *op. cit.,* 745-97.
(11) Guillermo Díaz Plaja: "Con variado rumbo", 123-5.
(12) Helen Sutton Booth: "Memorias of 1982 Revived". Periódico "The Sunday Star", 11-10-64. D-3. Cl. B. Davis, *op. cit.,* 199.
(13) Burton Hobson: "Getting started in Coin Collecting", 45-8.
(14) R. Cartier, *op. cit.,* 291-2.
(15) Idem, 288-90.
(16) W. A. Swanberg: "Citizen Hearst". Charles Scribner's Son. New York, 1961.
(17) Su dirección es: La Leche League International, 9606 Flanklin Ave., Franklin Park, Ill. 60131.
(18) Cl. B. Davis, *op. cit.,* 199. R. Cartier, *op. cit.,* 301-7.
(19) Cl. B. Davis, *op. cit.,* 201.
(20) Ronald Hilton: "Los estudios hispánicos en los Estados Unidos", 227-8.
(21) Cl. W. Alvord, *op. cit.,* vol. I, 349.
(22) Idem, 324-6. B. P. Thomson, *op. cit.,* 61.
(23) Dale Van Every. "A company of heroes", 245, 270. Cl. W. Alvord, *op. cit.,* 330. B. P. Thomson, *op. cit.,* 100.
(24) J. A. Caruso, *op. cit.,* 251. D. Van Every, *op. cit.,* 271.
(25) D. Van Every, *op. cit.,* 270. B. P. Thomson, *op. cit.,* 56, 107.
(26) Cl. W. Alvord, *op. cit.,* 330.
(27) B. P. Thomson, *op. cit.,* 98. Shirley Seifert: "The key to Louis", 16.
(28) Alexander Davison & Bernard Stuvé: "A complete History of Illinois from 1673-1873", 192.
(29) B. P. Thomson, *op. cit.,* 105, 107-8.
(30) Cl. W. Alvord, *op. cit.,* 346-7. B. P. Thomson, *op. cit.,* 99, 101.
(31) M. H. Hoffman: "Antique Dubuque", 87.
(32) Mark Schorer: "Wisconsin". American Panorama. Parte primera, 169.
(33) R. Cartier, *op. cit.,* 261-5.
(34) Mark Schorer, *op. cit.,* 172-4.
(35) R. Cartier, *op. cit.,* 273-5.
(36) Idem, 276-81.
(37) M. Schorer, *op. cit.,* 167-8.
(38) Idem, 177-80.
(39) Idem, 180. Rafael Olivar Bertrand: "Factores de la realidad española vistos por norteamericanos de hace un siglo", 54.
(40) "Dubuque: its History and Background", 5.
(41) William E. Wilson: "Indiana". American Panorama. Parte primera, 226, 230-4.
(42) W. E. Wilson, *op. cit.,* 234-5.
(43) Idem, 237.
(44) Idem, 224-5.
(45) Idem, 239-41.
(46) S. T. Williams, *op. cit.,* 117.
(47) W. E. Wilson, 227-8.

(48) Logan Esarey: "History of Indiana", 4.
(49) Cl. W. Alvord: "The illinois country". Vol. I, 327. B. P. Thomson, *op. cit.*, 98.
(50) Páginas 262 y 263 de esta obra.
(51) A. Davidson & B. Stuvé, *op. cit.*, 192. B. P. Thomson, *op. cit.*, 98.
(52) D. Van Every: "Ark of Empire", 109.
(53) Ross F. Lockridge: "The Story of Indiana", 97. Páginas 270-271 de esta obra.
(54) Bruce Catton: "Michigan". American Panorama. Parte primera, 208.
(55) Idem, 218.
(56) Idem, 219-20.
(57) Idem, 209 y siguientes.
(58) R. Cartier, *op. cit.*, 310-3.
(59) Idem, 321.
(60) Idem, 322-3.
(61) D. Van Every, *op. cit.*, 303, 333, 337.
(62) R. Cartier, *op. cit.*, 323.
(63) Idem, 323, 320.
(64) Idem, 324, 337.
(65) B. Catton, *op. cit.*, 209-10. Folleto-Guía del Ford Museum.
(66) A. Davidson..., *op. cit.*, 199. B. P. Thomson, *op. cit.*, 88. S. F. Bemis, *op. cit.*, 102.
(67) Información facilitada al autor por Mrs. Ramiro Lagos, a base de los datos obtenidos en los Archivos de Niles.
(68) B. P. Thomson, *op. cit.*, 87.
(69) Cl. W. Alvord, *op. cit.*, 351.
(70) J. B. Plyn: "Ford St. Joseph Historical Leaflet", 2. "The capture of St. Joseph Michigan, by the Spaniards, in 1781". The Missouri Historical Review, july 1911. Vol. V.
(71) Cl. W. Alvord, *op. cit.*, 351. A. Davidson..., *op. cit.*, 199. J. B. Plyn, *op. cit.*, 2. B. P. Thomson, *op. cit.*, 88. Ralph Ballard: "Old Fort St. Joseph", 66-7.
(72) The Mississippi Valley Historical Review, vol. 17, 1, 47-9.
(73) Cl. W. Alvord, *op. cit.*, 351. J. B. Plyn, *op. cit.*, 4-6. R. Ballard, *op. cit.*, 47.
(74) J. B. Plyn, *op. cit.*, 3. R. Ballard, *op. cit.*, 47.
(75) L. Houck, *op. cit.*, 207. R. Ballard, *op. cit.*, 47-8.
(76) Prensa local y "Michigan Historical Collections", vol. 39, publicadas por la "Lansing Michigan Historical Commission". Asimismo propaganda turística de Niles.
(77) R. Cartier, *op. cit.*, 321-7.
(78) Bentz Plageman: "Ohio". American Panorama. Parte primera, 242.
(79) Idem, 244.
(80) Idem, 249.
(81) Idem, 252-3.
(82) Idem, 243, 247.
(83) Idem, 242.
(84) Idem, 244.
(85) Idem, 244.
(86) Idem, 253-4. R. Cartier, *op. cit.*, 343-9.
(87) D. Van Every, *op. cit.*, 112.
(88) Folleto "Toledo, key to the sea".
(89) Diario "La Vanguardia Española", 11-8-67, 4: "En la ciudad norteamericana de Toledo existe general interés por todo lo español".
(90) Millard F. Rogers. Jr.: "La pintura española en el Museo de Arte de Toledo, Ohio". Folleto "Welcome to the University of Toledo". The Univ. of Toledo, Ohio.
(91) Folleto "Toledo, key to the sea".

CAPÍTULO II: KENTUCKY Y TENNESSEE

(1) A. B. Guthrie, Jr.: "Kentucky". American Paronama. Parte primera, 333, 337, 338. R. Cartier, *op. cit.*, 355.
(2) D. Van Every: "Ark of Empire", 116.
(3) A. B. Guthrie, *op. cit.*, 338. R. Cartier, *op. cit.*, 353, 355.
(4) J. Gunther: "Inside USA", 693.
(5) A. B. Guthrie, *op. cit.*, 338.

(6) Idem, 324.
(7) Idem, 325. R. Cartier, *op. cit.*, 355.
(8) D. Van Every, *op. cit.*, 11 y siguientes, 75-6.
(9) Idem, 77-8. D. Van Every: "A company of heroes", 52.
(10) D. Van Every: "Ark of Empire", 90, 253. Idem: "A company of heroes", 54, 82.
(11) Idem: "A company of heroes". 76, 81.
(12) Idem, 218.
(13) Idem: "Ark of Empire", 97, 100.
(14) Idem, 100-2.
(15) Idem, 102-6.
(16) Idem, 107-10.
(17) Idem, 110-11.
(18) Idem, 112.
(19) Idem, 113-5.
(20) Idem, 115-7.
(21) Idem, 117-8.
(22) Idem, 118-9.
(23) Idem, 176.
(24) Idem, 178-80.
(25) Idem, 181.
(26) Idem, 189-90.
(27) Idem, 190-6.
(28) D. Van Every, *op. cit.*, 205-6.
(29) Idem, 216-8.
(30) Idem, 230, 251.
(31) Idem, 288-95.
(32) Idem, 295-6.
(33) Idem, 297, 317.
(34) Idem, 326, 331-4.
(35) Idem, 334-5.
(36) Idem, 337, 353.
(37) J. A. Caruso, *op. cit.*, 43. Joseph H. Parks: "The Story of Tennessee", 13.
(38) J. H. Parks, *op. cit.*, 14.
(39) J. A. Caruso, *op. cit.*, 43.
(40) Guillermo Florit Piedrabuena: "El Primer Almirante de los Estados Unidos, David Fa-
     rragut", 2, 3.
(41) Idem, 4.
(42) Charles Lee Lewis: "David Glasgow Farragut", 1.
(43) G. Florit Piedrabuena, *op. cit.*, 5.
(44) Idem, 5-6.
(45) C. L. Lewis, *op. cit.*, 10.
(46) G. Florit P., *op. cit.*, C. L. Lewis, *op. cit.*, 10. "David Glasgow Farragut. Our First Ad-
     miral", 347.
(47) G. Florit P., *op. cit.*, 10-11, 15.
(48) R. Cartier, *op. cit.*, 356-60. Hodding Carter. "Tennessee". American Panorama. Parte
     primera, 358-61.
(49) D. Van Every: "A company of heroes", 216.
(50) Idem: "Ark of Empire", 91 y siguientes.
(51) Folleto anunciador del "Symposium". Diario YA, 10-9-64. Revista MUNDO HISPA-
     NICO, n.º 200, vol. 1964, 65.
(52) H. Carter, *op. cit.*, 347.
(53) Idem, 347.
(54) J. H. Parks, *op. cit.*, 14.
(55) J. A. Caruso, *op. cit.*, 46-7.
(56) J. H. Parks, *op. cit.*, 396.
(57) Jack D. L. Holmes: "Gayoso", 11.
(58) D. Van Every. "Ark of Empire", 334. Walter Scott McNutt...: "A History of Arkan-
     sas", 52. J. D. L. Holmes, *op. cit.*, 163, 166, 197.
(59) J. D. L. Holmes, *op. cit.*, 18, 179.
(60) J. A. Caruso, *op. cit.*, 251.

(61) D. Van Every: "Ark of Empire", 75-8.
(62) Idem, 79, 81.
(63) Idem, 79-83.
(64) Idem, 83-4.
(65) Nota 18 de este capítulo.
(66) D. Van Every, *op. cit.*, 125-9.
(67) Idem, 178-9.
(68) Idem, 182.
(69) Idem, 188.
(70) Idem, 204-5.
(71) Idem, 205, 212.
(72) Idem, 257-8.

CAPÍTULO III: ALABAMA Y MISSISSIPPI

(1) Albert James Pickett: "History of Alabama", 17.
(2) R. Cartier, *op. cit.*, 419-20.
(3) J. A. Caruso, *op. cit.*, 43. C. G. Summersell: "Alabama History", 37.
(4) C. G. Summersell, *op. cit.*, 42.
(5) C. G. Summersell, *op. cit.*, 60. Mary Ross: "With Pardo and Boyano", 282.
(6) C. G. Summersell, *op. cit.*, 60, Mary Ross, *op. cit.*, 281.
(7) J. A. Caruso, *op. cit.*, 59-60. C. G. Summersell, *op. cit.*, 56.
(8) J. A. Caruso, *op. cit.*, 60-1.
(9) Idem, 62-3.
(10) Carl Carmer: "Alabama". American Panorama. Parte primera, 431-2.
(11) C. G. Summersell, *op. cit.*, 42.
(12) J. A. Caruso, *op. cit.*, 43-5. Caldwell Delaney: "The Story of Mobile", 5, 6.
(13) J. A. Caruso, *op. cit.*, 45-6. C. G. Summersell, *op. cit.*, 47.
(14) J. A. Caruso, *op. cit.*, 59. C. G. Summersell, *op. cit.*, 56.
(15) J. A. Caruso, *op. cit.*, 62.
(16) C. G. Summersell, *op. cit.*, 47.
(17) Carl Carmer, *op. cit.*, 441.
(18) D. Van Every: "Ark of Empire", 296. C. G. Summersell, *op. cit.*, 122. Delaney, *op. cit.*, 49.
(19) J. H. Parks: "The Story of Alabama", 88. C. Delaney, *op. cit.*, 49. J. D. L. Holmes, *op. cit.*, 161.
(20) C. G. Summersell, *op. cit.*, 122.
(21) Idem, 123.
(22) D. Van Every, *op. cit.*, 334-6. C. Delaney, *op. cit.*, 50.
(23) D. Van Every, *op. cit.*, 340-1.
(24) C. G. Summersell, *op. cit.*, 123. C. Delaney, *op. cit.*, 50-1.
(25) C. Delaney, *op. cit.*, 51.
(26) Idem, 55.
(27) C. G. Summersell, *op. cit.*, 32. C. Delaney, *op. cit.*, 2.
(28) J. A. Caruso, *op. cit.*, 29-30. C. G. Summersell, *op. cit.*, 35. C. Delaney, *op. cit.*, 3.
(29) J. A. Caruso, *op. cit.*, 45-6. C. G. Summersell, *op. cit.*, 47. C. Delaney, *op. cit.*, 4.
(30) C. Delaney, *op. cit.*, 4-5. John R. Peavy: "Isabella's Fig Trees", 1 y siguientes.
(31) C. G. Summersell, *op. cit.*, 52.
(32) C. Delaney, *op. cit.*, 7.
(33) C. Delaney, *op. cit.*, 14-8.
(34) Idem, 27. H. Carter: "Doomed Road of Empire", 79, 82.
(35) C. Delaney, *op. cit.*, 30.
(36) Idem, 38-40.
(37) B. P. Thomson: "La ayuda española en la guerra de la Independencia norteamericana", 151.
(38) Idem, 152-6.
(39) C. Delaney, *op. cit.*, 45-6. J. A. Caruso, *op. cit.*, 253. C. G. Summersell, *op. cit.*, 113. B. P. Thomson, *op. cit.*, 147-8, 156-62.
(40) B. P. Thomson, *op. cit.*, 148-9.

(41) Idem, 163.
(42) C. Delaney, *op. cit.,* 54-5.
(43) C. G. Summersell, *op. cit.,* 118, 120.
(44) C. Delaney, *op. cit.,* 48-9.
(45) Idem, 52.
(46) Idem, 55-6. Páginas 317-318 de esta obra.
(47) C. Delaney, *op. cit.,* 56-7.
(48) Idem, 57-8. J. A. Caruso, *op. cit.,* 315. C. G. Summersell, *op. cit.,* 125.
(49) C. Delaney, *op. cit.,* 130-42.
(50) D. Van Every: "A company of heroes", 305 y siguientes.
(51) Idem: "Ark of Empire", 16.
(52) Idem, 16-8, 31.
(53) Idem, 64.
(54) Idem, 63-6.
(55) Idem, 67-9.
(56) Idem, 69-73.
(57) Idem, 126.
(58) Idem, 187-8.
(59) Idem, 209.
(60) Idem, 212-4.
(61) Idem, 254-5.
(62) D. Van Every, *op. cit.,* 256-8.
(63) Nota 177 del capítulo VI, parte primera de esta obra.
(64) R. Cartier, *op. cit.,* 417-8.
(65) George Santayana: "Tom Sawyer and Don Quijote", Mark Twain Quarterly, 9, n.º 2, winter 1952, 1-3. S. T. Williams: "La huella de España en la literatura norteamericana". Vol. I, 320 y siguientes.
(66) William Faulkner: "Mississippi". American Panorama". Parte primera, 444.
(67) J. A. Caruso, *op. cit.,* 315. Página 303 de esta obra.
(68) Folleto explicativo del museo.
(69) Steve Bosarge: "Land of the singing river". Southern Telephone News, april 1964.
(70) C. L. Lewis, *op. cit.,* 18.
(71) Páginas 305-308 de esta obra.
(72) C. Delaney, *op. cit.,* 51-2, 65-6.
(73) J. A. Caruso, *op. cit.,* 17.
(74) Idem, 30.
(75) Idem, 46-7.
(76) Idem, 46.
(77) Idem 46.
(78) S. T. Williams, *op. cit.,* 307-8.
(79) J. A. Caruso, *op. cit.,* 60-1.
(80) Idem, 249-52. D. Van Every: "A company of heroes", 270-1.
(81) B. P. Thomson, *op. cit.,* 137-9.
(82) S. F. Bemis: "The Diplomacy of American Revolution", 102. D. Van Every, *op. cit.,* 272.
(83) J. A. Caruso, *op. cit.,* 255-7.
(84) J. D. L. Holmes, *op. cit.,* 33, 40, 53-4, 122.
(85) D. Van Every: "Ark of Empire", 116. J. D. L. Holmes, *op. cit.,* 10, 24, 31, 150, 151-2, 155.
(86) D. Van Every, *op. cit.,* 127. J. D. L. Holmes, *op. cit.,* 28, 39.
(87) J. A. Caruso, *op. cit.,* 285. J. D. L. Holmes, *op. cit.,* 141, 161, 163, 166, 169.
(88) D. Van Every, *op. cit.,* 333-4. J. A. Caruso, *op. cit.,* 272.
(90) Idem, 334. Folleto "The Important Participation which Louisiana had in the American Revolution", 2.
(91) L. Houck: "The Spanish Regime in Missouri". Vol. II, 111.
(92) J. D. L. Holmes, *op. cit.,* 173. Diario A B C, 19-10-67.
(93) J. A. Caruso, *op. cit.,* 272-3. D. Van Every, 334-5.
(94) J. A. Caruso, *op. cit.,* 273-6. D. Van Every, *op. cit.,* 341.
(95) J. A. Caruso, *op. cit.,* 276-8.
(96) Idem, 278.

(97) D. Van Every, *op. cit.*, 166-8. J. A. Caruso, *op. cit.*, 284.
(98) D. Van Every, *op. cit.*, 146. J. A. Caruso, *op. cit.*, 279-82.
(99) D. Van Every, *op. cit.*, 126.
(100) Idem, 146-7.
(101) Idem, 147-9.
(102) Idem, 285-6. J. A. Caruso, *op. cit.*, 267-8.
(103) D. Van Every, *op. cit.*, 289-93. J. A. Caruso, *op. cit.*, 269-71.
(104) D. Van Every, *op. cit.*, 293-5. J. A. Caruso, *op. cit.*, 271-2.
(105) D. Van Every, *op. cit.*, 295-6. J. A. Caruso, *op. cit.*, 272.
(106) J. A. Caruso, *op. cit.*, 300-3.
(107) Idem, 311-3. C. G. Summersell, *op. cit.*, 125.
(108) J. A. Caruso, *op. cit.*, 313-5.

PARTE TERCERA

(1) John Halem: "Biographical and Pictorial History of Arkansas", 15.
(2) Cl. W. Alvord: "The Illinois Country, 1673-1818", 348.
(3) "The History and the Government of Louisiana", 39. John Bakeless: "History's greatest Real State Bargain", 108-9.
(4) "The History and Government of Louisiana", 39-40.
(5) R. Cartier: "Las 50 Américas", 371.
(6) Página 357 de esta obra.
(7) "The History... of Louisiana", 36.
(8) Idem, 37.

Capítulo primero: LUISIANA

(1) James Street: "Louisiana". American Panorama. Parte segunda, 298.
(2) Stanley Clisby Arthur: Old New Orleans", 37-8.
(3) J. Street, *op. cit.*, 284.
(4) Idem, 293.
(5) Idem, 298-9.
(6) "The History... of Louisiana", 20-3.
(7) Idem, 27-7.
(8) Idem, 27-32.
(9) Idem, 37-41.
(10) Idem, 43-6.
(11) Idem, 56-7.
(12) Idem, 20. J. A. Caruso: "The Southern Frontier", 30.
(13) J. A. Caruso, *op. cit.*, 48. Fidel Blanco Castilla: "Hombres blancos en el Mississippi". MUNDO HISPANICO, n.º 103, octubre 1956, 57.
(14) J. A. Caruso, *op. cit.*, 48.
(15) Idem, 48-9.
(16) "The History... of Lousiana", 31-2. G. Arciniegas: "Biografía del Caribe" 357-9.
(17) S. T. Williams, *op. cit.*, 217.
(18) "The History... of Lousiana", 33. G. Arciniegas, *op. cit.*, 359-61.
(19) "The History... of Lousiana", 33-4.
(20) B. P. Thomson: "La ayuda española en la guerra de la Independencia norteamericana", 17.
(21) Páginas 39 y 40 de esta obra.
(22) "The History... of Lousiana", 34. Folleto "The Importan Participation wich Louisiana had in the American Revolutión", página 2 y siguientes.
(23) B. P. Thomson, *op. cit.*, 35, 37-40. G. Arciniegas, *op. cit.*, 362-4.
(24) B. P. Thomson, 43-7.
(25) Idem, 57.
(26) Idem, 43-9.
(27) Idem, 68-78. F. Morales Padrón: "Participación de España en la independencia política de los Estados Unidos", 31.

(28) B. P. Thomson, *op. cit.*, 77-9.
(29) Páginas 39 y 40 de esta obra.
(30) B. P. Thomson, *op. cit.*, 88-109. Folleto "The Important Participation...", 4.
(31) B. P. Thomson, *op. cit.*, 127-35.
(32) Página 311 de esta obra.
(33) B. P. Thomson, *op. cit.*, 64-5.
(34) Idem, 66-7.
(35) "The History... of Lousiana", 34-5.
(36) René J. Le Gardeur: "The first New Orleans Theatre".
(37) "The History... of Louisiana", 35-6.
(38) Idem, 36.
(39) R. Cartier, *op. cit.*, 377-8. J. Street, *op. cit.*, 282-3.
(40) Stanley Clisby Arthur: "Old New Orleans". Harmanson Pub., New Orleans, 1962.
(41) "The History... of Louisiana", 17. S. Clisby A., *op. cit.*, 102-3.
(42) S. Clisby A., *op. cit.*, 108-11.
(43) Idem, 112-3.
(44) Idem, 104-6. Francis T. Moran: "St Louis Cathedral of N. Orleans", 11-34.
(45) F. T. Moran, *op. cit.*, 28-37. S. Clisby A., *op. cit.*, 107. Peter J. Rahill: "Catholic Beginnings in St. Louis", 30. G. Arciniegas, *op. cit.*, 362.
(46) S. Clisby A., *op. cit.*, 114-7.
(47) L. V. Huber &...: "Baroness Pontalba Buildings", 1-62.
(47 b) Mario Mendez Bejarano: Poetas españoles que vivieron en América, 220, 286-297.
(48) S. Clisby A., *op. cit.*
(49) Idem, 27, 39, 127, 130, 132.
(50) J. Street, *op. cit.*, 276-80.
(51) R. Cartier, *op. cit.*, 372-5. Bern Keating: "Cajunland". National Geographic Magazine. Vol. 129, march 1966, 353-91.
(52) R. Cartier, *op. cit.*, 375-7. J. Street, *op. cit.* 279-83. "The Hostory... of Louisiana", 1-2.
(53) "The History... of Louisiana", 297. Valma Clark: "lousiana's Spanish Heritage", en "Spanish Culture in the United States", 43.
(54) "The History", 3, 7. J. Street, *op. cit.*, 293. Valma Clark, *op. cit.*, 43-44.
(55) J. Street, *op. cit.*, 293. Valma Clark, *op. cit.*, 44.
(56) "The History...",3. R. R. MacCurdy: "The Spanish Dialect in St. Bernard Parish".
(57) R. R. MacCurdy, *op. cit.*, 23.
(58) Ed. Kerr: "5 days in Baton Rouge", 2-11.
(59) B. P. Thomson, *op. cit.*, 135-8.
(60) Idem, 139-40.
(61) R. R. MacCurdy: "A Spanish word-list of the "brulis" dwellers of Lousiana", 547. Ed. Kerr, *op. cit.*, J. D. L. Holmes, *op. cit.*, 238.
(62) R. R. MacCurdy, *op. cit.*, 547-9.
(63) Ed. Kerr, *op. cit.*, 28.
(64) Idem, 36-41. J. D. L. Holmes, *op. cit.*, 196.
(65) H. Carter: "Doomed Road of Empire", 136-57.
(66) Idem, 95-106.
(67) Idem, 149-50.
(68) John G. Belisle: "History of Sabine Parish". Diario "The Sabine Index", 12-2-65.
(69) S. T. Williams, *op. cit.*, 303. Timothy Flint: "Recollections of the last ten years".
(70) Timothy Flint, *op. cit.*
(71) "The History...", 284. J. D. L. Holmes, *op. cit.*, 50, 196.
(72) J. Street, *op. cit.*, 290.
(73) Valma Clark, *op. cit.*, 42-3.
(74) "Correspondencia de Don Juan Valera (1859-1905)", 83, 98, 117.

CAPÍTULO SEGUNDO: MISSOURI

(1) Phil Stong: "Missouri". American Panorama. Parte segunda, 385-7, 391.
(2) R. Cartier: "Las 50 Américas", 255.
(3) P. Stong, *op. cit.*, 387-8, 394-5, 385-6.
(4) Idem, 403-4. R. Cartier, *op. cit.*, 237-51.

(5) Diario A B C, 15-6-66, 92.
(6) P. Stong, *op. cit.,* 389.
(7) Idem, 388, 392, 399-401.
(8) George McCue: "The Building Art, in St. Louis", 25-31. Robert Paul Jordan: "St. Louis". National Geographic Magazine. Vol. 128, nov. 1965, 605-42.
(9) Diario A B C, 5-4-67, 43.
(10) R. E. H. Behrmann: "The Old Cathedral", 21 y siguientes.
(11) G. McCue, *op. cit.,* 55-60.
(12) Idem, 33, 40, 43, 52.
(13) Duane Meyer: "The Heritage of Missouri", 44.
(14) P. J. Rahill: "Catholic Beginnings in St. Louis", 12-3. E. H. Behrmann, *op. cit.,* 14-6. B. P. Thomson: "La ayuda española en la guerra de la Independencia norteamericana, 20.
(15) P. J. Rahill, *op. cit.,* 13. Cl. W. Alvord: "The Illinois Country, 1673-1818", 346.
(16) P. J. Rahill, *op. cit.,* 14. E. H. Behrmann, *op. cit.,* 19.
(17) L. Houck: "The Spanish Regime in Missouri", Vol. I, 75.
(18) P. J. Rahill, *op. cit.,* 14.
(19) P. J. Rahill, *op. cit.,* 17-8. B. P. Thomson, *op. cit.,* 97-8.
(20) P. J. Rahill, *op. cit.,* 15-22-3.
(21) L. Houck, *op. cit.,* 69, 72.
(22) Página 257 de esta obra.
(23) L. Houck, *op. cit.,* 161.
(24) b. P. Thomson, *op. cit.,* 79, 98. Página 263 de esta obra.
(25) B. P. Thomson, *op. cit.,* 84-5. M. Conrotte: "La intervención de España en la independencia de los Estados Unidos de la América del Norte", 96. L. Houck, *op. cit.,* 167.
(26) B. P. Thomson, *op. cit.,* 84-5. M. Conrotte: *op. cit.,* 96. L. Houck, *op. cit.,* 167. P. J. Rahill, *op. cit.,* 18-9.
(27) Duane Meyer, *op. cit.,* 50. Cl. W. Alvord, *op. cit.,* 348.
(28) D. Meyer, *op. cit.,* 100.
(29) L. Houck, *op. cit.,* 167.
(30) Idem, 271.
(31) Idem, 123.
(32) D. Meyer, *op. cit.,* 71.
(33) Idem, 80.
(34) Bruce H. Nicoll: "Know Nebraska", 59-60.
(35) L. Houck, *op. cit.,* 350-8.
(36) P. J. Rahill, *op. cit.,* 21. D. Van Every: "Ark of Empire", 135-6.
(37) D. Meyer, *op. cit.,* 102.
(38) Idem, 122. E. H. Behrmann, *op. cit.,* 26-7. P. J. Rahill, *op. cit.,* 24-5.
(39) L. Houck, *op. cit.,* 20.
(40) Idem, 49.
(41) Idem, 62.
(42) D. Meyer, *op. cit.,* 103. G. McCue, *op. cit.,* 88.
(43) D. Meyer, *op. cit.,* 48.
(44) Idem, 48. Francis J. Yealy, S. J.: "Florissant and St. Stanislaus Seminary". Florissant Valley Association. 31-3-1933.
(45) Folleto "Old Saint Ferdinand's Shrine", Florissant.
(46) G. McCue, *op. cit.,* 82.
(47) Idem, 73.
(48) D. Meyer, *op. cit.,* 48.
(49) P. J. Rahill, *op. cit.,* 9. P. Stong, *op. cit.,* 396.
(50) L. Houck, *op. cit.,* 62.
(51) Idem, 66.
(52) Idem, 235.
(53) G. McCue, *op. cit.,* 9, 89.
(54) P. Stong, *op. cit.,* 396.
(55) D. Meyer, *op. cit.,* 48.
(56) Idem, 74. B. P. Thomson, *op. cit.,* 28. H. Carter: "Doomed Road of Empire", 240-2.
(57) D. Meyer, *op. cit.,* 48. L. Houck, *op. cit.,* 292.
(58) D. Meyer, *op. cit.,* 48.
(59) Idem, 48. W. S. McNutt: "A History of Arkansas", 52.

(60) L. Houck, *op. cit.*, 280, 286-308, 309, 319.
(61) D. Meyer, *op. cit.*, 92.
(62) D. Van Every, *op. cit.*, 296.
(63) J. A. Caruso: "The Southern Frontier", 294.
(64) D. Meyer, *op. cit.*, 121.
(65) Timothy Flint: "Recollections of the last ten years".

CAPÍTULO III: ARKANSAS, OKLAHOMA, KANSAS Y NEBRASKA

 (1) Clyde Brion Davis: "Arkansas" American Panorama. Parte segunda, 261-2.
 (2) Idem, 263-6, 270-1.
 (3) R. Cartier: "Las 50 Américas", 365-8.
 (4) C. B. Davis, *op. cit.*, 268.
 (5) C. B. Davis, *op. cit.*, 270-4.
 (6) O. E. McKnight...: "The Arkansas Story", 398.
 (7) John Halhem: "Biographical and Pictorial History of Arkansas". Vol. I, 1.
 (8) Idem, 3.
 (9) J. A. Caruso, *op. cit.*, 47.
(10) Idem, 47.
(11) C. B. Davis, *op. cit.*, 266-7.
(12) J. Halhem, *op. cit.*, 3. J. A. Caruso, *op. cit.*, 47.
(13) C. B. Davis, *op. cit.*, 262-3.
(14) O. E. McKnight..., *op. cit.*, 56.
(15) Timothy Flint, *op. cit.*
(16) C. B. Davis, *op. cit.*, 262.
(17) B. P. Thomson, *op. cit.*, 30, 58.
(18) Idem, 70.
(19) O. E. McKnight, *op. cit.*, 56.
(20) J. Halhem, *op. cit.*, 26, 27. H. Carter, *op. cit.*, 240-2.
(21) O. E. McKnight, *op. cit.*, 56.
(22) C. B. Davis, *op. cit.*, 269.
(23) W. S. McNutt...: "A History of Arkansas", 52-3.
(24) Debs Myers: "Oklahoma". American Panorama. Parte segunda, 250. R. Cartier, *op. cit.*, 170.
(25) R. Cartier, *op. cit.*, 169-70.
(26) Idem, 171-4. D. Myers, *op. cit.*, 250-1.
(27) D. Myers, *op. cit.*, 254.
(28) Idem, 252 y siguientes.
(29) Idem, 255.
(30) Idem, 252-3.
(31) Idem, 253-8.
(32) Idem, 259.
(33) Idem, 244-50.
(34) Patrick Patterson "Woolaroc Museum", 18.
(35) Octavio Gil Munilla: "Participación de España en la génesis histórica de los Estados Unidos", 14.
(36) P. Horgan: "Great River", 173, 216.
(37) P. Patterson, *op. cit.*, 21.
(38) "Kansas. A Guide to the Sunflower State", 40.
(39) Debs Myers: "Kansas". American Panorama. Parte segunda, 339-40, 343. R. Cartier, *op. cit.*, 205-6.
(40) R. Cartier, *op. cit.*, 207-9.
(41) Idem, 209-12.
(42) D. Myers, *op. cit.*, 340-1.
(43) Idem, 347-9.
(44) Idem, 346.
(45) J. Gunther: "Inside USA", 288.
(46) Idem, 284. R. Cartier, *op. cit.*, 277-8.
(47) D. Myers, *op. cit.*, 345-7.

(48)   "Kansas. A Guide...", 40.
(49)   P. Horgan, *op. cit.*, 140-1.
(50)   Everett Rich: Editor of the "Heritage of Kansas", 1.
(51)   Idem, 6.
(52)   P. Horgan, *op. cit.*, 144-7.
(53)   "Kansas. A Guide...", 40.
(54)   Idem, 40.
(55)   Charles C. Howes: "This Place called Kansas", 4.
(56)   Idem, 4.
(57)   "Kansas. A Guide...", 184.
(58)   C. C. Howes, *op. cit.*, 4. Warren Beck: "New Mexico", 47.
(59)   C. C. Howes, *op. cit.*, 4.
(60)   Idem, 18.
(61)   P. Horgan, *op. cit.*, 145-6.
(62)   P. Horgan, *op. cit.*, 145-60.
(63)   C. C. Howes, *op. cit.*, 18.
(64)   Idem, 19. P. Horgan, *op. cit.*, 149. P. J. Rahill, *op. cit.*, 4. J. Tracy Ellis: "Catholics in Colonial America", 7.
(65)   C. C. Howes, *op. cit.*, 20.
(66)   Idem, 20.
(67)   "Kansas. A Guide...", 40.
(68)   Idem, 40. P. Horgan, *op. cit.*, 216-7. W. Beck, *op. cit.*, 58.
(69)   "Kansas. A Guide...", 41. Alexander Davidson...: "A complete History of Illinois from 1673-1873", 120. "Nebraska. Guide...", 45.
(70)   "Kansas. A Guide...", 43.
(71)   Idem, 42.
(72)   Idem, 44.
(73)   E. Rich, *op. cit.*, 1.
(74)   Anna E. Arnold: "A History of Kansas", 208.
(75)   Mari Sandoz: "Nebraska". American Panorama. Parte segunda, 320-4.
(76)   Idem, 324, 335.
(77)   Idem, 320-1.
(78)   Idem, 326.
(79)   Idem, 327-8.
(80)   Idem, 324-6.
(81)   Idem, 331.
(82)   George E. Condra: "The Nebraska Story", 117.
(83)   R. Cartier, *op. cit.*, 230-3.
(84)   H. E. Sheldon: "Nebraska: Old and new", 86.
(85)   M. Sandoz, *op. cit.*, 334.
(86)   G. E. Condra, *op. cit.*, 7.
(87)   H. E. Sheldon, *op. cit.*, 10.
(88)   Idem, 14.
(89)   E. Rich, *op. cit.*, 6.
(90)   C. F. Lummis: "Los exploradores del siglo XVI", 93.
(91)   "Nebraska. Guide...", 44.
(92)   A. Davidson...: "A complete History of Illinois, 1673-1873", 120.
(93)   "Kansas. A Guide...", 41. P. Horgan, *op. cit.*, 337.
(94)   A. Davidson, *op. cit.*, 120.
(95)   H. E. Sheldon, *op. cit.*, 21.
(96)   Idem, 21. "Nebraska. Guide...", 46.
(97)   G. E. Condra, *op. cit.*, 140.
(98)   Bruce H. Nicoll...: "Know Nebraska", 59. H. E. Sheldon, *op. cit.*, 90-1.
(99)   Bruce H. Nicoll..., *op. cit.*, 60. H. E. Sheldon, *op. cit.*, 92-3.
(100) Bruce H. Nicoll..., *op. cit.*, 62.

CAPÍTULO IV: LOS DOS DAKOTAS, MINNESOTA E IOWA

(1)   Jack Schaefer: "Dakota". American Panorama. Parte segunda, 302.

(2) Idem, 318. R. Cartier: "Las 50 Américas", 233-4.
(3) J. Schaefer, *op. cit.*, 313, 318. R. Cartier, *op. cit.*, 233. J. Gunther: "Inside USA", 274.
(4) J. Schaefer, *op. cit.*, 317.
(5) Idem, 317.
(6) J. Gunther, *op. cit.*, 261.
(7) J. Schaefer, *op. cit.*, 301, 309.
(8) Idem, 310.
(9) Idem, 305-7.
(10) Idem, 308.
(11) Idem, 302-3.
(12) D. Meyer: "The Heritage of Missouri", 71.
(13) Idem, 80.
(14) Bruce H. Nicoll: "Know Nebraska", 59. H. E. Sheldon: "Nebraska": Old and new", 90-1.
(15) Herbert E. Bolton: "Defensive Spanish Expansion...", 48.
(16) Grace Flandrau: "Ninnesota". American Panorama. Parte segunda, 356.
(17) Idem, 357-8, 365.
(18) R. Cartier, *op. cit.*, 270-2. F. Flandrau, *op. cit.*, 365-6.
(19) G. Frandau, *op. cit.*, 359-60, 369.
(20) Idem, 366-7.
(21) Idem, 369.
(22) Idem, 368.
(23) R. Cartier, *op. cit.*, 271.
(24) G. Flandrau, *op. cit.*, 366-8.
(25) R. Cartier, *op. cit.*, 257-8.
(26) Paul Engle: "Iowa". American Panorama. Parte segunda, 372.
(27) Idem, 374.
(28) Idem, 375-6.
(29) Idem, 380-1.
(30) Idem 376-8.
(31) "Dubuque: its History and Background", 5.
(32) Idem, 5.
(33) B. P. Thomson, *op. cit.*, 86. Cl. W. Alvord, *op. cit.*, 349.
(34) M. H. Hoffman: "Antique Dubuque", 90-1.
(35) L. Houck: "The Spanish Regime in Missouri", 332.
(36) D. Meyer, *op. cit.*, 80.
(37) "Dubuque:...", 5.
(38) Idem, 5.
(39) M. H. Hoffman, *op. cit.*, 87.
(40) Idem, 88-90.
(41) "Dubuque:...", 5.
(42) M. H. Hoffman, *op. cit.*, 91.
(43) "Dubuque:,..", 8, 15, 16.

PARTE CUARTA

CAPÍTULO PRIMERO: TEXAS

(1) J. Gunther: "Inside USA", 909-10. H. Carter: "Doomed Road of Empire", 4-45. Página 79 de esta obra.
(2) Diario "The Victoria Advocate" (Victoria), 14-4-62, 1A, 5A. Dicho periódico incluye la lista de los "Diez Amigos": Martín de León, Fernando De León, Valentín García, Julián de la Garza, Plácido Benavides, Silvestre De León, Pedro Gallardo, Rafael Manchola, Leonardo Manuso y J. M. J. Carbajal. Incluye asimismo los nombres de otros primeros pobladores de Victoria, y los de los primeros matrimonios, nacimientos y fallecimientos habidos en dicha ciudad, todos de hispánicos.
(3) Idem, 15-4-62.
(4) R. Cartier: "Las 50 Américas", 183.
(5) J. Gunther, *op. cit.*, 204-5.

(6) Folleto publicado por el "Texas Highway Department. Travel & Information Division: "Texas. America's Fun-Tier".
(7) F. T. Fields: "Texas Sketchbook", 68-9.
(8) Carlos M. Fernández-Shaw: "Lo español y lo hispánico en Texas", 3.
(9) P. Horgan: "Great River", 435. H. Carter, op. cit., 246.
(10) P. Horgan, op. cit., 453-616.
(11) H. Carter, op. cit., 310-24. P. Horgan, op. cit., 529-32.
(12) H. Carter, op. cit., 325-9. P. Horgan, op. cit., 536-9. F. T. Fields, op. cit., 63-8.
(13) Samuel Eliot Morison: "The Oxford History of the American People", 552. Michael Kraus: "The United States to 1865", 421.
(14) W. Beck, op. cit., 123-7. S. E. Morison, op. cit., 553-4.
(15) P. Horgan, op. cit., 569 y siguientes. W. Beck, op. cit., 127-8.
(16) S. E. Morison, op. cit., 555-6. M. Kraus, op. cit., 421-4.
(17) R. Cartier, op. cit., 182.
(18) Stuart E. Jones: "Houston, Prairie Dynamo". National Geographic Magazine. Volumen 132, sept. 1967, 338-77.
(19) F. T. Fields, op. cit., 21.
(20) Idem, 21.
(21) S. E. Jones, op. cit., 345-9.
(22) J. A. Caruso: "The Southern Frontier", 31.
(23) P. Horgan, op. cit., 101-2. F. T. Fields, op. cit., 97-103.
(24) F. T. Fields, op. cit., 103. W. A. Beck: "New Mexico", 42.
(25) F. T. Fields, op. cit., 104.
(26) B. De Voto: "The Course of Empire", 17. "Diccionario de Historia de España". "Revista de Occidente". Artículo "Cabeza de Vaca".
(27) Por ejemplo, edición de "Naufragios y Comentarios". Espasa Calpe, S. A., Colección Austral, número 304, Madrid, 1957.
(28) H. Carter, op. cit., 7. J. Sanz y Díaz: "Alonso de León...", 77. Jack Maguire: "Francisco Coronado and the First Thanksgiving: Profiles of Texas".
(29) J. Sanz y Díaz, op. cit., 77.
(30) H. Carter, op. cit., 8.
(31) Idem, 31.
(32) Información facilitada al autor por la "Texas Old Missions Restoration Association", según el Inventario realizado con fecha de abril de 1966.
(33) H. Carter op. cit., 15-30.
(34) P. Horgan, op. cit., 302-4. H. Carter, op. cit., 45. J. Sanz y Díaz, op. cit., 77. Ben Cuellar Ximenes: "Gallant Outcasts", 108. "The De Leon-Massenet Expeditions", en "Spanish Exploration in the Southwest", editado por H. E. Bolton, 345-422.
(35) P. Horgan, op. cit., 305. H. Carter, op. cit., 47-8. J. Sanz y Díaz, op. cit., 78. B. C. Ximenes, op. cit., 109-23. "The De Leon-Massenet Expeditions", 345-422.
(36) H. Carter, op. cit., 50. J. Sanz y Díaz, op. cit., 78. B. C. Ximenes, op. cit., 124-38.
(37) H. Carter, op. cit., 371-4.
(38) F. T. Fields, op. cit., 15.
(39) H. Carter, op. cit., 70-9. B. C. Ximenes, op. cit., 139-59.
(40) H. Carter, op. cit., 97-106. P. Horgan, op. cit., 337. B. C. Ximenes, op. cit., 170-6.
(41) H. Carter, op. cit., 149-50.
(42) Idem, 150. Norman Richardson: "Main Street History". Sunday Magazine of "The Shreveport Times", 7-3-65, 12-13F.
(43) Helen Baldwin: "Visitor wil tell fellow Spaniards about trip to Texas". "Waco Tribune Herald". Waco, 26-7-1964.
(44) H. Carter, op. cit., 84-94, 116. P. Horgan, op. cit., 334-6. B. C. Ximenes, op. cit., 160-9.
(45) B. C. Ximenes, op. cit., 176.
(46) Idem, 172.
(47) Idem, 181-3. H. Carter, op. cit., 112-3.
(48) F. T. Fields, op. cit., 5.
(49) P. Horgan, op. cit., 420.
(50) Idem, 423-4. H. Carter, op. cit., 203-16.
(51) P. Horgan, op. cit., 424-30. H. Carter, op. cit., 217-38.
(52) Información facilitada al autor por TOMFRA. Robert S. Weddle: The San Saba Mission", 112.

(53) Información facilitada al autor por TOMFRA. R. S. Weddle, *op. cit.,* 32, 35.
(54) R. S. Weddle, *op. cit.,* 32. John Banta: "Internal Strife, Drought Doomed Early Missions", en diario "Waco Tribune Herald", 27-8-67, 1C.
(55) R. S. Weddle, *op. cit.,* 34.
(56) Idem, 35, 97.
(57) Idem, 65, 67.
(58) Idem, 158.
(59) Idem, el libro en general, dado que su tema es la Misión de San Saba. H. Carter, *op. cit.,* 128-33.
(60) R. S. Weddle, *op. cit.,* 157-8.
(61) Idem, 30.
(62) Idem, 30. H. Carter, *op. cit.,* 134-5. F. T. Fields, *op. cit.,* 57, 60.
(63) H. Carter, *op. cit.,* 225-7. F. T. Fields, *op. cit.,* 60.
(64) H. Carter, *op. cit.,* 236. F. T. Fields, *op. cit.,* 60.
(65) F. T. Fields, *op. cit.,* 60-1.
(66) Idem, 61-2.
(67) Mildred V. Boyer: "Language Institutes and their future", 13.
(68) P. Horgan, *op. cit.,* 149-51.
(69) Idem, 260.
(70) Idem, 260.
(71) Idem, 338, 348.
(72) Folleto "El Paso Mission Tour", por "The El Paso Chamber of Commerce".
(73) P. Horgan, *op. cit.,* 347.
(74) Idem, 300.
(75) Idem, 300.
(76) Idem, 324-6, 338.
(77) Idem, 258-9.
(78) Información facilitada al autor por el R. M. Fuente, O. M. I., 11-8-64.
(79) P. Horgan, *op. cit.,* 339.
(80) Idem, 344.
(81) Idem, 340-4. Tom Lea: "The King Ranch", 376-7.
(82) P. Horgan, *op. cit.,* 345-6. F. T. Fields, *op. cit.,* 49-56.
(83) P. Horgan, *op. cit.,* 345.
(84) Tom Lea, *op. cit.,* 377.
(85) P. Horgan, *op. cit.,* 377. J. Gunther, *op. cit.,* 924. R. Cartier, *op. cit.,* 186.
(86) Tom Lea, *op. cit.,* 377.
(87) P. Horgan, *op. cit.,* 377.
(88) Idem, 380.
(89) Idem, 380.

CAPÍTULO II: NUEVO MEXICO

(1) P. Horgan: "Great River", 421.
(2) Oliver La Fargue: "New Mexico". American Panorama. Parte segunda, 218, 222. W. Beck: "New Mexico", 3 y siguientes, 20.
(3) O. La Fargue, *op. cit.,* 219. P. Horgan, *op. cit.,* 4-7. W. Beck, *op. cit.,* 11-15.
(4) W. Beck, *op. cit.,* 24.
(5) Idem, 26-7.
(6) E. R. Forrest: "Misions and Pueblos in the Old Southwest", 97-8.
(7) Idem, 27-38.
(8) Idem, 61.
(8 b) D. Cutter, Lo hispánico en la legislación de los Estados Unidos, 131.
(9) P. Horgan, *op. cit.,* 436-8.
(10) W. Beck, *op. cit.,* 109-20.
(11) Idem, 121-3.
(12) Idem, 123-8.
(13) Idem, 129-33.
(14) Idem, 101-2, 116-7.
(15) Idem, 214-7.

(16) S. T. Williams: "La huella española en la literatura norteamericana", 296.
(17) Idem, 296-7, 336, 351, 357.
(18) W. Beck, *op. cit.,* 134-8.
(19) Idem, 134-8.
(20) Idem, 218-25. O La Fargue, *op. cit.,* 223. J. Gunther: "Inside USA", 988-9. E. R. Forrest, *op. cit.,* 195-206. Páginas 477, 489 y 490 de esta obra.
(21) R. Cartier: "Las 50 Américas", 160-1. O. La Fargue, *op. cit.,* 227. W. Beck, *op. cit.,* 289-90. J. Gunther, *op. cit.,* 978.
(22) O. La Fargue, *op. cit.,* 221.
(23) Idem, 221. W. Beck, *op. cit.,* 283.
(24) O. La Fargue, *op. cit.,* 228-9. R. Cartier, *op. cit.,* 165. J. Gunther, *op. cit.,* 976, 995.
(25) W. Beck, *op. cit.,* 8.
(26) Idem, 327. O. La Fargue, *op. cit.,* 277.
(27) O. La Fargue, *op. cit.,* 222.
(28) Información tomada por el autor en el terreno, confirmada en carta de Pedro Ribera Ortega, 14-11-65.
(29) A. Espinosa: "Romancero de Nuevo Mexico".
(30) Nina Otero: "Old Spain in Our Southwest", 115-84.
(31) Idem, 70-82.
(32) Idem, 9-38, 39-44. W. Beck, *op. cit.,* 204.
(33) W. Beck, *op. cit.,* 202.
(34) S. T. Williams, *op. cit.,* 300. P. Horgan, *op. cit.,* 196-8.
(35) Nina Otero, *op. cit.,* 105. W. Beck, *op. cit.,* 205. S. T. Williams, *op. cit.,* 300-1. Peter Ribera Ortega: "Christmas in Old Santa Fe", 33-52.
(36) J.Gunther, *op. cit.,* 988.
(37) Semanario "The Santa Fe Scene", 18-6-60, 24.
(38) Información facilitada, en anejo a la carta de fecha 14-9-65.
(39) Idem.
(40) Por ejemplo, periódico "Santa Fe News", 3-9-64, 1.
(41) Información facilitada al autor por Pedro Ribera Ortega, en el anejo a su carta de 14-11-65. Presentación de "The Fiesta De Vargas Entrada", original del anterior.
(42) Nina Otero, *op. cit.,* 85-91. Peter Ribera Ortega: "La Conquistadora, Reina de Nuevo México", en diario "The New Mexico Register", 21-6-63, 1.
(43) Peter R. Ortega, idem, 1. Sister M. Florian O. S. F.: "America's Oldest Madonna", en revista "The Marianist", dic. 1960, 16-21.
(44) Peter Ribera Ortega: "The Caballeros de Vargas and the 350th". Semanario "The Santa Fe Scene", 18-6-60, 8, 9. "St. Anthony Messenger", may 1961, 29-35.
(45) Peter Ribera Ortega: "Christmas in Old Santa Fe".
(46) W. Beck, *op. cit.,* 62.
(47) Idem, 64, 68-73. P. Horgan, *op. cit.,* 238-56.
(48) W. Beck, *op. cit.,* 73-9. P. Horgan, *op. cit.,* 278-81, 283-90.
(49) W. Beck, *op. cit.,* 80. P. Horgan, *op. cit.,* 290-1.
(50) W. Beck, *op. cit.,* 63. P. Horgan, *op. cit.,* 229-30.
(51) P. Horgan, *op. cit.,* 268-74.
(52) Idem, 274-83, 292.
(53) Idem, 170, 267, 279.
(54) Idem, 293-7. W. Beck, *op. cit.,* 82-3.
(55) P. Horgan, *op. cit.,* 297-8, W. Beck, *op. cit.,* 84.
(56) P. Horgan, *op. cit.,* 305-7, 310-2. W. Beck, *op. cit.,* 84-6.
(57) W. Beck, *op. cit.,* 86-7. P. Horgan, *op. cit.,* 307-10.
(58) W. Beck, *op. cit.,* 87. P. Horgan, *op. cit.,* 312-6.
(59) W. Beck, *op. cit.,* 87-8. P. Horgan, *op. cit.,* 316-9.
(60) W. Beck, *op. cit.,* 88-9. P. Horgan, *op. cit.,* 318.
(61) P. Horgan, *op. cit.,* 318-9.
(62) P. Horgan, *op. cit.,* 319-20. W. Beck, *op. cit.,* 89.
(63) P. Horgan, *op. cit.,* 320-3.
(64) W. Beck, *op. cit.,* 88-9.
(65) Página 409 de esta obra.
(66) P. Horgan, *op. cit.,* 392.
(67) P. Horgan, *op. cit.,* 392.

(68) W. Beck, *op. cit.*, 102-3. P. Horgan, *op. cit.*, 403-18.
(69) P. Horgan, *op. cit.*, 401.
(70) Idem, 402 y siguientes.
(71) Idem, 419.
(72) Idem 421.
(73) "People and Places in Santa Fe...", 6.
(74) P. Horgan, *op. cit.*, 244. Bruce T. Ellis: "The Historic Palace of the Governors".
(75) Earle R. Forrest: "Missions and Pueblos of the Old Southwest", 45-9.
(76) Idem, 49-50.
(77) Earle R. Forrest, *op. cit.*, 41-5.
(78) B. Lewis, F. S. C.: "Oldest Church in U. S.", 8.
(79) Idem, 33.
(80) Idem, 12-29. E. R. Forrest, *op. cit.*, 41-5.
(81) B. Lewis, *op. cit.*, 41-9.
(82) Idem, *op. cit.*, 51-5. E. R. Forrest, *op. cit.*, 42-5.
(83) E. R. Forrest, *op. cit.*, 45. "Oldest House in the U. S. A.", American Anthopologist. Vol. 7, n.º 3, july-sept. 1905.
(84) "People and Places...", 12-15.
(85) Idem, 16-25.
(86) Folletos publicados por el museo y, en especial, "Popular Arts of Colonial New Mexico", por E. Boyd.
(87) "People and Places...", 7. W. Beck, *op. cit.*, 333.
(88) W. Beck, *op. cit.*, 41-2.
(89) P. Horgan, *op. cit.*, 100-5.
(90) W. Beck, *op. cit.*, 42-3.
(91) Idem, 43-4. P. Horgan, *op. cit.*, 106-7.
(92) W. Beck, *op. cit.*, 44-5. P. Horgan, *op. cit.*, 127-8.
(93) W. Beck, *op. cit.*, 45-6.
(94) P. Horgan, *op. cit.*, 109, 111.
(95) W. Beck, *op. cit.*, 46. E. R. Forrest, *op. cit.*, 171.
(96) P. Horgan, *op. cit.*, 111-20.
(97) W. Beck, *op. cit.*, 49. E. R. Forrest, *op. cit.*, 171.
(98) W. Beck, *op. cit.*, 51. E. R. Forrest, *op. cit.*, 171.
(99) P. Horgan, *op. cit.*, 198. E. R. Forrest, *op. cit.*, 171-2.
(100) E. R. Forrest, *op. cit.*, 172-7.
(101) Idem, 188-93.
(102) W. Beck, *op. cit.*, 55-7. P. Horgan, *op. cit.*, 199-209.
(103) P. Horgan, *op. cit.*, 210-11, 218. W. Beck, *op. cit.*, 59-60.
(104) C. F. Lummis, *op. cit.*, 97.
(105) E. R. Forrest, *op. cit.*, 161-4.
(106) Idem, 131-2. P. Horgan, *op. cit.*, 328-9.
(107) P. Horgan, *op. cit.*, 328, 330.
(108) E. R. Forrest, *op. cit.*, 151-7.
(109) Idem, 157-60.
(110) Idem, 141-9.
(111) P. Horgan, *op. cit.*, 113.
(112) Idem, 113-6, 128.
(113) Idem, 119-126, 130-6.
(114) Idem, 137-41.
(115) Idem, 142-7.
(116) Idem, 153-4. E. R. Forrest, *op. cit.*, 98. W. Beck, *op. cit.*, 48-50.
(117) E. R. Forrest, *op. cit.*, 127-9.
(118) Idem, 123-7.
(119) Idem, 120-3.
(120) Idem, 133-4.
(121) Idem, 134-6.
(122) Idem, 111-20.
(123) Idem, 59-60.
(124) J. Gunther, *op. cit.*, 982.
(125) E. R. Forrest, *op. cit.*, 60-2.

(126) Idem, 62-7. J. Gunther, *op. cit.*, 987-8.
(127) Idem, 67-72.
(128) Idem, 72-5.
(129) Idem, 77-8.
(130) Idem, 78-82.
(131) Idem, 82-3.
(132) Idem, 77-8. P. Horgan, *op. cit.*, 196-7.
(133) Información facilitada al autor por la Prof. Ellis, en carta de 27-8-62.
(134) P. Horgan, *op. cit.*, 172-3.
(135) P. Horgan, *op. cit.*, 212-3.
(136) Idem, 163-4. W. Beck, *op. cit.*, 53.
(137) P. Horgan, *op. cit.*, 161. W. Beck, *op. cit.*, 53.
(138) P. Horgan, *op. cit.*, 162-3. W. Beck, *op. cit.*, 53-4.
(139) E. R. Forrest, *op. cit.*, 83-4.
(140) Idem, 84-90. J. Gunther, *op. cit.*, 982-4.
(141) Peter Ribera Ortega: "Christmas in Old Santa Fe", 76-9.
(142) E. R. Forrest, *op. cit.*, 92-5. "The Old Mission of S. Francis of Assisi", Gordon Morrison Co., Amarillo.
(143) E. R. Forrest, *op. cit.*, 90.
(144) J. Gunther, *op. cit.*, 982.
(145) E. R. Forrest, *op. cit.*, 91.
(146) Idem, 92.
(147) Idem, 103-4.
(148) Idem, 97-8. P. Horgan, *op. cit.*, 154-7.
(149) E. R. Forrest, *op. cit.*, 98-9. P. Horgan, *op. cit.*, 157-9.
(150) E. R. Forrest, *op. cit.*, 99-100.
(151) Idem, 105-10.

CAPÍTULO III: ARIZONA

(1)   R. Cartier: "Las 50 Américas", 154.
(2)   Idem, 158.
(3)   Debs Myers: "Arizona". American Panorama. Parte segunda, 202. R. Cartier, *op. cit.*, 153.
(4)   D. Myers, *op. cit.*, 203-5.
(5)   Idem, 212.
(6)   Idem, 205. R. Cartier, *op. cit.*, 154.
(7)   D. Myers, *op. cit.*, 204.
(8)   Idem, 211.
(9)   "The Grand Canyon of Arizona". Folleto editado por "Grand Canyon National Park", 1965. John H. Maxson: "Grand Canyon, origin and scenery...".
(10) E. R. Forrest: "Missions and Pueblos of the Old Souhwest", 171, 211.
(11) Idem, 171, 211. J. H. Maxson, *op. cit.*, 1.
(12) J. H. Maxson, *op. cit.*, 2. E. R. Forrest, *op. cit.*, 220-1.
(13) E. R. Forrest, *op. cit.*, 221-2.
(14) Bernard L. Fontana: "The Story of Mission San Xavier del Bac", 2. Alvaro del Portillo: "Descubrimientos en California", 149-52. Theodore H. Hittell: "Brief History of California", 18.
(15) P. Horgan: "Great River", 218.
(16) Joseph F. Park: "Spanish Indian Policy in Northern Mexico", 339-40. Edna Deu Pree Nelson: "The California Dons", 19-20. Mario Hernández Sánchez-Barba: "La última expansión española en América, 279.
(17) Página 436 de esta obra.
(18) E. R. Forrest, *op. cit.*, 190-213.
(19) Idem, 211-2.
(20) Idem, 211.
(21) Debs Myers, *op. cit.*, 205.
(22) E. R. Forrest, *op. cit.*, 265-332.
(23) Idem, 210, 213-4.

(24) Idem, 214-9.
(25) Idem, 221-2. Herbert E. Bolton: "Escalante Strikes for California", 288-300 (véase P. Bannon: "Bolton...").
(26) E. R. Forrest, *op. cit.,* 225.
(27) Idem, 222-3.
(28) W. Beck, *op. cit.,* 42-4, 211. B. L. Fontana, *op. cit.,* 2.
(29) W. Beck, *op. cit.,* 45-6.
(30) E. R. Forrest, *op. cit.,* 230. E. H. Bolton: "Kino in Pimeria Alta", 212-25 (véase P. Bannon: "Bolton..."). "Arizona: The Jesuits in the Pimeria Alta", en "Spanish Explorations in the Southwest" (editor, H. E. Bolton), 425-63.
(31) E. R. Forrest, *op. cit.,* 231-2. H. E. Bolton: "The Padre on Horseback", 1-fin. Peter Masten Dunne: "Juan Antonio Balthasar", 10-9.
(32) "Ritrovati dopo 250 anni y resti del grande exploratore E. Chini". Diario "L'Adige" (Italia), 27-5-1966.
(33) E. R. Forrest, *op. cit.,* 233.
(34) P. M. Dunne, *op. cit.,* 16.
(35) H. E. Bolton: "The Padre on Horseback", 60-2.
(36) Idem, 62-3. P. M. Dunne, *op. cit.,* 21.
(37) E. H. Bolton, *op. cit.,* 5.
(38) E. R. Forrest, *op. cit.,* 232-4.
(39) P. M. Dunne, *op. cit.,* 38.
(40) E. R. Forest, *op. cit.,* 239-40.
(41) Idem, 254.
(42) Idem, 253-4.
(43) Idem, 259-60.
(44) Idem, 261-2.
(45) Idem, 262-4.
(46) Folleto "Tumacacori National Monument" (National Park Service, 1964), 3, E. R. Forrest, *op. cit.,* 240-3.
(47) "Tumacacori...", 3-4.
(48) Charlie R. Steen & Rutherford J. Gettens: "Tumacacori Interior Decorations", 22-33.
(49) Idem, 7-21. "Mission Church and Grounds" (Guide, National Park Service, 1964).
(50) E. R. Forrest, *op. cit.,* 254.
(51) E. Deu Pree Nelson, *op. cit.,* 85. Omer Englebert: "Fray Junípero Serra", 160-72, 227-42. H. E. Bolton: "Juan Bautista de Anza", 281-7 (véase P. Bannon: "Bolton...").
(52) E. R. Forrest, *op. cit.,* 254-6.
(53) Rev. Celestine Chinn, O. F. M.: "Mission San Xavier del Bac", 4.
(54) B. L. Fontana, *op. cit.,* 2.
(55) Idem, 3-4.
(56) Idem, 4-8.
(57) Idem, 8-9. H. E. Bolton: "The Early Explorations of Father Garcés on the Pacific Slope", 255-69 (véase P. Bannon: "Bolton...").
(58) B. L. Fontana, *op. cit.,* 9-12. C. Chinn, *op. cit.,* 5.
(59) B. L. Fontana, *op. cit.,* 12-9.
(60) C. Chinn, *op. cit.,* 7 y siguientes.
(61) Robert M. Quinn: "The Retablo of the Cathedral of C. Rodrigo", 1 y siguientes.
(62) "The Edward Joseph Gallagher III Memorial Collection" The Univ. of Arizona Art Gallery. Tucson, 1964.
(63) George Carpenter Barker: "Pachuco: An American-Spanish Argot...".
(64) E. R. Forrest, *op. cit.,* 256.
(65) B. L. Fontana, *op. cit.,* 3.
(66) E. R. Forrest, *op. cit.,* 256-7. C. Greenleaf...: "Tucson, Presidio and American City", 18.
(67) E. R. Forrest, *op. cit.,* 256. C. Greenleaf, *op. cit.,* 18.
(68) E. R. Forrest, *op. cit.,* 257. C. Greenleaf, *op. cit.,* 19-20.
(69) C. Greenleaf, *op. cit.,* 20-1.
(70) Idem, 21-2.
(71) Idem, 22.
(72) E. R. Forrest, *op. cit.,* 258.
(73) B. L. Fontana, *op. cit.,* 3. E. R. Forrest, *op. cit.,* 232.

(74) W. Beck, *op. cit.*, 51.
(75) Frank J. Tuck: "History of Mining in Arizona", 3.
(76) T. G. Chapman: "The Mineral Industries of Arizona", 5.
(77) Idem, 5.
(78) F. J. Tuck, *op. cit.*, 4.
(79) E. R. Forrest, *op. cit.*, 234-9.

PARTE QUINTA

(1) Páginas 84 y 85 de esta obra.
(2) J. Gunther: "Inside USA", 123. A. B. Guthrie, Jr.: "Idaho". American Panorama. Parte segunda, 114. H. L. Davis: "Oregon". American Panorama. Parte segunda, 79. E. Pomeroy: "The Pacific Slope", 6.
(3) A. B. Guthrie, *op. cit.*, 114.
(4) Robert Laxalt: "Basque Shepherders, lonely sentinels...", 881.
(5) Información facilitada al autor por Bonifacio Garmendia, en carta de 3-2-65. Rafael Ossa Echaburu: "Pastores y pelotaris vascos en U. S. A.", 49 y siguientes.
(6) Adolfo Echevarría, en Idaho, invitado por los pastores vascos. "El Correo Español"-"El Pueblo Vasco", 4-2-62 y 7-2-62.
(7) Idem, 7-2-62.
(8) Idem, 7-2-62, 9-2-62, 10-2-62.
(9) Idem, 10-2-62. R. Ossa E., *op. cit.*, 71 y siguientes.
(10) Idem, 14-2-62. R. Laxalt, *op. cit.*, 884-5. R. Ossa E., *op. cit.*, 82-4.
(11) Diario "A B C", 20-10-67, 66.
(12) A. Echevarría, *op. cit.*, 7-2-62.
(13) Idem, 15-2-62.
(14) R. Laxalt, *op. cit.*, 881.

CAPÍTULO PRIMERO: COLORADO

(1) Debs Myers: "Colorado". American Panorama. Parte segunda, 184.
(2) B. De Voto: "The Course of Empire", 288.
(3) Harold L. Haney: "The Colorado Capitol Building" Col. Dept. of Public Relations. Denver.
(4) Página 416 de esta obra.
(5) "The Denver Art Museum. A Guide to the collection". Denver, 1965. Página 490 de esta obra.
(6) Caroline Bancroft: "Colorful Colorado", 36-40.
(7) Noley Mumey. "History of the Early Settlements of Denver", 23.
(8) Idem, 29.
(9) J. Gunther, *op. cit.*, 242.
(10) D. Myers, *op. cit.*, 185.
(11) Idem, 185-6.
(12) "Colorful Colorado. A condensed history, compiled by the State Historical Society of Colorado". Denver, 1965.
(13) Idem. Leroy R. Hafen: "Fort Vasquez". The State Historial Society o Colorado. Denver, 1964, 1-11.
(14) Valerie Moolman: "U. S. Commemorative Stamps", 15-6.
(15) C. Bancroft, *op. cit.*, 16-7.
(16) "Colorful Colorado: A condensed...".
(17) D. Myers, *op. cit.*, 183.
(18) Idem, 191. Folleto turístico "Aspen".
(19) D. Myers, *op. cit.*, 192-3.
(20) Hubert Howe Bancroft: "History of Nevada, Colorado and Wyoming", 339.
(21) Idem, 339. B. De Voto, *op. cit.*, 288.
(22) Alfred B. Thomas "Spanish Expeditions in Colorado", 11.
(23) H. H. Bancroft, *op. cit.*, 339.
(24) A. B. Thomas, *op. cit.*, 11.

(25) Idem, 11.
(26) Idem, 14. H. E. Bolton: "Escalante Strikes for California", 288-300 (véase P. Bannon: "Bolton...").
(27) H. H. Bancroft, op. cit., 339.
(28) A. B. Thomas, op. cit., 12.
(29) H. H. Bancroft, op. cit., 339.
(30) A. B. Thomas, op. cit., 12-3.
(31) H. H. Bancroft, op. cit., 339.
(32) A. B. Thomas, op. cit., 13.
(33) Idem, 13. H. H. Bancroft, op. cit., 339.
(34) C. Bancroft, op. cit., 11-2.
(35) Idem, 66. Florence E. Whittier: "The Grave of Chief Ouray", 313-9. S. F. Stacher: "Ouray and the Utes", 134-40.
(36) C. Bancroft, op. cit., 7-8. D. Myers, op. cit., 195-6.
(37) A. B. Thomas, op. cit., 4-5.
(38) Nolei Mumey, op. cit., 23.
(39) A. B. Thomas, op. cit., 5-6. Glen H. Phillips: "Colorado. Your State and Mine", 57.
(40) J. M. Espinosa: "Journal of the Vargas Expedition into Colorado, 1964", 81-90.
(41) Idem, 90.
(42) Ralph C. Taylor: "Colorado. South of the Border", 533.
(43) A. B. Thomas, op. cit., 6.
(44) Idem, 6-7. "Guide of Nebraska", 45.
(45) A. B. Thomas, op. cit., 7-8. G. H. Phillips, op. cit., 57.
(46) A. B. Thomas, op. cit., 8-11. W. Beck: "New Mexico", 97-9. P. Horgan: "Great River", 337.
(47) A. B. Thomas, op. cit., 14. R. C. Taylor, op. cit., 62, 530. C. Bancroft, op. cit., 16.
(48) A. B. Thomas: "San Carlos on the Arkansas River, 1787", 79-81.
(49) Idem, 81-3.
(50) Idem, 83-5.
(51) C. F. Lummis: "Los exploradores del siglo XVI", 97.
(52) C. Bancroft, op. cit., 32. O. M.: "History of the Parish of San Luis, Co.", 1.
(53) C. Bancroft, op. cit., 31. O. M., op. cit., 1-2.
(54) C. Bancroft, op. cit., 31-3.
(55) Chauncey Thomas: "The Spanish fort in Colorado, 1819", 81-5.
(56) R. C. Taylor, op. cit., 533.
(57) Folleto "Bloom Mansion and Old Baca House". The State Historical Society of Colorado.
(58) Idem.
(59) Víctor Samaniego: "Madrid-U. S. A.". Diario PUEBLO (Madrid), 19-8-65, 21.
(60) R. C. Taylor, op. cit., 533.
(61) Idem, 533.
(62) Dorothy P. Shaw and Janet Shaw Le Compte: "Huerfano Butte", 81-4.
(63) C. Bancroft, op. cit., 13.
(64) R. C. Taylor, op. cit., 23.
(65) C. Bancroft, op. cit., 34.
(66) Páginas 416, 477 y 489 de esta obra.
(67) C. Bancroft, op. cit., 33-4. R. C. Taylor, op. cit., 530.
(68) C. Bancroft, op. cit., 17-8.
(69) R. C. Taylor, op. cit., 132.
(70) "Colorful Colorado:...".
(71) Página 477 de esta obra.

CAPÍTULO II: NEVADA Y UTAH

(1) R. Cartier: "Las 50 Américas", 110.
(2) Idem, 111-2.
(3) Rufus Wood Leigh: "Nevada Place Names", 1.
(4) Lucius Beebe: "Nevada". American Panorama. Parte segunda, 160-1.

(5)   R. Cartier, *op. cit.*, 112. R. Ossa Echaburu: "Pastores y pelotaris vascos en USA", 59 y siguientes.
(6)   L. Beebe, *op. cit.*, 155-6.
(7)   R. Cartier, *op. cit.*, 112-8.
(8)   Guillermo Díaz Plaja: "Con variado rumbo", 126-8.
(9)   R. W. Leigh, *op. cit.*, 122.
(10) Leroy R. Hafen: "Armijo's Journal", 120-31.
(11) L. Beebe, *op. cit.*, 163.
(12) R. W. Leigh, *op. cit.*, 2.
(13) Idem, 3, 14.
(14) Dom Ashbaugh: "Nevada's Tubulent Yesterday", 47, 49. Alvaro del Portillo: "Descubrimientos en California", 149-52.
(15) D. Ashbaugh, *op. cit.*, 49. H. H. Bancroft: "The works of... History Nevada", 27.
(16) D. Ashbaugh, *op. cit.*, 49.
(17) Idem, 49.
(18) Información facilitada al autor por Bonifacio Garmendia, en carta de 3-2-65.
(19) Idem.
(20) Diario "Chicago Tribune", 19-2-62.
(21) A. Echevarría: Artículos en "El Correo Español-El Pueblo Vasco", 13-2-62.
(22) R. Laxalt: "Basque Shepherders...", 872.
(23) Idem, 881. A. Echevarría, *op. cit.*, 10-2-62.
(24) R. Laxalt, *op. cit.*, 882.
(25) Idem, 882.
(26) A. Echevarría, *op. cit.*, 13-2-62.
(27) R. Laxalt, *op. cit.*, 870.
(28) Idem, 880, 883.
(29) Idem, 887.
(30) A. Echevarría, *op. cit.*, 6-2-62.
(31) R. Laxalt, *op. cit.*, 880.
(32) R. W. Leigh, *op. cit.*, 23-135.
(33) Samuel W. Taylor: "Utah". American Panorama. Parte segunda, 169.
(34) Idem, 168-70, 175-6.
(35) Idem, 167, 169.
(36) R. Cartier, *op. cit.*, 134 y siguientes.
(37) Por ejemplo, la obra de Thomas F. O'Dea, "The Mormons".
(38) R. Cartier, *op. cit.*, 128-30.
(39) Página 258 de esta obra.
(40) R. Cartier, *op. cit.*, 126-7, 131.
(41) Idem, 136-7.
(42) Idem, 133-5.
(43) Idem, 125, 135-6. S. W. Taylor, *op. cit.*, 171-2.
(44) Wain Sutton: "Utah, a Centennial history". Vol. I, 8.
(45) Idem, 10.
(46) J. Marinus Jensen: "History of Provo, Utah", 17.
(47) Idem, 17.
(48) Lorenzo Reid: "Brigham Young's Dixie of the Desert", 13.
(49) J. M. Jensen, *op. cit.*, 17.
(50) Idem, 17.
(51) Idem, 17.
(52) L. Reid, *op. cit.*, 13.
(53) Idem, 13.
(54) J. M. Jensen, *op. cit.*, 17.
(55) Wain Sutton, *op. cit.*, vol. II, 805.
(56) Idem, vol. I, 34. Luis A. Bolín: "Parques Nacionales Norteamericanos", 102.
(57) W. Sutton, vol. II, 805. L. A. Bolín, *op. cit.*, 110.
(58) "Sights and Scenes". Omaha. Nebr. 1892.
(59) W. Sutton, *op. cit.*, vol. I, 5.
(60) Gustine O. Larson: "Outline History of Utah", 3.
(61) Idem, 3.
(62) W. Sutton, *op. cit.*, vol. I, 11.

(63) L. R. Hafen: "Fort Vasquez", 2.
(64) Idem, 10.
(65) A. Echevarría, *op. cit.*, 13-2-62.

Capítulo III: WYOMING, MONTANA E IDAHO

(1) Hamilton Basso: "Wyoming". American Panorama. Parte segunda, 144.
(2) Idem, 135.
(3) Idem, 142.
(4) Idem, 136.
(5) Idem, 136.
(6) Idem, 137.
(7) Idem, 137.
(8) Idem, 143, 147-52.
(9) Idem, 146.
(10) Idem, 142.
(11) Idem, 138.
(12) Idem, 148.
(13) Idem, 133.
(14) H. H. Bancroft: "The works of... vol. XXV: History of Nevada, Colorado and Wyoming", 672.
(15) Idem, 672.
(15 b) Jordana y Morera: Curiosidades naturales de los Estados Unidos, 88.
(16) Bruce H. Nicoll: "Know Nebraska", 59-60.
(17) Leroy R. Hafen, *op. cit.*, 10-11.
(18) Idem, 1-2.
(19) R. Cartier, *op. cit.*, 150.
(20) A. B. Guthrie, Jr.: "Montana". American Panorama. Parte segunda 117 y siguientes.
(21) Idem, 117-8.
(22) Idem, 122-5. R. Cartier, *op. cit.*, 148-50.
(23) A. B. Guthrie, *op. cit.*, 122-3.
(24) Idem, 125.
(25) R. Cartier, *op. cit.*, 145-7.
(26) A. B. Guthrie, *op. cit.*, 118.
(27) Idem, 128.
(28) Idem, 120, 128-9.
(29) Idem, 120.
(30) Idem, 128.
(31) R. Cartier, *op. cit.*, 142.
(32) A. B. Guthrie, *op. cit.*, 130.
(33) Idem, 126-7.
(34) Newton C. Abbott: "Montana in the making", 49.
(35) "Montana Margins. A State Anthology", 508-10.
(36) N. C. Abbott, *op. cit.*, 199.
(37) Idem, 216.
(38) "Montana. A State Guide Book", 40.
(39) D. Meyer: "The Heritage of Missouri", 71, 80.
(40) H. E. Bolton: "Defensive Spanish Expansión...", 48 (véase P. Bannon: "Bolton...").
(41) A. B. Guthrie, Jr.: "Idaho". American Panorama. Parte segunda, 101.
(42) Idem, 114.
(43) Idem, 112.
(44) Idem, 106-8.
(45) Idem, 109-10, 102.
(46) Idem, 102.
(47) Idem, 103-4.
(48) Idem, 105-6.
(49) Idem, 111.
(50) Idem, 104-5.
(51) Idem, 102-4.

654

(52) Idem, 104.
(53) Idem, 112. Echevarría, *op. cit.,* 15-2-62.
(54) Información facilitada al autor por Bonifacio Garmendia, en 3-2-65.
(55) Idem. A. Echevarría, *op. cit.,* 4-2-62, 11-2-62.
(56) A. Echevarría, *op. cit.,* 4-2-62. R. Ossa Echaburu, *op. cit.,* 63 y siguientes.
(57) Información facilitada al autor por Bonifacio Garmendia, en 3-2-65.
(58) Información facilitada al autor por Bonifacio Garmendia, en 3-2-65.
(59) A. Echevarría, *op. cit.,* 13-2-62.
(60) Idem, 5-2-62.
(61) Idem, 13-2-62.
(62) Idem, 8-2-62.
(63) Idem, 13-2-62.
(64) Idem, 11-2-62. Información facilitada al autor por Bonifacio Garmendia, en 3-2-65.
(65) A. Echevarría, *op. cit.,* 4-2-62, 9-2-62, 13-2-62.
(66) Idem, 7-2-62, 9-2-62.

PARTE SEXTA

CAPÍTULO PRIMERO: CALIFORNIA

(1) R. Cartier: "Las 50 Américas", 30-1. Irving Stone: "California". American Panorama. Parte segunda, 37.
(2) I. Stone, *op. cit.,* 35.
(3) R. Cartier, *op. cit.,* 30-4. I. Stone, *op. cit.,* 41-2. William Graves: "California. The Golden Magnet". National Geographic Magazine. Vol. 129, may 1966, 595-681.
(4) Alvaro del Portillo: "Descubrimientos en California", 121.
(5) Idem, 123.
(6) Idem, 126-7.
(7) I. Stone, *op. cit.,* 39.
(8) A. del Portillo, *op. cit.,* 113-21.
(9) Vicente Blasco Ibáñez: "La Reina Calafia". Obras completas, vol. III, 151-255.
(10) Por ejemplo, Earl Pomeroy: "The Pacific Slope", 6-7.
(10 b) A. Maurois: Historia de los Estados Unidos, 1160.
(11) E. Pomeroy, *op. cit.,* 9. A. del Portillo, *op. cit.,* 23.
(12) D. Van Every: "Ark of Empire", 216-9. Artículo "Bodega y Quadra", del Diccionario de Historia de España. Revista de Occidente.
(13) E. Pomeroy, *op. cit.,* 10-11.
(14) María Luis Ramos-Catalina: "Expediciones científicas a California", 228-9.
(15) R. Cartier, *op. cit.,* 28.
(16) A. del Portillo, *op. cit.,* 23-4. Edna Deu Pree Nelson: "The California Dons", 20-1.
(17) A. del Portillo, *op. cit.,* 25-6.
(18) Revista MUNDO HISPANICO, n.º 236, nov. 1967, 58.
(19) Mario Hernández Sánchez-Barba: "La última expansión española en América", 262. E. D. Pree Nelson, *op. cit.* Charles Howard Shinn: "Pioneer Spanish Families of California", 1-14.
(21) V. Blasco Ibáñez, *op. cit.,* 182.
(22) Harry J. Byrne: "The Financial Structure of the Church in the United States", en "Catholic Church in USA", por L. Putz, 95-6. D. Pree Nelson, *op. cit.,* 210-3. José Sanz y Díaz: "Fray Junípero Serra", 24.
(23) Francis J. Weber: "California's Reluctant Prelate". Antonio Gómez Robledo: "México y el Arbitraje Internacional". Edit. Porrúa, S. A., México, D. F. 1965. 407 páginas.
(24) Langdon Sully. "General Sully Reports", 57. E. Pomeroy, *op. cit.,* 21.
(25) Página 87 de esta obra. Guillermo Díaz Plaja: "Con variado rumbo", 119-22.
(26) Hoja "El Camino Real Bell Guide-post", editada por California Bell Co, P. O. Box 271, La Canada, Calif., S. L. Millard Rosenberg: "Huellas de España en el Estado de California", 17.
(27) Ralph B. Wright: "California's Missions", 30-1.
(28) "California Mission Trails". "Holiday Inn Magazine", jan. 1965, 3-5.
(29) M. L. Ramos-Catalina, *op. cit.,* 222. A del Portillo, *op. cit.,* 155. "Cabrillo National

Monument". Folleto editado por el National Park Service. Alfonso Orantes: "Un Juan Rodríguez Cabrillo", 11-4.

(30) Idem. Folleto. Abraham Nasatir: "Juan Rodríguez Cabrillo", 3-12. "Cabrillo National Monument". Revista TOROS, jan. 1965, 11-15.

(31) William A. Naughton: "¿Qué dicen los nombres geográficos?", 28.

(32) A. del Portillo, *op. cit.*, 196-7.

(33) Idem, 190-1.

(34) Idem, 167-74.

(35) Idem, 191-6.

(36) Idem, 197.

(37) M. Hernández S. B., *op. cit.*, 266-9. R. P. Wright, *op. cit.*, 8, 9. E. D. Pree Nelson, *op. cit.*, 8-9.

(38) Diario A B C, 11-3, 17-6 y 22-6-67, respectivamente, 52, 65, 76 y 6-4-69, 21. Diario "Arriba", 9-4-69.

(39) M. Hernández S. B. *op. cit.*, 269-71. E. D. Pree Nelson, *op. cit.*, 9-11, 27-42. V. Blasco Ibáñez, *op. cit.*, 180-1.

(40) R. P. Wright, *op. cit.*, 13.

(41) M. Hernández S. B., *op. cit.*, 271. E. D. Pree Nelson, *op. cit.*, 11, 43-4. Omer Englebert: "Fray Junípero Serra", 97 y siguientes.

(42) M. Hernández S. B., *op. cit.*, 271. E. D. Pree Nelson, *op. cit.*, 11-2, 44-7.

(43) J. Sanz y Díaz, *op. cit.*, 34.

(44) E. D. Pree Nelson, *op. cit.*, 48-52.

(45) Idem, 53-7. R. P. Wright, *op. cit.*, 14. O. Englebert, *op. cit.*, 218 y siguientes.

(46) E. D. Pree Nelson, *op. cit.*, 55-61, 65. R. P. Wright, *op. cit.*, 14-5.

(47) E. D. Pree Nelson, *op. cit.*, 66.

(48) Idem, 121-6, 129-49.

(49) R. P. Wright, *op. cit.*, 15.

(50) "Southern California", Sunset Discovery Book, 6, 12.

(51) "The Royal Presidio of San Diego", en "Despacho del Presidio de San Diego". Official Newsletter of the San Diego Historical Society, febrero 1965, 1-2.

(52) "Southern California", 12-3. S. T. Williams: "La huella de España en la literatura norteamericana", 318.

(53) "Southern California", 6-11, 14.

(54) Idem, 13.

(55) En el Apéndice D2 puede verse la dirección de esta Revista.

(56) "Southern California, 22-8.

(57) E. D. Pre Nelson, *op. cit.*, 84-97. H. E. Bolton: "Juan Bautista de Anza, Borderlands Frontierman", 281-7 (véase P. Bannon: "Bolton...").

(58) R. P. Wright, *op. cit.*, 81-3. R. Valentine Healy: "Father O'Keefe: Rebuilder of Mission San Luis Rey", 15-25.

(59) P. R. Wright, *op. cit.*, 37.

(60) Idem, 37-9.

(61) "Southern California", 48-51. "Walt Disney's Guide to Disneyland". Walt Disney Productions, 1963.

(62) E. D. Pree Nelson, *op. cit.*, 30.

(63) "Southern California", 33. E. D. Pree Nelson, *op. cit.*, 62-3, 71, 120, 159, 160.

(64) "Southern California", 34.

(65) Francis Weber: "California's Reluctan Prelate". "Catholicity in the Archidocese of Los Angeles". Folleto publicado por los "Chancery Archives". Los Angeles sin fecha.

(66) "Southern California", 34-5.

(67) Folleto conmemorando el CCL aniversario del nacimiento del P. Junípero Serra, publicado por el Senado del Estado de California, 1963.

(68) E. D. Pree Nelson, *op. cit.*, 159-61.

(69) Carta de E. Toda, publicada en "Los Angeles Times", 22-11-64.

(70) R. Cartier, *op. cit.*, 48-9.

(71) Idem, 50-2.

(72) Idem, 52-5.

(73) V. Blasco Ibáñez, *op. cit.*, 206-7.

(74) R. Cartier, *op. cit.*, 55-65. I. Stone, *op. cit.*, 48-9. "Southern California", 40-1.

(75) "Southern California", 35-6.

(76)   S. L. M. Rosenberg, *op. cit.*, 17.
(77)   "Southern California", 37.
(78)   Idem, 38-41.
(79)   Página 71 y Apéndice C1 de esta obra.
(79 b) A. Fernández Cid: La música en los Estados Unidos, 103-112.
(80)   A. del Portillo, *op. cit.*, 197. A. P. Nasatir, *op. cit.*, 9. A. Naughton, *op. cit.*, 28.
(81)   Diario A B C, 21-10-65.
(82)   R. P. Wright, *op. cit.*, 25-6. E. D. Pree Nelson, *op. cit.*, 97-110.
(83)   R. P. Wright, *op. cit.*, 26-7.
(84)   Folleto "La Fiesta de San Gabriel", 4-5-6 sept. 1965", San Gabriel Mission.
(85)   R. P. Wright, *op. cit.*, 77-9.
(86)   "Southern California", 54-8.
(87)   R. P. Wright, *op. cit.*, 45-6. E. D. Pree Nelson, *op. cit.*, 67-8.
(88)   R. P. Wright, *op. cit.*, 46-7. Charles Hillinger: "Lost Mission Search". Diario "Los An-
       geles Times". Part II, july 13, 1964.
(89)   A. Naughton, *op. cit.*, 28. E. D. Pree Nelson, *op. cit.*, 66-7.
(90)   E. D. Pree Nelson, *op. cit.*, 68-70, 72, 78-9. R. P. Wright, *op. cit.*, 49.
(91)   R. P. Wright, *op. cit.*, 49-51.
(92)   Véase la Bibliografía.
(93)   José Sanz y Díaz: "Fray Junípero Serra", 45-6.
(94)   S. T. Williams, *op. cit.*, 137.
(95)   E. D. Pree Nelson, *op. cit.*, 166-76.
(96)   "Southern California", 70-2.
(97)   Folleto "Santa Barbara County Court House".
(98)   "Southern California", 74.
(99)   A. Nasatir, *op. cit.*, 9. A. del Portillo, *op. cit.*, 155-6. M. L. Ramos-Catalina, *op. cit.*,
       222.
(100) "Southern California", 76.
(101) Idem, 76. R. P. Wright, *op. cit.*, 86-7.
(102) R. P. Wright, *op. cit.*, 85-6.
(103) Idem, 53-5.
(104) E. D. Pree Nelson, *op. cit.*, 32-3. R. P. Wright, *op. cit.*, 29.
(105) R. P. Wright, *op. cit.*, 29. "Southern California", 84.
(106) R. P. Wright, *op. cit.*, 30-1. E. D. Pree Nelson, *op. cit.*, 211-3.
(107) "Southern California", 86-9.
(108) A. Naughton, *op. cit.*, 28. E. D. Pree Nelson, *op. cit.*, 34-7.
(109) "Southern California", 90-4.
(110) Por ejemplo, Gladwin Hill: "Mexican Farmhands in California". Diario «The New
       York Times", 17-1-65, 771.
(111) "Southern California", 95-114.
(112) R. P. Wright, *op. cit.*, 73-5.
(113) Idem, 21-3. José Sanz y Díaz, *op. cit.*, 31-2.
(114) R. P. Wright, *op. cit.*, 61-3. "Norther California", Sunset Travel Book, 35-6.
(115) "Nouthern California", 38. A. Naughton, *op. cit.*, A. del Portillo, *op. cit.*, 197-8.
(116) E. D. Pree Nelson, *op. cit.*, 40-1, 44-7. "Northern California", 38. R. P. Wrihgt, *op. cit.*,
       17.
(117) E. D. Pree Nelson, *op. cit.*, 12-3, 50-1. R. P. Wright, *op. cit.*, 17.
(118) E. D. Pree Nelson, *op. cit.*, 17-8.
(119) Idem, 18-9, 101-10.
(120) Idem, 112-5.
(121) Idem, 61-2, 118, 130.R. P. Wright, *op. cit.*, 17-8.
(122) E. D. Pree Nelson, *op. cit.*, 68, 121, 131-2.
(123) R. P. Wright, *op. cit.*, 18. E. D. Pree Nelson, *op. cit.*, 131-2.
(124) Véase Bibliografía. Omer Englebert, *op. cit.*, 373-5.
(125) José Sanz y Díaz: "Fray Junípero Serra", 50. O. Englebert, *op. cit.*, 363-4.
(126) J. Sanz y Díaz, *op. cit.*, 51.
(127) Página 151 de esta obra. J. Sanz y Díaz, *op. cit.*, 51, 53. Englebert, *op. cit.*, 375-6.
(128) Diario A B C, 3-12-1966.
(129) J. Sanz y Díaz, *op. cit.*, 51.
(130) Idem, 53.

(131)   Prensa española de dichas fechas.
(132)   E. D. Pree Nelson, *op. cit.*, 132-41.
(133)   Idem, 73-6.
(134)   R. P. Wright, *op. cit.*, 57.
(135)   E. D. Pree Nelson, *op. cit.*, 168-71.
(136)   Idem, 207-9.
(137)   Langdon Sully: "General Sully Reports", 56, 58.
(138)   E. D. Pree Nelson, *op. cit.*, 132-41.
(139)   Idem, 40-5. Sam Beal: "The Monterey Peninsula", 41-5.
(140)   R. P. Wright, *op. cit.*, 18-9.
(141)   "Northern California", 43-4.
(142)   R. P. Wright, *op. cit.*, 69-71.
(143)   "Northern California", 32-5.
(144)   S. Beal, *op. cit.*, 42.
(145)   R. P. Wright, *op. cit.*, 57-9. "Northern California", 30.
(146)   R. P. Wright, *op. cit.*, 41-3.
(147)   E. D. Pree Nelson, *op. cit.*, 19, 63, 118.
(148)   R. P. Wright, *op. cit.*, 65.
(149)   Idem, 65-7. E. D. Pree Nelson, *op. cit.*, 230-6.
(150)   "Northern California", 28.
(151)   A. Echevarría, artículo en «El Correo Español». «El Pueblo Vasco», 10-2-62.
(152)   "Northern California", 27.
(153)   Idem, 26.
(154)   B. De Voto, *op. cit.*, 286.
(155)   E. D. Pree Nelson, *op. cit.*, 39-40.
(156)   Idem, 18-9, 108-10.
(157)   Idem, 110-15.
(158)   Idem, 115-7.
(159)   Idem, 117-8.
(160)   R. P. Wright, *op. cit.*, 33-5.
(161)   E. D. Pree Nelson, *op. cit.*, 189-90.
(162)   Idem, 190-2. Página 60 de esta obra.
(163)   V. Blasco Ibáñez, *op. cit.*, 186-9.
(164)   S. T. Williams, *op. cit.*, 541.
(165)   E. D. Pree Nelson, *op. cit.*, 192-3, 197-206, 214-7.
(166)   V. Blasco Ibáñez, *op. cit.*, 185-6.
(167)   "Northern California", 6 y siguientes. R. Cartier, *op. cit.*, 43-4.
(168)   R. Cartier, *op. cit.*, 45-7. V. Blasco Ibáñez: "La vuelta al mundo de un novelista",
         398-400.
(169)   "Northern California", 7-8.
(170)   R. Cartier, *op. cit.*, 35-6.
(171)   "Northern California", 8-14.
(172)   V. Blasco Ibáñez, *op. cit.*, 398.
(173)   Idem, 398.
(174)   "Spanish Newsletter", 28-2-65. "Spain", 28-2-65.
(175)   "Northern California", 15, 47-8.
(176)   R. P. Wright, *op. cit.*, 89-91.
(177)   Idem, 93.
(178)   Idem, 93-4.
(179)   "Northern California", 54. E. D. Pree Nelson, *op. cit.*, 221-74. I. Stone, *op. cit.*, 40-1.
(180)   "Northern California", 55.
(181)   Idem, 19-21.
(182)   S. T. Williams, *op. cit.*, parte primera, 230-3.
(183)   Idem, 235-8, 501.
(184)   "Northern California", 93-4. I. Stone, *op. cit.*, 38.
(185)   Idem, 94.
(186)   Idem, 89-91. I. Stone, *op. cit.*, 49-50.
(187)   "Northern California", 92.
(188)   R. Cartier, *op. cit.*, 31, 41. E. Pomeroy, *op. cit.*, 37-54.
(189)   C. F. Lummis: "Los exploradores del siglo XVI", 98.

(190) "Northern California", 100-6.
(191) Idem, 107-25. I. Stone, *op. cit.*, 52-3.
(192) "Northern California", 68-88.
(193) "Northern California", 50-2. M. L. Ramos-Catalina, *op. cit.*, 223.
(194) "Northern California", 52-3, 60-7.
(195) A. del Portillo, *op. cit.*, 156. M. L. Ramos-Catalina, *op. cit.*, 222. A. Nasatir, *op. cit.*, 9.
(196) A. del Portillo, *op. cit.*, 199-200.
(197) "Northern California", 63-7.
(198) M. L. Ramos-Catalina, *op. cit.*, 243-57. Javier de Ybarra: "De California a Alaska", 47-8.

CAPÍTULO II: OREGON Y WASHINGTON

(1)   R. Cartier: "Las 50 Américas", 75.
(2)   Idem, 75-6.
(3)   H. L. Davis: "Oregon". American Panorama. Parte segunda, 58.
(4)   R. Cartier, *op. cit.*, 77-80.
(5)   H. L. Davis, *op. cit.*, 74-5.
(6)   Idem, 77-8.
(7)   Idem, 60-1, 75.
(8)   R. Cartier, *op. cit.*, 86.
(9)   Idem, 86.
(10)   Página 80 de esta obra.
(10 b) A. Maurois, *op. cit.*, 1687.
(11)   Sidono V. Johnson: "History of Oregon", 50.
(12)   M. L. Ramos-Catalina: "Expediciones científicas a California", 222. A. del Portillo, *op. cit.*, 152-6.
(13)   A. del Portillo, *op. cit.*, 156. Jack Sutton: "The pictorial History of Southern Oregon", 16. Chester O. Babcock: "Our Pacific Northwest", 4.
(14)   M. L. Ramos-Catalina, *op. cit.*, 223. "Northern California", 50.
(15)   A. del Portillo, *op. cit.*, 200.
(16)   Idem, 200. A. Naughton, *op. cit.*, 28.
(17)   J. Sutton, *op. cit.*, 16.
(18)   A. Naughton, *op. cit.*, 28. J. Sutton, *op. cit.*, 16. A. del Portillo, *op. cit.*, 200. Chester O. Babcock, *op. cit.*, 4. Lewis A. McArthur: "Oregon Place Names", 99.
(19)   A. del Portillo, *op. cit.*, 200.
(20)   Páginas 518-19 de esta obra. Mario Hernández Sánchez-Barba: "La última expansión española en América", 286-8.
(21)   C. O. Babcock, *op. cit.*, 9. M. Hernández S. B., *op. cit.*, 298-300.
(22)   C. O. Babcock, *op. cit.*, 10.
(23)   M. L. Ramos-Catalina, *op. cit.*, 230.
(24)   Javier de Ybarra, *op. cit.*, 37-66. M. Hernández S. B., *op. cit.*, 300-1.
(25)   B. De Voto: "The Course of Empire", 287. Artículo "América del Norte, Los españoles en", Diccionario de Historia de España, "Revista de Occidente". C. O. Babcock, *op. cit.*, 9. Philip H. Parrish: "Before the covered wagon", 61.
(26)   E. Pomeroy, *op. cit.*, 12.
(27)   Artículo "Bodega y Quadra, Juan Francisco de la", Diccionario de Historia de España, "Revista de Occidente".
(28)   H. L. Davis, *op. cit.*, 79.
(29)   Información facilitada al autor por Bonifacio Garmendia, en carta de 3-2-65.
(30)   A. Echevarría, artículo en "El Correo Español" – "El Pueblo Vasco", 13-2-62.
(31)   J. Sutton, *op. cit.*, 16.
(32)   Página 147 de esta obra. Nard Jones: "Washington". American Panorama. Parte segunda, 94.
(33)   N. Jones, idem, 82.
(34)   Idem, 87, 89, 93, 97.
(35)   Idem, 86, 89, 92, 95.
(36)   Idem, 86-8. R. Cartier, *op. cit.*, 77-83.
(37)   N. Jones, *op. cit.*, 97. Road Atlas Rand McNally, 42nd edition, p. 86.

(38) Idem, 95-6. R. Cartier, *op. cit.*, 89-91.
(39) Artículo "Fuca, Jnan de", Diccionario de Historia de España, "Revista de Occidente".
(40) Páginas 518-19 y 566-7 de esta obra.
(41) C. O. Babcock, *op. cit.*, 10.
(42) Idem, 9. Luis A. Bolín: "Parques Nacionales Norteamericanos", 109.
(43) C. O. Babcock, 10.
(44) Idem, 9.
(45) P. H. Parrish, *op. cit.*, 56.
(46) J. de Ybarra, *op. cit.*, 50-2.
(47) Idem, 54. M. Hernández S. B., *op. cit.*, 302.
(48) J. de Ybarra, *op. cit.*, 56-7.
(49) Nota 25 de este capítulo.
(50) Fernando Olivié: "Canadá. Una Monarquía americana", 114.
(51) J. de Ybarra, *op. cit.*, 168. L. Mariñas Otero: El incidente de Nutka, 351-352.
(52) M. Hernández S. B., *op. cit.*, 294-6, 303-4. J. de Ybarra, *op. cit.*, 110-3. L. Mariñas Otero, *op. cit.*, 353-361.
(53) "British Columbia. A Centennial Anthology", 50.
(54) P. H. Parrish, *op. cit.*, 86-101. David Lavender: "Land of Giants", 31-9. L. Mariñas Otero, *op. cit.*, 364-371, 389-394.
(55) J. de Ybarra, *op. cit.*, 169-76. L. Mariñas Otero, *o. cit.*, 397-403.
(56) Véase la reproducción que aparece en la contraportada del libro aludido en la anterior nota número 53. L. Mariñas Otero, *op. cit.*, 401-402.
(57) Diario A B C, 20-7-66, 63.
(58) J. de Ybarra, *op. cit.*, 174-7.
(59) J. de Ybarra, *op. cit.*, 177. L. Mariñas Otero, *o. cit.*, 403-405.
(60) Lewis A. McArthur: "Oregon Place Names", 101.

PARTE SEPTIMA

Capítulo único: ALASKA, HAWAII, MAS EL TERRITORIO DE GUAM

(1)   Carta del P. Segundo Llorente, S. J. a Emb. de España, 6-9-62.
(2)   Mario Hernández Sánchez-Barba: "La última expansión española en América", 286.
(3)   James Warner Bellah: "Alaska". American Panorama. Parte segunda. 7. Ernest Gruening: "Alaska, The 49th State", 13.
(4)   R. Cartier, *op. cit.*, 93-4. J. W. Bellah, *op. cit.*, 5, 8. Gruening, *op. cit.*, 4.
(5)   E. Gruening, *op. cit.*, 4-5, 14.
(6)   Idem, 14-6.
(7)   Folleto "Alaskan Comand", 9 y siguientes.
(8)   Idem, 9 y siguientes. E. Gruening, *op. cit.*, 16.
(9)   E. Gruening, *op. cit.*, 3. R. Cartier, *op. cit.*, 107.
(10) E. Gruening, *op. cit.*, 24-7.
(11) Folleto "Alaskan Comand", 9 y siguintes. E. Gruening, *op. cit.*, 9-10, 13. Cartier, *op. cit.*, 96-98.
(12) E. Gruening, *op. cit.*, 9. R. Cartier, *op. cit.*, 99-100.
(13) E. Gruening, *op. cit.*, 9-10, 28-9.
(14) Idem, 19-20. J. W. Bellah, *op. cit.*, 16.
(15) E. Gruening, *op. cit.*, 29.
(16) J. de Ybarra: "De California a Alaska", 74.
(17) M. Hernández, S. B., *op. cit.*, 297.
(18) Idem, 298-300. Luis Bolín: "Nombres españoles en las cartas de Alaska", 5-6. Philip H. Parrish: "Before the covered wagon", 53.
(19) Páginas 561, 567 y 571 de esta obra.
(20) M. Hernández S. B., *op. cit.*, 300-1. L. Bolín, *op. cit.*, 6.
(21) M. Hernández S. B., *op. cit.*, 301-2. P. H. Parrish, *op. cit.*, 100.
(22) D. Lavender: "Land of Giants", 15. J. de Ybarra, *op. cit.*, 37-66.
(23) M. Hernández S. B., *op. cit.*, 302-3. J. de Ybarra, *op. cit.*, 67-70.
(24) M. Hernández S. B., *op. cit.*, 303. L. Bolín, *op. cit.*, 6. J. de Ybarra, *op. cit.*, 71-84.
(25) M. Hernández S. B., *op. cit.*, 303. L. Bolín, *op. cit.*, 7. J. de Ybarra, *op. cit.*, 84-9.

(26) J. de Ybarra, *op. cit.*, 89-98.
(27) M. Hernández S. B., *op. cit.*, 303-4. L. Bolín, *op. cit.*, 9. L. Mariñas Otero: "El incidente de Nutka", 349.
(28) M. Hernández S. B., *op. cit.*, 304-5. L. Bolín, *op. cit.*, 9. J. de Ybarra, *op. cit.*, 122-3. L. Mariñas Otero, *op. cit.*, 363.
(29) M. Hernández S. B., *op. cit.*, 305. L. Bolín, *op. cit.*, 6. J. de Ybarra, *op. cit.*, 124-5.
(30) M. Hernández S. B., *op. cit.*, 305-6.
(31) E. Gruening, *op. cit.*, 13.
(32) Carta a Emb. de España del alcalde de Cordova, 14-2-1962.
(33) Carta a Emb. de España de uno de los miembros de la "Valdez Historical Society", 20-2-62.
(34) L. Bolín, *op. cit.*, 12-3.
(35) Idem, 12-3.
(36) V. Blasco Ibáñez: "La vuelta al mundo de un novelista", cap. X. libro I, 402.
(37) "The World Almanach 1965", 221.
(38) R. Cartier, *op. cit.*, 25-6.
(39) Frank J. Taylor: "Hawaii". American Panorama. Parte segunda, 19.
(40) R. S. Kuykendall: "The Hawaiian Kingdom". Cap. III, 29 y siguientes. F. J. Taylor, *op. cit.*, 25, 30. V. Blasco Ibáñez, *op. cit.*, 405, 422.
(41) V. Blasco Ibáñez, *op. cit.*, 406-7. R. Cartier, *op. cit.*, 11-3.
(42) F. J. Taylor, *op. cit.*, 29. V. Blasco Ibáñez, *op. cit.*, 412.
(43) R. Cartier, *op. cit.*, 15-6. V. Blasco Ibáñez, *op. cit.*, 412.
(44) R. Cartier, *op. cit.*, 16, 19. F. J. Taylor, *op. cit.*, 20.
(45) F. J. Taylor, *op. cit.*, 22. R. Cartier, *op. cit.*, 24-5.
(46) R. Cartier, *op. cit.*, 18-9. F. J. Taylor, *op. cit.*, 27.
(47) Grove Day: Artículo "Spain", en periódico "Honolulu Star Bulletin".
(48) V. Blasco Ibáñez, *op. cit.*, 405. C. Hartley Grattan: "The Southwest Pacific to 1900", 28.
(49) A. Mouritz: "The Spaniards in the Pacific", 72-3.
(50) W. D. Alexander: "The relations between the Hawaiian Islands and Spanish America in early times", 1. A. Mouritz, 73.
(51) A. Mouritz, *op. cit.*, 73-4.
(52) Idem, 74-5.
(53) W. D. Alexander, *op. cit.*, 2-3. V. Blasco Ibáñez, *op. cit.*, 404.
(54) A. Mouritz, *op. cit.*, 75.
(55) Idem, 75.
(56) Idem, 75-6. W. D. Alexander, *op. cit.*, 3.
(57) F. Montes Aguilera: "Alvaro de Mendaña... y Sarmiento de Gamboa. Diario A B. C. 6-12-67.
(58) A. Mouritz, *op. cit.*, 76-7. W. D. Alexander, *op. cit.*, 4.
(59) Artículo "Mendaña de Neira, Alvaro de", en Diccionario de Historia de España. "Revista de Occidente". C. H. Grattan, *op. cit.*, 5.
(60) Diario "The Nashville Tennessean", 7-9-64.
(61) Idem.
(62) Carlos Sanz: "Australia: its discovery and name". Dirección General de Relaciones Culturales. Madrid, 1964, III-IX.
(63) C. H. Grattan, *op. cit.*, 6. Artículo "Australia", en Diccionario de Historia de España. "Revista de Occidente".
(64) A. Mouritz, *op. cit.*, 77, 82.
(65) W. D. Alexander, *op. cit.*, 4-5.
(66) F. J. Taylor, *op. cit.*, 25, 26.
(67) W. D. Alexander, *op. cit.*, 3, 5-7.
(68) Idem, 7. A. Mouritz, *op. cit.*, 77-8.
(69) A. Mouritz, *op. cit.*, 78. W. D. Alexander, *op. cit.*, 7.
(70) R. S. Kuykendall, 20-1.
(71) Idem, Idem, 21. D. Billam-Walker: "A Spaniard looks at Hawaii". Periódico "Honolulu Star Bulletin", 30-10-1937.
(72) W. D. Alexander, *op. cit.*, 9.
(73) Idem, 9. Clarice B. Taylor: "Tales about Hawaii". Periódico "Honolulu Star Bulletin", 29-4-60.

(74)   W. D. Alexander, *op. cit.*, 9.
(75)   Información proporcionada al autor por el Dr. Walter Alvarez, en carta de 26-2-1965.
(76)   A. Mouritz, *op. cit.*, 78-9.
(77)   V. Blasco Ibáñez, *op. cit.*, 404. Grove Day: Artículo "Spain", en "Honolulu Star Bulletin".
(78)   V. Blasco Ibáñez, *op. cit.*, 421.
(79)   R. S. Kuykendall, *op. cit.*, 318. W. D. Alexander, *op. cit.*, 10-1. Curtis J. Lyons: "Traces of Spanish influence in the Hawiian Islands", 25-7. William W. Kraus: "The Portuguese and Spanish in Hawaii", 252.
(80)   W. W. Kraus, *op. cit.*, 254-60. Andrew W. Lind: "Hawaii's People", 30.
(81)   Información facilitada por el profesor Irving O. Pecker.
(82)   V. Blasco Ibáñez, *op. cit.*, 402-23.
(83)   Información facilitada por el profesor Irving O. Pecker.
(84)   Grove Day, *op. cit.*,
(85)   Información facilitada por el profesor Irving O. Pecker.
(86)   Grove Day, *op. cit.*,
(87)   Adelaide Harris: "Guam Beauties To Be Twin Stars...". Diario The Washington Post", 28-8-1964, F28 1.
(88)   Idem. Luis María Ansón: "La isla hispánica de Guam, en la actualidad". Diario A B C, 23-9-1967, 35.
(89)   Charles Beardsley: "Guam. Past and Present", 255-8. Bob Krauss: "Flavor of many lands". Diario "Honolulu Advertiser", 23-6-1965.
(90)   C. Beardsley, *op. cit.*, 146, fotografía número 3.
(91)   Alfonso de la Serna: "Cartas del Pacífico". Diario A B C, 8-12-1967.
(92)   Artículo "Guam" del Diccionario Enciclopédico Abreviado. España Calpe.
(93)   C. Beardsley, *op. cit.*, 29, 73-4, 110, 127.
(94)   Idem, 105-10.
(95)   Idem, 61-70.
(96)   Idem, 111-2.
(97)   Idem, 112-5.
(98)   Idem, 117-8.
(99)   Idem, 121-4. Alfonso de la Serna, *op. cit.*,
(100) C. Beardsley, *op. cit.*, 124-6.
(101) Idem, 126-33.
(102) Idem, 157-60.
(103) Idem, 168-9.
(104) Idem, 170-1.
(105) Idem, 136, 175-6.
(106) Idem, 136-56.
(107) Idem, 160-7.
(108) Idem, 177-87.
(109) Idem, 191-3.
(110) Idem, 194.

ABREVIATURAS Y SIGLAS [1]

AATSP: American Association of Teachers of Spanish and Portuguese.
Ac: Acuerdo.
Af: Africa.
ags: aguas termales.
Ala: Alabama.
Ale: Alemania.
Alk: Alaska.
Am: América.
Ar: Arizona.
Arg: Argentina.
Ariz: Arizona.
Ark: Arkansas.
As: Asia.
At: Atlántico (Océano).
at: a la atención de.
Aus: Australia.
Ave: Avenida.
ba: bahía.
BC: British Columbia.
Bel: Bélgica.
BID: Banco Interamericano de Desarrollo.
bldg: building (edificio).
blk: bloque o manzana.
Blvd: bulevar.
bo: boca (en mar).
bos: bosque.
bse: base naval.

C: Centro.
c: céntimo.
Ca: Caribe.
ca: cabo.
Cal: California.
cal: calle.
Calif: California.
cam: campamento.
Can: Canadá.
CIAP: Comité Interamericano de la Alianza para el Progreso.
Cir: Circle (Plaza).
cl: cala.
CN: Carolina del Norte.
cn: canal.
cnon: cañón (de montaña).
Co: Colorado.
co: condado.
Col: College.
col: colina.
Colo: Colorado.
Colom: Colombia.
Con: Connecticut.
Conn: Connecticut.
cor: corriente.
CSIC: Consejo Superior de Investigaciones Científicas.
CS: Carolina del Sur.
Cu: Cuba.

---

(1) A veces se utilizan con una *s* final para indicar el plural.

Ch: China.
DC: Distrito de Columbia.
de: desierto.
Del: Delaware.
Dept. For. Lang.: Department Foreign Languages.
Dept. Lang.: Department of Languages.
Dept. Mod. Lang.: Department Modern Languages.
Dept. Rom Lang.: Department Romance Languages.
Dept. Sp.: Department of Spanish.
DN: Dakota del Norte.
Dr: Drive (paseo).
DS: Dakota del Sur.
E: este.
ea: este.
Ec: Ecuador (República del)
Edit: Editorial.
edic: edición.
en: ensenada.
erm: ermita.
es: establecimiento español.
esco: establecimiento comercial.
esf: establecimiento francés.
esh: establecimiento holandés.
esi: establecimiento inglés.
Esp: España.
esr: establecimiento ruso.
est: estrecho.
Eur: Europa.
fen: fenómeno natural.
Fil: Filipinas.
Fla: Florida.
Fr: Francia.
fu: fuerte.
fues: fuerte, presidio o castillo español.
fuf: fuerte francés.
fui: fuerte inglés.
Ga: Georgia.
GB: Gran Bretaña.
gl: glaciar.
go: golfo.
Gu: Guam.
Ha: Haití.
Haw: Hawaii.
HS: High School (Escuela secundaria).
Hu: Hungría.

Hwy: Highway.
ICH: Instituto de Cultura Hispánica.
ICI: Instituto de Cooperación Iberoamericana.
Id: Idaho.
I. G.: Indice Geográfico.
Ill: Illinois.
Inc: Incorporated.
Ind: Indiana.
I. O.: Indice Onomástico.
Io: Iowa.
Is: Israel.
is: isla.
It: Italia.
Ja: Japón.
ja: jardines.
jct: junction (bifurcación).
Ka: Kansas.
Kan: Kansas.
Kans: Kansas.
Ky: Kentucky.
LA: Los Angeles.
La: Louisiana.
la: lago.
ley: leyenda.
loc: localidad, ciudad.
Ltd: (limitada, Sociedad con resonsabilidad).
man: manantial.
Mar: Marruecos.
mar: mar.
Mass: Massachusetts.
Md: Maryland.
Me: Maine.
Mex: México.
mi: misión.
Mich: Michigan.
Minn: Minnesota.
mir: mirador.
Miss: Mississippi.
mñ: montaña.
Mo: Missouri.
Mon: Montana.
Mont: Montana.
mt: monte o pico.
N: Norte.
NC: North Carolina.
ND: North Dakota.

NDEA: National Defense Education Act.
Ne: Nebraska.
Neb: Nebraska.
Nebr: Nebraska.
Nev: Nevada.
NH: New Hampshire.
NJ: New Jersey.
NM: New Mexico.
NY: New York.
oc: océano.
OEA: Organización de los Estados Americanos.
Oh: Ohio.
Ok: Oklahoma.
Okla: Oklahoma.
op. cit.: obra citada.
Or: Oregon.
p: poblado, pueblo.
Pa: Pennsylvania.
Pac: Pacífico (océano).
Par, par: parroquia.
pas: paso de montaña.
PB: Países Bajos.
Pe: Perú.
pen: península.
Penn: Pennsylvania.
pi: poblado indio.
pk: parque.
Pkw: Parkway (autopista).
Pkwy: Parkway (autopista).
pka: parque de atracciones.
Pl: Plaza.
pl: playa.
pmi: puesto militar.
po: punto bautizado o descubierto por los españoles.
Por: Portugal.
PR: Puerto Rico.
Pr: Provincia.
prof: profesor.
pu: puerto.
pun: punta.
RD: República Dominicana.
Rd: road (calle).
re: región.
rei: región india.
res: reserva india.
resp: región española.

RI: Rhode Island.
ri: río.
ro: roca o peñón.
RR: rutas.
Rte: ruta o carretera.
ru: ruta o carretera.
Rus: Rusia.
S: Sur.
s/a: sin año.
SC: South Carolina.
SD: South Dakota.
SDP: Sigma Delta Pi (Sociedad Honoraria Hispánica, para universitarios).
Se: Segovia.
s/f: sin fecha.
SHH: Sociedad Honoraria Hispánica (para Escuelas secundarias)
Sir: Siria.
Sq: Square (Plaza).
St: Estado, calle, Santo o Santa.
Sta: Station.
StAs: Estado Asociado.
Str: Street (calle).
Su: Suiza.
Te: Tennessee.
Tenn: Tennessee.
ter: territorio.
teres: territorio español.
teref: territorio francés.
Tex: Texas.
Tr: Tratado o Acuerdo.
Tu: Turquía.
Tx: Texas.
Univ: Universidad.
US: United States.
USA: United States of America.
Ut: Utah.
Va: Virginia.
va: valle.
Ven: Venezuela.
vol: volcán.
Vt: Vermont.
W: west (oeste).
Wa: Washington.
Wash: Washington.
Wi: Wisconsin.
WVa: West Virginia (Virginia occidental).
Wy: Wyoming.

APENDICES

Para comodidad y posible uso del lector, se incluye una serie de listas con las que se pretende resumir, y en algún caso completar, algunos de los puntos tratados en el presente estudio. Es obvio que otras muchas podrían añadirse, si razones de espacio no aconsejaran lo contrario. Se recomienda la consulta de la obra de Ronald Hilton, "Los Estudios Hispánicos en los Estados Unidos", Ediciones Cultura Hispánica, Madrid, 1957, dados los datos que en ella se proporcionan en relación con el tema.

A) HISTORIA Y GEOGRAFIA

1) GOBERNADORES ESPAÑOLES EN LOS ESTADOS UNIDOS

a) GOBERNADORES DE FLORIDA

Primer período, 1565-1763

Pedro Menéndez de Avilés, 1565-1574 • Hernando de Miranda, 1575-1577 • Pedro Menéndez Marqués (gobernador ad interim), 1577-1578 • Pedro Menéndez Marqués, 1578-1589 • Gutierre de Miranda, 1589-1592 • Rodrigo de Junco, 1592 • Domingo Martínez de Avandaño, 1594-1595 • Gonzalo Méndez de Canzo, 1596-1603 • Pedro de Ybarra, 1603-1609 • Juan de Salinas, 1618-1623 • Luis de Rojas y Borja, 1624-2629 • Andrés Rodríguez de Villegas, 1630-1631 • Luis Horruytiner, 1633-1638 • Damián de Vega Castro y Pardo, 1639-1645 • Benito Ruiz de Salazar Ballecilla, 1645-1650 • Nicolás Ponce de León (gobernador ad interim) • Pedro Benedit Horruytiner (gobernador ad interim) • Diego de Rebolledo, 1655-1659 • Alonso de Aranguiz y Cortés, 1659-1663 • Francisco de la Guerra y de la Vega, 1664-1670 • Manuel de Cendoya, 1670-1673 • Nicolás Ponce de León (gobernador ad interim), 1674 • Pablo de Hita y Salalazar, 1675-1680 • Juan Marqués Cabrera, 1680-1687 • Diego de Quiroga y Losada, 1687-1693 • Laureano de Torres y Ayala, 1693-1699 • José de Zúñiga y Cerda, 1699-1706 • Francisco de Córcoles y Martínez, 1706-1716 • Juan de Ayala Escobar (gobernador ad interim), 1717-1718 • Antonio de Benavides, 1718-1734 • Francisco del Moral Sánchez, 1734-1737 • Manuel José de Justis (gobernador ad interim), 1737 • Manuel de Montiano, 1737-1749 • Melchor de Navarrete, 1749-1752 • Fulgencio García de Solís (gobernador ad interim), 1752-1755 • Alonso Fernández de Heredia, 1755-1758 • Lucas de Palacio, 1758-1761 • Melchor Felíu, 1762-1763.

Segundo período. 1783-1821

Florida Oriental

Manuel de Zéspedes, 1783-1790 • Juan Quesada, 1790-1795 • Bartolomé Morales, 1795 • Enrique White, 1795-1811 • Juan de Estrada, 1811-1812 • Sebastián Kindelan, 1812-1815 • Juan de Estrada, 1815-1816 • José Coppinger, 1816-1821.

Florida Occidental

Arturo O'Neill, 1781-1793 • Enrique White, 1793-1795 • Francisco de Paula Gelabert, 1795-1796 • Juan Folch, 1796-1811 • Francisco St. Maxent, 1811-1812 • Mauricio de Zúñiga, 1812-1813 • Mateo González Manrique, 1813-1815 • José Masot, 1816-1819 • José Callava, 1819-1821.

b) GOBERNADORES DE LUISIANA

Antonio de Ulloa, 1766-1768 • Phillippe Aubry (gobernador ad interim), 1768-1769 • Alejandro O'Reilly, 1769-1770 • Luis de Unzaga y Amézaga, 1770-1777 • Bernardo de Gálvez, 1777-1785 • Esteban Rodríguez Miró, 1785-1791 • Francisco Luis Héctor, barón de Carondelet, 1791-1797 • Manuel Gayoso de Lemos, 1797-1799 • Marqués de Casa Calvo, 1799-1801 • Juan Manuel Salcedo, 1801-1803.

c) GOBERNADORES DE TEXAS

Domingo Terán de los Ríos, 1691-1692 • Gregorio de Salinas, 1692-1697 • Francisco Cuervo y Valdes, 1698-1702 • Mathias de Aguirre, 1703-1705 • Martín de Alarcón, 1705-1708 • Simón Padilla y Córdova, 1708-1712 • Pedro Fermín de Echevers y Subisa, 1712-1714 • Juan Valdez, 1714-1716 • Martín de Alarcón, 1716-1719 • Marqués de San Miguel de Aguayo, 1719-1722 • Fernando Pérez de Almazán, 1722-1727 • Melchor Media Villa y Ascona, 1727-1730 • Juan Bustillo Zevallos, 1730-1734 • Manuel de Sandoval, 1734-1736 • Carlos Benítez Franquis de Lugo, 1736-1737 • Prudencio de Orobio Basterra, 1737-1741 • Tomás Felipe Wintuisen, 1741-1743 • Justo Boneo y Morales, 1743-1744 • Francisco García Larios y Jáuregui, 1751-1759 • Angel Martos y Navarrete, 1759-1766 • Hugo Oconor, 1767-1770 • Barón de Riperdá, 1770-1778 • Domingo Cabello, 1778-1786 • Bernardo Bonavia, 1786-1786 • Rafael Martínez Pacheco, 1787-1788 • El cargo de gobernador fue suprimido y la provincia puesta bajo la autoridad de un capitán por el período de 1788-1789 • Manuel Muñoz, 1790-1798 • José Irigoyen, 1798-1800 • Juan Bautista de Elguezabal, 1800-1805 • Antonio Cordero y Bustamante, 1805-1810 • Manuel Salcedo, 1811-1813 • Cristóbal Domínguez, 1814-1817

• Ignacio Pérez, 1817-1817 • Manuel Pardo, 1817-1817 • Antonio Martínez, 1817-1822.

d) GOBERNADORES DE NUEVO MÉXICO

Juan de Oñate, 1608-1608 • Cristóbal de Oñate, 1608-1610 • Pedro de Peralta, 1610-1614 • Bernardino de Ceballos, 1614-1618 • Juan de Eulate, 1618-1625 • Felipe Sotelo Ossorio, 1625-1630 • Francisco Manuel de Silva Nieto, 1630-1632 • Francisco de la Mora y Ceballos, 1632-1635 • Francisco Martínez de Baeza, 1635-1637 • Luis de Rosas, 1637-1641 • Juan Flores de Sierra y Valdez, 1641 • Francisco Gómez, 1641-1642 • Alonso Pacheco de Heredia, 1642-1644 • Fernando de Argüello Carvajal, 1644-1647 • Luis de Guzmán y Figueroa, 1647-1649 • Hernando de Ugarte y la Concha, 1649-1653 • Juan de Samaniego y Jaca, 1653-1656 • Juan Manso de Contreras, 1656-1659 • Bernardo López de Mendizábal, 1659-1661 • Diego Dionisio de Peñalosa Briceño y Verdugo, 1661-1664 • Juan Miranda, 1664-1665 • Fernando de Villanueva, 1665-1668 • Juan de Medrano y Mesía, 1668-1671 • Juan Durán de Miranda, 1671-1675 • Juan Francisco de Treviño, 1675-1677 • Antonio de Otermin, 1677-1683 • Domingo Jironza Petri de Cruzate, 1683-1686 • Pedro Reneros de Posada, 1686-1689 • Domingo Jironza Petri de Cruzate, 1689-1691 • Diego de Vargas Zapata Luján Ponce de León, 1691-1697 • Pedro Rodríguez Cubero, 1697-1703 • Diego de Vargas Zapata Luján Ponce de León, 1703-1704 • Juan Páez Hurtado, 1704-1705 • Francisco Cuervo y Valdés, 1705-1707 • José Chacón Medina Salazar, marqués de las Peñuelas, 1707-1712 • Juan Ignacio Flores Mogollón, 1712-1715 • Felipe Martínez, 1715-1717 • Juan Páez Urtado, 1717 • Antonio Valverde y Cossío, 1717-1722 • Juan Domingo de Bustamante, 1722-1731 • Gervasio Cruzat y Góngoza, 1731-1736 • Enrique de Olavide y Michelena, 1736-1739 • Gaspar Domingo de Mendoza, 1739-1743 • Joaquín Codallos y Rabal, 1743-1749 • Tomás Vélez Cachupín, 1749-1754 • Francisco Antonio Marín del Valle, 1754-1760 • Mateo Antonio de Mendoza, 1760 • Manuel de Portillo y Urrisola, 1760-1762 • Tomás Vélez Cachupín, 1762-1767 • Pedro Fermín de Mendinueta, 1767-1778 • Francisco Trébol Navarro, 1778 • Juan Bautista de Anza, 1778-1788 • Fernando de la Concha, 1788-1794 • Fernando Chacón, 1794-1805 • Joaquín del Real Alencaster, 1805-1808 • Alberto Maynez, 1808 • José Manrique, 1808-1814 • Alberto Maynez, 1814-1816 • Pedro María de Allende, 1816-1818 • Facundo Melgares, 1818-1822.

e) GOBERNADORES DE CALIFORNIA

Gaspar de Portolá (de la Alta y Baja Californias), 1768-1770 • Felipe de Barri (de la Alta y Baja Californias), 1770-1775 • Felipe de Neve (de la Alta y Baja Californias), 1775-1782 • Pedro Fagés, 1782-1791 • José Antonio Romeu, 1791-1792 • José Joaquín de Arrillaga, 1792-1794 • Diego de Borica, 1794-1800 • José Joaquín de Arrillaga, 1800-1814 • José Argüello, 1814-1815 • Pablo Vicente Sola, 1815-1822.

2) MISIONES ESPAÑOLAS EN ESTADOS UNIDOS

a) VIRGINIA

Axacan.

b) CAROLINA DEL NORTE

Guatari.

c) GEORGIA

Santa Catalina de Guale.
Tolomato (Espogache).
Tupique.
Santo Domingo de Talaje.
Santo Domingo de Asao.
Ocotonico de Asao.
San José de Zapala.
Santiago de Ocone.
San Buenaventura de Guadalquini.

San Felipe.
Chatuache.
Coweta.
San Pedro y San Pablo de Porturibato.
Santa María de Sena.
Nuestra Señora de la Candelaria de Tama.
San Pedro de Mocamo.

d) FLORIDA

Nuestra Señora de Guadalupe de Tolomato.
San Juan del Puerto.
Nombre de Dios.
Río Dulce.
Santa María.
San Sebastián.
Santa Cruz.
Santo Tomás de Santa Fe.
Santa Catalina de Afuyca.
Afuyca.
San Pedro de Potohiriba.
San Juan de Guácara.
Santa Elena de Machava.
San Miguel de Asile.
San Mateo de Tolapatafí.
Santa Cruz de Tarihica.
San Diego de Salamototo.
San Salvador de Macaya.
San Antonio de Ecanape.
San Francisco Potano.
Santa Fe de Toluco.
San Agustín de Urica.
Santa María de los Angeles de Ara-

paja.
Santa Cruz de Cachipile.
San Francisco de Chuaquín.
San Ildefonso de Chamino.
San Martín de Ayaocuto.
San Luis de Acuera.
Santa Lucía.
San Diego de Laca.
San Lorenzo de Ivitachuco.
Nuestra Señora de la Purísima Concepción de Ayubale.
San Francisco de Ocone.
San Juan de Aspalaga.
San José de Ocuia.
San Pedro y San Pablo de Patale.
San Antonio de Bacuqua.
San Cosme y San Damián de Escambé.
San Carlos de Chacatos.
San Luis de Tamalí.
Purificación de Tama.
Asunción del Puerto.
San Pedro de los Chines.
San Martín de Tomole.

Santa Cruz de Capola.
San Carlos de los Calus.

Tocobaga.
Tequesta.

e) LUISIANA

San Miguel de los Adaes.

f) TEXAS

San Antonio de Valero (El Alamo).
San José y San Miguel de Aguayo.
San Francisco de la Espada.
San Juan Capistrano.
Nuestra Señora de la Purísima Concepción de María de Acuña.
Nuestra Señora del Espíritu Santo de Zúñiga.
Nuestra Señora del Rosario.
Corpus Christi de Isleta.
San Antonio de la Isleta del Sur.
San Francisco del Socorro.
San Antonio de Senecú.
San Lorenzo de la Santa Cruz.
Nuestra Señora de la Candelaria del Cañón
Santa Cruz de San Saba.
Nuestra Señora del Refugio.
San Francisco de los Tejas.
Dolores.
Nuestra Señora de la Luz del Orocoquisac.
Santa María de Navidad.
San Francisco de los Neches.
San José de los Nazones.
Santa María la Redonda de las Cíbolas.
Nuestro Padre San Francisco de las Tejas.

Nuestra Señora de la Purísima Concepción de los Aynais.
Nuestra Señora de Guadalupe de los Nacogdoches.
Nuestra Señora de los Dolores de los Ais.
Nuestra Señora del Pilar de Bucareli y de Nacogdoches.
Nuestra Señora de Guadalupe de El Paso.
San Miguel de Linares de los Adaes.
San Francisco Xavier de Horcasitas.
San Ildefonso.
Nuestra Señora de la Candelaria.
San Pedro de Alcántara de los Tapalcomes.
San Francisco de los Julimes.
San Antonio de los Puliques.
San Cristóbal.
Santiago.
Penitas.
San Agustín de Laredo.
San Joaquín del Monte.
San Elizario.
San Juan Bautista.
San Francisco Solano de Ampuer.
San Clemente.
San Lorenzo el Real.

g) NUEVO MEXICO

San Miguel (Santa Fe).
San Bartolomé.
San Gabriel.
San Miguel.
Tesuque.
San Francisco de Pojoaque.
Nuestra Señora de Guadalupe de Po-

joaque.
Nambé.
San Ildefonso.
Santa Clara.
Santa Cruz.
San Juan.
San Lorenzo de Picuris.

671

San Jerónimo de Taos.

San Francisco de Asís de Los Ranchos de Taos.

Pecos.

San Cristóbal.

San Lázaro.

Santa Cruz de Galisteo.

San Marcos.

Ciénaga.

San Pedro del Cuchillo.

San Buenaventura de Cochití.

Santo Domingo.

San Felipe.

San Francisco de Sandía.

Santa Ana de Alameda.

Santa Ana de Tamayo.

Nuestra Señora de la Asunción de Sía.

San Diego de los Jémez.

San José de los Jémez.

San Juan de los Jémez.

La Inmaculada Concepción de Quarai.

San Miguel de Tajique.

Nuestra Señora de Navidad de Chililí.

San Gregorio de Abó.

Gran Quivira.

San Antonio de Isleta.

San Agustín de Isleta.

Nuestra Señora de Belén.

San Luis Obispo de Sevilleta.

Santa Ana de Alamillo.

Nuestra Señora del Socorro.

San Pascual.

San Antonio de Senecú.

San José de Laguna.

San Esteban Rey de Acoma.

Cebolleta.

La Concepción de Hawikuh.

Halona.

Zuñi.

h) ARIZONA

San Bernardino de Awatobi.

San Francisco de Oraibi.

San Bartolomé de Shongopovi.

San Buenaventura de Mishongnovi.

Kisakobi.

San Gabriel de Guevavi.

San Marcelo de Sonoita.

San Cayetano de Calabazas.

Arivaca.

San Francisco de Ati.

San Luis Bacuancos.

Jamac.

San Bernardino.

San José de Tumacacori.

Santa Gertrudis de Tubac.

San Xavier del Bac.

San Cosme del Tucson.

San Agustín y San José del Tucson.

Yuma.

i) CALIFORNIA

Pala.

San Diego de Alcalá.

San Carlos Borromeo (Carmel).

San Antonio de Padua.

San Gabriel Arcángel.

San Luis Obispo de Tolosa.

San Francisco de Asís.

San Juan Capistrano.

Santa Clara de Asís.

San Buenaventura.

Santa Bárbara.

La Purísima Concepción.

Santa Gertrudis.

Santa Cruz.

Nuestra Señora de la Soledad.

San José de Guadalupe.

San Juan Bautista.

San Miguel Arcángel.

San Fernando Rey de España.

San Luis Rey de Francia.

Santa Inés.

San Rafael Arcángel.

San Francisco Solano.

3) FUERTES Y PRESIDIOS ESPAÑOLES EN LOS ESTADOS UNIDOS

a) CAROLINA DEL NORTE

San Juan de Xualla. Cauchi.
Guatari.

b) CAROLINA DEL SUR

San Felipe. San Marcos.

c) GEORGIA

Santa Catalina de Guale. Chiaha.
Zapala. Coweta.
Espogache. San Pedro.

d) FLORIDA

San Carlos (Fernandina Beach). San Carlos de los Calus.
San Mateo. Tocobaga.
Picolata. San Luis de Apalache.
Diego. San Marcos de Apalache.
Mosa. San Carlos de Austria.
San Marcos de San Agustín. San Bernardo de Pensacola.
Matanzas. San Miguel.
Tequesta. Sombrero.
Santa Lucía.

e) TENNESSEE

Manchester (construido por Soto en). San Fernando de las Barrancas.

f) ALABAMA

Esteban. Spanish Fort (Mobile).
Confederación. Carlota.

g) MISSISSIPPI

Nogales. Panmure.

h) LUISIANA

Spanish Fort (Nueva Orleáns). Miró.
Manchac. Nuestra Señora del Pilar de los
Baton Rouge. Adaes.
Galvestown.

i) ARKANSAS

Arkansas Post.

Esperanza.

j) MISSOURI

San Carlos.
Don Carlos Tercero el Rey.

Don Carlos el Señor Príncipe de Asturias.

k) MICHIGAN

San José (conquistado por los españoles).

l) COLORADO

Sangre de Cristo Pass (construido en).

ll) TEXAS

Old Stone Fort (Nacogdoches).
Nuestra Señora de los Dolores.
San Agustín de Ahumada.
Nuestra Señora de Loreto de La Bahía.
San Franciso Xavier de los Horcasitas.
San Luis de las Amarillas.

Santa Cruz de San Saba.
San Fernando de Béjar, después San Antonio.
Sacramento.
San Elizario.
Del Norte.

m) ARIZONA

Tubac.
San Agustín del Tucson.

Yuma.

n) CALIFORNIA

Guijarros.
San Diego.
Santa Bárbara.

Monterrey.
San Francisco (Yerbabuena).

o) GUAM

Santiago.
Santa Soledad.

Santa Cruz.

4) HECHOS EN LOS QUE LOS ESPAÑOLES HAN SIDO ADELANTADOS EN NORTEAMERICA

El primer occidental que pisó el territorio de los Estados Unidos y permaneció en él fue D. Juan Ponce de León, el 2 de abril de 1513, y la primera dama, una de las españolas de la expedición de Ayllón en 1526.

En los territorios de los siguientes Estados introdujeron los españoles, con su presencia, la civilización occidental: Virginia, Carolina del Norte, Carolina del Sur, Georgia, Florida, Tennessee, Alabama, Mississippi, Luisiana, Arkansas, Texas, Oklahoma, Kansas, Nebraska, Colorado, New Mexico, Utah, Arizona, Nevada, California, Oregón, Washington, Alaska (después de los rusos) y Hawaii.

El primer blanco nacido en el continente norte de América se debió –al parecer–a una de las mujeres que formaron parte de la expedición de Vázquez de Coronado entre 1540 y 1542. En todo caso, el que sería en tiempos sargento mayor, Martín de Argüelles, naciió en San Agustín, Florida, en 1566, veintiún años antes que Virginia Dare, en la Colonia inglesa de Roanoke, Virginia.

La primera dama en habitar California (en 1774) respondía por el nombre de doña María Antonia Carrillo de Ortega, y su hijo, nacido en febrero de 1775, ostenta el título de californiano número uno.

El primer intento europeo de establecer en el territorio una colonia permanente se realizó con San Miguel de Gualdape, en 1526, por Lucas Vázquez de Ayllón, en los contornos de las dos Carolinas (la colonización europea en América comenzó en 1494, con la ciudad de Isabela, en la isla Española).

La familia norteamericana con más antiguos antecedentes en los Archivos nacionales es la de Solana, en San Agustín, Fla., merced a la partida que en dicha ciudad se conserva, con fecha 4 de julio de 1594, referente al matrimonio de Vicente Solana y María Viscente.

Nadie recorrió los Estados Unidos de Este a Oeste antes de que Alvar Núñez Cabeza de Vaca lo hiciera entre 1528 y 1536. Se duda si correspondió a él la pristina visión del búfalo o a los colonos de San Miguel de Gualdape. Alvar Núñez fue el primer historiador de los EE.UU.

La corriente cálida del golfo de México fue descubierta durante la expedición a Florida (1512-13) de Juan Ponce de León, y fue bautizada con el nombre de éste; el piloto de la expedición fue Antón de Alominos.

La primera carretera de los futuros Estados Unidos se construyó hacia 1565 desde San Agustín al Fuerte Caroline, en el St. Johns River.

Las tierras al norte del Río Grande recibieron el bautismo de sangre europea cuando D. Juan Ponce de León cayó herido de muerte en Florida, en el año 1521.

La ciudad más antigua del país es St. Augustine, Florida, fundada por D. Pedro Menéndez de Avilés el 8 de septiembre de 1565.

El edificio público que se conserva con más años es el Palacio de los Gobernadores españoles de Santa Fe, comenzado a construir en 1610.

La más vieja plaza pública de los Estados Unidos es la plaza de la Constitución de St. Augustine, Fla.

La parcela de tierra regada que lleva más tiempo en continuo uso en el territorio de la Unión es la organizada en la Misión de Isleta, cerca de El Paso, Texas, en 1681.

La industria naval del país se inaugura con la botadura del barco construido por los colonos de San Miguel de Guadalupe en 1526. A poco, en 1528, los expedicionarios de Pánfilo de Narváez tuvieron que construir sin medios tres lanchones en la bahía de Apalache, con los que pudieron hacerse a la mar.

Ostenta el título de decana de las enfermeras norteamericanas una de las mujeres que participó en la expedición de Váquez de Coronado entre 1540 y 1542.

La primera Misa parroquial se dijo en la Misión de Nombre de Dios, el 8 de septiembre de 1565 (la primera en el continente americano había sido rezada el 6 de enero de 1494); con anterioridad, se habían dicho indudablemente en el curso de las distintas expediciones españolas, pero en establecimientos provisionales que no han perdurado, y sin el carácter parroquial aludido. El padre Larios cantó la primera misa en los contornos de Texas, el 16 de mayo de 1675, y en California se celebró por vez primera el 1 de julio de 1769.

La iglesia más antigua de los Estados Unidos es la de San Francisco, St. Augustine, Fla.

La iglesia en uso más antigua, cuyos primitivos muros se conservan, es la Misión de San Miguel de Santa Fe, construida en 1610.

La iglesia que ha servido desde más tiempo como catedral es la de San Luis (hoy St. Louis), en Nueva Orleáns, elevada en 1794 por el español D. Andrés Almonester y convertida ya en catedral en 1795.

El primer obispo que ha pisado el territorio de los Estados Unidos es D. Juan de las Cabezas Altamirano, obispo de Cuba, que visitó Florida y las Misiones de Georgia en 1606.

El obispo católico más antiguo del país es D. Luis de Peñalver y Cárdenas, quien tomó posesión de su sede en Nueva Orleáns en 1795.

La imagen más antigua en todo el territorio de la Unión es la de la Virgen "La Conquistadora", que se venera en la catedral de Santa Fe, traída de España por fray Alonso de Benavides en 1625.

El protomártir de la causa cristiana es el padre Juan de Padilla, asesinado por los indios de Kansas en el año 1542.

Hernando de Soto y sus compañeros celebraron las primeras Navidades observadas en el continente Norte, en los alrededores de la actual Tallahassee, en diciembre de 1539.

No existe descripción del territorio de los Estados Unidos anterior a la obra "Naufragios", de Alvar Núñez Cabeza de Vaca, publicada en 1542. Puede considerársele el periodista número uno de la Unión.

El primer libro redactado dentro de los confines del país se debió al hermano Báez, jesuita de las Misiones de Georgia, en 1569.

Se considera al franciscano Percival de Quiñones como el primer profesor de música en los Estados Unidos, pues a comienzos del siglo XVII enseñó a los indios de Nuevo México a cantar e importó desde Nueva España un órgano.

La escuela de formación profesional más antigua tuvo su sede en la Misión de San Agustín, a unos dos kilómetros de la actual ciudad de Tucson, Arizona, allá por los años finales del siglo XVIII y comienzos del XIX.

La primera representación teatral en el ámbito de los Estados Unidos se celebró en las cercanías de El Paso, con ocasión de la toma de posesión el 30 de abril de 1598 del Reino de Nuevo México por D. Juan de Oñate y sus compañeros de expedición. La comedia fue escrita por el capitán Marcos Farfán de los Godos para tal ocasión y ensayada a toda prisa: trataba de la llegada de los franciscanos a la región, sus caminatas, sus encuentros con los nativos, sus prédicas del Evangelio y sus éxitos en conseguir su conversión. La segunda comedia representada –se ignora su autor– tuvo por actores los componentes de la misma expedición, y fue puesta en escena el 8 de septiembre del mismo año en San Juan, Nuevo México; acabó con un simulacro de lucha entre moros y cristianos, costumbre que en el Sudoeste ha perdurado hasta nuestros días.

El festival ciudadano más antiguo entre los que todavía se celebran en el país es la denominada "Santa Fe Fiesta", que tuvo sus comienzos en septiembre de 1712.

La primera corrida de toros celebrada en el continente norte de América ocurrió en el curso de la referida expedición de Oñate, en San Juan, el 8 de septiembre de 1598.

El primer proceso jurídico tenido en el ámbito del territorio norteamericano se desarrolló en la ciudad de San Agustín del 31 de agosto al 23 de septiembre de 1602, con motivo de la investigación ordenada por el rey en torno al mantenimiento de Florida y de su capital.

El primer "Thanksgiving" o Acción de Gracias fue celebrado por Fray Juan de Padilla en el Cañón de Palo Duro. Texas, durante la expedición de Vázquez de Coronado en 1541.

5) MONUMENTOS Y LUGARES DECLARADOS DE INTERES NACIONAL RELACIONADOS CON ESPAÑA

San Xavier del Bac, Mission. 9 mi. S. of Tucson. Pima County (Arizona).
Arkansas Post. Cerca de Gillett. Arkansas County (Arkansas).
Carmel Mission. Carmel (California).
Old Mission Dam (Padre Dam), San Diego County (California).
Presidio of San Francisco. City of San Francisco (California).
Royal Presidio Chapel. 550 Church St. Monterey (California).
San Diego, Presidio. Presidio Park, San Diego (California).
Santa Bárbara Mission. Santa Barbara (California).
Sonoma Plaza. City of Sonoma (California).
Fort San Carlos de Barrancas. U. S. Naval Air Station. Pensacola (Florida).
Plaza Ferdinand VII. Palafox St. Pensacola (Florida).
San Luis de Apalache. 2 mi. West of Tallahassee near U. S. 90. Leon County (Florida).
El Cuartelejo. Scott County State Park. 12 mi. N. of Scott Citty (Kansas).
The Cabildo. Jackson Square. New Orleans (Louisiana).
Jackson Square. New Orleans (Louisiana).
Manuelito Complex. McKinley County (New Mexico).
Mesilla Plaza. Mesilla (New Mexico).
Palace of the Governors. Plaza. Santa Fe (New Mexico).
Santa Fe Plaza. Santa Fe (New Mexico).
The Alamo Mission. San Antonio (Texas).
Espada Aqueduc. On Espada Road south of San Antonio (Texas).
Rancho La Brea. Hancock Park. Wilshire Blvd. Los Angeles (California).

MONUMENTOS Y PARQUES NACIONALES BAJO EL CUIDADO DEL "NATIONAL PARK SERVICE", RELACIONADOS CON ESPAÑA

Estatua a Juan Rodríguez Cabrillo. San Diego (California).
Castillo de San Marcos. St. Augustine (Florida).
Roca con inscripciones, "El Morro". Ramah (New Mexico).
Fort Frederica. St. Simons Island (Georgia).
Fort Matanzas. St. Augustine (Florida).
Gran Quivira Mission Ruins. Route 1. Mountainair (New Mexico).
Tumacacori Mission. Tumacacori (Arizona).
San José Missión. San Antonio (Texas).
Touro Synagogue. Newport (Rhode Island).
Coronado National Memorial Park. Star Route, Hereford (Arizona).
De Soto National Memorial Park. Bradenton (Florida).

OTROS MONUMENTOS RELACIONADOS CON ESPAÑA (*)

Estatua a Cristóbal Colón, en New Haven (Connecticut).
Estatua a Cristóbal Colón, en New York (New York).
Estatua a El Cid, en el patio de "The Hispanic Society of America", en New York (New York).
Bajorrelieve de Don Quijote, en el patio de "The Hispanic Society of America", en New York (New York).
Abside de San Martín de Fuentidueña, en "The Cloisters". New York (New York).
Patio del palacio de Vélez Blanco, en "The Metropolitan Museum". New York (New York).
Claustro español, en "The Fenway Court". Boston (Massachusetts).
Patio medieval con claustro (español, en parte). The Museum of Fine Arts, Philadelphia (Pennsylvania).
Estatua a fray Junípero Serra, en "The Capitol", Washington D. C.
Estatua al padre Eusebio Kino, en "The Capitol". Washington D. C.
Estatua a la reina Isabel la Católica, en los jardines delanteros de la Unión Panamericana Washington D. C.
Estatua a Cristóbal Colón, en Unión Station Sq. Washington D. C.
Busto de Francisco de Vitoria, en Unión Panamericana. Washington D. C.
Busto del médico Francisco Hernández, en Unión Panamericana de la Salud. Washington D. C.
Estatua ecuestre de Bernardo de Gálvez, ante la Secretaría de Estado en Washington D. C.

(*) No se incluyen –en gracia a la brevedad– la totalidad de las estatuas a Colón en numerosas ciudades del país, ni todas las Misiones supervivientes y las viviendas y otras edificaciones de época española que se conservan, entre otras ciudades, en St. Augustine, Pensacola, New Orleans, San Antonio, Santa Fe, Monterey, San Diego y Santa Bárbara.

Estatua de don Quijote en el Kennedy Center, de Washington D. C.
Busto de don Diego de Gardoqui en una plaza de Washington D. C.
Medallón, en mármol, al rey Alfonso X el Sabio, en "The Capitol". Washington D. C.
Medallón, en mármol, al filósofo Maimónides, en "The Capitol". Washington D. C.
Placa a los Mártires de Axacán, Aquia Creek. Quantico (Virginia).
Placa a la batalla de "Bloody Marsh". St. Simons Island (Georgia).
Placa a la visita de unos comisionados españoles (1736). Jekyll Island (Georgia).
Placa recordatoria de la existencia del fuerte San Carlos. Fernandina Beach (Florida).
City Gate. St. Augustine (Florida).
San Agustín Antigua (conjunto urbano). St. Augustine (Florida).
Estatua a Ponce de León, y obelisco, en lugar conmemorativo de desembarco, en 1513. St. Augustine (Florida).
Estatua a Ponce de León, en "Oldest Wooden Schoolhouse". St. Augustine (Florida).
Estatua a Ponce de León, en Plaza. St. Augustine (Florida).
Obelisco a la Constitución de Cádiz de 1812, en Plaza. St. Augustine (Florida).
Estatua a la reina Isabel la Católica, St. Augustine (Florida).
Estatua al padre López de Mendoza Grajales, en Misión Nombre de Dios. St. Augustine (Florida).
Altar recordando la primera misa, Misión Nombre de Dios, St. Augustine (Florida).
Estatua a Menéndez de Avilés. St. Augustine (Florida).
Cruz de acero, de 70 metros, recordatoria del nacimiento del catolicismo norteamericano. Misión Nombre de Dios. St. Augustine (Florida).
Estatua al P. Camps en St. Augustine (Florida).
Estatua a Ponce de León en Miami (Florida).
Monumento a Colón, en Miami (Florida).
Monasterio de San Bernardo de Sacramenia. North Miami (Florida).
Gran mapa sobre presencia española en Florida. Warm Mineral Springs. Fort Myers (Florida).
Placa recordatoria del paso de Hernando de Soto. Jardín Universidad de Tampa. Tampa (Florida).
Estatua a Hernando de Soto. Bradenton (Florida).
Estatua ecuestre de Hernando de Soto. Bradenton (Florida).
Plaza de España, ciudad de Mobile (Alabama).
Mojón separando los dominios de S. M. Carlos IV de los Estados Unidos, latitud 31°, márgenes del río Mobile (Alabama).
Bloque de granito conmemorando el paso de Hernando de Soto. Parque de Memphis (Tennessee).
Piedra detallando historia del Fort St. Joseph. Niles (Michigan).
Casa Alvarez (del comandante español). Florissant (Missouri).
Pabellón Español de la Feria de Nueva York. St. Louis (Missouri).
Estatua a la reina Isabel la Católica, en el antiguo Pabellón Español de la Feria de Nueva York. St. Louis (Missouri); y en la Plaza de Mobile.
Reproducción de la Giralda, de Sevilla. Kansas City (Missouri).

Obelisco al padre Juan de Padilla. Herington (Kansas).

Spanish Fort. Mobile (Alabama).

Spanish Fort. Pascagoula (Mississippi).

Spanish Fort. New Orleans (Louisiana).

Placas callejeras indicando los antiguos nombres españoles. Vieux Carré, New Orleans (Louisiana).

Placa recordatoria de la primera misa. Iglesia Natchitoches (Louisiana).

Emplazamiento del Presidio de Nuestra Señora del Pilar, de Los Adaes. Robeline (Louisiana).

Old Stone Fort. Nacogdoches (Texas).

Estatua en bronce a Alonso Alvarez de Pineda, en Corpus Christi.

Palacio de los Gobernadores. San Antonio (Texas).

Presidio de La Bahía. Goliad (Texas).

Presidio de San Luis de las Amarillas. Menard (Texas).

Placa recordatoria del primer "Thanksgiving" por Fray Juan de Padilla, en el Cañón de Palo Duro, Texas.

Placa recordatoria del paso de la expedición de Coronado, cerca de Bernalillo (Nuevo México).

Monumento conmemorativo de la victoria de Juan Bautista de Anza sobre el comanche "Cuerno Verde". Condado de Pueblo, próximo a carretera 85 (Colorado).

Roca de granito, con placa en bronce, a la memoria de los padres Escalante y Domínguez. Provo (Utah).

Monumento a los padres Escalante y Domínguez, en Spanish Fork (Utah).

Monumento a los padres Escalante y Domínguez, en Cedar City (Utah).

Placa en bronce a los Padres Escalante y Domínguez, en Lee's Ferry, Utah.

Lápida conmemorativa a los padres Escalante y Domínguez, en Jensen, Utah.

Lápida conmemorativa a los padres Escalante y Domínguez en carretera 91, al sur de Scipio, Utah.

Estela de piedra en hono del padre Eusebio Kino, en Tucson (Arizona).

Campana de Misión española. Gran Cañón del Colorado (Arizona).

"Marcos Niza Rock", 13 kilómetros al sudoeste de Phoenix (Arizona).

Estatua al padre Garcés. Winterhaven (California).

Estatua yacente de fray Junípero Serra. Misión Carmel (California).

Estatua a fray Junípero Serra. Misión de San Juan de Capistrano (California).

Estatua a fray Junípero Serra, en el Pueblo. Los Angeles (California).

Estatua al gobernador Felipe de Neve, en el Pueblo. Los Angeles (California).

Estatua a fray Junípero Serra, en Parque, San Francisco (California).

Estatua a Cervantes, en Parque, San Francisco (California).

Estatua a El Cid, en Parque. San Francisco (California).

Estatua a Cristóbal Colón, en Colina. San Francisco (California).

Estatua a fray Junípero. Misión Dolores. San Francisco (California).

Campanas misionales (reproducciones) colocadas a lo largo de "El Camino Real". (California).

Monumento en homenaje a los misioneros (ofrendado por el Instituto de Cultura Hispánica). Misión Carmel (California).

Monumento a la reina Isabel la Católina. Capitolio. Sacramento (California).

Placa recordatoria del descubrimiento de las costas occidentales por Sebastián

de Vizcaíno. Cape San Sebastián (Oregón).
Lápida conmemorativa del descubrimiento del Monte Olympus por Juan Pérez, en Olympic National Park, Washington.

6) CONDADOS Y CIUDADES CON NOMBRES ESPAÑOLES

Deben consultarse en los comentarios dedicados a cada uno de los Estados, en las páginas que se indican.

Alabama	308	Michigan	271
Alaska	583	Minnesota	383
Arizona	468	Mississippi	318
Arkansas	366	Missouri	361
California	561	Montana	508
Carolina del Norte	172	Nebraska	378
Carolina del Sur	178	Nevada	498
Colorado	491	Nueva Jersey	132
Dakota del Norte	381	Nueva York	128
Dakota del Sur	381	Nuevo México	446
Delaware	142	Ohio	275
Florida	247	Oklahoma	369
Georgia	194	Oregon	568
Idaho	511	Pennsylvania	139
Illinois	264	Tennessee	292
Indiana	267	Texas	410
Iowa	385	Utah	502
Kansas	374	Virginia	165
Kentucky	284	Virginia Occidental	166
Louisiana	347	Washington	574
Maine	112	Wisconsin	265
Maryland	145	Wyoming	505
Massachusetts	112	Distrito de Columbia	147

7) CIUDADES HERMANAS

Alcalá de Henares (Madrid) - Naperville (Illinois). HT
- San Diego (California)
Aledo (Murcia) - Aledo (Illinois)
Avila - Levittown (New York)
Avilés (Asturias) - St. Augustine (Florida)
Balaguer (Lérida) - Pacífica (California)
Barcarrota (Badajoz) - Bradenton (Florida)
- Hot Springs (Florida)
Barcelona - Cleveland (Ohio)
- Boston (Massachusetts)

Benalmádena (Málaga) - Miami Springs (Florida)
Bilbao - Pittsburgh (Pennsylvania)
Calatayud (Zaragoza) - Glen Ellyn (Illinois)
Cartagena (Murcia) - Jacksonville (Florida)
- Corpus Christi (Texas) HT
Ciudades de Menorca (Baleares) - Farragut (Ohio) HT
Gijón (Asturias) - Albuquerque (Nuevo Mexico)
Granada - Alhambra (California)
Huelva - Houston (Texas)
Ibiza (Baleares) - Miami (Florida)
Inca (Baleares) - Lompoc (California) HT
Laredo (Cantabria) - Laredo (Texas)
Las Palmas de Gran Canaria - San Antonio (Texas)
Lérida - Monterey (California)
Mairena del Alcor (Sevilla) - Nueva Orleans. HT
Málaga - Mobile (Alabama)
Madrid - Nueva York
Mazarrón (Murcia) - Santa Fe (Nuevo Mexico)
Petra (Mallorca) - Carmel (California)
Peñíscola (Castellón) - Pensacola (Florida)
Priego (Córdoba) - Naples (Florida)
San Sebastián - Boise (Idaho)
Santa Cruz de Tenerife - San Antonio (Texas)
- Santa Cruz (California)
- Corpus Christi (Texas)
Santa Fe (Granada) - Sante Fe (Nuevo Mexico)
Santa María del Cami (Baleares) - Santa María (California)
Sevilla - Kansas City (Missouri)
Toledo - Toledo (Ohio).
- Toledo (Illinois). HT
- Houston (Texas). HT
Valencia - Lexington (Kentucky)
Vitoria - Victoria (Texas)
Yecla (Murcia) - Oak Park (Michigan). HT

HT = Hermanamiento en trámite

8) ACUERDOS FIRMADOS ENTRE LOS ESTADOS UNIDOS Y ESPAÑA

"Tratado de amistad, límites, comercio y navegación". Firmado el 27 de octubre de 1795, en San Lorenzo de El Escorial, por el Príncipe de la Paz y Mr.
Thomas Pinckney.
"Convenio sobre reclamaciones". Firmado en Madrid, el 11 de agosto de 1802,
por D. Pedro Cevallos y Mr. Charles Pinckney.
"Tratado de amistad, cesión de las Floridas y límites". Firmado el 22 de febrero
de 1819, en Washington, por Mr. John Quincy Adams y D. Luis de Onís (ratificado por Fernando VII el 24 de octubre de 1820).

"Convenio sobre reclamaciones". Firmado el 17 de febrero de 1834, en Madrid, por D. José de Heredia y Mr. C. P. Van Ness.

"Acuerdo para el arreglo de ciertas reclamaciones de ciudadanos de los Estados Unidos, como consecuencia de hechos sucedidos en la isla de Cuba". Cambio de notas firmado el 11-12 de febrero de 1871, en Madrid, por D. Cristino Martos y Mr. D. E. Sickles.

"Acuerdo relacionado con el vapor «Virginius»". Firmado el 27 de febrero de 1875, en Madrid, por D. Alejandro Castro y Mr. Caleb Cushing.

"Convenio sobre extradición". Firmado el 5 de enero de 1877, en Madrid, por D. Fernando Calderón y Collantes y Mr. Caleb Cushing.

"Protocolo de la Conferencia y Declaraciones concernientes al procedimiento judicial". Firmado el 12 de enero de 1877, en Madrid, por D. Fernando Calderón y Collantes y Mr. Caleb Cushing.

"Acuerdo para disolver la Comisión de Reclamaciones constituida por el Acuerdo de 12 de febrero de 1871". Firmado el 23 de febrero de 1881, en Washington, por Mr. M. Evarts y D. Felipe Méndez de Vigo.

"Convenio sobre marcas de fábrica". Firmado el 19 de junio de 1882, en Washington, por Mr. Fred'k T. Frelinghuysen y D. Francisco Barca.

"Protocolo extendiendo el plazo de la disolución de la Comisión de Reclamaciones constituida por el Acuerdo de 12 de febrero de 1871, hasta el 1 de enero de 1883". Firmado en Washington, el 6 de mayo y 14 de diciembre de 1882, por Mr. Fred'k. T. Frelinghuysen y D. Francisco Barca.

"Convenio de extradición suplementario". Firmado el 7 de agosto de 1882, en Washington, por Mr. Fred'k T. Frelinghuysen y D. Francisco Barca.

"Protocolo referente a la disolución de la Comisión de Reclamaciones anteriormente mencionada". Firmado el 2 de junio de 1883, en Washington, por Mr. John Davis y D. Francisco Barca.

"Acuerdo sobre relaciones comerciales". Firmado el 2 de enero de 1884, en Madrid, por D. Servando Ruiz Gómez y Mr. John W. Foster.

"Acuerdo relativo a la abolición recíproca de ciertos derechos discriminatorios en los puertos de los Estados Unidos, Cuba y Puerto Rico". Firmado el 13 de febrero de 1884, en Madrid, por D. J. Elduayen y Mr. John W. Foster.

"Memorándum de un acuerdo para la supresión de derechos de tonelaje". Firmado el 27 de octubre de 1886, en Washington, por Mr. T. F. Bayard y D. E. de Muruaga.

"Memorándum de un acuerdo para la supresión recíproca y completa de derechos discriminatorios de tonelaje y de los impuestos en los respectivos puertos". Firmado el 21 de septiembre de 1887, en Washington, por Mr. T. F. Bayard y D. E. de Muruaga.

"Acuerdo relativo a los derechos discriminatorios recaudados en Cuba, Puerto Rico y Filipinas". Firmado el 21 de diciembre de 1887, en Madrid, por don Segismundo Moret y Mr. J.L. M. Curry.

"Acuerdo de extensión del anterior". Firmado el 26 de mayo de 1888, en Madrid, por D. Segismundo Moret y Mr. J. L. M. Curry.

"Protocolo para regular el comercio entre los Estados Unidos, Cuba y Puerto Rico". Firmado el 19 de junio de 1891, en Washington, por Mr. William F. Wharton y D. M. Suárez Guanes.

"Acuerdo sobre el «copyright»". Cambio de notas en Washington, en 6 y 15 de julio de 1895. En vigor. Ha sufrido posteriormente diversas modificaciones.

"Protocolo de Acuerdo conteniendo los términos de base para el establecimiento de la paz entre los Estados Unidos y España". Firmado el 12 de agosto de 1898, en Washington, por Mr. William R. Day y M. Jules Cambon.

"Tratado de Paz". Firmado el 10 de diciembre de 1898, en París, por D. Eugenio Montero Ríos, D. Buenaventura Abárzura, D. José de Garnica, D. Wenceslao Ramírez de Villaurrutia y D. Rafael Cerero y por Mr. William R. Day, Mr. Cushman K. Davis, Mr. William P. Frye, Mr. George Gray y Mr. Whitelaw Reid. En vigor.

"Protocolo extendiendo el período en el que los súbditos españoles nacidos en las islas Filipinas pueden declarar su intención de conservar su nacionalidad española". Firmado el 29 de marzo de 1900, en Washington, por Mr. John Hay y el duque de Arcos.

"Tratado para la cesión a los Estados Unidos de cualesquiera islas del archipiélago filipino, situadas fuera de las líneas descritas en el artículo III del Tratado de Paz de 10 de diciembre de 1898". Firmado el 7 de noviembre de 1900, en Washington, por Mr. John Hay y duque de Arcos. En vigor.

"Acuerdo sobre procedimiento judicial". Cambio de notas en Washington, el 5 de agosto de 1901, y en Manchester, Mass., el 7 del mismo mes. Una declaración se firmó en Washington, el 7 de noviembre de 1901. En vigor.

"Tratado de amistad y relaciones generales". Firmado el 3 de julio de 1902 por el duque de Almodóvar del Río y Mr. Bellamy Storer.

"Acuerdo sobre el restablecimiento del «copyright» internacional". Cambio de notas, en Madrid, el 26 de noviembre de 1902, firmadas por el duque de Almodóvar del Río y Mr. Bellamy Storer.

"Tratado sobre extradición". Firmado el 15 de junio de 1904, en Madrid, por D. Faustino Rodríguez San Pedro y Mr. Arthur S. Hardy. El Protocolo complementario se firmó en San Sebastián el 13 de agosto de 1907.

"Acuerdo comercial". Firmado en San Sebastián, el 1 de agosto de 1906, por D. Pío Gullón y Mr. William Miller Collier.

"Convenio sobre arbitraje". Firmado el 20 de abril de 1908, en Washington, por Mr. Elihu Root y D. Ramón Piña y Millet. (Extendido en Washington el 29 de mayo de 1913 y el 8 de marzo de 1919).

"Acuerdo comercial complementario". Cambio de notas firmado el 20 de febrero de 1909, en Washington, por Mr. Robert Bacon y D. Ramón Piña y Millet.

"Acuerdo para preservar el «statu quo» en relación con las minas y los derechos mineros en México". Cambio de notas en Washington, el 26 de julio de 1914, firmadas por Mr. W. J. Bryan y D. Juan Riaño.

"Tratado para el arreglo pacífico de las disputas entre los dos países". Firmado el 15 de septiembre de 1914, en Washington, por Mr. W. J. Bryan, y D. Juan Riaño.

"Acuerdo extendiendo el plazo para el nombramiento de la Comisión establecida por el artículo II del Tratado de 15 de septiembre de 1914". Canje de notas firmadas en Washington el 16 de noviembre y el 20 de diciembre de 1915.

"Acuerdo comercial prorrogando el de 1906". Canje de notas, en Madrid, el 6 y el 22 de octubre de 1923, el 26 y el 27 de abril de 1924 y el 2 de mayo de 1925.

"Convenio para la prevención del contrabando de licores alcohólicos". Firmado el 10 de febrero de 1926, en Washington. En vigor.

"Acuerdo comercial para la extensión del tratamiento de nación más favorecida a los productos norteamericanos en España". Canje de notas, en Madrid, firmadas el 26 de mayo y el 26 de octubre de 1927, por el marqués de Estella y Mr. Ogden H. Hammond.

"Arreglo referente a reclamaciones". Canje de notas firmadas en Washington el 24 de agosto de 1927. En vigor.

"Arreglo para el intercambio de información sobre el tráfico de drogas". Canje de notas, en Madrid, el 3 de febrero, 10 de marzo y 24 de mayo de 1928. En vigor.

"Acuerdo para evitar la doble imposición en beneficios navieros". Canje de notas en Washington, el 16 de abril y el 10 de junio de 1930. En vigor.

"Acuerdo sobre servicios de transporte aéreo internacional". Canje de notas, en Madrid, el 2 de diciembre de 1944. En vigor. (Ha sido modificado posteriormente).

"Acuerdo sobre restitución del oro saqueado por Alemania". Canje de notas, en Madrid, el 30 de abril y el 3 de mayo de 1948.

"Acuerdo sobre intercambio de publicaciones oficiales". Canje de notas, en Madrid, el 8 de mayo de 1950. En vigor.

"Acuerdo sobre recíproca renuncia a los derechos de visado para los no inmigrantes". Canje de notas, en Madrid, el 21 de enero de 1952. En vigor (Modificado el 11 de mayo y el 5 de julio de 1963.)

"Acuerdo defensivo". Firmado en Madrid, el 26 de septiembre de 1953, por don Alberto Martín Artajo y Mr. J. C. Dunn. (Existe una serie de modificaciones posteriores).

"Acuerdo de Ayuda para la Mutua Defensa". Firmado en Madrid, el 26 de septiembre de 1953, por D. Alberto Martín Artajo y Mr. J. C. Dunn.

"Acuerdo de ayuda económica". Firmado en Madrid, el 26 de septiembre de 1953, por D. Alberto Martín Artajo y Mr. J. C. Dunn.

"Nota interpretativa y anejo al Acuerdo de Ayuda para la Defensa Mutua sobre impuestos". Firmada en Madrid, el 26 de septiembre de 1953.

"Acuerdo sobre paquetes postales". Firmado en Madrid, el 16 de julio, y en Washington, el 30 de agosto de 1956. En vigor.

"Acuerdo sobre productos agrícolas". Firmado en Madrid, el 5 de marzo de 1956. (Con posterioridad se han verificado diversas modificaciones). En vigor.

"Acuerdo de cooperación para los usos civiles de la energía atómica". Firmado en Washington, el 16 de agosto de 1957. En vigor.

"Acuerdo sobre préstamos de determinados navíos y embarcaciones pequeñas a España". Canje de notas, en Madrid, el 9 de marzo de 1957. En vigor.

"Acuerdo sobre el establecimiento de intercambio educacional". Firmado en Madrid, el 16 de octubre de 1958, por D. Fernando M.ª Castiella y Mr. John D. Lodge. En vigor.

"Acuerdo sobre el préstamo de un destructor y un submarino a España". Canje de notas, en Madrid, el 23 de junio de 1959. En vigor.

"Acuerdo sobre el establecimiento y operación de instalaciones para comunicaciones y seguimiento de satélites en la isla de Gran Canaria (Proyecto Mercury)". Canje de notas, en Madrid, el 11 y el 18 de marzo de 1960.

"Acuerdo sobre facilitación de intercambio de derechos de patente y de información técnica para objetivos defensivos". Canje de notas, en Madrid, el 13 y el 21 de julio de 1960. En vigor.

"Acuerdo sobre exportación de tejidos de algodón desde España a los Estados Unidos". Canje de notas, en Washington, el 16 de julio de 1963. En vigor.

"Declaración conjunta prorrogando el Acuerdo de Ayuda para la Mutua Defensa de 1953". Firmada en Nueva York, el 26 de septiembre de 1963, por Mr. Dean Rusk y D. Fernando M.ª Castiella.

"Carta económica". Firmada en Nueva York, el 26 de septiembre de 1963, por Mr. Dean Rusk y D. Fernando M.ª Castiella.

"Acuerdo de cooperación cultural". Cambio de cartas, en Washington, el 8 de octubre de 1963, por Mr. Dean Rusk y D. Fernando M.ª Castiella.

"Acuerdo sobre el establecimiento y operación de una estación para el seguimiento de vehículos espaciales y la obtención de datos". Canje de notas, en Madrid, el 29 de enero de 1964. En vigor.

"Acuerdo para financiar determinados programas de intercambio educacional". Canje de notas, en Madrid, el 18 de marzo de 1964. En vigor.

"Acuerdo sobre el uso de puertos y aguas territoriales españoles por el «U. S. Savannah»". Canje de notas, en Madrid, el 16 de julio de 1964. En vigor.

"Acuerdo sobre un programa de participación conjunta en pruebas intercontinentales en conexión con satélites experimentales para las comunicaciones". Canje de notas, en Madrid, el 18 de septiembre de 1964 y el 26 de enero de 1965. En vigor.

"Acuerdo relativo a la ampliación y terminación de la estación de seguimiento de vehículos espaciales de Robledo de Chavela". Canje de notas, en Madrid, el 11 de octubre de 1965 (este Acuerdo amplía el de 29 de enero de 1964). En vigor.

"Enmienda al Acuerdo de cooperación para los usos civiles de la energía atómica". Firmada en Washington, el 29 de noviembre de 1965 (enmienda el de 16 de agosto de 1957). En vigor (desde el 1 de abril de 1966).

"Acuerdo formalizando el relativo al funcionamiento y ampliación de la estación de seguimiento de vehículos espaciales de Maspalomas (Gran Canaria)". Canje de notas, en Washington, el 14 de abril de 1966 (deja sin efecto el Canje de 11 y 18 de marzo de 1960, enmendado por el de 27 y 28 de junio de 1963). En vigor.

"Intercambio de comunicaciones entre la Embajada de España en Washington y el Departamento de Estado, por las que se reconoce expresamente la reciprocidad en materia de seguridad social entre ambos países a partir del 20 de julio de 1966". En vigor.

"Acuerdo sobre la donación de una planta desalinizadora a la localidad de Palomares". Canje de notas, en Madrid, el 25 de junio de 1968. En vigor.

"Acuerdo creando el Comité Económico Hispano-Norteamericano, y regulando su competencia y atribuciones". Canje de cartas, el 15 de julio de 1968. En vigor.

"Acuerdo prorrogando el Convenio Defensivo de 26 de septiembre de 1953 hasta el 26 de septiembre de 1970". Canje de notas, en Washington, el 20 de junio de 1969, por Mr. William Rogers y D. Fernando M.ª Castiella.

"Acuerdo prorrogando la vigencia del fechado el 29 de enero de 1964 sobre construcción y establecimiento de la estación de Robledo de Chavela". Canje de notas, en Madrid, el 25 de junio de 1969. En vigor.

"Convenio de extradición actualizando algunos aspectos del Tratado y Protocolo vigente de 1904 y 1907, respectivamente". Firmado en Madrid, el 29 de mayo de 1970, por Mr. William Rogers y D. Gregorio López Bravo. En vigor parcialmente.

"Convenio de Amistad y Cooperación". Firmado en Washington, el 6 de agosto de 1970, por Mr. William Rogers y D. Gregorio López Bravo.

"Acuerdo de desarrollo en que se contienen las normas de ejecución del Capítulo VIII del anterior Convenio". Firmado en Madrid, el 25 de septiembre de 1970, por D. Gregorio López Bravo y Mr. Robert C. Hill.

"Diez anejos de procedimiento al anterior Convenio". Firmados en Madrid, el 25 de septiembre de 1970.

"Anexo de Procedimiento XIV al Convenio de Amistad y Cooperación de 6 de agosto de 1970". Firmado el 28 de abril de 1971.

"Canje de notas sobre concesión provisional de rutas a IBERIA y PAN AMERICAN". Firmado el 30 de abril de 1971. Extinguido.

"Memorándum de entendimiento entre el Departamento de la Vivienda y Desarrollo urbano de los EE.UU y el Ministerio de la Vivienda de España". Firmado el 28 de octubre de 1971. Extinguido.

"Memorándum de entendimiento entre el Ministerio de Obras Públicas de España y el Departamento de Transporte de los Estados Unidos relativo a la investigación cooperativa en el campo del transporte". Firmado el 10 de noviembre de 1971.

"Canje de Notas relativo al préstamo de buques". Firmadas el 30 de mayo y el 28 de agosto de 1972. Derogado.

"Canje de Notas sobre recíproca concesión de derechos a IBERIA y PAN AMERICAN". Firmadas el 28 y el 30 de junio de 1972.

"Canje de Notas constitutivo de un Arreglo Administrativo sobre exportación y reexportación de algodón". Firmadas el 8 y el 15 de agosto de 1972. Extinguido.

"Canje de Notas por el que se prorroga el Canje de Notas de 28 y 30 de junio de 1972 sobre recíproca concesión de derechos a favor de IBERIA y PAN AMERICAN para operar servicios aéreos entre Miami y Madrid". Firmadas el 30 de octubre de 1972. Extinguido.

"Acuerdo sobre Transporte Aéreo". Firmado el 20 de febrero de 1973. En vigor.

"Canje de Notas por el que se modifican determinados extremos en el texto del Acuerdo sobre Transporte Aéreo de 20 de febrero de 1973". Firmadas el 2 y el 13 de abril de 1973. En vigor.

"Convenio de Cooperación relativo a los usos civiles de energía nuclear". Firmado el 20 de marzo de 1974. En vigor.

"Declaración de Principios". Firmada simultáneamente en Madrid por don Juan Carlos de Borbón, Príncipe de España (actuando como Jefe de Estado interino) y en California por el Presidente Richard Nixon, el 19 de julio de 1974. En vigor.

"Acuerdo ampliatorio del Convenio de Extradición de 1970". Firmado en Madrid por don Pedro Cortina y Mr. E. Eaton, el 27 de enero de 1975. En vigor.

"Tratado de Amistad y Cooperación" con 7 Acuerdos complementarios. Firmados en Madrid por don José María de Areilza y Mr. Henry Kissinger, el 24 de enero de 1976. Sustituidos.

"Acuerdo de Desarrollo del Tratado de Amistad y Cooperación de 24 de enero de 1976 con XVI Anejos de Procedimiento". Firmado en Madrid por don José María de Areilza y Mr. Henry Kissinger, el 24 de enero de 1976. Sustituidos.

"Canje de Notas sobre privilegios e inmunidades diplomáticas a los participantes en el Consejo Hispano Americano". Firmadas el 3 de febrero de 1976.

"Acuerdo de Procedimiento para ayudar al Fiscal del Tribunal Supremo de España y el Departamento de Justicia de los Estados Unidos en relación con la «Lockheed Aircraft Corporation»". Firmado el 14 de julio de 1976. En vigor.

"Canje de Notas sobre el Comercio de textiles de algodón". Firmado el 23 de septiembre de 1976. En vigor.

"Acuerdo referente a las pesquerías existentes frente a las costas de los EE.UU.". Firmado el 16 de febrero de 1977. Extinguido.

"Canje de Notas modificando el Acuerdo de 20 de febrero de 1973 sobre servicio de transporte aéreo". Firmadas el 17 y el 20 de octubre de 1977. Extinguido.

"Canje de Notas enmendando el Acuerdo sobre transporte aéreo de 20 de febrero de 1973". Firmadas el 2 y el 3 de febrero de 1977. Extinguido.

"Canje de Notas relativo a los certificados de aeronavegabilidad de los aviones importados". Firmadas el 18 de septiembre y el 13 de octubre de 1978. Extinguido.

"Anexos de procedimiento XI y XII (instalaciones de petróleo y oleoducto Rota-Zaragoza) al Tratado de Amistad y Cooperación de 24 de enero de 1976. Firmados en Madrid, el 19 de diciembre de 1978 por don Marcelino Oreja y Mr. Terence A. Todman. Extinguidos.

"Canje de Notas sobre material y servicios de defensa. Firmadas el 30 de agosto de 1979. En vigor.

"Canje de Notas sobre licencias a radioaficionados". Firmadas el 11 y el 20 de diciembre de 1979. En vigor.

"Canje de Notas enmendando el art. IV del Acuerdo sobre intercambio cultural de 16 de octubre de 1958, enmendado por el Canje de Notas de 18 de marzo de 1964" (Acuerdo Fulbright). Firmadas el 3 de diciembre de 1979 y el 10 de febrero de 1980. En vigor.

"Acuerdo sobre intercambio de datos principales para el desarrollo mutuo de sistemas de armas". Firmado el 19 de junio de 1980. En vigor.

"Acuerdo global sobre la red territorial de mando" (Relativo al Memorándum de Acuerdo de 5 de mayo de 1972). Firmado el 24 de julio de 1980. SECRETO.

"Canje de Notas sobre concesión de privilegios a inmunidades a países participantes en la Conferencia sobre Seguridad y Cooperación en Europa". Firmadas el 13 y el 29 de agosto de 1980. Extinguido.

"Canje de Notas prorrogando por un período de cinco meses el Tratado de

Amistad y Cooperación de 24 de enero de 1976". Firmadas el 4 de septiembre de 1981. Extinguido.

"Canje de Notas regulando la afiliación a la Seguridad Social española del personal no estadounidense adscrito a la Embajada y Oficins Consulares de Estados Unidos en España". Firmadas el 8 de abril y el 1 de diciembre de 1982. En vigor.

"Canje de Notas prorrogando al Acuerdo referente a las pesquerías existentes frente a las costas de los Estados Unidos". Firmadas el 30 de junio y el 2 de julio de 1982. Extinguido.

"Convenio de Amistad, Defensa y Cooperación". Firmado el 2 de julio de 1982. Firmado en Madrid por Mr. Teren de Todman y D. José Pedro Pérez Llorca.

"Convenio complementario «uno» al anterior: Consejo Hispano-Norteamericano". Firmado el 2 de julio de 1982.

"Convenios complementarios al anterior «dos, tres, cuatro, cinco y seis»: Defensa y Fuerzas Armadas". Firmados el 2 de julio de 1982.

"Convenio complementario «siete» al anterior: Cooperación científica, tecnológica, cultural, educativa y económica". Firmado el 2 de julio de 1982.

"Canje de Notas sobre utilización de Bases". Firmadas el 2 de julio de 1982.

"Canje de Notas sobre las unidades de las Fuerzas de los Estados Unidos destinadas con carácter permanente y rotativo en las Bases españolas y sus niveles de Fuerzas". Firmadas el 2 de julio de 1982.

"Canje de Notas sobre personal militar y civil estadounidense destinado temporalmente en las Bases y establecimientos españoles". Firmadas el 2 de julio de 1982.

"Canje de Notas sobre concesión de un crédito de 400 millones de dólares para financiación de las ventas militares al extranjero para el período de 12 meses que comienza el 1 de octubre de 1982". Firmados el 2 de julio de 1982.

"Canje de Notas sobre subvenció de 3 millones de dólares para instrucción del personal de las Fuerzas Armadas españolas durante el período de 12 meses que comienza el 1 de octubre de 1982". Firmados el 2 de julio de 1982.

"Canje de Notas sobre subvenciones de 12 millones de dólares para la cooperación en los campos científico y técnico cultural y educativo durante el período de 12 meses que comienza el 1 de octubre de 1982". Firmados el 2 de julio de 1982.

"Canje de Notas sobre reclamaciones de daños resultantes de incidentes nucleares". Firmadas el 2 de julio de 1982.

"Canje de Notas relativo al vuelo de aeronaves estadounidenses sobre territorio español". Firmadas el 2 de julio de 1982.

"Acuerdo sobre la pesca frente a las costas de los Estados Unidos". Firmado el 29 de julio de 1982.

"Canje de Notas para transferir instalaciones de Cebreros al Gobierno de España". Firmadas el 26 de noviembre de 1982, y el 3 de enero y el 15 de febrero de 1983.

"Canje de Notas prorrogando los Canjes de Notas de 29 de enero de 1964, de 11 de octubre de 1965 y de 25 de junio de 1969 hasta el *29 de enero de 1994*" Firmadas el 1 de febrero y 2 de mayo de 1983.

"Protocolo al Convenio de Amistad, Defensa y Cooperación de 2 de julio de 1982". Firmado el 24 de febrero de 1983.

"Canje de Notas informando de la puesta en vigor en ambos países de los referidos Convenio Básico y demás documentos complementarios y del Protocolo, con fecha 14 de mayo de 1983", firmadas por Terence Todman y D. Fernando Morán.

"Canje de Notas relativo a la jurisdicción sobre buques que utilizan el Louisiana Offshore Port". Firmadas el 5 y 22 de noviembre de 1983.

"Acuerdo sobre Seguridad de información militar clasificada entre España y Estados Unidos, Protocolo y Anejos". Firmado en Washington el 12 de marzo de 1984 por Don Narcis Serra y Mr. Caspar W. Weinberger.

REPRESENTANTES DIPLOMATICOS DE ESPAÑA EN ESTADOS UNIDOS

Juan Miralles Troyllón (Agente oficioso), 1777-1780 • Francisco Rendón (Encargado de los Negocios), 1780-1784 • Diego Gardoqui (Encargado de los Negocios y Ministro Plenipotenciario), 1784-1789 • José Jaúdenes y José Ignacio Viar (Comisionados del Rey), 1789-1792 • José Jaúdenes (Encargado de Negocios), 1792-1795 • José Ignacio Viar (Encargado de Negocios), 1792-1795 • Carlos Martínez de Irujo y Tacón (Ministro Plenipotenciario), 1795-1807 • Valentín de Foronda (Encargado de Negocios), 1807-1809 • José Ignacio de Viar (Encargado de Negocios), 1809-1809 • Luis Onís (Ministro Plenipotenciario), 1809-1819 • Mateo de la Serna (Encargado de Negocios), 1819-1820 • Gral. Francisco Dionisio Vives (Ministro Plenipotenciario), 1820-1821 • Hilario Rivas y Salmón (Encargado de Negocios), 1821-1821 • Joaquín de Anduaga (Ministro Plenipotenciario), 1821-1823 • Hilario Rivasy Salmón (Encargado de Negocios), 1821-1827 • Francisco Facón (Ministro Plenipotenciario), 1821-1835 • Miguel Facón (Encargado de Negocios) • Angel Calderón de la Barca (Ministro Plenipotenciario), 1821-1837 • Miguel Facón (Encargado de Negocios) • Angel Calderón de la Barca (Ministro Plenipotenciario), 1821-1839 • Pedro Alcántara Argaiz (Ministro Plenipotenciario), 1839-1843 • Fidencio Bourman (Encargado de Negocios), 1839-1844 • Angel Calderón de la Barca (Ministro Plenipotenciario), 1844-1853 • José M.ª Magallón (Encargado de Negocios), 1853-1854 • Leopoldo Augusto de Cueto (Ministro Plenipotenciario) • José M.ª Magallón (Encargado de Negocios) • Alfonso Escalante (Ministro Plenipotenciario) • José M.ª Magallón (Encargado de Negocios) •Gabriel García Tassara (Ministro Plenipotenciario), 1853-1867 • Facundo Goñi (Ministro Plenipotenciario), 1867-1867 • Mauricio López Roberts (Ministro Plenipotenciario), 1868-1872 • José Polo de Bernabé (Ministro Plenipotenciario), 1872-1874 • Luis de Potestad (Encargado de Negocios), 1874-1874 • Antonio Mantilla de los Ríos (Ministro Plenipotenciario), 1874-1874 • J. Brunetti y Gayoso (Encargado de Negocios), 1878-1878 • Felipe Méndez de Vigo (Ministro Plenipotenciario), 1878-1878 • Francisco Barca (Ministro Plenipotenciario), 1881-1883 • Enrique Dupuy de Lome (Encargado de Negocios), 1883-1884 • Juan Valera (Ministro Plenipotenciario), 1883-1886 • E. de Murnaga (Ministro Plenipotenciario), 1886-1890 • Marqués de Guirior (Encargado de Negocios), 1890-1890 • Miguel M. Guanes (Ministro Plenipotenciario), 1890-1891 • José Felipe Lograño (Encargado de Negocios), 1891-1892 • Enrique Dupuy de Lome (Ministro Plenipotenciario), 1892-1893 • Emilio de Murnaga (Ministro Plenipotenciario), 1893-1895 • Enrique Dupuy de Lome (Ministro Plenipotenciario), 1895-1898 • Juan Du Bosc (Encargado de Negocios), 1898-1898 • Luis Polo de Bernabé (Embajador), 1898-1898 • Duque de Arcos (Ministro Plenipotenciario) • Emilio de Ojeda (Ministro Plenipotenciario) • Bernardo de Cologan (Ministro Plenipotenciario) • Ramón Piña y Millet (Ministro Plenipotenciario) • Rodrigo de Saavedra (Ministro Plenipotenciario) • Juan Riaño (Embajador) • Alejandro Padilla (Embajador), 1926-1931 • Salvador Madariaga (Embajador), 1931-1932• Juan Fco. de Cárdenas (Embajador), 1932-1934 • Luis Calderón (Embajador), 1934-1936 • Fernando de los Ríos (Embajador), 1936-1939 • Juan Fco. de Cárdenas (Embajador), 1939-1947 • Germán Barraibar (Encargado de Negocios), 1947-1950 • José Félix de Lequerica (Embajador), 1950-1954 • José M.ª de Areilza (Embajador), 1954-1960 • Mariano Iturralde (Embajador), 1960-1962 • Antonio Garrigues (Embajador), 1962-1964 • Marqués de Merry del Val (Embajador), 1964-1969 • Santiago Argüelles (Embajador), 1969-1971 • Angel Sagaz (Embajador) 1971-1974 • Jaime Alba (Embajador), 1974-1976 • Juan José Rovira (Embajador), 1976-1978 • José Lladó (Embajador), 1978-1982 • Nuño Aguirre de Cárcer (Embajador). 1982-1983 • Gabriel Mañueco (Embajador), 1983-1987 • Julián Santamaría Ossorio (Embajador) 1987.

DIPLOMATICOS
REPRESENTANTES NORTEAMERICANOS EN ESPAÑA

COMMISSIONERS

1777 Mr. Benjamin Franklin
1777 Mr. Arthur Lee

MINISTER PLENIPOTENCIARY

1779 Mr. John Jay

CHARGE D'AFFAIRS

1790 Mr. William Carmichael

MINISTER RESIDENT

1794 Mr. William Short

ENVOY EXTRAORDINARY

1794   Mr. Thomas Pinckney

MINISTERS PLENIPOTENCIARY

1796   Mr. David Humphreys
1801   Mr. Charles Pinckney
1804   Mr. James Bowdoin
1814   Mr. George W. Erwing
1819   Mr. John Forsyth
1823   Mr. Hugh Nelson

ENVOYS EXTRAORDINARY
AND
MINISTERS PLENIPOTENCIARY

1825   Mr. Alexander Hill Everett
1829   Mr. Cornelius P. Van Ness
1835   Mr. William T. Barry
1836   Mr. John H. Eaton

CHARGE D'AFFAIRS

1840   Mr. Aaron Vail

ENVOYS EXTRAORDINARY
AND
MINISTERS PLENIPOTENCIARY

1842   Mr. Washington Irving
1846   Mr. Romulus M. Saunders
1849   Mr. Daniel M. Barringer
1853   Mr. Pierre Soule
1855   Mr. August C. Dodge
1858   Mr. William Preston
1861   Mr. Carl Sckurz
1862   Mr. Gustavus Koerner
1865   Mr. John P. Hale
1869   Mr. Daniel E. Sickles
1874   Mr. Cales Cushings
1877   Mr. James Russell Lowell
1880   Mr. Lucius Fairchild
1881   Mr. Hannibal Hamlin
1883   Mr. John W. Foster
1885   Mr. Jabez L.M. Curry
1888   Mr. Perry Belmont
1889   Mr. Thomas W. Palmer
1890   Mr. E. Burd Crub

SPECIAL ENVOY
EXTRAORDINARY AND
MINISTER PLENIPOTENCIARY

1891   Mr. John W. Foster

ENVOYS EXTRAORDINARY
AND
MINISTERS PLENIPOTENCIARY

1892   Mr. A. Loudon Snowden
1893   Mr. Hannis Taylor
1897   Mr. Stewart L. Woddford
1899   Mr. Bellamy Storer
1902   Mr. Arthur S. Hardy
1905   Mr. William Miller Coller
1909   Mr. Henry Clay Ide

AMBASSADORS

1913   Mr. Joseph E. Willard
1921   Mr. Cyrus E. Woods
1923   Mr. Alexander P. Moore
1925   Mr. Ogden H. Hammond
1929   Mr. Irwin B. Laughlin
1933   Mr. Claude G. Bowers
1939   Mr. Alexander W. Weddell
1942   Mr. Carlton J. H. Hayes
1944   Mr. Norman Armour
1948   Mr. Paul T. Culbertson
1951   Mr. Stanton Griffis
1952   Mr. Lincoln MacVeagh
1953   Mr. James Clement Dunn
1055   Mr. John Davis Lodge
1961   Mr. Anthony J. Drexel Biddle
1962   Mr. Robert Forbes Woodward
1965   Mr. Angier Biddle Duke
1968   Mr. Robert F. Wagner
1969   Mr. Robert C. Gill
1972   Mr. Horacio Rivero
1975   Mr. Wells Stabler
1978   Mr. Terence Todman
1983   Mr. Thomas O. Enders
1986   Mr. Reginald Bartholomew

PERSONALIDADES Y FUNCIONARIOS HISPANOS (1)

ABEYTIA, FRANK: Alcalde de Flagstaff, Arizona.
ALVARADO, DONA M.: Director de ACTION, Washington D.C.
ALVARADO, RONALD L.: Special Assistant to the President of USA for Intergovernmental Affairs. The White House.
ALVAREZ, EVERETT: Deputy Administrator of Veteran Affairs, Veteran Administration.
ALVAREZ, FRED W.: Commissioner of the Equal Employment Opportunity Commission.
ALVAREZ, LUIS W.: Vice-Chairman, National Commission on Space.
ANAYA, DONNA L.: Staff Member, Energy and Commerce Committee, House of the Representatives.
ANO NUEVO, LOUISE: Member, National Council on the Humanities.
ARAMAYO, SUSAN B.: Copyright Office, Cataloging Division Library of Congress.
ARQUERO, ELVA: Chief Clerk, Select Committee on Indian Affairs.
ARTER, LT. GENERAL ROBERT: Commander Sixth Army (Calif.).
AURELIO, FRANK J.: Deputy Assistant to the Secretary of Defence. Dept. of Defence.
AZCUENAGA, MARY: Commissioner, Federal Trade Commission.

BADILLO, HERNAN: Ex-Representante en el Congreso por N. York.
BAILAR, BARBARA A.: Associate Director, Bureau of the Census.
BARAZ, ROBERT H.: Bureau of Intelligence and Research, Dept. of State.
BARRON, WILLIAM G.: Deputy Commissioner Internal Operations, Dept. of Labor.
BENITEZ, CLOTILDE: Staff Member, Boards and Commissions, District of Columbia.
BERDES, GEORGE R.: Staff Member, Foreign Affairs Committee, House of Representatives.
BESERRA, RUDY: Assitant Director, Public Liaison office, The White House.
BETANZOS, AMALIA: Política demócrata, Nueva York.
BLANCO, VÍCTOR: Chairman, Inter-American Foundation.
BLAZ, BEN: Delegate of Guam, Congress of USA.
BORDALLO, RICARDO: Governor of Guam.
BUSTAMANTE, ALBERT G.: Representative of Texas. Congress.

CABRERA, MARY M.: Staff Member, Committe on Agriculture Nutrition and Forestry, Senate.
CALVO, GLORIELA: Executive Assistant, Corgas Memorial Institute of Tropical and Preventive Medicine.
CAMACHO, ALBERT C.: Director, Office of the Assistant Secretary for Policy, Budget and Administration. Dept. of Interior.
CAMBO, ROBERTO: Member, National Commission for Employment Policy, Dept. of Labor.
CARDENAS, BLANDINA: Member, U.S. Commission on Civil Rights.
CARDENAS, LEO: Regional Director, Community Relations Service.
CARGAS, HARRY J.: Member, U.S. Holocaust Memorial Council.
CARMEN, GERALD P.: Member, Embassy of the U.S.A., United Nations, Geneve.
CARRASCO, JORGE: Alcalde de Austin, Texas.
CASANOVA, JOSÉ MANUEL: Executive Director (representing the U.S.A.), Inter-American Development Bank.
CASILLAS, FRANK C.: Assistan Secretary for Employment, Dept. of Labor.
CASTANO, PATRICA A.: Staff Member, Boards and Commissions, District of Columbia.
CASTILLO, A. MARIO: Assistant to the Chairman, Committee of Agriculture, House of Representatives.
CASTILLO, IRENEMAREE: Deputy Administrator, Small Pusiness Administration Agency.
CASTRO-KLAREN, SARA: Chief Hispanic Division, Research Service, Library of Congress.
CELADA, RAYMOND J.: American Public Law Division. Library of Congress.
CELESTE, RICHARD F.: Governor of Ohio.
CISNEROS, HENRY: Ex-Alcalde de San Antonio, Texas.
CERVANTES, ALFONSO J.: Ex-Alcalde de St. Louis, Missouri.
CHAVES, MONICA: Staff Member, Foreign Relations Committee, Senate.
CHÁVEZ, CÉSAR: Líder chicano, California.

---

(1) Incluidos en el "Congressional Directory 1986". Quizás falten algunos con apellidos que se han juzgado italianos, franceses, etc. y se incluya más de uno por error de origen.

CHÁVEZ, DIMAS: Director, National Science Foundation.
CHÁVEZ, LINDA: Deputy Assistant to the President and Director of the Office of Public Liaison, The White House.
CORREA, VÍCTOR M.: Treasurer, Government National Mortgage Association.
CRUZ, CINDY: Officer, Equal Opportunity Office, Engineering and Research Center. Dept. of Interior.

DAVILA, JOYCE S.: Chief, Public Services Division. Federal Communications Commission.

EXPARZA, CARLOS: Assistant Director for Washington Area, Workforce Effectiveness Group. Office of Personnel Management.
FE, FRANK DE LA: Assistant Director. Workforce Effectiveness Group. Office of Personnell Management.
FERRÉ, MAURICE: Ex-Alcalde de Miami, Florida.
FERRER, JAMES: Director of Brazilian Affairs. Dept. of State.
FLORES-YSITA, MARIA: Staff Member, Select Committee on Aging, House of Representatives.
FUSTER, JAIME B.: Resident Commissioner, Puerto Rico.

GABRIEL, GEN. CHARLES A.: Chief of Staff, U.S. Air Force, Dept. of Defence.
GABRIEL, GEORGE: Vicepresident, International Bank for Reconstruction and Development.
GALLEGOS, TONY: Commissioner, Equal Employment Opportunity Commission.
GAMBOA, JOHN F.: Director, Office of the Assistant Secretary of Defence, Dept. of Defence.
GARCÍA, CARLA: Staff Member, Budget Committee, Senate.
GARCÍA, ERNEST E.: Assistant for Legislative Affairs. Dept. of Defence.
GARCÍA, ERNEST E.: Deputy Sergeant at Arms. Senate.
GARCÍA, JOSEPH: Director, Office of Procurement. NASA.
GARCÍA, PETER: Assistant Director for Personnel Investigation. Office of Personnel Management.
GARCÍA, ROBERT: Representative of New York. Congress.
GARZA, E. (Kika) DE LA: Representative of Texas. Congress.
GARZA, JOSÉ: Legislative Director. Representative S. Ortiz.
GARZA, REYNALDO G.: U.S. Senior Circuit Judge. Brownsville, Texas.
GAYOSO, ANTONIO: Director, Internat. Development Assistance, Bureau of International Organizations Affairs. Dept. of State.
GÓMEZ, CHARLES: Alcalde de Lynwood, California.
GONZÁLEZ, HENRY B.: Representative of Texas, Congress.
GONZÁLEZ, JAMES H.: Director, Minority Business Development Agency, Dept. of Commerce.
GONZÁLEZ, MAJOR GENERAL ORLANDO E.: U.S. Army Aviation Systems Command. Headquarters U.S. Army.
GONZÁLEZ, LT. COL. FRANCISCO: Deputy Secretary for Finance. Inter-American Defense Board.
GONZÁLEZ, GEORGE O.: Director, Office of Veteran's Reemplyment Rights, Dept. of Labor.
GONZÁLEZ ARROYO, ESTHER: Member, U.S. Commission on Civil Rights.
GUERRA, ESTELLA G.: Deputy Assistant Secretary, Manpower Reserve Affairs and Installations. Dept. of the Air Force.

HERNÁNDEZ, LETICIA: Executive Assistant to the Representative Torres.
HERNÁNDEZ, WILLIAM: Manager, Office of Dept. on Housing and Urban Development, Harford, Conn.
HERNÁNDEZ COLON, RAFAEL: Gobernador de Puerto Rico.
HONOR, MAJ. GENERAL EDWARD: Committee for the Blind and Other Severely Handicapped (representing the Dept. of the Army).

INGENITO, ROSALINE: Board of Occupational Therapy Practice, Distric of Columbia.
IZQUIERDO, ANTONIO: Director, Multi-Family Processing Division Rural Development, Small Communities and Rural Development. Dept. of Agriculture.

JIMENO, JULIUS: Chief, Office of Finance and Management, Dept. of Agriculture.
JESÚS, ANTONIO DE: Deputy Director, Health Planning, National Institute of Health.
JOVA, JOHN: Embajador de los Estados Unidos en México.

JUÁREZ, JOSEPH C.: Director, Office of Veteran's Employments. Dept. of Labor.
JUNTILLA, JAMES: Chief, Common Carrier Bureau, Federal Communications Commission.

LABELLA, VINCENT: Judge, GSA Board of Contract Appeals.
LANDICHO, JOHN: General Accounting Office.
LA POLLA, LOUIS: Alcalde de Utica, Nueva York.
LA SALA, JOSEPH A.: Office of Congressional Affairs, Dept. of Transportation.
LEON, RUDY DE: Administrative Assistant, Member of the House Mavroules.
LIMA, REBECCA: Officer, Freedom of Information. Office of Public Affairs. Dept. of Transportation.
LINHARES, ALFONSO: Office of Technology and Planning Assistance. Dept. of Transportation.
LOPEZ, BERNARD BLAS: State Arts Agency Director, Member of the National Council of the Arts.
LÓPEZ, DANIEL R.: Regional Commissioner, U.S. Parole Commission, Dept. of Justice.
LÓPEZ TEJERINA, REYES: Líder chicano, Nuevo México.
LÓPEZ, DONALD S.: Deputy Director, National Air and Space Museum.
LÓPEZ, GEORGE M.: Assistant Director, Division of Support Services. Federal Reserve.
LUACES, ROBERT: Officer, Legislative Management, Dept. of State.
LUCAS, GERALD R.: Assistant Secretary's Office, Dept. of Commerce.
LUCAS, ROBERT S.: Rear Admiral, Coast Guard, 17th District.
LUCAS, RUTH: Investigative Clerk, Judiciary Committee, Senate.
LUCAS, WILLIAM R.: Director, George C. Marshall Space Flight Center, NASA.
LUCERO, GENE A.: Director, Office of Waste Programs Enforcement. Enforcement. Envirnmental Protection Agency.
LUGAR, RICHARD G.: Senator, Indiana.
LUGO, RON DE: Delegate, St. Tomas.
LUJAN, MANUEL: Representative of New Mexico, Congress.
LUNA, SARAH: Legislative Director, Representative Mazzoli.

MADURO, REYNALDO T.: Assistant Director, Office of Compliance, ACTION.
MAIDIQUE, MODESTO: President, Florida International University.
MALDONADO, DAN: Administrative Assistant, Representative Roybal.
MALDONADO, JUAN: Legal Counsel Division, District of Columbia.
MANOS, SANTAL: Staff Member, Appropriations Committee, Senate.
MARINO, ANTONIO J.: Alcalde de Lynn, Massachusetts.
MARQUEZ, JIM J.: General Counsel, Office of the Secretary of Transport.
MARQUEZ, LEO: Lt. General, Logistics and Engineering, Air Force.
MARTÍNEZ, BOB: Alcalde de Tampa, Florida.
MARTÍNEZ, JOE B.: Governor of the American Red Cross (representing San Antonio, Texas).
MARTÍNEZ, JOSÉ E.: Staff Memeber, Armed Services Committee, Senate.
MARTÍNEZ, MATTHEW: Representative of California, Congress.
MARTÍNEZ, RAUL: Alcalde de Hialeah, Florida.
MARTÍNEZ PIEDRA, ALBERTO: Embajador en Guatemala.
MEADOR, RAYMOND: Alcalde de Carson, California.
MEDERO, FREDERICK R.: General Consel, Farm Credit Administration.
MEDEROS, CAROLINA L.: Director, Office of Programs and Evaluation. Office of the Secretary of Transportation.
MEDINA, JAMES S.: General, Director of West Point Academy.
MEDINA, RUBENS: Chief Hispanic Law Division, Library of Congress.
MENDOZA, CHRISTINA: Executive Assistant, Select Committee on Aging, House of Representatives.

MENDOZA, MARÍA: Staff Attorney, Select Committee on Indian Affairs, Senate.

MERCADO, CYNTHIA: Director, Equal Emplyment Opportunities Staff, Dept. of Agriculture.

MIRANDA, LEONEL V.: Deputy Director, Office of Small and Disadvantaged Business Utilization. Veterans Administration.

MIRANDA, MIA: Documents Clerk, Energy and Natural Resources Committee, Senate.

MONJO, JOHN C.: Deputy Assistant Secretary for East Asiant and Pacific Affairs. Dept. of State.

MONTALTO, WILLIAM: Procurement Policy Counsel Small Business Committe. Senate.

MONTANO, LOUIS: Alcalde de Santa Fe, N. México.

MONTOYA, JOSEPH M.: Ex-Senador (N. México).

MONTOYA, RICHARD F.: Assistant Secretary, Territorial and Internal Affairs. Dept. of the Interior.

MORAN, ALFRED C.: Assistant Secretary for Community Planning, Dept. of Housing and Urban Development.

MORAN, ANNE: Staff Memeber, Finance Committe. Senate.

MORAN, CHARLES F.: Member, General Services Administration Advisory Board, General Services Administration.

MORAN, COL. CLAYTON L.: U.S. Army. Director: Personnel and Administration, American Battle Monuments Commission.

MORAN, DONALD W.: Executive Assoc. Director of Federal Procurement Policy, Office of Management and Budget. The White House.

MORAN, JAMES B.: Executive Director, Bureau of African Affairs. Dept. of State.

MORAN, PATRICIA K.: Director, Office of Public Information. General Accounting Office.

MORAN, RAYMOND C.: Medical and Legal Occupations Division. Office of Personnel Management.

MORAN, ROBERT F.: Office of the Attending Physician. The Capitol, Washington D.C.

MORAN, THOMAS E.: Vicepresidente (Europe and Canada), Export-Import Bank of USA.

NAVARRO, BRUCE C.: Deputy Secretary for Legislative Affairs. Dept. of Labor.

OLER, HARRIET: Examining Division, Copyright Office. Library of Congress.

OLMO, RALPH: Comptroller. Office of Management. Dept. of Education.

ORTEGA, CAROL: Staff Member, Appropriations Committee, Senate.

ORTEGA, KATHERINE DAVALOS: Treasurer of the USA.

ORTIZ, FRANK: Embajador en Buenos Aires.

ORTIZ, SOLOMON: Representative of Texas, Congress.

PACHECO, NORA: Director of Special Services, Peace Corps.

PARDO, LESLIE C.: Staff Member, Appropriation Committee, Senate.

PAREDES, JESSE L.: Director, Benefit Payments Dept., Pension Benefit Guaranty Corporation.

PATRIARCA, MICHAEL: Deputy Comptroller of the Currency. Dept. of Treasury.

PENA, FEDERICO: Alcalde de Denver, Colorado.

PENA, RICHMOND: Staff Member, Foreigh Affairs Committee House of Representatives.

PERALES, GABRIEL, jr.: Regional Director, Federal Labor Relations Authority.

PÉREZ, MILDRED: Administr. Assoc. of the Representative García.

PINEDA, ANNA: Staff Member, Ways and Means Committee, House of Representatives.

PINTO, EDMUND: Assoc. Administrator for Public Affairs, Federal Aviation Administration.

PLATA, NANCY D.: Secretary to the Director of Program Analysis and Evaluation. Dept. of Defense.

PRIMAS, jr., MELVIN: Alcalde de Camden, New Jersey.

QUINTA, DONNA M.: Director, Liaison Office. The Capitol Washington D.C.

RAIMUNDO, JEFFERY: Standing Committe of Correspondents. The Capitol, Washington D.C.

RAMO, SIMON: Director, National Science Board. National Science Foundation.

RAMÓN, JAIME: Special Assistant Commissioner, Equal Employment Opportunity Commission.

REAL, CLAIRE DEL: Deputy Assistant Secretary for Public Affairs. Dept. of Health.

RENDON, FLORENCIO: Administrative Assistant to the Representative Ortiz.

RENDON, MARTIN: Legislative Assistant to Representative Hall.

REYES, LUANA: Director, Division of Planning. Indian Health Service.

REYES, M. F.: Regional Commissioner U.S. Parole Commission Dept. of Justice.

REZ, JAMES M.: Alcalde de Glendale, California.

RICARDO-CAMPBELL, RITA: Member, National Council on the Humanities.

RIO, LUIS DEL: Director of Inter-American Operations Peace Corps.

RIOS, GEORGE: Deputy Director, Office of Bilingual Education and Minority Languages Affairs. Dept. of Education.

RIVAS, RUBEN: Staff Member, Select Committee on Aging. House of Representatives.

RIVERA, HENRY M.: Commissioner, Federal Communications Commission.

RODRÍGUEZ, ELIAS: Chief Judge, Office of Hearings. Office of the Secretary of Transportation.

RODRÍGUEZ, RITA: Director, Export-Import Bank of the USA.

ROMERO, FRED E.: Administrator. Employment and Training Office. Dept. of Labor.

ROMERO, RICHARD L.: Finnacial and Management Occupations Divison. Office of Personnel Management.

ROYBAL, EDWARD R.: Representative of California. Congress.

SABEL, KATHERINE C.: Assistant Under Secretary, Small Community and Rural Development. Dept. of Agriculture.

SALAZAR, LUCI: Assist. to Representative Lujan.

SALVIA, JEANNE M.: Staff Member, Committee Foreign Affairs. House of Representatives.

SALVO, ANTHONY V.: Alcalde de Salem, Massachusetts.

SÁNCHEZ, JOSÉ: Legislative Director to Representative Coleman.

SÁNCHEZ, MARY A.: Secretary, Committe Science and Technology. House of Representatives.

SÁNCHEZ, NESTOR D.: Deputy Assistant Secretary for Inter-American Affairs. Dept. of Defense.

SÁNCHEZ-DAVIS, I.L.: Regional Administrator Region VI. Dept. of Housing and Urban Development.

SANJUAN, PEDRO: Ex-Assistant Secretary. Territorial and Internal Affairs. Dept. of the Interior.

SEBASTIAN, WENDELL A.: General Counsel, National Credit Union Administration.

SILVA, ALEXANDER A.: Director, Civil Rights Office. Gral. Accounting Office.

SILVA, COL. THEODORE S.L.: Chief, Reserve Forces and Mobilization. Dept. of the Army.

SILVEIRA, Dr. MILTON A.: Chief Engineer, NASA.

SOBRIO, DANIEL B.: Assistant Director, Agency and Union Management Division.

SORIANO, JESSE M.: Director, Office of Bilingual Education and Minority Languages Affairs. Dept. of Education.

SORZANO, JOSÉ S.: Deputy US Representative, US Mission to the United Nations.

SOTELO, G.D.: Alcalde de Harlingen, Texas.

SOTERO, LUCIANO: Member, Board of Pharmacy. District of Columbia.

SOTO, PETER J.: Governor, American Red Cross.

SUÁREZ, XAVIER: Alcalde de Miami, Florida.

TOLEDO, MARY D.: Secretary, Select Committee on Indian Affairs.

TORRES, ESTEBAN E.: Representative of California. Congress.

TORRUELLA, JUAN R.: Circuit Judge, First Judicial Circuit, US Court of Appeal.

TRAFICANTE, MICHAEL: Alcalde de Cranston, Rhode Island.

URBANO, ESTHER: Staff Assistant, Select Committee on aging.
URBINA, RICARDO M.: Judge, Superior Court of the District of Columbia.

VALDEZ, JOEL: Alcalde Tucson, Arizona.
VALLE, LORNA PRANGER: Receptionist, Office of the Sergeant at Arms. Senate.
VELA, EDWARD, jr.: Dallas Regional Director, Office of Personnel Management.
VILLANO, PETER: Alcalde de Hamden, Connecticut.

YBARRA, MANUEL R.: Secretary, International Boundary and Water Commission USA-Mexico.

ZABALZA, COL. VINCENT: Director, National Netheorological Office.

700

B) LENGUA ESPAÑOLA

1) UNIVERSIDADES Y COLEGIOS NORTEAMERICANOS EN LOS CUALES SE ENSEÑA EL ESPAÑOL (1)

Dept. Mod. For. Lang.
Abilene Christian College.
Abilene, Texas.

Language Dept.
Acad. of the New Church College.
Bryn Athyn, Pa.

Dept. Lang. & Lit.
Adams State College.
Alamosa, Colorado.

Dept. Lang.
Adelphi University.
Garden City, New York.

Dept. Lang.
Agnes Scott College.
Decatur, Georgia.

Dept. Mod. Lang.
University of Akron.
Akron 4, Ohio.

Lang. Dept.
Alabama A & M College.
Normal, Alabama.

Dept. Lang.
Alabama College.
Montevallo, Alabama.

Dept. For. Lang.
Alabama State College.
Montgomery, Alabama.

Dept. Rom. Lang.
University of Alabama.
University, Alabama.

---

(1) Las instituciones marcadas con (x) conceden anualmente más de 15 títulos de Bachiller, con especialización en español.

Div. of Humanities.
Alameda State College.
22300 Foothill Blvd.
Hayward, California.

Div. of Lib. Arts.
University of Alaska.
College, Alaska.

Dept. Mod. Lang.
Albany State College.
Albany, Georgia.

Dept. Lang.
Albertus Magnus College.
700 Prospect Street.
New Haven 11, Connecticut.

Dept. Mod. Lang.
Albion College.
Albion, Michigan.

Dept. Lang.
Albright College.
Reading, Pennsylvania.

Dept. For. Lang. & English.
Alcorn College.
Lorman, Mississippi.

Dept. Rom. Lang.
Alfred University.
Alfred, New York.

Dept. Mod. Lang.
Allegheny College.
Meadville, Pennsylvania.

Dept. Rom. Lang.
Allen University.
Columbia 4, South Carolina.

Dept. Mod. For. Lang.
Alma College.
Alma, Michigan.

Dept. Mod. Lang.
Alverno College.
3401 S 39th Street.
Milwaukee 15, Wisconsin.

Dept. Mod. Lang.
Amarillo College.
Amarillo, Texas.

Dept. Mod. Lang.
American Inst. For. Trade.
Box 191.
Phoenix, Arizona.

Dept. Lang.
American Internat'l College.
Springfield, Mass.

Dept. Mod. Lang.
The American University.
Washington 16, D. C.

Dept. Mod. Lang.
Amherst College.
Amherst. Mass.

Dept. For. Lang.
Anderson College.
Anderson, Ind.

Dept. Mod. Lang.
Anna Maria College for Women.
Paxton, Mass.

Dept. For. Lang.
Antioch College.
Yellow Springs. Ohio.

Dept. For. Lang.
Appalachian State Teachers College.
Boone, North Carolina.

Dept. of Fr. & Sp.
Aquinas College.
Grand Rapids, Mich.

Dept. Mod. Lang.
Arizona State College.
Flagstaff, Arizona.

Dept. For. Lang.
Arizona State University (x).
Temple, Arizona.

Dept. Rom. Lang.
University of Arizona.
Tucson, Arizona.

Dept. Mod. For. Lang.
Arkansas A & M College.
Pine Bluff, Arkansas.

Dept. of Fr. & Sp.
Arkansas A&M College.
College Heights, Arkansas.

Dept. Mod. Lang.
Arkansas State Teachers College.
Conway, Arkansas.

Chairman Dept. Rom. Lang.
University of Arkansas.
Fayetteville, Arkansas.

Dept. Mod. Lang.
Arlington State College.
Arlington, Texas.

Dept. Mod. Lang.
Armstrong College.
Savannah, Georgia.

Dept. of Spanish.
Asbury College.
Wilmore, Kentucky.

Dept. Mod. Lang.
Ashland College.
Ashland, Ohio.

Dept. Mod. Lang.
Assumption College.
Worcester 3, Mass.

Dept. Mod. Lang.
Atlantic Christian College.
Wilson, North Carolina.

Dept. For. Lang.
Auburn University.
Auburn, Alabama.

Dept. Mod. Lang.
Augsburg College.
Minneapolis 4, Minn.

Dept. Mod. Lang.
Augustana College.
Rock Island, Ill.

Dept. For. Lang.
Augustana College.
Sioux Falls, S. D.

Dept. Rom. Lang.
Aurora College.
Aurora, Ill.

Dept. Mod. Lang.
Austin College.
Sherman, Texas.

Dept. For. Lang.
Baker University.
Baldwin City, Kansas.

Dept. Mod. Lang.
Bakersfield College.
Bakersfield, Calif.

Baldwin-Wallace College.
Dept. of Spanish.
Berea, Ohio

Dept. Mod. Lang.
Ball State University.
Muncie, Ind.

Dept. of Spanish.
Barat College.
Lake Forest, Ill.

Dept. of Lang. & Lit.
Bard College.
Annandale-on-Hudson, N. Y.

Dept. of Spanish.
Barry College.
Miami 38, Florida.

Dept. For. Lang.
Bates College.
Lewiston, Maine.

Dept. Mod. Lang.
Baylor University.
Waco, Texas.

Dept. Mod. Lang.
Beaver College.
Jenkintown, Penna.

Dept. For. Lang.
Belhaven College.
Jackson, Miss.

Dept. Mod. Lang.
Bellarmine College.
Louisvile 5, Ky.

Dept. Mod. Language.
Beloit College.
Beloit, Wis.

Dept. of Lang & Lit.
Bemidji State College.
Bemidji, Minn.

Sec of Faculty of Lit & Lang.
Bennington College.
Bennington, Vt.

Dept. Rom. Lang.
Berea College.
Berea, Ky.

Dept. Mod. Lang.
Bethany College.
Bethany, W. Va.

Dept. For. Lang.
Bethany College.
Lindsborg, Kansas.

Dept. Mod. Lang.
Bethany Nazarene College.
Bethany, Okla.

Dept. For. Lang.
Bethel College.
McKenzie, Tenn.

Dept. For. Lang.
Bethel College.
North Newton, Kan.

Dept. Humanities & Eng.
Bethune-Cookman College.
Daytona Beach, Fla.

Dept. Mod. Lang.
Birmingham-Southern College.
Birmingham, Ala.

Dept. of Lang & Lit.
Bishop College.
Marshall, Texas.

Dept. of Spanish.
Blackburn College.
Carlinville, Ill.

Dept. Mod. Lang.
Blue Mountain College.
Blue Mountain, Miss.

Dept. Mod. Lang.
Bod Jones University.
Greenville, S. C.

Dept. Mod. Lang.
Boston College.
Chestnut Hill 67, Mass.

Dept. Mod. For. Lang.
Boston University (x).
Boston 15, Mass.

Dept. Rom. Lang.
Bowdoin College.
Brunswick, Maine.

Dept. Rom. Lang.
Bowling Green State University (x).
Bowling Green, Ohio.

Dept. Mod. Lang.
Bradley University.
Peoria, Ill.

Dept. Europ. Lang & Lit.
Brandeis University.
Waltham 54, Mass.

Dept. Mod. Lang.
Brenau College.
Gainesville, Ga.

Dept. Mod. Lang.
Briar Cliff College.
Sioux City 3, Iowa.

Dept. For. Lang.
University of Bridgeport.
Bridgeport, Conn.

Dept. of Lang.
Brigham Young University (x).
Provo, Utah.

Dep. Mod. Lang.
Brooklyn College (x).
Brooklyn 10, N. Y.

Dept. Mod. Lang.
Brooklyn Polytechnic Institute.
Brooklyn 1, N. Y.

Dept. Mod. Lang.
Brown University.
Providence 12, R. I.

Dept. Mod. Lang.
Bry Mawr College.
Bryn Mawr, Penna.

Dept. Mod. Lang.
Bucknell University.
Lewisburg, Penna.

Dept. Mod. For. Lang.
Buena Vista College.
Storm Lake, Iowa.

Dept. Mod. Lang & Lit.
University of Buffalo.
Buffalo 14, N. Y.

Dept. Mod. For. Lang.
Butler University.
Indianapolis 7, Ind.

Dept. of Spanish & French.
Cabrillo College.
Watsonville, Calif.

Dept. Eng. & Public Speaking.
Calif. State Polytechnic C.
San Luis Obispo, Calif.

Dept. of Sp. & Port.
University of California (x).
Berkeley 4, Calif.

Dept. For. Lang.
University of California.
Davis, Calif.

Dept. of Sp. & Por.
University of California (x).
Los Angeles 24, Calif.

Dept. For. Lang.
University of California.
Santa Barbara, Calif.

Lang. Arts Dept.
Cameron State Agric. College.
Lawton, Okla.

Dept. Mod. Lang.
Canisius College.
Buffalo 8, N. Y.

Dept. Rom. Lang.
Capital University.
Columbus 9, Ohio.

Dept. Mod. Lang.
Carleton College.
Northfield, Minn.

Dept. Mod. Lang.
Carnegie Institute of Technology (x).
Pittsburgh 13, Pa.

Div. of Lang & Lit.
Carrol College.
Helena, Mon.

Dept. Mod. For. Lang.
Carson-Newman College.
Jefferson City, Tenn.

Dept. Lang.
Carthage College.
Carthage, Ill.

Dept. Mod. Lang.
Cascade College.
Portland 17, Oregon.

Dept. Mod. Lang.
Catawa College.
Salisbury, N. C.

Dept. Mod. Lang.
Catholic University of America.
Washington 17, D. C.

Dept. Mod. Lang.
Catholic Univ. of Puerto Rico.
Ponce, Puerto Rico.

Dept. For. Lang.
Cedar Crest College.
Allentown, Pa.

Dept. Mod. Lang.
Centenary College.
Shreveport. La.

Dept. Mod. For. Lang.
Central College.
Fayette, Mo.

Dept. Mod. Lang.
Central College.
Pella, Iowa.

Dept. Mod. Lang.
Central Conn. State College.
New Britain, Conn.

Dept. For. Lang.
Central Michigan University.
Mt. Pleasant, Mich.

Dept. Mod. Lang.
Central Mo. State College.
Warrensburg, Mo.

Humanities & Lang. Arts Dept.
Central State College.
Wilberforce, Ohio.

Dept. Mod. Lang.
Centre College.
Danville, Ky.

Dept. Mod. Lang.
Chatham College.
Woodland Road.
Pittsburgh 32, Penna.

Dept. Mod. Lang.
University of Chattanooga.
Chattanooga 3, Tenn.

Dept. of Spanish.
Chestnut Hill College.
Philadelphia 18, Penna.

Dept. Mod. Lang.
Chicago Teachers College.
6800 Stewart Avenue.
Chicago 21, Ill.

Dept. Rom. Lang.
University of Chicago.
Chicago 37, Ill.

Dept. Rom. Lang.
University of Cincinnati (x).
Cincinnati 21, Ohio.

Dept. Mod. Lang.
The Citadel.
Charleston, S. C.

Dept. Rom. Lang.
The City College (x).
New York 31, N. Y.

Dept. For. Lang.
City College of San Francisco.
Ocean Ave. & Phelan St.
San Francisco 12, Calif.

Dept. Rom. Lang.
Claremont Graduate School.
Claremont, Calif.

Dept. of Spanish.
Claremont Men's College.
Claremont, Calif.

Dept. For. Lang.
Clark College.
Atlanta, Ga.

Dept. of Fr. & Sp.
Clark College.
Vancouver, Wash.

Dept. Rom. Lang.
Clark University.
Worcester, Mass.

Dept. Sp. & Ger.
Clarke College
Dubuque, Iowa.

Dept. of English.
Clemson University.
Clemson, S. C.

Dept. Mod. Lang.
Coe College.
Cedar Rapids, Iowa.

Dept. Mod. Lang.
Coker College.
Hartsville, S. C.

Dept. Mod. Lang.
Colby College.
Waterville, Maine.

Dept. Rom. Lang.
Colgate University.
Hamilton, N. Y.

Dept. For. Lang.
C. Misericordia College.
Dallas, Penna.

Dept. Rom. Lang.
Colorado College.
Colorado Springs, Colo.

Dept. Eng. & Humanities.
Colorado School of Mines.
Golden, Colo.

Dept. of Humanities.
Colorado State College.
Greeley, Colo.

Sub-dept. Mod. Lang.
Colorado State University.
Fort Collins, Colo.

Dept. of Mod. Lang.
University of Colorado.
Boulder, Colo.

Dept. Mod. Lang.
Columbia College.
Columbia, S. C.

Dept. Mod. Lang.
Columbia Union College.
Takoma Park 12, Md.

Dept. Mod. Lang.
Columbia University.
Barnard College.
New York 27, N. Y.

Departament of Spanish.
Columbia University (x).
Graduate School.
New York 27, N. Y.

Dept. Mod. Lang.
Concordia College.
Moorhead, Minn.

Dept. Mod. Lang.
Connecticut College.
New London, Conn.

Dept. For. Lang.
University of Connecticut.
Storrs, Conn.

Dept. Lang.
Converse College.
Spartanburg, S. C.

Dept. Class. & Mod. Lang.
Cornell College.
Mt. Vernon, Iowa.

Mod. Lang. Div.
Cornell University.
Ithaca, N. Y.

Dept. Mod. Lang.
Creighton University.
Omaha, Nebr.

Dept. Mod. Lang.
Culver-Stockton College.
Canton, Mo.

Dept. Mod. For. Lang.
University of Dallas.
Dallas 21, Texas.

Dept. Mod. Lang.
Dana College.
Blair, Nebr.

Dept. Rom. Lang.
Dartmouth College.
Hanover, N. H.

Dept. Lang.
David Lipscomb College.
Nashville, Tenn.

Dept. Lang.
Davidson College.
Davidson, N. C.

Dept. Mod. Lang.
Davis-Elkins College.
Elkins, W. Va.

Dept. For. Lang.
Dayton University.
Dayton, Ohio.

Dept. Mod. Lang.
University of Delaware.
Newark, Delaware.

Dept. Mod. Lang.
Del Mar College.
Corpus Christi, Texas.

Dept. of Lan. & Lit.
Delta State College.
Cleveland, Miss.

Dept. Mod. Lang.
Denison University.
Granville, Ohio.

Dept. Mod. Lang.
University of Denver.
Denver 10, Colorado.

Dept. Mod. Lang.
De Paul University.
Chicago 4, Illinois.

Dept. Rom. Lang.
De Pauw University.
Greencastle, Indiana.

Department Mod. Lang.
University of Detroit.
Detroit 21, Michigan.

Dept. Mod. Lang.
Dickinson College.
Carlisle, Pennsylvania.

Chairman Dept. Lang.
Dillard University.
New Orleans 22, Louisiana.

Dept. For. Lang.
D. C. Teachers College.
Washington, D. C.

Dept. Mod. Lang.
Dominican College of San Rafael.
San Rafael, California.

Dept For. Lang.
Drake University.
Des Moines 11, Iowa.

Dept. Lang.
Drew University.
Madison, New Jersey.

Dept. For Lang.
Drexel Inst. of Technology.
Philadelphia 4, Pennsylvania.

Dept. Mod. For. Lang.
Drury College.
Springfield, Missouri.

Dept. Mod. For. Lang.
University of Dubuque.
Dubuque, Iowa.

Dept. Rom. Lang.
Duchesne College.
Omaha 31, Nebraska.

Dept. Rom. Lang.
Duke University.
Durham, North Carolina.

Department of Spanish.
Dunbarton College of Holy Cross.
2935 Upton Street, NW.
Washington 8, D. C.

Dept. Mod. Lang.
Duquesne University (x).
Pittsburgh 19, Pennsylvania.

Dept. Lang.
D'Youville College.
320 Porter Avenue.
Buffalo, New York.

Dept. For. Lang.
Earlham College.
Richmond, Indiana.

Dept. For. Lang.
East Carolina University.
Greenville, North Carolina.

Dept. For. Lang.
East Central State College.
Ada, Oklahoma.

Dept. of Mod. For. Lang.
Fairfield University.
Fairfield. Conn.

For Lang.
Fairleigh Dickinson University.
Rutherfor, N. J.

Dept. For. Lang.
Fairmont State College.
Fairmont W. Va.

Dept. Mod. For. Lan.
Fenn College.
Cleveland 15, Ohio.

Dept. Mod. For. Lang.
Florence State College.
Florence, Ala.

Dept. Mod. For. Lang.
Florida A&M University.
Tallahassee, Fla.

Dept. Mod. For. Lang.
Florida Presbyterian College.
St. Petersburg 31, Fla.

Dept. Mod. For. Lang.
Florida State University.
Tallahassee, Fla.

Dept. Mod. For. Lang.
University of Florida.
Gainesville, Fla.

Dept. Mod. For. Lang.
Fordham University.
New York 58, N. Y.

Dept. Mod. For. Lang.
Fort Hays Kansas State College.
Hays, Kan.

Dept. Mod. For. Lang.
Fort Valley State College.
Fort Valley.

Dept. Mod. Lang.
Franklin College.
Franklin, Indiana.

Flanklin and Marshall College.
Chairman Dept. Mod. For. Lang.
Lancaster, Pa.

Dept. of Mod. For. Lang.
Fresno State College.
Fresno, California.

Dept. of Mod. For. Lang.
Friends University.
Wichita 13, Kan.

Dept. of Mod. Lang.
Furman University.
Greenville, S. C.

Dept. of Mod. Lang.
Gallaudet College.
Washington 2, D. C.

Dept. of Mod. Lang.
Gannon College.
Erie, Pa.

Dept. Mod. Lang.
Gardner-Webb College.
Boiling Springs, N. C.

Dept. of Mod. Lang.
Geneva College.
Beaver Falls, Pa.

Dept. of Mod. Lang.
George Peabody College for Teachers.
Nashville 5, Tenn.

Dept. of Mod. Lang.
George Pepperdine College.
Los Angeles, California.

Dept. of Mod. Lang.
Georgetown College.
Georgetown, Ky.

Dept. of Mod. For. Lang.
Georgetown University.
Washington 7, D. C.

Institute of Lang & Ling.
Georgetown University.
Washington 7, D. C.

Dept. Mod. Lang.
East Tennessee State College.
Johnson City, Tennessee.

Dept. Lang.
East Texas Baptist College.
Marshall, Texas.

Dept. Lang.
East Texas State University.
Commerce, Texas.

Dept. For. Lang.
Eastern Illinois University.
Charleston, Illinois.

Dept. For. Lang.
Eastern Kentucky State College.
Richmond, Kentucky.

Dept. For. Lang.
Eastern Michigan University.
Ypsilanti, Michigan.

Dept. Lang. & Lit.
Eastern Montana Col. of Education.
Billings, Montana.

Dept. of Letters.
Eastern Nazarene College.
Wollaston, Park.
Quincy 70, Massachussetts.

Dept. Lang. Lit. & Fine Arts.
Eastern New Mexico University.
Portales, New Mexico.

Div. of Lang. & Lit.
Eastern Washington College of Educ.
Cheney, Washington.

Dept. Mod. Lang.
Edgewood Col., of the Sacred Heart.
Madison 5, Wisconsin.

Dept. For. Lang.
Elizabethtown College.
Elizabethtown, Pennsylvania.

Dept. Lang.
Elmhurst College.
Elmhurst, Illinois.

Dept. Lang. & Lit.
Elmira College.
Elmira, New York.

Dept. Lang.
Elon College.
Elon, North Carolina.

Dept. Lang.
Emerson College.
130 Beacon Street.
Boston 16, Massachusetts.

Dept. Mod. Lang.
Emmanuel College.
Boston, Massachusetts.

Dept. For. Lang.
Emmanuel Missionary College.
Berrien Springs, Michigan.

Dept. Rom. Lang.
Emory University.
Atlanta 22, Georgia.

Dept. Mod. Lang.
Emory & Henry College.
Emory, Virginia.

Dept. Mod. Lang.
Erskine College.
Due West, South Carolina.

Dept. For. Lang.
Evansville College.
Evansville, Indiana.

Dept. Roman Lang.
George Washington University.
Washington 6, D. C.

Dept. Mod. For. Lang.
Georgia Inst. of Technology.
Atlanta, Ga.

Dept. of Mod. For. Lang.
Georgia St. University.
Atlanta 3, Ga.

Dept. of Mod. For. Lang.
The Woman's College of Georgia.
Milledgeville, Ga.

Dept. of Mod. For. Lang.
University of Georgia.
Athens, Ga.

Georgian Court College.
Chairman Dept. of Mod. For. Lang.
Lakewood, N. J.

Dept. of Mod. For. Lang.
Gettysburg College.
Gettysburg, Pa.

Dept. of Mod. For. Lang.
Gonzaga University.
Spokane 2, Washington.

Spanish Department.
Good Counsel College.
N Broadway, White Plains N. Y.

Department of Spanish.
goshen College.
Goshen, Indiana.

Spanish Department.
Graceland College.
Lamoni, Iowa.

Dept. of Mod. For. Lang.
Goucher College.
Towson, Baltimore 4, Md.

Sp. & Fr. Department.
College of Great Falls.
Great Falls, Mont.

Dept. of For. Lang.
Greensboro College.
Greensboro, N. C.

Dept. of Mod. For. Lang.
Greenville College.
Greenvile, Illinois.

Dept. of Mod. For. Lang.
Grinnell College.
Grinnell, Iowa.

Dept. Mod. For. Lang.
Grove City College.
Grove City, Pa.

Dept. of Mod. For. Lang.
Guilford College.
Guilford College N. C.

Dept. of Mod. For. Lang.
Gustavus Adolphus College.
St. Peter, Minn.

Dept. of Roman Lang.
Hamilton College.
Clinton, N. Y.

Dept. of Mod. For. Lang.
Hampden-Sydney College.
Hampden-Sydney, Va.

Dept. of For. Lang.
Hampton Inst.
Hampton, Va.

Spanish Department.
Hanover College.
Hanover, Indiana.

Dept. For. Lang.
Hardin-Simons University.
Abilene, Texas.

Dept. of For. Lang.
Harding College.
Searcy, Ark.

Dept. of Mod. For. Lang.
Harpur College.
Binghamton, N. Y.

Det. Mod. For. Lang.
Harris Technical College.
St. Louis 12. Mo.

Spanish Department.
Hartnell College.
Salinas, California.

Dept. Roman Lang.
Hartwick College.
Oneonta, N. Y.

Dent. of Lang. and Lit.
Harvard University & Radcliffe Cllg.
Cambridge 38, Mass.

Spanish Department.
Haverford College.
Haverford, Pa.

Dept. of Mod. For. Lang.
University of Hawaii.
Honolulu 14.

Dept. of Mod. Lang.
Hillsdale College.
Hillsdale, Mich.

Dept. of Mod. Lang.
Hiram College.
Hiram, Ohio.

Dept. of Mod. Lang.
Hobart College.
Geneva, N. Y.

Dept. of Mod. of For. Lang.
Hofstra College (x).
Hempstead, N. Y.

Dept. of Mod. For. Lang.
Hollins College.
Hollins College, Va.

Dept. of Mod. For. Lang.
College of The Holy Cross.
Worcester 10, Mass.

Dept. of Mod. For. Lang.
College of Holy Names.
3500 Mountain Blvd.
Oakland 19, California.

Dept. of Spanish.
Holy Names College.
1114 N Superior, Spokane 2, Wash.

Dept. of Mod. For. Lang.
Hood College.
Frederick, Md.

Spanish Department.
Hope College.
Holland, Mich.

For. Lang. Div.
Houghton College.
Houghton, New York.

Dept. of Mod. For. Lang.
Howard College.
Birmingham 9, Ala.

Dept. of Rom. Lang.
Howard University.
Washington 1, D. C.

Spanish Department.
Howard Payne College.
Brownwood, Texas.

Dept. of Mod. For. Lang.
Humboldt State College.
Arcata, California.

Dept. of Roman Lang.
Hunter College (x).
New York 21, N. Y.

Dept. of Mood. For. Lang.
Huntingdon College.
Montgomery, Ala.

Dept. of Mod. For. Lang.
Huron College.
Huron, S. D.

Dept. of Mod. For. Lang.
Huston-Tilsotson College.
Austin, Texas.

Dept. of Mod. Lang.
College of Idaho.
Caldwell, Id.

Dept. of Mod. For. Lang.
Idaho State College.
Pocatello, Id.

Dept. of Humanities.
University of Idaho.
Moscow, Id.

Dept. of Mod. For. Lang.
Illinois College.
Jacksonville, Ill.

Dept. of Mod. For. Lang.
Illinois S. N. University.
Normal, Ill.

Dept. of Sp. and Port.
University of Illinois (x).
Urbana, Ill.

Spanish Department.
University of Illinois (x).
Chicago Undergrad Div.
Chicago, Ill.

Spanish Department.
Illinois Waslegan University.
Bloomington, Ill.

Dept. of Mod. For. Lang.
Immaculata College.
Immaculata, Pa.

Dept. of Mod. For. Lang.
Immaculata Heart College.
Los Angeles 27, California.

Spanish Department.
Incarnate Word College.
San Antonio 9, Texas.

Dept. of Mod. For. Lang.
Indiana Central College.
Indianapolis 27, Ind.

Dept. of Mod. For. Lang.
Indiana State Teachers College.
Terre Haute, Ind.

Dept. of Spanish and Port.
Indiana University (x).
Bloomington, Ind.

Dept. of Lang. Speech, Lit.
Iowa State Teachers College.
Cedar Falls, Io.

Dept of Rom. Lang.
State University of Iowa.
Iowa City, Io.

Dept. of French and Spanish.
Iowa Wesleyan College.
Mt. Pleasant, Io.

Spanish Department.
Ithaca College.
Ithaca, New York.

Dept. of Mod. For. Lang.
Jackson College.
Jackson, Miss.

Department of Sp. and Port.
Jamestwon College.
Jamestwon, N. D.

Dept. of Mod. For. Lang.
John Carrol University (x).
Cleveland 18, Ohio.

Dept. of Mod. Lang.
Johns Hopkins University.
Baltimore, Md.

School of Advanced International
    Studies.
Johns Hopkins University.
Baltimore, Md.

Dept. of Mod. For. Lang.
Johnson C. Smith University.
Charlotte, N. C.

Dept. of Spanish.
Judson College.
Marion, Ala.

Dept. of Mod. For. Lang.
Juniata College.
Huntingdon, Pa.

Dept. of Mod. For. Lang.
Kalamazoo College (x).
Kalamazo, Michigan.

Dept. of Mod. For. Lang.
University of Kansas City.
Kansas City 10, Mo.

Dept. of For. Lang.
Kansas State Teachers College
Emporia, Kan.

Dept. of For. Lang.
State College of Kansas.
Pittsburg, Kan.

Dept. of Mod. For. Lang.
Kansas State University.
Manhattan, Kan.

Dept. of For. Lang.
Kansas Wesleyan University.
Salina, Kan.

Dept. of Rom. Lang.
University of Kansas.
Lawrence, Kan

Dept. of For. Lang.
Kent State University.
Kent, Ohio.

Dept. of For. Lang.
Kentucky Wesleyan College.
Owensboro, Ky.

Dept. of Mod. For. Lang.
University of Kentucky.
Lexington, Ky.

Dept. of Mod. For. Lang.
Kenyon College.
Gambier, Ohio.

Spanish Department.
Keuka College.
Keuka Park, New York.

Dept. of Mod. For. Lang.
King's College.
Wilkes-Barre, Pa.

Dept. of Mod. For. Lang.
Knox College.
Galesburg, Illinois.

Dept. of Spanish.
Knoxville College.
Knoxville, Tenn.

Dept. of Mod. For. Lang.
Lafayette College.
Easton. Pa.

Dept. of Sp. and Germ.
LaGrange College.
LaGrange, Ga.

Dept. of Lang, and Lit.
Lake Erie College.
Painesville, Ohio.

Dept. of Mod. For. Lang.
Lake Forest College.
Lake Forest, Illinois.

Dept. of Mod. For. Lang.
Lamar State College of Technology.
Beaumont, Texas.

Dept. of Mod. For. Lang.
Lambuth College.
Jackson. Tenn.

Dept. of Mod. For. Lang.
Lander College.
Grenwood, S. C.

Dept. of Eng. and For. Lang.
Langston University.
Langston, Okla.

Dept. of Spanish.
La Salle College.
Philadelphia 41, Pa.

Dept. of Fren. and Sp.
La Sierra College.
Arlington, California.

Dept. of Mod. For. Lang.
Lawrence College.
Appleton, Wisconsin.

Dept. of Mod. For. Lang.
Lebanon Valley College.
Annville, Pa.

Dept. of Spanish.
Lee College.
Baytwon, Texas.

Dept. of Rom. Lang.
Lehigh University.
Bethlehem, Pa.

Dept. of Mod. For. Lang.
Le Moyne College.
Syracuse 5, N. Y.

Dept. of Spanish.
Lenoir Rhyne College.
Hickory, N. C.

Dept. of Mod. For. Lang.
Lewis and Clark College.
Portland 19, Oregon.

Dept. of Spanish.
Limestone College.
Gaffney, S. C.

Dep. of Mod. For. Lang.
Lincoln Memorial University.
Harrogate, Tenn.

Dept. of Mod. For. Lang.
Lincoln University.
Jefferson City, Mo.

Dept. of Mod. For. Lang.
Lincoln University.
Lincoln University, Pa.

Dept. of Mod. For. Lang.
Lindenwood College.
St. Charles, Mo.

Dept. of Mod. For. Lang.
Linfield College.
McMinnville, Oregon.

Dept. of French and Sp.
Little Rock University.
Little Rock, Arkansas.

Dept. of Spanish.
Livingston College.
Salisbury, N. C.

Dept. of Mod. For. Lang.
Long Beach City College.
4901 E. Carson Blvd.
Long Beach 8, California.

Dept. of Lang. Arts.
Long Beach State College.
Long Beach 4, California.

Dept. of Mod. For. Lang.
Long Island University (x).
Brooklyn 1, N. Y.

Dept. of Mod. For. Lang.
Longwood College.
Farmville, Va.

Dept. of French and Sp.
Loras College.
Duburque, Iowa.

Dept. of Spanish.
Loretto Heights College.
Loretto, Colo.

Dept. of Mod. For. Lang.
Los Angeles City College.
855 N Vermont Ave.
Los Angeles 29, California.

Dept. of Mod. For. Lang.
Los Angeles State College.
Los Angeles 32, California.

Dept. of Engl. and For. Lang.
Louisiana Polytechnic Inst.
Ruston, La.

Dept. of French and Sp.
Louisiana State University (x).
Baton Rouge, La.

Dept. of Mod. For. Lang.
Louisiana University of Southwestern.
Lafayette, La.

Dept. of Mod. For. Lang.
University of Louisville.
Louisville 8, Ky.

Dept. of Mod. Lang.
Loyola College.
4501 N Charles Street.
Baltimore, Md.

Dept. of Mod. For. Lang.
Loyola University.
Los Angeles 45, California.

Dept. of Mod. For. Lang.
Loyola University of the South.
New Orleans, La.

Spanish Department.
Luther College.
Decorah, Iowa.

Department of Mod. Lang.
Lycoming College.
Williamsport, Pa.

Dept. of Spanish.
Macalester College.
St. Paul, Minn.

Dept. of Spanish.
MacMurray College.
Jacksonville, Illinois.

Dept. of Mod. For. Lang.
Madison College.
Harrisonburg, Va.

Dept. of Mod. For. Lang.
University of Maine.
Orono, Me.

Dept. of Mod. Lang.
Manchester College.
North Manchester, Ind.

Dept. of Spanish.
Manhattan College.
New York 71, N. Y.

Dept. of Mod. For. Lang.
Marietta College.
Marietta, Ohio.

Dept. of Mod. Lang.
Mars Hill College.
Mars Hill. N. C.

Dept. of Spanish.
Marshall University.
Huntington, W Va.

Dept. of Mod. For. Lang.
Mary Hardin Baylor College.
Belton, Texas.

Dept. of Spanish.
Marygrove College.
Detroit 21, Mich.

Dept. of Mod. For. Lang.
Maryland St. Teachers Col. a Towson.
Baltimore 4, Md.

Dept. of Mod. For. Lang.
Marylhurst College.
Marylhurst, Ore.

Dept. of Spanish.
Mary Manse College.
Toledo 10, Ohio.

Dept. of Rom. Lang.
Marymount College.
Salina, Kan.

Dept. of Mod. For. Lang.
Marymount College.
New York 21, N. Y.

Dept. of. Mod. For. Lang.
Marymount College.
Tarrytwon, N. Y.

Dept. of Lang. and Lit.
Maryville College.
Maryville, Tenn.

Dept. of Spanish.
State College of Massachusetts at
    Boston.
625 Huntington Ave.
Boston, Mass.

Dept. of Rom. Lang.
University of Massachusetts.
Amherst. Mass.

Dept. of Mod. Lang.
McMurray College.
Abilene, Texas.

Dept. of Mod. For. Lang.
McNeese State College.
Lake Charles, La.

Dept. of Mod. For. Lang.
Memphis State University.
Memphis, Tenn.

Dept. of Spanish.
Mercer University.
Macon, Ga.

Dept. of Spanish.
Mercy College.
8200 W Outer Dr.
Detroit 19, Mich.

Dept. of Spanish.
Mercyhurst College.
Erie, Pa.

Dept. of Spanish.
Miami University.
Oxford, Ohio.

Dept. of Mod. For. Lang.
University of Miami (x).
Coral Gables, Flo.

Dept. of Mod. For. Lang.
Michigan State University (x).
East Lansing, Mich.

Dept. of Rom. Lang.
University of Michigan (x).
Ann Arbor, Mich.

Dept. of Sp. & Ital.
Middlebury College (x).
Middlebury, Vt.

Dept. of Rom. Lang.
Midland College.
Fremont, Nebraska.

Dept. of Mod. For. Lang.
Midwestern University.
Wichita Falls, Tex.

Dept. of Mod. For. Lang.
Millikin University.
Decatur, Illinois.

Dept. For. Lang.
Mills College.
Oakland 13, California.

Dept. of Fr. & Sp.
Millsaps College.
Jackson, Miss.

Dept. of Spanish.
Milwaukee-Downer College.
2512 E Hartford Avenue.
Milwaukee 11, Wisconsin.

Dept. of Lang. & Lit.
Minnesota State College (x).
Mankato, Minn.

Dept. of Lang. & Lit.
Minnesota State College.
Winona, Minn.

Dept. of Rom. Lang.
University of Minnesota (x).
Minneapolis 14, Minn.

Dept. of For. Lang.
Mississippi Southern University.
Hattiesburg, Miss.

Dept. of Mod. For. Lang.
Mississippi State University.
State College, Miss.

Dept. of Mod. For. Lang.
Mississippi State College for Women.
Columbus, Miss.

Dept. of Mod. Lang.
University of Mississippi.
University, Miss.

Dept. of For. Lang.
Missouri Valley College.
Marshall, Mo.

Dept. of Rom. Lang.
University of Missouri.
Columbia, Mo.

Dept. of Mod. For. Lang.
Monmouth College.
Monmouth, Illinois.

Dept. of Mod. For. Lang.
Montana State College.
Bozeman, Mon.

Dept. of Mod. For. Lang.
Montana State University.
Missoula, Mo.

Dept. of Spanish.
Montclair State College (x).
Montclair, N. J.

Dept. of Fr. & Sp.
Moorhead State College.
Moorhead, Minn.

Dept. of Mod. Lang.
Morehead State College.
Morehead, Ky.

Dept. of Mod. For. Lang.
Moravian College.
Bethlehem, Pa.

Dept. of Mod. For. Lang.
Morgan State College.
Baltimore, Maryland.

Dept. of Mod. For. Lang.
Morningside College.
Sioux City, Iowa.

Dept. of Mod. For. Lang.
Mt. Angel Seminary.
St. Benedict, Oregon.

Dept. of Spanish.
Mt. Holyoke College.
South Hadley, Mass.

Dept. of Spanish.
Mt. Mary College.
Milwaukee, Wis.

Dept. of Mod. For. Lang.
Mt. Mercy College.
3333 Fitth Avenue.
Pittsburg 13, Pa.

Dept. of Spanish.
Mt. St., Agnes College.
Baltimore, Maryland.

Dept. of Mod. For. Lang.
Mt. St. Joseph Teachers College.
Buffalo 14, N. Y.

Dept. of Ger. & Sp.
College of the Mt. St. Joseph on the.
  Ohio.
Mt. St. Joseph, Ohio.

Dept. of Fr. & Sp.
Mt. St. Mary College.
Hooksett, N. H.

Dept. of Spanish.
Mt. St. Scholastica College.
Atchison, Kan.

Dept. of Rom. Lang.
Mt. St. Swithin's College.
Wiwiantic, Conn.

Dept. of Spanish.
College of Mt. St. Vincent.
New York 71, N. Y.

Dept. of Rom. Lang.
Muhlenberg College.
Allentown, Pa.

Dept. of Mod. For. Lang.
Mundelein College.
6363 Sheridan Road.
Chicago 40, Ill.

Dept. of Mod. For. Lang.
Muskingum College.
New Concord, Ohio.

Dept. of Spanish.
Nazareth College.
Louisville, Ky.

Dept. of Lang. & Lit.
Nazareth College.
Nazareth, Mich.

Dept. of Spanish.
Nazareth College.
4245 East Ave.
Rochester 10, Mich.

Dept. of Mod. Lang.
Nebraska State Teachers College.
Kearney, Ne.

Dept. of For. Lang.
Nebraska State Teachers College.
Wayne, Ne.

Dept. of Mod. For. Lang.
Nebraska Wesleyan.
Lincoln, Ne.

Dept. of Rom. Lang.
University of Nebraska.
Lincoln 8, Ne.

Dept. of For. Lang.
University of Nevada.
Reno, Nev.

Dept. of For. Lang.
Newberry College.
Newberry, S. C.

Dept. of Mod. For. Lang.
New Hampshire State Teachers
  College.
Plymounth, N. H.

Dept. of Mod. For. Lang.
University of New Hampshire.
Durham, N. H.

Dept. of Mod. Lang.
New Mexico Highlands University.
Las Vegas, N. M.

Dept. of Lang.
New Mexico Military Inst.
Roswell, N. M.

Dept. of Lang. & Lit.
University of New Mexico.
Alburquerque, N. M.

Dept. of Lang. & Lit.
New Mexico Western College.
Silver City, N. M.

Dept. of Spanish.
College of New Rochelle.
New Rochelle, N. Y.

Dept. of Spanish.
Newton College of the Sacred Heart.
Newton, Mass.

Dept. of For. Lang.
New York State University.
Maritime College.
Fort Schuyler, New York 65.

Dept. of For. Lang.
College of Ed. New York St. University.
Buffalo, N. Y.

Dept. of Mod. Lang.
College of Ed. New York St. University.
Fredonia, N. Y.

Dept. of Eng. & For. Lang.
College of Ed. New York St. University.
Geneseo, N. Y.

Dept. of Humanities.
College of Ed. New York St. University.
New Paltz, N. Y.

Dept. of Lang. & Lit.
College of Ed. New York St. University.
Plattsburg, N. Y.

Dept. of Lang.
College of Ed. New York St. University.
Postdam, N. Y.

Dept. of Slav. & Rom. Lang.
New York University.
New York 3, N. Y.

Dept. of Mod. Lang.
Niagara University.
Niagara Falls, New York.

Dept. of Mod. Lang.
North Carolina Agric. & Technical College.
Greensboro, N. C.

Dept. of Rom. Lang.
North Carolina College.
Durham, N. C.

Dept. of Rom Lang.
University of North Carolina.
Chapel Hill, N. C.

Dept. of Rom. Lang.
Woman's College of the University of North Carolina.
Greensboro, N. C.

Dept. of Rom. Lang.
North Central College.
Naperville, Ill.

Dept. of Mod. Lang.
North Dakota State University.
Fargo, N. D.

Dept. of Lang. & Lit.
North Dakota State Teachers College.
Dickinson, N. D.

Dept. of Mod. Lang.
University of North Dakota.
Grand Forks, N. D.

Dept. of Lang. & Lit.
North Georgia College.
Dahlonega, Ga.

Dept. of Lang. & Lit.
North Park College.
Chicago 25, Illinois.

Dept. of For. Lang.
North Texas State College.
Denton, Tex.

Dept. of Mod. For. Lang.
Northeast Louisiana State College.
Monroe, La.

Dept. of Lang. & Lit.
Northeast Missouri State Teachers
  College.
Kirksville, Mo.

Dept. of Fr. & Sp.
Northeastern Oklahoma A&M Co-
  llege.
Miami, Okla.

Dept. of Mod. Lang.
Northeastern University.
Boston 15, Mass.

Dept. of For. Lang.
Northeastern University.
De Kalb, Ill.

Dept. of Lang. & Lit.
Northern Michigan University.
Marquette, Mich.

Dept. of Lang. & Lit.
Northern State Teachers College.
Aberdeen, S. D.

Dept. of For. Lang.
Northwest Missouri State College.
Maryville, Mo.

Dept. of Mod. For. Lang.
Northwest Nazarene College.
Nampa, Idaho.

Dept. of Rom. Lang.
Northwestern University.
Evanston, Illinois.

Dept. of Mod. Lang.
Norwich University.
Northfield, Vt.

Dept. of Spanish.
Notre Dame College.
300 Howard Ave.
Staten Island 1, N. Y.

Dept. of Mod. For. Lang.
College of Notre Dame of Maryland.
Baltimore 10, Md.

Dept. of Mod. For. Lang.
University of Notre Dame.
Notre Dame, Indiana.

Dept. of Spanish.
Oberlin College.
Oberlin, Ohio.

Dept. of For. Lang.
Odessa College.
Odessa, Texas.

Dept. of Mod. For. Lang.
Ohio Northern University.
Ada, Ohio.

Dept. of Rom. Lang.
Ohio State University.
Columbus 10, Ohio.

Dept. of Sp. & It.
Ohio Wesleyan University.
Delaware, Ohio.

Dept. of Rom. Lang.
Ohio University.
Athens, Ohio.

Mod. For. Lang. Dept.
Oklahoma Baptist University.
Shawnee, Okla.

Dept. of Mod. Lang.
Oklahoma City University.
Oklahoma City, Okla.

Dept. of Mod. For. Lang.
Oklahoma College for Women.
Chickassha, Okla.

Dept. of For. Lang. & Speech.
Oklahoma State University.
Stillwater, Okla.

Dept. of Mod. For. Lang.
University of Oklahoma (x).
Norman, Okla.

Dept. of Mod. Lang.
Olivet Nazarene College.
Kankakee, Illinois.

Dept. of For. Lang.
University of Omaha Municipal.
Omaha, Neb.

Dept. of Mod. For. Lang.
Orange Coast College Municipal.
Costa Mesa, California.

Dept. of Lang. & Comp. Lit.
Orange County State College.
Fullerton, California.

Dept. of Mod. Lang.
Oregon State University.
Corvallis, Ore.

Dept. of For. Lang.
University of Oregon.
Eugene, Ore.

Dept. of For. Lang.
Otterbein College.
Westerville, Ohio.

Dept. of Fr. & Sp.
Ouachita Baptist College.
Arkadelphia, Ark.

Dept. of Spanish.
College of Our Lady of the Elms.
Chicopee, Mass.

Dept. of Spanish.
Our Lady of the Lake College.
San Antonio 7, Texas.

Dept. of Mod. For. Lang.
Pace College.
41 Park Row.
New York 38, N. Y.

Dept. of Mod. Europ. Lang.
College of the Pacific.
Stockton, California.

Dept. of For. Lang.
Pacific Lutheran University.
Tacoma 44, Wash.

Dept. of Ger. & Sp.
Pacific Union College.
Angwin, California.

Dept. of For. Lang.
Pacific University.
Forest Grove, Ore.

Dept. of Communications.
Pan American Union College.
Edinburg, Texas.

Dept. of Mod. For. Lang.
Park College.
Parkville, Mo.

Dept. of Mod. Lang.
Parsons College.
Fairfield, Iowa.

Dept. of Mod. For. Lang.
Pasadena City College.
1570 E Colorado Blvd.
Pasadena, California.

Dept. of For. Lang.
Pembroke State College.
Pembroke, N. C.

Dept. of Communications.
Pennsylvania State College.
Bloomsburg, Pa.

Dept. of Fr. & Sp.
Pennsylvania State College.
California, Pa.

Dept. of Mod. Lang.
Pennsylvania State College.
Edinboro, Pa.

Dept. of For. Lang.
Pennsylvania State College.
Indiana, Pa.

Dept. of Mod. Lang.
Pennsylvania State College.
Kutztown, Pa.

Dept. of Lang. Arts.
Pennsylvania State College.
Lock Haven, Pa.

Dept. of Rom. Lang.
Pennsylvania State College.
Mansfield, Pa.

Dept. of For. Lang.
Pennsylvania State College.
Millersville, Pa.

Dept. of Mod. Lang.
Pennsylvania State College.
Shippensburg, Pa.

Dept. of Eng. & Mod. Lang.
Pennsylvania State College.
West Chester, Pa.

Dept. of Rom. Lang.
Pennsylvania State University.
University Park, Pa.

Dept. of Rom. Lang.
University of Pennsylvania.
Philadelphia 4, Pa.

Dept. of For. Lang.
Pfeiffer College.
Misenheimer.

Dept. of For. Lang.
Philander Smith College.
Little Rock, Ark.

Det. of For. Lang.
Philis University.
Enid, Oklahoma.

Dept. of For. Lang.
Phoenix College.
Phoenix, Ariz.

Dept. of Hummanities.
Pikeville College.
Pikeville, Ky.

Dept. of Rom. Lang.
University of Pittsburg.
Pittsburg 13, Pa.

Dep. of Rom. Lang.
Pomona College.
Claremont, California.

Dept. of For. Lang.
Prairie View A&M College.
Prairie View, Texas.

Dept. of Lang.
University of Portland.
Portland, Oregon.

Dept. of For. Lang.
C. W. Post College.
Greenvale.

Dept. of Spanish.
Presbyterian College.
Clinton, S. C.

Dept. of Rom. Lang.
Princeton University.
Princeton, N. J.

Dept. of Spanish.
Principia College.
Elsah, Illinois.

Dept. of For. Lang.
Providence College.
Providence, R. I.

Dept. of Spanish.
University of Puerto Rico.
Rio Piedras. Puerto Rico.

Dept. of Rom. Lang.
University of Puget Sound.
Tacoma 6, Wash.

Dept. of Mod. For. Lang.
Purdue University.
Lafayette, Indiana.

Dept. of For. Lang.
Queens College.
Charlotte, N. C.

Dep. of Rom. Lang.
Queens College.
Flushing 67, N. Y.

Chairman Dept. of Mod. Lang.
Quincy College.
Quincy, Illinois.

Dept. of For. Lang.
Radford College.
Radford, Va.

Dept. of Fr. & Sp.
Randolph-Macon College.
Ashland, Va.

Dept. of Rom. Lang.
Randolph-Macon Woman's College.
Lynchburg, Va.

Dept. of Spanish.
University of Redlands.
Redlands, California.

Dept. of Rom. Lang.
Reed College.
Portland 2, Oregon.

Dept. of For. Lang.
Regis College.
W 50 & Lowell Blvd.
Denver 22, Colorado.

Dept. of Spanish.
Regis College.
Weston, Mass.

Dept. of Rom. Lang.
Rhode Island College of Education.
Providence, R. I.

Dept. of For. Lang.
University of Rhode Island.
Kinston, R.I.

Dept. of For. Lang.
Rice University.
Houston, Texas.

Dept. of For. Lang.
University of Richmond.
Richmond, Va.

Dept. of Spanish.
Ricks College.
Rexburg, Idaho.

Dept. of Mod. Lang.
Rider College.
Trenton 9, N. J.

Dept. of Rom. Lang.
Ripon College.
Ripon, Wis.

Dept. of Spanish.
Rivier College.
Nashua, N. H.

Dept. of Mod. Lang.
Roanoke College.
Salem, Va.

Dept. of For. Lang.
Rochester Inst. of Tecnology.
Rochester 8, N. Y.

Dept. of Rom. Lang.
University of Rochester (x).
Rochester 20, N. Y.

Dept. of Spanish.
Rockford College.
Rockford, Illinois.

Dept. of Spanish.
Rockhurst College.
Kansas City, Mo.

Dept. of For. Lang.
Rollins College.
Winter Park, Fla.

Dept. of Mod. Lang.
Roosevelt University.
Chicago 5, Illinois.

Dept. of Sp. & Port.
Rosary College.
River Forest, Illinois.

Dept. of Mod. Lang.
Rosemont College.
Rosemont, Pa.

Dept. of Rom. Lang.
Rutgers University.
New Brunswick, N. J.

Dept. of Mod. For. Lang.
Sacramento State College.
Sacramento, California.

Dept. of Mod. Lang.
St. Ambrose College.
Davenport, Iowa.

Dept. of Spanish.
St. Andrews Presbyterian College.
Laurinburg, N. C.

Dept. of Spanish.
St. Anselm's College.
Manchester, N. H.

Dept. of Spanish.
College of St. Benedict.
St. Joseph, Minn.

Dept. of Spanish.
St. Benedict's College.
Atchinson, Kansas.

Dept. of Mod. Lang.
St. Bonaventura University.
St. Bonaventura, N. Y.

Dept. of Spanish.
College of St. Catherine.
St. Paul, Minn.

Dept. of For. Lang.
St. Cloud State College.
St. Cloud, Minn.

Dept. of Spanish.
College of St. Elizabeth.
Convent Station, N. J.

Dept. of Spanish.
College of St. Francis.
Joliet, Illinois.

Dept. of Mod. Lang.
St. Francis College.
Loretto, Pa.

Dept. of Mod. Lang.
St. Francis College.
Brooklyn 31, N. Y.

Dept. of Spanish.
St. John's College.
Camarillo, California.

Dept. of Mod. Lang.
St. John's University.
Collegeville, Indiana.

Dept. of Mod. Lang.
St. Joseph's College for Women.
245 Clinton Ave.
Brooklyn 5, N. Y.

Dept. of For. Lang.
St. Lawrence University.
Canton, N. Y.

Dept. of Mod. Lang.
St. Louis University.
St. Louis 3, Mo.

Dept. of Fr. & Sp.
St. Mary College.
Xavier, Kan.

Dept. of Spanish.
College of St. Mary of the Spring.
Columbus 19, Ohio.

Dept. of Spanish.
St. Mary of the Woods College.
St. Mary of the Woods, Ind.

Dept. of Mod. Lang.
St. Mary's College.
Notre Dame, Ind.

Dept. of Lang.
St. Mary's College.
St. Mary's College, California.

Dept. of Spanish.
St. Mary's Dominican College.
New Orleans, La.

Dept. of Mod. Lang.
St. Mary's University.
San Antonio, Texas.

Dept. of Mod. Lang.
St. Michaels College.
Winnooski, Vt.

Dept. of Mod. Lang.
St. Norbert College.
West De Pere, Wis.

Dept. of For. Lang.
St. Olaf College.
Northfield, Minn.

Dept. of Mod. Lang.
St. Peter's College.
Jersey City 6, N. J.

Dept. of Spanish.
College of St. Rose.
Albany 3, N. Y.

Dept. of For. Lang.
St. Scholastica College.
Duluth 11, Minn.

Dept. of Mod. Lang.
College of St. Teresa.
5600 Main.
Kansas City, Minn.

Dept. of For. Lang.
College of St. Thomas.
St. Paul 1, Minn.

Dept. of Fr. & Sp.
St. Xavier College.
103rd & Central Park Ave.
Chicago 55, Ill.

Dept. of Mod. Lang.
Salem College.
Winston-Salem, N. C.

Dept. of For. Lang.
Sam Houston State Teachers College.
Huntsville, Texas.

Dept. of Mod. Lang.
San Antonio College.
1300 San Pedro Ave.
San Antonio, Texas.

Dept. of For. Lang.
San Diego State College.
San Diego, California.

Dept. of For. Lang.
San Fernando Valley State College.
Northridge, California.

Dept. of For. Lang.
San Francisco College for Women.
Lone Mountain, San Francisco 18.
California.

Dept. of For. Lang.
San Francisco State College (x).
1600 Holloway St.
San Francisco 27, California.

Dept. of For. Lang.
University of San Francisco.
San Francisco, California.

Dept. of Hummanities.
Santa Ana College.
Santa Ana, California.

Dept. of Mod. Lang.
University of Santa Clara.
Santa Clara, California.

Dept. of Mod. Lang.
Santa Monica City College.
1815 Pearl Street.
Santa Monica, California.

Dept. of Lit. & Lang.
Sarah Lawrence College.
Bronxville 8, N. Y.

Dept. of Mod. Lang.
Savannah State College.
Savannah, Ga.

Dept. of Rom. Lang.
University of Scranton.
Scranton, Pa.

Dept. of Spanish.
Scripps College.
Claremont, California.

Dept. of Spanish.
Seattle Pacific College.
Seattle 99, Wash.

Dept. of Lang.
Seattle University.
Seattle, Wash.

Dept. of For. Lang.
College of the Sequoias.
Visalia, California.

Dept. of Ital. & Sp.
Seton Hill College.
Greensburg, Pa.

Dept. of For. Lang.
Shepherd College.
Shepherdstown, W. Va.

Dept. of For. Lang.
Shorter College.
Rome, Ga.

Dept. of Spanish.
Simmons College.
Boston 15, Mass.

Dept. of For. Lang.
Simpson College.
Indianola, Iowa.

Dept. of Rom. Lang.
Skidmore College (x).
Saratoga Springs, N. Y.

Dept. of Spanish.
Smith College.
Northampton, Mass.

Dept. of For. Lang.
University of South Carolina.
Columbia 19.

Dept. of Mod. Lang.
State University of South Dakota.
Vermillon, S. D.

Dept. of For. Lang.
South Dakota State College.
College Station, S. D.

Dept. of For. Lang.
South Dakota State College.
College Station, S. D.

Dept. of Mod. For. Lang.
South Junior Texas College.
1600 Louisiana. Houston.

Dept. of Spanish.
University of the South.
Sewanee, Tenn.

Dept. of For. Lang.
Southeast Missouri State College.
Cape Girardeau, Mo.

Dept. of For. Lang.
Southeastern Louisiana College.
Hammond, La.

Dept. of For. Lang.
Southeastern State College.
Durant, Okla.

Dept. of Sp. & Ital.
University of Southern California.
Los Angeles 7, Cal.

Dept. of Eng. & Lang.
Southern Connecticut State College.
New Haven 11, Conn.

Dept. of For. Lang.
Southern Illinois University.
Carbondale, Ill.

Dept. of Spanish.
Southern Methodist University.
Dallas 5, Texas.

Dept. of Lang. & Lit.
Southern Missionary College.
Collegedale, Tenn.

Dept. of Sp. & Fre.
Southern Oregon College.
Ashland, Ore.

Dept. of For. Lang.
Southern University.
Baton Rouge, La.

Dept. of For. Lang.
Southwest Texas College.
San Marcos, Texas.

Dept. of For. Lang.
Southwestern College.
Winfield, Kan.

Dept. of Spanish.
Southwestern at Memphis.
Memphis, Tenn.

Dept. of For. Lang.
Southwestern State College.
Weatherford, Okla.

Dept. of For. Lang.
Southwestern University.
Georgetown, Tex.

Dept. of Spanish.
Spelman College.
Atlanta, Ga.

Dept. of For. Lang.
Spring Hill College.
Mobile, Ala.

Dept. of Europ. Lang.
Stanford, University.
Palo Alto, California.

Dept. of For. Lang.
Stephen F. Austin State College.
Nacogdoches, Texas.

Dept. of Lang.
Stephens College.
Columbia, Mo.

Dept. of Mod. Lang.
College of Steunbenville.
Franciscan Way, College Hights.
Steunbenville, Ohio.

Dept. of Lang.
Suffolk University.
Boston 14, Mass.

Dept. of Fr. & Sp.
Sul Ross State College.
Alpine, Texas.

Dept. of Mod. Lang.
Susquehanna University.
Selinsgrove, Pa.

Dept. of Mod. Lang.
Swarthmore College.
Swarthmore, Pa.

Dept. of Mod. Lang.
Swcct Briar College.
Sweet Briar, Va.

Dept. of Rom. Lang.
Syracuse University.
Syracuse 10, N. Y.

Dept. of Spanish.
University of Tampa.
Tampa, Florida.

Dept. of Mod. Lang.
Tarleton State College.
Stephenville, Texas.

Dept. of Lang. & Lit.
Taylor University.
Upland, Ind.

Dept. of Mod. Lang.
Temple University.
Philadelphia 22, Pa.

Dept. of Mod. Lang.
Tennessee A&I State College.
Nashville, Tenn.

Dept. of Lang.
Tennessee Wesleyan College.
Athens, Tenn.

Dept. of Rom. Lang.
University of Tennessee.
Knoxville 16, Tenn.

Dept. of For. Lang.
Texas College of A&I.
Kingsville, Texas.

Dept. of Mod. Lang.
Texas A&M. College.
College Station, Texas.

Dept. of For. Lang.
Texas Christian University.
Fort Worth 29, Texas.

Dept. of Mod. Lang.
Texas Lutheran College.
Seguin, Texas.

Dept. of For. Lang.
Texas Technological University.
Lubbock, Texas.

Dept. of Lang. & Lit.
Texas Wesleyan College.
Fort Worth, Texas.

Dept. of Mod. Lang.
Texas Western College.
El Paso, Texas.

Dept. of For. Lang.
Texas Woman's University.
Denton, Texas.

Dept. of Rom. Lang.
University of Texas (x).
Austin 12, Texas.

Dept. of Mod. Lang.
Tjiel College.
Greenville, Pa.

Dept. of Mod. Lang.
Tift College.
Forsyth, Ga.

Dept. of Mod. Lang.
University of Toledo.
Toledo, Ohio.

Dept. of Lang.
Transylvania College.
Lexington, Ky.

Dept. of Rom. Lang.
Trinity College.
Burlington, Vt.

Dept. of Mod. Lang.
Trinity College.
Hartford 6, Conn.

Dept. of Spanish.
Trinity College.
Washington D. C.

Dept. of For. Lang.
Trinity University.
San Antonio, Texas.

Dept. of Mod. Lang.
Troy State University.
Troy, Ala.

Dept. of Rom. Lang.
Tufts University.
Medford 55, Mass.

Dept. of For. Lang.
Tulane University.
New Orleans 18, La.

Dept. of For. Lang.
Newcomb College for Women.
Tulane University (x).
New Orleans 18, La.

Dept. of Mod. Lang.
University of Tulsa.
Tulsa, Okla.

Dept. of For. Lang.
Unión College.
Lincoln 6, Neb.

Dept. of Mod. Lang.
Union College.
Schenectady 8, N. Y.

Dept. of For. Lang.
U. S. Air Force Academy.
Colorado Springs, Co.

Dept. of For. Lang.
U. S. Coast Guard Academy.
New London, Conn.

Dept. of For. Lang.
U. S. Military Academy.
West Point, N. Y.

729

Dept. of For. Lang.
U. S. Naval Academy.
Annapolis, Md.

Dept. of Mod. Lang.
Upper Iowa University.
Fayette, Io.

Dept. of Spanish.
Upsala College.
East Orange, N. J.

Dept. of Rom. Lang.
Ursinus College.
Collegeville, Pa.

Dept. of Mod. Lang.
Ursuline College.
Louisville 6, Ky.

Dept. of Spanish.
Ursuline College for Women.
Cleveland 6, Ohio.

Dept. of For. Lang.
Utah State University.
Logan, Ut.

Dept. of For. Lang.
University of Utah.
Salt Lake City, Ut.

Dept. of For. Lang.
Valparaíso University.
Valparaíso, Ind.

Dept. of Rom. Lang.
Vanderbilt University.
Nashville 5, Tenn.

Dept. of Spanish.
Vassar College.
Poughkeepsie, N. Y.

Dept. of Lang.
Ventura College.
Ventura, California.

Dept. of Rom. Lang.
University of Vermont.
Burlington, Vt.

Dept. of For. Lang.
Villanova University.
Villanova, Pa.

Dept. of Mod. Lang.
Virginia Military Inst.
Lexington, Va.

Dept. of For. Lang.
Virginia Polytechnic Inst.
Blacksburg, Va.

Dept. of For. Lang.
Virginia State College.
Petersburg, Va.

Dept. of Lang. & Lit.
Virginia Union University.
Richmond, Va.

Dept. of Rom. Lang.
University of Virginia.
Charlottesville, Va.

Dept. of Rom. Lang.
Wabash College.
Crawfordsville, Ind.

Dept. of Mod. Lang.
Wagner College.
Staten Island 1, N. Y.

Dept. of Rom. Lang.
Wake Forest College.
Reynolds Station, Wiston-Salem,
　　N. C.

Dept. of Mod. Lang.
Walla Walla College.
College Place, Wash.

Dept. of For. Lang.
Washburn University of Topeka.
Topeka, Kan.

Dept. of Mod. Lang.
Washington College.
Chestertown, Md.

Dept. of For. Lang.
Washington & Jefferson College.
Washington, Pa.

Dept. of Fr. & Sp.
Washington & Lee College.
Lexington, Va.

Dept. of For. Lang.
Washington State University.
Pullman, Wash.

Dept. of Rom. Lang.
Washington University.
St. Louis 30, Mo.

Dept. of Rom. Lang.
University of Washington (x).
Seattle 5, Wash.

Dept. of Fr. & Sp.
Wayland College.
Plainview, Tex.

Dept. of Sp. & Ital.
Wayne State University.
Detroit 2, Mich.

Dept. of Mod. Lang.
Waynesburg College.
Waynesburg, Pa.

Dept. of For. Lang.
Weber College.
Ogden, Utah.

Dept. of Spanish.
Webster College.
Webster Groves 19, Mo.

Dept. of Spanish.
Wellesley College.
Wellesley, Mass.

Dept. of Rom. Lang.
Wells College.
Aurora, N. Y.

Dept. of For. Lang.
Wesleyan College.
Macon, Ga.

Dept. of Rom. Lang.
Wesleyan University.
Middletown, Conn.

Dept. of Mod. Lang.
Western Carolina College.
Cullowhee, N. C.

Dept. of Mod. Lang.
Western College.
Oxford, Ohio.

Dept. of Mod. Lang.
Wester Illinois University.
Macomb, Ill.

Dept. of For. Lang.
Western Kentucky State College.
Bowling Green, Ky.

Dept. of Mod. Lang.
Western Maryland College.
Westminster, Md.

Dept. of For. Lang.
Western Michigan University.
Kalamazoo, Mich.

Dept. of Rom. Lang.
Western Reserve University.
Cleveland 6, Ohio.

Dept. of Lang. & Lit.
Western State College.
Gunnison, Colo.

Dept. of For. Lang.
Western Washington State College.
Bellingham, Wash.

Dept. of Mod. For. Lang.
Westmar College.
LeMars, Iowa.

Dept. of Rom. Lang.
Westminster College.
Fulton, Mo.

Dept. of For. Lang.
Westminster College.
New Wilmington, Pa.

Dept. of Eng. & Lit.
Westminster College.
Salt Lake City 5, Utah.

Dept. of For. Lang.
West Liberty State College.
West Liberty, W. Va.

Dept. of Mod. Lang.
West Texas State College.
Canyon, Texas.

Dept. of Rom. Lang.
West Virginia State College.
Institute, W. Va.

Dept. of Rom. Lang.
West Virginia University.
Morgantown, W. Va.

Dept. of Spanish.
Wheaton College.
Norton, Mass.

Dept. of For. Lang.
Wheaton College.
Wheaton, Illinois.

Dept. of Mod. Lang.
Whittier College.
Whittier, California.

Dept. of Mod. Lang.
Whitworth College.
Spokane, Washington.

Dept. of Spanish.
University of Wichita.
Wichita, Kan.

Dept. of Mod. Lang.
Wilbeforce University.
Wilbeforce, Ohio.

Dept. of Spanish.
Wiley College.
Marshall. Texas.

Dept. of Mod. Lang.
Wilkes College.
Wilkes-Barre, Pa.

Dept. of Rom. Lang.
Willamette University.
Salem, Ore.

Dept. of Mod. Lang.
William Jewell College.
Liberty, Mo.

Dept. of Mod. Lang.
College of William and Mary.
Williamsburg, Va.

Dept. of For. Lang.
William Smith College.
Geneva, N. Y.

Dept. of Rom. Lang.
Williams College.
Willaimstown, Mass.

Dept. of Lang.
Wilmington College.
Wilmington, Ohio.

Dept. of Spanish.
Wilson College.
Chambersburg, Pa.

Dept. of Mod. Lang.
Withrop College.
Rock Hill, S. C.

Dept. of For. Lang.
Wisconsin State College.
Eau Clair, Wis.

Dept. of Mod. Lang.
Wisconsin State College.
La Crosse, Wis.

Dept. of Spanish.
Wisconsin State College (x).
Oshkosh, Wis.

Dept. of Fr. & Sp.
Wisconsin State College.
Platteville, Wis.

Dept. of Fr. & Sp.
Wisconsin State College.
River Falls, Wis.

Dept. of For. Lang.
Wisconsin State College.
Superior, Wis.

Dept. of For. Lang.
Wisconsin State College.
Witewater, Wis.

Dept. of Port. & Sp.
University of Wisconsin (x).
Madison 6, Wis.

Dept. of Sp. & Port.
University of Wisconsin.
Milwaukee, Wis.

Dept. of Mod. Lang.
Wittenberg University.
Springfield, Ohio.

Dept. of Mod. For. Lang.
Wofford College.
Spartanburg, S. C.

Dept. of Ital. & Sp.
College of Wooster.
Wooster, Ohio.

Dept. of Mod. & Class Lang.
University of Wyoming.
Laramie, Wy.

Dept. of Mod. Lang.
Xavier University.
Cincinnati 7, Ohio.

Dept. of For. Lang.
Xavier University.
New Orleans 25, La.

Dept. of Rom. Lang.
Yale University.
New Haven, Conn.

Dept. of Mod. Lang.
Yankton College.
Yankton, S. D.

Dept. of Lang. & Lit.
Yeshiva University.
New York 33, N. Y.

Dept. of Fr. & Sp.
Yeshiva University, College of A & S for Women.
New York 33, N. Y.

Dept. of For. Lang.
Youngstown University.
Youngstown 2, Ohio.

2) UNIVERSIDADES Y COLEGIOS CON RESIDENCIAS DE ESTUDIANTES EN LAS QUE EL ESPAÑOL ES EL IDIOMA OBLIGATORIO (1)

CALIFORNIA.   Pomona College. Claremont.
GEORGIA.   University of Georgia (verano). Athens.
LOUISIANA.   Louisiana State University (verano). Baton Rouge.
MASSACHUSETTS   Wellesley College. Wellesley.
MINNESOTA.   University of Minnesota (verano). Minneapolis.
    College of St. Teresa (verano). Kansas City.
MISSOURI.   Washington University (con otros idiomas románicos). St. Louis.
NEW JERSEY.   Douglas College of Rutgers Univ. New Brunswick.

----

(1)   Muchas residencias se denominan "Casa Española".

NEW YORK.	Fordham University (verano). New York City.
	Russell Sage College. N. Y. City.
OHIO.	University of Cincinnati (verano). Cincinnati.
	John Carroll University (verano). Cleveland.
	Western Reserve University (verano). Cleveland.
	Wittenberg University. Springfield.
	College of Wooster. Wooster.
PENNSYLVANIA.	Bryn Mawr College. Bryn Mawr.
	Bucknell University. Lewisburg.
	Chatham College. Pittsburgh.
	Haverford College. Haverford.
VERMONT.	Middlebury College. Middlebury.
VIRGINIA.	Mary Washington College. Fredericksburg.
WASHINGTON.	University of Washington (verano, con otros idiomas románicos). Seattle.

3) UNIVERSIDADES Y COLEGIOS CON INSTITUTOS O PROGRAMAS ESPECIALES DEDICADOS AL MUNDO HISPANICO (1)

University of Alabama, Dept. of History, University. Alabama; Doctoral Program in Hispanic History.

Brigham Young University, Provo, Utah: Hispanic American Studies Program.

University of California, Berkeley, Calif.: Center for Latin American Studies. Latin American Studies Program, Bancroft Library.

University of California, Los Angeles, Calif.: Center for Latin American Studies. Latin American Studies Program.

University of California, Santa Barbara, Calif.: Hispanic Civilization Studies Program.

Carroll College, Helena, Montana: NDEA Spanish Language Institute (verano).

The Catholic University of America: Washington D. C. Institute of Ibero-American Studies. Latin American Studies Program.

Colgate University, Hamilton, N. Y.: Institute of Hispanic Studies.

Columbia University, New York, N. Y.: Latin American Institute. Hispanic Institute (antes Instituto de las Españas). Latin American Studies Program.

University of Dayton, Dayton, Ohio: NDEA Spanish Language Institute (verano).

East Carolina University, Greenville, North Carolina: NDEA Spanish Language Institute (verano).

Fairfield University, Fairfield, Connecticut (verano). NDEA Spanish Language Institute (verano). Se desarrolla en Madrid y Granada, España.

Farleigh Dickinson University, Rutherford, N. J.: Latin American Institute.

University of Florida, Gainesville, Florida: School of Inter-American Studies. Inter-American Studies Program.

---

(1) Los referentes específicamente a la América Hispánica incluyen también estudios sobre España. A esta lista hay que añadir aquellas Universidades y Colegios que tienen programas especiales en España (véase páginas 70, 71 y 72).

Fordham University, New York, N. C.: Inter-American Studies Program.
George Washington University, Washington D. C.: Studies in Latin American Affairs.
Georgetown University, Washington D. C.: Latin American Studies Program.
Harvard University, Cambridge, Mass.: Latin American Studies Program.
University of Houston, Houston, Texas: Latin American Studies Program. Latin American Office.
University of Illinois, Urbana, Illinois: Latin American Studies Program.
Indiana University, Bloomington, Indiana: Latin American Studies Program.
Knox College, Galesburg, Illinois: NDEA Spanish Language Institute (verano).
Louisiana State University, Baton Rouge, Louisiana: Latin American Studies Program.
Marquette University, Milwaukee, Wisconsin: Latin American Studies Program.
University of Miami, Coral Gables, Florida: Hispanic American Institute.
University of Michigan, Ann Arbor, Michigan: Center for Latin American Studies.
Michigan State University, East Lansing, Michigan: Latin American Studies Program.
University of Minnesota, Minneapolis, Minnesota: Program in Latin American Studies.
University of Missouri, Columbia, Missouri: Latin American Studies Program.
Murray State College, Murray, Kentucky: NDEA, Spanish Language Institute (verano).
University of New Mexico, Albuquerque, New Mexico: School of Inter-American Affairs, Inter-American Studies Program.
New York University, New York, N. Y.: Inter-American Law Institute. Latin American Studies Program.
University of North Carolina, Chapel Hill, North Carolina: Institute of Latin American Studies. Latin American Studies Program.
Occidental College, Los Angeles, Calif.: Program in Latin American Affairs.
Depårtment of Education of the State of Ohio, Columbus, Ohio: NDEA Spanish Language Institute (verano).
University of Oklahoma, Norman, Oklahoma: Latin American Studies Program.
University of the Pacific, Stockton, Calif.: Program of Inter-American Studies. El "Elbert Covell College" ofrece todas sus enseñanzas en español.
Rollins College, Winter Park, Florida: Casa Iberia. Inter-American Center.
Sacramento State College, Sacramento, California: NDEA Spanish Language Institute (verano). Se desarrolla en Burgos, España.
Sonoma State College, Rohnert Park, Calif.: Inter-American Studies Program.
University of Southern California, Los Angeles, Calif.: Instituto Cultural Hispano-Americano. Ibero-American Studies Program.
Southern Illinois University, Carbondale, Illinois: Latin American Institute. Inter-American Studies Program.
Stanford University, Palo Alto, Calif.: Institute of Hispanic American and Luso-Brazilian Studies. Latin American Studies Program.
University of Texas, Austin, Texas: Institute of Latin American Studies. Latin American Studies Program.

Texas Technological College, Lubbock, Texas: Latin American Studies Program.

Tulane University, New Orleans, Louisiana: Program of Latin American Studies.

Union College, Schenectady, N. Y.: Latin American Affairs Program.

Utah State University, Logan, Utah: NDEA Spanish Language Institute (verano).

Vanderbilt University, Nashville, Tenn.: Latin American Studies Program. Cátedra de Historia de España.

University of Wisconsin, Madison, Wisconsin: Ibero-American Studies Program.

Yale University, New Haven, Connecticut: Latin American Studies Program.

C) ASOCIACIONES

1) ASOCIACIONES Y ENTIDADES ESPAÑOLAS E HISPANICAS O QUE TIENEN RAZON DE EXISTIR EN LO HISPANICO

ALABAMA

Latin American Club.
1060 Government St.
Mobile.

Chapter Alabama of the AATSP.
Armando Martínez.
26 Pinehurst.
Tuscaloosa, 35401.

Chapter BETA ALPHA of the SDP.
Dept. Rom. Lang (at. Dr. Elizabeth
   S. Bibb).
Univ. of Alabama.
University, 35486.

Chapter BETA DELTA of the SDP.
Dept. of Spanish (at. Joe Davis).
Judson College.
Marion, 36756.

Chapter DELTA NU of the SDP.
Dept. For. Lang. (at. Dr. Grace
   Weeks).
Samford University.
Birmingham, 35209.

Chapter EPSILON ETA of the SDP.
Dept. For. Lang. (at. prof. Robert
   Mayfield).
Alabama College.
Montevallo, 35115.

Chapter of the SHH José de San Mar-
   tín
Elizabeth Brown, John Carrol H. S.
Birmingham.

737

Chapter of the SHH Benavente.
Genevie G. Seeger, Shades Valley
H.S.
Birmingham.

Chapter of the SHH Miguel de Una-
muno.
John Hutto, H. S.
Dothan.

Chapter of the SHH Bécquer.
Harper G. Hartley, H. S.
Greenville.

Chapter of the SHH Don Quijote.
Beulah N. Graham, Jefferson Da-
vis H. S.
Montgomery.

Chapter of the SHH El Cid.
Pat Hill, Lanier H. S.
Montgomery.

Chapter of the SHH Siglo de Oro.
Jean D. Vaughn, H. S.
Mountain Brook.

Chapter of the SHH Alfred B. Thomas.
Joanne P. Knight, Carrol H. S.
Ozark.

Lope de Vega.
Anicia A. González, West Mor-
gan H. S.
Trinity.

ARIZONA

Chapter ARIZONA of the AATSP.
Miss Barbara Watrous.
2002 E. Cooper.
Tucson, 85719.

Club Panamericano de Phoenix.
Post Office Box 7524.
Phoenix.

Chapter PI of the SDP.
Dept. Rom. Lang. (at. prof. Eliana
Suárez Rivero).
Univ. of Arizona.
Tucson, 85702.

Alianza Hispano-Americana.
133 West Congress St.
Tucson.

Chapter of the SHH Unamuno.
Carlos M. Gonzales, H. S.
Bisbee.

Chapter of the SHH Hidalgo.
H. S.
Globe.

Chapter of the SHH Rose Berra.
Ralph P. Lara, H. S.
Morenci.

Chapter of the SHH Rubén Darío.
Mary Jean Tate, Camelback H. S.
Phoenix.

Chapter of the SHH Padre Garcés.
Amelia M. Johannsen, Union H. S.
Yuma.

ARKANSAS

Chapter GAMMA EPSILON of the SDP.
Dept. For. Lang. (at. prof. James
Horton).
Univ. of Arkansas.
Fayetteville, 72701.

Chapter ZETA SIGMA of the SDP.
Dept. of Sp. & Fr. (at. prof. Maryavis
Parson).
Little Rock University.
Little Rock, 72204.

Chapter DESOTO of the AATSP.
Mrs. La Von Payne.
Plaza Towers, apt. 7A.
Little Rock, 72205.

Chapter of the SHH.
El Cid.
Alys McCormick, H. S.
Wynne.

CALIFORNIA

Unión Española Benéfica de California.
831 Broadway.
San Francisco.

Sociedad Española Cervantes.
118 S. Murphy Ave.
Sunnyvale.

Unión Benéfica Española.
P. O. Box 1063.
Hollister.

Unión Funeraria.
15891 Hisperian Blvd.
San Lorenzo.

Federación de Sociedades Españolas
de Beneficiencia.
345 Dolores Ave.
San Leandro.

Sociedad Isabel la Católica.
309 N. W. Bayview.
Sunnyvale.

Sociedad La Aurora.
P. O. Box 145.
Monterey.

La Casa de España.
3842 Bentley Ave.
Culver City.

Western Range Association (1).
7421 Beverly Blvd.
Los Angeles, 90036.

"Los Festivos" de la Sociedad de Beneficiencia Mutua.
113 S. 22nd St.
Montebello.

Sociedad Hispana de Decoto.
31060 Union City Blvd.
Union City, 94587.

Club "Los Amigos".
415 S. Madrona St.
Brea.

Los Buenos Vecinos.
121 N. Ynez Ave.
Monterey Park.

"Los Festivos".
C/o Mrs. Pia Bustabad.
14419 Adolfa Dr.
La Mirada.

Sociedad Española de Beneficiencia
Mutua.
2903 West 78 Place.
Inglewood.

Chapter of the SHH.
Dulcinea.
Iris C. Breen.
Mark Keppel H. S.
Alhambra.

Chapter of the SHH Hernán Cortés.
William R. Dolan, H. S.
Arvin.

(1) Esta Asociación se ocupa de la contratación de los pastores vascos.

Chapter of the SHH Fernán Caballero.
Wilma C. Avenell, East H. S.
Bakersfield.

Chapter of the SHH Sarmiento.
Harold D. Knight, Foothill H. S.
Bakersfield.

Chapter of the SHH Los Castellanos.
Walter E. Pederson and Charles A.
Switzer, West H. S.
Bakersfield.

Chapter of the SHH Los Conquista-
dores.
Candelaria Sánchez, H. S.
Bellflower.

Chapter of the SHH Castilla la Vieja.
Frederick N. Raile, William Work-
man H. S.
City of Industry.

Chapter of the SHH Los Pensadores.
Esther L. Tejeda, H. S.
Culver City.

Chapter of the SHH Teresa de Avila.
Magdalena Ferbal, Convent of the
Sacred Heart.
El Cajon.

Chapter of the SHH Los Aliados.
Lois L. Hanson, Bella Vista H. S.
Fair Oaks.

Chapter of the SHH Julio Camba.
Alice Mendeke, Bolsa Grande H. S.
Garden Grove.

Chapter of the SHH Ricardo Palma.
J. V. Eliceche, S. H.
Fresno.

Chapter of the SHH Intercultural.
David L. Guthrie, Mar Vista H. S.
Imperial Beach.

Chapter of the SHH De Anza.
Walbridge Wood, S. H.
Indio.

Chapter of the SHH Calderón.
Ione Rice H. S.
Inglewood.

Chapter of the SHH Carondelet.
Sister Ernestine, CSJ, St. Mary's
Academy.
Inglewood.

Chapter of the SHH Nogaleños.
David Berteaux, Nogales H. S.
La Puente.

Chapter of the SHH Santa Teresa.
Mariana R. Arauz, Sacred Heart H. S.
Los Angeles.

Chapter of the SHH Alemany.
Sister Carmen Mary, CSJ, Alemany
H. S.
Mission Hills.

Chapter of the SHH Pérez Galdós.
Argelia Romero, Santa Catalina
School for Girls.
Monterey.

Chapter of the SHH Benito Juárez.
Elizabeth Grandall Stone, Sweetwater
Union H. S.
National City.

Chapter of the SHH Manolete.
Matthew A. McGhee, Miramonte,
H. S.
Orinda.

Chapter of the SHH Simón Bolívar.
Lowell Dayton, Union H. S.
Porterville.

Chapter of the SHH Cervantes.
Ethel W. Smith, Redondo Union H.S.
Redondo Beach.

Chapter of the SHH Gabriela Mistral.
Caridad Mejusto, Eisenhower H. S.
Rialto.

Chapter of the SHH Felipe II.
Sister M. Nicoletta, ASCJ, Bishop Manogue H. S.
Sacramento.

Chapter of the SHH Los Hidalgos.
Kathryn Carnine, El Camino H. S.
Sacramento.

Chapter of the SHH Californianos.
Anne Zentner, Grant Union H. S.
Sacramento.

Chapter of the SHH Balboa del Pacífico.
W. Kenneth Winsor, Pacific H. S.
San Bernardino.

Chapter of the SHH La Punta Guijarros.
Sister Anna Mary, Academy of Our Lady of Peace.
San Diego.

Chapter of the SHH San Diego de Alcalá.
Sister Margaret Callahan, Cathedral Girls' H. S.
San Diego.

Chapter of the SHH Gallegos.
Gerald J. Newall and Frances K. Archibald, Crawford H. S.
San Diego.

Chapter of the SHH Andrés Bello.
María Luisa Heinkel, Madison Sr. H. S.
San Diego.

Chapter of the SHH Las Estrellas.
Sister M. Hildegarde, Star of the Sea Academy.
San Francisco.

Chapter of the SHH Rocinante.
Catherine Bullock, Pioneer H. S.
San José.

Chapter of the SHH Inca Garcilaso de la Vega.
Bernad P. Hardy, Santa Fe H. S.
Santa Fe Springs.

Chapter of the SHH Bécquer.
Sister Annemarie Kelly, Alverno Heights Academy.
Sierra Madre.

Chapter of the SHH José Enrique Rodó.
Ofelia Warren, Cupertino H. S.
Sunnyvale.

Chapter of the SHH Los Amigos Españoles.
Martin W. Ganzfried, H. S.
Tehachapi.

Chapter of the Salamanca.
Hiltrud Heller, Bishop Montgomery H. S.
Torrance.

Chapter of the SHH Alfonso XIII.
Erasto J. Jaramillo, Jr. H. S.
Vallejo.

Chapter of the SHH Los Lazarillos.
Harris D. Mathewson, California H.S.
Whittier.

Chapter of the SHH Los Serenos.
Claudio Y. Silva, La Serna H. S.
Whittier.

Chapter ALPHA of the SDP.
Dept. Sp. & Port (at. prof. Donald R. Larson).
Univ. of California.
Berkeley, 94720.

Chapter ETA of the SDP.
Dept. Sp. & Port. (at. prof. Dorothy McMahon).
Univ. of Southern California.
Los Angeles, 90007.

Club Ibérico Benéfico.
1349 Hayes St.
San Leandro.

Sociedad Agustina de Aragón.
1349 Hayes St.
San Leandro.

Centro Hispano Americano.
P. O. Box 111.
Pittsburg.

Casa de España Inc.
1650 Sawtelle Blvd.
Los Angeles, 90025.

Sociedad Española de Beneficiencia
   Mutua.
113 S. 22 St.
Montebello.

Casa de España, Inc.
1145 Euclid Ave.
San Gabriel.

Fundación Gregorio Del Amo.
1162 Unión Bank Bldg.
742 South Hill.
Los Angeles, 90014.

The Center of Latin American Stu-
   dies.
Univ. of California. Haines Hall, 107.
Los Angeles, 24.

Círculo Hispanoamericano de S.
   Francisco.
209 Post St., no. 293.
San Francisco, 94108.

La Sociedad de las Américas.
2235 47th Ave.
San Francisco, 94116.

Hispanic American Society.
Bolivar House.
Stanford University.
Palo Alto.

Chapter EPSILON RHO of the SDP.
Dept. For. Lang. (at. Sister Rosario
   Maria).
College of the Holy Name.
Oakland, 94619.

Chapter IOTA of the SDP.
Dept. Sp. & Port. (at. prof. Leonor
   Montau).
Univ. of California.
Los Angeles, 90024.

Chapter KAPPA of the SDP.
Dept. Sp. & Port. (at. prof. A. Espi-
   nosa).
Stanford University.
Palo Alto, 94305.

Chapter ALPHA GAMMA of the SDP.
Dept. For. Lang. (at. Dr. Carlos
   Rojas).
Fresno State University.
Fresno, 93721.

Chapter ALPHA EPSILON of the SDP.
Dept. For. Lang. (at. prof. William
   Moellering).
San José State College.
San José, 95114.

Chapter GAMMA PSI of the SDP.
Dept. Mod. Lang. (at. Dr. Alfredo
   Morales).
Los Angeles State College.
Los Angeles, 90032.

Chapter ZETA PI of the SDP.
Dept. of Humanities (at. prof. Geor-
   ge Iwanaga).
California State College.
San Bernardino, 92407.

Chapter ZETA BETA of the SDP.
Dept. of Sp. & Port. (at. Dr. George
   Lemus).
San Diego State College.
San Diego, 92115.

Chapter ZETA BETA of the SDP.
Dept. For. Lang. (at. Mrs. Martha A.
   Cardozo).
Mills College.
Oakland, 94613.

742

Chapter NORTHERN CALIFORNIA of the AATSP.
Mr. Alberto Lozano.
Terra Linda H. S.
San Rafael, 94901.

Chapter SOUTHERN CALIFORNIA of the AATSP.
Miss Violeta Gutierrez.
6730 Jumilla Dr.
Los Angeles, 91306.

Chapter UPSILON of the SDP.
Dept. Sp. (at. prof. Donald McInness).
Dominican College.
San Rafael, 94901.

Chapter ALPHA MU of the SDP.
Dept. Mod. Lang. (at. prof. Francisca Sánchez).
San Francisco College for Women.
San Francisco, 94118.

Chapter DELTA OMICRON of the SDP.
Dept. Mod. Lang. (at. Sister Luis Mary).
Mount St. Mary College.
12001 Chalon Rd.
Los Angeles, 90049

Chapter EPSILON ZETA of the SDP.
Dept. Mod. Lang. (at. prof. Ruth S. Lamb.).
Pomona College.
Claremont, 91711.

Chapter ZETA OMEGA of the SDP.
Dept. of Sp. & Port. (at. prof. Cándido Ayllón).
Univ. of California.
Riverside, 92502.

Chapter ETA ZETA of the SDP.
Dept. of Sp. (at. prof. Graciela M. Graves).
University of San Diego.
San Diego.

Chapter ZETA DELTA of the SDP.
Dept. Mod. Lang. (at. prof. Robert W. Dach).
University of the Pacific.
Stockton, 95204.

Chapter NORTHERN SAN DIEGO COUNTY of the AATSP.
Mrs. Joan B. Turnbull.
1002 Torole Cr.
Vista, 92083.

Chapter SAN GORGONIO of the AATSP.
Mr. Charles Wood.
2445 Belle St.
San Bernardino, 92404.

Chapter SAN DIEGO of the AATSP.
Mr. Thomas R. Crow.
6180 Avenorra Dr.
La Mesa, 92041.

COLORADO

Instituto de Cultura Hispánica (at. Mr. Charles Vigil).
818 Security Life Bldg.
16th & Glenarm, Sts.
Denver, 2.

Chapter ALPHA ZETA of the SDP.
Dept. Lang. & Lit. (at. Dr. Jeanne Fair).
Western College of Colorado.
Gunnison, 81230.

Chapter DENVER of the AATSP.
Prof. Mary Nell Gerner.
50 Clarkson, apt. 106.
Denver, 6.

Chapter of the SHH.
Cortés.
Lee Rangel, H. S.
Brighton.

743

Chapter of the SHH Santa María.
Sponsor moved, St. Mary's Academy.
Englewood.

Chapter of the SHH Alarcón.
Pamela G. Beals, H. S.
Littleton.

CONNECTICUT

Chapter CONNECTICUT of the AATSP.
Mr. George T. Cushman.
The Choate School.
Wallingford, 06492.

Knights of Columbus.
Columbus Plaza.
New Haven.

Daughters of Isabella.
375 Whitney Ave.
New Haven 11.

Chapter ZETA TAU of the SDP.
Dept. Mod. Lang. (at. Victor F. Lee-
    ber).
Fairfield Univ.
Fairfield, 06433.

Chapter GAMMA OMEGA of the SDP.
Dept. Rom. Lang. (at. Dr. Solomon
    H. Tilles).
University of Connecticut.
Storrs, 06268.

Chapter of the SHH.
San Martín.
George T. Cushman, The Choate
    School.
Wallingford.

Chapter of the SHH La Generación
    del "69".
Mary C. Farrell, H. S.
Watertown.

Chapter of the SHH Rubén Darío.
Lawrence J. Brennan, Conard H. S.
West Hartford.

Chapter of the SHH Cela.
Mary L. Capabianco, H. S.
Windsor.

Chapter of the SHH Los Campeadores.
Gilbert Stewart, H. S.
Darien.

Chapter of the SHH Gabriel Téllez.
Thomas de Tullio, Fairfield College
    Prep School.
Fairfield.

Chapter of the SHH Unamuno.
Luz S. Geldman, Andrew Warde H. S.
Fairfield.

Chapter of the SHH Lautaro.
The Daycroft School.
Greenwich.

Chapter of the SHH El Aguila.
Sister Alice Carmen, SND, East Ca-
    tholic H. S.
Manchester.

Chapter of the SHH Rocinante.
Howard Sibirsky, H. S.
Manchester.

Chapter of the SHH José Martí.
Mother M. Rinaldo, Academy of Our
    Lady of Mercy.
Milford.

Chapter of the SHH Alarcón.
Henry H. Recano, H. S.
New Britain.

Chapter of the SHH Lope de Vega.
John P. Churchill, Pulaski H. S.
New Britain.

Chapter of the SHH Los Conquista-
    dores.
Kathleen A. Gleason, H. S.
Newtown.

744

Chapter of the SHH Fray Luis de León
Rev. Paul Goni, Augustinian Reco-
    llect Seminary.
Norfolk.

Chapter of the SHH Gabriela Mistral.
Sister Grace Marie Hansen, SSND,
    St. Joseph H. S.
Trumbull.

Chapter of the SHH El Greco.
Celeste Masi, Farmington H. S.
Unionville.

DELAWARE

Chapter DELAWARE of the AATSP.
Mrs. Marion Zimmerman.
1121 Grinnell Rd., Green Acres.
Wilmington, 19803.

Foundation "The Good Samaritan".
9034 DuPont Bldg.
Wilmington, 98.

Chapter of the SHH.
Los Hidalgos.
Rev. Daniel Kent, Archmere Acade-
    my.
Claymont.

Chapter of the SHH Bolívar.
Sister M. Benita, CSSF, Holy Cross
    H. S.
Dover.

DISTRICT OF COLUMBIA

Chapter WASHINGTON, D. C. of the
    AATSP.
Prof. Graciela G. Olsen.
4702 Langdrum Lane.
Chevy Chase, 20015.

Centro Anglo-Español.
2022 Hillyer Place, N. W.
Washington, D. C.

Club de las Américas.
C/o Helen W. Patterson.
2633 Naylor Rd., S. E., ap. 202.
Washington, D. C., 20020.

Latin American Supper Club.
National Catholic Welfare Conference.
1312 Massachusetts Ave, N. W.
Washington, D. C.

Conference of State Societies (com-
    prende 50 Sociedades correspon-
    dientes a cada Estado).

New Senate Office Bldg.
Washington, 20025.

Latin American Institute.
3713 Macomb St. N. W.
Washington, D. C. 20016.

Chapter of the SHH.
San Martín.
Frank A. Del Nuovo, St. John's Co-
    llegue H. S.
Washington, D. C.

Club de España.
4839 Colorado Ave., N. W.
Washington, D. C.

Chapter DELTA ETA of the SDP.
Dept. Rom. Lang. (at. prof. Julia E.
    Hicks).
George Washington University.
Washington, D. C., 20006.

Chapter FLORIDA of the AATSP.
Prof. María Aurora Abad.
809 Lucerna Pkwy.
Cape Coral, 33904.

Chapter BETA RHO of the SDP.
Dept. For. Lang. (at. prof. J. Wayne
  Conner).
University of Florida.
Gainesville, 32601.

Chapter ALPHA CHI of the SDP.
Dept. For. Lang. (at. prof. Charles
  Javens).
Miami University.
Coral Gables, 33124.

The Hispanic Institute of Florida.
Box 123. Rollins College.
Winter Park.

Pan American Foundation.
Box 14424, University Station.
Gainesville.

Centro Hispano-Americano.
542 North Miami Ave.
Miami.

Centro Hispano-Católico.
130 N. E. 2nd St.
Miami.

Centro Español.
1536 E. Broadway St.
Tampa.

Chapter SOUTHEASTERN FLORIDA of
  the AATSP.
Mrs. María J. Cosculluela.
600 S. W. 9th Ave., apt. 6.
Miami, 33130.

Chapter ALPHA DELTA of the SDP.
Dept. Mod. Lang. (at. prof. Dorothy
  Hoffman).
Florida State University.
Tallahassee, 32306.

Chapter ALPHA KARPA of the SDP.
Dept. Mod. Lang. (at. prof. John J.
  Hodges).
Stetson University.
De Lanz, 32720.

Chapter ZETA MU of the SDP.
Dept. of Humanities (at. prof. P. N.
  Trakas).
Florida Presbyterian College.
St. Petersburg, 33733.

Pan American League.
Williams R. Boone High School.
2000 S. Mills St.
Orlando.

Hernando De Soto Historical Society
  ("The Conquistadors").
222 10th St. W.
Bradenton.

Centro Asturiano.
P. O. Box 984. Nebraska & Palm Aves
Tampa.

Chapter of the SHH.
Vicente Blasco Ibáñez.
Gladys M. Cannon and Zanaida
  González, Manatee H. S.
Bradenton.

Chapter of the SHH Benito Juárez.
Aida Y. Jurado, H. S.
Coral Gables.

Chapter of the SHH José Martí.
Gloria S. Johnson, Seabreeze H. S.
Daytona Beach.

Chapter of the SHH Los Escogidos.
Clarice I. Hostetler, Seacrest H. S.
Delray Beach.

Chapter of the SHH Iberia.
Luz Pura Auger, Pine Crest Prep
  School.
Fort Lauderdale.

Chapter of the SHH García Lorca.
Teresa Valdivia, Dan McCarty H. S.
Fort Pierce.

Chapter of the SHH Juan Valera.
Mary Y. Anchors, Choctawhatchee.
H. S.
Fort Walton Beach.

Chapter of the SHH Manolete.
Vera Jenkins, H. S.
Gainesville.

Chapter of the SHH Carlos Montoya.
Rosa Rabell, P. K. Yonge Laboratory.
School.
Gainesville.

Chapter of the SHH Vizcaya.
Wanda S. Pringle, H. S.
Hialeah.

Chapter of the SHH Jorge Manrique.
Charles F. Winton, Lee H. S.
Jacksonville.

Chapter of the SHH San Martín.
J. B. Bradley, Terry Parker H. S.
Jacsonville.

Chapter of the SHH Baroja.
Joan Cornier, Coral Park H. S.
Miami.

Chapter of the SHH Mariano Azuela.
Christine Parrish, Edison H. S.
Miami.

Chapter of the SHH Carlos Manuel de
    Céspedes.
Blossom Bakerman, Norland H. S.
Miami.

Chapter of the SHH La Granada.
Armando D. Soler, H. S.
Miami.

Chapter of the SHH Calderón.
June L. Kundtz and Joan C. Luéras,
    Palmetto H. S.
Miami.

Chapter of the SHH Alfonso X.
Gloria A. Ramírez, Southwest Mia-
    mi H. S.
Miami.

Chapter of the SHH Ortega y Gasset.
Agustín Ramírez, H. S.
Miami Springs.

Chapter of the SHH Padre Luis.
Helen Hutchins Richey, Gulf H. S.
New Port Richey.

Chapter of the SHH Gallegos.
Myra B. Hand, H. S.
North Miami.

Chapter of the SHH La Castilla.
Mildred H. Wiggins, Colonial H. S.
Orlando.

Chapter of the SHH Cristóbal Colón.
Sister M. Rosalie, RSM, Pensacola
    Catholic H. S.
Pensacola.

Chapter of the SHH Lazarillo.
Mildred Figueroa, Lakewood H. S.
St. Petersburg.

Chapter of the SHH Sancho Panza.
Rosemary Finnigan, H. S.
St. Petersburg.

Chapter of the SHH El Cid.
Irene B. Miller, Leon H. S.
Tallahassee.

Chapter of the SHH Caldós.
Angela F. Guagliardo, Academy of
    the Holy Names.
Tampa.

Chapter of the SHH Segismundo.
Daisy Parrado, Chamberlain H. S.
Tampa.

Chapter of the SHH Hernando de
    Soto.
Lola Lastra Todd, Hillsborough H. S.
Tampa.

Chapter of the SHH Alejandro Casona.
Mary S. Natole, Leto Comprehensive
  H. S.
Tampa.

Chapter of the SHH La Florida.
Jack Dayan, H. B. Plant H. S.
Tampa.

Los Conquistadores.
Barbara J. Houde, Robinson, H. S.
Tampa.

Lope de Vega.
Connie Ressler, Forest Hill H. S.
West Palm Beach.

GEORGIA

Chapter GEORGIA of the AATSP.
Mrs. Catherine Phillips.
374 E. Paces Ferry Rd., N. E. apt. 826.
Atlanta, 30305.

Chapter DELTA GAMMA of the SDP.
Dept. Rom. Lang. (at. prof. G. R.
  Hernández).
University of Georgia.
Athens, 30602.

Chapter ZETA PHI of the SDP.
Dept. Lang. (at. prof. M. Vincent
  Mutzi).
Georgia Southern College.
Statesboro, 30458.

Chapter of the SHH.
Manuel de Falla.
Mary Loveday, The Lovett School.
Atlanta.

Chapter of the SHH Benavente.
Nancy E. Baker, North Springs H. S.
Atlanta.

Chapter of the SHH Carlos Rojas.
Catherine O. Phillips, Sandy Springs
  H. S.
Atlanta.

Chapter of the SHH Juan Castellano.
J. M. Kenimer, The Westminster
  Schools.
Atlanta.

Chapter of the SHH Melissa Cilley.
Lillie B. Hamilton, H. S.
College Park.

Chapter of the SHH Pablo Casals.
Lucinda J. Hawes, Lakeshore H. S.
College Park.

Chapter of the SHH Don Quijote.
Frances M. Stillwell, Briarwood S. H.
East Point.

Chapter of the SHH Los Alteñitos.
Dolores C. Bryan, Headland H. S.
East Point.

Chapter of the SHH La Avellaneda.
Manuel A. Alonso, Russell H. S.
East Point.

Chapter of the SHH Luis Ramón Zá-
  rate.
Christina Hankinson, Campbell H. S.
Fairburn.

Chapter of the SHH Cervantes.
Katherine O. Whiting, H. S.
Hapeville.

Chapter of the SHH Federico García
  Lorca.
Nellie Lamar, Lanier H. S.
Macon.

HAWAII

Chapter HAWAII of the AATSP.
Mrs. Norma Carr.
461 Hao St.
Honolulu 96821.

Chapter MAUI of the AATSP.
Mrs. Joseph W. Bertram.
190 Paka Pl.
Kihei, Maui, 96753.

IDAHO

Chapter THETA of the SDP.
Dept. For. Lang. (at. prof. Pauline
  Devel.
University of Idaho.
Moscow, 83843.

Basque Center.
6th & 601 Grove St.
Boise.

Sociedad de Socorros Mutuos.
P. O. Box 344.
Boise.

La Fraternidad Vasco-Americana.
P. O. Box 534.
Boise.

ILLINOIS

Chapter ILLINOIS of the AATSP.
Mrs. Gladys Leal.
207 W. Iowa St.
Urbana, 61801.

Serra International.
22 W. Monroe St.
Chicago, 60603.

Chapter EPSILON CHI of the SDP.
Dept. Sp. (at. Dr. Antonio Arjibay).
Augustona College.
Rock Island, 61201.

Chapter LAMBDA of the SDP.
Dpt. Sp. & Port. (at. prof. José Buer-
  go).
University of Illinois.
Urbana, 61801.

Chater BETA XI of the SDP.
Dpt. Sp. & Port. (at. Sister M. Sheila).
Rosary College.
River Forest, 60305.

Chapter DELTA ZETA of the SDP.
Dept. Mod. Lang. (at. prof. Dorothy
  Donald.
Monmouth College.
Monmouth, 61462.

Sociedad Española de Beneficiencia.
57 W. Monroe St.
Chicago, 60603.

Hispanic Society of Chicago.
188 W. Randolph St., suite 1102.
Chicago, 60601.

Chapter CHICAGO of the AATSP.
Prof. Kimiyo Kawasaki.
5637 W. North Ave.
Chicago, 60639.

Chapter ZETA ETA of the SDP.
Dept. For. Lang. (at. prof. Geraldina
  Ortiz-Muñiz).
Eastern Illinois University.
Charlestown, 61920.

Chapter DELTA EPSILON of the SDP.
Dept. Mod. Lang. (at. prof. Joseph Yedlicka).
Kenmore Ave., De Paul University.
Chicago, 60604.

Chapter BETA TAU of the SDP.
Dept. Sp. (at. Mother M. Guevara).
Barat College of the Sacred Heart.
Lake Forest, 60045.

Chapter BETA UPSILON of the SDP.
Dept. For. Lang. (at. Dr. Carmen Carrillo).
N. Illinois State University.
DeKalb, 60115.

Pan American Council of Chicago.
P. O. Box 1233.
Chicago, 60690.

Latin American Organization.
Southern Illinois University.
Carbondale.

Club Taurino de Chicago.
P. O. Box 9166.
Chicago, 60690.

Chapter of the SHH.
Pío Baroja.
Betty P. Scott, H. S.
Antioch.

Chapter of the SHH Pardo Bazán.
Cheryl B. Gordon, Centennial H. S.
Champaign.

Chapter of the SHH Mariano Azuela.
Gladys Leal, Central H. S.
Champaign.

Chapter of the SHH Juan Ramón Jiménez.
Lionel O. Romero, Edison Jr. H. S.
Champaign.

Chapter of the SHH Calderón.
Jennie C. Palermo, Bogan H. S.
Chicago.

Chapter of the SHH Gabriela Mistral.
Agnes Tatera, Flower H. S.
Chicago.

Chapter of the SHH Avila.
Sister M. de Chantal, Good Counsel H. S.
Chicago.

Chapter of the SHH Palma.
Sister M. Leonard, SCC, Josephinum H. S.
Chicago.

Chapter of the SHH Alfonso X.
Jovita Tobin, Lake View H. S.
Chicago.

Chapter of the SHH Cervantes.
Dorothy A. Gabel, Resurrection H. S.
Chicago.

Chapter of the SHH Campoamor.
Marie G. Heuer, Sullivan H. S.
Chicago.

Chapter of the SHH Rosalía de Castro.
Barbara G. Josephson, Von Steuben H. S.
Chicago.

Chapter of the SHH Don Quijote.
Sister M. Ernestine, Marian H. S.
Chicago Heights.

Chapter of the SHH Cantinflas.
Virginia T. Baldwin, H. S.
Crystal Lake.

Chapter of the SHH Gutiérrez Nájera.
Mary Kay Brooks, York H. S.
Elmhurst.

Chapter of the SHH Santa Rosa.
Sister Loretta Anne and Sister M. Charlotte, Marywood H. S.
Evanston.

Chapter of the SHH Los Lobos.
Dorothy Davis, H. S.
Flora.

Chapter of the SHH Jorge Luis Borges.
Daniel A. Ferreira, Homewood-Flossmoor H. S.
Flossmoor.

Chapter of the SHH El Cid.
William R. Turner, H. S.
Galesburg.

Chapter of the SHH Valdés.
Marianne McCall, H. S.
Hillsboro.

Chapter of the SHH Guadalupana.
Sister M. Bonaventure, St. Francis Academy.
Joliet.

Chapter of the SHH Miguel de Unamuno.
Carmen J. Lago and Joseph P. Lawlor, H. S.
Lake Forest.

Chapter of the SHH Círculo Egipciano.
Evelyn M. Patterson, H. S.
Marion.

Chapter of the SHH O'Higgins.
Billie Gene Lee, H. S.
Moline.

Chapter of the SHH El Cordobés.
Barbara E. Watson, R. O. V. A. H. S.
Oneida.

Chapter of the SHH José Martí.
Harry E. Babbitt, Rich Twp. H. S. East, Park Forest.

Chapter of the SHH Cristóbal Colón.
Eloise Metzger, H. S.
Pekin.

Chapter of the SHH Sarmiento.
Eleanor F. Bailey, H. S.
Peoria.

Chapter of the SHH Casona.
Jack El Clinton, Limestone H. S.
Peoria.

Chapter of the SHH Velázquez.
Mary C. Van Dyke, Manual H. S.
Peoria.

Chapter of the SHH García Lorca.
H. S.
Quincy.

Chapter of the SHHA Hidalgo.
Bernelle Moot, H. S.
Rantoul.

Chapter of the SHH Lazarillo.
Howard D. Stahlheber, H. S.
Rochelle.

INDIANA

Chapter INDIANA of the AATSP.
Prof. Rita Sheridan.
7034 E. Tenth St., apt. B3.
Indianapolis, 46219.

Chapter DELTA SIGMA of the SDP.
Dept. Mod. Lang. (at. prof. José Cid Pérez).
Purdue University.
Lafayette, 47907.

La Sociedad Española.
700 West 11th Ave.
Gary.

Chapter LINCOLN-MARTI DEL NORTE DE INDIANA of the AATSP.
Prof. Armando Arias.
1101 Jackson St.
La Porte, 46350.

Chapter DELTA UPSILON of the SDP.
Dept. Mod. Lang. (at. prof. C. E. Aldrich).
Butler University.
Indianapolis, 46208.

Club Panamericano.
228 Fisher Hall, Notre Dame Univ.
South Bend.

Chapter of the SHH.
Marco Denevi.
Judith C. Morrow, H. S.
Bloomington.

Chapter of the SHH Giner de los Ríos.
Tom Giometti, University H. S.
Bloomington.

Chapter of the SHH Lope de Vega
John B. Yount. Jr., H. S.
Connersville.

Chapter of the SHH Domingo Faustino Sarmiento.
Mary Elizabeth Thumma, Howe H. S.
Indianapolis.

Chapter of the SHH Pablo Casals.
Jim Mentzer, Pioneer H. S.
Royal Center.

IOWA

Chapter IOWA of the AATSP.
Dr. James W. Price.
Dept. of Teaching. Univ. of N. Iowa.
Cedar Falls, 50613.

Chapter GAMMA ALPHA of the SDP.
Dept. Sp. & Port. (at. prof. Oscar Fernández).
State University of Iowa.
Iowa City, 52240.

Chapter of the SHH.
Castillo Armas.
Sister Mary Dolors, BVM. St. Mary H. S.
Clinton.

Chapter of the SHH Rubén Darío.
Jane E. Dagley, Crestwood H. S.
Humboldt.

Chapter of the SHH Nuestra Señora de Guadalupe.
Sister M. Cabrini, OSF, Heelan H. S.
Sioux City.

KANSAS

Chapter KANSAS SOUTHCENTRAL of the AATSP.
Mrs. Dorotyh Pettersen.
154 S. Edgemoor.
Wichita, 67218.

Chapter GAMMA NU of the SDP.
Dept. Rom. Lang. (at. prof. Lillian A. Wall).
Wichita State University.
Wichita, 67208.

El Club Español.
St. Mary's College.
Xavier.

Las Alegres.
Mt. St. Scholastica College.
Atchison.

Chapter KANSAS of the AATSP.
Mrs. Connie García Baxter.
Kansas State Teachers College Dept.
   For. Lang.
Emporia, 66301.

Chapter BETA PI of the SDP.
Dept. Sp. & Port. (at. prof. Domingo
   Ricart).
University of Kansas.
Lawrence, 66044.

Chapter DELTA THETA of the SDP.
Dept. For. Lang. (at. Dr. David E.
   Travis).
Kansas State Teachers College.
Emporia, 66301.

Chapter EPSILON XI of the SDP.
Dept. Mod. Lang. (at. prof. Margaret
   E. Belson).
Kansas State University.
Manhattan, 66502.

Chapter of the SHH.
Bartolomé de Las Casas.
Mt. St. Scholastica Academy.
Atchison.

Chapter of the SHH Amado Nervo.
Lena Sankey, H. S.
Hutchinson.

Chapter of the SHH Nicolás Guillén.
L. B. Galbearth, Sumner H. S.
Kansas City.

Chapter of the SHH Gabriela Mistral.
Nancy Nies, H. S.
Kingman.

Chapter of the SHH Cuauhtémoc.
Kenton H. Allen, Campus H. S.
Wichita.

Chapter of the SHH Hidalgo.
Panfila Galvan, West H. S.
Wichita.

KENTUCKY

Chapter KENTUCKY of the AATSP.
Mrs. Wanda D. Sarbo.
1290 Willow Ave.
Louisville, 40204.

Chapter ETA EPSILON of the SDP.
Dept. Fr. Ger. & Sp. (at. prof. C.
   Bruce Fitch).
Transylvania College.
Lexington, 40508.

Chapter GAMMA SIGMA of the SDP.
Dept. Rom. Lang. (at. prof. Daniel
   Dávila).
Georgetown College.
Georgetown, 40324.

Chapter EPSILON UPSILON of the SDP.
Dept. Sp. & It. (at. prof. Daniel R.
   Reedy).
University of Kentucky.
Lexington, 40506.

Chapter of the SHH.
El Cid.
Jane Gibbs Johnson, H. S.
Frankfort.

Chapter of the SHH Cervantes.
Rosemary Weddington, Franklin
   County H. S.
Frankfort.

753

Chapter of the SHH Unamuno.
Marcia S. Miller, Lafayette H. S.
Lexington.

Chapter of the SHH Rocinante.
Trudye Durrett H. S.
Louisville.

Chapter ZETA EPSILON of the SDP.
Dept. Mod. Lang. (at. prof. José L.
Larraz).
Centre College of Kentucky.
Danville, 40422.

Chapter EPSILON MU of the SDP.
Dept. For. Lang. (at. prof. Johnnie
Brooks Huey).
Western Kentucky University.
Browling Green, 42101.

Chapter ZEGA UPSILON of the SDP.
Dept. Mod. Lang. (at. prof. James A.
Parr).
Murray State University.
Murray, 42701.

Chapter ETA MU of the SDP.
Dept. For. Lang (at. prof. Charles L.
Nelson).
Eastern Kentucky University.
Richmond, 40475.

LOUISIANA

Chapter GALVEZ of the AATSP.
Mrs. Gladys M. Simpson.
6578 Vicksburg St.
New Orleans, 70124.

Chapter ALPHA RHO of the SDP.
Dept. For. Lang. (at. prof. Joan Caine).
Southwestern Louisiana University.
Lafayette, 70501.

Chapter ALPHA LAMBDA of the SDP.
Dept. For. Lang. (at. prof. J. A.
Thompson).
Louisiana State University.
Baton Rouge, 70803.

Chapter ALPHA OMEGA of the SDP.
Dept. For. Lang. (at. prof. F.
Adams).
Louisiana Polytechnic Institute.
Ruston, 71270.

Chapter of the SHH.
Simón Bolívar.
Charles Macmurdo, H. S.
Baton Rouge.

Chapter of the SHH Avila.
Sister Daniel Lusk, CSJ, St. Joseph
Academy.
Baton Rouge.

Chapter of the SHH Las Castellanas.
Catherine Burlet, Higgins H. S.
Harvey.

Chapter of the SHH Cervantes.
Carol R. Kramer, West Jefferson H. S.
Harvey.

Chapter of the SHH Pío Baroja.
James R. Lively, King H. S.
Metairie.

Chapter of the SHH José Martí.
Gladys M. Simpson, Kennedy H. S.
New Orleans.

Chapter of the SHH Las Quijanas.
Janice B. Gardner, Riverdale H. S.
New Orleans.

Chapter of the SHH Nuestra Señora de Fátima.
Sister Elizabeth of the Trinity, Xavier Prep School.
New Orleans.

Chapter of the SHH De Soto.
Irbie P. Lawrence, Byrd H. S.
Shreveport.

Chapter of the SHH El Greco.
Margaret Bryan, H. S.
Springhill.

MAINE

Chapter ZETA KAPPA of the SDP.
Dept. For. Lang. (at. prof. Ignacio R. Galbis).
University of Maine.
Orono, 04473.

MARYLAND

Chapter MARYLAND of the AATSP.
Sister Mary James.
Notre Dame Prep. School.
815 Hampton Ln.
Towson, 21204.

National Hispano Congress (at. Daniel T. Valdés).
700 National Hwy.
La Vale.

Chapter DELTA of the SDP.
Dept. Sp. & Port. (at. prof. Marie S. Rentz).
University of Maryland.
College Park, 20740.

Chapter ETA GAMMA of the SDP.
Dept. Mod. Lang. (at. prof. Jorge A. Giro).
Towson State College.
Baltimore, 21204.

Chapter of the SHH.
Benavente.
Sister M. Honorine, Catholic H. S. of Baltimore.
Baltimore.

Chapter of the SHH Velázquez.
Frank M. Lewis, Catonsville Sr. H. S.
Baltimore.

Chapter of the SHH Nuestra Señora de Guadalupe.
Sister Miriam Thomas, SSND, Institute of Notre Dame.
Baltimore.

Chapter of the SHH Manolete.
Barbara A. Bigelow, Crossland Sr. H. S.
Camp Springs.

Chapter of the SHH Ramón Menéndez Pidal.
Carolyn J. Halstead, Queen Anne's County H. S.
Centreville.

Chapter of the SHH Carmen Conde.
Sister M. Natalie, Bishop Walsh H. S.
Cumberland.

Chapter of the SHH Cervantes.
Milagros Carrero. DuVal H. S.
Glenn Dale.

Chapter of the SHH Becqueriano.
Zaida M. Seijo, Blair H. S.
Silver Spring.

Chapter of the SHH Azorín.
Carmen Ward, Northwood H. S.
Silver Spring.

MASSACHUSETTS

Chater MASSACHUSETTS BAY of the
AATS.
Miss Betty Athanasoulas.
34 W. Bowers St.
Lowell, 01854.

Chapter ETA OMICRON of the SDP.
Dept. Mod. Lang. (at. rof. Royce W.
Miller).
Gordon College.
Wenham, 01984.

Club Hispano-Americano.
International House.
470 Atlantic Ave.
Boston.

Cardinal Cushing Spanish Center.
26 Union Pak St.
Boston.

Club Español.
Smith College.
Northampton.

Chater WESTERN MASSACHUSETTS of
the AATSP.
Prof. Thomas F. Sousa.
Univ. of Massachusetts.
Amhers, 01003.

Club Latino of the M. I. T.
Walker Memorial, 50-110.
77 Massachusetts Ave.
Cambridge.

Club Español.
Pan American Society of New England, Inc.
75 A Newbury St.
Boston, 02116.

Spanish American Club.
Boston University.
Boston.

Club Español.
Pine Manor College.
Wellesley.

Chapter of the SHH.
Lope de Vega.
Ida C. Moggio, H. S.
Agawam.

Chapter of the SHH Segismundo.
Dorothy Y. Judd, Abbot Academy.
Andover.

Chapter of the SHH El Cid.
Katherine O'Sullivan, H. S,
Bedford.

Chapter of the SHH Quijotesco.
Sister Carmen Joseph, SUSC, Acade-
my of the Sacred Heart.
Fall River.

Chapter of the SHH Ruy Díaz.
Rose G. Biller, Wachusett H. S.
Holden.

Chapter of the SHH Teresa de Avila.
Sister Vincent Mary, Catholic H. S.
Holyoke.

Chapter of the SHH Guadalupe.
Sister Margaret P. Nawn, SND, and
Sister Margaret Mary Kelly, SND,
Bishop Stang H. S.
North Dartmouth.

Chappter of the SHH Hernán Cortés.
Mable F. Pratt, H. S.
North Quincy.

Chapter of the SHH Rubén Darío.
Sister Irene Francis, SSJ. St. Michael
H. S.
Northampton.

Chapter of the SHH Isabel La Católica.
Sister Ellen St. Thomas, SND, Boshop
Fenwick H. S.
Peabody.

Chapter of the SHH Los Reyes Católi-
cos.
Sister Elizabeth Therese, St. Joseph
Central H. S.
Pittsfield.

Chapter of the SHH Amigos de Qui-
jote.
Sister Annette Rafferty, Cathedral
H. S.
Springfield.

Chapter of the SHH Calderón.
Joan T. Bartlam, Case H. S.
Swansea.

MICHIGAN

Chapter MICHIGAN of the AATSP.
Mr. Charles Nordman.
3429 Cambridge Ave.
Jackson, 49203.

Chapter BETA OMICRON of the SDP.
Dept. Rom. Lang. (at. Mr. J. C.
O'Neill).
University of Michigan.
Ann Arbor, 48104.

Chapter DELTA PHI of the SDP.
Dept. of Sp. (at. Sister M. Fidelia).
Marygrove College.
Detroit, 48221.

Chapter EPSILON PI of the SDP.
Dept. For Lang. (at. prof. Humbert
P. Weller).
Hope College.
Holland, 49423.

Chapter BETA BETA of the SDP.
Dept. Rom. Lang. (at. prof. Johannes
Sachse).
Michigan State University.
East Landing, 48823.

Hispanos Unidos de Detroit.
3564 West Vernur Hwy.
Detroit.

Chapter of the SHH.
Santa Teresa de Avila.
Virginia L. Soret, Monsignor O'Brien
H. S.
Kalamazoo.

Chapter of the SHH José Martí.
Karl R. Crisler, Brandywine Sr. H. S.
Niles.

Chapter of the SHH Miguel Angel
Asturias.
Jane Goudrealt, H. S.
Olivet.

Chapter of the SHH Lazarillo.
Ronald A. Spaeth, Lake Shore H.S.
St. Clair Shores.

MINNESOTA

Chapter MINNESOTA of the AATSP.
Prof. Howard H. Hathaway.
2132 Iglehart.
St. Paul, 55104.

Pan American Club.
Box 565.
Excelsior.

Chapter GAMMA BETA of the SDP.
Dept. Mod. Lang. (at. Sister M. Ricardo).
St. Theresa College.
Winona, 55987.

MISSISSIPPI

Chapter MISSISSIPPI of the AATSP.
Mrs. Thomas M. Smith.
4022 N. State St.
Jackson 39206.

Chapter DELTA IOTA of the SDP.
Dept. Mod. Lang. (at. prof. Miguel Queija).
University of Mississippi.
University, 38677.

Chapter EPSILON GAMMA of the SDP.
Dept. Mod. Lang. (at. Dr. James R. Chatham).
Mississippi State University.
State College, 39762.

Chapter BETA PHI of the SDP.
Dept. Mod. Lang. (at. prof. Thomas T. Chisholm).
Univ. of Southern Mississippi.
Hattiesburg, 39401.

Chapter DELTA XI of the SDP.
Dept. For. Lang. (at. prof. Carroll).
Mississippi State Women's College.
Columbus, 39701.

Chapter ZETA RHO of the SDP.
Dept. Fr. & Sp. (at. prof. Billy M. Bufkin).
Millsaps College.
Jackson, 39210.

Chapter of the SHH.
El Greco.
Georgia Reber, H. S.
Biloxi.

MISSOURI

Chapter Corazón de América of the AATSP.
Prof. James W. Roleke.
9904 Holly.
Kansas City, 64114.

Chapter BETA OMEGA of the SDP.
Dept. Rom. Lang. (at. prof. John Garganigo).
Washington University.
St. Louis, 63130.

Chapter BETA of the SDP.
Dept. Rom. Lang. (at. prof. Albert Brent).
University of Missouri.
Columbia, 65201.

Chapter ETA LAMBDA of the SDP.
Dept. For. Lang. (at. prof. John C. Calvert).
Southwest Missouri State College.
Springfield, 65802.

Sociedad Española.
7107 Michigan Ave.
St. Louis.

Chapter ZETA CHI of the SDP.
Dept. For. Lang. (at. Mrs. Rosemary
  Robinson).
Fontbonne College.
St. Louis, 63105.

Chapter SAN LUIS of the AATSP.
Mrs. Consuelo E. Gallagher.
27 Villawood Lane.
Webster Groves, 63119.

Chapter GAMMA IOTA of the SDP.
Dept. Mod. Lang. (at. Dr. Margaret
  Kidder).
Drury College.
Springfield, 65802.

El Club Interamericano.
8511 Woodland St.
Kansas City, 64131.

Sociedad Hispano-Americana.
6308 S. Rosebury.
St. Louis (Clayton), 63105.

Chapter of the SHH.
El Greco.
Winona M. Woods, H. S.
Blue Springs.

Chapter of the SHH Amado Nervo.
Anna Ruth Burford, H. S.
Doniphan.

Chapter of the SHH Lope de Vega.
Ida McAnulty, Ft. Osage H. S.
Independence.

Chapter of the SHH Pioneros.
Willella Curnutt, Van Horn H. S.
Independence.

Chapter of the SHH Pancho Villa.
Dolores G. Wilson, H. S.
Jefferson City.

Chapter of the SHH Calderón.
Nellie M. Cody, Central H. S.
Kansas City.

Chapter of the SHH Spota.
Sister Mary Etta, Glennon H. S.
Kansas City.

Chapter of the SHH Séneca.
Luz M. Chiarello, Southwest H. S.
Kansas City.

Chapter of the SHH Segismundo.
Sister M. Trinity, BVM. Xavier H. S.
  for Girls.
St. Louis.

MONTANA

Chapter ZETA XI of the SDP.
Dept. For. Lang. (at. prof. Raquel
  Kersten).
University of Montana.
Missoula, 59801.

Chapter MONTANA of the AATSP.
Mrs. Alice B. Balcombe.
1120 W. 4th.
Anaconda, 59711.

Chapter of the SHH.
El Indio de la Montaña.
Frances B. Olson, Park H. S.
Livingston.

Chapter of the SHH El Cid.
Constance E. Flacker, H. S.
Plentywood.

NEBRASKA

Chapter NEBRASKA of the AATSP.
Mrs. James R. Downing.
6003 Vine St.
Lincoln, 68505.

La Casa de las Américas.
5119 Webster St.
Omaha.

Chapter of the SHH.
Goya.
Sharon M. Watts, Benson H. S.
Omaha.

NEVADA

Chapter of the SHH.
Los Compadres.
Gloria U. Fundis, Pershing County
    H. S.
Lovelock.

NEW HAMPSHIRE

The Spanish-American Club.
Brewster Academy (at. prof. Gómez).
Wolfeboro.

Chapter of the SHH.
Cervantes.
Charles Bostock, Pinkerton Academy.
Derry.

Chapter of the SHH Calderón.
Sister M. Ernesta, SSND, St. Thomas
    Aquinas H. S.
Dover.

NEW JERSEY

Chapter NORTH JERSEY of the AATSP.
Prof. Eli Gorelick.
176 Old Indian Rd.
West Orange, 07052.

Chapter ZETA NU of the SDP.
Dept. Mod. Lang. (at. profs. Carlos
    Fuentes y Norman Frascella).
Rider College.
Trenton, 08609.

Chapter DELTA CHI of the SDP.
Dept. Lang. (at. prof. Eloísa Rivera).
Montclair State College.
Upper Montclair, 07043.

Chapter ETA XI of the SDP.
Dept. Mod. Lang. (at. prof. Emilio
    Paul).
College of South Jersey, Rutgers.
406 Penns St., Camden, 08102.

Chapter of the SHH.
Rubén Darío.
Gloria Menéndez, Johson H. S.
Clark.

Chapter of the SHH Sancho Panza.
Harry Foster, Jr., Northern Burling-
    ton H. S.
Columbus.

Champter of the SHH Alarcón.
John B. Bucciero, Hunterdon Central
  H. S.
Flemington.

Chapter of the SHH El Hombre de la
  Mancha.
Sister M. Richard, Gloucester Catho-
  lic H. S.
Gloucester City.

Chapter of the SHH Lazarillo de Tormes.
Sister Marie William, OSF, St. Mary
  of the Angels Academy.
Haddonfield.

Chapter of the SHH Juan O. Buch-
  mann.
María Valdés, Archbishop Walsh
  H. S.
Irvington.

Chapter of the SHH Bécquer.
Anthony Ricciardi, Bridgewater-Ra-
  ritan H. S. East.
Martinsville.

Chapter of the SHH Juan Ramón Ji-
  ménez.
Guillermo Casas, Lenape H. S.
Medford.

Chapter of the SHH Madre de Dios.
Michael McAndrew, Mater Dei H. S.
New Monmouth.

Chapter of the SHH Moctezuma.
Lynn S. PiSunyer, West Essex H. S.
North Caldwell.

Chapter of the SHH Los Conquista-
  dores.
Rosa Ferrer, Catholic H. S.
Paterson.

Chapter of the SHH Ayala.
Phy Ward, H. S.
Pennsauken.

Chapter of the SHH José Martí.
Sister M. Nathanael, Catholic H. S.
Phillipsburg.

Chapter of the SHH Alejandro Casona.
Patricia F. Ashby, H. S.
Piscataway.

Chapter of the SHH Unamuno.
Fayetta M. Wells, H. S.
Riverside.

Chapter of the SHH Don Quijote.
Merlin M. de Pauw, Scoth Plains-Fan-
  wood H. S.
Scotch Plains.

Chapter of the SHH Calderón de la
  Barca.
Jonh A. Podskoc, Union Catholic
  Boys' H. S.
Scotch Plains.

Chapter of the SHH Sor Juana Inés de
  la Cruz.
Ana María Figueroa, Unión Catholic
  Girls' H. S.
Scoth Plains.

Chapter of the SHH Cervantes.
James H. Farrell, Jonathan Dayton
  H. S.
Springfield.

Chapter of the SHH García Lorca.
Peter Wurm, Haddon H. S.
Westmont.

Chapter of the SHH Cristóbal Colón.
Alvin Lubiner, Mountain H. S.
West Orange.

Chapter of the SHH Gabriela Mistral.
Shirley E. Ownes, H. S.
Woodstown.

Hispanic Society of Princeton Univ.
51 Blair Hall.
Princeton.

Chapter SOUTH JERSEY of the AATSP.
Prof. Dorothy E. Lopez.
663 Princenton Ave.
Collingswood, 08108.

Chapter ALPHA BETA of the SDP.
Dept. Rom. Lang. (at. prof. Leonardo Santamarina).
Rutgers, The State University.
New Brunswick, 08901.

Chapter EPSILON LAMBDA of the SDP.
Dept. Mod. Lang. (at. prof. Manuel Salas).
Georgian Court College.
Lakewood, 08701.

Chapter ETA PI of the SDP.
Dept. For. Lang. (at. prof. Yvonne W. Grove).
Monmouth College.
West Long Branch, 07764.

Club España de Newark.
45 Monroe St.
Newark, 07105.

NEW MEXICO

Chapter SANTA FE of the AATSP.
Prof. Dora G. Martínez.
1113 N. Luna Circle.
Santa Fe.

Chapter FRONTERAS of the AATSP.
Prof. Pauline Baker.
412 S. Slate.
Deming.

Chapter DELTA DELTA of the SDP.
Dept. Rom. Lang. (at. prof. Harriet Smith).
New Mexico Western College.
Silver City, 88061.

Chapter of the SHH.
Sabine R. Ulibarrí.
J. Vernon Morgan, Del Norte H. S.
Albuquerque.

Chapter of the SHH Cervantes.
Clara M. Arretche, Valley H. S.
Albuquerque.

Chapter of the SHH La Celestina.
Gilbert Ranjel, H. S.
Gallup.

Chapter of the SHH Zaraya.
Ruth G. Lobato, H. S.
Grants.

Chapter of the SHH Villagrá.
Frank Luján, Jr. West Las Vegas H. S.
Las Vegas.

Chapter of the SHH Coronado.
Mrs. Gene Devitt, Goddard H. S.
Roswell.

Sociedad Folklorística de Santa Fe (at Mrs. Leroy Ramírez).
115 E. García Rd.
Santa Fe.

Chapter TIERRA DEL ENCANTO of the AATSP.
Prof. Anthony Pino.
4135 Sunland Circle, N. W.
Albuquerque.

Chapter BETA ETA of the SDP.
Dept. For. Lang. (at. prof. Kathleen M. Joyce).
New Mexico State University.
University Park, 88001.

Círculo Español Fray Junípero Serra.
New Mexico Military Institute.
Roswell.

Los Caballeros de Vargas (at. don Pedro Ortega).
562 F. García Rd.
Santa Fe.

Club de las Américas.
University of New Mexico.
Albuquerque.

NEW YORK

Chapter WESTCHESTER of the AATSP.
Miss Isabella M. Demasi.
94 Union Ave.
New Rochelle, 10801.

Chapter WESTERN NEW YORK of the AATSP.
Prof. John R. Luther.
1940 Sheridan Dr.
Kenmore, 14223.

Chapter LONG ISLAND of the AATSP.
Prof. Richard Hoppenhauer.
205 Hempstead.
Malverne, Long Island, 11565.

Chapter ZETA THETA of the SDP.
Dept. Mod. Lang. (at. John D. Allegra).
St. Francis College.
180 Remson St.
Brooklyn, 11201.

Chapter ZETA THETA of the SDP.
Dept. Sp. (at. prof. Aldecoa de González).
New York University.
New York, 1003.

Chapter XI of the SDP.
Dept. Rom. Lang. (at. prof. Lucía Bonilla).
Hunter College, Park Ave.
New York, 10011.

Chapter EPSILON KAPPA of the SDP.
Dept. Mod. Lang. (at. prof. Philip Astuto).
St. John's University.
Jamaica, L. I., 11432.

Chapter TAU of the SDP.
Dept. Sp. (at. prof. Rafael Bosch).
Adelphy College.
Garden City, 11530.

Club Iberoamericano de Nueva York.
42-55 160 th. St.
Flushing, 11358.

Chapter NEW YORK of the AATSP.
Prof. Blanche Joffe.
319 E. 50th St.
New York, 10022.

Chapter SUFFOLK COUNTY of the AATSP.
Prof. Michael Licciardello.
55 Derby Place.
Smithtown, Long Island, 11787.

Chapter HUDSON VALLEY of the AATSP.
Mrs. Diana Cichello.
Bldg. 20 D-3, Sheridan Village.
Schenectady, 12308.

Chapter ETA ALPHA of the SDP.
Dept. Mod. Lang. (at. Dr. Ana M. de Ayala).
State University of New York.
Fredonia, 14063.

Chapter GAMMA ZETA of the SDP.
Dept. Sp. (at. prof. Ward H. Dermis).
Columbia University.
New York, 10027.

Chapter OMICRON of the SDP.
Dept. Rom. Lang. (at. prof. Esteban
 Ramírez).
College of the City of N. York.
New York, 10011.

Chapter BETTA GAMMA of the SDP.
Dept. Mod. Lang. (at. prof. Antonia
 Guerrero).
Brooklyn College.
Brooklyn, 11210.

Chapter DELTA ALPHA of the SDP.
Dept. Rom. Lang. (at. prof. Edita
 Mas-López).
Queens College.
Flushing, 11367.

Chapter ALPHA SIGMA of the SDP.
Dept. For. Lang. (at. prof. Lucrecia
 R. López).
Hofstra College.
Hampstead, 11550.

Traductores y Publicistas Hispanoamericanos.
c/o Sr. Don Ricardo Arredondo.
P. O. Box 3796. Grand Central Sta.
New York, 10017.

Chapter of the SHH.
Nuestra Señora de Montserrat.
Sister M. Patrice, FDC, St Joseph
 Hill Academy.
Arrochar.

Chapter of the SHH José Martí.
Barbara G. Nevid, Baker H. S.
Baldwinsville.

Chapter of the SHH Alegría.
Mother M. Dolores Mackay, Acade-
 my of Mt. St. Ursula.
Bronx.

Chapter of the SHH San Martín de
 Porres.
Sister M. Irma, Holy Angels Academy.
Buffalo.

Chapter of the SHH Blasco Ibáñez.
Steig Olson, Falconer Central
 School.
Falconer.

Chapter of the SHH Santa Cruz.
Brother James Martin, CSC, Holy
 Cross H. S.
Flushing.

Chapter of the SHH Bécquer.
Marilyn Rosenberg, Carey H. S.
Franklin Square.

Chapter of the SHH Séneca.
Shirley G. Siegel, Valley Stream
 North H. S.
Franklin Square.

Chapter of the SHH Calderón.
Sister Lucy Sabatini, St. Clare Aca-
 demy.
Hastings-on-Hudson.

Chapter of the SHH Santa Teresa de
 Avila.
Anne R. Phillips, George W. Hewlett
 H. S.
Hewlett.

Chapter of the SHH Los Hidalgos.
Elsie C. Douksza, Whitmann H. S.
Huntington Station.

Chapter of the SHH Dulcinea.
Rafael Nardo, H. S.
Lynbrook.

Chapter of the SHH Andrés Bello.
Edith M. Sirica, H. S.
Mamaroneck.

Chapter of the SHH Los Conquistadores.
Mary H. Bartalone, Valley Central H. S.
Montgomery.

Chapter of the SHH Juan Ramón Jiménez.
Susanne A. Vasi and Joseph A. Tomasino, Plainedge H. S.
North Massapequa.

Chapter of the SHH Angel del Río.
Daphne Ramírez de Arellano, H. S.
Nyack.

Chapter of the SHH Don Quijote.
David Goldstein and Lous Savage, H. S.
Oceanside.

Chapter of the SHH García Lorca.
Max Womack, Memorial H. S.
Pelham.

Chapter of the SHH Lope de Vega.
Mary S. Summa, H. S.
Port Chester.

Chapter of the SHH José Greco.
Sister Mary Alena Schwan and Brother McCormack, Bishop Kearney H. S.
Rochester.

Chapter of the SHH Casona.
Eleanor B. Heuser, Amherst Central H. S.
Snyder.

Chapter of the SHH Manuel de Falla.
Sister Gertrude Miriam Ward, Academy of Mt. St. Vincent.
Tuxedo Park.

Chapter of the SHH Simón Bolívar.
Ann L. Keller, Central H. S.
Valley Stream.

Chapter of the SHH Pablo Casals.
Samuel W. Newman, South H. S.
Valley Stream.

Chapter of the SHH El Cid.
Thomas H. S.
Webster.

Council of Puerto Rican and Spanish-American Organizations of Greater N. York.
322 West 45th St.
New York, 10036.

Inter-American Cultural Association.
Hotel Park Royal.
23 W. 73rd St.
New York, 10023.

The Spanish Institute (La Casa Española).
684 Park Ave.
New York, 10021.

Hispanic Society of America.
Broadway bet. 155 & 156 Sts.
New York, 10032.

Federación de Sociedades Hispanas.
727 Av. of the Americas.
New York, 10010.

Spanish American Citizens Club of Queens.
71 East Broadway.
New York, 10002.

Club España.
244 West 14th St.
New York 10011.

Círculo Isabel la Católica.
226 7th Ave.
New York, 10011.

Centro Vasco Americano.
71 East Broadway.
New York, 10002.

Comité del Desfile de la Raza.
174-76 Fifth Ave, (suite 401).
New York, 10010.

El Centro Iberoamericano.
Box 784, Alfred University.
Alfred.

Círculo de Escritores y Poetas Iberoamericanos de Nueva York.
10 East 40th St., suite 4110.
New York, 10016.

Hispanic Institute in the USA (Casa
Hispánica).
435 West 117th St.
New York, 10027.

Comité de las Artes.
(c/o Sra. Margarita Gusó.)
333 East 75th St.
New York.

Espiga y Verbo.
(c/o Dra. Amelia del Río.)
315 Riverside Drive.
New York, 10025.

Sociedades Hispánicas Confederadas.
231 West 18 St.
New York, 10011.

Sociedad Española de Socorros Mutuos "La National".
208 West 14th St.
New York, 10011.

Club de la Hispanidad.
c/o Junto 799 Lexington Ave.
New York.

Centro de España.
226 7th Ave.
New York, 10011.

Casa Galicia de Unidad Gallega.
405 West 41 St.
New York, 10036.

Club Taurino (at. Rosario Cambria).
P. O. Box 474. FDR. Sta.
New York, 10022.

American Friends of Spain.
667 Madison Ave.
New York, 10021.

NORTH CAROLINA

Chapter NORTH CAROLINA of the
AATSP.
Prof. Rosalie B. Williams.
Shaw University, Box 27.
Raleigh, 27602.

Chapter OMEGA of the SDP.
Dept. Sp. (at. prof. James Causey).
Davidson College.
Davidson, 28036.

Chapter ALPHA TAU of the SDP.
Dept. Rom. Lang. (at. prof. Shirley
B. Whitaker).
Women's College of N. Carolina.
Greensboro, 27412.

Institute of Latin American Studies.
215 Murphey Hall.
University of North Carolina.
Chapel Hill.

Chapter ZETA PSI of the SDP.
Dept. Mod. Lang. (at. prof. María A.
Salgado).
University of North Carolina.
Chapel Hill, 27515.

Chapter ALPHA THETA of the SDP.
Dept. Rom. Lang. (at. prof. Elías Te-
rre).
Duke University.
Durham, 27706.

Chapter EPSILON OMICRON of the SDP.
Dept. For. Lang. (at. prof. J. Roy Prince).
Appalachian State Teachers College.
Boone, 28607.

Chapter of the SHH.
Cervantes.
Corina Rodrígez-Capote, Asheville School for Boys.
Asheville.

Chapter of the SHH Benito Juárez.
Anita B. Eppley, Watauga H. S.
Boone.

Chapter of the SHH Hernando de Soto.
June Stone Byrd, Williams H. S.
Burlington.

Chapter of the SHH Juan Ramón Jiménez.
June Basile, H. S.
Chapel Hill.

Chapter of the SHH Campoamor.
Virginia M. Neeley, Olympic H. S.
Charlotte.

Chapter of the SHH La Celestina.
Joyce Carter H. S.
Durham.

Chapter of the SHH Los Conquistadores.
Barbara Krenzer, Forbus H. S.
East Bend.

Chapter of the SHH Ricardo Güiraldes.
Geraldine T. M. Spruill, Dudly H. S.
Greensboro.

Chapter of the SHH Casona.
Patricia Lupo, Page H. S.
Greensboro.

Chapter of the SHH El Dorado.
Manuel Lorenzo, H. S.
Lenoir.

Chapter of the SHH Pío Baroja.
Henry W. Richards, Sun Valley H. S.
Monroe.

Chapter of the SHH. La Tertulia.
Dolores C. Jones, H. S.
Pembroke.

Chapter of the SHH El Cid.
Barbara K. Pedersen, South Mecklenburg H. S.
Pineville.

Chapter of the SHH Santa Teresa.
Rebecca S. Lineberger, East Rowan H. S.
Salisbury.

NORTH DAKOTA

Chapter of the SHH.
García Lorca.
Mary L. Hershberger, North H. S.
Fargo.

Chapter of the SHH Garcilaso de la Vega.
Evangeline Lindgren, South H. S.
Fargo.

OHIO

Chapter NORTHERN OHIO of the AATSP.
Prof. Helen S. Greene.
2596 Old Mill Rd.
Hudson, 44236.

Chapter ETA KAPPA of the SDP.
Dept. Mod. Lang. (at. Dr. Hugo Lijerón).
University of Akron.
Akron, 44304.

767

Chapter PHI of the SDP.
Dept. Mod. Lang. (at. prof. Carlos Steele).
Denison University.
Granville, 43203.

Chapter BETA EPSILON of the SDP.
Dept. For. Lang. (at. prof. Arthur R. Steele).
University of Toledo.
Toledo, 43601.

Chapter GAMMA TAU of the SDP.
Dept. Rom. Lang. (at. prof. Donald W. Bleznick).
University of Cincinnati.
Cincinnati, 45221.

Chapter BUCKEYE of the AATSP.
Mrs. Geraldine Antoine.
5490 Clark State Rd.
Gahanna, 43230.

Chapter ETA ETA of the SDP.
Dept. Mod. Lang. (at. prof. Roberto Martínez).
Ohio Northern University.
Ada, 45810.

Chapter EPSILON of the SDP.
Dept. S. & Ital. (at. prof. Mayron A. Peyton).
College of Wooster.
Wooster, 44691.

Chapter BETA LAMBDA of the SDP.
Dept. Mod. Lang. (at. prof. Alberto Pamies).
Kent State University.
Kent, 44240.

Chapter ALPHA-ALPHA of the SDP.
Dept. Sp. (at. prof. Robert Newman).
Miami University.
Oxford, 45056.

Chapter BETA MU of the SDP.
Dept. Rom. Lang. (at. prof. Diane G. Pretzer).
Bowling Green State University.
Bowling Green, 43402.

Chapter ALPHA NU of the SDP.
Dept. Sp. (at. prof. Ann E. Dash).
Baldwin-Wallace College.
Berea, 44017.

Chapter of the SHH.
Unamuno.
Mary Jane Stuyvesant, Greenon H. S.
Springfield.

Chapter of the SHH Cortés.
Joyce E. Whippo, Warren H. S.
Tiltonsville.

Chapter of the SHH Ruy Díaz.
William L. Faulkner, Rogers H. S.
Toledo.

Chapter of the SHH Julio Camba.
Shirley B. Flanner, Start H. S.
Toledo.

Chapter of the SHH Cervantes.
Janet R. Zucker, Whitmer H. S.
Toledo.

Chapter of the SHH El Cid.
Kristin Bolden, Warren H. S.
Vincent.

Chapter of the SHH La Sociedad de Amistad.
Janice H. Smith, H. S.
Wapakoneta.

Chapter of the SHH Felipe II.
Kenneth E. Randall, H. S.
Amelia.

Chapter of the SHH La Tertulia.
Nellie Gomsi, Unión-Scioto H. S.
Chillicothe.

Chapter of the SHH San Juan de la Cruz.
Rev. Lawrence J. Wack, Elder H. S.
Cincinnati.

Chapter of the SHH Cerro del Indio.
William H. Fogle, Indian Hill H. S.
Cincinnati.

Chapter of the SHH Benito Pérez Galdós.
Robert F. Koch, La Salle H. S.
Cincinnati.

Chapter of the SHH Los Guerreros.
R. Allen Smith, Mariemont H. S.
Cincinnati.

Chapter of the SHH José María Heredia.
María C. Bielefeld, McAuley H. S.
Cincinnati.

Chapter of the SHH Padre Junípero Serra.
Conchita N. Wager, McNicholas H. S.
Cincinnati.

Chapter of the SHH De Lizardi.
Betty W. Naegel, Princeton H. S.
Cincinnati.

Chapter of the SHH San Ignacio de Loyola.
Sister M. Barbara, Sc, Seton H. S.
Cincinnati.

Chapter of the SHH El Cid Campeador.
Esther M. Van Houten, Sycamore H. S.
Cincinnati.

Chapter of the SHH Sancho Panza.
Peter W Stites, Walnut Hills H. S.
Cincinnati.

Chapter of the SHH Los Hidalgos.
Louise Ermenc, Wyoming H. S.
Cincinnati.

Chapter of the SHH Aida Quiroz de Ruiz.
Diane F. Hooie, Central H. S.
Columbus.

Chapter of the SHH Larra.
Linden McKinley H. S.
Columbus.

Chapter of the SHH Cristóbal Colón.
Linden McKinley H. S.
Columbus.

Chapter of the SHH Gabriela Mistral.
Richard D. Beery, Upper Arlington H. S.
Columbus.

Chapter of the SHH Plácido.
Leo E. Stewart, Dunbar H. S.
Dayton.

Chapter of the SHH Alarcón.
Lily Molho, Shaw H. S.
East Cleveland.

Chapter of the SHH Quiroga.
Mary E. Ischie, Fairview H. S.
Fairview Park.

Chapter of the SHH José Martí.
Ana L. Peláez, H. S.
Grove City.

Chapter of the SHH Bécquer.
Alyce Smith, H. S.
Jackson.

Chapter of the SHH Ricardo Palma.
Evelyn Wiseman, Madison H. S.
Mansfield.

Chapter of the SHH Don Quijote.
Linda S. Rymer, H. S.
Marietta.

Chapter of the SHH Atahualpa.
Mary L. Rodgers, H. S.
Mechanicsburg.

Chapter of the SHH Andrés Segovia.
James Lauck, H. S.
Miambsburg.

Chapter of the SHH Rocinante.
Sister Carol Ann Russell, Bishop Fenwick H. S.
Middletown.

769

Chapter of the SHH Los Escogidos.
Betty J. Croswell, H. S.
Middletown.

Chapter of the SHH El Greco.
John W. Marshall, H. S.
New Richmond.

Chapter of the SHH San Martín.
Terra L. Baker, Buckeye Central H. S.
New Washington.

Chapter of the SHH Amado Nervo.
Merrill Wynn, H. S.
Norwood.

Chapter of the SHH Lazarillo.
Carol Porte, H. S.
Ontario.

Chapter of the SHH La Giralda.
Barbara Snyder (Joint Chapter consisting of Valley Forge H. S., Parma Heights; Parma H. S., Parma; Nazareth Academy, Cleveland; Normandy H. S., Parma, and Padua H. S., Parma).

Chapter of the SHH Rubén Darío.
Marlin L. Shamblin, H. S.
Sidney.

Centro Español-Americano.
6057 Hillman Ave.
Cleveland, 9.

Centro Hispano-Americano.
523 Belden Ave., N. E.
Canton.

Chapter GAMMA PHI of the SDP.
Dept. Mod. Lang. (at. prof. A. González).
Marietta College.
Marietta, 45750.

Pan American Society of Cincinnati.
8633 Mockingbird Lane.
Cincinnati.

Mesa Española (at. Mrs. Jessie Tucker).
2550 Kemper Rd.
Cleveland.

Committee on Relations with Toledo Spain (at. Mr. John W. Yager).
245 Summit St.
Toledo.

OKLAHOMA

Chapter OKLAHOMA of the AATSP.
Prof. Audis Moore.
518 Cedar Lane.
Okmulgee, 74447.

Chapter GAMMA THETA of the SDP.
Dept. Mod. Lang. (at. prof. Jeanine Hyde).
University of Oklahoma.
Norman, 73069.

Chapter of the SHH.
El Greco.
Suzanne D. Sparks, Sooner H. S.
Bartlesville.

Chapter of the SHH Coronado.
Florence E. Tucker, H. S.
Duncan.

Chapter of the SHH Julio Camba.
Ada Knight, H. S.
Lawton.

Chapter of the SHH Gabriela Mistral.
Permelia Austin, H. S.
McAlester.

Chapter of the SHH ElCordobés.
Sister Joan Marie Sánchez, CST, Bishop McGuinness H. S.
Oklahoma City.

Chapter of the SHH Cuauhtémoc.
Inez E. Heusel, John Marshall H. S.
Oklahoma City.

Chapter of the SHH Bolívar.
Dorothy D. Shirley, H. S.
Pauls Valley.

OREGON

Chapter OREGON of the AATSP.
Prof. Michael W. McMuller.
281 Friendship S. E.
Salem, 97302.

Chapter GAMMA of the SDP.
Dept. Rom. Lang. (at. prof. Stanley
  L. Rose).
University of Oregon.
Eugene, 97403.

Chapter DELTA LAMBDA of the SDP.
Dept. Mod. Lang. (at. prof. Melissa
  Dawes).
Oregon State University.
Corvallis, 97331.

Chapter BETA ZETA of the SDP.
Dept. Mod. Lang. (at. prof. Paul
  Beal).
Willamette University.
Salem, 97301.

Chapter DELTA MU of the SDP.
Dept. For. Lang. (at. prof. Manuel
  Macías).
University of Portland.
Portland, 97203.

Chapter of the SHH.
Juan Ramón Jiménez.
Joyce Wilkinson, Union H. S.
Burns.

Chapter of the SHH El Occidente.
Bert Villanueva, South H. S.
Eugene.

Chapter of the SHH Magallanes.
John Seymour, Grant H. S.
Portland.

PENNSYLVANIA

Chapter NORTHEAST PENNSYLVANIA
  of the AATSP.
Mrs. Hilda R. Perna.
602 Smiley Ave.
Bethlehem, 18015.

Chapter SOUTHEASTERN PENNSYL-
  VANIA of the AATSP.
Miss Eve Mirsch.
4422 N. 4th St.
Philadelphia, 19140.

Chapter WESTERN PENNSYLVANIA of
  the AATSP.
Mrs. Patricia Bender Bentivegna.
College Hts.
Loretto, 15940.

Chapter ETA THETA of the SDP.
Dept. For. Lang. (at. profs. David Io-
  vino & Josefina Espino).
Mansfield State College.
Mansfield, 16933.

Chapter GAMMA OMICRON of the SDP.
Dept. Rom. Lang. (at. prof. Arnold G. Reichenberger).
University of Pennylvania.
Philadelphia, 19104.

Chapter EPSILON NU of the SDP.
Dept. Mod. Lang. (at. prof. Rosa Pallas).
Slippery Rock State College.
Slippery Rock, 16059.

Chapter EPSILON ALPHA of the SDP.
Dept. Mod. Lang. (at. prof. Arístides de Llanos).
Thiel College.
Greenville, 16125.

Instituto Internacional de Literatura Iberoamericana.
CL 1617, University of Pittsburgh.
Pittsburgh, 19113.

Club de Español.
Villanova University.
Villanova.

Club de Español.
Immaculata College.
Immaculata.

Spanish Club.
Temple University.
Philadelphia.

Chapter EPSILON TAU of the SDP.
Dept. For. Lang. (at. prof. Walter Biberich).
Westminster College.
New Wilmington, 16142.

Chapter DELTA KAPPA of the SDP.
Dept. For. Lang. (at. prof. Barbara B. Aponte).
Temple University.
Philadelphia, 19104.

Chapter GAMMA MU of the SDP.
Dept. For. Lang. (at. prof. A. W. Moreno).
Washington & Jefferson College.
Washington, 15301.

Chapter EPSILON DELTA of the SDP.
Dept. Mod. Lang. (at. prof. Enrique Martínez).
Dickinson College.
Carlisle, 17013.

Chapter of the SHH.
Jorge Luis Borges.
Aníbal T. Días, Allen H. S.
Allentown.

Chapter of the SHH Azorín.
Leda M. Jaworski, Lower Merion Sr. H. S.
Ardmore.

Chapter of the SHH Bécquer.
Richard K. Evans, H. S.
Beaver Falls.

Chapter of the SHH José Asunción Silva.
Ana D. de Amador, Penn Hall Prep School.
Chambersburg.

Chapter of the SHH Alejandro Casona.
Ruth C. Colvin and Anthony W. Keefer, H. S.
Connellsville.

Chapter of the SHH Juan Ramón Jiménez.
Joseph F. D'Andrea, Moon H. S.
Coraopolis.

Chapter of the SHHA Santa Rosa de Lima.
Sister M. John the Evangelist, IHM, Bishop Prendergast H. S.
Drexel Hill.

Chapter of the SHH Lazarillo.
Rita E. Freeland, Methacton H. S.
Fairview Village.

Chapter of the SHH Santa Teresa.
Sister William Marie, SSJ, Mt. St. Joseph Academy.
Flourtown.

Chapter of the SHH El Cid.
Alice D. Smolklovich, Shaler H. S.
Glenshaw.

Chapter of the SHH Rubén Darío.
Craig E. Wonder, H. S.
Hanover.

Chapter of the SHH Benito Juárez.
Sister Marie Colette, CSJ, Bishop McCort H. S.
Johnstown.

Chapter of the SHH José Vasconcelos.
Frank A. De Felice, Neshannock H. S.
New Castle.

Chapter of the SHH Martí.
Gerald J. Gheen, Archbishop Ryan H. S. for Boys.
Philadelphia.

Chapter of the SHH Santa Teresita del Niño Jesús.
Sister M. Irene, SSJ, Little Flower Catholic H. S. for Girls.
Philadelphia.

Chapter of the SHH Goya.
Eva M. Mirsch, Olney H. S.
Philadelphia.

Chapter of the SHH Ortega y Gasset.
Bro. Phillip R. DePorter, FSC, West Philadelphia Catholic H. S. for Boys.
Philadelphia.

Chapter of the SHH San Juan de la Cruz.
Sister Alma Julie, SND, West Philadelphia Catholic H. S. for Girls.
Philadelphia.

Chapter of the SHH El Cordobés.
Sister Frances Holland, SC, Elizabeth Seton H. S.
Pittsburgh.

Chapter of the SHH Natividad.
Sister M. Dulcissima, Nativity BVM H. S.
Pottsville.

Chapter of the SHH Juglares y Trovadores.
Alfredo P. Wong-Alcázar, Kiskimenetas Springs School.
Saltsburg.

Chapter of the SHH Sor Juana de la Cruz.
Charlotte W. Casas, Shanksville-Stony-creek H. S.
Shanksville.

Chapter of the SHH Fray Luis de León.
Sister M. Peter Claver O'Donnell, IHM, Cardinal O'Hara H. S.
Springfield.

Chapter of the SHH María Inmaculada.
Sister María Martin Reher, IHM, Marian H. S.
Tamaqua.

Chapter of the SHH Felipe II.
Sister Carmen Goretti, RA, Archbishop Wood H. S. for Girls.
Warminster.

Chapter ALPHA UPSILON of the SDP.
Dept. Sp. (at. prof. Beatrice González).
Bucknell University.
Lewisburg, 17837.

Sociedad Fraternal Hispano-Americana.
419 Pine St.
Philadelphia.

Club de Español.
Haverford College.
Haverford.

Club de Español.
University of Pennsylvania.
Philadelphia, 19104.

Spanish Club.
Chatham College.
Pittsburgh.

RHODE ISLAND

Chapter RHODE ISLAND of the AATSP.
Prof. John M. Powers.
Tolman High School.
Pawtucket, 02816.

Chapter EPSILON SIGMA of the SDP.
Dept. Sp. (at. prof. Heriberto Vázquez).
Salve Regina College.
Newport, 02840.

Chapter of the SHH.
Cervantes.
James A. DiPrete, Granston H. S. East.
Cranston.

Chapter of the SHH Simón Bolívar.
Norma A. Garnett, Veterans Memorial H. S.
Warmick.

Chapter of the SHH Santiago.
John R. Felice, H. S.
West Warmick.

SOUTH CAROLINA

Chapter SOUTH CAROLINA of the AATSP.
Mrs. Margaret Horton.
Erskine College.
Due West, 29639.

Chapter GAMMA XI of the SDP.
Dept. Mod. Lang. (at. prof. R. J. Ramírez).
Wofford College.
Spartanburg, 29301.

Chapter CHI of the SDP.
Dept. For. Lang. (at. prof. Isaac Levy).
University of South Carolina.
Columbia, 29208.

Chapter EPSILON EPSILON of the SDP.
Dept. Mod. Lang. (at. prof. Hester Mathews).
Winthrop College.
Rock Hill, 29730.

Chapter of the SHH.
Cervantes.
Trilby O. Bumgardner, Brookland-Cayce H. S.
Cayce.

Chapter of the SHH Tirso de Molina.
Bertie Green, H. S.
Summerville.

SOUTH DAKOTA

Chapter of the SHH.
Unamuno.
Hazel G. Johnson, H. S.
Mobridge.

Chapter of the SHH Bolívar.
Mrs. A. O. Distad, H. S.
Watertown.

TENNESSEE

Chapter TENNESSEE of the AATSP.
Mrs. Elva Lawson.
271 Alexander.
Memphis, 38111.

Chapter ALPHA PSI of the SDP.
Dept. Rom. Lang. (at. Mrs. Threlyn Bucker).
University of Tennessee.
Knoxville, 37916.

Chapter GAMMA ETA of the SDP.
Dept. Mod. Lang. (at. Dr. Wendolyn Y. Bell).
Tennessee Agric. & I. St. Univ.
Nashville, 37203.

Chapter RHO of the SDP.
Dept. Mod. Lang. (at. prof. Thomas K. Jones).
University of Chattanooga.
Chattanooga, 37403.

Chapter GAMMA CHI of the SDP.
Dept. For. Lang. (at. prof. J. O. Conwell).
Carson-Newman College.
Jefferson City, 37760.

Pan American Association of Tennesse.
P. O. Box 2751. Arcade Station.
Nashville, 37219.

Chapter ALPHA XI of the SDP.
Dept. Sp. & Port. (at. prof. Norwood H. Andrews).
Vanderbilt University.
Nashville, 37203.

Chapter GAMMA DELTA of the SDP.
Dept. Mod. Lang. (at. prof. Arthur Dailey).
Memphis State University.
Memphis, 38111.

Chapter BETA PSI of the SDP.
Dept. For. Lang. (at. prof. José F. Delpan).
Lincoln Memorial University.
Harrogate, 37752.

Chapter ZETA IOTA of the SDP.
Dept. Mod. Lang. (at. prof. J. Howard Schwan).
Maryville College.
Maryville, 37801.

Chapter of the SHH.
Bernardo O'Higgins.
Carole W. Sneed, H. S.
Friendsville.

Chapter of the SHH El Club Español.
Robert W. Hobbs. Dobyns-Bennett H. S.
Kingsport.

Chapter of the SHH Darío.
Nell R. Alfaro, Fulton H. S.
Knoxville.

Chapter of the SHH Tirso de Molina.
Adelle C. Luebke, Young H. S.
Knoxville.

Chapter TEXAS of the AATSP.
Prof. Mildred Couser.
203 W. 35th St.
Austin, 78705.

Chapter LLANO ESTACADO of the AATSP.
Prof. Frank Gonzales.
Dept. For. Lang.
South Plains College.
Levelland, 79336.

Chapter RIO GRANDE of the AATSP.
Mrs. Lallah Reynolds.
P. O. Box 17102.
El Paso, 79917.

Chapter LONE STAR of the AATSP.
Prof. James Alvis.
For. Lang. Dept. North Texas State Univ.
Denton, 76203.

Chapter BRAZOS of the AATSP.
Prof. Carlos Pomares.
4526 Dixie.
Houston, 77021.

Chapter LOMAS DE ARENA of the AATSP.
Prof. Leon Harville.
712 N. Ave. C.
Kermit, 79745.

Chapter ALAMO VALLEY of the AATSP.
Mrs. R. L. Adame.
705 Jim Wells Dr.
Alice, 78332.

Institute of Latin American Studies.
Box 8058, University of Texas.
Austin, 78712.

Instituto de Cultura Hispánica.
427 E. Guenther.
San Antonio.

Inter-American Club.
Shamrock-Hilton Hotel.
Houston.

Political Association of the Spanish-speaking Organizations.
Crystal City, El Paso.

Chapter ZETA of the SDP.
Dept. Rom. Lang. (at. prof. Sergio D. Elizondo).
University of Texas.
Austin, 78712.

Chapter GAMMA UPSILON of the SDP.
Dept. of Classics (at. prof. Jaime Castañeda).
Rice University.
Houston, 77001.

Chapter ALPHA IOTA of the SDP.
Dept. Mod. Lang. (at. prof. Fred Brewer).
University of Texas at El Paso.
El Paso, 79999.

Chapter ALPHA ETA of the SDP.
Dept. For. Lang. (at. prof. John H. La Prade).
Southern Methodist University.
Dallas, 75222.

Chapter CORONADO of the AATSP.
Mrs. Mary Ann Roberts.
3521 Patterson St.
Amarillo, 79109.

Good Neighbor Commission of Texas.
P. O. Box 12116 Capitol Station.
Austin, 78711.

El Patronato.
620 Terrell Road.
San Antonio, 78209.

Instituto de Cultura Hispánica (at. Dr. Peter S. Navarro).
708 Main, suite 403.
Bankers Mortage Bldg.
Houston, 77002.

Spanish Club.
1802 17th Ave. North.
Texas City.

Chapter ZETA ALPHA of the SDP.
Dept. Mod. Lang. (at. Mrs. Berie Acker).
Arlington State College.
Arlington, 76010.

Chapter GAMMA RHO of the SDP.
Dept. For. Lang. (at. prof. Marjorie Bourne).
University of Houston.
Houston, 77004.

Chapter NU of the SDP.
Dept. St. (at. prof. Sonja Hutcherson).
Baylor University.
Waco, 76703.

Chapter ALPHA PHI of the SDP.
Dept. Rom. Lang. (at. Dr. Scotti Mae Tucker).
Texas Tech. College.
Lubbock, 79409.

Chapter GAMMA LAMBDA of the SDP.
Dept. For. Lang. (at. prof. Donald M. Logan).
Texas College of Arts & Industries.
Kingsville, 78363.

Chapter BETA SIGMA of the SDP.
Dept. For. Lang. (at. Mrs. Samuel Rodgers).
Hardin Simmons College.
Abilene, 79601.

Chapter DELTA BETA of the SDP.
Dept. For. Lang. (at. prof. William Bailey).
Midwestern University.
Wichita Falls, 76307.

Chapter SIGMA of the SDP.
Dept. Sp. (at. Mrs. Minnie Henderson).
Mary Hardin-Baylor College.
Belton, 76513.

Chapter DELTA OMEGA of the SDP.
Dept. Mod. Lang. (at. prof. Juanita Cowan).
Austin College.
Sherman, 75090.

Chapter EPSILON PSI of the SDP.
Dept. Mod. Lang. (at. Dr. Karl Keul)
Stephen F. Austin State College.
Nacogdoches, 75961.

Chapter EPSILON PSI of the SDP.
Dept. Mod. Lang. (at. Mrs. Mary L. Taylor).
Western Texas State Universtiy.
Canyon, 79015.

Chapter ALPHA PI of the SDP.
Dept. For. Lang. (at. prof. John C. Bookout).
N. Texas State College.
Denton, 76203.

Chapter EPSILON BETA of the SDP.
Dept. Mod. Lang. (at. profs. Robert Galvan & Richard Davis).
S. W. Texas State College.
San Marcos, 78666.

Chapter EPSILON PHI of the SDP.
Dept. Mod. Lang. (at. Dr. Otto Ramsey).
Texas Southern University.
Houston, 77004.

Chapter EPSILON OMEGA of the SDP.
Dept. For. Lang. (at. Dr. Jean S. Crittenden).
Trinity University.
San Antonio, 78212.

Chapter of the SHH.
Pedro de Alarcón.
Phelma L. Montellano and Jacobina
B. Harding, Alamo Heights H. S.
San Antonio.

Chapter of the SHH Calderón.
Jo Hestand, Churchill H. S.
San Antonio.

Chapter of the SHH El Greco.
Dorothy A. Miller, Lee H. S.
San Antonio.

Chapter of the SHH Rubén Darío.
Sister Michael Ann, Quiñonez-Gau-
ggel, CDP, Providence H. S.
San Antonio.

Chapter of the SHH Don Quijote.
Roy L. Barnes, H. S.
Seminole.

Chapter of the SHH Sor Juana Inés de
la Cruz.
Victoria B. Ramírez, H. S.
Zapata.

Chapter of the SHH Cervantes.
Mary B. Gibson, H. S.
Amarillo.

Chapter of the SHH Araucana.
Sister Pacifica Muggler, Alamo Cat-
holic H. S.
Amarillo.

Chapter of the SHH Los Sabios.
Flora Savage, Fannin Jr. H. S.
Amarillo.

Chapter of the SHH Alejandro Casona.
Margaret Adey, Crockett H. S.
Austin.

Chapter of the SHH Juárez.
Elvira Sloat, Travis H. S.
Austin.

Chapter of the SHH Alfonso X El Sa-
bio.
Julia J. Tabery, H. S.
Bellaire.

Chapter of the SHH Los Alegradores.
Oleta Toliver, H. S.
Brownfield.

Chapter of the SHH Los Emperadores.
Amado Ayala, Jr., Carroll H. S.
Corpus Christi.

Chapter of the SHH Hidalgo.
Delia Ann Everman, Adamson H. S.
Dallas.

Chapter of the SHH Florentino Ra-
mirez.
Pollyanna Mallow, Crozier Technical H. S.
Dallas.

Chapter of the SHH Fernán Caballero.
Velia Shiflett, Hillcrest H. S.
Dallas.

Chapter of the SHH José Vasconcelos.
Virginia Vaughan, Thomas Jefferson
H. S.
Dallas.

Chapter of the SHH El Cid.
Rev. C. P. Boudreaux, SJ, Jesuit H. S.
Dallas.

Chapter of the SHH Manolete.
Jennilyn Thames, Kimball H. S.
Dallas.

Chapter of the SHH Ignacio Zaragoza.
Mabel E. Turman, Wilson H. S.
Dallas.

Chapter of the SHH Belmonte.
Mrs. M. H. Van Sickle, H. S.
Deer Park.

Chapter of the SHH Los Conquista-
dores.
Matilde Gardner, H. S.
Denton.

Chapter of the SHH La Frontera.
Mrs. Hugh E. McAfee, Austin H. S.
El Paso.

Chater of the SHH Pérez Galdós.
Glynanne H. Edens, Bel Air H. S.
El Paso.

Chapter of the SHH Capa y Espada.
Lucia A. Sybert and Donald Gold-
smith, Bowie H. S.
El Paso.

Chapter of the SHH Chamizal.
Fleda S. Jordan, Coronado H. S.
El Paso.

Chapter of the SHH Carlos V.
Joe H. Galindo, Irvin H. S.
El Paso.

Chapter of the SHH Azuela.
Rev. Anthony Concha, SJ, Jesuit H. S.
El Paso.

Chapter of the SHH El Paso del Norte.
Bertha Carpenter, Ysleta H. S.
El Paso.

Chapter of the SHH Diego Rivera.
Mildred Dubose, H. S.
Gonzales.

Chapter of the SHH Platero.
Pauline R. Woods, Jones H. S.
Houston.

Chapter of the SHH San Felipe.
Diamantina V. Suárez, Lamar H. S.
Houston.

Chapter of the SHH Gustavo Adolfo
Bécquer.
Ines A. Frombaugh, Sterling H. S.
Houston.

Chapter of the SHH Los Pícaros.
William Castillo, Waltrip H. S.
Houston.

Chapter of the SHH Andrea S. Mc-
Henry.
Alma Schweitzer and Juana M. Men-
cio, Westbury H. S.
Houston.

Chapter of the SHH Valle-Inclán.
Donald H. Hall, Westchester H. S.
Houston.

Chapter of the SHH Plácido.
Venetta B. Collins, Yates H. S.
Houston.

Chapter of the SHH Gabriela Mistral.
Dora Sáenz, Martin H. S.
Laredo.

Chapter of the SHH Círculo
Hispánico.
Estella Cuéllar, H. S.
McAllen.

Chapter of the SHH Blasco Ibáñez.
Laura B. Richards and Lila Robin-
son, Lee H. S.
Midland.

Chapter of the SHH Nájera.
Marie Y. Hubbard, H. S.
Midland.

Chapter of the SHH San Jacinto.
Nina Verser, H. S.
Pasadena.

Chapter of the SHH Cuauhtémoc.
Esther Patterson, H. S.
Richardson.

Chapter of the SHH José Clemente
Orozco.
G. F. Taylor, Lamar H. S.
Rosenberg.

UTAH

Chapter UTAH or the AATSP.
Mrs. Arline R. Finlinson.
4112 N. 650 East.
Provo. 84601.

Chapter DELTA PI of the SDP.
Dept. Sp. & Port. (at. prof. Harold
  Moon).
Brigham Young University.
Provo, 84601.

Chapter ZETA GAMMA of the SDP.
Dept. Lang. (at. Dr. Ricardo Benavi-
  des).
University of Utah.
Salt Lake City, 84112.

VERMONT

Chapter MU of the SDP.
Dept. Sp. & Ital. (at. prof. Rose Mar-
  tin).
Middlebury College.
Middlebury, 05753.

VIRGINIA

Chapter VIRGINIA of the AATSP.
Mrs. Janice Overbey.
Rte. 2, Oakland Dr.
Chatam, 24531.

Chapter ZETA ZETA of the SDP.
Dept. Mod. Lang. (at. prof. Jerry L.
  Johnson).
University of Virginia.
Charlottesville, 22901.

Chater GAMMA PI of the SDP.
Dept. Mod. Lang. (at. prof. John A.
  Moore).
College of William and Mary.
Williambsburg, 23185.

Chapter of the SHH Calderón.
F. Glen Hinton, Edison H. S.
Alexandria.

Chapter of the SHH Miguel de Una-
  muno.
Nancy C. Tucker, Fort Hunt H. S.
Alexandria.

Chapter of the SHH Gabriela Mistral.
Groveton H. S.
Alexandria.

Chapter of the SHH Rubén Darío.
Thelma P. Stanton, Hammond H. S.
Alexandria.

Chapter of the SHH Sarmiento.
Mary H. Rana, Williams H. S.
Alexandria.

Chapter of the SHH Santa Inés.
Francia G. Ortiz, St. Agnes School.
Alexandria.

Chapter of the SHH Ponce de León.
M. Isabelle Hall, Washington H. S.
Alexandria.

Chapter of the SHH Amistad, ¡Ade-
  lante!
Sister M. Concepta, IHM, Bishop
  Dennis O'Connell H. S.
Arlington.

Chapter of the SHH Santayana.
María M. García-Amador, Yorktown H. S.
Arlington.

Chapter of the SHH Emilia Pardo Bazán.
Joyce B. Soto, Dale H. S.
Chester.

Chapter of the SHH El Cordobés.
Francisca A. Love, H. S.
Falls Church.

Chapter of the SHH Jorge Manrique.
Louise C. Costa, Mason Jr.-Sr. H. S.
Falls Church.

Chapter of the SHH Pío Baroja.
Mary Jo Kesler, Kecoughtan H. S.
Hampton.

Chapter of the SHH Manuel Acuña.
Karl B. Meyer, H. S.
Herndon.

Chapter of the SHH Cervantes.
Elizabeth Elmblade, H. S.
McLean.

Chapter of the SHH Amado Nervo.
Catherine F. McCloud, Maury H. S.
Norfolk.

Chapter of the SHH Séneca.
Alice L. Ribble, Norview H. S.
Norfolk.

Chapter of the SHH Lope de Vega.
Cecilia D. Stevens, Freeman H. S.
Richmond.

Chapter of the SHH Blasco Ibáñez.
Mary C. Morris, Jefferson H. S.
Richmond.

Chapter of the SHH Santa Teresa de Jesús.
Nancy Ruth, Paterson, Fleming H. S.
Roanoke.

Chapter of the SHH Federico García Lorca.
Hilda M. Squire, Biair H. S.
Williamsburg.

WASHINGTON

Chapter PUGET SOUND of the AATSP.
Prof. Henry T. Tunes.
7039 232 N. E.
Redmond, 98052.

Chapter of the SHH.
Don Quijote.
Mary L. Seale, Newport Sr. H. S.
Bellevue.

Chapter of the SHH Juan Ramón Jiménez.
Leticia C. Ingram, H. S.
Oak Harbor.

WEST VIRGINIA

Chapter BETTA KAPPA of the SDP.
Dept. Mod. Lang. (at. prof. David Knouse).
Marshall College.
Huntington, 25701.

Chapter BETA CHI of the SDP.
Dept. For. Lang. (at. prof. Sarah F. Crosby).
West Virginia State College.
Institute, 25112.

Chapter DELTA TAU of the SDP.
Dept. For. Lang. (at. prof. Pablo González).
University of West Virginia.
Morgantown, 26506.

Chapter of the SHH.
Don Quijote.
Jean Marie Shipley, H. S.
Charles Town.

Chapter of the SHH Los Amigos.
H. S.
Martinsburg.

Chapter of the SHH Velázquez.
Margaret C. Bolyard, H. S.
Morgantown.

Chapter of the SHH Lope de Vega.
Jessee B. Lilly, H. S.
Oceana.

Chapter of the SHH García Lorca.
Samuel M. Owens, H. S.
St. Albans.

Chapter of the SHH Granada.
Elizabeth E. Flower, H. S.
Williamstown.

WISCONSIN

Chapter WISCONSIN of the AATSP.
Mrs. Jean Kinzer.
460 S. Park Ave.
Fond du Loc, 54935.

Chapter EPSILON IOTA of the SDP.
Dept. Sp. & Port. (at. prof. Clara Mullison).
University of Wisconsin.
Milwaukee, 53201.

Chapter PSI of the SDP.
Dept. Sp. & Port. (at. prof. Elizabeth Brooks).
University of Wisconsin.
Madison, 53706.

Chapter DELTA PSI of the SDP.
Dept. For. Lang. (at. prof. Roma Hoff).
Wisconsin State Teachers College.
Eau Clair, 54701.

Círculo Hispánico (at. Miss Leonor Andrade).
7830 West Lisbon.
Milwaukee.

Chapter ZETA LAMBDA of the SDP.
Dept. For. Lang. (at. prof. Frederick Franck).
University of Wisconsin.
Whitewater, 53190.

Chapter GAMMA GAMMA of the SDP.
Dept. Mod. Lang. (at. prof. Ignacio Chicory).
Marquette University.
Milwaukee, 53233.

Chapter EPSILON THETA of the SDP.
Dept. Mod. Lang. (at. Mrs. Ruth Nixon).
Wisconsin State University.
LaCrosse, 54601.

El Club Español de Milwaukee.
2824 W. Highland Blvd.
Milwaukee.

Chapter of the SHH.
Santa Teresa.
Rev. Earl J. Toups, CSSR, St. Joseph's College H. S.
Edgerton.

782

Chapter of the SHH Unamuno.
Katherine Aspenson, Logan H. S.
Lacrosse.

Chapter of the SHH Juan Ramón Jiménez.
Kathleen A. Markgraf, H. S.
Lodi.

Chapter of the SHH El Greco.
Agnes Dunaway, Riverside H. S.
Milwaukee.

Chapter of the SHH Gustavo Adolfo Bécquer.
Donna J. Dekker, H. S.
Neillsville.

Chapter of the SHH El Dorado.
Ruth Shoen, H. S.
Shorewood.

Chapter of the SHH Iberoamericano.
Harold Madden, H. S.
Waukesha.

2) PRINCIPALES ASOCIACIONES DE HISTORIA Y AQUELLAS QUE OTORGAN ESPECIAL ATENCION A LA PRESENCIA ESPAÑOLA

ALABAMA

Alabama Historical Association.
C/o James F. Sulzby, jr.
Sec., 3121 Carlisle Rd.
Birmingham 13.
Historic Mobile Preservation Society,
Inc.
350 Oakleigh Place. Mobile.
Alabama State Department of Archives and History.
624 Washington Ave. Montgomery.

ALASKA

Alaska Historical Library and Museum.
Capitol. Juneau.

ARIZONA

Arizona Historical Foundation.
Suite 408, 3800 N. Central.
Rosenzweig Center. Phoenix.
Arizona State Dept. of Library and
Archives.
Third Floor, Capitl. Phoenix 7.
Arizona Pioneers Historical Society.
949 E. Second St. Tucson.

ARKANSAS

Arkansas Historical Association.
History Dept., University of Arkansas.
Fayetteville.
Arkansas History Commission.
Old State House.
Little Rock.

CALIFORNIA

Associated Historical Societies of Los Angeles County.
C/o Dorothy K. Hassler, 994 Poppyfields Dr., Altadena.
Academy of California Church History.
Box 1668, Fresno 17.
La Casa de Rancho Los Cerritos.
4600 Virginia Rd., Long Beach 7.
Historical Society of Southern California.
815 S. Hill St., Los Angeles 14.
Monterey History and Art Association.
412 Pacific St., Monterey.
Cabrillo Historical Association.
Box 6175. San Diego 6.

San Diego Historical Society.
Presidio Park. Box 10248.
San Diego 10.
California Historial Society.
2090 Jackson St., San Francisco 9.
California History Foundation.
University of the Pacific, Stockton 4.
Conference of California Historical Societies.
University of the Pacific, Stockton 4.
California Mission Trails Association, Ltd.
25 West Anapamu St.
Santa Barbara 93104.
Committee for el Camino Real.
25 West Anapamu St.
Santa Barbara 93104.

COLORADO

Society of American Archivists.
332 State Services Bldg.
1525 Sherman, Denver 3.

State Historical Society of Colorado.
318 State Museum, Denver 2.

CONNECTICUT

Connecticut Historical Society.
1 Elizabeth St., Hartford 5.
Connecticut League of Historical Societies, Inc.
114 Whitney Ave., New Haven.

DELAWARE

Historical Society of Delaware.

Old Town Hall, Wilmington 1.

DISTRICT OF COLUMBIA

American Catholic Historical Association.
Catholic University of America.
Washington 17.
American Historical Association.

400 A St., S. E., Washington 3.
National Archives.
7th & Pennsylvania Aves.
N. W. Washington 25.
National Trust for Historic Preserva-

tion.
815 17th St., N. W. Washington 6.

Naval History Foundation.
Navy Dept., Washington 25.

FLORIDA

Historical Association of Southern Florida.
2010 N. Bayshore Dr., Miami 37.
Pensacola Historical Society.
Adams at Zarragossa. Pensacola.

St. Augustine Historical Society.
22 St. Francis St., St. Augustine.
Florida Historical Society.
University of South Florida Library.
Tampa.

GEORGIA

Department of Archives and History.
1516 Peachtree St., N. W. Atlanta 9.

Georgia Historial Commission.
116 Mitchell St., S. W., Atlanta 3.

HAWAII

Hawaiian Historical Society.

560 Kawaiaho St., Honolulu 13.

IDAHO

Idaho Historical Society.

610 N. Julia Davis Dr., Boise.

ILLINOIS

Chicago Historical Society.
Clark at North Ave., Chicago 14.

Illinois State Historical Society.
Centennial Bldg., Springfield.

INDIANA

Indiana Historical Society.
140 N. Senate Ave.
Indianapolis 4.

Northern Indiana Historical Society.
112 S. Lafayette Blvd., South Bend 1.

IOWA

Iowa State Dept., of History and Archives.
Historical Bldg. E. 12th and Grand.

Des Moines 19.
State Historical Society of Iowa.
Centennial Bldg., Iowa City.

KANSAS

Kansas State Historical Society.　　　120 W. Tenth St., Topeka.

KENTUCKY

Kentucky Historical Society.　　　Box 104, Frankfort.
Old. State House.

LOUISIANA

Southwest Louisiana Historical So-　　Louisiana Historical Association.
　　ciety.　　　929 Camp St., New Orleans.
411 Pujo St., Lake Charles.

MAINE

Miane Historical Society.　　　485 Congress St., Portland.

MARYLAND

Maryland Historical Society.　　　History.
201 W. Monument St., Baltimore 1.　　9800 Kentsdale Dr., Bethesda.
Academy of American Franciscan

MASSACHUSETTS

Massachusetts Historical Society.　　1154 Boylston St., Boston 15.

MICHIGAN

Historical Society of Michigan.　　Fort St. Joseph Historical Association.
Lewis Cass Bldg., Lansing 13.　　508 E. Main St., Niles.

MINNESOTA

Minnesota Historical Society.　　690 Cedar St., Paul 1.

786

MISSISSIPPI

Mississippi Historical Society.
War Memorial Bldg., Jackson 1.
Mississippi State Department of Ar-
chives and History.
War Memorial Bldg. Jackson 1.

MISSOURI

State Historical Society of Missouri.
Hitt and Lowry Sta., Columbia.
Missouri Historical Society.
Jefferson Memorial Bldg.
St. Louis 12.

MONTANA

Historical Society of Montana.
Roberts St. bet. Fifth and Sixth.
Helena.

NEBRASKA

Mississippi Valley Historical Association.
1500 R St., Lincoln 8.
Nebraska State Historical Society.
1500 R St., Lincoln 8.

NEVADA

Nevada Historical Society.
State Bldg., Box 1129. Reno.

NEW HAMPSHIRE

New Hampshire Historical Society.
30 Park St. Concord.

NEW JERSEY

New Jersey Historical Society.
230 Broadway, Newark 4.

NEW MEXICO

Historical Society of New Mexico.
C/o Victor Westphall. Box 3327.
Station D. Albuquerque.
Museum of New Mexico, Division of
History.
Palace of the Governors.
Box 1727. Santa Fe.

787

NEW YORK

New York State Historical Association.
Lake Rd., Cooperstown.
New York Historical Society.
170 Central Park West.
New York 24.

Society of American Historians.
Fayerweather Hall.
Columbia University. New York 27.
The Hispanic Society of America.
Broadway bet. 155 & 156 Sts.
New York 32.

NORTH CAROLINA

North Carolina Literary and Historical Association.

Box 1881. Raleigh.

NORTH DAKOTA

State Historical Society of North Dakota.

Liberty Memorial Bldg. Bismarck.

OHIO

Ohio Historical Society. Ohio State Museum.
15th Ave. at N. High St.
Columbus 10.

Historical Society of Northwestern Ohio.
450 Spitzer Bldg., Toledo 4.

OKLAHOMA

Oklahoma Historical Society.
Oklahoma Historical Society Bldg.
Oklahoma City.

Thomas Gilcrease Institute of American History and Art.
2400 W. Newton St., Tulsa.

OREGON

Southern Oregon Historical Society.
427 Medical Center Bldg., Medford.

Oregon Historical Society.
235 S. W. Market St., Portland 1.

PENNSYLVANIA

Pennsylvania Historical and Museum Commission.

State Museum Bldg., Box 969.
Harrisburg.

Historical Society of Pennsylvania.
1300 Locust St., Philadelphia 7.

Pennsylvania Historical Association.
Sparks Bldg. University Park.

RHODE ISLAND

Rhode Island Historical Society.

52 Power St., Providence 6.

SOUTH CAROLINA

South Carolina Historical Society.

Fireproof Bldg., Charleston.

SOUTH DAKOTA

South Dakota Historical Society.

Memorial Bldg., Pierre.

TENNESSEE

Tennessee Historical Commission.

403 Seventh Ave, Nashville 3.

TEXAS

Texas State Historical Association.
Box 8011, University Station.
Austin 12.

Texas Old Missions Restoration Association.
524 North 22nd St., Waco 76707.

UTAH

Utah State Historical Society.
603 E. South Temple.

Salt Lake City 2.

VERMONT

Vermont Historical Society.
State Administrative Bldg.

Montpelier.

VIRGINIA

Virginia Historical Society.

428 North Blvd., Richmond 20.

WASHINGTON

Washington State Historical Society.   315 N. Stadium Way, Tacoma 3.

WEST VIRGINIA

West Virginia Historical Society.   Charleston 5.
Room E-400, State Capitol.

WISCONSIN

American Association for State and   State Historical Society of Wisconsin.
  Local History.   816 State St., Madison 6.
151 E. Gorham St., Madison 3.

WYOMING

Wyoming State Historical Society.   State Office Bldg., Cheyenne.

D) MEDIOS DE DIFUSION

1) PUBLICACIONES PERIODICAS EDITADAS EN ESPAÑOL

(Algunas alternan el inglés con el español)

ALABAMA

UNIVERSITY. *Revista de estudios hispánicos* (dos veces al año), University of Alabama Press. Drawer 2877 (35486).

ARIZONA

PHOENIX. *El Sol* (semanario), P. O. Box 1448.
TUCSON. *Alianza* (cuatro veces al año), 516 N. Cherokee.
El Tusconense (semanario), 255 S. Stone Ave.

CALIFORNIA

FRESNO. *Excelsior* (semanario católico), 1315 Van Ness Ave, P. O. Box 1126.
HOLLYWOOD. *Pan American Guide to USA* (trimestral), 819 N. Highland Ave. (38).

LOS ANGELES.	*Belvedere Citizen* (semanario), 3587 E. 1st. St. (63).
	Carta de los Angeles (sin regularidad), 4249 Guardia Ave. (32).
	Comercio (mensual), 1532 Glendale Blvd. (26).
	Gráfica (mensual), 705 North Windsor Ave. (38).
	Information (mensual), 634 N. San Vicente Blvd. (69).
	La Esperanza (semanario), P. O. Box 296 (53).
	Nueva Senda (mensual), 3671 Cuireala (8).
	La Opinión (diario), 1436 S. Main St. (15).
	Pesca y Marina (bimensual), 705 N. Windsor Ave. (38).
NORTH HOLLYWOOD.	*La Novela Cine-Gráfica* (mensual), 705 N. Windsor Blvd. Hollywood (38).
POMONA.	*El Espectador* (semanario), 559 Chester Place.
SAN BERNARDINO.	*El Heraldo* (semanario), 579 N. Mount Vernon Ave.

COLORADO

DENVER.	*El Reino de Dios* (mensual) (católico), 1156 Ninth St. (4).
SAN LUIS.	*Costilla County Free Press* (semanario), P. O. Box 116.

CONNECTICUT

COS COB.	*Plásticos mundiales* (bimensual), 1 River Rd.
	Motrix (mensual), 1 River Rd.
OLD GREENWICH.	*Radiovisión* (bimensual). Editora Technica Ltd.

DISTRITO DE COLUMBIA

WASHINGTON, D. C.	*Acentos Literarios Americanos* (bimestral), 2633 Naylor Rd. S. E., apt. 202 (20020).
	Américas (mensual), Unión Panamericana (6).
	Boletín de Artes Visuales (trimestral), Unión Panamericana (6).
	Boletín Interamericano de Música (bimensual), Unión Panamericana (6).
	Boletín de la Oficina Sanitaria Panamericana (mensual), 1501 New Hampshire Ave. N. W. (6).
	Carreteras del Mundo (mensual), International Road Federation. 1023 Washington Bldg. (5).
	Ciencia Interamericana (bimestral), Unión Panamericana.
	Echo (mensual), World Confederation of Organizations of the Teachinng Profession. 1227 16th St. N. W. (6).
	El Periódico (semanal), 2309 Calvert St. N. W.
	Estadística (trimestral), Pan American Union (6).

Futuras conferencias y reuniones interamericanas (bimestral), Unión Panamericana (6).

Inter-American Review of Bibliography (trimestral), Pan-American Union (6).

Intercambio de Personas (semianual), Unión Panamericana.

La Educación (trimestral), Unión Panamericana (6).

Panorama (mensual), Comisión especial de la OEA para promover la programación y el desarrollo de la educación, la ciencia y la cultura. Unión Panamericana (6).

Panorama (trimestral), World Confederation of Organizations of the Teaching Profession. 1227 16th St. N. W.

Revista Interamericana de Ciencias Sociales (trimestral), Unión Panamericana (6).

FLORIDA

KISSIMMEE.   *La Hacienda* (mensual), Box 891.

MIAMI.   *El Diario de las Américas* (diario), 4349 36th St. Miami Springs.
Mecánica Popular (mensual), 666 N. W. 20th St.

MIAMI BEACH.   *Impresiones* (mensual). Publicada por antiguo "Diario de la Marina", de La Habana. 1101 Lincoln Rd.

TAMPA.   *La Gaceta* (semanario), P. O. Box 5536 Ybor City Sta.
Port of Tampa Commercial Digest (trimestral), 404 13th St.
La Traducción-Prensa (diario), 908 E. Broadway.

ILLINOIS

CHICAGO.   *Bebidas* (siete veces al año), 9 S. Clinton St. (6).
Caminos y Construcción Pesada (mensual), 209 W. Jackson Blvd. (6).
Elaboraciones y Envases (bimensual), 205 W. Monroe St. (6).
El León (mensual), 209 N. Michigan Ave. (1).

EVANSTON.   *Revista Rotaria* (mensual), 1600 Ridge Ave.

SKOKIE.   *Medios Publicitarios Mexicanos* (trimestral), 5201 Old Orchard Rd.

URBANA.   *Bulletin of the Comediantes* (semestral), Dept. Romance Languages, Univ. of Illinois.

IOWA

IOWA CITY.   *Revista Iberoamericana.* Dept. of Romance Languages. State University of Iowa.

793

KANSAS

FORT LEAVENWORTH. *Military Review* (mensual), U. S. Army Command and General Staff College, Publ.

WICHITA. *Hispania* (cuatro veces al año), AATSP, Wichita State Univ. (Prof. Eugene Savaiano) (67208).

LOUISIANA

NEW ORLEANS. *El Barco Pesquero* (bimensual), 624 Gravier St.

MAINE

ORONO. *Entre nosotros* (tres veces al año), Sociedad Sigma Delta Pi (att. Prof. Ignacio R. Galbis). 276 Little Hall. University of Maine.

MARYLAND

BALTIMORE. *Modern Language Notes* (mensual), John Hopkins University Press (18).

MASSACHUSETTS

BOSTON. *Christian Science Quarterly* (trimestral), 1 Norway St. (15). *Herald of Christian Science* (mensual), 1 Norway St. (15).

MISSOURI

KANSAS CITY. *Agricultura de las Américas* (mensual), 1014 Wyandotte St. (5).

LEE'S SUMMIT. *La palabra diaria* (mensual), Unity School of Christianity.

NEW JERSEY

ELIZABETH. *New Jersey en sus manos* (guía), 315 Elizabeth Ave.

NEWARK. *La Tribuna* (mensual), 70 Koussuth St.

PRINCETON. *Boletín Informativo del Seminario de Derecho Político.* Dirigirse a 708 Wildener Library, Harvard University, Cambridge, Mass.

WEST NEW YORK. *Guía Hispanoamérica* (guía), P. O. Box 547.

NEW MEXICO

ALBUQUERQUE.   *El Independence* (semanario), 307 First St. N. W.
BERNALILLO.   *Times* (semanario), P. O. Box B.
ESPAÑOLA.   *Río Grande Sun* (semanario), P. O. Box 790.
SANTA ROSA.   *News* (semanario), P. O. Box 458.

NEW YORK

GARDEN CITY.   *El Arte Tipográfico* (trimestral), 61 Hilton Ave.
NEW YORK.   *América Clínica* (mensual), 570 Seventh Ave. (18).
American Exporter (mensual), 386 Park Ave. (16).
A sus Ordenes (bimensual), 134 E. 59th. St. (22).
Automotive World (mensual), 386 Parke Ave. (16).
Disco Revista, 135 W. 23rd St.
El Automóvil Internacional (mensual), 330 W. 42nd St. (36).
El Comercio (mensual), 405 Lexington Ave. (17).
El Diario-La Prensa (diario), 181 Hudson St. (13).
El Embotellador (bimensual), 9 East 35th St. (16).
El Mundo de Nueva York (semanal), 1501 Broadway.
El Tiempo (diario), 62 W. 14th St. (11).
España Libre, 231 W. 18th St. (11).
Extra. 1674 Broadway Farándula (mensual), 1674 Broadway.
Farmacéutico (mensual), 489 Fifth. Ave. (17).
Fundamental and Adult Education (trimestral) (ONU), 801 Third Ave. (22).
Guía (mensual), 342 Madison Ave. (17).
Hablemos (semanario), 551 Fifth Ave. (18).
El Hospital (mensual), 1156 Sixth Ave.
El Indicador Mercantil (trimestral), 1140 Broadway.
Industrial World (mensual), 386 Park Ave. (16).
Ingeniería Internacional Construcción (mensual), 466 Lexington Ave. 8th Fl. (17).
Ingeniería Internacional Industria (mensual), 330 W. 42nd St. (36).
International Electronics (mensual), 386 Park Ave. (16).
International Journal of Adult and Youth Education (mensual), 317 E. 34th St. (16).
International Rehabilitation Review (trimestral), 701 First Ave. (17).
International True Story Group (semanal), 205 E. 42nd St. (17).
Justicia (mensual), 1710 Broadway (19).
La Voz Femenina, 233 W. 42nd St.

LIFE en Español (bisemanal), Life & Time Bldg. 6th Ave. Rockefeller Center (20) (ha dejado de editarse).

Lubrication (mensual), 135 E. 42nd St. (17).

Mensaje de Nueva York (poesía), 207 W. 106 St. (25).

Nueva York Hispano (mensual), 329 W. 108 St. (25).

Pimienta (mensual), 155 W. 72nd. St. (23).

PMLA (Publications of The Modern Language Association of America) (cinco veces al año), 6 Washington Square North (3).

Radio y Televisión (semanal), 3 W. 57 St.

Reportero Industrial (mensual), 9 E. 35th St. (16).

Revista Aérea Latino Americana (mensual), 15 E. 40th. St., suite 805 (17).

Revista de la Confederación Médica Panamericana (bimensual), 280 Madison Ave. (16).

Revista Hispánica Moderna (trimestral). Hispanic Institute in the USA. Columbia University, 435 W. 117th St.

Revista Industrial (mensual), 9 E. 35th. St. (16).

Revista Latinoamericana (mensual), 15 East 40th St., suite 805 (16).

Semana TV Inc. (semanal), 30 East 42 St.

Servicios Públicos (bimensual), 51 East 42nd St. (17).

Temas. Revista Ilustrada (mensual), 1650 Broadway (36).

Textiles Panamericanos (mensual), 570 7th Ave. (18).

Transporte Moderno (bimensual), 51 East. 42nd St. (17).

UNESCO BULLETIN for Libraries (ocho veces al año), 317 East 34th St. (16).

UNESCO Chronicle (mensual), 317 East 3rth St. (16).

UNESCO Courier (mensual), 317 East 34th St. (16).

Vanguardia (poesía), 38 W. 71st St. (23).

Vision (mensual), 635 Madison Ave. (22).

PLEASANTVILLE. *Reader's Digest* (mensual). Reader's Digest Assn. Inc.

NORTH CAROLINA

CURHAM. *The Hispanic American Historical Review* (trimestral). Duke University. Press Box 5697 College Station.

CHAPEL HILL. *Hispanofila* (trimestral), Dept. of Spanish. Univ. of North Carolina.

OKLAHOMA

TULSA. *Petróleo Inter-Americano* (mensual), 1260 (1).

PENNSYLVANIA

PHILADELPHIA.   *Hispanic Review.* University of Pennsylvania. Logan Hall. Box 1 (4).
Iron Age Metalworking (mensual). Chestnut and 56th Sts. (39).
PITTSBURGH.   *Duquesne Hispanic Review.* Duquesne University Press (19).
Oral Hygiene (mensual), 1005 Liberty Ave. (22).
Revista Iberoamericana (trimestral), 1617 C. L., Univ. of Pittsburgh (13).

TEXAS

CORPUS CHRISTI.   *La Trompeta* (mensual), 905 24th St.
La Verdad (semanal), 910 Francisca St.
EAGLE PASS.   *News Guide* (semanal), 265 Jefferson St.
EL PASO.   *El Continental* (diario), 218-20 S. Campbell St.
Revista Católica (mensual), 1407 E. Third St.
HOUSTON.   *Industrias Lácteas* (mensual), 1602 Harold St. (6).
Panadero Latino Americano (mensual), 1602 Harold St.
KINGSVILLE.   *Notas de Kingsville* (semanal), 520 N. Seventh St.
LAREDO.   *Free Press* (semanario), 800 Houston St.
Times (diario), 1404 Matamoros St.
World (semanal), 1409 Hidalgo St.
MISSION.   *El Porvenir* (mensual) 200 East 3rd. St.
RAYMONDVILLE.   *El Tiempo* (semanario), 630 W. Main Ave.
SAN ANTONIO.   *Luz Apostólica* (mensual), 230 Meadowood Lane (16).
La Prensa (semanal), 518 West Houston St., International Bldg.

WISCONSIN

APPLETON.   *Hispania* (cuatro veces al año), Van Rooy Printing C.º South Memorial Drive.

2) PUBLICACIONES PERIODICAS EDITADAS SOBRE TEMAS LITERARIOS, HISTORICOS O DE OTRA INDOLE QUE HACEN REFERENCIA FRECUENTE A ESPAÑA

America (semanal), 920 Broadway, New York 10, N. Y. De índole general, publicada por los Padres Jesuitas.
American Heritage (bimensual), 551 5th Ave. New York 17, N. Y. De índole

histórica, publicada por la "American Heritage Publ. Co.", en colaboración con la American Association for State and Local History.

American Historical Review, The (trimestral), 400 A. St., S. E., Washington D. C. De índole histórica, publicada por la American Historical Association.

Americas (mensual), Pan American Union, Washington 6, D. C. De índole general, publicada en inglés y en español, por la Organización de Estados Americanos.

Americas, The (trimestral), Academy of American Franciscan History, P. O. Box 5966. Washington 14, D. C. De índole histórica, publicada por los Padres Franciscanos.

Arizona and the West (trimestral), University of Arizona, Tucson, Arizona. De índole histórica.

Arizoniana. The Journal of Arizona History (trimestral). Arizona Pioneer's Historical Society. Tucson, Arizona. De índole histórica, con especialidad sobre Arizona.

Arkansas Historical Quarterly (trimestral). Arkansas Historical Association, History Dept., University of Arkansas, Fayetteville, Arkansas. De índole histórica.

Books Abroad (trimestral), Oklahoma Univ. Press, Norman. De índole literaria.

Bulletin of the Comediantes (varias veces al año). Department of Romance Languages. University of Minnesota, Minneapolis, Minn. De índole literaria.

California Historian (trimestral), University of the Pacific, Stockton 4, Calif. De índole histórica, publicada por la Conference of California Historical Society.

California Historical Society Quarterly (trimestral), 2090 Jackson St., San Francisco 9, Calif. De índole histórica, publicada por la California Historical Society.

California Yesterdays (trimestral), Academy of California Church History, Box 1668, Fresno 21, Calif. Sobre la historia de California.

Catholic Historical Review (trimestral), Catholic University of America Press, Michigan Ave., N. E., Washington 17, D. C. De índole histórica, publicada por la American Catholic Historical Association.

Chronicles of Oklahoma (trimestral), Oklahoma Historical Society, Oklahoma Historical Society Bldg., Oklahoma City, Oklahoma. De índole histórica local.

Colorado Magazine, The (trimestral). The State Historical Society of Colorado, 318 State Museum, Denver, Colorado. De índole histórica local.

Comparative Literature Studies (trimestral), Illinois Univ., Urbana. De índole literaria.

Despacho del Presidio de San Diego (mensual). The San Diego Historical Society, P. O. Box 10248, Old San Diego Station, San Diego, California 92110. Boletín dedicado a la historia de California.

Duquesne Hispanic Review (trimestral), Duquesne University Press, Pittsburgh 19, Penn. De índole literaria.

El Campanario (trimestral), The Texas Old Mission and Forts Rest. Assocc., 524 North 22nd St., Waco 76707. De índole histórica.

El Palacio (trimestral), P. O. Box 2087, Santa Fe, New Mexico 87501. De índole arqueológica, editada por el Museum of New Mexico, en cooperación con la Archaelogical Society of New Mexico.

Florida Historical Quarterly (trimestral), University of South Florida Library,

Tampa, Florida. De índole histórica, publicada por la Florida Historical Society.

Folklore de las Américas (trimestral), Department of Spanish, University of Miami, Coral Gables, Florida. De índole folklórica.

Georgia Historical Quarterly (trimestral), Georgia Historical Society, 501 Whitaker St., Savannah. De índole histórica.

Handbook of Latin American Studies (anual), University of Florida, Gainesville, Fla. De tipo bibliográfico, abarcando todos los aspectos de Iberoamérica, preparada por la Biblioteca del Congreso de Washington, D. C.

Hispania (cuatro veces al año), Van Rooy Printing C.º Appleton, Wisconsin 54911. De índole literaria, con artículos en inglés y en español, publicada por la American Association of Teachers of Spanish and Portuguese.

Hispanic American Report (mensual), Hispanic American Studies, Stanford University, Stanford, Calif. De índole general, abarcando especialmente los aspectos políticos de los países hispánicos.

Hispanic American Historical Review, The (trimestral), Duke University Press, Box 5697, College Station, Durham, N. C. De índole histórica.

Hispanic Review (trimestral), Department of Romance Languajes, University of Pennsylvania, Philadelphia, Penn. De carácter literario.

Hispanofila (trimestral), Department of Spanish, University of Massachusetts, Amherst, Mass. De índole literaria.

Idaho Yesterdays (trimestral), Idaho Historical Society, 610 N. Julia Davis Dr., Boise, Idaho. De índole histórica local.

Journal of Mississippi History (trimestral), Mississippi Historical Society, Mississippi State Dept. of Archives. War Memorial Bldg., Jackson 2, Miss. De índole histórica local.

Kansas Historical Quarterly (trimestral), Kansas State Historical Society, 120 W. 10th. St., Topeka, Kansas. De índole histórica local.

Kentucky Foreign Language Quarterly (trimestral), Univ. of Kentucky. Lexington, Ky. De índole literaria.

Latin American Research Review (cuatrimestral). University of Texas, Austin, Texas. Dedicada a la América española.

Louisiana History (trimestral), Louisiana Historical Association, 929 Camp. St., New Orleans, Louisiana. De índole histórica local.

Mississippi Valley Historical Review (trimestral), Mississippi Valley Historical Association, 1500 R St., Lincoln 8, Nebraska. De índole histórica local.

Missouri Historical Review (trimestral), State Historical Society of Missouri. Hitt and Lowry Sts., Columbia, Missouri. De índole histórica.

Modern Drama (trimestral). Univ. of Kansas, Lawrence, Kan. De índole literaria.

Modern International Drama (semestral), Univ. of Pennsylvania, Philadelphia, Pa. De índole literaria.

Modern Philology (trimestral), Univ. of Chicago, Chicago, Ill. De índole literaria.

Nebraska History (trimestral), Nebraska State Historical Society, 1500 R. St., Lincoln 8, Nebraska. De índole histórica local.

New Mexico Historical Review (trimestral), Historical Society of New Mexico, P. O. Box 1727, Santa Fe, N. M. De índole histórica.

New Mexico Quarterly (trimestral), University of New Mexico, Albuquerque, N. M. De índole literaria.

North Carolina Historical Review, The (trimestral), Department of Archives and History, Box 1881, Raleigh, North Carolina. De índole histórica.

Noticias del Puerto de Monterey (trimestral), Monterey History and Art Association 412 Pacific St., Monterey, California. De índole local.

Noticias Quarterly (trimestral), Santa Barbara Historical Society, Old Mission, Santa Barbara, Calif. De índole histórica.

Oregon Historical Quarterly (trimestral), Oregon Historical Society, 235 S. W. Market St., Portland 1, Oregon. De índole histórica.

Pacific Historian (trimestral), University of the Pacific, Stockton 4, Calif. De índole histórica, publicada por la California History Foundation.

Pacific Historical Review (trimestral), University of California Press, Berkeley 4, Calif. De índole histórica, publicada por la Pacific Coast Branch of the American Historical Association.

PMLA (cinco veces al año), 6 Washington Square North, New York 3, N. Y. De índole literaria, en varios idiomas, entre otros el español, publicada por la Modern Language Association of America.

Revista Hispánica Moderna (trimestral), Hispanic Institute in the U. S. A., Columbia University, 435 W. 117th St., New York, N. Y. De índole literaria, en inglés y en español.

Revista Iberoamericana (trimestral), Departament of Romance Languages, State University of Iowa, Iowa City, Iowa. De índole predominantemente literaria, en inglés y en español.

Revista Interamericana de Bibliografía (trimestral), Pan American Union, Washington 6, D. C. Bibliográfica, sobre todas las ramas del saber, publicada en español por la Organización de los Estados Americanos.

Revista Iberoamericana de Ciencias Sociales (trimestral), Pan American Union, Washington 6, D. C. Sobre ciencias sociales, publicada en español por la Organización de los Estados Americanos.

Romance Notes (semestral), North Carolina Univ. Chapel Hill, N. C. De índole literaria.

Romance Philology (trimestral), University of California Press, Berkeley 4, Calif. De índole literaria, dedicada a las lenguas románicas.

Romanic Review (trimestral), University of Columbia, New York, N. Y. Dedicada a temas relacionados con las literaturas románicas.

Sephardi, The (mensual), Central Sephardic Jewish Community of America Inc. 225 West 34th St., New York, N. Y. De índole general, destinada a los judíos sefarditas, de origen español.

South Carolina Historical Magazine (trimestral), South Carolina Historical Society, Fireproof Bldg., Charleston. South Carolina. De índole histórica.

Southern California Quarterly (trimestral), Historical Society of Southern California. 815 S. Hill St., Los Angeles 14, Calif. De índole histórica, con especial referencia al sector meridional de California.

Southwestern Historical Quarterly (trimestral), Box 8011, University Station, Austin 12, Texas. De índole histórica, publicada por las Texas State Historical Association.

Spanish Newsletter (mensual), Embassy of Spain, 2700 15th St., Washington D. C. 20009. Boletín informativo sobre España.

Symposium (trimestral), University of Syracuse, Syracuse, N. Y. De índole literaria, dedicada a las literaturas modernas extranjeras.

Tennessee Historical Quarterly (trimestral), Tennessee Historical Commission, 403 Seventh Ave., Nashville 3, Tenn. De índole histórica.

Texas Quarterly, The (trimestral), University of Texas, Austin, Texas. De índole general, con especialidad sobre temas culturales relacionados con Texas.

Texas Studies in Literature and Language (trimestral), University of Texas, Austin, Texas. De índole literaria.

Times Gone By (trimestral), The San Diego Historical Society, Post Office Box 10571, San Diego, Calif. 92110. De índole histórica, publicada en el lugar en que nació la historia de California y dedicada a ésta.

Toros (mensual), Toros Publications, 1071 Jacqueline Way, Chula vista, Calif. Dedicada a la fiesta nacional española (en inglés).

University of South Florida Language Quarterly (trimestral), Univ, of South Florida, Tampa, Flo. De índole literaria.

University of Miami Hispanic Studies (trimestral), University of Miami, Coral Gables, Florida. Dedicada a problemas de índole varia de los países hispánicos.

Western Explorer (trimestral), Cabrillo Historical Association, Box 6175, San Diego, 6, Calif. De índole histórica.

3) EMISORAS DE RADIO QUE TRANSMITEN EN ESPAÑOL
(CON INDICACIÓN DEL ESPACIO SEMANAL QUE LE DEDICAN)

KCKY, Coolidge, Ariz., 12 hrs.	KXEX Fresno, Calif., 100 %.
KAPR, Douglas, Ariz., 1 hr.	KGGK (FM) Garden Grove, Calif., 2 hrs.
KAWT Douglas, Ariz., ¹/₂ hr.	
KAFF, Flagstaff, Ariz., 5 hrs.	KPER Gilroy, Calif., 37 hrs.
KEOS Flagstaff, Ariz., 1 hr.	KNGS Hanford, Calif., 14 hrs.
KJKJ Flagstaff, Ariz., 1 ¹/₂ hrs.	KREO Indio, Calif., 18 hrs.
KIKO Miami, Ariz., 6 hrs.	KTYM Inglewood, Calif., 5 hrs.
KNOG Nogales, Ariz., 30 hrs.	KRKC King City, Calif., 5 hrs.
KIFN Phoenix, 100 %.	KSDA (FM) La Sierra, Calif., 1 hr.
KATO Safford, Ariz., 5 hrs.	KCVR Lodi, Calif., 50 hrs.
KEVT Tucson, Ariz., 100 %	KHOF (FM) Los Angeles, 1 ¹/₂ hrs.
KXEW Tucson, 100 %	KWKW Los Angeles, 100 %.
KOLD West Tucson, Ariz., 6 hrs.	KLBS Los Banos, Calif., 7 hrs.
KHIL Willcox, Ariz., 1 hr.	KWIP Merced, Calif., 8 hrs.
KBLU Yuma, Ariz., 6 hrs.	KYOS Merced, Calif., 13 hrs.
KVOY Yuma, Ariz., 6 hrs.	KFIV Modesto, Calif., 3 hrs.
KCJH Arroyo Grande, Calif., 1 hr.	KVON Napa, Calif., 1 hr.
KGEE Bakersfield, Calif., 15 hrs.	KASK Ontario, Calif., 21 hrs.
KLYD Bakersfield, Calif., 12 hrs.	KOXR Oxnard, Calif., 115 hrs.
KRDU Dinuba, Calif., 12 hrs.	KUTY Palmdale, Calif., 2 hrs.
KICO El Centro, Calif., 10 hrs.	KPRL Paso Robles, Calif., ¹/₂ hr.
KLIP Fowler, Calif., 36 hrs.	KGMS Sacramento Calif., 2 hrs.
KGST Fresno, Calif., 85.	KDON Salinas, Calif., 3 hrs.

KOFY San Francisco, 87 hrs.
KALI San Gabriel, Calif., 130 hrs.
KLOK San José, Calif., 76 hrs.
KGUD Santa Barbara, Calif., 15 hrs.
KIST Santa Barbara, Calif., 12 hrs.
KTMS Santa Barbara, Calif., 7 $1/2$ hrs.
KHER Santa Maria, Calif., 4 hrs.
KMAX (FM) Sierra Madre, Calif.,
    1 hr.
KJOY Stockton, Calif., 3 hrs.
KUOP (FM) Stockton, Calif., 1 hr.
KNBA Vallejo, Calif., 1 hr.
KVEN-AF-FM Ventura, Calif., 7 hrs.
KONG-AM-FM Visalia, Calif.,
    10 hrs.
KATT (FM) Woodland, Calif., 3 hrs.
KAGR Yuba City, Calif., 9 hrs.
KRDO Colorado Springs, Colo., 1 hr.
KFSC Denver, 80 hrs.
KDGO Durango, Colo., 15 hrs.
KFTM Fort Morgan, Colo., 2 hrs.
KWSL Grand Junction, Colo.,
    1 $1/2$ hrs.
KAPI Pueblo, Colo., 100 %.
KGEK Sterling, Colo., 2 $1/2$ hrs.
KCRT Trinidad, Colo., 9 hrs.
WNAB Bridgeport, Conn., 30 hrs.
WMMW Meriden, Conn., 1 hr.
WNLK Norwalk, Conn., 1 hr.
WBRY Waterbury, Conn., $1/2$ hr.
WSUG Clewiston, Fla., 20 hrs.
WNDB Daytona Beach, Fla., 25 min.
WCOF Immokalee, Fla., 10 hrs.
WMET Miami, 100 %.
WMIE Miami, 115 hrs.
WSOL Tampa, Fla., 32 hrs.
KBAR Burley, Idaho, 13 hrs.
KBOI, Boise, Idaho, 1 hr. (vascuence).
KWIK Pocatello, Idaho, 1 $1/4$ hrs.
KTFI Twin Falls, Idaho, 7 hrs.
KWEI Weiser, Idaho, 3 hrs.
WKKD Aurora, Ill, 2 hrs.
WMRO Aurora, Ill., 1 hr.
WCRW Chicago, 23 hrs.
WEDC Chicago, Ill.
WSBC Chicago, 18 hrs.
WJOL Joliet, Ill, 2 $1/2$ hrs.
WTAQ La Grange, Ill., 22 hrs.

WOPA-AM-FM Oak Park, Ill.,
    16 hrs.
WADM Decatur, Ind., 1 $1/2$ hrs.
WGL Fort Wayne, Ind., $1/2$ hr.
WJOB Hammond, Ind., 3 hrs.
WYCA (FM) Hammond, Ind., 24 hrs.
KWPC Muscatine, Iowa, 1 hr.
KINCO Garden City, Kan., 5 hrs.
KCKN-AM-FM Kansas City, Kan.,
    1 $1/2$ hrs.
KRSL Russell, Kan., 4 hrs.
WPHN Liberty, Ky., 3 %.
WBGS Slidell, La., 2 hrs.
WGTS-FM Takoma Park, Md., $1/2$ hr.
WCFM (FM) Williamstown, Mass,
    $1/2$ hr.
WAAM Ann Arbor, Mich., 2 hrs.
WBCM Bay City, Michigan, 2 $1/2$ hrs.
WJLB Detroit, 1 hr.
WTRX Flint, Mich., 1 hr.
WJPD Ishpeming, Mich., 7 hrs.
WCCW Traverse City, Mich., 3 hrs.
    (solo durante el verano).
KRAD East Grand Forks, Minn.,
    3 hrs.
WEVE Eveleth, Minn., 1 hr.
KEYR-KNEB Scottsbluff, Neb.,
    6 $1/4$ hrs.
KSID Sidney, Neb., 2 hrs.
WUNH (FM) Durham, N. H., $1/2$ hr.
WHIBI (FM) Newark, N. J., 12 hrs.
WPRB Princeton, N. J., 2 hrs.
WWBZ Vineland, N. J., 3 hrs.
KABQ Albuquerque, N. M., 100 %.
KARS Belen, N. M. 19 %.
KLMX Clayton, N. M., $3/4$ hrs.
KOTS Deming, N. M., 12 hrs.
KWEW Hobbs, N. M., 8 hrs.
KFUN Las Vegas, N. M., 21 hrs.
KENM Portales, N. M., 1 $1/2$ hrs.
KRDD Roswell, N. M., 100 %.
KVSF Santa Fe, N. M., 3 hrs.
FSYX Santa Rosa, N. M., 9 hrs.
KSIL Silver City, N. M., 7 hrs.
KSRC Socorro, N. M., 6 hrs.
KKIT Taos, N. M., 15 hrs.
WGSU (FM) Geneseo, N. Y., 2 hrs.
WJTN Jamestown, N. Y., 2 hrs.

WALL Middletown, N. Y., 1/2 hrs.
WHOM New York, 118 hrs.
WKOR (FM) New York, 1/2 hr.
WLIB New York, 2 1/2 hrs.
WRVM (FM) New York, 2 1/2 hrs.
WGNY Newburgh, N. Y. 1/2 hr.
WJJL Niagara Falls, N. Y., 1 hr.
WNDR Syracuse, N. Y. 1 hr.
KGPC Crafton, N. D., 1 hr. (durante
  el verano).
KSJB Jamestown, N. D., 2 hrs.
WBWC (FM) Berea, Ohio, 1/2 hr.
WZAK-FM Cleveland, 1 hr.
WDOK Cleveland, 1/2 hr.
WOSU Columbus, Ohio, 3/4 hr.
WONW Defiance, Ohio, 2 hrs.
WEOL Elyria, Ohio, 2 hrs.
WMRN Marion, Ohio, 3 1/4 hrs.
WYSO (FM). Yellow Springs, Ohio,
  1/4 hrs.
WTEL Philadelphia, 35 hrs.
KVLF Alpine, Tex., 6 hrs.
KOKE Austin, Tex., 12 hrs.
KVET Austin, Tex., 12 hrs.
KRUN Ballinger, Tex., 2 hrs.
KIBL Beeville, Tex., 45 hrs.
KBLT Big Lake, Tex., 30 hrs.
KBYG Big Spring, Tex., 3 hrs.
KHEM Big Spring, Tex., 2 hrs.
KKUB Brownfield, Tex., 30 hrs.
KBOR Brownville, Tex., 20 hrs.
KEAN Brownwood, Tex., 1 hr.
KBEN   Carrizo   Springs,   Tex.,
  36 1/2 hrs.
KCFH Cuero, Tex., 6 hrs.
KDLK Del Rio, Tex., 24 hrs.
KDHN Dimmit, Tex., 10 hrs.
KURV Edinburg, Tex., 30 hrs.
KULP El Campo, Tex., 10 hrs.
KFST Fort Stockton, Tex., 12 hrs.
KGBC Galveston, Tex., 7 hrs.
KCTI Gonzales, Tex., 5 1/2 hrs.
KGBT Harlingen, Tex., 43 1/2 hrs.
KPAN Hereford Tex., 8 hrs.
KLEN Killeen, Tex., 7 hrs.
KINE Kingsville, Tex., 15 hrs.
KPET La Mesa, Tex., 7 hrs.

KVOZ Laredo, Tex., 15 hrs.
KGNS Laredo, Tex., 20 hrs.
KZZN Littlefield, Tex., 3 hrs.
KAMY McCamey, Tex., 9 hrs.
KMAE McKinney, Tex., 7 hrs.
KJBC Midland, Tex., 6 hrs.
KIRT Mission, Tex., 50 hrs.
KRAN Morton, Tex., 30 hrs.
KGNB New Braunfels, Tex., 9 hrs.
KOYL Odessa, Tex., 6 hrs.
KLVL Pasadena, Tex., 99-3/10 hrs.
KVWG Pearsall, Tex., 14 hrs.
KIUN Pecos, Tex., 7 hrs.
KGUL Port Lavaca, Tex., 6 hrs.
KPOS Post, Tex., 16 hrs.
KSOX Raymondsville, Tex., 27 hrs.
KFRD Rosenberg - Richmond, Tex.,
  12 hrs.
KPEP San Angelo, Tex., 8 hrs.
KUBO San Antonio, Tex., 100 %.
KUKA San Antonio, Tex., 91 hrs.
KCNY San Marcos, Tex., 19 hrs.
KTFO Seminole, Tex., 7 hrs.
KSEY Seymour, Tex., 6 hrs.
KCKG Sonora, Tex., 16 hrs.
KTER Terrell, Tex., 3 hrs.
KTUE Tulia, Tex., 16 hrs.
KVOU Uvalde, Tex., 18 hrs.
KNAL Victoria, Tex., 9 hrs.
KRGV Weslaco, Tex., 15 hrs.
KSVN Ogden, Utah, 2 1/2 hrs.
KVOG Ogden, Utah, 2 hrs.
KWHO Salt Lake City, 1/2 hr.
KBLE (FM) Seattle, 8 hrs.
KREW Sunnyside, Wash., y hrs.
KENE Toppenish, Wash., 15 hrs.
KTWR Tacoma, Wash., 1/4 hr.
WWHY Huntington, W. Va., 4 hrs.
WTKM Hartford, Wis., 3 1/2 hrs.
WMIL Milwaukee, Wis., 1 hr.
WTOS Wauwatosa, Wis., 1 hr.
WAWA West Allis, Wis., 2 1/2 hrs.
KFBC Cheyenne, Wyo., 1 hr.
KRAE Cheyenne, Wyo., 1 1/2 hrs.
KVRS Rock Springs, Wyo., 2 hrs.
KGOS Torrington, Wyo., 1 hr.

4) FESTIVIDADES Y CELEBRACIONES RELACIONADAS EN ALGUN MODO CON LO ESPAÑOL O LO HISPANICO (1)

ENERO

San Ildefonso (Nuevo México): San Ildefonso Fiesta, día 23.
Tucson (Arizona): Baile de las Flores, día 30.

FEBRERO

Scottsdale (Arizona): Parada Del Sol, primera decena del mes.
Phoenix (Arizona): Dons Club Travelcade (jira a caballo a diferentes localidades del Estado), a lo largo del mes y del siguiente.
Apache Junction (Arizona): Burro Derby, día 21.
Prescott (Arizona): Official Raising of the Avenue of Flags, día 14.
Tucson (Arizona): Fiesta de los Vaqueros, tercer fin de semana.
Tampa (Florida): Gasparilla Pirate Festival, primera quincena del mes.
Boca Raton (Florida): Fiesta de Boca Raton, última decena del mes.
Mission (Texas): Texas Citrus Fiesta, primera decena del mes.
Brownsville (Texas): Charro Days, fines del mes.
Harlingen (Texas): Fiesta Turista, fines del mes.

MARZO

Phoenix (Arizona): World's Championship Rodeo of Rodeos, segunda semana del mes.
Hemet (California): De Anza Cavalcade, primera semana del mes.
San Juan Capistrano Mission (California): Fiesta de las Golondrinas, mediados del mes, generalmente el día de San José.
El Cajon (California): El Cajon Rodeo, última semana del mes.
Tampa (Florida): Latin American Fiesta, en Ybor City, segunda semana del mes.
Bradenton (Florida): De Soto Celebrations, mediados del mes.
Hollywood (Florida): Tropical fiesta, última semana del mes.
Gulfport (Mississippi): Heritage Parade, en el curso del mes.
McAllen (Texas): Spring Fiesta, segunda semana del mes.
Orlando, Miami, Dania, Daytona Beach, Tampa y West Palm Beach: Juego del Frontón o "Jai-Alai", a lo largo del invierno.

ABRIL

Bullhead City: Burro Days, último sábado del mes.

---

(1) Los nombres españoles de las fiestas que se relacionan son los usados oficialmente.

San Xavier del Bac Mission, Tucson (Arizona): San Xavier Fiesta, viernes después de Pascua de Resurrección.

Tucson (Arizona): Fiesta de la Placita, en el curso del mes.

Lakewood (California): Pan-American Week, en torno al día 14.

Los Angeles (California): Blessing of the animals in the Old Plaza, día 19.

St. Augustine (Florida): Easter Week Festival, semana de Pascua de Resurrección.

New Port Pickey (Florida): Chasco Fiesta, en torno al día 1.

Corpus Christi (Texas): Holy Week Celebrations, Semana Santa.

San Antonio (Texas): Fiesta San Antonio, tercera semana del mes.

Columbus (Georgia): Mis Columbus Pageant, 24-25 del mes.

New Orleans (Louisiana): Pan American Days, en torno al 14 de abril.

Raymondsville (Texas): Onion Fiesta & Rio Grande Music Festival, en el curso del mes.

San Antonio (Texas): Representación en español del auto "La Pasión", en San José Mission, Semana Santa.

Santa Fe (Nuevo México): Representación en español del auto "La Pasión", Semana Santa.

MAYO

Toledo (Ohio): Day of the two toledos, fines del mes.

Phoenix (Arizona): Fiestas de Mayo Celebrations, primera semana del mes.

Nogales (Arizona): Fiestas de Mayo Celebrations, primera semana del mes.

Monterey (California): Adobe Tour of Monterey, primera semana del mes.

Lompoc (California): La Purísima "Fiesta Pequeña", día 17.

Vacaville (California): Fiesta Days, segunda quincena de mes.

San Antonio de Padua Mission (California): Corpus Christi Fiesta, el día del Corpus Christi.

Santa Bárbara (California): Rancheros Visitadores Trek (jira a caballo al Valle de Santa Inez), en el curso del mes.

New Smirna Beach (Florida): Seaside Fiesta, en el curso del mes.

Los Cordovas, Taos (New Mexico): San Isidro Fiesta, día 15.

Albuquerque (New Mexico): Corpus Christi Procession, día del Corpus Christi.

King City (California): Corpus Christi Fiesta, día del Corpus Christi.

Fort Worth (Texas): Casa Mañana Musicals, desde fines del mes hasta principios de septiembre.

Gonzales (Louisiana): East Ascension Strawberry Festival, días 11-12.

JUNIO

San Antonio de Padua Mission (California): Animal Fiesta, día 14.

Tubac (Arizona): San Juan Day Celebrations, días 23-24.

Pensacola (Florida): Fiesta of Five Flags, segunda semana del mes.

Fernandina Beach (Florida): Fiesta of Eight Flags, segunda semana del mes.

Columbus (Georgia): Festival Days, tercera semana del mes.

Ketchum (Idaho): Basque Festival, segunda quincena del mes.

Montevideo (Minnesota): Fiesta Days Celebration, días 26-28.

Santa Fe (New Mexico): Procesión a la Ermita del Rosario, segunda quincena del mes.

Beaufort (North Carolina): Re-enactment of Spanish Invasión in 1747, el día 27.

San Antonio (Texas): Fiesta Noche del Río, desde comienzos del mes a finales de agosto.

Cherokee (North Carolina): Representación teatral de "Unto These Hills", desde finales de junio a comienzos de septiembre.

Taos (New Mexico): Fiesta de la Loma, día 12.

Sandia Indian Pueblo (New Mexico): Fiesta in honor of San Antonio, día 13.

San Juan Pueblo (New Mexico): St. John's Festival, día 24.

San Fernado (California): Fiesta, primera semana del mes.

Albuquerque (New Mexico): New Mexico Arts and Crafts Fair (exposición y demostraciones por artesanos representando las culturas española, india y norteamericana), fines del mes.

JULIO

San Juan Bautista (California): Fiesta Rodeo, primera quincena del mes.

San Diego (California): Trek to the Cross, honoring Father Junipero Serra, primera quincena del mes. (Festival of the Bells.)

Monterey (California): Paisano El Toro Boat Races, primera semana del mes.

Oceanside (California): Old Mission Fiesta, Mission San Luis Rey, días 25-26.

San Clemente (California): La Cristianita Fiesta (conmemorando el primer bautismo en California), fin de semana más próximo al día 21.

Leadville (Colorado): World's Championship Pack Burro Race, fines del mes.

Ely (Nevada): Basque Dance & Picnic, segunda quincena del mes.

Durango (Colorado): Spanish Trails Fiesta, finales del mes.

Las Vegas (New Mexico): Old Town Spanish Fiesta, día 4.

Taos (New Mexico): Spanish Colonial Fiesta, días 25-26.

Cochiti Pueblo (New Mexico): Fiesta, día 14.

Chula Vista (California): Fiesta de la Luna, primera quincena del mes.

AGOSTO

Santa Bárbara (California): Old Spanish Days Fiesta, mediados del mes.

Callao (Missouri): Harvest Fiesta, segunda quincena del mes.

Elko (Nevada): Basque Festival, primera quincena del mes.

Boise (Idaho): Basque Festival, mediados de mes.

Red Lodge (Montana): Festival of Nations, tercera semana del mes.

Santo Domingo Pueblo (New Mexico): Corn Dance & Fiesta, día 4.

Zia Pueblo (New Mexico): Assumption Day Fiesta, día 15.

Isleta Pueblo (New Mexico): San Agustín Fiesta, día 28.

Santa Clara Pueblo (New Mexico): Fiesta, día 12.

Lake Tahoe (California): Fun in the Sun Fiesta, días 12-15.

Petaluma (California): Old Adobe Days, días 15-23.

Aptos (California): Cabrillo Music Festival, segunda quincena del mes.

San Antonio Mission (California): Junípero Serra Day, día 23.
Fort Collins (Colorado): Historical Pageant, días 6-8.
Norwood (Colorado): San Miguel Fair & Rodeo, primera quincena del mes.

SEPTIEMBRE

Ventura (California): Fiesta de La Marina, primera semana del mes.
San Diego (California): San Diego Harbor Days, segunda quincena del mes.
Santa Fe (New Mexico): Santa Fe Fiesta, primer fin de semana del mes.
Laguna Pueblo (New Mexico): Fiesta, día 19.
Taos (New Mexico): Annual Taos Pueblo Fiesta, días 29-30.
Eagle Pass (Texas): Fall Fiesta, mediados del mes.

OCTUBRE

Bodega Bay (California): Discovery Day Celebration, días 3-4.
San Francisco (California): Columbus Day, en torno al día 12.
Santa Clara (California): Columbus Celebration, primer domingo del mes.
Washington D. C.: Discovery Day Celebrations, el día 12.
New York (New York): Columbus Day, el día 12.
New York (New York): Spanish Week, semana en torno al día 12.
Columbus (Kansas): Miss Columbus Contest, el día 12.
Columbus (Montana): Centennial Day Celebration, el día 12.
Asbury Park (New Jersey): Columbus Day Celebration, el día 12.
Manchester (New Hampshire): Columbus Day Celebrations, el día 12.
Warren (Rhode Island): Miss Columbus Day Pageant and Parade, días 11-12.
Pawhuska (Oklahoma): Heritage Week, principios del mes.
Culver City (California): Fiesta La Ballona, primera semana del mes.
Soledad Mission (California): Children's Festival, primera semana del mes.
Los Angeles (California): Port of Los Angeles Fishermen's Fiesta, segunda quin-
cena del mes.
Taos (New Mexico): Spanish Village Fiesta, el día 3.
Del Río (Texas): Fiesta de Amistad, fin de semana más próximo al día 24.

NOVIEMBRE

San Diego (California): Fiesta de la Cuadrilla, primera semana del mes.
St. Paul (Minnesota): Festival of Nations, primera semana del mes.
Beatty (Nevada): World's Championship Wild Burro Races, primera semana del
mes.
Tesuque & Jemez Pueblos: St. James Day Fiesta, día 12.
Edinburg (Texas): Bronco Days, fines del mes.
Weslaco (Texas): Fiesta de Amistad, mediados del mes.

DICIEMBRE

Santa Fe (New Mexico): Feast of Our Lady Guadalupe, día 12.

Taos (New Mexico): Feast of Our Lady Guadalupe, día 12.

Scottsdale (Arizona): Miracle of Roses Parade (tribute to Our Lady Guadalupe), día 12.

San Diego (Mission of San Luis Rey): Festival of Our Lady Guadalupe, día 12.

San Diego (California): Old San Diego Posada in the Old Town Plaza, segunda quincena del mes.

Oceanside (California): "Las Posadas" en San Miguel Mission, día 15.

Santa Bárbara (California): "Las Posadas" en la Misión, día 22.

San Antonio (Texas): Representación del auto "Los Pastores", en español, en San José Missión, época de Navidad.

Santa Fe (New Mexico): Representación de los autos "Los Pastores" y "Los Tres Reyes Magos", en español y en inglés, época de Navidad.

Laredo (Texas): Christmas Fiestas, a partir del día 16.

Boise (Idaho): Euzkaldunak's New Year's Dance (en el Basque Center), el día 31.

Aparte de los Rodeos mencionados en la lista anterior, se celebran numerosos en otras ciudades de los Estados Unidos.

E) OTROS DATOS

1) OFICINAS CONSULARES DE ESPAÑA Y SUS RESPECTIVAS JURISDICCIONES

CONSULATE GENERAL OF SPAIN

326 Dartmouth Street.
BOSTON 16, Massachusetts.

Rhode Island, Massachussets, Maine, New Hampshire, Vermont.

CONSULATE GENERAL OF SPAIN

11 Adams St. Suite 601.
CHICAGO, Illinois, 60603.

Illinois, Indiana, Iowa, Kansas, Kentucky, Michigan, Nebraska, Wisconsin, Missouri, Minnesota, Ohio, Nort y South Dakota.

CONSULATE GENERAL OF SPAIN

205 World Trade Center.
HOUSTON, Texas 77002.

Oklahoma, New Mexico, Texas.

CONSULATE GENERAL OF SPAIN

5525 Wilshire Boulevard.
LOS ANGELES 36, California.

Southern California (San Diego, Imperial, Orange, Riverside, Inyo,

Ventura, ciudad y condado de Los Angeles, Santa Bárbara, San Luis

Obispo, Kern, San Bernardino), Arizona, Colorado y Utah.

CONSULATE GENERAL OF SPAIN

2102 International Trade Mart.
2 Canal St.
NEW ORLEANS 70130, Louisiana.

Georgia, Florida, Alabama, Tennessee, Mississippi, Arkansas y Louisiana.

CONSULATE GENERAL OF SPAIN

964 Third Avenue (entrada por 150 East 58th. Street). Piso 16.
NEW YORK, N. Y. 10022.

Connecticut, Delaware, New Jersey, New York y Pennsylvania.

CONSULATE GENERAL OF SPAIN

3600 Baker St.
SAN FRANCISCO 94123, California.

El resto de California (véase Los Angeles), Idaho, Montana, Nevada, Oregon, Washington, Alaska, Wyoming, Hawaii y las posesiones norteamericanas en el Pacífico.

CONSULAR SECTION EMBASSY OF SPAIN

2700 15th St. N. W.
WASHINGTON D. C., 20009.

Distrito de Columbia, y Maryland, Virginia, Virginia Occidental, Carolina del Norte y Carolina del Sur.

2) OFICINAS COMERCIALES Y CAMARAS DE COMERCIO

2558 Massachusetts Ave., N. W. Washington D. C.
55 East Washington St., Pittsfield Bldg., Suite 3601, Chicago 2, Ill. 60602.
1840 International Trade Mart, New Orleans, Louisiana, 70130.
527 Madison Ave., New York, N. Y. 10022.
3600 Baker St. San Francisco, Calif. 94123.
Spanish Permanent Trade Center, Pan American Bldg., 200 Park Ave. South, New York, N. Y. 10017.
Cámara Española de Comercio, 500 5th Ave. Room 833, New York, N. Y. 10036.
Cámara Española de Comercio, 55 E. Washington St., Room 1818, Chicago, Ill. 60602.

Cámara Española de Comercio, Mobil Oil Bldg. 612 South Flower St., Suite, 668, Los Angeles, California 90017.

OFICINAS NACIONALES DE TURISMO

589 5th Avenue, New York, N. Y. 10017.
180 N. Michigan Ave., Chicago, Ill. 60601.
209 Post Street, San Francisco, California 94102.
Spanish International, Pavillon Foundation, St. Louis, Mo. 63101.
Casa del Hidalgo, St. Augustine Florida.
338 Biscayne Boulevard Miami, Florida 33132.

OFICINAS DE LA COMPAÑIA IBERIA

Statler Building, 20 Providence St. Boston, Massachusetts, 02116.
Hanna Bldg., Suite 411, Euclid Ave., at 14th St. Cleveland, Ohio, 44115.
518 5th Avenue, New York, N. Y. 10036.
55 East Washington Street, Chicago, Illinois, 60602.
1416 Commerce Street, Dallas, Texas, 75201.
2340 Book Tower Building, Detroit, Michigan, 48226.
Northeast Airlines Bldg. 150 S.E. 2nd Ave., Miami, Florida, 33131.
123 S. Broad Street, Philadelphia, Pennsylvania, 19109.
330 Grant Street, Pittsburgh, Pennsylvania, 15219.
530 West 6th Street, Los Angeles, California, 90014.
323 Geary Street, San Francisco, California, 94102.
1511 K Street N. W., Washington D. C. 20005.

OFICINAS DE ATESA

680 5th Avenue, New York, New York.

OFICINAS DE MELIA TOURS

580 5th Avenue, New York, New York, 10036.
224 South Michigan Boulevard, Chicago, Illinois, 60604 (Travel Dynamic Inc.).
6363 Wilshire Boulevard, Los Angeles, California, 90048 (Barron Travel Inc.).

Cámara Española de Comercio, Mobil Oil Bldg. 612 South Flower St., Suite 568, Los Angeles, California 90017.

OFICINAS NACIONALES DE TURISMO

589 5th Avenue, New York, N.Y. 10017.
180 N. Michigan Ave., Chicago, Ill. 60601.
209 Post Street, San Francisco, California 94102.
Spanish International Pavilion Foundation, St. Louis, Mo 63101
Casa del Hidalgo, St. Augustine, Florida.
258 Biscayne Boulevard Miami, Florida 33132.

OFICINAS DE LA COMPAÑÍA IBERIA

Statler Building, 20 Providence St. Boston, Massachusetts, 02116.
Hanna Bldg., Suite 411, Euclid Ave., at 14th St, Cleveland Ohio, 44115.
518 5th Avenue, New York, N.Y. 10036.
55 East Washington Street, Chicago, Illinois, 60602.
1415 Commerce Street, Dallas, Texas, 75201.
2340 Book Tower Building, Detroit, Michigan, 48226.
Northeast Airline Bldg. 150 S.E. 2nd Ave., Miami, Florida 33131
123 S. Broad Street, Philadelphia, Pennsylvania, 19109.
330 Grant Street, Pittsburgh, Pennsylvania, 15219
530 West 6th Street, Los Angeles, California, 90014
433 Geary Street, San Francisco, California, 94102.
1511 K Street N.W., Washington D.C. 20005.

OFICINAS DE AVIACO

680 5th Avenue, New York, New York.

OFICINAS DE MELIA TOURS

580 5th Avenue, New York, New York 10036.
221 South Michigan Boulevard, Chicago, Illinois, 60604 (Travel Dynamic Inc.)
630 Wilshire Boulevard, Los Angeles, California, 90048 (Barton Travel Inc.)

BIBLIOGRAFIA

ABBOTT, NEWTON CARLD: *Montana in the making.* Cazatte Printing Company, Billings.
Actas del Congreso de Historia de los Estados Unidos. Univ. de la Rábida. 5-9 julio 1976. Mº de Educ. y Ciencia. Madrid 1978, 302 págs.
ALEXANDER, W. D.: *The Relations between the Hawaiian Islands and Spanish America in early times.* Hawaiian Historical Society, 28-1-1892.
ALONSO. JOSE RAMON: *Norteamérica Hispanidad.* Francisco Daunis. editor. Barcelona 1965. 349 págs.
ALONSO OLEA, MANUEL: *Los Estados Unidos en sus libros.* Madrid 1967.
ALONSO OLEA, MANUEL: *Nuevos libros sobre los Estados Unidos.* Madrid 1970.
ALONSO GAMO, JOSE MARIA: *Un español en el mundo: Santayana.* Ediciones Cultura Hispánica, Madrid 1966, 511 págs.
ALONSO PIÑERO, ARMANDO: *Cuando la Argentina conquistó California.* Revista "Amóricas", vol. 29, n. 6-7, 1977.
ALVORD, CLARENCE WALWORTH: *The Illinois Country. 1673-1818.* Illinois Centennial Commission, Springfield, 1920.
ALLENDESALAZAR, JOSE MANUEL: *El 98 de los americanos.* Cuadernos para el diálogo. Madrid 1974. 314 págs.
AMERICAN ASSOCIATION FOR STATE AND LOCAL HISTORY: Directory. *Directory Historical Societies and Agencies in U.S.A. and Canada.* Madison.
AMERICAN HERITAGE PUBLISHING CO.: *The Pioneer Spirit.* New York, 1959. 394 págs.
AMERICAN HOTEL & MOTEL ASSOCIATION: *Hotel & Motel Book 1965.* New York, 1965.
AMERICAN PANORAMA: *Portraits of 50 States.* A Holiday Magazine Book. Doubleday & Co. Garden City, N. York, 405 págs.
ANDREWS, CHARLES M.: *The Colonial Period of American History.* 4 vols. New Haven & London. Yale Univ. Press. Vol. 1, 551 págs.
ARCINIEGAS, GERMÁN: *Biografía del Caribe.* Edit. Sudamericana. Buenos Aires, 5ª edic., 1955. 544 págs.
ARDURA, ERNESTO: *Miranda y la Independencia de USA.* Revista "Américas", n. 4-5, 1976.
AREILZA, JOSÉ MARÍA DE: *Los Vascos en la Hispanidad (Don Diego de Gardoqui).* Instituto Vascongado de Cultura Hispánica. Bilbao 1964, 25 págs.
AREILZA, JOSÉ MARÍA DE: *Memorias Exteriores, 1947-1964.* Edit. Planeta. Barcelona 1984.
AREILZA, JOSÉ MARÍA DE: *El español de Nueva Orleáns.* Diario ABC, Madrid, 17-11-1972.
ARMILLAS, JOSÉ A.: *La deuda de guerra de los Estados Unidos para con España.* Actas del Congreso de Historia de los EEUU. Madrid 1978.
ARNADE, CHARLES W.: *The Failure of Spanish Florida.* The Americas. Vol. XVI, january 1960, n.º 3, págs. 271-281.

ARNADE, CHARLES W.: *Cattle Raising in Spanish Florida, 1513-1763.* Agricultural History. Vol. 35, n.º 3. págs. 116-124. July 1961.

ARNADE, CHARLES W.: *The Avero Story: en early Saint Augustine family with many daughters and many houses.* Florida Historical Quarterly 1961, págs. 1-34.

ARNADE, CHARLES W.: *A guide to Spanish Florida source material.* Florida Historical Quarterly, págs. 320-325.

ARNADE, CHARLES W.: *The Architecture of Spanish St. Augustine.* The Americas. Vol. XVIII, october 1961, n.º 2, págs. 149-186.

ARNADE, CHARLES W.: *Florida on trial, 1593-1602.* University of Miami Press. Coral Gables, 1959. 100 págs.

ARNADE, CHARLES W.: *The siege of St. Augustine in 1702.* University of Florida Press. Gainesville 1959. 67 págs.

ARNOLD, ANNA E.: *A History of Kansas.* The State of Kansas. Topeka, 1914.

ARRIOLA'S REPORT ON THE FOUNDING OF PENSACOLA: *Florida Historical Quarterly.* Vol. 37, nos. 3 y 4, págs. 233-41.

ASHBAUGH, DOM: *Nevada's Turbulent Yesterday.* Western Press. Nevada 1963.

ASOCIACION CULTURAL HISPANO NORTEAMERICANA: *Las culturas Hispánicas en los Estados Unidos de América.* Coloquios de El Escorial. Madrid 1979. 168 págs.

ATLAS DE HAWAII: *The University Press of Hawaii.* Honolulu 1973. 222 págs.

ATWATER, JAMES: *Spanish Gold two fathoms deep.* Look Magazine, XV, 1965, págs. 68-75.

AYALA, FRANCISCO: *El español en Nueva York.* Diario ABC. Madrid, 20-11-1983.

AYER & SON: Directory. *Newspapers and periodicals.* 19... Philadelphia, 19...

BABCOCK, CHESTER D. & BABCOCK, CLARE APPLEGATE: *Our Pacific Northwest.* Webster Publ. Co. 1963.

BAKELESS, JOHN: *History's Greatest Real Estate Bargain.* The American History. Channel Press. Great Neck, New York 1956.

BAKER, WILLIAM S.: *Itineraries of General Washington.* J. B. Lippincott, 1892.

BALSEIRO, JOSE A.: Editor de *"Presencia Hispánica en la Florida".* Miami 1976.

BALLARD, RALPH: *Old Fort St. Joseph.* 1949. 56 págs.

BALLESTEROS GAIBROIS, MANUEL: *Historia de España.* Edit. Surco. Barcelona 1959. 533 págs.

BANCROFT, CAROLINE: *Colorful Colorado.* Johnson Publ. Co., Boulder 1963, 111 págs.

BANCROFT, HUBERT HOWE: *The works of...* Vol. XXV. History of Nevada, Colorado and Wyoming. The History Co., San Francisco, 1890.

BANCROFT, HUBERT HOWE: *Arizona and New Mexico,* 1530-1888. San Francisco, 1888.

BANNON, JOHN FRANCIS: *Bolton and the Spanish Borderlands.* University of Oklahoma Press. Norman 1964. 346 págs.

BANNON, JOHN FRANCIS: *The Spanish Borderlands Frontier 1513-1825.* Holt, Reinhart & Wiston. New York 1970. 308 págs.

BARKER, GEORGE CARPENTER: *Pachuco: An American-Spanish Argot and its Social Functions in Tucson, Arizona.* Social Science Bulletin, n.º 18. University of Arizona Bulletin Series. Vol. XXI, n.º 1. January 1950, 46 págs.

BARNACH-CALBO, ERNESTO: *La lengua española en Estados Unidos.* OEI. Madrid 1980.

BARNACH-CALBO, ERNESTO: *La minoría etnolingüística hispana y la política lingüística en EE.UU.* OEI. Madrid 1983.

BAUMAN, J. N.: *The Names of the California Missions.* The Americas. Vol. XXI, abril 1965, n.º 4, págs. 363-374.

BEARDSLEY, CHARLES: *Guam, Past and Present.* Charles E. Tuttle Co. Tokyo 1965. 262 págs.

BECK, WARREN A.: *A History of Four Centuries.* University of Oklahoma Press. Norman 1963. 363 págs.

BEHRMAN, E. H.: *The Story of the Old Cathedral St. Louis.* Missouri 1956, 84 págs.

BELDA, JOAQUIN: *En el país del bluff, veinte días en Nueva York.* Bibl. Hispánica. Madrid 1926. 253 págs.

BELISLE, JOHN G.: *History of Sabine Parish.* En números del diario "The Sabine Index", Many, febrero 1965.

BEMIS, SAMUEL FLAGG: *The diplomacy of the American Revolution.* Indiana Univ. Press. Bloomington 1961, 293 págs.

BEMIS, SAMUEL FLAGG: *Pinckney's Treaty.* Yale University. Press 1965. 372 págs.

BENARDETE, MAIR JOSÉ: *Hispanismo de los sofardíes levantinos.* Aguilar. Madrid 1963.

BENET, STEPHEN VINCENT: *Historia sucinta de los Estados Unidos (América)*. Colec. Austral. n.º 1250. Espasa-Calpe. Madrid 1965.

BENTREY, HAROLD W.: *A dictionary of Spanish Terms in English*. New York, Columbia University. Press 1932.

BERGER, JOSEPH:*Discoveries of the New World*. American Heritage Publ. Co., New York 1960.

BLANCO CASTILLA, FIDEL: *Hernando de Soto. El Centauro de las Indias*. Edit. Carrera del Castillo. Madrid s/a 358 págs.

BLANCO CASTILLA, FIDEL: *Hombres blancos en el Mississippi "Mundo Hispánico", n.º 103, oct. 1956. págs. 35 y ss.*

BLANCO VILA, LUIS: *El jazz "Dixie" en la calle de los Borbones de Nueva Orleans*. Diario YA, 6-7-1975.

BLANCO S., ANTONIO: *La lengua española en la historia de California*. Edics. Cultura Hispánica. Madrid 1971. 827 págs.

BLASCO IBAÑEZ, VICENTE: *La Reina Calafia*. Novela. Obras Completas, t. III. Aguilar. Madrid 1961, págs. 151-255.

BLASCO IBAÑEZ, VICENTE: *La vuelta al mundo de un novelista*. Relato. Obras Completas, t. III. Aguilar. Madrid 1961, capítulos 2, 8, 9, 10, 11 y 12.

BLEIBERG, GERMAN: *Cuatro lecciones sobre hispanismo. Conferencias en Fundación March (11-20 enero 1983). Boletín n.º 124, marzo 1983.*

BOAL, SAM: *The Monterey Peninsula*. Dinner's Club Magazine. October 1964. págs. 41-45.

BOETA, JOSÉ RODULFO: *Bernardo de Gálvez. Publics. Españolas. Madrid 1976. 133 págs.*

BOLIN, L. A.: *Nombres españoles en las costas de Alaska* (último tercio del siglo XVIII). Revista Gral. de Marina, mayo 1959, 16 págs.

BOLIN, L. A.: *Parques Nacionales Norteamericanos*. Editora Nacional. Madrid 1960. 644 págs.

BOLTON, HERBERT E.: *Rim of Christendom*. Rusell, N. York 1960, 644 págs.

BOLTON, HERBERT E.: *Colonization of North America, 1492-1783*. MacMillan, New York.

BOLTON, HERBERT E.: *The Padre on Horseback*. Loyola Univ. Press. Chicago 1963, 90 págs.

BOLTON, HERBERT E.: The Spanish Borderlands. New Haven, Yale Univ. Press 1919.

BOLTON, HERBERT E.: *Editor of "Spanish Exploration in the Southwest, 1542-1706*. Barnes & Noble, New York 1963, 486 págs.

BONDURANT, JACK: *The Strange Story of the Ancient Spanish Monastery (San Bernardo de Sacramenia)*. Monastery Gardens, Inc. Miami 1957. 63 págs.

BONEU COMPANYS, FERNANDO: *Gaspar de Portolá*. Publics. Españolas. Madrid 1970. 31 págs.

BOTIFOLL, LUIS J.: *Crónica de héroes y silencios*. Revista Miami Mensual, agosto 1986.

BOURNE, EDWARD GAYLORD: *Spain in America, 1450-1580*. Barnes & Noble. New York 1962, 366 págs.

BOYD, MARK F.: *The Fortifications at San Marcos de Apalache*. 33 págs.

BOYS, MARK F., HALE G. SMITH & JOHN N. GRIFFIN: *Here They Stood*. Univ. of Florida Press. Gainesville 1951, 189 págs.

BOYD, E.: *Popular Arts of Colonial New Mexico*. Museum of International Folk Art. Santa Fe, 1959. 51 págs.

BOYER, MILDRED V.: *Language Institutes and their future*. PMLA, sept. 1964. Vol. LXXXIX, n.º 4, part. 2.

BRITISH COLUMBIA: *A Centennial Anthology*. McClelland & Stewart Ltd. Vancouver 1958. 576 págs.

BROOKDS, LEE M.: *Hawaii's Puerto Ricans*. Social Process in Hawaii, XII, august 1948, págs. 46-57.

BRUCKBERGER, R. I.: *Image of America*. The Viking Press. New York 1959, 277 págs.

BUCKNER, DAVID N.: *Early Spanish settlement at Parris Island uncovered*. Revista "Fortitudine", vol. IX, Fall 1979, n.º 2.

BURRUS, ERNEST J.: *Kino en route to Sonora. The Conicari Letter. The Western Explorer*. Vol. 3, n.º 2, dec. 1964, págs. 37-42.

CABEZA DE VACA, AALVAR NÚÑEZ: *Naufragios y Comentarios*. Espasa-Calpe. Madrid 1936, 355 págs.

CACUA PRADA, ANTONIO: *Manuel Torres, primer diplomático latinoamericano en los E.U.A*. Revista HORIZONTES n.º 13, 1976.

CALIFORNIA MISSIONS TRAILS: *Holiday Inn Magazine*. january, 1965. págs. 3-5.

CAMBA, JULIO: *La ciudad automática*. Espasa-Calpe. Col. Austral, n.º 269. Madrid 1955, 146 págs.

CAMPANARIO, EL: Publicación periódica de *"The Texas Old Missions and Forts Restoration Association"*. Texas.

CAMPOS, JORGE: *Noticia de la literatura chicana*. Revista INSULA, n.º 422.

CAPITOL, OUR...: *Factual Information Pertening to Our Capitol and Places of Historic Interest in the National Capital.* U. S. Government Printing Office Washington D. C. Ultima edición.

CÁRDENAS, JUAN FRANCISCO DE: *Hispanic Culture and Language in the United States.* Instituto de las Españas. N. York, 1933, 40 págs.

CARLOS, ALFONSO DE: *Sellos españoles del bicentenario de los Estados Unidos.* Diario ABC, 6-6-1976.

CARMAN, HARRY J. & HAROLD C. SYRETT: *A History of the American People.* 2 vols. Alfred H. Knoph, N. York 1958.

CARTER, HODDING:Doomed Road of Empire. The Spanish Trail of Conquest. McGraw Hill Book Co., New York, 1963, 408 págs.

CARTER, HOODING: *Lower Mississippi.* N. York 1942.

CARTIER, RAYMOND: *Las 50 Américas.* Rialp. Madrid 1963, 618 págs.

CARUSO, JOHN ANTHONY: *The Southern Frontier.* The Bobbs Merril Col. Indianápolis-N. York, 1963, 448 págs.

CASTAÑEDA, CARLOS E.: *Our Catholic Heritage in Texas. 1519-1936.* 7 vols. Austin, 1936-1950.

CATE, MARGARET DAVIS: *Early Days of coastal Georgia.* Fort Frederica Assoc. St. Simons Island, Georgia 1955, 235 págs.

CELA, CAMILO JOSÉ DE: *Viaje a U.S.A. o el que la sigue la mata.* Papeles de Son Armadans. Año XI, tomo XLII, nos. 124 y ss. Palma, julio 1966 y ss.

CENCILLO DE PINEDA, MANUEL: *David Glasgow Farragut.* Edit. Naval, Madrid 1950.

CLISBY, ARTHUR STANLEY: *Old New Orleans.* Harmanson Publ. New Orleans 1962, 146 págs.

COINAGE AND CURRENCY IN THE UNITED STATES. *An Introduction to the History of Federal Reserve Banc of St. Louis. December 1960, 32 págs.*

COLLINS, GEORGE R.: *Antonio Gaudi: Structure and Form.* Perspecta 8. The Yale Architectural Journal, 1963, págs. 63-90.

COMMAGER, HENRY STEELE, & ALLAN NEVINS: *A pocket history of the United States.* A Washington Square Pres Book, 1961. 593 págs.

CONDRA, GEORGE E., JAMES OLSON & ROYCE KNAPP: *The Nebraska Story. The Nebraska Story.* The University Publ. Co., Lincoln 1951.

CONGRESO DE HISTORIA DE LOS ESTADOS UNIDOS. ACTAS DEL...: *Universidad de la Rábida, 5-9 julio 1976.* M.º Educación y Ciencia, Madrid 1978.

CONGRESSIONAL DIRECTORY 1985-1986. *U.S. Convernment Printing Office,* Washington 1985.

CONLY, ROBERT L.: *St. Augustine, Nation's Oldest City, Turns 400.* National Geographic Magazine, vol. 129, n.º 2, february 1966, págs. 196-229.

CONROTTE, MANUEL: *La intervención de España en la independencia de la América del Norte.* Librería General de Victoriano Suárez. Madrid 1920, 296 págs.

COSTE, FREDERIK DE: *First Child of Spanish Florida.* Florida. Convention Press. Jacksonville, 1965, 6 págs.

COVIAN, GABRIEL: *San Francisco. Entre la fantasía y la realidad.* Revista de Geografía Universal, año 2, vol. 4, n.º 1, julio 1978.

CUBEÑAS PELUZZO, JOSÉ ANTONIO: *Presencia española e hispánica en la Florida desde el descubrimiento hasta el Bicentenario.* Edics. Cultura Hispánica, Madrid 1978. 69 págs.

CURLETTY, ROSARIO: *Pathways to Pavements. The History and Romance of Santa Barbara Spanish Street Names.* County National Bank & Trust Co. Santa Barbara, 1953. 92 págs.

CUTTER, DONALD: *Lo hispánico en la legislación de los Estados Unidos. En "Las culturas hispánicas en los Estados Unidos de América".* Coloquios en El Escorial 1978. Asoc. Cult. Hisp. Norteamer. ACHNA. Madrid 1979.

CHADWICK, FRENCH ENSOR: *The relations of the United States and Spain.* N. York 1968.

CHAPMAN, T. G. (Trabajo dirigido por...: *The Mineral Industries of Arizona.* The University of Arizona Press. Tucson, 1962. 20 págs.

CHAVEZ, ANGELICO: *Our Lady of the Conquest.* The Historical Society of N. Mexico. Santa Fe, 1948, 94 págs.

CHEYNEY, EDWARD POTTS: *European Background of American History, 1300-1600.* Collier Books, N. York 1961, 190 págs.

CHINN, REV. CELESTIN: *Mission San Xavier del Bac.* Tucson 1951, 22 págs.

DAHLGREN, E. W.: *Were the Hawaiian Islands Visited by the Spaniards before their discovery by captain Cook in 1778?* Kungl. Svenska Vetenskapsakademiens Handligar. Band 57, n.º 4. Uppsala, 1917.

DART, HENRY P.: *Influence of the ancient Laws of Spain on the Jurisprudence of Louisiana.* American Bar Assoc. Journal, january 1932. Chicago.

DAVIDSON, ALEXANDER & BERNARD STUVÉ: *A complete History of Illinois from 1673-1873.* Springfield, Illinois Journal Co., 1874.

DEBATES OF CONGRESS FROM 1789-1856. *Abridgement of the...* N. York D. Appleton & Co. 1861 (Debate en el Senado, 18 de marzo de 1822).

DECOSTER, CYRUS C.: *Correspondencia de Don Juan Valera* (1859-1905). Castalia 1956. 318 págs.

DEFINA, FRANK: *Mestizos y blancos en la política india de la Luisiana y la Florida del siglo XVIII.* Revista de Indias, nos. 103-104, págs. 59-79.

DELANEY, CALDWELL: *The Story of Mobile.* Gill Press, Mobile 1962. 170 págs.

DELGADILLO, YOLANDA Y OTROS: *Spanish Forts of Guam.* Univ. of Guam, 1979.

DELIBES, MIGUEL: *USA y yo.* Edit. Destino. Barcelona 1966. 170 págs.

DELIBES, MIGUEL: *La sombra del ciprés es alargada.* Edit. Destino. Barcelona.

DEMAREST, DONALD: *The first Californian. The Story of Fray Junipero Serra.* Hawthorn Books Inc., N. York 1963, 188 págs.

DEPARTMENT OF STATE: *Treaties, conventions, international acts and agreements between the United States of America and other powers.* U.S. Government Printing Office, Washington D.C.

DE VOTO, BERNARD: *The course of Empire.* Houghton, Miffin and Co. Boston 1960. 647 págs.

DÍAZ PLAJA, GUILLERMO: *Con variado rumbo...* Edit. Planeta. Barcelona 1967, 290 págs.

DÍAZ PLAJA, GUILLERMO: *Poemas de América del Norte.* Texto mecanografiado.

DICKINSON, LOUISE: *State O'Maine.* Rich. N. York 1964.

DOBIE, J. FRANK: *The Longhorns.* Grosset & Dunlap. N. York 1941, 388 págs.

DOLLAR, THIS IS YOUR: Copyright Stevens publ. New York.

DRIVER, MARJORIE G.: *The Mariana Islands, 1884-1887. Random Notes of Governor Francisco Olive y García.* Micronesian Research Center. Guam, 1984.

DUBUQUE: *Its History and background.* The Dubuque County Historical Society, 20 págs.

DUELL, PRENT: *Mission Architecture. As exemplified in San Xavier del Bac.* Arizona Archeological and Historical Society. Tucson 1919, 135 págs.

DUNLOP, RICHARD: *Re-exploring the Spanish Trail.* Plymouth Traveler Magazine. Vol. 1, n.º 7, junio 1960, págs. 4 y ss.

DUNNE, PETER MASTEN: *Juan Antonio Balthasar. Padre Visitador to the Sonora Frontier, 1744-1745.* Arizona Pioneer's Historical Society. Tucson 1957, 122 págs.

ECKHART, GEORGE B.: *Missions of Sonora.* Balkow Printing Co. Tucson, s.a.

ECHEVARRÍA, ADOLFO: *La primera iglesia católica en Nueva York.* Diario El Correo Español-El Pueblo Vasco, Bilbao, 6-6-1964.

ECHEVARRÍA, ADOLFO: *Serie de artículos sobre los pastores vascos en el oeste de los Estados Unidos.* Diario El Correo Español-El Pueblo Vasco, 4 a 18-2-1962.

EGUÍA, ANTÓN: *Las américas de los pelotaris vascos.* Revista Carta de España, n.º 281, abril 1983.

ELSON, HENRY WILLIAM: *Estados Unidos de América.* Salvat Editores, Barcelona 1956. 708 págs.

ELLIS, BRUCE T.: *The Historic Palace of the Governors.* Museum of New Mexico Press. Santa Fe. 8 págs.

ELLIS, JOHN TRACY: *Catholics in Colonial America.* The American Eclesiastical Review. Vol. 136, january-may 1957.

ENGLEBERT, OMER: *Fray Junipero Serra.* Biografías Gandesa. México 1957, 382 págs.

ESAREY, LOGAN: *History of Indiana.* Harcourt, Brace & Co. N. York 1922.

ESCOBAR, ALFREDO: *La Exposición de Filadelfia (cartas dirigidas al diario "La Epoca").* Madrid 1877. Págs. 446.

ESPAÑA EN LOS ESTADOS UNIDOS, RECUERDOS DE... Revista Geográfica Española, n.º 20. Madrid s/a. 112 págs.

ESPINOSA, AURELIO M. CONCHITA ARGÜELLO: *Historia y Novela Californiana.* The MacMillan Company. N. York 1938. 70 págs.

ESPINOSA, AURELIO M.: *The Spanish Language in New Mexico and Southern Colorado.* Historical Society of New Mexico Publications, 16. Santa Fe, 1911.

ESPINOSA, AURELIO M.: *Romancero de Nuevo México.* Consejo Superior de Invest. Cientif. Inst. Miguel de Cervantes. Madrid 1953.

ESPINOSA, ISIDRO FÉLIX: *Crónica de los Colegios de Propaganda Fide de la Nueva España.* Nueva edición con Notas e Introducción del P. Lino Gómez Canedo. 2.ª edición. Washington Academy of American Franciscan History, 1964. 972 págs.

ESPINOSA, JUAN MANUEL: *Journal of the Vargas Expedition into Colorado, 1694.* The Colorado Magazine. The State Historical Society of Colorado. Vol. XVI, n.º 3, may 1939.

ESTADOS UNIDOS EN SU BICENTENARIO, LOS: *Homenaje de la OEA (varios autores).* Washington D.C., 1976, 64 págs.

ESCALANTE, FONTANEDA: *Hernado de Memoirs of respecting Florida about the year 1575.* Reprinted Miami 1973. Historical Assoc. of Southern Florida. 77 págs.

FERNÁNDEZ FLOREZ, DARÍO: *Drama y ventura de los españoles en Florida.* Edic. Cultura Hispánica. Madrid 1963, 126 págs.

FERNÁNDEZ FLOREZ, DARÍO: *The Spanish Heritage in the United States.* Public. Españolas. Madrid 1965, 362 págs.

FERNÁNDEZ CID, ANTONIO: *La música en los Estados Unidos.* Madrid 1958. 112 págs.

FERNÁNDEZ SHAW, CARLOS: *Poesías completas.* Edit. Gredos. Madrid 1966, 617 págs.

FERNÁNDEZ-SHAW, CARLOS M.: *Los Estados Independientes de Norteamérica,* Inst. Estudios Políticos, Madrid 1977. 256 págs.

FERNÁNDEZ-SHAW, CARLOS M.: *Ayuda de España a la Independencia de los Estados Unidos.* Revista Interamericana de Bibliografía, vol. XXVI, oct-dic. 1976, n.º 4. págs. 456-502.

FERNÁNDEZ-SHAW, CARLOS M.: *Lo español y lo hispánico en Texas.* Cuadernos Hispanoamericanos, vol. LXII, n.º 184, abril 1965, págs. 147-166.

FERNÁNDEZ-SHAW, CARLOS M.: *El españolismo de Jorge Santayana.* Revista de Estudios Políticos.

FERNÁNDEZ-SHAW, CARLOS M.: *Puentes hispánicos entre Paraguay y los Estados Unidos.* Cuadernos Hispanoamericanos, n.º 301, julio 1975, 15 págs.

FERNÁNDEZ-SHAW, CARLOS M.: *Quixotes North of the Rio Grande.* Revista AMERICAS, vol. 28, n.º 9, sept. 1976.

FERNÁNDEZ-SHAW, CARLOS M.: *Veintiuna fundaciones españolas reconstruidas en California.* Diario YA, Madrid 27-9-1964.

FERNÁNDEZ-SHAW, CARLOS M.: *La fiesta de toros en California.* Diario YA, Madrid 25-10-1964.

FERNÁNDEZ-SHAW, CARLOS M.: *Los Estados hispánicos de USA en rima de consonante agudo.* Cuadernos Hispanoamericanos.

FERNÁNDEZ-SHAW, CARLOS M.: *Los Estados Independientes de Norteamérica.* Revista ARBOR.

FERNÁNDEZ-SHAW, FÉLIX: *La Organización de los Estados Americanos (O.E.A.).* Edics. Cultura Hispánica. Madrid 1963, 2.ª edición, 977 págs.

FERNÁNDEZ DE VELASCO, MANUEL: *Relaciones España-Estados Unidos.* Universidad Nal. Autónoma de México. 1982.

FIELDS, F. T.: *Texas sketchbook.* A collection of historical stories from the Humble way. Houston, 1962. 104 págs.

FLETCHER, F. N.: *Early Nevada: the Period of exploration, 1776-1848.* A Carlisle & Co. Reno 1929.

FLINT, TIMOTHY: *Recollections of the last ten years.* Alfred A. Knopf. New York 1932.

FLORIAN, SISTER M.: *America's Oldest Madonna.* The Marianist. Vol. 51, n.º 10, dec. 1960, páginas 16-21.

FLORIDA HANDBOOK (981-82, THE: *18th edition.* The Peninsular Publishing. C.º Tallahasee, 1981.

FLORIT PIEDRABUENA, GUILLERMO: *El primer almirante de los Estados Unidos: David Farragut.* Panorama Balear, n.º 26. Galerías Costa. Palma de Mallorca.

FONTANA, BERNARD L.: *Biography of a desert Church: The Story of Mission San Xavier del Bac.* The Westerners. Tucson. Spring 1961. 23 págs.

FORMICA, MERCEDES: *El descubrimiento de América del Norte por los españoles.* Diario ABC, Madrid 29-12-1959.

FORREST, EARLE R.: *Missions and Pueblos of the Old Southest.* The Rio Grande Press. Chicago, 1962. 386 págs.

FOSTER, GEORGE M.: *Culture and Conquest: America's Spanish Heritage.* Wenner-Gren Foundation for Anthropological Research. N. York. 1960, 272 págs.

FOXÁ, AGUSTÍN DE: *Por la otra orilla.* Edics. Cultura Hispánica. Madrid 1955, 526 págs.

FRANKLIN, MITCHELL: *The place of Thomas Jefferson in the expulsion of Spanish Medieval Law from Louisiana.* Tulane Law Review. New Orleans, vol. XVI, april 1942, n.º 3. págs. 319-338.

FRAGA IRIBARNE, MANUEL: *Aportación de España al nacimiento, desarrollo e independencia de los Estados Unidos.* En "Horizonte español". Editora Nacional. Madrid 1965.

GALA, ANTONIO: *Nueva York hispana.* Diario EL PAIS Semanal, 30-5-1982.

CANNON, MICHAEL: *Altar and Hearts, the coming of Christianity, 1521-1565*. Florida Historical Quarterly, año...

GARCÍA LORCA, FEDERICO: *Poeta en Nueva York*. Obras Completas, Aguilar. Madrid, 1960.

GARCÍA MAZAS, JOSÉ: *El poeta y la escultora. La España que Huntington conoció*. Revista de Occidente. Madrid 1962, 525 págs.

GARCÍA MELERO, LUIS ANGEL: *La independencia de los Estados Unidos a través de la Prensa Española. Los precedentes (1763-1776)*. Ministerio de Asuntos Exteriores. Dir. Gral. Relacs. Culturales, Madrid 1977, 299 págs.

GARRIGUES, EMILIO: *Los españoles en la otra América*. Edics. Cultura Hispánica. Madrid 1965. 170 págs.

GEIGER, MAYNARD: *The Story of California's First Libraries*. Southern California Quarterly. Vol. XLVI, n.º 2, junio 1964.

GETTENS, RUTHERFORD J., & CHARLIE R. STEEN: *Tumacacori Interior Decorations*. Arizoniana. The Journan of Arizona History. Vol. III, n.º 3, fall 1962, págs. 7-33.

GIL MUNILLA, OCTAVIO: *Participación de España en la génesis histórica de los Estados Unidos*. Publicaciones españolas. Madrid 1952. 46 págs.

GILBERT, CHARLES E.: *A concise History of early Texas*. Houston, 1964. 80 págs.

GILMAN, RICHARD: *América cumple 464 años*. Revista MUNDO HISPANICO, n.º 103, oct. 1956.

GIMÉNEZ CABALLERO, ERNESTO: *Aquel Embajador en EEUU*. Diario ABC, 23-12-1982. Madrid.

GINER BOIRA, VICENTE: *El signo $ es totalmente español*. Diario ABC, oct. 1969. Madrid.

GOBIERNO INFORMA, EL: *25 años de paz española*. Editora Nacional. Madrid 1964, 732 págs.

GÓMEZ DEL CAMPILLO, MIGUEL: *El Conde de Aranda en su Embajada en Francia*. Real Academia de la Historia. Madrid 1945.

GÓMEZ DEL CAMPILLO, MIGUEL: *Relaciones diplomáticas entre España y los Estados Unidos*. 2 vols. Inst. Gonzalo Fernández de Oviedo. C.S.I.C. Madrid 1944.

GÓMEZ GIL, ALFREDO: *Cerebros españoles en USA*.

GÓMEZ ROBLEDO, ANTONIO: *México y el Arbitraje Internacional*. Edit. Porrúa. México D.F. 1965, 407 págs.

GONZÁLEZ LÓPEZ, EMILIO: *George Farragut*. Advertising Supplement to The New York Times, may 30, 1976.

GONZÁLEZ DE MENDOZA, ANGEL: *La huella de España en América del Norte*. Conferencia pronunciada en la Sociedad Geográfica, 18-3-1957.

GOODBAR, OCTAVIA W.: *Windows of learning, "Made in America"*, mayo 1951.

GORDON, DUDLEY: *Lummis, pioneer photographer*. New Mexico Magazine. Vol. 42, sept. 1964, n.º 9, págs. 17-21.

GREENLEAF, CAMERON, & ANDREW WALLACE: *Tucson: Pueblo, Presidio and American City*. Arizoniana. Vol. 3, n.º 2, págs. 18-27; Arizona Pioneer's Historical Society, Tucson summer 1962.

GRIFFIN, JOHN N., & MARK F. BOYD & HALE G. SMITH: *Here They Once Stood*. University of Florida Press. Gainesville, 1951. 189 págs.

GRUENIG, ERNEST: *Alaska: The Forty-ninth State*. Encyclopedia Britannica. Inc., 1959, 32 págs.

GUILLÉN, JULIO: *Repertorio de los mss., cartas, planos y dibujos relativos a las Californias que hay en este Museo*. Publicaciones del Museo Naval. I. 1932. Madrid. 127 págs.

GUNTHER, JOHN: *Inside U. S. A.* Harper & Brothers. New York, 1951. 1.121 págs.

GUTIÉRREZ DE ARCE, MANUEL: *La colonización danesa en las islas Vírgenes*. Consejo Superior de Investigaciones Científicas. Escuela de Estudios Hispano-Americanos. Sevilla, 1945, 151 págs.

HAFEN, LEROY R.: *Fort Vasquez*. The State Historical Society of Colorado. Denver, 1964. 14 págs.

HAFEN, LEROY R.: *Armijo's Journal of 1829-30*. The Colorado Magazine. The State Museum Denver. Vol. XXVII, n.º 2, april 1950, págs. 120-131.

HALHEM, JOHN: *Biographical and Pictorial History of Arkansas*. Albany, Weed, Parsons Co., 1887.

HANSEN, MARCUS LEE: *The inmigrant in American History*. Harper Torchbookds. Harper & Row Publishers. New York, 1960. 230 págs.

HARROD, ROY: *The Dollar*. London. MacMillan & Co., 1953.

HAWTHORNE, HILDEGARDE: *California's Missions*. D. Appleton-Century Co., New York, 1942. 237 págs.

HEALY, REV. VALENTINE: *Father O'Keefe. Rebuilder of Mission San Luis Rey. "Times gone By"*. The San Diego Historical Society. June 1965. Vol. XI, n.º 3.

HERMIDA, JESÚS: *USA, España, lo español y el español*. Revista CRITICA, n.º 604, abril 1973.

HERNÁNDEZ SÁNCHEZ-BARBA. MARIO: *La última expansión española en América.* Inst. de Estudios Políticos. Madrid 1957. 324 págs.
HERNÁNDEZ SÁNCHEZ-BARBA. MARIO: *Bernardo de Gálvez, militar y político.* Revista ARBOR, t. CIX, n.º 425. 5-1981.
HIDALGO SERENO. JACINTO: *Un viaje de descubrimiento por la costa del Pacífico norteamericano.* Revista de Indias. C.S.I.C. Madrid 1961, abril-junio, págs. 271-294.
HILTON. RONALD: *Los estudios hispánicos en los Estados Unidos.* Edics. Cultura Hispánica. Madrid 1957. 493 págs.
HISPANIC INFLUENCES IN THE UNITED STATES (varios autores). The Spanish Institute, N. York 1975, 60 págs.
HISPANIC SOCIETY OF AMERICA. THE: *Handbook.* New York. 1938. 442 págs.
HISTORY OF COINAGE AND CURRENCY IN THE U. S.: *Federal Reserve Bank of St. Louis.* Diciembre 1960. 31 págs.
HITTELL. THEODORE H.: *Brief History of California.* The Stone Educational Co. San Francisco, 1898. 67 págs.
HOBSON. BURTON: *Getting Started in Coin Collecting. Cornerstone Library.* New York, 1961. 124 págs.
HODGE. F. W., & T. H. LEWIS: *Editors of "Spanish Explorers in the Southern United States. 1528-1543".* Barnes & Noble. New York, 1959. 413 págs.
HOLMES. JACK D. L.: *Gayoso.* Louisiana State University Press. Baton Rouge, 1965. 305 págs.
HOOK. JULIUS N.: *The book of names.* N. York, 1583.
HORGAN. PAUL: *Great River. The Rio Grande in North American History.* Holt, Rineart and Wiston. New York, 1954. 1.020 págs.
HORGAN. PAUL: *Conquistadors in North American History.* Farrar, Straus & Co. New York, 1963. 303 págs.
HOUCK. LOUIS: *The Spanish Regime in Missouri.* 2 vols. R. R. Donnelley & Sons Co. Chicago, 1909.
HOWES. CHARLES C.: *This Place called Kansas.* Norman, University of Oklahoma Press., 1952.
HUBBELL. GEORGE A., WALTER SCOTT MCNUTT & OLIN E. MACKNIGHT: *A History of Arkansas.* Arkansas, 1932.
HUBER. LEONARD V., & SAMUEL WILSON: *Baroness Pontalba's Buildings.* The New Orleans Chapter of the Louisiana Landmarks Society. New Orleans, 1964. 62 págs.
HUNTINGTON. ARCHER M., 1870-1955: Pan American Union. Washington D. C., 1957. 45 págs.

IGUAL. JOSÉ MARÍA: *El Atlántico Norte.* "Boletín de la Real Sociedad Geográfica", t. LXXXIV, n.ºs 7-12, julio-diciembre 1948, págs. 440-496.
INFORMACIÓN TURÍSTICA DE LOS E.U.A. Publicada por el U.S. Department of Commerce. Washington D. C.
ISERN. JOSÉ: *Obispos cubanos de la Florida.* Edics. Universal. Miami, s/a. 18 págs.
ISERN. JOSÉ: *Gobernadores cubanos de la Florida.* Edics. Universal. Miami, 1974, 64 págs.

JATO MACÍAS. MANUEL: *La enseñanza del español en los EE.UU. de América.* Ediciones Cultura Hispánica. Madrid, 1961. 80 págs.
JENNINGS. JOHN: *The golden eagle (Hernando de Soto).* Dell Publ. Co., 1958. 224 págs.
JENSEN. J. MARINNS: *History of Provo, Utah.* Publ. by the author. Provo, 1924.
JIMÉNEZ. JUAN RAMÓN: *Diario de poeta y mar.* Edit. Losada. B. Aires 1957, 188 págs.
JIMÉNEZ. JUAN RAMÓN: *Poemas de Coral Cables.*
JIMÉNEZ UGARTE. JOSÉ: *Creciente interés de Texas por su pasado histórico.* Diario YA, Madrid 13-8-1985.
JOHNSON. BOYD W. & O. E. MCKNIGHT: *The Arkansas Story.* Harlow Publ. Co. Oklahoma City, 1955.
JOHNSON. SIDONO V.: *History of Oregon.* A. C. McClary & Co. Chicago 1904.
JONES. STUART E.: *Houston Prairie Dynamo.* National Geographic Magazine. Vol. 132, n.º 3, sept. 1967, págs. 338-77.
JORDANA Y MORERA. JOSÉ: *Curiosidades naturales de los Estados Unidos.* Madrid 1884.
JOVA. JOSEPH: *Hispanoamérica y la Independencia de USA.* Revista AMERICAS, nos. 6-7, junio-julio 1976.
JOVA. JOSEPH: *Discurso de Mr..., Embajador de los Estados Unidos, en el Club Rotario.* México DF, 15-7-1975.

KANSAS: *A guide to the Sunflower State.* The Viking Press. New York, 1939.

KEATING, BERN: *Cajunland. Louisiana's French-speaking Coat.* National Geography Magazine. Vol. 129. n.º 3, march 1966, págs. 353-391.

KEEGAN, P. G. J., & L. TORMO SANZ: *Experiencia Misionera en la Florida (siglos XV y XVII).* Instituto Santo Toribio de Mogrovejo. Cons. Sup. de Inv. Cientif. Madrid, 1957. 404 págs.

KELLER, KEN R., & BRUCE H. NICOLL: *Know Nebraska.* Johsen Publ. Co., Lincoln, Nebraska, 1961.

KENNEDY, JOHN F.: *A Nation of immigrants.* Popular Library. New York, 1964. 160 págs.

KERR, ED.: *5 days in Baton Rouge.* Henry Louis Cohn Publ., Baton Rouge, 1951. 58 págs.

KILDUFF, DORRELL, & C. H. PYGMAN: *Illinois: history, government, geography.* Follet Publ. Co., 1962. Chicago.

KLOTZ, EDWIN F.: *Los corsarios americanos y España, 1776-1786.* Seminario de Estudios Americanistas. Universidad de Madrid, 1959. 125 págs.

KNAPP, ROYCE, GEORGE E. CONDRA & JAMES OLSON: *The Nebraska Story.* The University Publ., Co. Lincoln. 1951.

KNOWLTON, EDGAR: *Hawaii. A linguist's paradise in the Pacific.* The Linguist. Vol. 23. n.º 10, págs. 266-268, oct. 1961; n.º 11. págs. 293-296, nov. 1961, y n.º 12, págs. 322-3, dec. 1961.

KOZLOWSKI, WLADYSLAW M.: *Washington y Kosciusko.* Buenos Aires, 1962, 47 págs.

KRAUS, MICHAEL: *The United States to 1865.* The University of Michigan Press. Ann Arbor, 1959. 528 págs.

KRAUS, WILLIAM M.: *The Portuguese and Spanish in Hawaii.* Acta Americana. Vol. 1, n.º 2, april-june 1943, págs. 215-260.

KROUT, JOHN A.: *United States to 1865.* Barnes & Noble. N. York, 1962. 210 págs.

KULL, NELL M. & IRVING S.: *An encyclopedia of American History.* Popular Library. New York, 1965. 637 págs.

KUYKENDALL, RALPH S.: *The Hawaiian Kingdom, 1778-1854. Foundation and Transformation.* The University of Hawaii. Honolulu, 1938.

LANNING, JOHN TATE: *The Spanish Missions of Georgia.* The University of North Carolina Press. Chapel Hill. 1935. 321 págs.

LARSON, GUSTINE O.: *Outline History of Utah and the Mormons.* Deseret Book Co. Salt Lake City, 1958.

LAVENDER, DAVID: *Land of Giants. The Drive to the Pacific Northwest, 1750-1950.* Doubleday & Co. 1958. Garden City. 468 págs.

LAXALT, ROBERT: *Basque Shepherders. Lonely Sentinels of the American West.* National Geographic Magazine, june 1966, págs. 870-888.

LEA, TOM: *The King Ranch.* 2 vols. Little, Brown & Co. Boston 1957. 838 págs.

LEAVITT, STURGIS E.: *The Teaching of Spanish in the United States.* The Modern Language Association of American. nov. 1961. 17 págs.

LE GARDEUR, RENÉ J.: *The first New Orleans Theatre 1792-1803.* Leeward Books. New Orleans. 1963. 58 págs.

LEIGH, RUFUS WOOD: *Nevada Place Names: their origin and significance.* Deseret New Press. Salt Lake City 1964.

LEITCH WRIGHT, J.: *British St. Augustine.* St. Augustine 1975. 55 págs.

LEJARZA, P. FIDEL DE: *Descubrimiento y exploraciones de California por mar y por tierra.* Boletín de la Real Sociedad Geográfica, t. LXXXIV, nos. 7-12, julio-diciembre 1948, págs. 397-440.

LEUTENEGGER, BENEDICT: *A new report on the Canary islanders.* Revista EL CAMPANARIO, vol. 3, n.º 1, march 1972.

LERNER, MAX: *America as a civilization.* 2 vols. Simon & Schuster. N. York 1963.

LEWIS, BROTHER B.: *Oldest Church in U. S. The San Miguel Chapel.* San Miguel Church, 1957. 59 págs.

LEWIS, CHARLES LEE: *David Glasgow Farragut, admiral in the making.* U. S. Naval Institute Annapolis. 1941.

LEWIS, T. H., & F. W. HODGE: Editors of *"Spanish explorers in the Southern United States, 1528-1543".* Barnes & Noble. New York, 1959. 413 págs.

"LIFE" HISTORY of the UNITED STATES, THE: 12 vols., New York, 1963.

LIND, ANDREW W.: *Hawaii's People.* Univ. of Hawaii Press. Honolulu, 1955.

LOCKRIDGE, ROSS F.: *The Story of Indiana.* Harlow Publ. Co. Oklahoma City, 1951.

LODGE, JOHN DAVIS: *Controbución española a la cultura y tradición americanas. Discurso en el III Festival de Primavera de la Univ. de Fairfield.* Diario ABC. 24 de agosto de 1966, págs. 35 y 36.

LOPETEGUI, LEÓN, & FÉLIX ZUBILLAGA: *Historia de la Iglesia en la América española. Introducción general.* Biblioteca de Autores Cristianos. Madrid, 1965. 945 págs.

LOUISIANA LEGISLATIVE COUNCIL: *The History and the Government of Louisiana.* Baton Rouge, 1964. 316 págs.

LOUISIANA, *The important participation which... had in the American Revolution.* Louisiana Society of the Sons of the American Revolution. New Orleans. 8 págs.

LOVEJOY'S COLLEGE GUIDE. *Simon & Schuster.* New York, 1966. 373 págs.

LUMMIS, CHARLES F.: *Los exploradores del siglo XVI.* Col. Austral. Espasa Calpe, 4.ª edicción, 1960.

LYON, EUGENE: *The Search for the Atocha. Harper & Row. 1979. N. York.*

LYONS, CURTIS J.: *Traces of Spanish Influence in the Hawaiian Islands.* Hawaiian Historical Society, 27 april 1892.

M., O.: *History of the Most Precious Blocd Parish. San Luis.* Colorado, s/p. 1951.

MACCURDY, RAYMOND R.: *A tentative bibliography of the Spanish-Language Press. in Louisiana, 1808-1871.* The Amaricas. Vol. X. n.º 3, january 1954.

MACCURDY, RAYMOND R.: *A Spanish word-list of the "brulis" dwellers of Louisiana.* Hispania. Vol. XLII, dec. 1959, n.º 4.

MACCURDY, RAYMOND R.: *The Spanish Dialect in St. Bernard Parish, Louisiana.* The University of New Mexico Pres. Albuquerque, 1950. 88 págs.

MAEZTU, RAMIRO DE: *Norteamérica desde dentro.* Edit. Nacional. Madrid, 1957. 320 págs.

MAJÓ FRAMIS, RICARDO: *Vidas de los navegantes, conquistadores y colonizadores españoles de los siglos XVI, XVII y XVIII. 3 tomos. Aguilar. Madrid, 1957.*

MALAGÓN, JAVIER: *A Hispanic look at the Bicentenial.* Institute of Hispanic Culture of Houston. Texas s/a.

MALAGÓN, MARÍA ELENA: *La colonia de San Miguel de Gualdape.* s/p. 31 págs.

MANFREDI CANO, DOMINGO: *Españoles en el Atlántico Norte. Temas españoles,* n.º 206. Publicaciones Españoles. Madrid 1955, 30 págs.

MANUCY, ALBERT C.: *The building of Castillo de San Marcos.* United States Government Printing Office. Washington, 1959. 33 págs.

MANUCY, ALBERT C.: *Florida's Menendez, Captain General of the Ocean Sea.* The St. Augustine Historical Society, 1965. 104 págs.

MARÍAS, JULIÁN: *Los Estados Unidos en escorzo.* EMECE Editores. B. Aires, 1956. 314 págs.

MARIÑAS OTERO, LUIS: *El incidente de Nutka.* Revista de Indias, n.º 109-110. Julio-diciembre 1967. Madrid. 335-407 págs.

MATEOS, AURORA: *Encuentros en Norteamérica.* Revista TERESA, s/f.

MATEOS, AURORA: *Nuevo México: recuerdo vivo de España.* Revista VILLAMAGNA, Madrid, 1980.

MAUROIS, ANDRÉ: *Historia de los Estados Unidos.* Obras completas. Vol. II. Janés Editor. Barcelona, 1957, págs. 1.133-1.696.

MAXSON, JOHN H.: *Grand Canyon. Origin and scenery.* Grand Canyon Natural History Association. Flagstaff, 1962. 35 págs.

MAYNARD, THEODORE: *The long moad of Father Serra.* Appleton Century Crofts. New York, 1954. 291 págs.

MCARTHUR, LEWIS A.: *Oregon Place Names.* Porland, 1944.

MCCALEB, WALTER F.: *How much is a $.* The Naylor Company. San Antonio, Texas, 1958. 128 págs.

MCCRUM, BALCHE P., & DONALD H. MUGRIDGE: *A Guide to the Study of the United States of America.* Library of Congress. Washington, 1960. 1.193 págs.

MCCUE, GEORGE: *The building art in St. Luis: two Centuries.* St. Louis Chapter. American Institute of Archilects, 1964. 96 págs.

MCKNIGHT, JOSEPH: *Protection of the Family Home from Seizure by Creditors.* Southwestern Historical Quarterly vol. LXXXVI, january 1983.

MCKNIGHT, JOSEPH W.: *Law on the Anglo-Hispanic Frontier.* Revista EL CAMPANARIO, vol. 16, n.º 4. decemb. 1985.

MCKNIGHT, JOSEPTH W.: *The mix of Anglo-American and Hispanic Legal doctrine in the legislation of the Republic of Texas.* Revista EL CAMPANARIO, vol. 17, n.º 3, july 1986.

MCKNIGHT, JOSEPH W.: *The will of may 19, 1800 of Antonio Gil Ybarbo.* Revista EL CAMPANARIO, vol. 8, n.º 2, june 1977.

MCKNIGHT, O. E.: *Living in Arkansas.* Harlow Publ. Co. Oklahoma City, 1951.

MCKNIGHT, O. E., & BOYD, W. JOHNSON: *The Arkansas Story.* Harlow Publ. Co. Oklahoma City, 1955.

MCKNIGHT, O. E., WALTER SCOTT MCNUTT & GEORGE A. HUBBELL: *A History of Arkansas.* Arkansas 1932.

MCNUTT, WALTER SCOTT & GEORGE A. HUBBELL: *A History of Arkansas.* Arkansas 1932.

MEAD, ROBERT G., jr.: *Progress in Hispanic Studies in the United States since World War II.* Revista HISPANIA, vol. 53, sept. 1970, n.º 3, págs. 386-396.

MÉNDEZ BEJARANO, MARIO: *Poetas españoles que vivieron en América.* Edit. Renacimiento. Madrid 1929. 408 págs.

MEDINA, PURIFICACIÓN: *Documentos relativos a la Independencia de Norteamérica existentes en los archivos españoles.* Ministerio de Asuntos Exteriores, Madrid 1977. 1003 págs.

MENÉNDEZ, CONCEPCIÓN, CARMEN TORROJA Y PILAR LEÓN TELLO: *Documentos relativos a la Independencia de Norteamérica existentes en los Archivos Españoles.* M.º Asuntos Exteriores. Direc. Gral. Relacs. Culturales. Madrid 1984, 755 págs.

MENÉNDEZ PIDAL, GONZALO: *Imagen del mundo hacia 1570.* Madrid 1940, 140 págs.

MEYER, DUANE: *The Heritage of Missouri.* State Publ. Co. St. Louis, 1963.

MIERS, EARL SCHENK: *Editor of American Story. The Age of Exploration to the Age of the Atom.* Channel Press. New York, 1956.

MIGUEL, ANTONIO DE: *El dólar, ese hijo nuestro.* Art. en diario A B C, 9-11-60.

MILLER, JOHN, C.: *Origini della Rivoluzione Americana.* 2 vols. Biblioteca Moderna Mondadori, n.º 819. Arnaldo Mondadori Editore, 1965.

MOBIL TRAVEL GUIDE 1965: 6 vols. Simon & Schuster, Inc. New York, 1965.

MONTANA MARGINS: *A State Anthology.* New Haven. Yale University Press, 1946.

MOODY, RALPH: *The Old Trails West.* Thomas Y. Crowell. New York, 1963, 318 págs.

MOOLMAN, VALERIE: *U. S. Commemorative Stamps.* Cornerstone Library. New York, 1964. 157 págs.

MORALES PADRÓN, FRANCISCO: *Historia del descubrimiento y conquista de América.* Edit. Nacional. Madrid, 1963, 468 págs.

MORALES PADRÓN, FRANCISCO: *Conquistadores españoles en Estados Unidos.* Publicaciones Españolas, n.º 213. Temas Españoles. Madrid, 1959. 29 págs.

MORALES PADRÓN, FRANCISCO: *Participación de España en la independencia política de los Estados Unidos.* Publicaciones Españolas. Madrid, 1963. 43 págs.

MORÁN, REV. FRANCIS T.: *A historical sketch of the St. Louis Cathedral.* N. Orleans, 1959. 40 págs.

MORGAN, H. WAYNE: *America's Road to Empire. The war with Spain and overseas expansion.* John Wiley & Sons., Inc., New York, 1965. 124 págs.

MORISON, SAMUEL ELIOT: *The Oxford History of the American People.* New York. Oxford University Press, 1965. 1.150 págs.

MORRIS, RICHARD B.: Editor of *Encyclopedia of American History.* Harper & Row, Publishers. New York, 1961. 840 págs.

MORRIS, RICHARD B.: *The New World (Prehistory to 1774).* Vol. I of the "Life History of the United States". New York, 1963, 176 págs.

MOURITZ, A.: *The Spaniards in the Pacific.* Hawaiian Annual for 1939. The Printshop Co. Ltd., págs. 71-82.

MUGRIDGE, DONALD H., & BLANCHE P. MCCRUM: *A guide to the study of the United States of America.* Library of Congress. Washington, 1960. 1.193 págs.

MUMEY, NOLIE: *History of the Early Settlements of Denver (1599-1860).* The Range Press. Denver, 1942.

MUNDO HISPÁNICO: *Número extraordinario dedicado a fray Junípero Serra, 1713-1963,* junio 1963. Inst. Cultura Hispánica. Madrid.

NASATIR, ABRAHAM P.: *Juan Rodríguez Cabrillo.* The Western Explorer. Vol. III, n.º 2, dec. 1964, págs. 3-12.

NAUGHTON, WILLIAM A.: *¿Qué dicen los nombres geográficos?* Revista AMERICAS. Enero 1965. Unión Panamericana. Washington D. C.

NAVARRO GARCÍA, LUIS: *Intendencias en Indias.* C.S.I.C. Sevilla, 1959. 226 págs.

NAVARRO LATORRE, J., y SOLANO COSTA, F.: *Conspiración española, 1787-89.* Zaragoza, 1949.

NELSON, EDNA DEU PREE: *The California Dons.* Appleton Century Crofts. N. York 1962. 309 págs.

NEUERBURG, NORMAN: *Painting in the California Missions.* American Art Review, vol. IV, n.º 1. july 1977, 17 págs.

NEVINS, ALLAN, & HENRY STEELE COMMAGER: *A pocket history of the United States.* A Washington Square Press. Book, 1961. 593 págs.

NICKERSON, THOMAS: *Spanish Don Marin Left Horticultural Heritage in Hawaii.* Honolulu Advertiser, dec. 1958-january 1959. Honolulu.

NICOLL, BRUCE H. & KEN R. KELLER: *Know Nebraska*. Johsen Publ. Co. Lincoln 1961.

NÚÑEZ, ANA ROSA: *La Florida en Juan Ramón Jiménez*. Edics Universal. Miami 1968. 60 págs.

NUSSBAUM, ARTHUR: *A History of the Dollar*. Columbia University Press. N. York 1957. 308 págs.

O'DEA, THOMAS F.: The Mormons. The University of Chicago Press. Chicago 1957. 289 págs.

OLIVAR BERTRAND, RAFAEL: *Factores de la realidad española vistos por norteamericanos de hace un siglo*. Revista de Estudios Políticos, n.º 150, XI-XII, 1966. págs. 53-81.

OLIVIÉ, FERNANDO: *Canadá. Una Monarquía americana*. Edics. Cultura Hispánica 1957. 398 págs.

OLSON, JAMES GEORGE, E. CONDRA & ROYCE KNAPP: *The Nebraska Story*. The University Publ. Co. Lincoln 1951.

ONÍS, JOSÉ DE: *La Revolución americana y la Independencia de Iberoamérica*. Revista HORIZONTES USA, n.º 13, 1976.

ONÍS, LUIS DE: *Memoria sobre las negociaciones entre España y los Estados Unidos de América*. Madrid 1969. 226 págs.

ORANTES, ALFONSO: *Un Juan Rodríguez Cabrillo, el descubridor de California*. Revista CULTURA, San Salvador. abril-mayo-junio 1963, págs. 11-14.

ORTEGA, PETER RIBERA: *Ancient Pageantry*. New Mexico Magazine. Vol. 42, nov-dec. 1963, n.ºs. 11 y 12. págs. 10-11.

ORTEGA, PETER RIBERA: *The Caballeros de Vargas and the 350th*. The Santa Fe Scene, vol. III, n.º 22. 18 junio 1960, págs. 8-9.

ORTEGA, PETER RIBERA: *Christmas in Old Santa Fe*. Piñon Publishing. Co. Santa Fe 1961. 103 págs.

ORTIZ ARMENGOL, PEDRO: *El Bonaparte amable, en los Estados Unidos*. La Estafeta Literaria, n.º 406. 15 octubre 1968, págs. 4-8.

ORR, DAVID: *The job market in English and Foreign Languages*. Revista PMLA, vol. 85, nov. 1970, n.º 6. págs. 1185-1198.

OSEGUERA, MARY THERESA: *The establishment of the Canary Islanders in San Antonio*. Revista EL CAMPANARIO, vol. II, n.º 4. dec. 1971.

OSSA ECHABURU, RAFAEL: *Pastores y pelotaris vascos en USA*. Edics. de la Caja de Ahorros Vizcaína. Bilbao 1963. 86 págs.

PALAU DE NEMES, GRACIELA: *El poeta en la América sajona*. Domingos de ABC, Madrid. 23-12-84.

PALOU, FRANCISCO: *Evangelista de Mar Pacífico: Fray Junípero Serra*. Aguilar, Madrid 1944, 317 págs.

PARK, JOSEPH F.: *The Apaches in Mexican-American Relations, 1848-1861*. Arizona and the West. Vol. III, n.º 2, summer 1961. Tucson, págs. 129-146.

PARKS, JOSEPH H.: *The Story of Tennessee*. Harlow Publ. Co. Ocklahoma City. Ocklahoma.

PARKS, JOSEPH H.: *The Story of Alabama*. Turner E. Smith & Co. Atlanta 1952.

PARRISH, PHILIP H.: *Before the Covered Wagon*. Binfords & Mort. Publ. Portland, Oregon 1931. 292 págs.

PATTERSON, PATRICK: *Woolaroc Museum*. Frank Phillips Foundation Inc. Bartlesville 1965, 64 págs.

PAVÍA, FRANCISCO DE PAULA: *Galería Biográfica de los Generales de Marina: don Bruno de Hezeta*, vol. II. Madrid 1873.

PAZ AGÜERAS, JOSÉ MANUEL: *El futuro del hispanismo en los Estados Unidos y otros ensayos*. Tijuana 1981.

PEAVY, JOHN R.: *A legend of Dauphin Island*. 11 págs. s./a.

PEÑUELAS, MARCELINO C.: *Cultura Hispánica en Estados Unidos. Los Chicanos*. Edics. Cultura Hispánica. Madrid 1978, 203 págs.

PEÑUELAS, MARCELINO C.: *Lo español en el suroeste de los Estados Unidos*. Edics. Cultura Hispánica. Madrid 1964, 295 págs.

PEOPLE AND PLACES IN SANTA FE, LOS ALAMOS, TAOS, ALBUQUERQUE, GALLUP AND POINTS IN BETWEEN. Rio Grande Publ. Santa Fe, 1964-5.

PÉREZ DE AYALA, RAMÓN: *El país del futuro. Mis viajes a los Estados Unidos*. Biblioteca Nueva, Madrid 1959, 357 págs.

PÉREZ BALTASAR, MARÍA DOLORES: *La raíz hispánica de las Californias*. Diario ABC, Madrid. 26-4-1981.

PÉREZ BUSTAMANTE, CIRIACO: *Síntesis de la Historia de España*. Edic. Atlas, Madrid 1959, 309 págs.

PÉREZ BUSTAMANTE, CIRIACO: *Resumen de la Historia Universal*. Edic. Atlas. Madrid 1959. 204 págs.

PÉREZ BUSTAMANTE, CIRIACO: *Martínez de la Rosa y la independencia de la América Española*. Revista de Indias, n.ᵒˢ 85-86, julio-dic. 1958, págs. 385-404.

PEYTON, GREEN: *The face of Texas*. Bonanza Books, N. York 1961, 278 págs.

PHILLIPS, GLEN H.: *Your State and Mine. Colorado.* Pruett Press. Boulder 1962.

PICO VIVO, ANTONIO: *En el 170 aniversario del nacimiento del Almirante Farragut*. Diario MENOR-CA, 295-1971.

PLYM, J.B.: *St. Joseph Historical Leaflet*, n.ᵒ 3. Niles Michigan, april 1948. 6 págs.

POMEROY, EARL3 *The Pacific Slope. A History of California, Oregon, Washington, Idaho, Utah & Nevada.* Alfred A. Knoph. New York 1965. 404 págs.

PORTELL-VILA, HERMINIO: *Los otros extranjeros en la Revolución norteamericana*. Edics. Universal, Miami, 1978, 163 págs.

PORTILLO, ALVARO DEL: *Descubrimientos en California*. C.S.I.C. Madrid 1947. 540 págs.

POUSSIELGUE, AQUILES: *Cuatro meses en la Florida. En "La Tierra y sus habitantes".* Montaner y Simón. Barcelona 1878. Págs. 139-234.

PROSKE, BEATRICE GILMAN: *Archer Milton Huntington*. The Hispanic Society of America. New York 1963, 28 págs.

PUTZ, LOUIS J.: *Editor of "The Catholic Church, USA".* Fides Publishers Assoc. Chicago 1956, 415 págs.

PYGMAN, C. H. & DORRELL KILDURFF: *Illinois: history, government, geography.* Follette Publ. Co., 1962. Chicago.

QUATTLEBAUM, PAUL: *The land called Chicora*. Univ. of Florida Press. Gainesville 1956. 152 págs.

QUINN, ROBERT M.: *The Retablo of the Cathedral of Ciudad Rodrigo by Fernando Gallego*. The University of Arizona. Tucson 1960. 54 págs.

RAGGIO, OLGA: *The Velez Blanco Patio*. The Metropolitan Museum of Art Bulletin, December, 1964, págs. 141-176.

RAHILL, PETER J.: *Catholic Beginnings in St. Louis*. Bureau of Information. Archidiocese of St. Louis. 1964. 47 págs.

RAMÓN Y CAJAL, SANTIAGO: *Recuerdos de mi vida*. Espasa-Calpe, Madrid. Col. Austral n.

RAMOS-CATALINA Y DE BARDAXÍ, MARÍA LUISA: *Expediciones científicas a California*. Anuario de Estudios Americanos, XIII, 1956. Escuela de Estudios Hispano-Americanos, Sevilla, págs. 217-310.

RAMSEY, E. H.: *Gulf and Pacific Safeway*. Revista "Down South", vol. IV, n.ᵒ 3, mayo-junio 1954. págs. 5 y ss.

REID, LORENZO: *Brigham Young's Dixie of the Desert*. Zion Natural Historical Assoc., Zion National Park, Utah 1964.

REPPLIER, AGNES: *Junipero Serra*. All Saints Press. N. York 1962, 184 págs.

RICH, EVERETT: *The Heritage of Kansas*. Univ. of Kansas Press. Lawrence, 1960.

RIESENBERG, FELIX: *The Golden Road. The Story of California's Spanish Missions Trail*. McGraw Hill Books Co. N. York 1962. 315 págs.

RODRÍGUEZ, MARIO: *La Revolución Americana de 1776 y el mundo hispánico*. Edit. Tecnos. Madrid 1976, 222 págs.

RODRÍGUEZ, MARIO: *El Mundo hispánico y la Revolución americana*. Actas del Congreso de Historia de los EEUU. Madrid 1978.

ROGERS, MILLARD F.: *La pintura española en el Museo de Arte de Toledo (Ohio)*. Revista GOYA, n.ᵒ 49, Madrid 1962, págs. 22-29.

ROSENBERG, S. L. MILLARD: *Huellas de España en el Estado de California*. Discurso leído en la Academia Española. Madrid 1933, 20 págs.

ROSS, MARY: *With Pardo and Boyano on the Fringes of the Georgia land*. The Georgia Historical Quarterly. Vol. XIV, dec. 1930, n.ᵒ 4.

ROY, JOAQUÍN: *Presencia de España en los Estados Unidos: economía y cultura*. Una propuesta para el 92. Ponencia en la III Conferencia Internacional organizada por el ICI y la Universidad de Carolina del Norte. Madrid, marzo 1985.

ROYO, RODRIGO: *U.S.A. El paraíso del Proletariado*. Servicio de Publicaciones, S.A. Madrid 1959. 357 págs.

RUIGÓMEZ, MARÍA DEL PILAR: *El Gobierno español del despotismo ilustrado ante la Independencia de los Estados Unidos de América (1773-1783)*. Madrid 1978.

825

Ruiz Fornells, Enrique: *Las Universidades de los Estados Unidos se dan cita en España.* Revista MUNDO HISPANICO, sept. 1963.

Ruiz Fornells, Enrique: *Ensayo de una bibliografía de las publicaciones hispánicas en los Estados Unidos.* En "Español Actual". Boletín de OFINES, Madrid, n.º 8, sept. 1966, y ns. siguientes.

Ruiz Fornells, Enrique: *Cultura y emigración: el caso de España y los Estados Unidos.* Revista ARBOR, t. CXVI, n.º 451-454, julio-octubre 1983.

Ruiz Fornells, Enrique: *Indice de publicaciones norteamericanas referentes a temas literarios e históricos sobre España.* Cuadernos Hispanoamericanos, Inst. de Cultura Hispánica, n.º 262, abril 1972, págs. 209 y ss.

Ruiz Fornells, Enrique: *Indice de publicaciones norteamericanas referentes a temas literarios e históricos sobre España.* En "Español Actual". Boletín de OFINES, Madrid, n.º 14, sept. 1969.

Rújula, José de, & Antonio del Solar Taboada: *El Adelantado Hernando de Soto.* Badajoz 1929. Edics. Arqueros.

Saavedra, Santiago: *To the Totem Shore.* The Spanish Presence on the Northwest Coast. Ediciones El Viso. Madrid 1986, 239 págs.

St. Aanthony Messenger: *La Conquistadora. America's Oldest Madonna.* Vol. 68, n.º 12, may 1961, págs. 29-35.

Santayana, George: *Personas y lugares.* Edit. Sudamericana. B. Aires, 1944. 368 págs.

Santayana, George: *En la mitad del camino.* Edit. Sudamericana. B. Aires 1946. 253 págs.

Sanz, Carlos: *Australia: its discovery and name.* Direc. Gral. Relaciones Culturales. Madrid 1964. 44 págs.

Sanz y Díaz, José: *Fray Junípero Serra.* Publicaciones Españolas, n.º 42. Madrid 1963. 54 págs.

Sanz y Díaz, José: *Alonso de León, conquistador de Texas.* Revista MUNDO HISPANICO, n.º 201, dic. 1964, págs. 77 y ss.

Sariego del Castillo, J. L.: *Historia de la Marina Española en la América Septentrional y Pacífico.* Sevilla 1975, 307 págs.

Seifert, Shirley: *The Key to St. Louis.* J. B. Lippincott Co. Philadelphia, N. York 1963. 128 págs.

Serrera Contreras, Ramón María: *Pedro de Fages, colonizador y cronista de Alta California.* Actas del Congreso de Historia de los Estados Unidos. Madrid 1978.

Shapiro, Irwin: *The golden book of California.* Golden Press. N. York 1961. 97 págs.

Shaw, Dorothy P., and Janet Shaw Le Compte: *Huérfano Butte.* The Colorado Magazine. The State Museum. Denver Co. Vol. XXVII, n.º 2, april 1950, págs. 81-88.

Sheldon, H. E.: *Nebraska: Old and new.* The University Publ. Co. Lincoln, 1937.

Shepard, William R.: *The Spanish Heritage in America.* Modern Language Journal.

Shinn, Charles Howard: *Pioneer Spanish Families of California.* Magazine TIMES GONE BY. The Journal of San Diego History. Vol. XI, n.º 3, june 1965, ágs. 1-14.

Shien, Nancy: *Nancy Shippen. Her Journal.* J. B. Lippincott 1935.

Siegfried, André: *Los Estados Unidos de hoy.* C. I. A. F. Madrid, 1931. 454 págs.

Silem, Sol: *Historia de los vascos en el oeste de los Estados Unidos.* New York, 1917.

Simpson, Lesley Byrd: Editor of *The San Saba Papers.* John Howell Books. San Francisco, 1959. 156 págs.

Sinclair, John L.: *The Christmas Pueblo.* New Mexico Magazine. Vol. 41, nov-dec. 1963, números 11 y 12, págs. 7 y siguientes.

Slabaugh, Arlie R.: *United States Commemorating Coinage.* Whitman Publ. Co., Racine Wisconsin.

Smelser, Marshall: *American History at a glance.* Barnes & Noble. New York, 1962. 278 páginas.

Smith, Hale C., Mark F. Boyd & John N. Griffin: *Here They Once Stood.* University of Florida Press. Gainesville, 1951. 189 págs.

Solar Taboada, Antonio del, y José de Rújula: *El Adelantado Hernando de Soto.* Ediciones Arqueros. Badajoz, 1929.

Spanish Culture in the United States. Revista Geográfica Española. Madrid, s/a. 195 páginas.

Spanish Embassy, Cultural Services of the: *Spanish's Share in the History of the United States.* Washington D. C. s/a. 6 págs.

Stacher, S. F.: *Ouray and the Utes.* Colorado Magazine. The State Museum. Vol. XXVII. n.º 2, april 1950.

Steen, Charlie R., & Rutherford J. Gettens: *Tumacacori Interior Decorations.* Arizoniana. The Journal of Arizona History. Vol. III. n.º 3, fall 1962, págs. 7-33.

Sterne, Emma Gelders: *Vasco Núñez de Balboa.* Alfred A. Knopf. New York, 1961. 147 páginas.

STEWART, GEORGE R.: *The California Trail.* McGraw Hill Book Co., New York, 1962. 339 páginas.
STEWART, GEORGE R.: *Names on the land.* Houghton Mifflin Co., Boston, 1958. 511 págs.
STIMPSON, GEORGE: *A book about American History.* Fawcett Publications. New York, 1962. 288 págs.
STOKES, J. F. G.: *Hawaii's discovery by the Spaniards; theories traced and refuted.* Hawaiian Historical Society Papers, n.º 20, págs. 39-133. 1949.
STUVÉ, BERNARD, & ALEXANDER DAVIDSON: *A complete History of illinois from 1673-1873.* Springfield. Illinois Journal Co., 1874.
STATISTICAL ABSTRACT OF THE UNITED STATES 1986, 106th Edition. 830 Washington DC, 1985.
SUÁREZ DE PUGA, ENRIQUE: *La educación norteamericana y la cultura hispánica.* Revista CUADERNOS HISPANOAMERICANOS, N.º 196, abril 1966, págs. 39-60.
SULLY, LANGDON: *General Sully Reports.* American Heritage Magazine, dec. 1964. New York, páginas 56 y siguientes.
SUMMERSELL, CHARLES GRAYSON: *Alabama History.* Colonial Press. Birmingham 1957.
SUNSET TRAVEL BOOK, A.: *Northern California.* Lane Book Co., Menlo Park, California, 1964. 128 págs.
SUNSET DISCOVERY BOOK, A.: *Southern California.* Lane Book Co., Menlo Park, California 1961. 127 págs.
SUTTON, JACK: *The pictorial History of Southern Oregon & Northern California.* Grants Pass. Oregon, 1959.
SUTTON, LEWIS WAIN: *Utah. A Centennial history.* Historical Publishing Co. New York, 1949.
SYME, RONALD: *First Man to Cross America (Cabeza de Vaca).* William Morrow & Co., New York, 1961. 190 págs.
SYRETT, HAROLD C., & HARRY J. CARMAN: *A History of the American People.* Dos vols. Alfred A. Knopf. New York, 1958.

TALBERT, ROBERT H.: *Spanish-Name People in the Southwest and West.* Leo Potishman Foundation. Texas Christian University. Fort Worth 1935.
TAYLOR, CLARICE B.: *Tales about Hawaii.* Star Bulletin, april 1960.
TAYLOR, RALPH C.: *Colorado, South of the Border.* Sage Books. Denver 1963.
TEPASKE, JOHN JAY: *The Governorship of Spanish Florida, 1700-1763.* Duke University Press. Durham, 1964. 248 págs.
TESOROS DEL ARTE ESPAÑOL (CATÁLOGO). Hemisfair 1968. San Antonio. Texas. Ministerio de Información y Turismo. Madrid, 1968.
THIESEN, GÉRALD: *The expedition of Panfilo de Narvaez.* Traducción y anotaciones de... Albuquerque, 1974.
THOMAS, ALFRED B.: *San Carlos. A Comanche Pueblo on the Arkansas River, 1787.* The Colorado Magazine. The State Historical Society of Colorado. Vol. VI, n.º 3 may 1929, págs. 79-91.
THOMAS, ALFRED B.: *Spanish Expeditions into Colorado.* The Gold Nugget. Vol. V, n.º 3, fall 1964. 14 págs.
THOMAS, CHAUNCEY: *The Spanish Fort in Colorado, 1819.* The Colorado Magazine. The State Historical Society of Colorado. Vol. XIV, n.º 3, may 1937, págs. 81-85.
THOMPSON, RAY: *The Old Spanish Trail.* Revista DOWN SOUTH. Vol. 4, n.º 3. may-june 1954. Págs. 3 y ss.
THOMSON, BUCHANAN PARKER: *La ayuda española en la guerra de la independencia norteamericana.* Edic. Cultura Hispánica. Madrid 1966. 206 págs.
TORNO SANZ, L. y P.G.J. KEAGAN: *Experiencia Misionera en la Florida (siglos XVI y XVII).* Inst. Santo Toribio de Mogrovejo. C.S.I.C. Madrid 1957. 404 págs.
TRAGER, AARON: *The U.S. $ Sign.* Heritage from the "Spanish" "Real a 8". Advertising Supplement to "The New York Times", may 30, 1976.
TREASURE SALVORS INC.: *The treasure of 1622.* Published by... 1981. Key West.
TUCK, FRANK J.: *History of Mining in Arizona, compiled by Dept. of Mineral Resources.* State of Arizona 1963. 47 págs.

UNITED STATES NAVY HONORS SPANISH SAILORS, FIRST WORLD CIRCUNNAVIGATORS. THE: Comercial Española de Ediciones. Madrid 1960. 22 págs.
URTIAGA, ALFONSO: *Nuevo México, avanzada de lo hispánico.* Diario ABC. Madrid 2-7-1981.
UTAH. SIGHTS AND SCENES. Omaha, 1892.

VACA DE OSMA, JOSÉ ANTONIO: *Intervención de España en la guerra de la independencia de los Estados Unidos.* Madrid 1952. 30 págs.

VAN ALSTYNE, RICHARD W.: *Empire and Independence.* John Wiley & Sons. New York, 1965. 255 págs.

VAN CAMPEN, J. T.: *Augustine Florida's Colonial Capital.* The St. Augustine Historical Society. St. Augustine 1959. 72 págs.

VAN EVERY, DALE: *A Company of Heroes. The American Frontier, 1775-1783.* William Morrow and Co. New York 1962. 328 págs.

VAN EVERY, DALE: *Ark of Empire. The American Frontier, 1784-1803.* William Morrow and Co. New York, 1963. 383 págs.

VARIOS AUTORES: *Estados Unidos.* Colección El Mundo en color. Edics. Castilla. Madrid 1957. 517 págs.

VARIOS AUTORES: *Pensacola Historic Landmarks.* Pensacola Historic Preservation Society. Pensacola 1964. 35 págs.

VEGA, INCA GARCILASO DE LA: *La Florida del Inca.* Cuzco 1958.

VENTURA REJA, JOSÉ: *Abastecimiento y población de la Florida por la Real Compañía de Comercio de La Habana.* Actas del Congreso de Historia de los Estados Unidos. Madrid 1978.

VIGNERAS, L. A.: *El viaje de Esteban Gómez a Norteamérica.* Revista de Indias, XVII, 1957. Páginas 15 y siguientes.

VIGNERAS, L. A.: *The Cartographer Diego Riveiro.* Revista IMAGO MUNDI, XVI, N. Israel, Amsterdam, 1962. Págs. 82 y siguientes.

VILLANUEVA, LUIS: *Hernando de Soto.* 2.ª edic. Ediciones Arqueros. Badajoz 1929.

VIRGINIA 350TH ANIVERSARY COMMISSION, REPORT OF THE: Richmond, 1958.

VOLTES, PEDRO: *La tentativa de mediación de España en la guerra de Independencia de los Estados Unidos.* Revista de Indias, año XXVII, n.os 109-110, págs. 314 y siguientes.

VOLLBRECHT, JOHN L: *St. Augustine Historical Heritage as seen today.* The Saint Augustine Historical Society. St. Augustine 1952. 38 págs.

WALKER, JOHN AND KATHERINE: *The Washington Guidebook.* Dell Publ. Co., New York, 1963. 432 págs.

WALLACE, ANDREW, & CAMERON GREENLEAF: *Tucson: Pueblo, Presidio and American City.* Arizoniana. Vol. 3, n.º 2, págs. 18-25. Arizona Pioneer's Historical Society. Tucson. Summer 1962.

WALLACE, ANDREW: Editor of *"Sources and Readings in Arizona History".* Arizona Pioneer's Historical Society. Tucson 1965. 181 págs.

WARREN, NINA OTERO: *Old Spain in our Southwest.* Harcourt, Brace & Co. New York, 1937. 192 págs.

WATTERS, REGINALD EYRE: Editor of *"British Columbia: A Centennial Anthology".* McClelland and Stewart Limited, 1958. Vancouver. 576 págs.

WEBER, FRANCIS J.: *California's Reluctant Prelate.* Dawson Nook Shop. Los Angeles, 1964. 234 págs.

WEBER, FRANCIS J.: *Catholicism in Colonial America.* The Homiletic and Pastoral Review. New York, july 1965, págs. 842-851.

WEDDLE, ROBERT S.: *The San Saba Mission. Spanish Pivot in Texas.* University of Texas Press. Austin 1964. 238 págs.

WHITMAN, WALT: *The complete poetry and prose.* Pellegrini & Cudahy. New York, Vol. II. Páginas 402-3.

WHITTIER, FLORENCE E.: *The Grave of Chief Ouray.* The Colorado Magazine. The State Museum. Denver. Vol. I, n.º 7, nov. 1924.

WILSON, SAMUEL, & LEONARD V. HUBER: *Baroness Pontalba's Buildings.* The New Orleans. Chapter of the Louisiana Landmarks Society. New Orleans, 1964. 62 págs.

WILLIAMS, STANLEY T.: *La huella española en la literatura norteamericana.* Editorial Gredos. Madrid 1957. 2 vols.

WORLD ALMANACH 1965 AND BOOK OF FACTS, THE: *New York World-Telegram.* New York, 1985. 896 págs.

WRIGHT, LOUIS B.: Editor of *Virginia Heritage.* Public Affairs Press. Washington D. C., 1957. 50 págs.

WRIGHT, RALPH B.: Editor of *California's Missions.* The Sterling Press. Los Angeles 1962. 94 págs.

XIMENES, BEN CUELLAR: *Gallant Outcasts. Texas Turmoil, 1519-1734.* The Naylor C., San Antonio 1963. 232 págs.

YBARRA Y BERGÉ, JAVIER DE: *De California a Alaska. Instituto de Estudios Políticos. Madrid 1945. 188 págs.*
YEALY, FRANCIS J.: *Florissant and St. Stanislaus Seminary.* Florissant Valley Association, 1933.
YELA UTRILLA, JUAN: *España ante la independencia de los Estados Unidos.* 2 vols. Imprenta Mariana. Lérida 1922.
YDÍGORAS, CARLOS MARÍA: *Los Libertadores USAS.* Edit. Arrayán. Madrid 1965. 626 págs.

ZALAMEA, LUIS: *España omnipresente en la Florida.* Edics. Miami 1978. 130 págs.
ZÉNDEGUI, GUILLERMO DE: *Biografía de una Nación: USA 1776-1976.* Revista AMERICAS, vol. 28, n.º 3, III 1976. Suplemento.
ZÉNDEGUI, GUILLERMO DE: *Cuando la Florida era española.* Revista AMERICAS, vol. 26, n.º 10, X, 1974. Págs. 25-32.
ZÉNDEGUI, GUILLERMO DE: *Terra Florida.* Edics. Continental Miami, s.a. 221 págs.
ZUBILLAGA, FÉLIX y LEÓN LOPETEGUI: *Historia de la Iglesia en la América Española. Desde el Descubrimiento hasta comienzos del siglo XIX. México, América Central. Antillas.* Bibl. Autores Cristianos. Madrid 1965. 945 págs.

ÍNDICES
ONOMÁSTICO Y GEOGRÁFICO

realizados para la 2.ª edición
por Susana Urioste Fernández de Córdoba

ÍNDICE ONOMÁSTICO

A

ABBADIE, M. D., Jean Jacques, 345, 371.
ABBOT, John S. C., 125.
ABERCOMBRIE, Leila, 128, 267.
ABEYTIA, Bernardo de, 460.
ACARREGUI, Juan, 586.
ACEVEDO, Fray Francisco de, 457.
ACOSTA, José de, 120.
ACHABAL, Juan y Daniel, 529.
ADAMS, Henry, 27.
ADAMS, John Quincy, 20, 43.
ADAMS, Nicholson, 87, 183.
ADDICKS, David, 411.
AGREDA, Sor María de, 72, 73, 413, 357, 427.
AGRIPINA, 417.
AGUILAR, Guzmán, 173.
AGUILAR, Isidro, 544.
AGUILAR, José Ramón, 504. (Ver: AGUILAR, I. G.)
AGUILAR, Martín de, 584.
AGUIRRE, Nicolás de, 192.
AGUIRRE DE CÁRCER, Nuño, 599.
AHUJA, Elías, 84, 157.
AIRIZ, Juan Ignacio, 504.
ALABART, Manuel, 134.
ALAMINOS, Antón de, 219.
ALAMO, P. Gonzalo de, 199.
ALARCÓN, Hernando de, 38, 471, 512, 513. (Ver: ALARCÓN, I. G.)
ALARCÓN, Martín de, 39, 416.
ALAS, Alonso de las, 229.
ALAS, Esteban de las, 191.
ALAVA, Manuel de, 591. (Ver: ALAVA, I. G.)
ALBÉNIZ, Isaac, 142, 573.
ALBIZU, Tomás de, 454.
ALBORG, Juan Luis, 87, 284.
ALBRIGHT, David, 248.
ALCALÁ GALIANO, Dionisio, 595. (Ver: GALIANO and VALDES, I. G.)
ALCOCK, George, 120.
ALDECOA, Delphino, 529.
ALDECOA, José Domingo, 529.
ALEGRÍA, Esperanza, 529.
ALEGRÍA, Patricio, 529.
ALEJANDRO II, Papa, 570.
ALEJANDRO VI, Papa, 604.
ALENZA, Leonardo, 410.
ALPUENTE, Fray Juan, 498.
ALFONSO VII, 239.
ALFONSO X, 107, 168, 411.
ALFONSO XI, 139, 140.
ALFONSO XII, 172.

ALFONSO XIII, 238, 357, 609.
ALMODÓVAR, Marqués de, 119.
ALMODÓVAR DEL RÍO, Duque de, 172.
ALMONESTER Y ROJAS, Andrés, 351, 354, 355.
ALMONESTER, Micaela. (Ver: PONTALBA, Baronesa de.)
ALONSO, Don (Indio), 200.
ALONSO, José Luis, 141.
ALONSO VEGA, Camilo, 227.
ALPUENTE, Fr. Juan de, 499.
ALTAMAHA (Indio), 204.
ALTAMIRA, Conde de, 239.
ALTAMIRANO, Fray Juan de las Cabezas, 198, 200, 203, 207, 224.
ALTIMIRA, P. José, 574.
ALTON, James, 350.
ALTUBE, Pedro, 60, 513, 567.
ALVAR, Manuel, 549.
ALVARADO, Hernando de, 454, 455, 458, 463.
ALVARADO, Pedro de, 538, 583. (Ver: ALVARADO, I. G.)
ALVARADO, Ronald, 68.
ALVAREZ, Alejandro, 110.
ALVAREZ, Beni, 245.
ALVAREZ, Esperanza, 610.
ALVAREZ, Eugenio, 376.
ALVAREZ, Luis W., 70, 608.
ALVAREZ, Richard, 70.
ALVAREZ, Walter C., 70.
ALVAREZ DE PINEDA, Alonso, 37, 38, 317, 328, 346, 411, 425. (Ver: PINEDA, I. G.)
ALVAREZ MENDIZABAL, Juan, 239.
ALVAREZ QINTERO, Serafín y Joaquín, 140.
ALVAREZ DE SOTOMAYOR, Fernando, 172.
ALZATE Y RAMÍREZ, José Antonio, 421.
ALLENDESALAZAR, 21.
ALLENDE Y SAVEDRA, Pedro, 485.
ALLES QUINTANA, José, 160.
AMADOR, Pedro, 566. (Ver: AMADOR, I. G.)
AMAT, P. Tadeo, 546.
AMENT, Marión, 174.
AMNER, Dewey F., 86.
AMO, Gregorio del, 84, 549.
AMORÓS, P. Juan, 574.
ANA, Doña (India), 207.
ANASTASIA, Alberto, 279.
ANAYA, Tony, 68.
ANDERSON, Maxwell, 75, 87, 140, 434.
ANDERSON, Theodore, 412.
ANDREWS, S. P., 108.
ANGOSO, Manuel, 173.
ANGULO, Fabián, 209.
ANÍBAL, Claude, 87.

ANSON, Lord George, 607.
ANTONIA, Doña (India), 243.
ANTONIO, 142.
ANTONIO (bailarín), 553.
ANUNCIACIÓN, P. Domingo de la, 262, 313, 329.
ANZA, Juan Bautista de (padre), 480.
ANZA, Juan Bautista de (hijo), 55, 58, 100, 447, 448, 479, 480, 492, 500, 501, 513, 541, 543, 550, 558, 560, 568, 569, 572. (Ver: ANZA, I. G.)
AÑASCO, Juan de, 256, 318, 347.
APARICIO, José Luis, 268, 356.
ARAGÓN, 451.
ARAGÓN Y VILLEGAS, Pedro, 356.
ARANDA, Conde de, 44, 46, 50, 93, 117, 118, 146, 273, 274.
ARANGO, Sancho de, 192.
ARCINIEGA, Sancho de, 226.
ARCINIEGAS, Germán, 193.
ARCHULETA, Juan, 498, 502. (Ver: ARCHULETA, I. G.)
ARECHIGA, Henry, 415.
AREILZA, José María de, 23, 61, 239, 268, 358, 426, 445, 514.
ARELLANO, Tristán de, 454, 458.
ARGENTINITA, La (bailarina), 142.
ARGÜELLES, Bartolomé, 229, 314.
ARGÜELLO, Conchita, 72, 570.
ARGÜELLO, José Darío, 107, 567, 569, 570, 572. (Ver: ARGÜELLO, I. G.)
ARGÜELLO, Luis Antonio, 563, 570, 578.
ARGÜELLO, Santiago, 542.
ARIAS, David, 66, 68.
ARIAS, Gaspar, 192.
ARIAS, NAVARRO, Carlos, 353.
ARMAS, Baltasar de, 538.
ARMENDÁRIZ, Pedro, 433.
ARMIJO, Antonio, 101, 107, 433, 434, 511.
ARMILLAS, José A., 50.
ARMSTRONG, Jack, 276.
ARMSTRONG, Louis, 344.
ARNADE, Charles W., 87, 221, 229, 251.
ARNÁIZ, Carlos, 474.
ARNQLD, Benedict, 129, 297.
ARREDONDA, Antonio, 230. (Ver: ARREDONDO, I. G.)
ARRILLAGA, José Joaquín, 558, 562.
ARRIOLA, Andrés, 262, 263, 319.
ARROM, José Juan, 126.
ARROYO DE LA CUESTA, Padre, 56, 564.
ARRUZA, Carlos, 547.
ARTEAGA, P. Antonio, 457.
ARTEAGA, Ignacio de, 39, 595, 597.
ARTIGAS, Fernando José, 170.
ARVIDE, Martín de, 454.
ARZA, Mauricio, 518.
ASCENSIÓN, Fray Antonio de la, 30, 538, 584.
ASHLEY, James M., 94, 518, 526.
ASIMOV, Isaac, 27.

ASSUNWHA (Indio), 385.
ASTOR, John Jacob, 528, 581.
ASUMENDI, Julio, 529.
ATHERTON, Gertrude, 434, 570.
AUBRY, Phillippe, 345, 347.
AUDUBON, John James, 242.
AUÑÓN, P. Miguel de, 199, 200.
AURY, Louis, 215, 216, 411.
AUSENSI, Manuel, 154.
AUSTIN, Moses, 105, 378, 409, 410.
AUSTIN, Stephen Fuller, 410.
AUTOBEES, Charles, 506.
AVALOS, Juan de, 136, 166, 351, 591.
AVILA, Francisco, 546.
AVILA Y AYALA, Fray Pedro de, 454.
AYALA, Francisco, 87, 131, 136.
AYALA, Juan Manuel, 571, 596.
AYETA, Fray Francisco, 426, 444.
AYLLÓN. (Ver: VÁZQUEZ DE AYLLÓN, Lucas.)
AZCUENAGA, Agustín, 586.
AZCUENAGA, Antonio, 488, 513, 528, 586.
AZOR, Francisco, 377.
AZORÍN, 86, 279.

B

BABAD, P. Peter, 160.
BABBIT, Irving, 75.
BACA, Felipe, 504. (Ver: BACA, I. G.)
BADAJOZ, Fray Antonio de, 199.
BADILLO, Hernán, 68.
BÁEZ, H. Domingo Agustín, 56, 76, 199.
BÁEZ DE TORRES, Luis, 606. (Ver: TORRES, I. G.)
BAILEY, John D., 227.
BAKER, (Juez), 449.
BAKER, Mary, 115.
BALADA, Leonardo, 142.
BALANCIO, Mariano, 129.
BALBOA. (Ver: NÚÑEZ DE BALBOA, Vasco.)
BALDASANO, Arturo, 133.
BALSEIRO, José Agustín, 252.
BALTHASAR, P. Juan Antonio, 476.
BALLI, José María, 429.
BALLI, P. Nicolás, 429. (Ver: PADRE ISLAND, I. G.)
BALLOTA, José, 252.
BANCROFT, Hubert Howe, 106, 122, 495, 523, 576.
BARANOV, Alexander, 593.
BARBA, Antonio, 205.
BARCIA, 87, 549.
BARELA, Casimiro, 492, 504.
BARINAGA, Nash, 529.
BARNACID, 71.
BARNES, Mary, 160.
BAROJA, Pío, 75.

BARRETO, Isabel, 606.
BARRIONUEVO, Francisco de, 458, 463.
BARROETABEÑA, José, 529.
BARROSO, Javier, 221.
BARRYMORE, Hnos., 146.
BARTOLOMÉ (Indio), 200.
BARUCH, Bernard, 189.
BASTARRECHEA, Luis, 514.
BASTROP, Barón de, 106, 384. (Ver: BASTROP, I. G.)
BATES, Katherine Lee, 122.
BAUER, Padre, 480.
BAYARD, Thomas Francis, 166, 365.
BAYEU, Francisco, 410.
BAZÁN, Pedro de, 190.
BAZARES, Guido de los, 319.
BEARSDLEY, Theodore, 137.
BEAUBIEN, Narciso, 502.
BEAUMARCHAIS, Barón Pierre Caron de, 44, 151.
BEAUREGARD, Elías, 308.
BEAUREGARD, P. G. T., 346.
BECERRA, Ana, 187.
BEETHOVEN, L. van, 322.
BÉJAR, Duque de, 416. (Ver: BÉJAR, I. G.)
BELA ARMADA, Ramón, 83.
BELDA, Joaquín, 130.
BELTRÁN, Fray Bernardino, 465.
BELLAMI, Ralph, 230.
BELLECHASE, Josef D., 308.
BELLET, Padre, 71, 174.
BEMIS, Samuel Flagg, 274.
BENAVENTE, Jacinto, 140.
BENAVIDES, Fray Alonso de, 73, 441, 450.
BENEJAN, Luis, 314.
BENET, Esteban, 43, 60.
BENET, Stephen Vincent, 60, 232.
BENT, Charles, 433, 434, 464.
BENTON, Thomas Hart, 368.
BENTREY, Harold W., 91.
BERGANZA, María Teresa, 142.
BERING, Vitus, 593.
BERMEJILLO, Beatriz, 136.
BERMEJO, Bartolomé, 119, 183, 277.
BERMEJO, P. Pedro, 218.
BERNAL, Familia 446. (Ver: BERNALILLO, I. G.)
BERNARDETE, Mair Jose, 62.
BERNARDIN, Monseñor, 29.
BERTUCAT, Luis, 259.
BESSO, Henry, 62.
BETANZOS, Amalia, 68, 87.
BETETA, Fray Gregorio, 249.
BICKERSTAFFE, Isaac., 153.
BIDDLE, Nicholas, 136.
BIDEGANETA, Luis J., 529.
BIEDMA, Luis Hernández de, 29.
BIENVILLE, Sieur de (Jean Baptiste Le Moyne), 307, 319, 345.
BIGOTES (Indio), 458.

BIRD, Robert Montgomery, 139, 140.
BISMARCK, Otto von, 400.
BLAETTERMAN, George, 181.
BLAISDELL, Neal S., 609.
BLANCO AGUINAGA, Carlos, 87, 161.
BLANCHET, P., 583.
BLANKENSHIP, Silvia N., 87.
BLAS, Ben, 68.
BLAS, Nito, 610.
BLASCO IBÁÑEZ, Vicente, 86, 533, 547, 570, 601, 608, 609.
BLEDSOE, Anthony, 309.
BLEIBERG, Germán, 87, 306.
BLOUNT, Frank P., 248, 249.
BLOUNT, William, 184, 308, 333.
BLUM, Robert F., 154.
BLUMENTHAL, George, 137.
BOABDIL, 137.
BOBADILLA, Isabel de, 246.
BODEGA Y CUADRA, Juan Francisco de la, 39, 535, 579, 585, 589, 590, 591, 595, 596, 597, 598. (Ver: BODEGA; QUADRA; NORTH QUADRA y SOUTH QUADRA, I. G.)
BOILEAU, 147.
BOJÓRQUEZ, Pedro, 481.
BOKER, George Henry, 139, 140.
BOLAÑOS, Francisco de, 538.
BOLÍN, Luis, 268, 600.
BOLÍVAR, Simón, 170, 215, 353. (Ver: BOLÍVAR, I. G.)
BOLTON, Herbert Eugene, 9, 475, 499, 526, 576.
BONAPARTE, José, 148, 149, 546.
BONAPARTE, Napoleón. (Ver: NAPOLEÓN I.)
BONET, Padre, 503.
BOONE, Daniel, 105, 296, 306, 308, 376. (Ver: BOONE, I. G.)
BORBÓN, S. A. R., Doña Eulalia de, 135, 277.
BORBÓN, S. A. R., Don Francisco de Paula de, 70.
BORBÓN, S. A. R., Don Felipe de, 591.
BORBÓN, S. A. R., Don Jaime de, 609.
BORBÓN, S. A. R., Don Juan de, 237, 609.
BORBÓN Y ORLEÁNS, S. A. R., Doña Mercedes de, 609.
BORDALLO, Ricardo, 68.
BORE, Etienne de, 352, 360.
BORI, Lucrecia, 142.
BORICA, Diego, 562, 565, 566.
BORJA, Joe, 610.
BORTMAN, Mark, 117.
BORRASA, Luis, 183.
BORREGO, 449.
BOSCÁN, Juan, 125.
BOSCH, Carlos, 79.
BOSQUE, Fernando del, 30, 39, 427.
BOUCHARD, Hipólito, 545, 552, 553, 556, 562.
BOULANGER, Ludovicus, 92.
BOULINGNY, Francisco, 331.
BOURNE, Edward G., 36, 125, 453.

BOWLES, William A., 259.
BOYANO, Hernando, 36, 41, 186, 192, 193, 196, 197, 201, 312.
BOYD, Mark F., 256.
BRACKENRIDGE, H. H., 153.
BRADFORD, William, 117.
BRAGG, Braxton, 304.
BRANCIFORTE, Marqués de, 566. (Ver: BRANCIFORTE, I. G.)
BRAUN, Werner von, 312.
BREE, Alvaro de, 538.
BRENES, Edin, 284.
BRENT, George, 179.
BRENT, Mary, 179.
BRIDGER, Jim., 523.
BRINCKERHOFF, Sidney B., 483.
BROHEAD, Daniel, 296.
BROOKE, Robert, 158.
BROWER, J. V., 391.
BROWN, John, 181, 300, 388.
BRUMIDI, Constantino, 167, 168.
BRYANT, Farris, 75, 220.
BRYANTS, William C., 122.
BUCARELLY Y URSUA, Antonio de, 35, 534, 536, 595, 596, 598. (Ver: BUCARELLI, I. G.)
BUCHANAN, James, 388.
"BÚFFALO BILL" (Véase CODY, William Frederick).
BUGGS, Hale, 358.
BUICK, David, 286.
BUNYAN, John, 282.
BUNYAN, Paul, 402.
BURGOYNE, John, 46.
BURNS, Haydon, 227.
BUSTAMANTE, Albert G., 68.
BUSTAMANTE, José de, 599.
BUSTAMANTE, Juan Domingo de, 460. (Ver: BUSTAMANTE, I. G.)
BUSTAMANTE, Pedro de, 30, 500.
BUTLER, Fanny Kemble, 140.
BUTLER, Robert, 231.
BUTLER, S. J., 346, 348.
BYRON, Lord, 244.

C

CAAMAÑO, Jacinto, 595, 599. (Ver: CAAMAÑO y CAMANO, I. G.)
CABALLÉ, Montserrat, 142.
CABELLO, Domingo, 363.
CABEZA DE VACA, Alvar Núñez, 29, 35, 41, 53, 56, 74, 76, 100, 104, 246, 249, 253, 255, 260, 318, 346, 412, 413, 452, 274.
CABOT, Fray Juan, 92, 118, 557.
CABOTO, Sebastián, 36.
CABRERA, 71.

CABRERA, Juan, 192, 193, 204.
CABRERA Bueno, José González, 540, 567.
CABRERA DE NEVARES, Miguel, 87.
CABRERO, Eugenio, 549.
CABRILLO, Juan. (Véase RODRÍGUEZ CABRILLO, Juan.)
CACHUPIN. (Véase VÉLEZ CACHUPIN, Tomás.)
CADALSO, José, 122.
CADILLAC. (Véase MOTHE CADILLAC, Antoine de la.)
CAGIGAL, Juan Manuel de, 265.
CALBO, 265.
CALDERÓN, Andrés, 191.
CALDERÓN, Gabriel Díaz Vara, 256.
CALDERÓN, Pedro de, 251.
CALDERÓN DE LA BARCA, Angel, 172.
CALDERÓN DE LA BARCA, Pedro, 121, 141, 153.
CALDWELL, Erskine P., 195.
CALICO, Francisco Xavier, 234.
CALICO, Hilario, 129.
CALVERT, George (Lord Baltimore), 158, 179.
CALVO, Ben, 610.
CALVO, Tomás, 65.
CALVO MANZANO, Rosa, 142.
CALZACORTA, Juan, 513.
CALZADA, Manuel de la, 224, 226.
CALLAVA, José, 267.
CALLET, P. Luc., 374.
CAMBA, Julio, 130.
CAMBÓN, P. Pedro Benito, 560, 568.
CAMÍN, Alfonso, 238, 241.
CAMPBELL, Archibal, 265, 320, 330.
CAMPBELL, Mrs. Patrick, 140.
CAMPO, Marqués del, 591.
CAMPOS, P. Agustín de, 475.
CAMPS, P. Pedro, 60, 231.
CÁNCER, Fray Luis, 51, 55, 249.
CANDELAS, Luis, 368.
CANDLER, Asa G., 195.
CANO, Juan José, 421.
CANOGAR, Daniel, 79.
CANSINOS, (Rita Hayworth), 68.
CANTWELL, 544.
CANTINO, Alberto, 36.
CANZO, Gonzalo Méndez, 52, 197, 198, 200, 202, 207, 208, 222, 224.
CAÑIZARES, José, 596.
CAPILLA, P. Juan Bautista, 208.
CAPONE, Al, 279.
CARBAJAL, Luis, 456.
CÁRDENAS. (Véase LÓPEZ DE CÁRDENAS, García.)
CARDINAL, Jean Marie, 404.
CARDONA, Nicolás de, 92, 534, 535.
CARDOZA, Luis de, 604.
CARDOZO, Benjamín N., 62.
CARDOZO, Manoel, 173.
CARDROSS, Lord, 193.
CARLOS (Indio), 541.
CARLOS I DE ESPAÑA, 36, 40, 79, 80, 116, 118,

123, 172, 387, 459, 538, 603. (Ver: ISLA CA-
ROLINA, I. G.)
CARLOS I DE INGLATERRA, 158, 182.
CARLOS II DE ESPAÑA, 150, 456, 605. (Ver: SAN
CARLOS DE AUSTRIA; SAN CARLOS, Fla.; CA-
ROLINAS, Islas; VILLA NUEVA DE SANTA
CRUZ, I. G.)
CARLOS II DE INGLATERRA, 149, 229.
CARLOS III DE ESPAÑA, 20, 43, 44, 45, 46, 47,
49, 50, 134, 151, 172, 265, 266, 288, 320,
337, 354, 359, 373, 374, 401, 448, 476, 535,
536, 539, 546, 550, 552, 559, 562, 585, 590,
612. (Ver: DON CARLOS TERCERO EL REY;
SAN CARLOS, MO., I. G.)
CARLOS IV DE ESPAÑA, 174, 266, 283, 317,
405, 494, 526, 570, 612. (Ver: DON CARLOS
EL SEÑOR PRÍNCIPE DE ASTURIAS; NUEVO
BORBÓN, I. G.)
CARLOS V DE ALEMANIA. (Véase: CARLOS I DE
ESPAÑA.)
CARLOS IX DE FRANCIA, 191.
CARMICHAEL, Hoagy, 284.
CARNEGIE, Andrew, 21.
CARONDELET, Francisco Luis Héctor, Barón
de, 106, 152, 172, 302, 310, 326, 331, 332,
333, 335, 352, 353, 354, 374, 375, 377, 384,
404, 405. (Ver: CARONDELET, I. G.)
CARREÑO DE MIRANDA, Juan, 137, 245.
CARRERAS, José, 142.
CARRILLO, Domingo, 554.
CARRILLO, María Antonia, 541.
CARRILLO, Mariano, 552.
CARRIÓN, Madre Luisa de, 73.
CARSON, Kit, 433, 464, 504, 505.
CARTER, James, 24, 27, 67, 87, 196.
CARTER, Henry, H., 284.
CARTER, Hodding, 354.
CARVAJAL, Javier, 138.
CARVER, Jonathan, 583.
CASA CALVO, Marqués de, 336, 352.
CASALS, Jordi, 71.
CASALS, Pablo, 142.
CASALDUERO, Joaquín, 87, 136.
CASAÑAS, Padre, 414.
CASILLAS, Frank C., 68.
CASO Y LUENGO, Francisco, 259.
CASSADY, Vicealmirante, 160.
CASTAÑEDA, Jaime, 87, 412.
CASTAÑEDA, Pedro de, 29, 37, 471. (Ver: CAS-
TAÑEDA, I. G.)
CASTAÑO DE SOSA, Gaspar, 38, 459, 465. (Ver:
CASTAÑO, I. G.)
CASTIELLA, Fernando María, 23, 83, 171.
CASTILLO, 452.
CASTILLO, Alonso del, 413.
CASTILLO, Fray Juan del, 199.
CASTRO, Américo, 87, 147, 543.
CASTRO, Fidel, 242.
CASTRO, José de, 564. (Ver: CASTROVILLE, I.
G.)

CASTRO, Juan Elio, 608.
CASTROVIEJO, Ramón, 71, 136.
CATALINA DE RUSIA, 535.
CATHER, Willa, 434.
CATTON, Bruce, 286.
CAVALIER, René Robert, Sieur de La Salle, 93,
103, 262, 292, 339, 345, 414, 415.
CAVAZOS, José Narciso, 429.
CAVENDISH, Thomas, 535.
CAVESTANY, J. Antonio, 356.
CAZORLA, Capitán, 424.
CEBALLOS, Bernardino de, 443.
CEBRIÁN, Juan, 572.
CELA, Camilo José, 128, 161.
CELESTE, Richard F., 68.
CELLE, Eduardo de, 319.
CENDOYA, Manuel de, 230.
CENTELLES, 79.
CERÓN, Jorge, 262, 313.
CERRE, Gabriel, 281.
CERVANTES, Alonso J., 68.
CERVANTES, Miguel de, 55, 88, 120, 121, 147,
153, 154, 236, 252, 369, 438, 572. (Ver:
CERVANTES, I. G.)
CERVANTES, P. Pedro de, 187.
CERVERA Y TOPETE, Pascual, 156, 159.
CÉSPEDES, Guillermo, 71, 135.
CÉSPEDES, Manuel de, 231.
CESTERO, 534.
CEVALLOS, Pedro Antonio de, 44, 338.
CEVALLOS, Sancho de, 43, 179.
CID (Rodrigo Díaz de Vivar), 137.
CIL, Manuel, 189.
CISNEROS, Henry, 68.
CISNEROS, P. Pedro, 496, 517.
CLAIBORNE, William, 305, 336, 341, 345.
CLARÍN, (Leopoldo Alas), 252.
CLARK, George Rogers, 48, 74, 100, 105, 272,
280, 281, 285, 288, 296, 297, 298, 299, 301,
333, 334, 335, 340, 350, 351, 372, 521, 525,
526, 527, 528.
CLARK, Stephen P., 236.
CLARK, William Andrews, 524.
CLARKE, Elijah, 302, 335.
CLAVIJERO, Francisco, 135.
CLEMENS, Samuel, 75, 327, 368.
CLEMENT DE LAUSSAT, Pierre, 341.
CLEVELAND, Richard Jeffry, 608.
CLEVELAND, Stephen Grover, 21, 133, 602.
CLOUD, Red., 400.
CODESO, Manuel, 237.
CODY, William Frederick (Buffalo Bill), 394,
494.
COESTER, Alfred, 87.
COLOMB, Christophe, 362.
COLÓN, Bartolomé, 167.
COLÓN, Cristóbal, 19, 27, 30, 33, 34, 42, 75,
92, 94, 97, 104, 122, 130, 133, 139, 161,
162, 163, 167, 172, 175, 215, 219, 278, 386,
441, 505, 534, 571, 584, 603. (Ver: COLUM-

BIA..., COLUMBUS..., COLONIA, COLÓN, I. G.)
COLÓN, Diego, 187.
COLÓN, Miriam, 141.
COLTER, John, 521.
COLLEL, Francisco, 331, 361.
COLLINS, George, R., 79, 139.
COLLINS, John, 213.
COLLINS, Leroy, 268.
COLLINS, Tom, 158.
COLLOT, Víctor, 317.
COMMAGER, Henry Steel, 27.
CONCEPCIÓN, P. Cristóbal de la, 473.
CONCHA, Fernando de la, 374, 501, 502.
CONLY, Robert L., 221.
CONNALLY, John, 420.
CONNOR, Michael V., 29.
CONRAD, Barnaby, 572.
CONROTTE, 43.
COOK, James, 39, 586, 589, 597, 598, 603, 606, 607.
COOK, N. P., 95.
COPPINGER, José, 215, 231.
CORCHADO, P. Andrés, 454.
CÓRDOBA, Luis de, 599, 601. (Ver: CÓRDOVA, I. G.)
CÓRDOVA, Beatriz de, 72.
CÓRDOVA, Julián de, 119.
COREY, J. M., 514.
CORNWALLIS, Charles, Marqués de, 48, 178.
COROMINAS, Joan, 87, 280.
CORONADO, Francisco. (Véase VÁZQUEZ DE CORONADO, Francisco.)
CORONADO, Carolina, 69, 122.
CORPA, P. Pedro, 201, 202.
CORTE, Felipe de la, 613.
CORTEZ, Hernán, 30, 97, 463, 533, 534, 583, 604, 605. (Ver: CORTÉS, I. G.)
CORVALÁN, Octavio, 284.
CORVERA, P. Francisco, 461.
CORREGIO, Il (Antonio Allegri), 550.
COSA, Juan de la, 36.
COSDEN, Joshua S., 78.
COSTA, León de la, 87.
COSTAGGINI, Filippo, 167.
COSTELLO, Frank, 279.
COTILLA, Juan de, 258.
COUTINHO, Joaquím de Siqueira, 173.
COVADONGA, Conde de, 238.
COX, David, 167.
CRAWFORD, Francis Marion, 140.
CRAWFORD, Thomas, 92, 163.
CRAZY HORSE (Indio), 399.
CREEFT, José de, 71.
CRESPI, P. Juan, 537, 539, 548, 559, 561, 596. (Ver: CRESPI; CRESPIS, I. G.)
CRESPO, José, 141.
CRESPO Y NEVE, Antonio de, 356.
CRET, Paul, 170.
CRISTÓBAL, (Esclavo), 390.
CROCKETT, David, 303, 409, 416.

CROIX, Carlos Francisco de, 536.
CROIX, Teodoro de, 363, 417, 448, 471, 472, 501, 551, 561, 566.
CROWDER, Dewey, 323.
CROZAT, Antoine, 345.
CROZET, Teniente, 613.
CRUZ, Fray Diego de la, 425, 427.
CRUZ, P. Hipólito de la, 612.
CRUZ, Fray Manuel de la, 428.
CRUZ, Sor Juana Inés de la, 419.
CRUZAT, Francisco, 288, 299, 371, 372, 374.
CRUZATE, Domingo de, 425, 445, 459.
CUATRECASAS, José, 71, 173.
CUBEÑAS, José A., 220.
CUBERO, 447.
CUBI, Mariano, 160.
CUÉLLAR, Agustín de, 454.
CUERNO VERDE (Indio), 55, 500.
CUERVO Y (VALDÉS, Francisco, 456.
CUESTA, Padre, 564.
CUETO, Leopoldo Agusto de, 172.
CUEVAS, Juan de las, 357.
CUEVAS, Marquesa de, 136.
CUGAT, Xavier, 71.
CUMELLAS, 138.
CUNNINGHAM, Charles, 362, 363.
CUOMO, Mario, 133.
CURLETTI, Rosario, 553.
CURRAN, Frank, 539.
CURRY, John Stewart, 387, 389.
CURTIS, Tony, 548.
CUSHING, Richard, 117.
CUSTER, George Armstrong, 400.
CUTTER, Donald, 108, 110, 433.
CUYAS Y ARMENGOL, Antonio, 133.

CH

CHADWICK, F. E., 21.
CHALMETTE, 383.
CHAMISSO, Adalbert von, 613.
CHAMPMESLIN, Conde de, 263.
CHAMUSCADO, Francisco Sánchez. (Ver: SÁNCHEZ CHAMUSCADO, Francisco.)
CHANDLER, R. E., 284, 363.
CHANG DÍAZ, Franklin, 165.
CHAPÍ, Ruperto, 141.
CHAPLIN, Charles, 146.
CHAPMAN, Charles E., 87.
CHASE, Gilbert, 77, 87, 353.
CHAUVIN DE LAFRENIÈRE, Nicolás, 348.
CHAVES, Fernando de, 464.
CHÁVEZ, Fray Angélico, 442.
CHÁVEZ, Carmela, 461.
CHÁVEZ, César, 66, 68.
CHÁVEZ, sr., Dennis, 435. (Ver: LOS CHÁVEZ, I. G.)

CHÁVEZ, Linda, 68.
CHEVALIER, Luis, 288, 289.
CHEW, Benjamín, 150.
CHICORA, Francisco, 55, 187. (Ver: CHICORA, I. G.)
CHILLIDA, Eduardo, 138, 167, 411.
CHIPACASI (Indio), 209.
CHOATE, Nathaniel, 189.
CHOUTEAU, Auguste, 371, 392.
CHOZAS, Padre, 197.
CHRETIEN, Hipólito, 359.
CHURCHILL, Wiston, 368.
CHURRUCA, Santiago, 408.

D

DA CAL, Ernesto G., 87, 136.
DA COSTA, Anthony, 209.
DALE, Chester, 169.
DALÍ, Salvador, 71, 138, 154, 169, 483.
DALY, Agustín, 140.
DALY, Marcus, 524.
DANA, Richard H., 553.
DANIEL, Coronel, 230.
D'ARCY, Manuel, 206.
DARE, Virginia, 182.
DART, H. P., 107.
D'ARMOND, François, 384.
DÁVALOS, Dr., 589.
DAVENPORT, William, 333.
DÁVILA, P. Francisco, 202, 206.
DAZA, Ignacio de, 229.
DEANE, Ed. 248.
DEANE, Silas, 43, 46, 93.
DEERE, John, 276.
DEERING, James, 239.
D'EGLISE, Jacques, 396.
DE GRASSE, François Joseph Paul, 49.
DEHAULT DE LASSUS, Carlos, 336, 341, 371, 375.
DEKLE, Leo, 322.
DE LA TORRE, Almirante, 263.
DELAROF, 598.
DE LEÓN, Juan Ponce. (Ver: PONCE DE LEÓN, Juan.)
DE LESSEPS, Morrison, 320, 360.
DELCOLS, Luis, 71.
DELFAU DE PONTALBA, Joseph Xavier Celestin, Barón de Pontalba, 355.
DELGADILLO, Yolanda, 612.
DELGADO, 335.
DELGADO, Felipe B., 449.
DELGADO, P. Diego, 203.
DELGADO, Simón, 449, 450.
DELIBES, Miguel, 123, 164, 174.
DE LOS ANGELES, Victoria, 142.
DE LUGO, Ron, 68.

DERUJINSKY, Gleb W., 189.
DE SMET, P. Pierre Jean, 376, 525.
DEVILLE DEGOUTIN BELLACHASE, Joseph, 308.
DE VOTO, Bernard, 37, 99, 495.
DEWEY, George, 602.
DÍAZ, P. Juan, 101, 471, 472.
DÍAZ, Melchor, 101, 471.
DÍAZ, Fray Pedro Rafael, 476.
DÍAZ, Fray Rafael, 481.
DÍAZ DE BADAJOZ, Alonso, 199.
DÍAZ DEL CASTILLO, Bernal, 121, 533.
DÍAZ DE MENDOZA, Fernando, 140.
DÍAZ Alonso, 200.
DÍAZ, GIMÉNEZ, Rosita, 142.
DÍAZ PLAJA, Guillermo, 128.
DICKINSON, Jonathan, 208, 224, 234.
DICKSON, Alexander, 330, 361.
DIDIER, P. J., 376.
DIEGO, Don (Indio), 201, 203.
DILLINGER, John, 279.
DISNEY, Elías, 71.
DISNEY, Walt, 71, 212.
DIXON, 607.
DOAK, Thomas, 564.
DO CAMPO, Andrés, 390, 391.
DODGE, Viuda de, 239.
DOLORES Y VIANA, Fray Mariano Francisco de los, 422.
DOMINGO, Don (Indio), 203, 204.
DOMINGO, Plácido, 130, 142.
DOMÍNGUEZ, P. Francisco Atanasio, 39, 471, 492, 496, 517, 518.
DOMÍNGUEZ, José Juan, 101, 107, 552.
DOMÍNGUEZ, Martín, 71, 128.
DOMÍNGUEZ DE MENDOZA, Damiana, 73.
DOMÍNGUEZ DE MENDOZA, P. Juan, 427, 445.
DOMINGUÍN, Luis Miguel, 547.
DONCEL, Ginés, 190.
DONELSON, John, 308.
DONIPHAN, Coronel, 108.
DORANTES, Andrés, 100, 413. (Ver: DORANTES, I. G.)
DORIN, Pierre, 401.
DOS PASSOS, John, 75, 161, 175.
DOUBLEHEAD (Indio), 326.
DOWLING, John C., 87, 284.
DOWNIE, Harry W., 564.
DOYAGA, Emilia, 61.
DOYLE, Henry Grattan, 86.
DRAKE, Francis, 192, 228, 533, 535, 603. (Ver: DRAKE, I. G.)
DREISER, Theodore, 284.
DRESSER, Paul, 284.
DRISDALE, 227.
DUANE, Frank, 417.
DUBUQUE, Julien, 106, 281, 283, 405. (VER: DUBUQUE: MINAS DE ESPAÑA. I. G.)
DUCE, Alberto, 226.
DUCHESNE, M. Phillipine, 376.
DUKE, Angier Biddle, 136, 332.

HECETA, Bruno de, 38, 39, 535, 579, 585, 589, 595, 596. (Ver: HECETA, I. G.)
HEINZ, H. J., 155.
HEINZE, Frederick Augustus, 524.
HEMALO (Indio), 192.
HEMINGWAY, Ernest, 75, 139, 140, 242.
HENESTROSA, Juan, 179.
HENDERSON, Richard, 296, 308.
HENDERSON, Robert, 391.
HENRIETTA, MARÍA DE INGLATERRA, 158.
HENRY, Patrick, 184, 280, 281, 333.
HEREDIA, José María, 128.
HERNÁNDEZ, Francisco, 171.
HERNÁNDEZ, Gabriel, 266.
HERNÁNDEZ COLÓN, Rafael, 68.
HERNÁNDEZ DE CÓRDOBA, Francisco, 244.
HERRERA, Cristóbal de, 460.
HERRERA, Fernando, 120.
HERRERA, José Inéz, 493.
HERRERA, León, 539.
HERRERA, Manuel, 215.
HERRERA, Sebastián, 464.
HERRERA Y TORDESILLAS, Antonio de, 93.
HERREROS, Antonio, 481.
HERREROS DE MORA, Angel, 87.
HERRON, John L., 495.
HESS, Everett., 549.
HESSE, Enmanuel, 373.
HESTON, Charlton, 267.
HETURNO (Indio), 288.
HEVIA, José de, 411.
HICKEY, William M., 136.
HIDALGO, P. Miguel, 418.
HIDALGO DE CAVIEDES, Hipólito, 483.
HILTON, Ronald, 567.
HILL, A. T., 396.
HILL, Robert C., 160.
HILLS, E. C., 87.
HINKEL, John H., 180.
HINOJOSA, Juan José, 429.
HINOJOSA, Ramón de, 429.
HITA, Arcipreste de, 98.
HITA y SALAZAR, Pablo de, 221, 230.
HITLER, Adolf, 360.
HOFFA, Jimmy, 169.
HOFFMAN, 248.
HOLLAND, Spessard L., 220, 227.
HOMERO, 147.
HOOD, John, 248.
HOOKER, General, 304.
HOOVER, Herbert, 167.
HORGAN, Paul, 38, 87, 125, 425.
HOUSTON, Sam, 303, 409.
HOWARD, Carlos, 374.
HOWELLS, W. D., 75, 140.
HUBBARD, David, 215, 216.
HUBBARD, Kin, 284.
HUERTAS, Jorge A., 419.
HUIZARD, Pedro de, 417.
HUMPHREYS, David, 124.

HUNTER, Kermit, 185.
HUNTINGTON, Anna V., 137, 189, 228, 542, 572.
HUNTINGTON, Archer M., 86, 136, 168, 178, 189.
HUNTINGTON, Collis P., 178.
HUNTINGTON, Henry B., 548.
HURTADO DE MENDOZA, García, 125. (Ver: MARQUESAS DE MENDOZA, I. G.)
HURLEY, Joseph, 222, 224, 228.
HUTCHINS, Anthony, 330, 333.
HYATT MAYOR, A., 137.
HYATT, Anna Vaughn. (Ver: HUNTINGTON, Anna V.).

I

IBÁÑEZ, Fray Florencio, 558.
IBARRA, Padre, 550.
IBARRA, Francisco de, 94.
IBARRA, Pedro de, 189, 200, 203, 204, 207, 224.
IBERVILLE, Sieur de (Pierre Le Moyne), 263, 319, 345.
IDE, William B., 577.
IGLESIAS, Julio, 71, 237.
IGNACIO (Indio), 497.
INNES, Harry, 303, 332.
INSFRAN, Max, 87, 412.
IÑÍGUEZ, Martín de, 604.
IRANZO, Alvaro, 514, 572.
IRIART, Hermanos, 513.
IRÍBAR, Eustaquio, 529.
IRWIN, Jared, 215, 216.
IRVING, Washington, 75, 129, 135, 250, 292.
ISABEL I DE ESPAÑA, 33, 34, 51, 75, 104, 118, 138, 164, 170, 228, 253, 278, 327, 357, 369, 429, 441, 576. (Ver: ISABEL; YSABELLA AND FERDINAND; SAN ISABEL; YSABELLA, I. G.)
ISABEL II DE ESPAÑA, 69, 70.
ISABEL I DE INGLATERRA, 178.
ITCAINA, 513.
ITURBE, Amparo, 549.
ITURBE, José, 71, 549.
ITURBE, Juan de, 534.
ITURBIDE, Agustín de, 433.
ITURRI, Antonio, 586.
IZUEZA, Benito, 529.

J

JACKSON, Andrew, 31, 105, 267, 303, 309, 346.
JACKSON, Helen Hunt, 542.
JACQUEZ, Juan Ignacio, 502.
JAZQUEZ, Venancio, 502.
JAMES, Jesse, 368.

JÁUDENES, José de, 152.
JAUME, Padre, 541.
JAUREGUEY, 513.
JAVO, Cecilio, 528.
JAY, John, 47, 134, 272, 273, 284, 289, 298.
JEFFERSON, Thomas, 81, 92, 102, 107, 150, 152, 165, 168, 178, 180, 181, 272, 301, 303, 321, 335, 340, 341, 399, 495.
JIMÉNEZ, Fray Diego, 423.
JIMÉNEZ, Juan Ramón, 118, 130, 135, 172, 174, 213, 241.
JIMÉNEZ NÚÑEZ, Alfredo, 65.
JIMÉNEZ Y VARGAS (Ballets), 142.
JIMENO, Fray, 476.
JOBERO, José, 554.
JOFRE DE LOAYSA, García, 604, 610, 611.
JOHNSON, Andrew, 303.
JOHNSON, Lady Bird, 420, 448.
JOHNSON, Lyndon B., 26, 65, 147, 220, 232, 246, 409, 609.
JOHNSON, Samuel, 309.
JOHNSON, William, 269.
JOLIET, Louis, 30, 277, 344, 404.
JONES, Cristopher, 117.
JORDA, Enrique, 573.
JORDÁN DE REINA, Juan, 262, 263.
JORGE II DE INGLATERRA, 195.
JORGENSEN, Chris, 574.
JORRIN, Miguel, 87.
JOSEPH (Indio), 528.
JOVA, John, 68.
JOVA, Joseph, 349.
JUAN, Don (Indio), 207.
JUAN CARLOS I DE ESPAÑA, 23, 24, 42, 44, 48, 166, 167, 196, 423, 429, 591, 609.
JUAN XXIII, Papa, 442, 612.
JUANES, Juan de, 410.
JUANILLO (Indio), 52, 197, 199, 201, 202, 203, 204, 206, 207, 208.
JUDAEIS, Cornelio de, 92.
JUCHERAU DE ST. DENIS, Jean, 73, 362, 415.
JUNCO, Juan de, 200.
JURADO, Rafael, 71.
JURADO, Rocío, 71, 237.

K

KAAHUMANU, Reina, 602.
KAIKIOEWA, 604.
KALAKAUA, David, 602.
KAMALAU, 604.
KAMEHAMAH I DE HAWAII, 602, 608.
KAMEHAMAH II DE HAWAII, 602.
KAMEHAMAH III DE HAWAII, 602.
KAWANANAKOA, Princesa, 609.
KEARNY, Stephen Watss, 90, 108, 434.
KEGLER, Lucía S., 154.
KELSEY, Albert, 170.

KELSEY, Harry, 492.
KELLER, John J., 87, 183.
KELLY, Grace, 154.
KEMPER, Reuben, 321, 336.
KEMPER, Samuel, 336.
KENDRICK, John, 590.
KENISTON, Haryward, 85.
KENNEDY, John F., 25, 65, 117, 118, 120, 123, 167, 174, 226, 410, 426, 562, 610.
KENNEDY, Robert, 174.
KENNY, Michael, 87.
KERLEREC, 345.
KEY, Francis Scott, 160.
KEYES, Parkinson Frances, 357.
KIEMEN, Mathias C., 173.
KILPATRICK, J. K., 185.
KINCKLEY, 204.
KINDELÁN, Sebastián, 216.
KING, James F., 576.
KING, Georgina Goddard, 87, 147, 153.
KINO, P. Eusebio Francisco, 38, 39, 51, 168, 468, 474, 475, 476, 477, 478, 479, 480, 483, 484, 485, 486, 536, 576.
KISSINGER, Henry, 23.
KOCH, Edward, 133.
KLEBERG, Familia, 429.
KNAPP, William Ireland, 125.
KNOUS, Robert, 493.
KNOWLTON, Edgar, 87, 603.
KNOX, Henry, 325, 335.
KOTZEBUE, Capitán, 608.
KOUSSEVITZKY, Serge, 119.
KRANS, Hans, 169.
KRAUS, Alfredo, 142, 573.
KRAUS, Michael, 27, 33.
KRESS, Samuel H., 169, 483.
KRONIK, John W., 87.
KRUSCHEV, Nikita, 290, 403.
KUKANOLOA, 604.

L

LA CIERVA, 170.
LA FARGUE, Oliver, 108.
LA FOLLETE, Robert M., 282.
LA LUZERNE, Chevalier de, 562, 590, 598, 607.
LA PAN, Earl, 248.
LA PÉROUSE, Conde de, 562, 590, 598, 607.
LA SALLE, Sieur de. (Véase CAVALIER, René Robert.)
LABRA, José M. de, 138.
LACAMBRA, Mirna, 451.
LACLÈDE, Pierre, 371, 392.
LACY, Conde de, 535, 595.
LACHIONDO, Juan E., 529.
LADO, Roberto, 87, 174.
LAFAYETTE, Marqués de, 44, 146.
LAFITTE, Juan, 346, 355, 411.

LAFORA, Nicolás, 422.
LAFORET, Carmen, 529.
LAGOS, Ramiro, 87, 284.
LAGOS, García, 518.
LAÍN, Joaquín, 495, 496, 517.
LALLEMAND, Charles, 148.
LAMAR, Mirabeau B., 409, 434.
LAMBERTO, Pedro, 206.
LAMY, Jean Baptiste, 434, 442, 449.
LANDA, Juan, 519.
LANDA, María, 519.
LANGNER, Lawrence, 139, 140.
LANNING, John Tate, 197, 208.
LANUESSE, Pablo, 356.
LANZOS, Manuel de, 321.
LARA, Juan, 175, 197.
LARIOS, P. Juan, 39, 427.
LAROCQUE TINKER, E., 136.
LARRAÑAGA, Dr., 448.
LARROCHA, Alicia de, 142.
LARSON, Lewis H.,
LASUEN, Fray Fermín, 537, 541, 544, 550,
    552, 554, 555, 558, 561, 563, 564, 565.
    (Ver: LASUÉN, I. G.)
LAUDONNIÈRE, René de, 217.
LAURENT, Hermano, 611.
LAW, John, 345.
LAXALT, Bob, 513.
LAXALT, Paul, 68.
LEA, Henry Charles, 156.
LEAL, P., 480.
LEAVITT, Sturgis E., 183.
LEAVY, J. F., 391.
LE BASS, 384.
LEE, Arthur, 46, 93, 151.
LEE, Charles, 45, 174, 178, 181, 348, 349, 353.
LEE, Luis, 502.
LEE, Robert E., 175, 178.
LEIVA, Fernando de. (Véase Leyba, Fernando,
    de.)
LEIVA, Juana, 73.
LEIVA, Lucía, 73.
LEIVA, María, 73.
LEIVA, Pedro de, 444.
LELAND, Henry, 286.
LE MIEUX, 384.
LEMOND, Jack, 548.
LE MOYNE, Pierre. (Véase IBERVILLE, Sieur de.)
LENDÍNEZ, Esteban, 87, 284.
L'ENFANT, Pierre, 94, 164.
LENO, Ignacio El, 383.
LEÓN, Alonso de, 39, 93, 414.
LEÓN, Martín de, 408.
LEÓN, Miguel Antonio, 504. (Ver: PLAZA de
    LOS LEONES, I. G.)
LEÓN, Tomás de, 188, 193.
LEONI, Pompeyo, 172.
L'EPINAY, 349.
LESCAUT, Manon, 349.
LESLIE, John, 267.

LETAMENDI, Agustín de, 188.
LETRADO, P. Francisco de, 454.
LEWIS, Charles Lee, 305.
LEWIS, R. Clifford S., 100, 180.
LEWIS, Meriwether, 396, 521, 525, 526, 527,
    528.
LEWIS, Sinclair, 402.
LEYBA, Fernando de, 281, 350, 371, 373, 374,
    404.
LEYBA, Teresa de, 74, 281, 373.
LEYVA DE BONILLA, Francisco, 387, 391.
LICHFIELD, Mr., 155.
LIEBERT, Herman W., 125.
LILIENTHAL, David, 306.
LILIUO-KALAMI, Reina, 602, 609.
LIMPACH, P. Bernardo de, 372, 373.
LINCOLN, Abraham, 11, 117, 139, 159, 165,
    166, 276, 283, 303, 399.
LINDBERG, Charles, 170, 367, 370, 402.
LINER, Charles, 322.
LINN, William, 45, 350, 383.
LINZ STORCH, Juan, 71, 136.
LISA, Manuel, 41, 374, 392, 396, 397, 401,
    523, 526. (Ver: FORT LISA, I. G.)
LISA, Ramón, 526. (Ver: FORT RAMÓN, I. G.)
LITCHFIELD, Edward H., 153, 226.
LIVINGSTON, Edward, 108.
LIVINGSTON, Robert R., 340, 341.
LOAYSA. (Véase JOFRE DE LOAYSA, García.)
LOBERO, José, 554.
LODGE, John David, 124, 226, 389.
LOEFFLER, Charles Martín, 77.
LOGAN, Benjamín, 296, 297, 298, 300, 335.
LOK, Michael, 588.
LONBIES, Charles, 356.
LONG, Huey Pierce, 360.
LONG, James, 424.
LONG, Stephen H., 397, 503.
LONGFELLOW, Henry W., 75, 81, 121.
LOO, Jacobo van, 172.
LOPE DE VEGA. (Véase VEGA CARPIO, Lope Fé-
    lix de.)
LÓPEZ, Aaron, 123.
LÓPEZ, P. Baltasar, 207.
LÓPEZ (Capitán), 238.
LÓPEZ, Fray Diego, 73.
LÓPEZ, P. Francisco, 459.
LÓPEZ, José Dolores, 507.
LÓPEZ, Fray Julián, 537, 561.
LÓPEZ, Justo, 216.
LÓPEZ, P. Nicolás, 427.
LÓPEZ, Vicente, 410.
LÓPEZ DE AVILÉS, Juan, 176.
LÓPEZ DE AYALA, Pedro, 277.
LÓPEZ BRAVO, Gregorio, 23.
LÓPEZ DE CÁRDENAS, García, 444, 454, 458,
    470, 471, 512, 513, 516. (Ver: CÁRDENAS, I.
    G.)
LÓPEZ FABRA, Francisco, 154.
LÓPEZ DE FAGES, Isabel, 550.

LÓPEZ DE GOMARA, Francisco, 143.
LÓPEZ DE HARO, Gonzalo, 590, 598.
LÓPEZ DE LEGAZPI, Miguel, 611.
LÓPEZ MATEOS, Adolfo, 426.
LÓPEZ DE MENDIZÁBAL, Bernardo, 443.
LÓPEZ DE MENDOZA GRAJALES, P. Francisco, 223, 224, 234, 254.
LÓPEZ MEZQUITA, José María, 137, 178.
LÓPEZ MORILLAS, Juan, 87, 126.
LÓPEZ ROBERTS, Mauricio, 172.
LÓPEZ DE SANTA ANA, Antonio, 409, 416.
LÓPEZ TIJERINA, Reyes, 68, 106.
LÓPEZ DE VILLALOBOS, Ruy, 605.
LÓPEZ DE ZAMABRANO DE GRIJALBA, Josefa, 442.
LORCA, ANA, 142.
LORD BALTIMORE (v. CALVERT, GEORGE.)
LORENGAR, Pilar, 142.
LORENTE DE No. Rafael, 71.
LORENZANA, Padre Francisco Antonio, 459.
LORENZO, Frank, 68.
LORIMIER, Louis, 335, 378.
LOSA, Ignacio de, 257.
LOUBIES, Charles, 356.
LOVEJOV, Amós L., 582.
LOVERA, Josefa, 215.
LOWELL, James Russell, 75 81, 85, 118, 121.
LUCA DE TENA, Torcuato, 33.
LUCAS, Oblato, 390.
LUCAS, Eugenio, 172.
LUCIANO, Lucky, 279.
LUENGO, Francisco, 383.
LUGAR, Richard C., 68.
LUGO, Antonio María, 107, 546.
LUGO, Fray Alonso, 459.
LUIS, Don (Indio), 55, 179.
LUIS, Juan, 68.
LUIS IX DE FRANCIA., San, 367.
LUIS XIV DE FRANCIA, 292, 319, 339, 345.
LUIS XV DE FRANCIA, 338, 371.
LUIS XVI DE FRANCIA, 272, 295, 301, 334, 375, 591.
LUISILLO (Indio), 55.
LUJÁN, Manuel, 68.
LUJÁN Y SILVA, Pedro, 172.
LUMMIS, Charles F., 27, 33, 36, 54, 100, 395, 455, 502, 548, 550, 577.
LUNA, Tristán de, 36, 58, 98, 99, 190, 254, 261, 262, 268, 313, 315, 319, 329.
LUXAN, Mathias, 498.

LL

LLANA, P. Jerónimo de la, 449, 457.
LLORÉNS, Vicente, 87, 147.
LLORENTE, P. Segundo, 593.
LLORENZ, P. Juan Bautista, 481.

M

MAC ARTHUR, Douglas, 129, 167, 381.
MAC CARTAN, Edward, 189.
MAC CARTHY, Kieran, 173.
MAC CURDY, Raymond R., 87, 359.
MAC LATCHEY, Charles, 259.
MAC LEISH, Archibald, 76.
MACHADO, Antonio. (Ver: MACHADO, I. G.)
MACHO, Victorio, 171.
MADARIAGA, María, 87, 129.
MADARIAGA, Salvador de, 87.
MADISON, James, 178, 216, 231, 322.
MADRE DE DIOS, Francisca de la, 454.
MAELLA, Eduardo, 410.
MAGALLANES, Fernando de, 124, 603, 610. (Ver: MAGALLANES; MAGELLAN, I. G.)
MAGDALENA (India), 55, 249, 250.
MAGEE, Augustus, 418, 424.
MAIDIQUE, Modesto, 68.
MAIMONIDES, 168, 238.
MAISON ROUGE, Marqués de la, 106.
MALAGÓN, Javier, 71, 173.
MALASPINA, Alejandro, 39, 535, 595, 599, 612. (Ver: MALASPINA, I. G.)
MALDONADO, Francisco, 255, 260, 315, 318, 319, 346, 599.
MALDONADO, Rodrigo, 458.
MALIBRAN, Francis, 134.
MALIBRÁN, La. (Véase GARCÍA, María Felicidad.)
MANJE, Juan Mateo, 475, 480, 485.
MANOLETE, 547, 572.
MANRIQUE, Jorge, 75, 121.
MANRIQUE, Miguel, 596.
MANSHIP, Paul, 189.
MANSO, Juan, 443.
MANSO Y ZÚÑIGA, Francisco, 72.
MANTILLA, Luis F., 87.
MAÑUECO, Gabriel, 192, 243, 549.
MAPES, E. K., 87.
MARAGALL, Pascual, 549.
MARAÑÓN, Gregorio, 171, 332.
MARCOS DE NIZA. (Véase NIZA, Fray Marcos de.)
MARCHAND, 324.
MARDEN, Charles Carroll, 85.
MARGALLO, Pedro, 92.
MARGARITA MARÍA, Infanta, 229.
MARGIL, P. Antonio, 362, 363, 415.
MARÍA ADELAIDA, Condesa, 233.
MARÍA Cristina, 21.
MARÍA, Doña (India), 224.
MARIANA DE AUSTRIA, 21, 229, 610, 611, 612. (Ver: MARIANAS, I. G.)
MARIANA, P. Juan de, 120.
MARÍAS, Julián, 119, 130.
MARICHAL, Juan, 87, 126.
MARÍN, Francisco de Paula, 608, 609.
MARINA, Juan, 613.

DUKE, James B., 183.
DULCHANCHELIN, (Indio), 253.
DUME, Heriberto, 141.
DUNBAR, William, 317, 333.
DUNEGANT, François, 376.
DUNLAP, William, 139, 140.
DUNN, J. C., 160.
DU PONT, Eleuthère Irenée, 157.
DU PONT, Henry Francis, 157.
DUPUY DE LOME, Enrique, 172.
DURÁN, Manuel, 87, 125.
DURÁN, P. Narciso, 566.
DURÁN Y CHÁVEZ, Fernando, 447, 448.
DURÁN, W. C., 286.
DURNFORD, Elías, 320.
DURRET, 280.
DVORAK, Anton, 404.

E

EATON, Cyrus, 290.
ECA Y MUZQUIZ, José Joaquín de, 422.
ECUERACAPA (Indio), 501.
ECHEGARAY, José de, 140.
ECHEVARRÍA, Adolfo, 134.
ECHEVARRÍA, Julio, 529.
ECHEVARRÍA, Peter, 61, 513.
EDELFSEN, John, 488.
EDGEMON, William S., 239.
EDGERTON, Sidney, 526.
EDISON, Thomas A., 146, 245.
EDUARDO VIII DE INGLATERRA, 160.
EGAN, William, 599.
EIGUREN, José, 529.
EINSTEIN, Albert, 147.
EISENHOWER, Dwight, 24, 129, 155, 180, 268,
    279, 291, 381, 389, 409, 594, 602.
EIZAGUIRRE, Julia, 488.
EIZAGUIRRE, Zenón, 529.
ELCANO, Juan Sebastián, 124, 603, 611.
ELGEE, 80.
EL GRECO. (Véase THEOTOCOPULI. Doménico.)
ELIA, Pete, 513.
ELIZA, Francisco de, 592, 595, 599.
ELIZACOECHEA, Martín de, 455.
ELIZONDO, 61.
EL TURCO (Indio), 389, 395.
ELVAS, Hidalgo de, 29, 194, 196, 253.
ELLICOT, Andrew, 317, 332, 333.
ELLIS, Florence Hawley, 462.
ELLIS, John Tracy, 29, 49.
EMERSON, Ralph Waldo, 139.
ENRIQUE Y TARANCÓN, Cardenal, 29.
ENRÍQUEZ, Fadrique, 239.
ERAUSQUIN, Germán, 292.
ESCALANTE, Juan Bautista de, 480.
ESCALANTE, Fray Silvestre de. (Véase VÉLEZ DE
    ESCALANTE, Fray Silvestre.)

ESCALONA, Fray Luis, 390.
ESCANDÓN, José de, 39, 428, 448.
ESCOBAL, Pedro R., 71.
ESCOBAR, Alfredo, 167.
ESCOBEDO, Fray Alonso Gregorio, 30, 224.
ESCUDERO, Alberto, 186, 193.
ESLAVA, Miguel, 321. (Ver: ESLAVA, I. G.)
ESPEJO, Antonio, 30, 36, 94, 438, 444, 454,
    455, 465, 486, 498. (Ver: ESPEJO, I. G.)
ESPELETA, Fray José de, 473.
ESPINOSA, P. Alonso, 415, 480.
ESPINOSA, Antonio, 534.
ESPINOSA, Aurelio, 567.
ESPINOSA, Aurelio M., 87, 89, 439, 498, 570.
ESPINOSA, Guillermo, 171.
ESPINOSA, Vicente, 374.
ESPLAÑA, Damián, 613.
ESQUIVEL Y ALDAMA, Diego Félix de, 493.
ESTANISLAO (Indio), 55, 566.
ESTEBAN (Moro), 56, 452, 453, 474.
ESTEBAN, Julio, 161.
ESTEBANICO. (Véase ESTEBAN [Moro].)
ESTEVE, Familia, 410.
ESTRADA, Adolfo, 71.
ESTRADA, Fray Pedro, 187.
ETCHART, 513.
EULATE, Juan de, 443.
EVANS, John, 374, 401, 405, 526.
EVERY, Dale van, 43.
EZPELETA, 265.

F

FADNER, R. Frederik L., 180.
FAGES, Pedro, 62, 472, 539, 552, 556, 558,
    559, 560, 561, 562.
FAIRBANKS, Charles, 254.
FAIRBANKS, Douglas jr., 230.
FAJARDO, Pedro, 137.
FALLA, Manuel de, 451.
FARBEN, I. G., 157.
FARFÁN DE LOS GODOS, Marcos, 76, 463.
FARRAGUT, Jorge. (Véase Ferragut, Jorge.)
FARRAGUT, David Glasgow, 69, 160, 303, 305,
    322, 346. (Ver: FARRAGUT, I. G.)
FATTY, 146.
FAUBUS, Orval E., 381.
FAUCHET, Joseph, 301, 335.
FAULK, Odie B., 483.
FAULKNER, William, 327.
FAURIE, José, 356.
FEITO, Luis, 411.
FELICITAS, Pedro, 369.
FELIPE II DE ESPAÑA, 122, 171, 179, 190, 217,
    223, 224, 226, 261, 268, 313, 319, 417, 447,
    584, 604. (Ver: FILIPINA; FILIPINAS; FILIPINA
    DEL PUERTO DE SANTA MARÍA; NUEVAS FILI-
    PINAS; SAN FELIPE, I. G.)

FELIPE III DE ESPAÑA, 53, 197, 224, 606, 611.
FELIPE IV DE ESPAÑA, 72, 610, 611.
FELIPE V DE ESPAÑA, 205, 499.
FELIPE DE MOUNTBATEN, 178.
FELIU, Melchor, 231.
FENYKOVI, J. J., 170.
FERIA, Fray Pedro de, 262, 315.
FERIADA (Soldado), 58.
FERNÁN CABALLERO (Cecilia Böhl de Faber), 252.
FERNÁNDEZ, Bartolomé y Eugenio, 429.
FERNÁNDEZ, Felipe, 87.
FERNÁNDEZ, Albert 71.
FERNÁNDEZ ALVAREZ, Luis, 70, 608.
FERNÁNDEZ, Cid, 549.
FERNÁNDEZ DE CÓRDOBA, Gonzalo, 420.
FERNÁNDEZ DE CHOZAS, P. Pedro, 207.
FERNÁNDEZ ECIJA, Francisco, 176, 202.
FERNÁNDEZ DE OVIEDO, Gonzalo, 143.
FERNÁNDEZ DE QUIRÓS, Pedro, 606.
FERNÁNDEZ SHAW, Carlos, 128.
FERNÁNDEZ SHAW, Casto, 546.
FERNÁNDEZ SHAW, Félix, 171.
FERNÁNDEZ SHAW, Guillermo, 141.
FERNANDO II EL CATÓLICO, 33, 219, 327.
FERNANDO V DE ESPAÑA, 416. (Ver: ISABELLA AND FERNANDO, I. G.)
FERNANDO VI DE ESPAÑA, 59, 416. (Ver: SAN FERNANDO DE BÉJAR, I. G.)
FERNANDO VII DE ESPAÑA, 20, 215, 222, 266, 448, 581. (Ver: FERDINAND VII; FERNANDINA BEACH; SAN FERNANDO DE LAS BARRANCAS, I. G.)
FERRAGUT, Jorge, 59, 159, 160, 188, 209, 305, 327, 345. (Ver: FARRAGUT, Jorge.)
FERRÁN, Jaime, 87, 128.
FERRATER MORA, José, 71, 153.
FERRÉ, Mauricio, 68.
FERRÉ, Máximo, 141.
FERRELO, Bartolomé, 37, 41, 522, 534, 538, 554, 578, 579, 583, 588. (Ver: FERRELO, I. G.)
FERRER DE MALDONADO, Lorenzo, 599.
FERRIS, Stephen, 154.
FIDALGO, Salvador, 595, 599. (Ver: FIDALGO, I. G.)
FIELDING, Henry, 153.
FIGUEREDO, P. Roque de, 454.
FIGUEROA, P. José, 473.
FILHIOL, Juan Bautista, 365.
FISHER, Carl, 213.
FISHER, Mel, 242.
FISSAC, Miguel, 411.
FITZ-GERALD, John D., 87.
FLAGG BEMIS, Samuel, 43, 274.
FLAGLER, Henry M., 213, 223, 241.
FLANDES,Juan de, 169.
FLINT, Timothy, 364, 379, 383.
FLORENCIA, Juan de, 257.
FLORES, Antonio, 538.

FLORES, Lola, 237.
FLORES, Manuel Antonio, 534, 590. (Ver: FLORES, I. G.)
FLÓREZ, Luis de, 70.
FLORIDABLANCA, Conde de, 43, 44, 46, 134, 146, 150, 174, 273, 274, 585, 591. (Ver: FLORIDABLANCA, I. G.)
FLORIT, Eugenio, 87, 136.
FLOYD, John, 296.
FLYS, Michael, 37.
FOLCH, Vicente, 259, 308, 321.
FONT, P. Pedro, 512, 513, 558. (Ver: FONT'S Point, I. G.)
FONTANA, Bernard, 483.
FONTCUBERTA, P. Miguel, 414.
FORD, GERALD, 24, 27, 42, 48.
FORD, J. D. M., 121.
FORD I, Henry, 287.
FORD II, Henry, 227, 287.
FORMAN, David, 378.
FORTIER, Alcée, 349.
FORSTER, Anthony, 330.
FORTUNY, Mariano, 79, 137, 154.
FOUCHER, Pedro, 378.
FOX, E. Inman, 87, 306.
FOXÁ, Agustín de, 241.
FRAGA IRIBARNE, Manuel, 165, 366, 420.
FRAILE, Medardo, 353.
FRANCÉS, Alberto, 71, 173.
FRANCISCO (Indio), 541.
FRANCISCO XAVIER, San. (Ver: XAVIER; SAN FRANCISCO, XAVIER, I. G.)
FRANCK, Jayme, 263.
FRANCO, Francisco, 22, 134, 386.
FRANCO, Ramón, 170.
FRANK, Waldo, 76, 135.
FRANKLIN, Benjamín, 43, 46, 81, 92, 93, 117, 118, 151, 153, 272.
FRASER, Laura G., 189.
FRAZER, Walter P., 221.
FREMONT, John C., 512, 521, 575.
FRENAU, Philip, 92.
FRESNEDO, Ramón, 171.
FUCA, Juan de, 588. (Ver: JUAN DE FUCA; SAN DE FUCA, I. G.)
FUENTES, Carlos, 120.
FUENTES, Francisco, 201, 204, 258.
FUENTES, Hermano, 249, 250.
FUENTES, Pedro, 604.
FULBRIGHT, William, 83, 84, 141, 384.
FULLER, Stephen, 410.
FUREY, Francis J., 539.
FUSTER, Jaime B., 68.

G

GABINO, Amadeo, 138.
GABRIEL, Charles A., 68.
GADES, Antonio, 142.

GAETANO, Juan, 605.
GALA, Antonio, 141.
GALÁN, José, 424.
GALBIS, Ricardo, 369.
GÁLVEZ, Bernardo de, 40, 42, 48, 59, 61, 104, 146, 166, 184, 261, 264, 265, 266, 271, 281, 285, 289, 316, 320, 329, 330, 349, 350, 351, 353, 356, 358, 359, 360, 361, 362, 373, 377, 411, 536. (Ver: GALVESTON, GÁLVEZ, GALVEZTOWN, SANTA MARÍA DE GÁLVEZ, I. G.)
GÁLVEZ, Genoveva, 142.
GÁLVEZ, José de, 265, 289, 349.
GÁLVEZ, Matías de, 349.
GALLEGO, Fernando, 483.
GALLEGO, Hernán, 605.
GALLEGO, Juan, 393.
GALLEGOS, Darío, 502.
GALLEGOS, Diego, 502.
GALLEGOS, Hernando, 459. (Ver: GALLEGOS, I. G.)
GALLEGOS, Julián, 502.
GALLEGOS, R. P., 449.
GAMARRA, P. Félix, 480.
GÁNDARA, Manuel de la, 476, 477.
GANZÁBAL, Fray José, 422.
GAONA, Hermanos, 481.
GARAY, 513.
GARAY, Francisco de, 37, 317. (Ver: GARAY; TIERRAS DE GARAY, I. G.)
GARAYCOECHEA, Fray, 473.
GARBO, Greta, 71.
GARCÉS, Fray Francisco Hermenegildo, 39, 101, 471, 472, 474, 479, 480, 481, 484, 512, 513, 518. (Ver: GARCÉS; EL VADO DE LOS PADRES, I. G.)
GARCÍA, Alonso, 444.
GARCÍA, Fray Juan, 249.
GARCÍA, María Felicidad (La Malibrán), 134.
GARCÍA, Manuel (Músico), 141.
GARCÍA, Manuel, 429.
GARCÍA, Mariano, 129.
GARCÍA, Robert, 68.
GARCÍA ASENSIO, Enrique, 166.
GARCÍA DE CASTRO, Lope, 605.
GARCÍA DE COS, Capitán, 250.
GARCÍA DE DIEGO, Francisco, 552.
GARCÍA DE LA VERA, Alonso, 228.
GARCÍA LORCA, Federico, 130, 132, 135, 141, 143, 237. (Ver: LORCA, I. G.)
GARCÍA LORCA, Francisco, 87, 136.
GARCÍA MAZAS, José, 87, 136.
GARCÍA DE SÁEZ, Miguel, 138, 371.
GARCÍA DE SOLÍS, Fulgencio, 258.
GARCÍA TASSARA, Gabriel, 172.
GARDNER, Isabella Stewart, 118, 119.
GARDFIELD, James A., 290.
GARDOQUI, Diego de, 42, 46, 105, 134, 151, 152, 174, 184, 280, 298, 299, 300, 309, 334, 378.

GARRIGUES, Antonio, 220, 223, 599.
GARRIGUES, Emilio, 153.
GARST, Roswell, 403.
GARZA, Eligio de la, 425.
GARZA, José Salvador de la, 429.
GARZA, Juan José de la, 429.
GARZA, Kika de la, 68, 429.
GARZA FALCÓN, Blas María de la, 428.
GARZA FALCÓN, María Gertrudis, 429.
GASPAR, Fray, 611.
GASPAR (Indio), 225.
GASPAR, José, 67, 242, 252. (Ver: GASPARILLA, I. G.)
GATES, Horatio, 46, 297.
GAUDÍ, Antonio, 78.
GAVIN, John, 68.
GAYARRE, Charles Etienne, 348.
GAYOSO DE LEMOS, Manuel, 184, 307, 330, 331, 332, 333, 352, 355.
GEIGER, Fray Mainard, 553.
GENET, Edmond, 301, 334, 335.
GENGIS, Kahn, 99.
GENOVESE, Vito, 279.
GEORGE, Robert, 330, 350.
GERÓNIMO (Indio), 261.
GETTENS, Rutherford J., 478.
GIANNINI, Amadeo P., 571.
GIBAULT, P. Pierre, 281, 372.
GIBSON, C. P., 348.
GIBSON, George, 45.
GIL Fray Luis, 571.
GIL Y BARBO, Antonio, 415.
GIL BERNABÉ, Fray Juan Crisóstomo, 476.
GIL CASARES, Antonio, 171.
GILCREASE, Thomas, 386.
GIL MUNILLA, Octavio, 387.
GINER SOROLLA, Alfredo, 71.
GIRALDO DE TERREROS, Fray Alonso, 422.
GLASS, Henry, 613.
GLENN, John, Jr., 170, 233.
GODOY, Manuel, 332, 565.
GOETHE, Johann Wolfgang, 495.
GOITIANDÍA, Benito, 514.
GOIZUETA, Roberto, 68, 195.
GOLDWATER, Barry, 161.
GOMARA. (Ver: LÓPEZ DE GOMARA, Francisco.)
GÓMEZ, ESTEBAN, 36, 40, 116, 118, 123, 124, 133, 143, 147, 162. (Ver: GÓMEZ: TIERRAS DE GÓMEZ, I. G.)
GÓMEZ, Francisco, 190.
GÓMEZ, P. Gabriel, 179.
GÓMEZ, Juan, 242.
GÓMEZ, Luis, 115.
GÓMEZ, Arias, 318.
GÓMEZ CANEDO, Fray Lino, 173.
GÓMEZ DE CORDOBÁN, Toribio, 538.
GÓMEZ GIL, Alfredo, 71.
GÓMEZ MORENO, Carmen, 137.
GÓNGORA Y ARGOTE, Luis de, 172.

GONZ MART, 232.
GONZÁLEZ, Francisco Elías, 48.
GONZÁLEZ, Henry B., 68, 419.
GONZÁLEZ, Jaime, 261.
GONZÁLEZ, José, 433.
GONZÁLEZ, Rafael, 551.
GONZÁLEZ, René, 252.
GONZÁLEZ, Tomás, 222.
GONZÁLEZ, Teniente, 363.
GONZÁLEZ, Vicente, 175, 176, 179, 202.
GONZÁLEZ LÓPEZ, Emilio, 87, 136.
GONZÁLEZ MUELA, Joaquín, 87, 153.
GONZÁLEZ VALCÁRCEL, José Ml., 227.
GONZALVO, P. Francisco, 480.
GOÑI, Angel, 71.
GOODWYN, Frank, 174.
GOODYEAR, Miles, 206, 518.
GORDILLO, Francisco, 36, 52, 187, 190.
GORCOLL, P. Juan, 480.
GOTTSCHALK, Louis Moreau, 77.
GOURGES, Dominique de, 225.
GOYA, Francisco de, 137, 138, 169, 170,
  245, 252, 277, 285, 290, 292, 410, 411, 420.
  (Ver: GOYA, I. G.)
GRACIÁN, Baltasar, 135.
GRAN CAPITÁN, El. (Ver:FERNÁNDEZ DE CÓR-
  DOBA, Gonzalo.)
GRANADOS, Enrique, 122, 142.
GRAND PRÉ, Carlos de, 331, 336, 361.
GRAND PRÉ, Luis de, 336.
GRANDE COVIÁN, Francisco, 71.
GRANILLO, Salvador, 445.
GRANJON, Henry, 481.
GRANT, Ulises S., 121, 154, 169, 178, 290,
  304.
GRASSHOFFER, Fray Juan Bautista, 476.
GRATIOT, Charles, 281.
GRAY, Robert, 268, 590.
GRECO, El. (Ver: THEOTOCOPULI, Doménico.)
GRECO, José, 142, 548.
GREEN, Otis, 153.
GREEN, Paul, 182, 227.
GREEN, Thomas, 298.
GREER, James, 423.
GRIFFIN, John W., 257.
GRIJALBA, Juan Pablo, 75, 107, 541, 543, 560,
  568.
GRIJALVA, Juan de, 411.
GRIJALVA, P., 605, 611.
GRIMALDI, Marqués de, 43, 46, 151, 536, 595.
GRIMAREST, Enrique, 327.
GRIS, Juan, 138, 154, 169, 170, 277, 370.
GRISOLIA, Santiago, 71.
GROESBECK, Dan Savre, 554.
GROSS, Stuart, M., 86.
GUASTAVINO, sr., Rafael, 79, 118, 139.
GUASTAVINO, jr., Rafael, 79, 139, 140.
GUAZO, Gregorio, 263.
GUERRA, Henry, 419.
GUERRA, Manuela de la, 563.

GUERRA NORIEGA, José de la, 553. (Ver: DE LA
  GUERRA, I. G.)
GUERRERO, Lalo, 88.
GUERERO, Manuel L. F., 609, 610.
GUERRERO, María, 140.
GUIGNOLETTE, Peter, 384.
GUILLEMAN, Gilberto, 354.
GUILLÉN, Jorge, 87, 126.
GUIMERÁ, Angel, 140.
GUIRAO, José, 71.
GULLÓN, Ricardo, 87, 412.
GUTENBERG, Johannes Gensfleisch, 168.
GUTHRIE jr., A. B., 488.
GUTIÉRREZ, P. Andrés, 473.
GUTIÉRREZ, Diego, 36, 116, 118, 123, 182.
GUTIÉRREZ CANO, Joaquín, 292.
GUTIÉRREZ DE HUMAÑA, Antonio, 387, 391.
GUTIÉRREZ DE LARA, P. José, 418.
GUTIÉRREZ DE LARA, José Bernardo, 424, 433.
GUTIÉRREZ MATA, Antonio, 320.
GUTIÉRREZ DE VERA, P. Francisco, 208.
GUTMAN, Alberto, 238.

H

HABIG, Marion A., 421.
HAENKE, Thaddeus, 612.
HAFEN, Dr., 503.
HALL, A. Sterling, 247.
HALL, Irving, 248.
HALL, Willard P., 108.
HAMEN, Juan van der, 169.
HAMILTON, Alexander, 103.
HAMILTON, George P., 285, 350.
HAMMOND, George P., 576.
HANKE, Lewis, 135.
HANNA, James, 590.
HARASZTHY, Agorton, 282, 575.
HARDIN, Walter, 248.
HARDING, Warren G., 290.
HARMAR, Josiah, 297, 324.
HARO, Francisco de, 570.
HARPE, Bandido, 380.
HARRIS, Ethel Wilson, 417.
HARRISON, William H., 178, 278, 283, 290,
  602.
HART, Will, 525.
HART, James A., 277.
HARTE, Bret., 75.
HARVEY, William, 606.
HATZFELD, Helmut A., 173.
HAWKINS, John, 217.
HAWLEY, Gral., 154.
HAY, John, 284.
HAYES, Rutherford B., 290.
HEARST, William Randolph, 21, 239, 279,
  556.
HEATON, Harry C., 87.

MARION-DUFRESNE. Nicolás T., 613.
MARK TWAIN. (Ver: CLEMENS. Samuel.)
MARQUETTE. Padre Jacques, 30, 277, 344, 404.
MÁRQUEZ DE CABRERA. Juan, 230, 258.
MARSHALL. James, 577.
MARTEL. 419.
MARTÍ. Marcel, 237.
MARTÍN ARTAJO. Alberto, 22.
MARTÍN PALACIOS. Jerónimo, 538.
MARTÍNEZ. P. Antonio, 434, 464.
MARTÍNEZ. Antonio José, 502.
MARTÍNEZ. Bob, 68.
MARTÍNEZ. Ceferino, 55, 463.
MARTÍNEZ. Enrico, 559.
MARTÍNEZ. Esteban José, 39, 535, 588, 590, 591, 595, 598, 599, 607. (Ver: ESTEBAN POINT. I. G.)
MARTÍNEZ. Félix, 455.
MARTÍNEZ. Francisco, 263.
MARTÍNEZ. José Gregorio, 502.
MARTÍNEZ. Liberato, 505.
MARTÍNEZ. P. Luis, 556.
MARTÍNEZ. P. Pedro, 52, 206.
MARTÍNEZ DE AVENDAÑO. Domingo, 228.
MARTÍNEZ BODEGA. 535.
MARTÍNEZ DE CABRERA. Rosa, 87, 129.
MARTÍNEZ IBOR. Eduardo, 196, 251. (Ver: YBOR CITY. I. G.)
MARTÍNEZ IBOR. Vicente, 61.
MARTÍNEZ DE IRUJO. Carlos, 152.
MARTÍNEZ LÓPEZ. Ramón, 412.
MARTÍNEZ. Matthew, 68.
MARTÍNEZ. PIEDRA. Alberto, 68.
MARTÍNEZ SIERRA. Gregorio, 140.
MARTÍNEZ Y TORRÉNS. Francisco, 141.
MÁRTIR. Pedro, 120.
MARTORELL. Padre, 503.
MARTORELL. 277.
MARTY, 141.
MASON, Samuel, 378.
MASSANET. P. Damián, 30, 94, 414.
MASSARA, 79.
MASSEY, William C., 422.
MATAMOROS, Juan Pedro, 263.
MATEO, Don (Indio), 203.
MATEOS, Antonio, 209.
MATHEWS, George, 216, 231.
MATHER, Cotton, 120.
MAUROIS, André, 42, 453, 534, 583.
MAXWELL, P. James, 372.
MAYO, Will y Charles, 70, 402.
MAYO, Worrall, 70.
MAYORGA, Martín de, 598.
MAZA ARREDONDO, Fernando, 222.
MCALLISTER, Walter, 421.
MCCARRAN, Pat, 61, 488.
MCCARTHY, Joseph R., 282.
MCCORMIK, Robert R., 279.
MCDONALD, Harl, 77.

MCGILLIVRAY. Alexander, 267, 274, 308, 309, 324, 325, 326, 334.
MCGREGOR. Gregor, 215.
MCINTOSH. Alexandre, 330.
MCINTOSH. John H., 216.
MCKAY.David O., 526.
MCKAY. James, 374.
MCKEE. John, 216.
MCKEEN. Sara, 152.
MCKINLEY. William, 290, 602.
MCKINNEY. James, 284.
MCKNIGHT. Joseph W., 111.
MCNALLY. 323.
MCPHEETERS. D. W., 87, 353.
MEARES. John, 590, 591, 607.
MEDINA. Faustino, 502.
MEDINA. P. Luis, 612.
MEDINA. Matilde, 268.
MEIER. Joseph, 400.
MELÉNDEZ, Gerardo, 183.
MELÉNDEZ, Doña María (India), 207.
MELÉNDEZ, Sebastián, 538.
MELGARES. Facundo, 431, 433, 503.
MELLER. Raquel, 142.
MELLON. Andrew W., 169.
MENA. Fray Carlos de, 426.
MENDAÑA, Alvaro de, 605, 606. (Ver: MENDAÑA. I. G.)
MENDELOFF. Henry, 174.
MÉNDEZ. Fray Hernando, 425.
MÉNDEZ CANZO. Gonzalo, 176, 228.
MÈNDEZ SEIXAS. 62.
MENDIBURU. 61.
MENDINUETA, Pedro Fermín de, 501.
MENDOZA, Antonio de, 249, 347, 452, 534, 579, 583. (Ver: MENDOCINO, I. G.)
MENDOZA, Diego de, 444.
MENDOZA, P. Manuel de, 258.
MENÉNDEZ, Luisa, 193.
MENÉNDEZ "El Bizco", Pedro, 192.
MENÉNDEZ DE AVILÉS, Pedro, 17, 28, 36, 39, 51, 58, 98, 172, 175, 176, 180, 191, 193, 199, 206, 208, 217, 218, 222, 223, 225, 226, 227, 235, 241, 243, 250, 254, 312.
MENÉNDEZ MARQUÉS, Juan, 175, 188, 223, 228, 234.
MENÉNDEZ MARQUÉS, Pedro, 36, 188, 192, 201, 228, 250.
MENGS. Antonio Rafael, 172.
MERCADO, Fray José, 574.
MERIEULT. 356.
MERINO. Félix, 87.
MERRICK, George, 240, 241.
MERRIMAN, Roger B., 122.
MERRY, Anthony, 590, 591.
MERRY DEL VAL, Alfonso, 185, 386.
MERTON, Thomas, 295.
MESTA, Perla S., 386.
MESTAS, 518.
MESTAS, Félix B., 504.

MESTROVIC, Iván, 224.
MEZIÈRES, Athanase, 363, 501.
MICHAUX, André, 301, 334.
MICHEL, Joseph, 412.
MICHELTORENA, 555.
MICHENER, James A., 76.
MIDDELSTRIKER (Indio), 326.
MIDDENDORF, Padre, 484.
MIERA, P. Bernardo, 496, 517.
MIGUEL, Eduardo, 45.
MIGUEL, Francisco, 180.
MILLARES, Agustín, 411.
MILLES, Carl, 370, 402.
MINA, Francisco Javier, 148, 149, 411.
MINOR, Stephen, 333.
MIRALLES, Juan, 146, 151, 188, 281.
MIRANDA, P. Angel de, 257.
MIRANDA, Hernando de, 192.
MIRANDA, Francisco de, 215, 266.
MIRÓ, Esteban. (Véase RODRÍGUEZ MIRÓ, Esteban.)
MIRÓ, Juan, 138, 154, 169, 170, 277, 352, 410, 411, 483.
MISQUIA, Lázaro, 498.
MITCHELL, David, 216.
MITCHELL, Howard, 166.
MITCHELL, John, 141.
MITCHELL, Margaret, 195.
MIZNER, Addison, 78, 205, 235.
MOHOLY, P. Noel F., 562.
MOISÉS, 34.
MOLERA, Eusebio, 572.
MOLINA, José, 142.
MOLINA, José M., 173.
MOLLENO, 493.
MÓNACO, Princesa de. (Véase KELLY, Grace.)
MONEO, Rafael, 122.
MONJO, Enrique, 139, 173, 219, 237, 559.
MONROE, James, 178, 216, 217, 314, 418.
MONTAÑA, César, 171.
MONTCALM, Marqués de, 128, 338.
MONTEMAYOR, Luis, 135, 292.
MONTERO, Sebastián, 186.
MONTERO, Ríos, Eugenio, 22.
MONTERREY, Virrey Conde de, 553, 584. (Ver: MONTEREY; MONTERREY, I. G.)
MONTES, P. Blas de, 218, 222.
MONTES, Lola, 577.
MONTES DE OCA, José, 459.
MONTESINOS, Antonio, 187.
MONTESINOS, José F., 87, 576.
MONTEZUMA, Conde de, 262.
MONTGOMERY, John, 48, 280, 301, 335, 350, 378, 404.
MONTIANO, Manuel de, 205, 230.
MONTOJO, Patricio, 159.
MONTOYA, Carlos, 71, 142.
MONTOYA, Joseph M., 68.
MONTOYA, Pablo, 434, 436.
MOODY, George, 125.

MOORE, P., 129.
MOORE, George S., 136.
MOORE, James, 209, 230, 257.
MOOSER, William, 554.
MORA, Francis, 546.
MORA, Jacinto, 364.
MORA, José, 564, 574.
MORA, José Antonio, 171, 227.
MORA Pedro, 495.
MORA DE CEBALLOS, Francisco, 454.
MORAGA, Joaquín, 543, 560, 565, 566, 568, 569, 570, 572. (Ver: MORAGA; EL MORAGA, I. G.)
MORALES, Francisco, 215.
MORALES, P. Luis, 461.
MORALES, Luis de, 137.
MORALES, Fernando, 22, 24, 471.
MORALES QUERO, 173.
MORÁN, Fernando, 22, 24, 471.
MORENO, Antonio, 71, 461, 546.
MORENO, P. Antonio, 461.
MORENO, Francisco, 261.
MORENO, Miguel, 192.
MORENO Y ARZE, P. Francisco A., 355.
MORENO TORROBA, Federico, 141.
MORFI, Juan Agustín, 417.
MORGA, P. Antonio de, 611.
MORGAN, J. P., 155, 206.
MORGAN, Jorge, 105, 107, 301, 333, 378.
MORISON, Samuel Eliot, 122.
MORLETE, Juan, 465.
MORLEY, S. Griswald, 86.
MORRIS, Robert, 43, 350.
MORTON, Jelly Roll, 344.
MORTON, Levi P., 278.
MOSCOSO, Francisco, 613.
MOSCOSO, Luis de, 35, 315, 347, 411, 413.
MOSS, Ambler W., 240.
MOSS, E. Raymond, 239.
MOTHE CADILLAC, Antoine de la, 286, 345.
MOTLEY, John Lothrop, 122.
MOTRICO, Conde de. (Véase AREILZA, José María.)
MOURELLE, Francisco A., 535, 579, 589, 596, 597.
MOURY, 154.
MOZART, Wolfgang Amadeus, 141.
MUNCH, Charles, 119.
MUNDY, 599.
MUNICO, Juan, 396.
MUNRAS, Esteban, 563.
MUÑOZ, Juan, 250.
MURAT, Charles Louis Napoléon, 360.
MURGUÍA, P. José, 565.
MURILLO, Bartolomé Esteban, 137, 169, 173, 183, 245, 277, 285, 370, 386, 410, 411, 420, 493, 550, 572.
MURPHY, Ed, 364.
MURRIETA, Joaquín, 577. (Ver: MURRIETA, I. G.)

MURUAGA, Emilio, 365.
MUSSOLINI, Benito, 571.

N

NAIRNE, Thomas, 193.
NAGUIQUEN (Indio), 288.
NAPOLEÓN I DE FRANCIA, 21, 148, 296, 317, 322, 336, 338, 340, 448, 546, 602.
NARVÁEZ, Pánfilo de, 35, 58, 74, 98, 99, 215, 246, 249, 253, 255, 256, 260, 318, 324, 328, 346, 412, 452. (Ver: DE NAVAREZ. I. G.)
NASH, Francis, 308.
NATION, Carry, 389.
NAVARRO, Diego José, 105, 188.
NAVARRO, José, 488.
NAVARRO TOMÁS, Tomás, 87, 136.
NEE, Luis, 612.
NEMES, Graciela, 174.
NERUDA, Pablo, 577.
NESS, C. P. van, 21.
NEUERBURG, Norman, 79.
NEUFCHATEAU, P. Valentine, 372.
NEVE, Felipe de, 541, 545, 546, 551, 552, 560, 561, 566. (Ver: DE NEVE, I. G.)
NEVE, P. José de, 480.
NEVINS, Allan, 27.
NEWPORT, Cristopher, 177.
NEWTON, Earle W., 227.
NICOLET, Jean, 282.
NIETO, Alvaro, 313.
NIMITZ, Chester, 409.
NIXON, Richard, 23, 24, 27, 34, 67.
NIZA, Fray Marcos de, 41, 53, 94, 452, 453, 472, 474, 583. (Ver: FRAY MARCOS NIZA ROCK, I. G.)
NOGUEIRA, P. Matías, 595.
NORTHUP, George Tyler, 87.
NOVARRO, Ramón, 71.
NOVOA, Sofía, 87, 129.
NOYES, Rosita, 136.
NÚÑEZ, Emilio, 71.
NÚÑEZ, Samuel, 209.
NÚÑEZ CABEZA DE VACA, Alvar. (Ver: CABEZA DE VACA, Alvar Núñez.)
NÚÑEZ DE BALBOA, Vasco, 104, 534. (Ver: BALBOA, I. G.)
NUSSBAUM, Arthur, 103.

O

O'BRIEN, Padre, 134.
O'BRYAN, Aileen, 442.
O'CONNELL, P. Michael D., 564.
O'CONNOR, Kathryn, 423.
O'CONNOR, Hugo, 448, 484.

OCHOA, Severo, 71.
O'DONOJU, Juan, 418, 433.
O'FALLEN, Benjamín, 503.
O'FALLON, James, 334.
OGLETHORPE, James Edward, 62, 195, 205, 209, 217, 225, 230, 231.
OLAVIDE, Enrique de, 613.
OLD TASSEL (Indio), 300, 325.
OLDS, R. R., 286.
OLGIN, Juan de, 498.
OLIVA, Juan María, 485.
OLIVARES, P. Antonio de Buenaventura, 416.
OLMEDO, 186.
OLLO, Santos, 365.
OLIVER BERTRÁN, Rafael, 87, 136.
O'NNEILL, Arturo, 309, 324.
O'NEILL, Eugenio, 75, 118, 139, 140, 244.
ONÍS, Federico de, 87, 136, 494.
ONÍS, José de, 494.
ONÍS, Luis de, 20, 149, 172, 217.
OÑATE, Juan, 30, 36, 38, 41, 55, 58, 73, 76, 94, 98, 99, 228, 387, 392, 395, 413, 438, 439, 443, 444, 445, 454, 455, 457, 460, 461, 462, 463, 471, 472, 486, 494, 498.
OPPENHEIMER, J. Robert, 147.
ORDÓÑEZ DE MONTALVO, Garci, 94, 533.
ORDOÑO, Diego de, 192.
ORE, Fray Luis Gerónimo de, 222.
O'REILLY, Alejandro, 275, 348, 363, 372, 376, 377.
ORLEÁNS, Don Alfonso de, 158.
ORLEÁNS, Doña Beatriz de, 158.
ORLEÁNS, Duque de, 364.
ORÓ, Juan, 71.
OROBIO Y BASTERRA, Capitán, 424.
ORTEGA, P., 95.
ORTEGA, José Francisco, 107, 435, 539, 540, 541, 545, 551, 552, 556, 557, 559, 562, 567, 572. (Ver: ORTEGA, I. G.)
ORTEGA, Josefina, 440.
ORTEGA, Juan, 70.
ORTEGA, Katherine, 68.
ORTEGA, Pedro, 605.
ORTEGA Y GASSET, José, 495.
ORTELIUS, 92.
ORTI, Dr., 136.
ORTIZ, 314.
ORTIZ, P. Ferdinando, 481.
ORTIZ, Frank, 68.
ORTIZ, José Antonio, 450.
ORTIZ, Juan, 67, 246.
ORTIZ, Solomon, 68.
ORTIZ, ECHAGÜE, José, 79.
ORTIZ DE MATIENZO, Juan, 187.
ORTIZ Y PARRILLA, Diego, 59, 422, 476, 478.
OSTA, Emilio, 77.
OSTA, Teresita, 77.
OSORNO, Joaquín, 321.
OTERMÍN, Antonio de, 426, 443, 444, 445, 457, 459.

OURAY (Indio), 497.
OVANDO, Nicolás de, 219. (Ver: OVANDO, I. G.)
OWEN, Robert, 284.

P

PACA, William, 159.
PACHECO, Alonso, 443.
PACHECO, Mariano, 502.
PADELLAO, Juan de, 447.
PADGETT, Mrs., 418.
PADILLA, Fray Juan de, 52, 387, 390, 391, 413, 457, 458, 472. (Ver: PADILLA, I. G.)
PAEPCKE, Walter, 495.
PÁEZ HURTADO, Juan, 441.
PAGOAGA, Ricardo, 529.
PAINE, John Paul, 34.
PAINE, Thomas, 334.
PALACIO VALDÉS, Armando, 75, 252.
PALACIOS, Jerónimo Martín, 538.
PALAFOX, José de. (Ver: PALAFOX, I. G.)
PALENCIA, Benjamín, 154, 436.
PALERM, Angel, 71, 173.
PALMER, Coronel, 230.
PALOU, Fray Francisco, 537, 560, 561, 568.
PANICO, Marie J., 174.
PANTOJA DE LA CRUZ, Juan, 410, 411.
PANTON, William, 267.
PAOLINI, Gilberto, 353.
PARDO, Juan, 36, 41, 46, 186, 193, 196, 197, 312.
PARELLADA, Ramón, 357.
PAREJA, P. Francisco, 56, 207, 208, 218, 224.
PAREJA, Juan, 188.
PARGA, P. Juan de, 257.
PARKER, 248.
PARKER, Ruby, 264.
PARKMAN, Francis, 122.
PARSONS, Arthur, 174.
PARUANARIMUCO (Indio), 501, 502.
PASCUAL, Juan, 538.
PASTORIUS, Francis Daniel, 153.
PATRICIO, Don (Indio), 257.
PATTERSON, Patrick, 99.
PATTI, Adelina, 357.
PAULA, Francisco de Alvarez, 70.
PAULO VI, 158.
PAYBA Y BASCONCELOS, José de, 455.
PAYERAS, Fray Mariano, 555.
PAZ, Andrés Matías de, 262.
PAZ AGUERAS, José Manuel, 69.
PEAN, Esteban, 221.
PEATTIE, Donald Culross, 390.
PECKER, Irving O., 609.
PECOS, Agustín, 464.
PEDRO, Don (Indio), 255.
PEIRCE, Henry Augustus, 608.

PELLICER, J. L., 226.
PEMBERTON, J. S., 195.
PENDAS, Familia, 322.
PENN, John, 150.
PENN, William, 149.
PEÑA, Diego de, 209.
PEÑA, José de la, 23, 209.
PEÑA, Fray Tomás de la, 565, 596.
PEÑALOSA, Diego de, 387, 395, 443.
PEÑALVER, Rafael, 90.
PEÑALVER Y CÁRDENAS, Luis de, 321, 355.
PEÑARANDA, P. Alonso de, 208.
PEÑUELA, Marqués de la, 445.
PERALES, José Luis, 237.
PERALTA, Fray, 612.
PERALTA, Pedro de, 39, 442, 443. (Ver: PERALTA, I. G.)
PEREDA, Antonio de, 420.
PÉREZ, Antonio, 64.
PÉREZ, Cayetano, 322.
PÉREZ, Ignacio, 477.
PÉREZ, Juan, 38, 39, 534, 585, 588, 589, 595, 596, 598.
PÉREZ, Manuel, 371, 374.
PÉREZ, Pablo, 613.
PÉREZ DEL ARCO, José, 549.
PÉREZ DE AYALA, Ramón, 130.
PÉREZ BALSERA, Hermanas, 442.
PÉREZ COMENDADOR, Enrique, 248.
PÉREZ GALDÓS, Benito, 75, 252, 279.
PÉREZ HURTADO, Juan, 455.
PÉREZ-LLORCA, José Pedro, 23.
PÉREZ REY, Familia, 429.
PÉREZ DE VILLAGRA, Gaspar, 455.
PÉROUSE, Conde de la. (Véase LA PÉROUSE, Conde de.)
PERRY, Henry, 424.
PERSCHL, P. Nicolás, 481.
PETERSON, Thomas H., 483.
PETTYGROVE, Francis W., 582.
PEYCHAUD, M., 344.
PEYRI, P. Antonio, 544.
PEYROUX DE LA COUDRENIÈRE, Henri, 378.
PEYTON, Miron, 87, 291.
PFEFFERKORN, Fray Ignacio, 476.
PHILLIPS, Frank, 386.
PHILLIPS, Waite, 386.
PICASSO, Pablo Ruiz, 138, 154, 169, 170, 195, 277, 285, 370, 437, 483, 493. (Ver: PICASSO, I. G.)
PICKETT, Albert James, 311.
PICKFORD, Mary, 71, 146.
PIERCE, Thomas, 591.
PIERNAS, Pedro, 275, 331, 369, 371, 372, 376, 377.
PIGAFETTA, Francisco Antonio, 610.
PIKE, Zebulón, 374, 392, 393, 395, 448, 503, 505, 506.
PIMENTEL, Antonio, 613.
PIMENTEL, Jaime, 321.

PINCKNEY, Thomas, 216, 302, 317, 332.
PINEDA, 612.
PINEDA, Alonso de. (Ver: ALVAREZ DE PINE-
DA, Alonso de.)
PINEDA, Cencillo de, 160.
PINIÉS, Dr. Félix, 136.
PINO, Pedro Bautista, 431, 448.
PIÑAR, Blas, 356.
PÍO, Padre, 460.
PÍO IX, Papa, 572.
PIZARRO, Francisco, 240, 452.
PIZARRO, José Antonio, 125, 160.
PLACE, Edwin, 87.
PLANT, Henry Bradley, 213, 250.
PLATE, Juan, 227.
PLAZA, Galo, 171.
POCACHONTAS (India), 74, 177.
POE Edgar Allan, 161.
POINTE, Joseph de la, 327.
POLK, James K., 303, 434.
POLLOCK, Oliver, 45, 46, 47, 281, 329, 330,
348, 349, 350, 351, 362.
PONCE DE LEÓN, Juan, 26, 30, 35, 36, 57,
72, 75, 93, 97, 99, 104, 133, 211, 213, 215,
219, 221, 222, 223, 226, 234, 237, 238, 240,
241, 242, 243, 244, 245, 251, 254, 324.
(Ver: LEÓN; DE LEÓN; PONCE DE LEÓN, I. G.)
PONS, Francoise, 362.
PONS, Marius, 362.
PONTALBA, José Xavier Celestin Delfau, Ba-
rón de, 355.
PONTALBA, Baronesa de, 355.
PONTCHARTRAIN, Conde de, 319.
POPE (Indio), 443, 445, 462.
PORCIOLES, José M., 353.
PORTANET, Rafael, 360.
PORTER, Cole, 284.
PORTER CASSANATE, Pedro, 534, 535.
PORTILLO Y URRIZOLA, Manuel de, 464.
PORTINARI, Cándido, 168.
PORTLOCK, 607.
PORTOLA, Gaspar de, 39, 58, 62, 98, 539,
540, 545, 548, 554, 555, 556, 559, 567, 572.
(Ver: PORTOLA, I. G.)
PORRAS, P. Francisco, 473.
POSADA, Jaime, 171.
POTTER, John W., 292.
POWELL, John Wesley, 471.
POWELL, W. H., 167.
POWHATAN (Indio), 177.
PRADA, Juan José, 449.
PRADERA, Víctor, 150.
PRADERA, María Dolores, 237.
PRATS, Joan, 136.
PRECIADO, Francisco, 533.
PRESCOTT, William H., 75, 122, 135.
PRÉVOT, Dr., 364.
PRICE, Sterling, 434, 461.
PRIETO COUSET, Benito, 120.
PRIMO DE RIVERA, Capitán, 209, 258.

PROVINE, Dorothy, 548.
PUIG, Fernando, 356.
PUJOL, Jordi, 539, 575.
PULASKI, E. C., 527.
PULITZER, 21, 206.
PURRE, Eugenio, 49, 285, 288, 289.
PURSLEY, James, 448.

Q

QUAWPAW (Indio), 383.
QUERO MORALES, José, 71.
QUESADA, ELWOOD Richard, 70.
QUEST, Charles, 369.
QUEVEDO, Francisco de, 120, 153.
QUEXOS, Pedro, 36, 52, 187, 190.
QUIMPER, Manuel, 592, 595, 607.
QUINA, Desiderio, 266.
QUIÑONES, Fray Cristóbal de, 459.
QUIROGA, Camila, 141.
QUIROGA Y LOSADA, Diego, 201, 209, 230.
QUIRÓS, Fray Cristóbal, 73.
QUIRÓS, Fernando de, 560, 598.
QUIRÓS, P. Luis de, 179.

R

RABAGO Y TERÁN, Felipe de, 423.
RAFAEL (Sanzio di Urbino), 550.
RAIMUNDO II, Conde Don, 233.
RALEIGH, Walter, 30, 182.
RAMÍREZ, Alejandro, 153.
RAMÍREZ, Belina, 440.
RAMÍREZ, Fray Juan, 456.
RAMÍREZ, Juan, 190.
RAMÍREZ, Manuel D., 195, 316.
RAMÍREZ Y ARELLANO, Cristóbal, 313, 315.
RAMÍREZ DE LA PISCINA, Manuel, 424.
RAMÓN, Diego, 427.
RAMÓN, Domingo, 363, 415.
RAMÓN, Manuela, 73, 319, 362.
RAMÓN Y CAJAL, Santiago, 126.
RAMOS ARIZPE, Miguel, 418.
RAND, Marguerite, 87, 174.
RANJEL, Rodrigo, 29, 318.
RAPHAEL, (Rafael Martos), 237.
RAPICANI, P., 480.
RAPP, George, 284.
RAVENET, 612.
RAYNAL, Guillermo T. Francisco, 613.
RAYNEVAL, 273.
READ, Albert C., 264.
REAGAN, Ronald, 24, 27, 34, 57, 65, 67, 81,
119, 161, 165, 539, 561.
REAL ALENCASTER, Joaquín, 448.
REBOLLEDO, Diego de, 198, 201, 203.

RECALDE, Santos, 529.
RECLUS, Eliseo, 606.
RED CLOUD (Indio), 400.
REDONDO VILLEGAS, Pedro, 228.
REINOSA, Fray Alonso de, 201, 222.
REICHENBERG, Arnold G., 153.
REYNOSO, P. Alonso de, 201, 222.
RENALDO, Duncan, 71.
RENDON, Francisco, 151.
RENDON, Fray Matías, 463.
RENEROS DE POSADA, Pedro, 445.
RENNERT, Hugo, 153.
REUTHER, Walter, 287.
REVÈRE, Paul, 115.
REVILLA, Cristóbal, 589.
REVILLAGIGEDO, Virrey Conde de, 227, 534.
    (Ver: REVILLAGIGEDO, I. G.)
REVILLAGODOS, P., 361.
REYES, Francisco, 550.
REYES, José Formoso, 118.
REYNOSO, P. Alonso de, 201, 222.
REZANOV, Conde Nicolai Petrovich, 72, 570.
RHEA, John, 336.
RIBAS, Juan de, 193, 196, 197, 312.
RIBAUT, Jean, 30, 191, 217, 225.
RIBEIRO, Diego de, 36, 37, 41, 143, 147, 182, 190, 603.
RIBERA, José, 137, 183, 290, 292, 394, 400, 420, 483.
RICKOVER, Almirante, 21.
RICO, Gaspar, 605.
RICO, Martín, 79, 137.
RIEGO, Rafael del, 431.
RIGGS Lynn, 386.
RILEY, James Whitcombe, 284.
RINCÓN DE ARELLANO, Adolfo, 549.
RINGLING, John and Mable, 245.
RÍO, Angel del, 136.
RIOBO, P. Juan, 595.
RIPERDA, Juan María V. de, 364.
RITTY, James, 291.
RIVERA, Juan María, 38, 495, 496.
RIVERA, Ramón, 490, 502.
RIVERA Y MONCADA, Fernando, 472, 539, 540, 541, 544, 550, 552, 559, 560, 565, 568, 569.
    (Ver: RIVERA; PICO RIVERA, I. G.)
RIVERA ORTEGA, Pedro, 439, 440, 442, 444, 491.
RIVERS, Elías, 87, 291.
ROBERTS, Graves B., 359.
ROBERTS, William H., 306.
ROBERTSON, James, 296, 301, 308, 309, 310, 325, 331.
ROBINSON, Edwin Arlington, 244.
ROBLES PIQUER, Carlos, 220.
ROBLES, Juan José, 545. (Ver: PASO ROBLES, I. G.)
ROBLES (Negro), 59.
ROCA-PONS, José, 87, 284.
ROCAFORT Y ALTAZURRA, Martha, 238.

ROCKEFELLER, John B., 139, 177, 280.
ROCKEFELLER, Nelson, 128, 138, 145.
ROCKEFELLER, Winthrop, 139, 382.
ROCQUE, Mariano de la, 222.
ROCHAMBEAU, Conde de, 47, 49, 178.
ROCHEFOUCAULD, Duque de la, 162.
RODERO, Gaspar, 535.
RODIA, Simón, 79.
RODRIGO, Joaquín, 154.
RODRÍGUEZ, Fray Agustín, 30, 36, 38, 94, 459, 465.
RODRÍGUEZ, Fray Blas, 202.
RODRÍGUEZ, Juan, 449.
RODRÍGUEZ, Manuel, 30, 37, 41, 157.
RODRÍGUEZ, Rita, 68.
RODRÍGUEZ CABRILLO, Juan, 533, 534, 537, 538, 541, 549, 551, 552, 554, 559, 579, 583.
    (Ver: CABRILLO; JUAN RODRÍGUEZ; PT. CA-BRILLO; EAST CABRILLO Y WEST CABRILLO, I.G.)
RODRÍGUEZ CASTELLANO, Juan, 87, 183.
RODRÍGUEZ CERMEÑÓN, Sebastián, 578, 584.
RODRÍGUEZ CUBERO, Pedro, 447.
RODRÍGUEZ DE LA FUENTE, Félix, 595.
RODRÍGUEZ DELGADO, José M., 71, 126.
RODRÍGUEZ MIRÓ, Esteban, 184, 299, 301, 309, 316, 324, 325, 326, 331, 334, 351, 356, 365, 374, 377, 378, 404. (Ver: ESTEBAN; MIRÓ, I. G.)
RODRÍGUEZ MOÑINO, Antonio, 87, 576.
RODRÍGUEZ PACHECO, 62.
RODRÍGUEZ DE SUBALLE, Juan Severino, 444.
ROGEL, P. Juan, 180, 191, 243, 250.
ROGERS, Randolph., 167.
ROGERS, William, 22, 167.
ROJAS, Carlos, 87, 195.
ROJAS, Juan de, 246.
ROMANZOFF, 612.
ROMERA NAVARRO, 153.
ROMERO GORRÍA, Jesús, 183.
ROMERO, Alicia, 440.
ROMERO, Fray, 541.
ROMERO, Teófilo, 55, 463.
ROMEU, Antonio, 562.
ROMNEY, George W., 287.
ROMO, Ricardo, 65.
ROOSEVELT, Franklin Délano, 117, 129, 306, 388, 602.
ROOSEVELT, Teodoro, 21, 22, 118, 251, 399, 400.
ROSAS, Luis de, 443.
ROSTAND, Edmond, 139, 140.
ROUSSEAU, Teodoro, 136.
ROUX, Charles, 125.
ROWSON, Susan Haswell, 139, 140.
ROY, Joaquín, 65, 87, 240.
ROYO, Rodrigo, 130.
RUBENS, Pedro Pablo, 240.
RUBÍ, Cayetano María Pignatelli, Marqués de, 422.

RUBÍN DE CELIS, Alonso, 427.
RUBIO, Consuelo, 142.
RUDEEN, 267.
RUHEN, P. Enrique, 476.
RUIZ, Francisco, 275, 376, 377.
RUIZ, Esteban, 560.
RUIZ, Paco, 539.
RUIZ, P. Pedro, 200, 203, 207.
RUIZ DE ALDA, Julio, 170.
RUIZ FORNELLS, Enrique, 66, 87, 316.
RUIZ MEXIA, Juan, 257.
RUIZ DE PADRÓN, José Antonio, 153.
RUMMEL, Joseph F., 353.
RUNYAN, Manuel, 267.
RUSK, Dean, 22, 83.

S

SAARINEN, Eero, 369, 404.
SAAVEDRA, Alvaro de, 604, 605, 608.
SAAVEDRA FAJARDO, Diego, 153.
SABICAS, 142.
SADOC ALEMANY, José, 546, 572.
SÁENZ, Pilar G. Suelto de, 174.
SAETA, P. Francisco Xavier, 476.
SAGARMINAGA, Javier, 173.
SAGASTA, Práxedes Mateo. (Ver: SAGASTA, I. G.)
SAGAZ, Angel, 261.
SAINT ANGE DE BELLERIVE, Louis, 374.
SAINT DENIS, Jean. (Ver: JUCHERAU DE ST. DENIS.)
SAINT MAXEN D'ESTREHAN, Felicia de, 351.
SAINT VRAIN, Ceran, 504.
SALAS, Gaspar de, 197.
SALAS, Fray Juan, 73.
SALAS, Petronila de, 73.
SALAZAR, Alonso de, 604.
SALAZAR, Fray Cristóbal de, 460.
SALAZAR, P. Domingo de, 313.
SALAZAR, Juan Manuel, 502.
SALCEDO, Fray Juan, 179.
SALCEDO, Juan Manuel, 341, 352, 418. (Ver: SALCEDO, I. G.)
SALES, Francis, 121.
SALGADO, Ernesto, 136.
SALIA, Carlos, 358. (Ver: LAKE CHARLES, I. G.)
SALINAS, Pedro, 161.
SALINAS VERANA, 263.
SALINERO, Fernando García, 87, 284.
SALMERÓN, P., 38.
SALVADOR, Francis, 209.
SALVADOR, Gregorio, 174.
SALVATIERRA, P. Juan María, 51, 474, 475, 536. (Ver: SALVATIERRA, I. G.)
SAMARANCH, Juan Antonio, 549.
SAMPEDRO-OCEJO, Edelmira, 238.
SAN ANTONIO DE PADUA, 202, 449.

SAN BUENAVENTURA, Dionisio de, 427.
SAN FRANCISCO DE ASÍS, 482, 569.
SAN FRANCISCO DE BORJA, 52, 180, 191, 199.
SAN FRANCISCO XAVIER, 480, 481.
SAN IGNACIO DE LOYOLA, 28, 449.
SAN MARTÍN, Fray Juan de, 475.
SAN MIGUEL DE AGUAYO, Marqués de, 39, 415, 424. (Ver: SAN JOSÉ Y SAN MIGUEL DE AGUAYO, I. G.)
SÁNCHEZ, Doris, 610.
SÁNCHEZ, José Luis, 138, 170.
SÁNCHEZ, Roberto, 435.
SÁNCHEZ, Sebastián, 205.
SÁNCHEZ, Tomás, 428.
SÁNCHEZ BARBUDO, Antonio, 87, 282.
SÁNCHEZ BELLA, Alfredo, 564.
SÁNCHEZ CHAMUSCADO, Francisco, 30, 36, 94, 206, 438, 444, 454, 459, 465.
SÁNCHEZ MESAS, Víctor, 154.
SÁNCHEZ NAVARRO, sr. Pedro, 15, 418.
SÁNCHEZ NAVARRO, jr., Peter, 411.
SÁNCHEZ PACHÓN, Carlos, 572.
SÁNCHEZ DE PRO. P. Antonio, 461.
SÁNCHEZ REULET, Anibal, 87.
SÁNCHEZ ROMERALO, Antonio, 87, 282.
SANDERS, William, 227.
SANDOVAL, Gregorio, 495.
SANDOZ, Mari, 394.
SANDS, Robert C., 244.
SANJUÁN, Pedro, 68.
SANTA ANA, Antonio. (Véase LÓPEZ DE SANTA ANA, Antonio.)
SANTA ANA, Pedro, 589.
SANTA CRUZ DE INGUANZO, Marqués de. (Ver: CALCADA, Manuel de la.)
SANTA MARÍA, P. Agustín, 473.
SANTA MARÍA, P. Juan, 459.
SANTA TERESA DE, AVILA, 450.
SANTAMARÍA, Enrique, 87, 147.
SANTAYANA, George, 70, 117, 119, 120.
SANTIAGO, (Indio), 200.
SANTIAGO, Juan de, 207.
SANTIESTEBAN, P. José, 422.
SANTO TOMÁS DE AQUINO, 51.
SANVITORES, P. Diego Luis de, 611, 612.
SANZ, Carlos, 606.
SANZ, José, 251.
SARASATE, Pablo, 142.
SARAVIA, Antonio de, 613.
SARGENT, John Singer, 79, 118.
SARGENT, Winthrop, 331.
SARIC, Luis (Indio), 55, 476.
SARMIENTO DE GAMBOA, Pedro, 605.
SARRIÁ, Marqués de, 338.
SARRÍA, Fray Vicente, 558, 574.
SARTO, Andrea del, 550.
SAUCEDO, 353.
SAUZ, Mateo del, 262, 313, 315, 329, 611. (Ver: EL SAUZ, I. G.)
SAVAL, 513.

SCOTT, James Brown, 87, 549.
SCHELBURNE, Lord, 273.
SCHELE DE VERE, Maximilian, 181.
SCHEVILL, Isabel M., 567.
SCHEVILL, Rudolph, 85, 87.
SCHILLIN, C. R., 391.
SCHRAIBMAN, Joseph, 87, 147.
SCHURZ, Carl, 283.
SCHWEIZER, Jerome, 316.
SEARLES, Robert, 229.
SEBASTIÁN, Benjamín, 330, 332.
SEBASTIÁN, Padre, 390.
SEDELLA, Fray Antonio. (Véase MORENO Y
    ARCE, Francisco.)
SEDEÑO, P. Antonio, 199.
SEGESSER VON BRUNEGG, P. Philip, 480.
SEGOVIA, Andrés, 71, 142.
SEGOVIA, Duquesa de, 609.
SEGRELLES, José Gabriel, 139.
SEGURA, P. Juan Bautista, 175, 179, 199.
SEGURA, Manuel, 501.
SENAN, Fray José, 551, 552.
SENDER, Ramón, 87, 437, 455, 473.
SERIS, Homero, 87, 128.
SERNA, Marcelino, 70.
SERRA, Fray Junípero, 27, 39, 49, 52, 98, 104,
    107, 138, 168, 496, 532, 535, 536, 537, 539,
    540, 541, 544, 546, 550, 551, 552, 553, 554,
    556, 558, 559, 560, 561, 563, 564, 568, 569,
    572. (Ver: JUNIPER; JUNÍPERO; PADRE SERRA,
    I. G.)
SERRANITO, 142.
SERRANO, Juan, 142.
SERRANO, Pablo, 138.
SERRES, 264, 268.
SERT, José Luis, 71, 122.
SERT, José M., 78, 139.
SETTLE, Mary Lee, 139, 140.
SEVERO (Indio), 497.
SEVIER, John. 184, 185, 301, 306, 309, 331,
    333.
SEWALL, Samuel, 120.
SEWARD, William H., 593.
SEXTON, R. W., 78.
SHAKESPEARE, William, 131, 168.
SHALER, William, 541.
SHEA, John Gilmary, 29.
SHEAFFER, W. A., 404.
SHEHAN, Lawrence Joseph, 158.
SHELBURNE, Lord, 273.
SHELBY, Isaac, 296, 300.
SHERMAN, Wm T., 195, 304.
SHINE, Elizabeth, 305.
SHIPPEN, Edward, 151.
SHOEMAKER, W. H., 87.
SIERRA, P., 589.
SIERRA ALTA, Martín de, 263.
SIGÜENZA Y GÓNGORA, Carlos de, 30, 262.
SILEM, Sol, 60.
SILVA NIETO, Francisco Manuel, 455.

SIMARRO, Antonio María, 609.
SIMMS, William Gilmore, 244, 246, 329.
SIMON, Paul, 82.
SIMONS, Norman, 264.
SIMPSON, Wallis. (Véase WINDSOR, Duquesa
    de.)
SINCLAIR, Upton, 146.
SISCARA, Juan de, 258.
SITTING BULL (Indio), 400.
SKELTON, Red, 284.
SKIPWORTH, Fulwar, 336.
SKIRVIN, William B., 386.
SLAUGHTER, John, 477.
SLOAN, Earl, 291.
SLOAT, John D., 575.
SMATHERS, George A., 220.
SMITH, Abiel, 121.
SMITH, Carleton Sprague, 136.
SMITH, E. Williard, 494.
SMITH, Hale, 257, 264.
SMITH, Hyram, 276, 515.
SMITH, Jedediah, 511.
SMITH, John, 19, 35, 100, 177.
SMITH, Joseph, 276, 515.
SMITHSON, James, 169.
SMOLLET, Tobías George, 120.
SOBRINO, Josefina, 87.
SOFÍA DE ESPAÑA, Reina, 24, 42, 142, 166,
    609.
SOLA, Pablo Vicente, 562.
SOLA POOL, Dr., 62.
SOLÁ-SOLÉ, José María, 87, 173.
SOLANA MADARIAGA, Javier, 549.
SOLANA, Manuel, 258.
SOLANO, José, 47, 48, 265.
SOLANO, Juan, 230.
SOLER, Julio, 87.
SOLÍS, Alonso de, 192.
SOLÍS DE MERAS P. Gonzalo, 223.
SOLÍS Y RIVADENEYRA, Antonio de, 120.
SOLÓRZANO, Ascensión, 564.
SOROLLA Y BASTIDA, Joaquín, 137, 170, 178,
    285, 410.
SOSA PEÑALOSA, Eugenio de, 73, 498.
SOTELO-OSSORIO, Felipe, 443.
SOTO, Representante, 546.
SOTO, Hernando de, 29, 35, 37, 38, 41, 57, 58,
    74, 97, 98, 99, 133, 185, 194, 196, 197, 215,
    245, 246, 247, 248, 251, 253, 254, 255, 256,
    260, 303, 304, 307, 311, 312, 313, 314, 315,
    316, 318, 324, 328, 346, 360, 365, 382, 384,
    386, 387, 411. (Ver: HERNANDO; SOTO; DE
    SOTO, I. G.)
SOTO, Isabel de, 318.
SOTOMAYOR, Fernando. (Véase ALVAREZ DE
    SOTOMAYOR, Fernando.)
SOUSA, John Philip, 278.
SPALDING, Jack, 198.
SPARKS, Jared, 135.
SQUIRRU, Rafael, 171.

STARKIE. Walter, 284.
STEEN. Charlie R., 478.
STEIN. Gertrude, 75.
STEINBECK. John, 76.
STETSON. John B., 254.
STEUBEN. Barón Friedrich Wilhelm von, 44, 146, 333.
STEVENSON. Adlai, 279.
STIGER. P., 480.
STIMPSON. George, 47.
STODDART. Amos, 375, 405.
STOECKL. Barón Edouard, 593.
STONE. Durrell, 166.
STONE. Irving, 531, 533.
STOUDEMIRE. Sterling A., 87, 183.
STRIPLING. Railford, 424.
STUART. Gilbert, 124, 152.
SUÁREZ. Fray Juan, 249, 255.
SUÁREZ. Xavier, 68, 236.
SUÁREZ ESTÉVEZ. 71.
SUÁREZ DE PUGA. Enrique, 171.
SUASO. Barón Alvaro López, 209.
SUBLETTE. Andrew, 494.
SUGG. W. D., 247.
SULLIVAN. John, 296.
SULLIVAN. Louis Henry, 370.
SULLY. Alfred, 537, 563.
SUPERVIA. Rafael, 87, 173.
SUTTON. Leonard V. B., 493.
SWAIN. James O., 86, 87.
SWEETSER. Pablo, 553.
SWEM. Earl G., 180.

T

TAFT, Bob, 169, 279, 290, 291.
TAFT, William Howard, 290.
TAGLE, 500.
TALABÁN, P. Juan de, 459.
TALLEY, Walter R., 248.
TALLEYRAND-PERIGORD, Carlos Mauricio, Duque de, 341.
TAMAYO, José, 141, 142.
TAMAYO Y BAUS, Manuel, 140.
TAPIA, P. Esteban, 564. (Ver: TAPIA, I. G.)
TAPIES, Antonio, 138, 370, 411.
TARKINGTON, Booth, 284.
TARR, F. Courtney, 87.
TASMAN, Abel Janssen, 606.
TATUM, Terrell, 87, 304.
TAYLOR, Antonio, 448.
TAYLOR, Zacharv, 178.
TAYON, Carlos, 288, 289.
TELLO, Francisco, 611.
TELLO, P. Tomás, 476.
TENIERS, David, 172.

TEODORO. Doroteo, 318.
TERÁN DE LOS RÍOS. Domingo, 94, 363, 414, 415.
TERCERO. Manuel, 280.
TERRE. Harth, 172.
TEST. Herb, 147.
THEOTOCOPULI. Doménico, «El Greco», 87, 119, 137, 138, 169, 170, 245, 277, 292, 370, 394, 410, 420, 572, 608.
THOMAS. Alfred B., 495, 496, 499.
THOMAS. Earl W., 307.
THOMAS. George H., 304.
THOMAS. Lewis, 248.
THOMSON. 43, 45, 48, 265, 281.
THOREAU. Henry David, 122.
THORNING. P. Joseph F., 29, 161.
THORTON, Edward, 536.
THORTON, William, 167.
THURBER. James, 291.
TICKNOR, George, 75, 81, 121, 122, 135, 181, 533.
TIERRA BLANCA (Indio), 505.
TIPTON, John, 185.
TOBAR, Nuño de, 319.
TOBÍAS, Mariano, 613.
TODD, Andrés, 404.
TODMAN, Terence, 23.
TOLOSA, Fray Diego de, 249, 250.
TOMOCHICHI (Indio), 195.
TONYN, Patrick, 232.
TORRE, Hernando de, 604.
TORRES, Elaine, 610.
TORRES, Esteban, 68.
TORRES, P. José de, 480.
TORRES, Luis de, 612.
TORRES, Manuel, 152.
TORRES, Fray Tomás, 460.
TORRES Y AYALA, Laureano, 230.
TORRES QUEVEDO, Leonardo, 128.
TOURO, Isaac, 123.
TOUSSAINT, L'OUVERTURE, Pierre François Dominique, 340.
TOVAR, Francisco, 424.
TOVAR, Pedro de, 454, 470, 472. (Ver: TOVAR; EL TOVAR, I. G.)
TRAVIS, William B., 409.
TREVIÑO, Felipe, 331.
TRIMMIER, Charles S., 323.
TRUDEAU, Carlos, 354.
TRUDEAU, Zenón, 106, 371, 375.
TRUJILLO, P. José de, 473.
TRUJILLO, Luisa de, 73.
TRUMAN, Harry S., 165, 368, 610.
TRUTEAU, Jean Baptiste, 374, 375.
TUGUEPI (Indio), 203.
TUNNELL, Curtis, 422.
TURBULL, Andrew, 60, 231, 232, 305.
TURNER, Robert, 459.
TURNER, Roy, 386.
TUSCALOOSA (Indio), 311.

TUTTLE, Julia, 263.
TWAIN, Mark. (Véase CLEMENS, Samuel.)
TWIGGS, David Emanuel, 259.
TYLER, John, 178.
TYLER, Richard Willis, 412.

U

UDALL, Stewart, 227, 420.
UGARIZA, Segundo, 60.
UGARTE, P., 536.
UGARTE Y LOYOLA, Jacobo, 55, 501, 502.
ULIBARRI, Juan, 392.
ULLOA, Antonio de, 347, 348, 376.
ULLOA, Francisco de, 37, 512, 513, 533.
ULLOA, Lope de, 611.
UNAMUNO, Fernando de, 307.
UNAMUNO, Miguel de, 75, 279, 307. (Ver: UNAMUNO, I. G.)
UNZAGA Y AMÉZAGA, Luis de, 45, 348, 349, 383.
URBANSKY, Edmund S., 87.
URDANETA, P. Andrés de, 605, 611.
URIBARRI, Juan, 499, 500, 504.
URRABIETA VIERGE, Daniel, 79, 154.
URRESTI, Agustín, 529.
URSELINO, 541.
UTE (Indio), 497.

V

VAGNOZZI, Egidio, 442.
VALDÉS, Antonio de, 595, 599, 601. (Ver: VALDÉS; VALDEZ, I. G.)
VALDÉS, Cayetano, 535. (Ver: GALIANO and VALDÉS, I. G.)
VALDÉS, Fernando, 197, 228.
VALDÉS, Francisco de, 499.
VALDÉS, Pedro de, 197.
VALDÉS LEAL, Juan de, 169, 370.
VALDEZ, José Hilario, 502.
VALDEZ, Luis, 76, 549.
VALENCIA DE GRIJALVA, María Dolores, 73.
VALENTINE, P., 351.
VALENTINO, Rodolfo, 71.
VALENZUELA, Antonio, 503.
VALERA, Juan, 164, 165, 166, 172, 365.
VALERO, Marqués de, 416, 418. (Ver: SAN ANTONIO DE VALERO, I. G.)
VALERIANOS, Apóstolos. (Véase FUCA, Juan de.)
VALVERDE, Antonio, 392, 500, 504.
VALVERDE, P. Juan Antonio, 481.
VALVERDE, P. Luis, 475.
VALLE, Antonio del, 449.
VALLE-INCLÁN, Ramón del, 237.

VALLEJO, José María, 134.
VALLEJO, Mariano, 566, 574, 575. (Ver: VALLEJO, I. G.)
VALLEJOS, Antonio José, 502.
VALLIÈRE, Joseph, 383.
VANCOUVER, George, 541, 551, 590, 591, 602, 607, 608.
VANDERA, Juan de, 196.
VANDERBILT, Cornelius, 206, 307.
VANDERLYN, John, 167.
VANRELL, Joaquín, 608.
VAÑO, P. Juan, 481.
VAQUERO TURCIOS, Joaquín, 138, 154.
VARGAS ZAPATA LUJÁN, Diego de, 39, 440, 441, 445, 446, 447, 450, 454, 455, 456, 460, 461, 462, 463, 464, 473, 493, 498, 499, 502. (ver: DE VARGAS; VARGAS, I. G.)
VASCONCELOS, José, 68.
VÁSQUEZ, Louis, 494, 518, 523. (Ver: FORT VASQUEZ, I. G.)
VAUDREUIL, Marqués de, 345.
VAUGHAN, Augustus, 135.
VÁZQUEZ, 353.
VÁZQUEZ, Tiburcio, 551.
VÁZQUEZ DE AYLLÓN, Lucas, 28, 35, 53, 55, 58, 99, 162, 186, 187, 189, 190, 191. (Ver: AYLLÓN; TIERRAS DE AYLLÓN, I. G.)
VÁZQUEZ BORREGO, José, 428.
VÁZQUEZ DE CORONADO, Francisco, 29, 36, 37, 38, 41, 55, 58, 73, 97, 99, 104, 240, 386, 387, 388, 389, 390, 393, 395, 413, 438, 452, 453, 454, 455, 458, 463, 470, 471, 472, 474, 497, 498. (Ver: CORONADO, I. G.)
VÁZQUEZ DE LEÓN, 133.
VÁZQUEZ DE MOLEZÚN, 138.
VÁZQUEZ, Eloy, 237.
VEGA, Garcilaso de la, 29, 120, 178.
VEGA CARPIO, Lope Félix, 121, 135, 140, 141, 169, 253, 279.
VEGA CASTRO, Fray Damián de, 257.
VEIGA, Dr., 161.
VELASCO, Fray Fernando de, 465.
VELASCO, Luis de, 179, 190, 261, 584. (Ver: VELASCO, I. G.)
VELASCOLA, Fray Francisco de, 197, 204.
VELÁZQUEZ, Diego de, 119, 137, 138, 169, 245, 251, 277, 292, 369, 420.
VELÁZQUEZ DE LA CADENA, Mariano, 135.
VELDERRAIN, Fray Juan Bautista, 481.
VÉLEZ CACHUPÍN, Tomás, 495, 501.
VÉLEZ DE ESCALANTE, Fray Silvestre, 39, 41, 101, 448, 471, 473, 492, 493, 496, 497, 513, 517, 518. (Ver: ESCALANTE; EL VADO DE LOS PADRES, I. G.)
VENADITO, Conde de, 503.
VERAGUA, Duque de, 133.
VERANDRYE, François y Louis, 521, 525.
VERGENNES, Charles Gravier, Conde de, 44, 273.
VERMEJO, P. Pedro de, 207.

VERNAL, Clemente, 224.
VESPUCIO, Américo, 33, 93.
VIAL, Pedro, 101, 374.
VIANA, Marqués de, 553.
VIAR, José de, 152, 325.
VICENTE (Indio), 176.
VICTORIA DE LOS ÁNGELES LÓPEZ, 142.
VICTORIA EUGENIA DE BATTENBERG, 172, 357.
VIGIL, Charles, 494, 503, 504.
VIGIL, Donaciano, 108.
VIGIL, Juan Angel, 502, 505.
VIGIL, Mariana, 448.
VIGIL, Martín, 460.
VIGO, Joseph María Francesco, 285.
VIGO, Gonzalo de, 611.
VILADRICH, Miguel, 137.
VILALLONGA, José, 173.
VILLAFAÑE, Angel, 40, 175, 179, 190, 262.
VILLALBA, Luis, 120.
VILLALOBOS, Francisco Ramón, 613.
VILLALOBOS, Gregorio de, 97.
VILLANUEVA, Carlos, 371.
VILLANUEVA, José Vicente, 374.
VILLARREAL, P. Francisco de, 180, 235, 243.
VILLAZUR, Pedro de, 387, 392, 395, 396, 500.
VILLEBEUVRE, Juan de la, 330, 331.
VILLEMONT, 383.
VILLIERS, Baltasar de, 49, 330.
VINCENTS, Antoine, 384.
VINCI, Leonardo da, 92.
VINGUT, Javier, 87.
VINIEGRA, P. Pedro, 218.
VICTORIA, P. Francisco de, 171, 549.
VIZCAÍNO, Sebastián, 30, 37, 534, 538, 540, 549, 552, 554, 556, 559, 579, 584, 588.
(Ver: SEBASTIÁN, I. G.)

W

WADE, Gerald E., 304.
WAGNER, Charles, 87.
WAGNER, Kip, 233.
WAGNER, Robert F., 132, 133.
WAKSMAN, Selman, 147.
WALDSEEMULLER, Martín, 92, 93.
WALKER, Thomas, 308.
WALSH, Donald,
WALSH, William Thomas, 135.
WALTHER, Don, 87, 284.
WALLACE, Caleb, 300.
WALLACE, Lew, 284.
WALLIS, Severn Teackle, 160.
WARREN, Earl, 168, 562.
WARREN, Robert Penn, 360.
WASHINGTON, George, 43, 44, 45, 47, 48, 95, 123, 124, 127, 134, 146, 147, 150, 151, 152, 164, 169, 174, 178, 265, 272, 303, 305, 310, 317, 325, 332, 334, 335, 340, 351, 399.

WATSON, Thomas J., 137.
WATTS (Indio), 326.
WAUCHOPE, Alejandro, 264.
WAYNE, 302.
WEBER, Francis J., 29, 52.
WEDELL, 422.
WEIMAN, Adolph Alexander, 189.
WWENDT, Waldemar F. A., 160.
WEST, Thomas, 156.
WETHERILL, Hermanos, 497.
WHISTLER, James Abbot Mac Neill, 141.
WHITE, James, 184, 301, 309, 325, 331.
WHITE, John, 182.
WHITEHORNE, Emerson, 69.
WHITMAN, Walt, 26, 149.
WIDENER, Joseph E., 169.
WILDER, Thorton, 76, 167.
WILGUS, A. Curtis, 87, 254.
WILKINSON, James, 295, 297, 298, 299, 300, 301, 302, 309, 317, 322, 327, 331, 332, 333, 334, 341.
WILSON, Meredith, 77.
WILSON, Woodrow, 178.
WILLIAMS, Harrison, 139.
WILLIAMS, Roger, 123.
WILLIAMS, Stanley T., 75, 120, 141.
WILLIAMS, Tennessee, 76, 140.
WILLING, James, 46, 281, 329, 350, 383.
WILLIS, Raymond Smith, 87, 147.
WINDSOR, Duquesa de, 160.
WINN, Richard, 325.
WIRTH, Conrad, 180.
WHISTLER, James Abbott MacNeill, 142.
WITHERSPOON, John, 147.
WHITHORNE, Emerson, 77.
WITTER, Daniel, 108.
WOLFE, Jacobo, 338.
WOLFE, Herbert, 226.
WOODRUFF, Ernest, 195.
WOODWARD, Henry, 209.
WRIGHT, Irene A., 254.
WRIGHT, Leavitt O., 86.
WRIGHT, Ralph, 29.
WRIGHT, Wilbur y Orville, 170, 182, 291.

Y

YARNELL, Irving A., 253.
YE, Juan, 465.
YESTADT, James, 322.
YORBA, Juan Antonio, 541.
YOUNG, Brigham, 276, 515, 516, 517.
YOUNG, Joe, 235.
YOUNG, S. Glenn, 276.
YTURRALDE, Mariano de, 138, 155, 600.
YTURRASPE, Luis, 586.

Z

ZABALETA, Nicanor, 142.
ZAFORTEZAS, Sebastián, 232.
ZALDÍVAR, Juan de, 38, 41, 55, 455.
ZALDÍVAR, Gilberto, 141.
ZALDÍVAR, Vicente de, 455, 498.
ZAMBRANO, Juan Manuel, 424.
ZAMORA, Fray Francisco de, 463.
ZAMORA, Isabel, 71.
ZAMORA, José Luis. (Véase DISNEY, Walt.)
ZARAGOZA, 172.
ZÁRATE, P. Asensio, 449.

ZENDEGUI, Guillermo de, 171, 227, 231, 258.
ZÉSPEDES, Manuel de, 267.
ZIOLKOWSKI, Korczak, 399.
ZITLITZ, Dr., 399.
ZOETTL, Joseph, 314.
ZUBIAURRE, Valentín de, 410.
ZULOAGA, Ignacio, 137, 170, 284.
ZÚÑIGA, Fray García de, 457.
ZÚÑIGA, José de, 423, 485, 541.
ZÚÑIGA Y CERDÁ, José de, 230.
ZURBARÁN, Francisco de, 119, 137, 169, 245, 277, 292, 370, 410, 420.
ZURITA, Jerónimo de, 120.

ÍNDICE GEOGRÁFICO

A

ABERT. la., Or., 582.
ABILENE. Loc., Ka., 389. Loc., Tx., 412.
ABIQUIU. Loc., Colo., 496, 511.
ABSAROKA. Wy., Ut., mñs., 522.
ACAPULCO. Loc., 234, 538, 599, 605, 607.
ACACHA. Loc., 358.
ACEQUIA, Loc., Id., 529.
ACOMA. ro, NM., 55, 455, 456, 459, 462, 465.
ACUCO. Loc., NM., 455.
ACHUSI, ba., 315, 318.
ADA, Loc., Oh., 291.
ADAES (Los). mi., La., 363, 364. (Ver: SAN MI-
GUEL DE LOS ADAES, mi., La); La., es., 101,
363, 364, 365, 415. (Ver: NUESTRA SEÑORA
DEL PILAR DE LOS ADAES, fues., La.)
ADAMS. ca., Or., 585. (Ver: FRONDOSO, ca.,
Or.); mt., Or. 581.
ADELANTO. Loc., Cal., 580.
ADELPHI COL., N. Y., 137.
ADRIÁN. Loc., Pen., 156. Loc., WVa., 182;
Mich., 28. Loc., DN., 401; Minn., 403.
Loc., Tx., 429; co., Ga., 210; Alk., 600.
AFUYCA. mi., Fla., 256; pi., Fla., 204.
AGAÑA. Loc., Gu., 610, 611.
AGREDA. Loc., Esp., 72, 73.
AGRÍCOLA. Loc., Ka., 393.
AGRIÑÁN. iss., As., 610. (Ver: MARIANAS, iss,
As.)
AGUA CALIENTE. Loc., Ar., 486.
AGUA DULCE. Loc., Tx., 430.
AGUA FRÍA CREEK. ri., Ok., 388.
AGUA NUEVA. Loc., Tx., 430.
AGUA TAPADA. Cam., Co., 496.
AGUADILLO. Loc., PR., 219.
AGUAS CALIENTES. es., NM., 460. (Ver: HOT
SPRINGS, Loc. NM.). Loc., Nev, 514.
AGUILA. Loc., Ar., 486.
AGUILAR. Loc., Colo., 504, 507. (Ver: AGUI-
LAR, JOSÉ RAMÓN, I. O.)
AGUILARES. Loc., Tx., 430.
AGUIRRE, ba., Alk., 600.
AGUSTÍN, ba., Alk., 601.
AHMERST. Loc., Mass., 126.
AIR FORCE ACADEMY, Co., 509.
AIR UNIVERSITY. Ala., 315.
AJO. Loc., Ar., 486.
AKRON. Loc., Oh., 290.
AKRON UNIVERSITY, Oh., 291.
ALABAMA. St., 31, 35, 36, 38, 41, 59, 79, 80,
88, 97, 100, 104, 184, 186, 193, 196, 262,
304, 311, 312, 314, 316, 317, 319, 322, 324,
327, 328, 340.

ALABAMA, ri., Ala., 185, 314, 316.
ALABAMA STATE COL. Ala., 314.
ALABAMA Univ. Ala., 311, 316.
ALACHUA. co., Fla., 254, 256.
ALAKANUK. Loc., Alk., 593.
ALAMEDA. Loc., NM., 459, 466. Loc., Id., 529.
Loc., Cal., 575; co., Cal., 580.
ALAMO, Loc., Tenn., 303, 310. Loc., Mich.,
289; Loc., ND., 401. Loc., Fla., 210. Loc.,
Tx., 410. Loc., Nev., 514. Loc., Cal., 580.
(ver: EL ALAMO, mi., Tx.; Río Alamo, ri.,
Co.)
ALAMO ALTO. Loc., Tx., 430.
ALAMO HUECO. mñs., NM., 466.
ALAMO GORDO. Loc., NM., 306, 435, 466.
ALAMOSA. Loc., Co., 505, 507.
ALASKA ST., 37, 39, 54, 340, 408, 469, 491,
509, 524, 531, 535, 588, 593, 594, 595, 596,
599, 600, 601.
ALASKA Univ. Alk., 599.
ALASKA METHODIST UNIV., 599.
ALAVA. Loc., Esp. 61; ca., Wa., 592. (Ver:
ALAVA, MANUEL, I. O.)
ALBA. Loc., Mich., 289. Loc., Mo., 379; Tx.,
430.
ALBANY. Loc., NY., 128, 196.
ALBERTVILLE. Loc., Ala., 312.
ALBION. Loc., Cal., 578.
ALBUQUERQUE. Loc., NM., 40, 63, 76, 101,
106, 107, 438, 448, 458, 466. (Ver: ALBU-
QUERQUE, es. NM.)
ALBURQUERQUE. es., NM., 40, 426, 436, 437.
(Ver: VILLA DE SAN FRANCISCO DE ALBUR-
QUERQUE [La]; ALBUQUERQUE. Loc., NM.)
ALCALDE, Loc., NM., 466.
ALCANFOR. pi., NM., 454, 458, 465.
ALCAÑIZ ST., Pensacola, Fla., 260.
ALCATRAZ. is. Cal., 571.
ALCOVA. Loc., Wy., 523.
ALEDO. Loc., Ill., 281.
ALEMANIA, 286, 524, 613.
ALEPO. Sir., Loc., 588.
ALEUTIANAS. iss. Alk., 39, 594, 595, 598.
ALEXANDER. iss. Alk., 595.
ALEXANDRÍA. Loc., La., 365; co., Va., 95, 167.
ALFALFA.Loc., Okla., 387; co., Okla., 387; co.,
Or., 586. Loc. Ark., 386.
ALFRED. Loc., NY., 135.
ALFRED UNIV., NY., 135.
ALHAMBRA. Loc., Cal., 547, 580.
ALHAMBRA ROCK. ro., Ut., 519.
ALISAL. Loc., Cal., 559, 580.
ALMA. Loc., NY., 143. Loc., WVA., 182. Loc.
Ga., 210. Loc., Ill., 282. Loc., Wi., 283.

861

Loc., Ala., 326. Loc., Ark., 384. Loc., Kan., 393. Loc., Nebr., 397. Loc., Minn., 403. Loc., Oh., 293.
ALMEDIA. Loc., Penn., 156.
ALMEIDA. Loc., Por., 340.
ALMENA. Loc., Wi., 283.
ALMERÍA. Loc., Ala., 326. Loc., Nebr., 397. Loc., Esp. 24, 71.
ALMIRANTE. en, Alk., 597.
ALMORA. Loc., Minn., 403.
ALONSO. pu., Alk., 600.
ALONZO. Loc., Ky, 303.
ALPENA. Loc., Mich., 289. Loc., Ark., 384. Loc., SD.,401
ALTA. Loc., Ala., 326. Loc., Ut., 519. Loc., Wy., 523.
ALTA ANITA. Loc., Io., 405.
ALTA LOMA. Loc. Cal., 580. Loc., Tx., 430.
ALTA LUISIANA. Ter., es., 41, 105, 106, 107, 405.
ALTA VISTA. Loc., Kan., 393.
ALTAHAMA. ri., Ga., 197, 202, 203, 273.
ALTAVILLE. Loc., Cal., 580.
ALTAVISTA. Loc., Va., 181.
ALTO. Loc., Ga., 210. Loc., Tenn., 293, 310. Loc., La., 366. Loc., Tx., 430.
ALTO PASS.Loc., Ill., 281.
ALTURA. Loc., Minn., 403.
ALTURAS. Loc., Fla., 268. Loc., Cal., 578, 580.
ALVARADO. Loc., Minn., 403. (Ver: ALVARA-DO, Pedro de, I. O.)
ALZADA. Loc., Mont., 526.
ALLEGHENY, mñs., 149, 153, 181; ri., Penn., 155.
ALLEN UNIV. CS., 195.
ALLENTOWN. Loc., Penn., 162.
AMA. Loc., La., 366.
AMADO. Loc., Ar., 486.
AMADOR. Loc., Cal., 580. (Ver: AMADOR, Pedro, I. O.)
AMADOR CITY. Loc., Cal., 577, 580. (Idem.)
AMANA. Loc., Io., 402.
AMARGOSA, ri., Nev., 514.
AMARGOSA, de., Nev., 514.
AMARGURA, pu., Alk., 600.
AMARILLO. Loc., Tex., 430.
AMARILLO, ri., Fla., Ga., 256. (Ver: OCHLOC-KONNEE, ri.; LANAS, ri.)
AMASA. Loc., Mich., 289.
AMAZONIA. Loc., Mo., 379.
AMBERES. Loc., Bel., 607.
AMELIA, iss., Fla., 214, 215, 216, 217.
AMERICAN UNIV., DC., 174.
AMES. Loc., Io., 404.
AMITE. Loc., La., 360.
AMO. Loc., Ind., 285.
AMOR. Loc., Minn., 403.
AMSTERDAM. Loc., PB., 43, 62.
ANACORTES. Loc., Wa., 592.
ANAHEIM. Loc., Cal., 545.

ANAHUAC. Loc., Tex., 421.
ANASTASIA, is. Fla., 222, 229.
ANATJAN. Loc., Gu., 611.
ANCON SAN BERNANDO. Cam. Colo., 496.
ANCHORAGE. Loc., Alk., 594, 595.
ANDALUCÍA, re. Esp., 131, 351, 438, 441, 450, 487. (Ver: NUEVA ANDALUCÍA, teres.)
ANDALUSIA. Loc., Penn., 156; Loc., Fla., 156, 232, 268. Loc., Ill., 281. Loc., Ala., 326.
ANDERSON. Loc., CS., 194.
ANDES. Loc., Mon., 526.
ANGEL. Loc., Ala., 326.
ANGEL, is. Cal., 571.
ANGELES, Los. Loc., Cal. (Ver: LOS ANGELES.)
ANGELICO GAP. Pas., Tenn., 303.
ANGELSCAMP. Loc., Cal., 577.
ANGUILA. Loc., Miss., 336.
ANGUILAS, iss.s. Alk., 600; ba., Alk, 600.
ANIAN, est. Wa-BC, 584, 588, 599.
ANIMAS, iss., Alk., 600; mñs., NM., 466.
ANITA. Loc., Io., 156; Loc., Ar., 486. Loc., Penn., 156.
ANN ARBOR UNIV., Mich., 288.
ANNAPOLIS. Loc., Md., 159, 175, 352. (Ver: NAVAL ACADEMY, Md.)
ANSELMO. Loc., Nebr., 397.
ANTES FORT. Loc., Penn., 156.
ANTIETAN. Loc., Md., 161.
ANTILLAS. Ca., iss., 219.
ANTÓN. Loc., Tex., 429.
ANTONITO. Loc., Colo., 499, 507.
ANZA DESERT STATE PARK. Cal., 543. (Ver: ANZA, J. Bautista de, hijo, I. O.)
APALACHE, re., Fla., 37, 228, 249, 257, 258; fues., Fla., 208; pi., Fla., 255, 256.
APALACHES, mñs., 20, 21, 37, 40, 58, 127, 149, 183, 184, 188, 196, 209, 270, 272, 273, 296, 303, 323, 337, 339, 375. (Ver: APPALA-CHIAN, mñs.)
APALACHICOLA, ri., Fla., 256, 260, 333.
APALACHICOLO, ri., Fla., 256.
APLE, ri., Ill., 281.
APÓSTOL SANTIAGO, mi., Tx., 427.
APPALACHIAN, mñs. (Ver: APALACHES, mñs.) App. State Col., CN.,
APPOMATOX. Loc., Va., 178.
APRA, ba., Gu., 609.
APTOS. Loc., Cal., 580.
AQUA FRIO CREEK, ri., Ok., 387.
AQUIA CREEK. Loc., Va., 179.
ARAGO, ca., Or., 586.
ARAGÓN, re. Esp., 95, 240. Loc., Ga., 210.
ARÁN, va., Esp., 540.
ARANJUEZ. Loc., Esp., 47; is. Tx., 412. (Ver: GALVESTON, Tx., is; BLANCA, Tx., is; SAN LUIS, Tx., is.; MALHADO, Tx., is.)
ARBOLEDA, iss., Alk., 600.
ARCADA, ro., Alk., 600.
ARCO. Loc., Ga., 210. Loc., Id., 529.
ARCHULETA. Loc., NM., 466; co., Colo., 501.

862

(Ver: ARCHULETA, Juan, I. O.)
ARDILLA. Loc., Ala., 326.
ARENA. Loc., Ill., 282. Loc., ND., 401; cl., Alk., 600.
ARENAS, ca., NJ., 147.
ARGENTA, Loc., Ill., 281.
ARGENTINA, St., 63, 82.
ARGÜELLO. fue. 574. (Ver: ARGÜELLO, José Darío, I. O.)
ARISTA. Loc., WVa., 182.
ARISTIZÁBAL, is., Ca., 599.
ARIVACA, mi., Ar., 477, 486.
ARIZONA, St., 28, 31, 36, 39, 40, 41, 51, 52, 53, 55, 58, 63, 67, 68, 77, 82, 88, 95, 98, 100, 101, 107, 108, 168, 435, 453, 467, 468, 469, 471, 472, 473, 474, 475, 476, 477, 479, 486, 487, 497, 512, 517, 544. (Ver: GADSONIA, ter.)
ARIZONA Univ., Ar., 483.
ARKADELPHIA. Loc., Ark., 382.
ARKANSAS, St., 31, 34, 35, 38, 41, 49, 80, 97, 106, 275, 330, 340, 381, 382, 383, 384, 386, 387.
ARKANSAS, ri., 20, 55, 344, 378, 381, 390, 391, 392, 494, 499, 500, 501, 505, 506. (Ver: NAPESTLE, ri.; SAN PEDRO Y SAN PABLO, ri.)
ARKANSAS UNIV., 382.
ARKANSAS POST, es., pmi., 383.
ARLANZA VIL. Loc., Cal., 580.
ARLINGTON. Loc., Va., 166, 174.
ARMA. Loc., Ka., 393.
ARMADA, Loc., Mich., 289.
ARNESON, ri., Tx., 420.
ARRECIFE, pun., Alk., 600.
ARREDONDA. Loc., Fla., 268. (Ver: ARREDONDO, Antonio, I. O.)
ARRIBA. Loc., Colo., 507.
ARRO, cn., Ca., 589.
ARROYO BURRO, pl., Cal., 554.
ARROYO HONDO. Loc., Colo., 498.
ARROYO GRANDE. Loc., Cal., 555, 580.
ARTESIA. Loc., NM., 452.
ASAO, is., Ga., 198, 203.
ASCENSIÓN, par., La., 86, 360, 365.
ASHBURY PARK. Loc., NJ., 148.
ASH CREEK, ri., Ut., 517.
ASHEVILLE. Loc., CN., 183.
ASHLAND. Loc., Oh., 181.
ASHLAND COL., Oh., 293.
ASHTON. Loc., Id., 527.
ASILER, ri., Fla., 256. (Ver: AUCILI A, ri., Fla.)
ASOPO, is., Ga., 198, 199. (Ver: OSSABAW, is., Ga.)
ASPEN. Loc., Colo., 115, 495.
ASSUMPTHION. Par., La., 86, 250, 360.
ASTORIA. Loc., Or., 581.
ASTURIAS, re. Esp., 59, 61, 70, 251.
ASUNCIÓN, ba., Or., 585.
ASUNCIÓN, Camp., Colo., 496. Loc., Cal., 557.

ASUNCIÓN, pu., Alk., 600.
ATASCADERO. Loc., Cal., 580.
ATHENS. Loc., Ga., 195. Loc., Oh., 291.
ATLANTA. Loc., Ga., 62, 195.
ATLANTA UNIV., Ga., 195.
ATLANTIC CITY. Loc., NJ., 147, 283.
ATTALLA. Loc., Ala., 312.
ATTU, iss., Alk., 594.
AUCILLA, ri., Fla., 208, 256. (Ver: ASILE, ri., Fla.)
AUGUSTA. Loc., Me., 116. Loc., Ga., 194, 195, 196.
AURORA. Loc., NY., 143. Loc., WVa., 182. Loc., CN., 187. Loc., Colo., 507. Loc., Nev., 514. Loc., Ut., 519. Loc., Ill., 281. Loc., Ky., 303. Loc., Ind., 285. Loc., Oh., 293. Loc., La., 379. Loc., Nebr., 397. Loc., Minn., 403; co. SD., 401.
AUSTIN. Loc., Tx., 78, 410, 412.
AUSTRALIA, St., 124, 605, 606.
AUSTRIA, St., 115, 272, 273, 334.
AUSTRALIA DEL ESPÍRITU SANTO, iss., As., 606.
AUTE, pi., Fla., 255.
AUTIAMQUE, pi., Ark., 382.
AVANCE. Loc., SD., 401.
AVILA. Loc., Esp., 119. Loc., Ind., 285. (Ver: AVILLA, Mo., loc.)
AVILA BEACH. Loc., Cal., 555.
AVILÉS. Loc., Esp., 223, 226.
AVILLA. Loc., Mo., 379. (Ver: AVILA, Loc., Esp.)
AWATOBI, pi., Ar., 472, 473.
AXACAN, mi., Va., 40, 55, 178, 179, 180, 190.
AYER. Loc., Mass., 126; Loc., Wa., 592.
AYLLÓN, Tierras de, resp., 41, 176, 188. (Ver: VÁZQUEZ DE AYLLÓN, Lucas, I. O.)
AYUBALE. Loc., Fla., 257.
AZUCENAS, pun., Alk., 600.

B

BACA, Loc., Colo., 507. (Ver: BACA, Felipe, I. O.)
BADLANDS, mñs., 393.
BAHAMAS, iss., GB., 33.
BAHÍA. (Ver: LA BAHÍA, fues, Tx.)
BAHÍA CARRASCO. Loc., Wash., 589.
BAHÍA FILIPINA DEL PUERTO DE SANTA MARÍA, re., Fla., 261.
BAHÍA HONDA, Loc., Fla., 242.
BAILÉN. Loc., Esp., 155.
BAINBRIDGE. Loc., Ga., 196.
BAKER. mt., Wa., 587.
BAKER UNIV., Ka., 388.
BAKERSFIELD. Loc., Cal., 557.
BALAGUER. Loc., Esp., 559.
BALANDRA, iss., Alk., 600.
BALBOA, pk., Cal., 541. (Ver: NÚÑEZ DE BALBOA, Vasco, I. O.)

BALCONES. Loc., Tx., 430.
BALDWIN. Loc., Ala., 319; Loc., Ka., 389.
BALEARES, iss., Esp., 59, 60. (Ver: MALLORCA WAY., S. F.; Cal.; MINORCA, Ark.)
BALIZE. Loc., La., 347.
BALTIMORE. Loc., Md., 145, 158, 160, 161, 175.
BALLAST POINT, ca., Cal., 537. (Ver: PUNTA DE LOS GUIJARROS, ca., Cal.)
BALLENA, iss., Alk, 600.
BANDERA. Loc., Tx., 430. Loc., Wash., 592.
BARATARIA. Loc., La., 359, 366.
BARCARROTA. Loc., Esp., 246.
BARCELONA. Loc., Esp., 79, 120, 122, 170, 353, 546, 577.
BARCO. Loc., CN., 187.
BARDSTOWN. Loc., Ky., 295.
BARNARD COL., NY., 135.
BARRA DE ST. TJAGO, pl., CN., 182.
BARRON. Loc., Wi., 283.
BARTLESVILLE. Loc., Ok., 387.
BARTON. Loc., La., 361.
BASTROP. Loc., Ark., 384. (Ver: BASTROP, BA-RÓN DE, I. O.)
BATON ROUGE. Loc., La., 48, 272, 320, 321, 335, 336, 351, 359, 360, 361, 362.
BATTLEMENT CREEK, ri., Colo., 496.
BAY CITY. Loc., Mich., 286.
BAYLOR UNIV. Tx., 412, 416.
BAYOU DE LAIR, ri., Ark., 106, 385.
BAYOU PIERRE. ri., Miss., 332.
BAYOU BARTHOLOMEW, ri., Arkan., 385.
BAYOU SARA, ri., Miss., 335.
BAZÁN. pu., Alk., 601; pun., Alk., 600.
BEAR, ri., Ill., 280.
BEAUMONT. Loc., Tx., 101.
BEDMINSTER. Loc., NJ., 146.
BÉJAR. Loc., Esp., 418; fues., Tx., 410. (Ver: BEXAR. Ala., Loc.) (Ver: BÉJAR, DUQUE DE, I. O.)
BELÉN. Loc., NM., 457, 466.
BÉLGICA. St., 409.
BELMAR. Loc., NJ., 149.
BELLE ROSE. Loc., La., 361.
BELLEVILLE. Loc., Ka., 390.
BEND. Loc., Or., 582.
BERING, est., Alk., 593, 594; mar., Alk., 594.
BERGEN, co., NJ., 146.
BERKELEY. Loc., Cal., 86, 575, 576, 579.
BERNALILLO. Loc., NM., 40, 438, 446, 447, 454, 458, 459, 466; co., NM., 466. (Ver: BERNAL, Familia, I. O.)
BERNARDSVILLE. Loc., NJ., 146.
BETHEL. Loc., Conn., 136.
BETHELEHEM. Loc., Penn., 154.
BETHESDA. Loc., Md., 172.
BEVERLY HILLS. Loc., Cal., 78, 547, 548.
BEXAR. Loc., Ala., 326. (Ver: BÉJAR. Loc., Esp.)
BEXLEY. Loc., Oh., 291.

BIDASOA, ri., Esp., 131.
BIG BEND, mñs., Tx., 408.
BIG HORNI mñs., Mon., Wy, 522, 525; ri., Colo., 494, 526.
BIG SAN CARLOS PASS, est., Fla., 243.
BIG SPRING. Loc., Tx., 413.
BILOXI. Loc., Miss., 31, 256, 263, 319, 327.
BILBAO. Loc., Esp., 131, 155.
BILL WILLIAMS, ri., Ar., 486.
BILLINGS. Loc., Mon., 525.
BIMINI, iss., Fla., 73, 217, 223.
BINGHAM. Loc., Ut., 515.
BIRMINGHAM. Loc., Ala., 311, 313, 314.
BIRMINGHAM SOUTHERN COL., Ala., 313.
BISCAYNE BAY, ba., Fla., 239.
BISMARCK. Loc., DN., 399, 400.
BITTEROOT, mñs., Id., 527.
BLACK, ri., CS., 189. (Ver: MACCAMAW, ri., CS.)
BLACK HILLS, mñs., DN., DS., 397.
BLACK WARRIOR, ri., Ala., 316.
BLACKROCK SPRINGS, man., Ut., 517.
BLANCA. Loc., Colo., 507; is., Tx., 411. (Ver: GALVESTON, is., Tx.; SAN LUIS, is., Tx.; ARANJUEZ, is., Tx.)
BLANCO. Loc., Ok., 387. Loc., Tx., 430; ca., Or., 584, 586; ca., Wash., 592.
BLANDING. Loc., Ut., 515.
BLOOMINGTON. Loc., Ind., 284. Loc., Ill., 280.
BLUE RIDGE, mñs., 181.
BLYTHEVILLE. Loc., Ark., 384.
BOCA CIEGA. en., Fla., 250.
BOCA CHICA. Loc., Tx., 430.
BOCA DE CANAVERA. Loc., Wash., 592.
BOCA DE SAAVEDRA. Loc., Wash., 592.
BOCA GRANDE, is., Fla., 245.
BOCA RATÓN. Loc., Fla., 234, 235.
BOCAS, pun., Alk., 600.
BODEGA. Loc., Cal., 580; ba., Cal., 578. (Ver: QUADRA, Alk., bo.; NORTH QUADRA, mt., Alk.; SOUTH QUADRA, mt., Alk.; BODEGA y CUADRA, *Juan Francisco de la*, I. O.; QUA-DRA and VANCOUVER'S Island., is., Ca.)
BOGOTÁ. Loc., Tenn., 310.
BOHEMIA, re., Eur., 104.
BOILING SPRING. Loc., Ky., 296.
BOISE. Loc., Id., 528, 529.
BOLÍVAR. Loc., Oh., 293. Loc., NY., 143. Loc., Penn., 156. Loc., WVa., 182. Loc., Mo., 379. Loc., Tenn., 310. Loc., La., 366. Loc., Tx., 430; co., Miss., 336. (Ver: BOLÍVAR, Si-món, I. O.)
BOLIVIA. St., 183, 451.
BONANZA. Loc., Tx., 430. Loc., Ut., 519. Loc., Id., 529. Loc., Or., 586; mt., Wash., 592.
BONDENTOWN. Loc., NJ., 148.
BONILLA. Loc., DS., 401.
BONITA. Loc., La., 366. Loc., Ark., 384. Loc., Kan., 393. Loc., Tex., 430. Loc., Ar., 486.
BONITA SPRINGS. Loc., Fla., 243.

BONNEVILLE. Loc., Wash., 587.
BOONE. Loc., CN., 183. (Ver: BOONE. Daniel, I. O.)
BOONVILLE. Loc., La., 367.
BOQUILLAS. Loc., Tex., 430.
BORAH. m., Id., 527.
BORGNE. la., Miss., La., 328, 359.
BORREGO SPRS. Loc., Cal., 580.
BORREGO STATE PARK. pk., Cal., 543.
BOSQUE. Loc., Ar., 486.
BOSQUE PETRIFICADO. fen., Ar., 469. (Ver: PETRIFIED FOREST. Ar., fen.)
BOSTON. Loc., Mass., 21, 22, 46, 79, 92, 114, 117, 118, 119, 120, 122, 123, 126, 161, 164, 358, 583, 601.
BOSTON. mñs., Ark., 381.
BOSTON UNIV. Mass., 126.
BOULDER. Loc., Colo., 492, 494.
BOULDER DAM. pan., Cal., 546; pan. Ar., 468.
BOVINA. Loc., Tex., 430.
BOWLING GREEN UNIV., Oh., 293.
BRADENTON. Loc., Fla., 214, 245, 246, 248, 312.
BRADLEY UNIV. Ill., 283.
BRANCIFORTE. es., Cal., 565. (Ver: SANTA CRUZ. Loc., Cal.; BRANCIFORTE. Marqués de, I. O.)
BRANDEIS UNIV. Mass., 126.
BRASIL. St., Am., 183.
BRAVO. ri., Mex., USA. (Ver: RÍO GRANDE. Mex. USA, ri.)
BRAZITO. Loc., Mo., 379.
BRAZOS. Loc., NM., 466. Loc., Tx., 430.
BREMEN. Loc., Ale., 608.
BRETTON Woods. Loc., NH. 115.
BRIDGEPORT. Loc., Ala., 60, 124, 125, 312.
BRIDGEPORT UNIV. Conn., 125.
BRIGHAM YOUNG UNIV. Ut., 514.
BRONCO. Loc., Tex., 430.
BRONX. Loc., NY., 127, 130, 131, 132, 136.
BROOKLYN. Loc., NY., 130, 131, 132.
BROWN. co., Ind., 283.
BROWN UNIV. RI., 125.
BROWNSVILLE. Loc., Tex., 63, 429.
BRUNSWICK. Loc., Ga., 205.
BRUSLY CAPITE. Loc., La., 361.
BRUSLY MAURIN. Loc., La., 361.
BRUSLY MC. CALL. Loc., La., 361.
BRUSLY SACRAMENTO. Loc., La., 361.
BRUSLY ST MARTÍN. Loc., La., 361.
BRUSLY VIVES. Loc., La., 361.
BRYCE CANYON NTIONAL PARK. Ut., 514.
BRYN MAWR COL., Penn., 153.
BUCARELLI. pu., Alk., 597; en., Wash., 39, 589. (Ver: BUCARELLI Y URSÚA, Antonio de, I. O.)
BUCKNELL UNIV. Penn., 153.
BUDAPEST. Loc., Hu., 416.
BUENA. Loc., NJ., 149. Loc., WVa., 182. Loc., Wash., 592.

BUENA ESPERANZA. ca., Af., 604. (Ver: COLORADO. ri., Ar.)
BUENA GUÍA. ri., Ar., 38.
BUENA MADRE. Río de la. Conn., 124. (Ver: CONNECTICUT ri., Conn.)
BUENA PARK. Cal., 545, 580.
BUENA VISTA. Loc., Cal., 575. Loc., Va., 181. Loc., Ga., 210. Loc., Ind., 285. Loc., Oh., 293. Loc., Ky., 303. Loc., Io., 405; co., Io., 405.
BUENOS AIRES. Loc., Arg., 338, 435.
BUFALO. Loc., NY., 128.
BUFFALO UNIV., NY., 128.
BULL RUN. Loc., Va., 178.
BURBANK. Loc., Cal., 547, 548.
BURGOS. Loc., Esp., 46, 85, 151.
BURLEY. Loc., Id., 527.
BURLINGTON. Loc., Vt., 115, 126.
BURNSIDE. Loc., La., 362.
BURRO. mñs., NM., 466.
BUSTAMANTE. Loc., Tx., 430. (Ver: BUSTAMANTE, Juan Domingo de, I. O.)
BUTLER UNIV. Ind., 284.
BUTTE. Loc., Mon., 524, 525.
BUTTS. co., Ga.; 209.

C

CAAMAÑO. pun., Alk., 601. (Ver: CAMANO, Wa., is.) (Ver: CAAMAÑO, Jacinto, I. O.)
CABALLO. mñs., NM., 466.
CABALLOS, Bahía de los. Fla., 255.
CABARRUS. co., CS., 187.
CABEZAS DE SAN JUAN. Loc., Esp., 431.
CEBEZON. Loc., Cal., 580.
CABO GIRARDEAU. es., Mo., 370, 378. (Ver: CAPE GIRARDEAU. Loc., Mo.)
CABORCA. mi., Méx., 476.
CABRAS, is., Alk., 600.
CABRILLO. ca., Cal., 563.
CABRILLO BEACH. Loc., Cal., 545. (Ver: Idem.)
CABRILLO NATIONAL MONUMENT. Cal., 538. (Ver: Idem.)
CÁCERES. Loc., Esp., 48.
CÁDIZ. Loc., Esp., 47, 120, 157, 222, 418, 448, 603. Loc., NY., 143. Loc., Ind., 285. Loc., Oh. Loc., Ky., 302. Loc., Cal., 580.
CAHOKIA. esf., Yll., 280, 281, 288, 372, 373, 375.
CAIMÁN. pun., Alk., 600.
CALAFIA. Loc., Cal., 533.
CALAVERAS. co., Cal., 577, 580.
CALDERA. pu., Alk., 597.
CALERA. Loc., Ok., 386, 387. Loc., Ala., 317.
CALIENTE. Loc., Nev., 514.
CALIFORNIA. St., 23, 28, 30, 31, 34, 37, 39, 40, 41, 49, 52, 53, 54, 56, 58, 60, 61, 62, 63, 64, 65, 66, 68, 72, 73, 75, 77, 78, 79, 80, 82, 84,

89, 90, 94, 98, 100, 101, 107, 156, 159, 168, 229, 314, 385, 390, 409, 433, 434, 471, 472, 473, 475, 477, 479, 487, 488, 509, 511, 512, 517, 523, 524, 528, 531, 532, 533, 534, 535, 536, 537, 538, 539, 540, 541, 542, 543, 544, 546, 552, 553, 559, 561, 562, 563, 564, 566, 570, 574, 575, 577, 578, 579, 580, 584, 586, 588, 596, 608, 609. (Ver: NUEVA ALBIÓN, esi; NUEVA RUSIA, esr.; ISLA CAROLINA, es.) Loc., Mich., 287. Loc., Io., 405; mis., 77, 85, 86; go, Pac., 453, 471, 480, 538; is., 532.

CALIFORNIA UNIV. Cal., 70, 78, 85, 86, 89, 136, 542, 549, 575, 576, 579.

CALIFORNIA WESTERN UNIVERSITY. Cal., 542.

CALIFORNIA INST. OF TECHNOLOGY (Caltech). Cal., 549, 579.

CALUMET. re., Ind., 284.

CALLAO. Loc., Va., 181. Loc., Mo., 379. Loc., Ut., 519. Loc., Pe., 605, 606.

CAMANO. is., Wash., 592. (Ver: CAAMAÑO, pun., Alk.)

CAMARGO. Loc., Ok., 386. Loc., Tex., 438.

CAMARILLO. Loc., Cal., 580.

CAMAS. Loc., Wash., 592; mñs., Or., 586; va., Or., 586.

CAMBRIDGE. Loc., Mass., 120, 126.

CAMDEN. Loc., NJ., 151. Loc., Ala., 314. Loc., Ark., 382, 384; co., Ga., 106, 151, 207.

CAMILLA. Loc., Ga., 210. Loc., Tex., 430.

CAMINO. Loc., Cal., 580.

CAMINO REAL. El, ru., 101, 102; Fla., 222, 233, 256, 257; La., 364; Mo., 367, 369, 377; Tx., 64, 414; Ar., 486; Cal., 532, 536, 540, 543, 549, 553, 556, 563, 565.

CAMP VERDE. Loc., Ar., 486.

CAMP WOOD. Loc., Tex., 423.

CAMPBELL'S STATION. Loc., Tenn., 304.

CAMPO. Loc., Colo., 507. Loc., Cal., 580.

CAMPO BELLO. is., Me., 116.

CANADÁ. St., 51, 102, 114, 115, 116, 127, 128, 213, 231, 269, 270, 273, 338, 339, 344, 345, 358, 367, 392, 400, 401, 524, 581, 586, 594.

CANADIAN. ri., NM., 436.

CANAL DE ALBERNI. cn., Wash., 592.

CANAL DE ARRO. cn., Wash., 592.

CANAL NUESTRA SEÑORA DEL ROSARIO, cn., Wash., 592.

CANARIAS, iss., Esp., 59, 201, 359, 361, 421.

CAÑAVERA, Boca de, bo., Ca., 589.

CANDELARIA. Loc., Tex., 430. Loc., Nev. 514.

CANGREJO, pun., Alk., 600.

CANTABRIA, re., Esp., 240.

CANTÓN. Loc., Ch., 601.

CANUTILLO. Loc., Tex., 430.

CANYON DIABLO. Loc., Ar., 486.

CAÑADA DE LOS OSOS, pas., Cal., 539, 554. (Ver: Osos, Cañón de los, pas., Cal.)

CAÑAVERAL, ca., Fla., 232, 412.

CAÑÓN AGUA ESCONDIDA, cnon., Colo., 496.

CAÑÓN DEL YESO, cnon., Colo., 496.

CAÑÓN DEL COLORADO (Gran), cron., Colo., 471, 474, 516.

CAÑOS DEL TROCADERO, cn., Alk., 598.

CAPA. Loc., SD., 401.

CAPE FEAR, ri., CN., 187, 190. (Ver: JORDÁN, ri., CN.)

CAPE GIRARDEAU. Loc., Mo., 370, 378. (Ver: CABO GIRARDEAU, es., Mo.)

CAPE SEBASTIÁN SUMMIT, mñ., Or., 584.

CAPITAL UNIV. Oh., 291.

CAPITAN. Loc., NM., 466.

CAPTIVA, iss., Fla., 243, 244.

CARACAS. Loc., Ven., 348. Loc., Co., 496.

CARBON, co., Wy., 523; co., Mon., 526; co., Penn., 156.

CARBONDALE. Loc., Ill., 280.

CARDENAS. Loc., NM., 466; col., Ar., 471. (Ver: LÓPEZ DE CÁRDENAS, García, I. O.)

CARIBE, mar, At., 37, 65, 120.

CARLOS. Loc., Minn., 403.

CARLOTA, fues., Ala., 318, 322.

CARLSBAD. Loc., NM., 435.

CARMEL. Loc., Me., 126. Loc., NY., 143. Loc., NJ., 149. Loc., Ind., 285. Loc., Oh., 293. Loc., Cal., 544, 564; mi., Cal., 544, 560, 562, 563. (Ver: SAN CARLOS, mi., Cal.)

CARMELO, ri., Cal., 559, 560.

CARMEN. Loc., Ok., 386. Loc., Id., 529.

CARMONA. Loc., Tex., 430.

CARNE. Loc., NM., 466.

CARNEGIE INST. OF TECHNOLOGY. Penn., 153.

CARO. Loc., Mich., 289.

CAROLINA DEL NORTE. St., 25, 34, 35, 36, 41, 48, 51, 58, 65, 182, 183, 184, 185, 186, 190, 193, 196, 198, 263, 272, 304, 306, 308, 309. (Ver: NORTH CAROLINA, St.)

CAROLINA DEL SUR. St., 31, 35, 36, 41, 46, 48, 51, 58, 102, 184, 188, 189, 192, 194, 195, 208, 224, 261, 263, 328. (Ver: SOUTH CAROLINA, St.)

CAROLINAS, iss., As., 20, 28, 146, 205, 605. (Ver: CARLOS II DE ESPAÑA, I. O.)

CAROLINE, fuf., Fla., 217, 225. (Ver: SAN MATEO, fues., Fla.)

CARONDELET. Loc., Mo., 40, 377. (Ver: CARONDELET, Barón de, I. O.)

CARPINTERÍA. Loc., Cal., 580.

CARRASCO, ba., Ca., 592.

CARRIZO. Loc., Ar., 486.

CARRIZOSO CREEK, ri., Ok., 387.

CARRIZOSO. Loc., NM., 466.

CARROLLTON. Loc., Ala., 316.

CARSON CITY. Loc., Nev., 509.

CARTAGENA DE INDIAS. Loc., Colom., 229.

CARTHAGE. Loc., Ill., 276.

CASA. Loc., Ark., 384.

CASA GRANDE. Loc., Ar., 486.

CASCADE, mñs., Or-Wash., 581, 587.

CASCO, ba., Me., 116. Loc., Wi., 283.

CASITAS. Loc., Cal., 580.

CASON. Loc., Tex., 430.
CASPER. Loc., Wy., 521.
CASQUI. Loc., Ark., 382.
CASTANEDA. Loc., Ok., 387. (Ver: CASTAÑEDA, Pedro de, I. O.)
CASTILE Dr., Mobile, Ala., 321.
CASTILLA, re. Esp., 34, 93, 108, 170, 205, 239, 240, 436, 441, 458, 467.
CASTOR. Loc., La., 366.
CASTRO VALLEY. Loc., Cal., 564, 580. (Ver: CASTROVILLE. Loc., Cal.)
CASTROVILLE. Loc., Cal. (Ver: CASTRO VALLEY. Loc., Cal.) (Ver: CASTRO, José de, I. O.)
CATALINA, iss., Alk., 600.
CATALUÑA, re. Esp., 240, 539, 572.
CATAY, ley, As., 534.
CATHOLIC UNIV., D. C., 173.
CAUCHI, pi., CN., 186.
CAYO HUESO. Loc., Fla., 242. (Ver: KEY WEST. Loc., Fla.)
CAYOS, iss., Fla., 237, 238. (Ver: KEYS, iss., Fla; MÁRTIRES, iss., Fla.)
CAZADOR. Loc., Ar., 486.
CAZAO, rei., CS., 193.
CEBOLLA. Loc., NM., 466.
CEBOLLETA, es., NM. 488; mñs., NM., 466.
CEDAR, CITY. Loc., Ut., 518.
CELESTE. Loc., Ga., 210. Loc., Tx., 430.
CELINA. Loc., Tex., 430.
CELO. Loc., CN., 187.
CENTER. Loc., ND., 399.
CENTRAL VALLEY, va., Cal., 531, 534, 555, 574, 575. (Ver: SAN JOAQUÍN, va., Cal.)
CENTRAL MICHIGAN UNIVERSITY. Mich., 288.
CENTURIA. Loc., Wis., 283.
CERRO GORDO. Loc., CN., 187. Loc., Ill., 281. Loc., Tenn., 310; co., Io., 405.
CERRO GORDO. Loc., 187. Loc., Ill., 281.
CESTOS. Loc., Ok., 387.
CIBOLA, ley, NM., 453, 454, 472, 474, 485, 583.
CIENAGA. Loc., NM., 466; mi., NM., 465.
CINEGUILLA DEL BURRO, ri., Ok., 387.
CIMARRÓN. Loc., NM., 466. Loc., Kan., 393; co., Ok., 387; mñs., Ar., 386; ri, Ok., 387.
CINCINNATI. Loc., Oh., 62, 239, 291.
CINCINNATI UNIV. Oh., 291.
CISNE. Loc., Ill., 281.
CITY UNIV. OF NEW YORK. NY., 84.
CIUDAD GUERRERO. Loc. Mex., 428. (Ver: GUERRERO. Loc., Mex.)
CIUDAD RODRIGO. Loc., Esp., 483.
CIUDADELA. Loc., Esp., 305.
CLAIBORNE. Loc., Ala., 314.
CLARA. Loc., Miss., 336. Loc., Minn., 403. Loc., Tex., 430.
CLARITA. Loc., Ok., 387.
CLARK UNIV. Mass., 125.
CLARKE, co., Ala., 314, 316.

CLAY, co., Fla., 256.
CLEAR CREEK, ri., Colo., 494.
CLEARWATER. Loc., Fla., 245.
CLEVELAND. Loc. Oh., 290, 291.
CLIMAX. Loc., Colo., 495.
COAHUILA. Loc., Mex., 363, 414, 415, 418, 427.
COCAPOY, pi., CS., 192.
COCOA BEACH. Loc., Fla., 232.
COCOS, pun., Alk., 600.
COCHISE, co., Ar., 477.
COCHITI, pi., NM., 445, 448, 460.
COD, ca., Mass., 36, 117, 118, 143. (Ver: SANTA MARÍA, ca., Mass.)
COEUR D'ALENE. Loc., Id., 527.
COFITACHEQUI, pi., CS., 194, 196.
COLDWATER. Loc., Tenn., 308.
COLGATE Univ., NY., 128.
COLLEGE OF CITY OF NEW YORK. NY., 134.
COLLEGE OF WOOSTER. Ohio. 291.
COLLEGEVILLE. Loc., Minn., 402.
COLOMA. Loc., Mich., 289.
COLOMBIA. St., 63, 183.
COLOMBIANA. Loc., Oh., 291.
COLON. Loc., Ga., 210. Loc., Mich., 289. (Ver: COLUMBIA...; COLUMBUS...)
COLONA, ter., Colo., 94. (Ver: COLORADO, St). (Ver: COLUMBIA...)
COLORADO. St., 28, 31, 38, 39, 41, 54, 61, 63, 64, 65, 67, 68, 77, 80, 81, 88, 90, 94, 101, 108, 337, 340, 487, 488, 491, 492, 493, 494, 495, 496, 497, 498, 499, 500, 501, 502, 504, 505, 515, 516, 517, 518.
COLORADO, ri., Co., Ar., 38, 471, 512, 513, 515, 517, 518, 522, 543, 550. (Ver: GRAN CAÑÓN DEL COLORADO, fen., Ar.; Tizona, ri., Ar.)
COLORADO CREEK, ri., NM., 499.
COLORADO SPRINGS. Loc., Colo., 506, 594.
COLORADO STATE UNIV. Colo., 494.
COLORADO UNIV. Colo., 78, 494.
COLUMBIA, co., Penn., 156; co., NY., 143; co., Fla., 156; co., Ga., 210; co., Ark., 384; co., Or., 584; co., Wash., 590; co., Wisc., 283. Loc., Penn., 92, 95, 156. Loc., Del., 158. Loc., Va., 181. Loc., CN., 187. Loc., CS, 192, 193, 194. Loc., Oh., 291. Loc., Fla., 268. Loc., Ill., 282. Loc., Wis., 283. Loc., Ky., 302. Loc., Tenn., 310. Loc., Ala., 326. Loc., Miss., 336. Loc., La., 346. Loc., Mo., 368, 379. Loc., SD., 401. Loc., Ut., 519. Loc., Cal., 577, 580. (Ver: NEW COLUMBIA, Ill. Loc.). (Ver WASHINGTON. St.) ri., Or., Wash., 34, 38, 522, 581, 582, 585, 587, 589. (Ver: SAN ROQUE, ri., Or., Wash.). (Ver: COLÓN...; COLUMBUS.) (Ver: COLÓN, Cristóbal, I. O)
COLUMBIA, co., NY., 143; co., Penn, 156; co., Ga., 210; co., Wash., 586, 592.
COLUMBIA BRITÁNICA. St., Can., 581, 585,

588, 592.
COLUMBIA CITY. Loc., Or., 586.
COLUMBIA FALLS. Loc., Me., 126. Loc., Mon., 526.
COLUMBIA HEIGHTS. Loc., Minn., 402.
COLUMBIA HILLS. Loc., Oh., 291.
COLUMBIA PINES. Loc., Va., 181.
COLUMBIA STATION. Loc., Oh., 291.
COLUMBIA UNIV. NY., 79, 86, 135, 136, 147.
COLUMBIANA. Loc., Oh., 293. Loc., Ala., 326.
COLUMBUS. Loc., NJ., 149. Loc., Penn., 156. Loc., CN., 187. Loc., Ga., 195. Loc., Mich., 289. Loc., Oh., 291. Loc., Ky., 302. Loc., Miss., 327, 336. Loc., La., 336. Loc., Ark., 384. Loc., Kan., 393. Loc., Neb., 397. Loc., ND., 401. Loc., NM., 466. Loc., Mon., 526; co., CN., 187. (Ver: COLÓN...; COLUMBIA...) (Ver: COLÓN, Cristóbal, I. O.)
COLUMBUS GROVE. Loc., Oh., 291 (ídem).
COLUMBUS JCT. Loc., Io., 405 (ídem).
COLYELL, ba., La., 361.
CONCEPCIÓN. Loc., Tex., 417, 430.
CONCEPCIÓN DE AYUBALE, mi., Apalache, Fla., 208.
CONCORD. Loc., NH., 115.
CONCORDIA. Loc., Ho., 379. Loc., Kan., 393; par., La., 366.
CONCHO. Loc., Ok., 386. Loc., Ar., 486.
CONCHOS, ri., NM., 459.
CONDE. Loc., SD., 401; is., Alk., 599.
CONEJOS, co., Colo., 507; ri., Colo., 500, 506.
CONEY ISLAND. Loc., NY., 143.
CONFEDERACIÓN, fues., Ala., 316.
CONFUSION., mñs., Ut., 519.
CONGAREE, ri., CS., 193.
CONHAWAY, ri., NWter., 273.
CONNECTICUT, St., 113, 114, 124, 125, 136, 429; ri., Conn., 36, 124. (Ver: BUENA MADRE, ri., Conn.)
CONNECTICUT UNIV., Conn., 125.
CONSTANTINOPLA. Loc., Tu., 533.
CONSTITUCIÓN PLAZA. St., Augustine, Fla., 222; Pensacola, Fla., 265.
CONTINENTAL DIVIDE, mñs., Colo., 494; mñs., Utah., 516; mñs., Wyo., 520; mñs., Id., 524. (Ver: MONTAÑAS ROCOSAS, mñs.)
CONTRA COSTA, co., Cal., 577, 580.
COOK, ca., Alk., 596, 601. (Ver: ENGAÑO, ca., Alk.)
COOPER POCKETS. Loc., Ut., 517. (Ver: SAN SAMUEL, po., Ut.)
COOSA, rei., Ala., 59, 313, 315; ri., Ala., 312.
COOSAWATCHIE. ri., CS., 191. (Ver: CRUZ HISPANIS, ri., CS.)
CORAL GABLES. Loc., Fla., 236, 239, 241.
CORDELE. Loc., Ga., 196.
CÓRDOBA. Loc., Esp., 167, 433. (Ver: CÓRDOVA...)
CORDOVA. Loc., Md., 161. Loc., Ill., 281. Loc., Ky., 303. Loc., Tenne., 310. Loc., Ala., 326.

Loc., Nebr. 397. Loc., Colo. 507. Loc., Alk., 599; ba., Alk., 600, 601. (Ver: CÓRDOBA. Luis de, I. O.)
COREA, St. 70.
CORNELL UNIV., NY., 91, 128, 147.
CORNUCOPIA. Loc., Wi., 283. Loc., Or., 586.
CORNUDAS. Loc., Tex., 430.
CORNUDO HILLS. Loc., NM., 466.
CORONA. Loc., SD., 401. Loc., NM., 466. Loc., Cal., 580.
CORONA DEL MAR. Loc., Cal., 545.
CORONADO, iss., Alk., 600; pen., Cal., 543. Loc., Cal., 580. (Ver: VÁZQUEZ DE CORONADO, Francisco, I. O.)
CORONADO HEIGHTS. col., Kan., 391. (Ver: ídem.)
CORONADO MESA, mñs., Ar., 471. (Ver: ídem.)
CORONADO NATIONAL MEMORIAL PARK. Pk., Ar., 471, 473. (Ver: ídem.)
CORONADO TRAIL, ru., Ar., 471. (Ver: ídem.)
CORPUS CHRISTI. Loc., Tex., 63, 425, 430, 434.
CORTE MADERA. Loc., Cal., 580.
CORTEZ. Loc., Fla., 268. Loc., Colo., 507; mñs., Nev., 514. (Ver: CORTÉS, Hernán, I. O.)
CORUNNA. Loc., Mich., 289. (Ver: CORUÑA, La., Esp; Galicia Dr., L. A.)
CORUÑA (La). Loc., Esp., 46, 287, 604. (Ver: CORUNNA, Loc., Mich.)
COSTA (La), is., Fla., 245.
COSTA MESA. Loc., Cal., 580.
COSTILLA. Loc., NM., 466; co., Colo., 502, 507; ri., Colo., 494.
COTE SANS DESSEIN, es., Mo., 375.
COUNCIL GROVE. Loc., Kan., 391.
COVADA. Loc., Wash., 592.
COWETA, pi., Ga., 208; fues, Ga., 209.
COYOTE. Loc., Tex., 430.
CRÁTER DEL METEORITO, fen., Ar. 469. (Ver: METEORITE CRATER, fen., Ar.)
CREIGHTON UNIVERSITY. Nebr., 394.
CREVE COEUR, es., Mo., 377.
CROSSING OF THE FATHERS, pas., Ar., 472. (Ver: VADO DE LOS PADRES, Ar.)
CROWLEY. Loc., La., 344.
CRUZ, iss., Alk., 660.
CRUZ HISPANIS, ri., CS., 191. (Ver: COOSAWATCHIE, ri., CS.)
CUBA, teres., St., 21, 22, 27, 35, 36, 37, 45, 46, 47, 61, 70, 88, 102, 134, 159, 170, 172, 179, 188, 199, 225, 226, 228, 230, 231, 241, 242, 244, 251, 269, 315, 318, 319, 320, 338, 346, 355, 425. Loc., NY., 143. Loc., Ill., 281. Loc., Wi., 283. Loc., Tenn., 310. Loc., Ala., 326. Loc., Mo., 379. Loc., NM., 466.
CUCHARA PASS. pas., Colo., 499.
CUCHILLO. Loc., NM., 466.
CUERO. Loc., Tex., 408, 430.
CUEVAS. Loc., Miss., 336. Loc., Tex., 430.
CULEBRA, ri., Colo., 499, 503; iss., Alk., 600.

CULEBRINAS. iss., Alk., 600.
CULVER CITY. Loc., Cal., 547, 548.
CULLMAN. Loc., Ala., 314.
CUMBERLAND GAP. pas., Tenn., 303.
CUMBERLAND, ea., ter., 20, 28, 41, 105, 207, 306, 308, 309, 310. (Ver: MIRO, Distrito de); is., Ga., 198, 206, 208. (Ver: SAN PEDRO, is., Ga); ri, Tenn, 308, 335.
CUSTER STATE PARK, pk., DS., 400.
CYNWID. Loc., Penn., 153.

CH

CHACÓN, ca., Alk., 601.
CHALAUME, pi., Ga., 196.
CHAMA. Loc., Colo., 503; ri., Colo., 496, 498, 499.
CHAMIZAL, re., Mex., 426.
CHAMPLAIN, la., Vt., 115.
CHANDELEUR SOUND. est., Miss., La, 328, 348.
CHAPEL HILL. Loc., CN., 183.
CHARCO. Loc., Tx., 430.
CHARLES. ca., Md., 175; fuf., CS., 191; ri., Mass., 120.
CHARLESTON Loc., CS., 150, 188, 209, 280, 305, 324, 334, 358. Loc., WVa., 181.
CHARLOTTE, ba., Fla., 243, 244.
CHARLOTTESVILLE. Loc., Va., 181.
CHATO. ri., Ne., Colo., 38, 498.
CHATTAHOOCHEE, ri., Ga., 209.
CHATTANOOGA. Loc., Tenn., 304.
CHATTANOOGA UNIV. Tenn., 304.
CHAVES. co., NM., 466.
CHEROKEE. Indian Reserv., 185. Loc., CN., 185.
CHESAPEAKE. ba., Md., Va., 36, 41, 93, 143, 145, 156, 159, 162, 175, 177, 179, 187, 190, 228. (Ver: SANTA MARÍA, ba., Md., Va.) (Ver: MADRE DE DIOS., ba., Md., Va.)
CHEYENNE. Loc., Ga., Ala., 186, 194, 196; fues., Ga., Ala., 196, 312.
CHICAGO. Loc., Ill., 60, 63, 71, 104, 142, 275, 277, 278, 279, 280, 290, 344, 367, 370, 371, 532; ri., Ill., 277.
CHICAGO UNIV. Ill., 280.
CHICKASAW BLUFFS, ro., Te., Miss., 332, 333, 334.
CHICO. Loc., Tex., 430. Loc., Cal., 577, 580. Loc., Or., 586. Loc., Wash., 592.
CHICORA, pi., CN., CS., 36, 58, 187. (Ver: CHICORA, Francisco, I. O.)
CHIHUAHUA. St., Mex., 426, 506.
CHILDERSBURG. Loc., Ala., 312.
CHILLICOTHE. Loc., Oh., 291.
CHIMAYÓ, mi., NM., 460, 461.
CHINA. St., 166, 234, 590. Loc., Cal., 580.
CHISCA, rei., Tenn., 307.

CHRISTOBAL. Loc., Tex., 430.
CHULA. Loc., Ga., 210. Loc., La., 379.
CHULA VISTA. Loc., Cal., 543, 580.

D

DADE, cond., 27, 63, 90, 236, 238.
DAKOTA DEL NORTE. St., 41, 340, 385, 399, 400, 403, 524. (Ver: NORTH DAKOTA. St.)
DAKOTA DEL SUR. St. 41, 340, 399, 400, 403. (Ver: SOUTH DAKOTA, St.)
DAKOTA WESLEYAN UNIV., DS., 401.
DALLAS. Loc., Tex., 25, 410, 412, 420; co., Ala., 314.
DANVILLE. Loc., Ky., 297, 298.
DARDANELLE. Loc., Ark., 384.
DARIEN. Loc., Ga., 198, 201.
DARRO, ri., Esp., 251.
DÁTIL, mñs., NM., 466.
DAUPHIN is., Fla., 263, 318.
DAVILA. Loc., Tex., 430.
DAVIS. Loc., Cal., 579.
DAYTON. Loc., Oh., 291.
DAYTON UNIV. Oh., 291.
DAYTONA. Loc., Fla., 60, 214, 231.
DE BACA, co., NM., 466.
DE BORGIA. Loc., Mon., 526.
DE KALB, co., Ala., 326.
DE LAMAR. Loc., Id., 529.
DE LAND. Loc., Fla., 232.
DE LEÓN. Loc., Tex. 430. (Ver: PONCE DE LEÓN, Loc., Fla.) (Ver: PONCE DE LEÓN, Juan, I. O.) DE LEÓN SPRINGS, ags., Fla., 232; (ídem).
DE PAUL UNIV. Ill., 280
DE PAUW UNIV. Ind., 285.
DE SOTO. Loc., Georgia, 210. Loc., Ill., 281. Loc., Wi., 283. Loc., Mo., 378, 379. Loc., Kan., 393. Loc., Io., 405. Loc., Tex., 430; co., Fla., 268; co., Miss., 336; par., La., 366, 378, 380. (Ver: SOTO, Hernando de, I. O.) (Ver: SOTO; HERNANDO, I. G.)
DE SOTO NATIONAL PARK, pk., Fla., 326, 327 (ídem).
DE SOTO PARK, pk., Tenn., 307 (ídem).
DE SOTO STATE PARK. pk., Ala., 326 (ídem).
DE WITT, co., Tx., 413.
DEARBORN. Loc., Mich., 287.
DEATH VALLEY, va., Cal., 531, 556.
DECATUR. Loc., Ill., 276, 280.
DECISIÓN, ca., Alk, 600, 601.
DECORAH. Loc., Io., 404.
DEKALB. Loc., Ill., 280, 326.
DEL DIOS. Loc., Cal., 580.
DEL MACHO. Loc., NM., 466.
DEL MAR. Loc., Cal., 580.
DEL NORTE. Loc., Colo., 500, 507; co., Cal., 580.

DEL PASO. Loc., Cal., 580. (Ver: EL PASO. Loc., Tx.)
DEL REY, pl., Cal., 545.
DEL RÍO. Loc., Tex., 428, 430.
DEL TRABUCO SIERRAS, mñs., Cal., 542.
DEL VALLE. Loc., Tex., 430.
DELACROIX. Loc., La., 358.
DELAWARE. ST., 124, 145, 156, 157; ri., Del., 36, 149; ba., Del., 133, 148; Loc., Oh., 291; Del., Memorial Bridge, 145.
DELAWARE UNIV. Del., 157.
DELMAR. Loc., Del., 158.
DELTA. Loc., Mo., 379. Loc., Colo., 497. Loc., Oh., 293. Loc., Ky., 303. Loc., Miss., 336. Loc., Ala., 326. Loc., Ut.,
DELL. Loc., Fla., 257.
DEMOPOLIS. Loc., Ala., 316.
DENISON UNIV., Oh., 291.
DENTON. Loc., Tex., 412.
DENVER. Loc., Colo., 38, 63, 67, 78, 394, 492, 493, 494, 498, 502, 514.
DENVER UNIV. Colo., 494.
DERBY. Loc., Con., 124.
DERONDA. Loc., Wi., 283.
DERRUMBA, Sierra, mñ., Alk., 600.
DESCONOCIDA, pun., Alk., 600.
DESCHUTES, pk., Or., 582.
DESMOINES. Loc., Io., 404; ri., Io., 404.
DESIERTO PINTADO, fen., Ar., 469, 486. (Ver: PAINTED DESERT, Fen., Ar.)
DETROIT. Loc., Mich., 272, 286, 287, 331.
DETROIT UNIV. Mich., 287.
DIABLO, mt., Alk., 601.
DIEGO, fues., Fla., 216.
DILLARD UNIV., La., 353.
DINERO. Loc., Tex., 430.
DISAPPOINTMENT, ca., Or., 585. (Ver: SAN ROQUE, ca., Or.)
DISCO. Loc., Mich., 289.
DISNEYLAND, pka., Cal., 545.
DIXONS MILLS. Loc., Ala., 316.
DOCENA. Loc., Ala., 326.
DODGE CITY. Loc., Kan., 390.
DOLFINES, ri., Fla., 217.
DOLORES, es., Tx., 428. (Ver: SAN YGNACIO, Tx., Loc.) Loc., Colo., 507; co., Colo., 507; mi., Cal., 570, 572, 574, 575. (Ver: NUESTRA SEÑORA DE LOS DOLORES, mi., Cal.); mi., Tx., 428; ri., Colo., 496; pu., Alk., 597, 600.
DOLOROSO. Loc., Miss., 336.
DON CARLOS, EL SEÑOR PRÍNCIPE DE ASTURIAS, fues., Mo., 375, 376. (Ver: CARLOS IV de España, I. O.)
DON CARLOS TERCERO EL REY, fues., Mo., 375, 376. (Ver: CARLOS III, de España, I. O.)
DON FERNANDO DE TAOS. Loc., NM., 464. (Ver: TAOS. Loc., NM.)
DOÑA ANA, co., NM., 466.
DONALDSONVILLE. Loc., La., 361.

DOS CABEZAS. Loc., Ar., 486.
DOUGLAS. Loc., Tex., 415.
DOVER. Loc., Del., 156.
DRAKE, ba., Cal., 578.
DRAKE UNIV. Io., 402. (Ver: DRAKE, Francis, I. O.)
DREW UNIV. NJ., 145.
DUBLÍN. Loc., Ga., 196.
DUBUQUE. Loc., Io., 40, 41, 107, 404, 405. (Ver: MINAS DE ESPAÑA, es.) (Ver: DUBUQUE, Julien, I. O.)
DUBUQUE UNIV. Io., 404.
DUCHESNE, ri., Ut., 517.
DUKE UNIV. CN., 87.
DULCE. Loc., NM., 466.
DULUTH. Loc., Minn., 402.
DUMBARTON OAKS, pk., DC., 166.
DUQUESNE UNIV., Penn., 155.
DURANGO. Loc., Io. 405. Loc., Mex., 444, 455. Loc., Colo., 497, 507.
DURHAM. Loc., CN., 125, 183.

E

EAGLE PASS. Loc., Tex., 427, 465.
EAST CHICAGO. Loc., Ind., 284.
EAST FELICIANA, par., La., 362, 366. (Ver: WEST FELICIANA. par., La.)
EAST PERU. Loc., Me., 126. (Ver: PERU, St.)
EAST SAINT LOUIS. Loc., Ill., 280.
EASTERN ILLINOIS UNIV. Ill., 280.
EASTERN MICHIGAN UNIV. Mich., 288.
EASTERN NEW MEXICO UNIV. NM., 457.
ECORE FABRE. Loc., Ark., 384.
ECUADOR, ST., 82, 183, 352.
ECHO, cnon., Ut., 518.
EDGECUMBE, ca., Alk., 599; mt., Alk., 595, 596, 601. (Ver: SAN JACINTO, mt., Alk.)
EDNA. Loc., Tex., 408.
EGIPTO, ST., 205.
EL ALAMO, mi., Tx., 104, 409, 416. (Ver: SAN ANTONIO DE VALERO, mi., Tx.; Alamo. Loc., Cal.)
EL CAJÓN. Loc., Cal., 543.
EL CAMINO REAL, ru. (Ver: CAMINO REAL [El], ru.)
EL CAMPO. Loc., Tex., 430.
EL CAPITÁN, pl., Cal., 554.
EL CUARTELEJO, es., Colo., 498, 500.
EL DORADO. Loc., Ark., 384, 386, 387. (Loc., Kan., 393. Loc., Io., 405. Loc., Nev., 514; co., Cal., 580. (Ver: ELDORADO...)
EL DORADO SPRINGS. Loc., Mo., 370. (Ver: ELDORADO SPRINGS.)
EL ESCORIAL. Loc., Esp. (Ver: SAN LORENZO DE EL ESCORIAL. Loc., Esp.)
EL HUÉRFANO. Loc., NM., 466. (Ver: HUÉRFANO, co., Co.)

EL INDIO. Loc., Tex., 430.
EL LAGO. Loc., Tex., 430.
EL MORAGA DRIVE. Tucson., Ar., 483. (Ver: MORAGA. Loc., Cal.) (Ver: MORAGA, Joaquín, I. O.)
EL MORRO, ro., NM., 455, 472. (Ver: MORRO, fues., Cu.; MORRO BAY. Loc., Cal.)
EL PARDO. Loc., Esp., 289.
EL PASO. Loc., Tx., 63, 72, 74, 76, 88, 89, 93, 101, 104, 419, 426, 427, 430, 442, 444, 445, 446, 448, 452, 457, 459, 463. Loc., Ill., 281; co., Colo., 507. (Ver: DEL PASO, Loc., Cal.)
EL PORTAL. Loc., Fla., 268.
EL RENO. Loc., Ok., 387. (Ver: RENO. Loc., Minn.; Loc., Nev.)
EL RITO. Loc., NM., 466.
EL SAUZ. Loc., Tex., 430. (Ver: SÁUZ, Mateo del, I. O.)
EL TORO. Loc., Tex., 430. Loc., Cal., 545. (Ver: TORO. Loc., La.)
EL VADO. Loc., NM., 466.
EL VADO DE LOS PADRES, pas., Ar., 101, 517. (Ver: CROSSING OF THE FATHERS, pas., Ar.)
ELDORADA, pi., Wa., 592.
ELDORADO. Loc., Ill., 281. Loc., Mich., 289. Loc., Nebr., 397. Loc., OK., 388. Loc., Io., 405. Loc., Colo., 507. (Ver: EL DORADO. Loc., Ark.)
ELDORADO PASS. Pas., Or., 586.
ELDORADO SPRINGS. Loc., Colo., 507. (Ver: EL DORADO SPRINGS. Loc., Mo.)
ELIZABETH, ca., Me., 116. Loc., Ill., 281, 405.
ELKO. Loc., Nev., 514.
ELOY. Loc., Ar., 486.
ELSA. Loc., Tex., 430.
EMORY UNIV., Ga., 195.
ENCARNACIÓN, pun., Alk., 600.
ENCINAL. Loc., Tex., 430.
ENCINO. Loc., Tex., 430. Loc., NM., 466.
ENGAÑO, ca., Alk., 596, 601. (Ver: COOK, ca., Alk.); ca., CN., 182. (Ver: LOOKOUT, ca., CN.); ca., Mex., 538.
ENID. Loc., Ok., 385.
ENIGMA. Loc., Ga., 210.
ERA. Loc., Oh., 293. Loc., Tex., 430.
ERIE. N., la., 127, 282, 290, 291, 316.
ESCALANTE. Loc., Ut., 519; des., Ut., 518, 519; ri., Ut., 518; col., Ar., 471. Camino, Tucson, Ar., 482. (Ver: VÉLEZ DE ESCALANTE, Fray Silvestre, I. O.)
ESCALÓN. Loc., Cal., 577.
ESCAMACU, rei., CS., 193.
ESCAMBIA, ba., Fla., 266; ri., Fla., 262; co., Fla., 266.
ESMERALDA, co., Nev., 514.
ESPAÑOLA. Loc., NM., 438, 466. (Ver: SPANISH...)
ESPAÑOLA (LA), teres., is., 186, 190. (Ver: SANTO DOMINGO, is., Ca.)
ESPAÑOLAS, iss., Alk., 600. (Ver: SPANISH...)

ESPECIAS, iss., As., 604.
ESPERANZA. Loc., Ark., 383, 384. Loc., Tex., 430. Loc., Cal., 580; fues., Ark., 308, 383, 384. (Ver: HOPEFIELD, fu., Ark.)
ESPÍRITU SANTO, mi., Tx., 98; C., ri., 38, 328. (Ver: MISSISSIPPI. C., ri.); ba,, Ala., 317. (Ver: MOBILE, ba., Ala.)
ESPOGACHE, mi., Ga., 203, 204; fues., Ga., 204.
ESQUIVEL, ba., Alk., 597; iss., Alk., 600.
ESTACADA. Loc., Or., 586.
ESTANCIA. Loc., NM., 466.
ESTEBAN, fues., Ala., 316, 317. (Ver: RODRÍGUEZ MIRÓ, Esteban, I. O.)
ESTEBAN POINT, ca., Can., 589(Ver: MARTÍNEZ, Esteban José, I. O.)
ESTERO. Loc., Fla., 243; is., Fla., 244.
ESTRELLA. Loc., Ar., 486; pu., Alk., 597, 600.
EUGENE. Loc., Or., 582.
EUREKA. Loc., Cal., 579.
EUREKA SPRINGS. Loc., Ark., 382.
EUTAW. Loc., Ala., 316.
EVANSTON. Loc., Ill., 280.
EVANSVILLE. Loc., Ind., 282.
EVERGLADES, pk., Fla., 212, 242.
EXTREMADURA PLAZA. Pensacola, Fla., 261.

F

FAIRBANKS. Loc., Alk., 595.
FAIRFIELD UNIV, Con., 125.
FAIRMONT. Loc., WVa., 181.
FAIRPLAY. Loc., Colo., 495.
FALCÓN, ca., Or., 586.
FALLS OF OHIO. Loc., Ky., 295. (Ver: LOUISVILLE. Loc., Ky.)
FAMOSO. Loc., Cal., 580.
FANDANGO PASS. pas., Cal., 578.
FARALLÓN, iss., Cal., 573; ba., Alk., 600.
FARLEIGH DICKINSON UNIV. NJ., 146.
FARRAGUT. Loc., Io., 405. (Ver: FARRAGUT, David Glasgow, I. O.)
FARRAGUT'S POINT. Loc., Miss., 327.
FATHERS, CROSSING OF THE. (Ver: VADO DE LOS PADRES.)
FAYETTE. Loc., Io., 404.
FAYETTEVILLE. Loc., Ark., 382.
FEAR, ca., CN., 182. (Ver: TRAFALGAR, ca., CN.)
FEATHER, ri., Cal., 578. (Ver: PLUMAS, Río de las, Cal.)
FÉNIX, ca., Alk., 600.
FERAN, Ysla de, is., Can., 592.
FERNÁNDEZ DE TAOS. Loc., NM., 464.
FERNANDINA BEACH. Loc., Fla., 214, 215, 231. (Ver: SAN CARLOS, fues, Fla.) (Ver: FERNANDO VII DE ESPAÑA, I. O.)
FERNANDO. Loc., Minn., 403; ca., CN., 182.

(Ver: HATTERAS, ca., CN.)

FERRELO., ca., Or., 583, 586. (Ver: FERRELO, Bartolomé, I. O.)

FERRIDAY. Loc., La., 347, 365.

FIDALGO, vol. Alk., 599, 601; iss., Wa., 592.

FILADELFIA. Loc., Penn., 81, 95, 102, 147, 149, 150, 151, 152, 153, 154, 155, 164, 172, 234, 272, 281, 289, 290, 334, 349, 350, 358, 378. (Ver: PHILADELPHIA. Loc., Penn.)

FILIPINA, ba., Ala., 319. (Ver: MOBILE, ba., Ala.) (Ver: FELIPE II, de España, I. O.)

FILIPINA DEL PUERTO DE SANTA MARÍA, ba., Fla., 262. (Ver: PENSACOLA, ba., Fla.) (Ver: FELIPE II, de España. I. O.)

FILIPINAS, iss., As., 21, 22, 113, 129, 159, 338, 538, 584, 602, 605, 607, 609, 611, 613. (Ver: MANILA. Loc., Fil; Nuevas Filipinas, teres.; Filipinas, teres.) (Ver: FELIPE II, de España, I. O.)

FISK UNIV. Tenn., 307.

FLAGSTAFF. Loc., Ar., 468, 469, 474, 486.

FLETA. Loc., Ala., 326.

FLINT, ri., Ga., Ala., 209, 323, 325. Loc., Mich., 287.

FLORA. Loc., Miss., 336. Loc., Or., 586.

FLORA VISTA. Loc., NM., 466.

FLORENCE. Loc., Or., 586.

FLORES, pu., Alk., 598. (Ver: FLORES, Manuel Antonio, I. O.)

FLORIDA, ST., 20, 25, 26, 28, 30, 31, 34, 35, 36, 37, 38, 40, 41, 48, 50, 51, 52, 55, 58, 59, 60, 63, 64, 66, 68, 72, 74, 78, 80, 82, 88, 90, 91, 92, 93, 97, 100, 101, 104, 113, 166, 172, 175, 187, 190, 191, 192, 196, 197, 198, 199, 201, 203, 204, 205, 206, 208, 209, 211, 212, 213, 215, 216, 217, 218, 219, 220, 222, 223, 224, 226, 227, 228, 229, 231, 232, 233, 234, 236, 242, 244, 245, 246, 248, 250, 254, 256, 259, 260, 261, 262, 264, 266, 268, 269, 270, 273, 303, 313, 317, 321, 324, 335, 338, 339, 346, 368, 379, 385, 409, 418, 494, 495, 522, 525, 581, 582. Loc., Mo., 368, 379.

FLORIDA ATLANTIC UNIVERSITY. Fla., 238, 254.

FLORIDA OCCIDENTAL., teres., 257, 259, 266, 271, 314, 321, 327, 335, 336, 342.

FLORIDA STATE UNIV. Fla., 255.

FLORIDA UNIV. Fla., 85, 87, 168, 254.

FLORIDABLANCA, pu., Alk., 598. (Ver: FLORIDABLANCA, Conde de, I. O.)

FLORISSANT. Loc., Mo., 40, 377. (Ver: SAN FERNANDO DE FLORISSANT. Mo., es.)

FONDA. Loc., Ok., 387. Loc., Io., 405.

FONT'S POINT. mir., Cal., 543. (Ver: FONT. P. Pedro, I. O.)

FONTAINEBLAU. Tr., 339.

FORDHAM UNIV. NY. 135.

FORT ARKANSAS. fu., Ark., 45.

FORT ASSOMPTION. fu., Tenn., 307.

FORT BARRANCAS. fu., Fla., 263, 264, 266.

MATEO, fues., Fla.)

FORT BATON ROUGE, fu., La., 330.

FORT BENT. fu., Colo., 504.

FORT BRAGG. Loc., Cal., 578.

FORT BRIDGER. Loc., Wy., 521, 523.

FORT BUENAVENTURA, fu., Ut., 518.

FORT CAROLINE, fuf., Fla., 217, 225. (Ver: SAN MATEO, fues., Fla.)

FORT CLINCH, fu., Fla., 215.

FORT CONDE, fuf., Ala., 320. (Ver: FORT CHARLOTTE, fui., Ala.)

FORT COLLINS, fu., Colo., 494.

FORT CHARLOTTE, fui., Ala., 320, 322. (Ver: FORT CONDE, fuf., Ala.)

FORT DE LA BOULAYE, fuf., La., 341.

FORT FINNEY, fu., Ky., 297.

FORT FREDERICA, fui., Ga., 207.

FORT GARLAND, fu., Colo., 505.

FORT GEORGE, fui., Fla., 263, 264, 266.

FORT GREELY, fu., Alk., 594.

FORT HARMAR, fu., Ky., 297.

FORT JEFFERSON, fu., 351.

FORT KEARNY, fu., Nebr., 393.

FORT KNOX. Loc., Ky., 295.

FORT LARAMIE. Loc., Wy., 521.

FORT LAUDERDALE. Loc., Fla., 214, 234, 235.

FORT LEE. Loc., N. J., 146.

FORT LISA, esco., Nebr., 396, 526. (Ver: LISA, Manuel, I. O.)

FORT MADISON. Loc., Io., 404.

FORT MANCHAC, FU., La., 48, 272, 320, 330, 335, 351, 360.

FORT MANUEL. esco., Mon., 526.

FORT MASSAC, fu., Ky., 301, 335.

FORT MASSACHUSETTS, fu., Col., 503.

FORT MICHILIMACKINAC. fu., Mich., 286.

FORT MOSA, fues., Fla., 230, 231.

FORT MYERS. Loc., Fla., 243, 245.

FORT NELSON, fu., 272.

FORT PANMURE, fui., Miss., 48, 320, 330, 331, 351, 361.

FORT PICKENS, fuf., Fla., 261.

FORT PIERRE, fu., Fla., 60, 233, 234, 526. Loc., DS., 400.

FORT PITT. fui., Penn., 45, 383.

FORT PUEBLO. fu. Colo., 507.

FORT QUEENS. fui., Fla., 262.

FORT RAMÓN. esco., Mon., 526. (Ver: LISA. Ramón, I. O.)

FORT RICHARDSON. fu., Alk., 594.

FORT ROSS. esr., Cal., 574, 578.

FORT SAN MIGUEL. fues, Fla., 262.

FORT ST. JOHN. fui., La., 353.

FORT ST. LOUIS. fuf., Tex., 413, 414, 424.

FORT SAIN JEAN BAPTISTE. fut., La., 362.

FORT STANWIX. fu., Ky., 271.

FORT SUMTER. fu., CS., 188, 346.

FORT TOULOUSE. fuf., Ala., 324.

FORT VASQUEZ. esco., Colo., 494. (Ver: VÁSQUEZ. Louis, I. O.)

FORT WAINRIGHT, fu., Alk., 594.
FORT WALTON BEACH. Loc., Fla., 260.
FORT WAYNE. Loc., Ind., 284.
FORT WILLIAM, fu., Wy., 523.
FORT WORTH. Loc., Tex., 410, 412, 420.
FORT YATES. Loc., DN., 400.
FORT YUMA, fu., Nev., 513.
FORTALEZA, la., Alk., 600.
FORTUNA. Loc., ND., 401; pa., Al., 601.
FRA CRISTÓBAL, mñs., NM., 466.
FRANCIA, ST., 20, 28, 42, 43, 44, 46, 47, 50,
   80, 92, 93, 115, 151, 157, 191, 205, 211,
   217, 231, 260, 263, 269, 271, 272, 275, 289,
   297, 317, 319, 321, 327, 328, 331, 334, 337,
   338, 339, 340, 341, 345, 352, 356, 358, 369,
   371, 372, 375, 403, 409, 410, 522, 525, 528,
   591.
FRANCISCO. Loc., Ind., 285. Loc., Ala., 326.
FRANCFORT. Loc., Ky., 295.
FRANKLIN, ST., 20, 41, 183, 184, 185, 304,
   306, 331; co., 324.
FRAY MARCOS, mñs., Ar., 464. Camino de,
   Tucson, Ar., 482. (Ver: MARCOS NIZA
   ROCK, ro., Ar.) (Ver: NIZA, Fray Marcos de,
   I. O.)
FREDERICK. Loc., Md., 161.
FREDERICKSBURG. Loc., Va., 181.
FREDERICKTOWN. Loc., Mo., 378. (Ver: ST.
   MICHAELS, es., Mo.)
FREMONT. Loc., Cal. 566; bos., Or., 572, 582.
FRESNO. Loc., Oh., 293. Loc., Cal., 61, 557;
   co., Cal., 580.
FRONDOSO, ca., Or., 585. (Ver: ADAMS, ca.,
   Or.)
FRONTÓN. Loc., Tex., 430.
FUENTIDUEÑA. Loc., Se., 138.
FULTON. Loc., Mo., 368.
FUNDY, ba., Me., 116. (Ver: PROFUNDA, ba.,
   Me.)
FURMAN UNIV., CS., 194.

G

GADSDEN. Loc., Ala., 312.
GADSONIA. W., ter., 95.
GAINESVILLE. Loc., Fla., 87, 98, 101, 253, 254,
   256.
GALENA. Loc., Ill., 281. Loc., Mo., 379. Loc.,
   Kan., 393. Loc., Or., 586.
GALERA. Loc., Ala., 326.
GALIANO AND VALDES, is., Can., 592. (Ver: AL-
   CALÁ GALIANO, Dionisio; VALDÉS, Cayeta-
   no, I. O.)
GALICIA, re., Esp., 61, 240. Dr., Los Angeles,
   Cal., 545. (Ver: NUEVA GALICIA, teres.,
   Méx.; Corunna. Loc., Mich.; Ponte Vedra
   Beach, Loc., Fla.)
GALVESTON. Loc., Ind., 285. Loc., Tx., 40, 41,
   104, 407, 408, 411, 412, 419, 430. (Ver:

SAN LUIS, is., Tx.; Aranjuez, is., Tx.) (Ver:
GÁLVEZ, Bernardo de, I. O.)
GALVESTON BAY, ba., Tex., 421, 452.
GALVEZTOWN. Loc., La., 361. (Ver: Idem.)
GALLEGOS. Loc., NM., 466. (Ver: GALLEGOS,
   Hernando, I. O.)
GALLINAS, mñs., NM., 466; ri., OK., 387.
GALLO, mñs., NM., 466.
GALLUP. Loc., NM., 455.
GAMOS, río de los, ri., Me., 116. (Ver: PENOBS-
   COT, ba., Me.)
GANADO. Loc., Tex., 430. Loc., Ar., 486.
GANDRIA. Loc., Su., 573.
GARAY tierras de, resp., 36, 40. (Ver: GARAY,
   Francisco de, I. O.)
GARCITAS, ri., Tex., 414.
GARDEN CITY. Loc., NY, 145.
GARY. Loc., Ind., 284.
GASPARILLA, is., Fla., 61, 244. (Ver: GASPAR,
   José, I. O.)
GATO, is., At., 33, 357.
GAVIOTA, pe., Cal., 554; pas., Cal., 554; ro.,
   Alk., 600.
GÉNOVA. Loc., It., 33.
GEORGE, la., NY., 128; ri., Ga., 273.
GEORGE WASHINGTON UNIV. DC., 173.
GEORGETOWN. Loc., CS., 187. Loc., DC., 236.
   Loc., Tex., 412.
GEORGETOWN UNIV. DC., 85, 173, 174.
GEORGIA, ST., 20, 28, 31, 34, 35, 36, 41, 48,
   51, 52, 55, 56, 62, 76, 92, 102, 124, 164,
   184, 186, 192, 193, 194, 195, 196, 197, 205,
   206, 208, 209, 212, 214, 216, 218, 224, 228,
   256, 257, 272, 302, 312, 323, 324, 325, 328,
   333, 335; mis., Ga., 54, 55, 70, 220.
GEORGIA UNIV., Ga., 194.
GERMANTOWN. Loc., Ky., 308
GERÓNIMO. Loc., Tex., 430.
GETTYSBURG. Loc., Penn., 155, 166.
GHOST TOWN, pka., Cal., 545.
GIBRALTAR. Loc., Penns., 156; est., Eur-Af.,
   47, 50, 103.
GILA, ri., Ar., 468, 480, 481, 513, 543.
GIRALDA WALK. Los Angeles Cal., 546.
GLENN CANYON NATIONAL PARK, pk., Ut.,
   514.
GLORIETA. Loc., NM., 466.
GLYNN, co., Ga., 201.
GOLCONDA. Loc., Nev., 514.
GOLDEN. Loc., Colo., 494.
GOLETA, pl., Cal., 554.
GOLIAD. Loc., Tex., 98, 408, 423, 424. (Ver:
   LA BAHÍA, fues., Tx.)
GOLONDRINAS. Loc., NM., 466.
GOMERA, is., Esp., 122.
GÓMEZ, tierras de, resp., 37, 41. Loc., Tx.,
   430. (Ver: GÓMEZ, Esteban, I. O.)
GONZAGA UNIV. Wa., 588.
GONZALES. Loc., La., 366. Loc., Tex., 410,
   430. Loc., Cal., 559.

873

GONZALES HILL, mt., Wash., 592.

GOOSE, las., Or., 582.

GORDO. Loc., Ala., 326.

GRAN BRETAÑA. ST., 42, 44, 47, 92, 188, 205, 231, 259, 260, 264, 267, 271, 297, 298, 300, 317, 320, 323, 324, 325, 349, 357, 408, 409, 528, 569, 582, 591.

GRAN CAÑÓN DEL COLORADO, fen., Ar., 104, 454, 469, 470, 487. (Ver: COLORADO, ri., Ar.)

GRAN QUIVIRA, ley, teres., 431, 457; mi., NM., 457.

GRANADA. Loc., Esp., 78, 219, 250, 369, 547. Loc., Minn., 403. Loc., NM., 454. (Ver: HA-WIKUH, pi., NM.) Loc., Colo., 504, 507. (Ver: GRENADA. Loc., Miss.; Nueva Grana-da, teres., Am.)

GRAND, ri., Colo., 381, 405, 496.

GRAND COULEE DAM, pan., Wash., 588.

GRAND FORKS. Loc., DN., 399.

GRAND JUNCTION. Loc., Colo., 495, 497.

GRANDE (Río), ri., Méx., USA. (Ver: RÍO GRANDE, ri., Méx., USA.)

GRANDE DE LA FLORIDA (El Río). C., ri., (Ver: MISSISSIPPI. C., ri.)

GRANDES LAGOS. N., las., 270, 273, 282, 298.

GRANO. Loc., ND., 401.

GRANVILLE. Loc., Oh., 291.

GRASS VALLEY. Loc., Cal., 577.

GRAVINA, is., Alk., (regió Kechikan), 600; is., Alk., (región Cordova); pu., Alk., 601.

CREAT BASIN, mñs., Or., 582.

GREAT BEND. Loc., Ka., 390.

GREAT FALLS. Loc., Mon., 525.

GREAT SMOKIES, mñs., ea, 305.

GRECIA, ST., 60, 232.

GREEN, ri., Co., Ut., 494, 497, 514, 517.

GRENNHORN, mñs., Colo., 499.

GREENSBORO. Loc., CN., 183.

GREENVILLE. Loc., CS., 194.

GREENWOOD. Loc., CS., 194, 362.

GRENADA. Loc., Miss., 336; co., Miss., 336. (Ver: GRANADA. Loc., Esp.)

GROVE HILL. Loc., Ala., 316.

GRULLA. Loc., Tex., 430; mñs., Co., 496.

GUACHOYA, pi., La., 347.

GUADALCANAL. Loc., Esp., 605; is., As., 605.

GUADALQUIVIR, ri., Esp., 38, 212; ri., Méx., USA. (Ver: RÍO GRANDE, ri., Méx., USA.)

GUADALUPE. Loc., Tex., 430. Loc., Ar., 486; mi., Tex., 444. (Ver: NUESTRA SEÑORA DE GUADALUPE, mi., Tx.); ri., Tex., 413, 424; co., NM., 466; mñs., NM., 466.

GUADALUPITA. Loc., NM., 466.

GUALE, rei., Ga., 76, 191, 197, 204.

GUAM, teres., is., As., 22, 41, 68, 89, 593, 604, 609, 610, 611, 613. (Ver: VELAS LATINAS. iss., As.; Ladrones, iss. As.; Marianos, iss. As.)

GUANAHANI, is., At., 19. (Ver: SAN SALVADOR, is., At.)

GUATARI, pi., CN., 186.

GUATEMALA ST., 435, 583.

GUERNICA. Loc., Esp., 239.

GUERRA. Loc., Tex., 430.

GUERRERO. Loc., Mex., 101, 427, 428. (Ver: CIUDAD GUERRERO. Loc., Mex.)

GUIAMAE, pi., CS., 193.

GUIJARRO, fues., Cal., 538.

GUIPÚZCOA, (Pr., Esp., 61

GULFPORT. Loc., Miss., 31, 327.

GUNNISON, ri., Colo., 496.

GUNTERSVILLE. Loc., Ala., 312.

H

HABANA (LA). Loc., Cu., 45, 46, 49, 59, 141, 150, 159, 184, 188, 190, 229, 231, 233, 237, 242, 246, 256, 259, 260, 262, 263, 264, 265, 302, 305, 315, 318, 320, 322, 335, 338, 347, 348, 354, 370, 377. (Ver: HAVANA. Loc., Ill.)

HABERSHAM, co., Ga., 196.

HACHITA. Loc., NM., 466.

HALIFAX. Loc., Can., 116.

HAMILTON. Loc., NY., 128.

HAMLINE UNIV., Minn., 400.

HAMMOND., Loc., La., 344, 362.

HAMPTON, ba., ea., 133.

HANFORD. Loc., Wash., 306, 587.

HANNIBAL. Loc., La., 368.

HANOVER. Loc., NH., 125.

HARDIM SIMONS UNIV. Tx., 412.

HARPERS FERRY. Loc., Md., 161, 181, 389.

HARRISBURG. Loc., Penn., 149, 162.

HARRODSBURG. Loc., Ky., 296.

HARROGATE. Loc., Tenn., 307.

HART, mt., Or., 582.

HARTFORD. Loc., Con., 60, 124.

HARTFORD UNIV., Con., 85.

HARVARD UNIV.,Mass., 24, 54, 70, 71, 81, 119, 120, 121, 126, 129, 147.

HATTERAS, ca., CN., 36, 182. (Ver: FERNAN-DO., ca., CN.)

HAVANA. Loc., Ill., 282. Loc., Ark., 384. Loc., Kan., 393. Loc., ND., 401. (Ver: HABANA (LA(. Loc., Cu.)

HAVRE DE GRACE. Loc., Md., 175.

HAWAII, iss., As., 39, 70, 469, 593, 601, 603, 604, 605, 606, 607, 608, 609. (Ver: SAND-WICH, iss., As.; Rey, iss., As; Mendaña, iss., As.; La Mesa, is., Haw.)

HAWAII UNIV., Haw., 603, 609.

HAWIKUH, pi., NM., 454, 471. (Ver: GRANA-DA, es., NM.)

HAWKINSVILLE. Loc., Ga., 196, 197, 208.

HAYESVILLE. Loc., CN., 185.

HECETA, is., Alk., 600. (Ver: HECETA, Bruno de, I. O.)

HECETA HEAD, ca., Or., 586 (ídem.)
HELENA. Loc., Mon., 252.
HELL'S CANYON, cnon., Id., 487.
HEMPSTEAD. Loc., NY., 135.
HERCULANEUM, es., Mo., 105.
HÉRCULES. Loc., La., 379.
HERINGTON. Loc., Kan., 391.
HERMANAS. Loc., NM., 466.
HERMANN. Loc., La., 348.
HERMOSA. Loc., SD., 401.
HERMOSA BEACH. Loc., Cal., 545.
HERNANDO. Loc., Fla., 268. Loc., Miss., 336.
(Ver: DE SOTO. Loc., Ga.) (Ver: SOTTO. Hernando, de, I. O.)
HERRIN. Loc., Ill., 276.
HIDALGO. Loc., Ill., 282. Loc., Tex., 430; co.,
Tex., 430; co., NM., 466.
HIGHLANDS. Loc., CN., 185.
HILDRETH. Loc., Fla., 256.
HILO. Loc., Haw., 602, 609.
HIROSHIMA. Loc., Ja., 306.
HIWASSEE, la., CN., 185.
HOBBS. Loc., NM., 435.
HOBE SOUND. Loc., Fla., 234.
HOFSTRA UNIV., NY., 135.
HOLANDA, ST., 132, 334, 409, 591.
HOLSTON, ea., ter., 272, 310; ea., ri., 184, 306.
HOLLYWOOD. Loc., Fla., 60, 243. Loc., Cal.,
519, 532, 533, 547, 548.
HOMEDALE. Loc., Id., 529.
HOMESTAKE. Loc., Nebr., 394.
HOMESTEAD. Loc., Fla., 242.
HONDO. Loc., Tex., 430.
HONDURAS. Loc., Ind., 285.
HONOLULU. Loc. Haw., 60, 602, 603, 608, 609.
HOPEFIELD, fu., Ark., 384. (Ver: ESPERANZA,
fues., Ark.)
HOOVER DAM, pan., Nev., 512.
HOPI, pi., Ar., 473.
HOPILAND, pi., Ar., 472.
HORNITOS. Loc., Cal., 577.
HOT SPRINGS. Loc., NM., 460. Loc., Ark., 382.
(Ver: AGUAS CALIENTES, es., NM.)
HOTEVILLA, pi., Ar., 472.
HOUSTON. Loc., Tex., 78, 101, 108, 142, 407,
408, 410, 412, 419, 420, 423.
HOUSTON UNIV., Tx., 411, 412.
HOWARD UNIV. DC., 173.
HUALPAI, pi., Ar., 472.
HUDSON, ba., NY., 143, 402; ri., NY., 36, 127,
129, 130, 146, 325. (Ver: SAN ANTÓN, ri.,
NY.; San Antonio, ri., NY.)
HUELVA. Loc., Esp., 411.
HUÉRFANO, ri., Colo., 504, 506; co., Colo.,
504, 505. (Ver: EL HERFANO. Loc., NM.)
HUNTINGTON BEACH. Loc., Cal., 545.
HUNTSVILLE. Loc., Ala., 312, 314, 412.
HURÓN, la., N., 286.
HYANNIS PORT. Loc., Mass., 118.
HYDE PARK. Loc., NY., 129.

IBERIA, par., La., 359. Loc., Mo., 379. (Ver:
NEW IBERIA. Loc., La.)
IBOR CITY. Loc., Fla., 61. (Ver: YBOR CITY.
Loc., Fla.) (Ver: MARTÍNEZ YBOR, Eduardo,
I. O.)
IDAHO, ST., 60, 61, 77, 487, 488, 513, 521,
526, 527, 529, 586.
IDAHO FALLS. Loc., Id., 528.
IDAHO UNIV. Id., 488, 528.
ILIAMNA, vol., Alk., 600.
ILLINOIS, ST., 41, 275, 276, 280, 282, 283, 285
330, 350, 379, 396, 397, 403, 404, 515; ri.,
Ill., 288, 404.
ILLINOIS INST. OF TECHNOLOGY. Ill., 280.
ILLINOIS UNIV. Ill., 280.
ILLINOIS WESLEYAN UNIV. Ill., 280.
IMPERIAL, co.,Cal., 580.
INDEPENDENCE. Loc., Mo., 368. 522.
INDIANA, ST., 41, 275, 281, 283, 284, 285, 286.
INDIANA UNIV. Ind., 85, 91, 284.
INDIANAPOLIS. Loc., Ind., 62, 284.
INDIO. Loc., Cal., 580.
INEZ. Loc., Tex., 430. (Ver: SANTA INÉS, mi.,
Ca.)
INGLATERRA, ST., 19, 20, 41, 44, 45, 46, 47,
49, 50, 91, 102, 106, 109, 110, 113, 115,
117, 120, 150, 151, 153, 157, 158, 178, 182,
195, 206, 209, 211, 232, 258, 259, 264, 266,
269, 270, 271, 272, 286, 289, 300, 301, 306,
309, 322, 324, 328, 330, 334, 337, 338, 339,
349, 350, 358, 372, 397, 401, 483, 581, 591,
598, 607.
INGOLSTADT. Loc., Ale., 475.
INMACULADA CONCEPCIÓN, mi., NM., 457.
(Ver: PURÍSIMA CONCEPCIÓN, mi., Cal.;
Nuestra Señora de la Purísima Concepción,
mi., Fla.; mi., Tex.)
IOWA, ST., 40, 41, 276, 280, 283, 340, 399,
403, 404, 405; ri., Io., 404.
IOWA CITY. Loc., Io., 404.
IOWA STATE UNIV. OF SCIENCE AND TECHNOLO-
GY. Io., 404.
IRA. Loc., Io., 403.
ISABEL. Loc., Kans., 393. Loc., SD., 401; is.,
As., 605. (Ver: SAN ISABEL. Loc., Co.; San
Isabel Forest., bos., Co. (Ver: ISABEL I DE ES-
PAÑA, I. O.)
ISABELLA. Loc., Mo., 379. Loc., Ok., 387. Loc.,
Minn., 403; co., Mich., 289. (Ver: YSABE-
LLA, Tampa, Fla.; Isabel. Loc., Kan.) (Ver:
ISABEL I DE ESPAÑA, I. O.)
ISABELLA AND FERDINAND, mts., Co., 504.
(Ver: ISABEL I DE ESPAÑA, I. O.; FERNANDO
V DE ESPAÑA, I. O.)
ISLA CAROLINA, es., W., 533. (Ver: CALIFOR-
NIA, es., W.) (Ver: CARLOS I DE ESPAÑA, I.
O.)

ISLAMORADA, is., Fla., 242.
ISLAND, co., Wash., 592.
ISLAS BRITÁNICAS. 26, 47, 226.
ISLAS VÍRGENES. 68.
ISLETA, mi., NM., 391, 444, 445, 457. Loc., NM., 466.
ISLETA DEL SUR, mi., Tx., 72, 445, 457.
ISRAEL. ST., 132.
ITALIA. ST., Eur., 60, 164, 232.
ITHACA. Loc., NY., 128.

J

JACKSON. Loc., Tenn., 307. Loc., Ala., 307. Loc., Miss., 316; co., NC., 312, 327.
JACKSONVILLE. Loc., Fla., 104, 214, 217, 218, 250. Loc., Cal., 577.
JACOBUS. Loc., Penn., 156.
JAMAC, mi., Ar., 476.
JAMAICA. Loc., NY., 136; is., Ca., 265, 317.
JAMES, ri., Va., 178.
JAMESTOWN. Loc., Va., 35, 40, 176, 177, 179, 180.
JAPÓN, ST., As., 602.
JEFFERSON, fu., Miss., 272; mt., Or., 581.
JEFFERSON CITY. Loc., Mo., 368.
JEKYLL, is., Ga., 195, 198, 205, 208.
JEMEZ, pi., NM., 460.
JENSEN. Loc., Ut., 518.
JEREZ DE LA FRONTERA. Loc., Esp., 158.
JERSEY CITY. Loc., NJ., 145.
JERUSALEM. Loc., Is., 314.
JESHIVA UNIV. NY., 135.
JESÚS Y MARÍA, ri., Nebr., 396. (Ver: PLATTE, ri., Ne.)
JOAQUÍN. Loc., Tex., 430.
JOHN CARROLL UNIV. Oh., 291.
JOHN HORPINS UNIV. Md., 85, 161, 608.
JONESBORO. Loc., Tec., 184.
JORDÁN, va., Or., 586; ri., CN., 187, 191. (Ver: CAPE FEAR, ri., CN.); ri., CS., 191. (Ver: PEE DEE, ri., CS.)
JORDÁN LAKE. Loc., Ala., 312.
JORNADA DEL MUERTO, de, NM., 445. (Ver: DEAD MANS'S MARCH, de, NM.)
JUAN DE ARRIAGA, ba., Alk., 597.
JUAN DE FUCA. est., Can., 585, 592. (Ver: SAN DE FUCA. Loc., Wash.) (Ver: FUCA, Juan de, I. O.)
JUAN RODRÍGUEZ, IS., Cal., 552. (Ver: SAN MIGUEL, is., Cal.) (Ver: RODRÍGUEZ CABRILLO, Juan, I. O.)
JUANITA. Loc., ND., 401.
JULIA. Loc., WVa., 182.
JULIÁN. Loc., Cal., 543.
JUNEAU. Loc., Alk., 593, 595, 599.
JUNCTION CITY. Loc., Kan., 389, 390.
JUNIPER. Loc., Ga., 210; mts., Or., 586. (Ver: SERRA, Fray Junípero, I. O.)

JUNIPER SPRINGS, ags., Fla., 213. (Idem.)
JUNTA DE LOS RÍOS, es., Tx., 427. (Ver: NORTE, fues., Tx.)
JÚPITER INLET, is., Fla., 234.

K

KAHOOLAWE, iss., Haw., 602, 607.
KAIBAB, mñs., Ut., 517.
KALAMAZOO. Loc., Mich., 288.
KALONA. Loc., Io., 404.
KAMIAH. Loc., Id., 528.
KANAWHA, rei., C., 272.
KANSAS, ST., 36, 38, 41, 52, 101, 337, 340, 381, 385, 386, 387, 388, 389, 390, 391, 392, 393, 395, 401, 499, 504, 505; ri., Kan., 389, 390.
KANSAS CITY. Los., Mo., 368. Loc., Kan., 389, 547.
KANSAS CITY UNIV. Mo., 71, 368.
KANSAS STATE UNIV. Kan., 389.
KANSAS UNIV. Kan., 85, 389.
KANSAS WESLEYAN UNIV. Kan., 389.
KASKASIA, esf, Ill., 280, 281, 285, 372, 377.
KAUAI, is., Haw., 602, 604, 605, 607. (Ver: ULLOA, is., As.)
KEALAKEKAUA, ba., Haw., 607.
KELLOG. Loc., Id., 527.
KENEDY, co., Tx., 429.
KENT. Loc., Oh., 291.
KENT STATE UNIV. Oh., 291.
KENTUCKY, ST., 20, 24, 28, 41, 105, 271, 272, 274, 276, 280, 281, 283, 295, 296, 297, 299, 300, 301, 302, 303, 306, 308, 324, 332, 334, 379. (Ver: CUMBERLAND, ea., ter.)
KENTUCKY UNIV. Ky., 295.
KEOKUK. Loc., Ill., 280.
KEY LARGO, is., Fla., 242.
KEY WEST. Loc., Fla., 213, 241, 242, 251, 270. (Ver: CAYO HUESO. Loc., Fla.)
KIAMICHI, re., Ok., 385.
KILAUEA, vol., Haw., 609.
KING'S CANYON NATIONAL PARK. Pk., Cal., 557.
KING'S MOUNTAIN, mñs., Cs., 48, 188.
KINGSTON. Loc., RI., 125.
KISAKOBI, mi., Ar., 473.
KISKA, is., Alk., 594.
KLAMATH FALLS. Loc., Or., 582.
KLONDIKE. Loc., Can., 587, 594.
KNOTT'S BERRY FARM, pka., Cal., 545.
KNOXVILLE. Loc., Te., 303, 304, 305, 306.
KODIAK. Loc., Alk. 593, 594.

L

LA BAHÍA, fues., Tex., 101, 429. (Ver: GOLIAD.

Loc., Tex.; Nuestra Señora de Loreto de la Bahía, fues., Tex.)

LA CAÑADA. Loc., NM., 434.

LA CORUÑA. (Ver: CORUÑA [LA]. Loc., Esp.)

LA COLINA. Loc., Cal., 82.

LA CUMBRE. Loc., Cal., 82.

LA CHARETTE. es., Mo., 377.

LA DESGRACIADA. is., As., 606. (Ver: MAUÍ. is, Haw.)

LA ESPAÑOLA. teres., is. (Ver: ESPAÑOLA [LA], teres., is.)

LA FERIA. Loc., Tex., 430.

LA GRANDE. Loc., Or., 586.

LA HABANA. Loc., Cu. (Ver: HABANA [LA], Loc., Cu.)

LA HUERTA. Loc., NM., 466.

LA JARA. Loc., Co., 507.

LA JOLLA. Loc., Cal., 146, 542, 579, 580.

LA JOYA. Loc., Tex., 430.

LA JUNTA. Loc., Col., 504, 507.

LA LIENDRE. Loc., NM., 466.

LA MADERA. Loc., NM., 466.

LA MADRE, mñs., Nev., 514.

LA MESA. Loc., Cal., 543, 580. Loc., NM., 466; is., As., 606, 607. (Ver: HAWAII. is., Haw.)

LA MIRADA. Loc., Cal., 580.

LA MOBILA. Puerto. 48.

LA PALMA. Loc., Ar., 486.

LA PALOMA. Loc., Tex., 430.

LA PAZ. Loc., Mex., 538. Loc., Md., 161.

LA PLATA. Loc., Mo., 379. Loc., Co., 507; co., Co., 495; mñs., Col. 495, 496; ri., Co., 496. (Ver: SAN JOAQUÍN, ri., Co.)

LA PUENTE. Loc., Cal., 580.

LA PURÍSIMA CONCEPCIÓN, mi., Cal., 554.

LA QUINTA. Loc., Cal., 580.

LA REFORMA. Loc., Tex., 430.

LA SAL. Loc., Ut., 519; mñs., Ut., 519.

LA SIERRA. Loc., Cal., 580.

LA VETA. Loc., Co., 504, 507. (Ver: VETA, ba., Alk.)

LA VILLA. Loc., Tex., 430.

LABERINTO. Loc., Colo. 496.

LABRADOR. pen., Can., 113, 189; ro., 116.

LADRONES. iss., Alk., 600; iss., As., 611. (Ver: GUAM, iss., As.)

LAFAYETTE, co., Fla., 256. Loc., Ind., 284. Loc., La., 359.

LAGARTO. Loc., Tex., 430.

LAGUNA, pi., NM., 448, 456, 466.

LAGUNA BEACH. Loc., Cal., 545.

LAGUNA MADRE, ba., Tex., (Ver: SAN CARLOS DE LOS MALAGUITOS. Tex., ba.)

LAJITAS. Loc., Tex., 430.

LAKE CITY. Loc., Fla., 256.

LAKE CHARLES. Loc., La., 40, 358, 366. (Ver: SALIA, Carlos, I. O.)

LAKE WALES. Loc., Fla., 253.

LAMAR. Loc., CS., 194. Loc., La., 366. Loc.,

Mo., 368. Loc., Ark., 384, 387. Loc., Ok., 388. Loc., Nebr., 397. Loc., Co., 504, 507.

LAMONA. Loc., Wash., 592.

LAMONT. Loc., Fla., 256.

LAMONTE. Loc., Mo., 379.

LANAI. iss., Haw., 602, 607. (Ver: Los MONJES. iss., As.)

LANAS. ri., Fla., Ga., 256. (Ver: OCHLOCKONEE. ri., Fla., Ga., Amarillo, ri., Fla., ba.,

LANCASTER. co., Penn., 155.

LANGSTON. Loc., Ok., 385.

LANGSTON UNIV. Ok. 385.

LANSING. Loc., Mich., 286, 288.

LARACHE. Loc., Esp., 364.

LARAMIÉ. Loc., Wy., 521, 523; ri., Co., 494.

LAREDO. Loc., Esp., 421. Loc., Mo., 379. Loc., Mon., 526. Loc., Tex., 63, 89, 418, 421, 428, 430. (Ver: NUEVO LAREDO. Loc., Mex.)

LARGO. Loc., Ind. 285.

LAS ANIMAS. mt., Co., 504; co., Co., 490. 500, 504; mñ., Co., 496.

LAS CRUCES. Loc., NM., 452, 466.

LAS JARAS. ri., Co., 500.

LAS MOLUCAS. iss., As., 604.

LAS NUTRIAS, ri., Co., 500.

LAS TUMBAS. Loc., Co., 500.

LAS VEGAS. Loc., NM., 457. 466. Loc., Nev., 60, 142, 509, 510, 511, 512, 513, 514. (Ver: VEGAS, is., Alk.)

LAURATOWN. Loc., Ark., 106, 384.

LAUREL. Loc., Del., 158.

LAVACA. Loc., Ala., 326. Loc., Ark., 384.

LAWRENCE, co., Ark., 384. Loc., Kan., 389.

LAWRENCEBURG. Loc., Ind., 283.

LAY DAM. Loc., Ala., 312.

LAY LAKE. Loc., Ala., 312.

LEAL. Loc., ND., 401.

LEGAZPIA. Loc., Id., 529.

LEHIGH UNIV. Penn., 154.

LENINGRADO. Loc., Rus., 169.

LEÓN, re., Esp., 93, 240. Loc WVa., 182. Loc., Kan., 393. Loc., Io., 405; co., Fla., 268. (Ver: PONCE DE LEÓN, Juan, I. O.)

LEONA. Loc., Tex., 430. Loc., Or., 586.

LEPANTO. Loc., Ark., 384.

LÉRIDA. Loc., Esp., 559.

LEWISBURG. Loc., Penn., 154.

LEWISTON. Loc., Id., 527.

LEXINGTON. Loc., NH., 115, 305. Loc., Ky., 295.

LEYDEN. Loc., PB., 117.

LIBIA. ST., Af., 158.

LIDO. Loc., Fla., 245.

LIMA. Loc., NY., 143. Loc., Penn., 172. Loc., Ill., 282. Loc., Oh., 293. Loc., Io., 405. Loc., Mon., 526. (Ver: LIMA CENTER, North Lima, West Lima, Limaville, Locs.)

LIMA CENTER. Loc., Wis., 283.

LIMAVILLE. Loc., Oh., 293.

LINCOLN. Loc., Mass., 120. Loc., Penn., 154.

Loc., Neb., 395.
LINCOLN MEMORIAL UNIV. Te., 307.
LINCOLN UNIV. Penn., 154; ídem, Mo., 367.
LINDEN. Loc., Ala., 316.
LISBOA. Loc., Port., 264.
LITTLE FALLS. Loc., Minn., 402.
LITTLE MAQUOKETA, ri., Io., 404.
LITTLE ROCK. Loc., Nebr., 381.
LITTLE TALLASIE. Loc., Ala., 324.
LITTLE TENNESSEE, ri., CN., 186.
LIVE OACK. Loc., Fla., 256.
LIVERPOOL. Loc., GB., 141.
LOA. Loc., Ut., 519.
LOBOS, ca., Cal., 563. (Ver: LOS LOBOS MARI-
  NOS, Punta de, ca., Cal.)
LOCO. Loc., Ok., 387. Loc., Tex., 430.
LOCO HILLS. Loc., NM., 466.
LOGANS STATION. Loc., Ky., 296.
LOLA. Loc., CS., 187. Loc., Ky., 302. Loc.,
  Ut., 519.
LOLITA. Loc., Tex., 430.
LOMA. Loc., Nebr., 397. Loc., DN., 401. Loc.,
  Mon., 526. Loc., Cal., 580.
LOMA LINDA. Loc., Cal., 580.
LOMITA. Loc., Tex., 428. Loc., Cal., 580.
LOMPOC. Loc., Cal., 555.
LONDRES. Loc., GB., 103, 120, 148, 209, 590,
  602, 606.
LONG BEACH. Loc., Cal., 545, 547.
LONG BRANCH. Loc., NJ., 148.
LONG ISLAND, is., NY., 22, 127.
LONG ISLAND UNIV. NY., 135.
LONGVIEW. Loc., Wash., 587.
LONGWOOD, 157.
LONTANA. Loc., Alk., 600.
LOOK-OUT, ca., CN., 182. (Ver: ENGAÑO, ca.,
  CN.); mñ., Te.,
LÓPEZ. Loc., Penn., 156. Loc., Ind., 285; iss.,
  Wash., 590.
LORENZO. Loc., Ne., 397. Loc., Id., 529.
LORETO, fues., Mex., 475, 539, 541.
LOS ADAES, fues., La. (Ver: ADAES [Los], es.,
  La.) 362, 363, 364.
LOS ALAMITOS. Loc., Cal., 580.
LOS ALAMOS. Loc., NM., 466. Loc., Cal.,
  555, 580; co., NM., 466.
LOS ANGELES. Loc., Cal., 40, 62, 63, 70, 71,
  77, 78, 89, 100, 277, 509, 532, 542, 545,
  546, 547, 548, 549, 550, 551, 579, 580.
  Loc., Tx., 430; co., Cal., 580. (Ver: NUES-
  TRA SEÑORA LA REINA DE LOS ANGELES, El
  Pueblo de, es., Cal.; Port Angeles. Loc.,
  Wa.)
LOS BAÑOS. Loc., Cal., 577, 580.
LOS CHÁVEZ. Loc., NM., 466. (Ver: CHÁVEZ, I.
  O.)
LOS EBANOS. Loc., Tex., 430.
LOS FRESNOS. Loc., Tex., 430.
LOS GATOS. Loc., Cal., 580.
LOS HUEROS. Loc., NM., 466.

LOS LOBOS MARINOS, ca., Cal., 563.
LOS LUNAS. Loc., NM., 40, 457, 466.
LOS MOLINOS. Loc., Cal., 580.
LOS MONJES, iss., As., 606. (Ver: KAHOOLAWE,
  LANAI Y MOLOKAI, iss., Haw.)
LOS NIETOS. Loc., Cal., 580.
LOS OLIVOS. Loc., Cal., 580.
LOS PADILLAS. Loc., NM., 457.
LOS PINOS, ri., Co., 496; mñs., NM., 466.
LOS SAENZ. Loc., Tex., 430.
LOS TUMBRES, ri., Co., 500. (Ver: RÍO ALAMO,
  ri., Co.)
LOUIS, fuf., Ala., 319.
LOUISIANA, ST. (Ver: LUISIANA, ST.)
LOUISIANA STATE UNIV., La., 360.
LOUISVILLE. Loc., Ga., 196. Loc., Ky., 295,
  334.
LOUISVILLE UNIV. Ky., 295.
LOUP, ri., Ne., 396.
LOVELAND PASS, pas., Co., 494.
LOVINGTON. Loc., NM., 435.
LOYOLA. Loc., Tex., 430.
LOYOLA UNIV. Ill., 280; ídem, La., 363; ídem,
  Cal., 547.
LUBOCK. Loc., Tex., 423.
LUCAS. Loc., Kan., 393; ca., Cal., 563.
LUCAYAS, iss., CS., 187.
LUDLOW. Loc., Ut., 115.
LUIS LÓPEZ. Loc., NM., 466.
LUISIANA ST., ter., es., 19, 20, 21, 27, 28, 30,
  31, 35, 39, 40, 41, 46, 47, 48, 52, 59, 61, 80,
  88, 89, 100, 101, 104, 105, 106, 107, 108,
  152, 172, 212, 265, 271, 273, 275, 289, 296,
  299, 305, 308, 316, 317, 320, 321, 324, 326,
  329, 331, 332, 334, 335, 336, 337, 338, 339,
  340, 341, 343, 344, 345, 346, 347, 348, 349,
  351, 354, 355, 357, 358, 359, 360, 362, 363,
  364, 370, 371, 372, 374, 375, 376, 381, 384,
  386, 387, 392, 401, 403, 404, 409, 415, 427,
  488, 491, 495, 505, 516, 522, 525, 282.
LUNA. Loc., Mich., 289; co., NM., 466.
LUNITA. Loc., La., 366.
LUSTRE. Loc., Mon., 526.
LUXEMBURGO, ST., 387.
LYNCHBURG. Loc., Va., 181.
LYONS. Loc., Kan., 390.

LL

LLANO. Loc., Tex., 430.
LLANO ESTACADO, de., Tx., NM., 423, 437,
  451.

M

MABILA, pi., Ala., 74, 314, 315, 318.
MACCAMAW, ri., CS., 189. (Ver: BLACK, ri.,
  CS.)

MACDEMITT. Loc., Nev., 513.
MACHENRY, fu., Md., 160.
MACINTOSH, co., Ga., 201.
MACKINAC, fu., Mich., 272; is., Mich., 286.
MACKINLEY, mt., Alk., 595.
MACOMB. Loc., Ill., 280.
MACÓN. Loc., Ga., 195, 209.
MADEIRA, is., Por., 155.
MADERA. Loc., Penn., 154. Loc., Cal., 580; co., Cal., 580.
MADISON, co., Ala., 147; co., Fla., 256, 326. Loc., Wis., 282.
MADRE DE DIOS, ba., Va-Md., 175. (Ver: CHESAPEAKE, ba., Va-Md.); is., Alk., 598, 600.
MADRIGAL DE LAS ALTAS TORRES. Loc., Esp., 411.
MADRID. Loc., Esp., 21, 22, 23, 24, 34, 42, 46, 57, 65, 68, 70, 83, 84, 108, 118, 119, 121, 122, 124, 129, 131, 136, 140, 141, 153, 158, 170, 171, 174, 196, 224, 231, 259, 269, 272, 284, 288, 289, 349, 353, 354, 362, 411, 456, 492, 504, 539, 553, 564, 570, 590, 609, 612. Loc., Ala., 326. Loc., NY., 126, 143. Loc., Nbr., 397. Loc., Io., 405. Loc., Co., 503. Loc., NM., 466. (Ver: NEW MADRID. Loc., Mo.)
MAGALLANES, estr., Chi., 534, 604. (Ver: MAGALLANES, Fernando de, I. O.)
MAGDALENA, mñs., NM., 466; is., Alk., 598; ca., Alk., 600; ba., Méx., 588; mi., Méx., 475. Loc., Ark., 475.
MAGNOLIA. Loc., Del., 158. Loc., Ala., 326. Loc., La., 366. Loc., Ark., 384. Loc., Io., 405.
MAINE, ST., 40, 113, 116, 125, 126, 582.
MAINE UNIV. Me., 125.
MAIRENA. Loc., Esp., 351.
MÁLAGA. Loc., Esp., 50, 120, 320. Loc., NJ., 149. Loc., Cal., 557, 580. Loc., Oh., 293. Loc., NM., 466. Loc., Wash., 592.
MALASPINA, gl., Alk., 601. (Ver: MALASPINA, Alejandro, I. O.
MALHADO, is., Tex. (Ver: GALVESTON, is., Tex.)
MALLORCA, is., Esp., 537, 561; Way, San Francisco, Cal.,
MANASAS. Loc., Va., 178.
MANATEE, co., Fla., 24.
MANCHAC, fu., La., 335.
MANCHESTER. Loc., Te., 304; fues., Te., 304.
MANDAN. Loc., DN., 398; ri., DN., 398.
MANGAS Loc., NM., 466.
MANHATTAN, is., NY., 127, 130, 132, 134, 138, 146, 340. Loc., Kan., 389.
MANILA. Loc., Fil., 21, 159, 166, 259, 338, 540, 607, 610, 613. Loc., Ala., 326. Loc., Ark., 384. Loc., Io., 405. Loc., Ut., 519. (Ver: FILIPINAS, iss., As.)
MANITO. Loc., Ill., 281.
MANTECA. Loc., Cal., 577.

MANTEO. Loc., CN., 187.
MANTÓN Loc., Mich., 289.
MANUELITO. Loc., NM., 466.
MANY. Loc., La., 363.
MANZANITA. Loc., Or., 586.
MANZANO. Loc., NM., 466.
MARAVILLA, pun., Alk., 600.
MARCOS NIZA ROCK, ro., Ar., 484. (Ver: FRAY MARCOS, mñs., Ar.) (Ver: NIZA, Fray Marcos, I. O.)
MARIANAS, iss., As., 613, 615. (Ver: GUAM, AGRINAN, ROTA, SAIPAN, TINIAN, iss., As.) (Ver: MARIANA DE AUSTRIA, I. O.)
MARIANNA. Loc., Fla., 260. Loc., Ark., 384.
MARIETTA. Loc., Oh., 291.
MARÍN, co., Cal., 573. Loc., Cal., 580.
MARINA. Loc. Cal., 580.
MARINES ACADEMY. Va., 179.
MARIÓN. Loc., Ill., 276.
MARIPOSA. Loc., Cal., 577; co., Cal., 580; co., Ar., 486.
MARQUESAS, iss., Fla., 242; iss., As., 606. (Ver: MARQUESAS DE MENDOZA, iss., As.)
MARQUESAS DE MENDOZA, iss., As., 606. (Ver: HURTADO DE MENDOZA, García, I. O.)
MARQUETTE. Loc., Mich., 286.
MARQUETTE UNIV., Wi., 282.
MARTÍN. Loc., Ga., 210.
MARTÍNEZ. Loc., Ga., 210. Loc., Cal., 580. (Ver: MARTÍNEZ, Esteban José, I. O.)
MÁRTIRES, iss., Fla., (Ver: CAYOS, iss., Fla.)
MARYLAND ST., 40, 95, 102, 145, 156, 158, 162, 164, 167, 172, 175.
MARYLAND UNIV. Md., 85, 161, 164, 174.
MARRERO. Loc., La., 366.
MASSACHUSETTS, ST., 113, 117, 118, 122, 125, 126, 149.
MASSACHUSETTS UNIV., Mass., 125.
MASSACHUSETTS INST. OF TECCHNOLOGY, Mass., 125.
MATADOR, Loc. Tex., 430.
MATAGORDA, is., Tex., 414.
MATAMORAS, Loc., Penn., 156.
MATANZAS, ba., Fla., 222, 225, 230; fues., Flo., 225, 231, 243.
MAUI, is., Haw., 602, 607.
MAUMEE, ri., Oh., 292.
MAUNA KEA, vol., Haw., 609.
MAUNA LOA, vol., Haw., 609.
MAUREPAS, la., La., 361.
MAY, ca., NJ., 147, 148.
MAYO. Loc. Md., 161. Loc. Fla., 268.
MAYORAL, pu., Alk., 597, 600.
MAZATLAND, iss., Mex., 538.
MEAD, la, New., 512.
MEADOR. Loc. Ky., 303.
MEDANO HISPANIS, re., ea., 178.
MEDECINE LODGE. Loc. Kan., 389.
MEDFORD. Loc., Mass., 128.
MEDINA. Loc., NY., 143. Loc., Oh., 293. Loc.,

Te., 310. Loc., ND., 401. Loc., Tex., 430. Loc., Wa., 592.

MÉJICO, teres. (Ver: NUEVA ESPAÑA, teres. Mexico, ST.)

MEMPHIS. Loc., Te., 38, 307, 329, 332.

MEMPHIS STATE UNIV. Te., 307.

MENA. Loc., Ark., 384.

MENARD. Loc., Te., 59, 422.

MENDAÑA, iss., As. (Ver: HAWAII, iss., As.) (Ver: MENDAÑA, Alvaro de, I. O.)

MÉNDEZ, go., Alk., 599.

MENDOCINO. Loc., Cal., 580, 584; ca., Cal., 37, 580, 584; co., Cal., 578. (Ver: MENDOZA, Antonio de, I. O.)

MENDOCINO NATIONAL FOREST, pk., Cal., 578.

MENDOZA, Loc., Tx., 430.

MENORCA, is., Esp., 50, 60, 232, 305. (Ver: MINORCA. Loc., Ark., BALEARES, iss., Esp.)

MERCED. Loc., Cal., 577; co., Cal., 580.

MERCEDES. Loc., Tex., 430.

MERCER UNIV. Ga., 195.

MERRIT, is., Fla., 233.

MESA. Loc., Col., 577. Loc., Ar., 486. Loc., Id., 529. Loc., Was., 592; iss., Haw.,

MESA GRANDE. Loc., Cal., 543.

MESA VERDE, fen. Co., 104, 492, 497.

MESABI RANGE, mñs., Minn., 402.

MESILLA. Loc., NM., 452.

MESILLA PARK. Loc., NM., 466.

META. Loc., Mo., 379.

METEORITE CRATER, fen. Ar. (Ver: CRÁTER DEL METEORITO, fen., Ar.)

MÉXICO, ST., Loc., 30, 36, 38, 45, 54, 59, 63, 65, 69, 72, 73, 82, 88, 90, 94, 95, 100, 102, 103, 106, 108, 134, 179, 216, 229, 231, 233, 255, 261, 265, 297, 315, 319, 346, 347, 349, 365, 390, 391, 396, 410, 411, 413, 416, 418, 426, 434, 438, 444, 446, 447, 452, 453, 465, 468, 475, 476, 477, 481, 487, 500, 503, 505, 509, 516, 522, 536, 538, 541, 542, 543, 550, 556, 560, 561, 562, 563, 568, 575, 585, 588, 591, 609, 613; go., 20, 24, 35, 37, 41, 48, 53, 58, 148, 211, 262, 263, 309, 311, 312, 318, 319, 320, 340, 345, 347, 402, 408, 411. Loc., Me., 126. Loc., NY., 143. Loc., Ky., 302. Loc., Mo., 379. (Ver: NUEVA ESPAÑA, teres.)

MEXICO BEACH. Loc., Fla., 260.

MIAMI. Loc., Fla., 25, 27, 60, 63, 65, 68, 89, 90, 142, 146, 213, 214, 220, 234, 235, 236, 237, 238, 239, 242.

MIAMI BEACH. Loc., Fla., 62, 213, 236, 238, 243.

MIAMI UNIV. Fla., 239; ídem, Oh., 291.

MICO. Loc., Tex., 430.

MICHIGAN. ST., 41, 49, 275, 383, 286, 288; la., Mich., 277, 282, 283, 286.

MICHIGAN STATE UNIV. Mich., 288.

MICHIGAN UNIV. Mich., 33, 85.

MID-FLORIDA UNIV. Fla., 85.

MIDDLEBURY. Loc., Vt., 126.

MIDDLETOWN. Loc., Con., 125.

MIDWESTERN UNIV. Tx., 412.

MIER. Loc., Tex., 428.

MIERA, cam., Co., 496.

MILFLORES, pun., Alk., 600.

MILFORD. Loc., Ut., 60, 124, 517.

MILITARY ACADEMY. NY., 131.

MILWAUKEE. Loc., Wi., 282.

MILLEDGEVILLE. Loc., Ga., 208.

MILLIKIN UNIV. Ill., 280.

MIMBRES. Loc., NM., 466.

MINA. Loc., Nev., 514.

MINAS DE ESPAÑA, es., Io., 41, 403. (Ver: MINES D'ESPAGNE, es., Io.) (Ver: DUBUQUE. Loc., Io.)

MINE A BRETON. Loc., Mo., 377.

MINERAL, co., Co., 507.

MINES D'ESPAGNE (LS), es., Io., 117, 283. (Ver: MINAS DE ESPAÑA, es., Io.)

MINGO. Loc., WVa., 182.

MINNEAPOLIS. Loc., Minn., 402.

MINNESOTA. ST., 31, 340, 399, 402, 403.

MINNESOTA UNIV. Minn., 70, 71, 399, 402.

MINORCA. Loc., Ark., 384. (Ver: MENORCA, is., Esp.)

MIRALOMA. Loc., Cal., 580.

MIRAMAR. Loc., Cal., 580.

MIRANDA, vol., Alk., 508.

MIRAVALLES, pun., Alk., 598, 600.

MIRÓ. Distrito de. Te., 115, 306. (Ver: CUMBERLAND, ea., ter.); fues., La., 365. (Ver: ESTEBAN, fues., Ala.) (Ver: RODRÍGUEZ MIRÓ, Esteban, I. O.)

MISERA. esf., Mo., 275. (Ver: STE. GENEVIEVE, Loc., Mo.)

MISHONGNOVI. pi., Ar., 472.

MISSION. Loc., Tex., 428. (Ver: PENITAS. (mi., Tex.)

MISSION BAY PARK, pi., Cal., 542.

MISSIONARY Ridge, mñs., Te., 304.

MISSISSIPI. ST., 20, 24, 31, 35, 36, 38, 40, 41, 45, 48, 49, 51, 100, 104, 195, 269, 270, 271, 272, 273, 280, 288, 311, 313, 316, 324, 326, 327, 328, 331, 337, 340, 346, 381; ri., 152, 185, 262, 269, 272, 274, 281, 289, 298, 300, 301, 302, 305, 307, 309, 317, 320, 321, 323, 324, 328, 329, 332, 334, 335, 337, 338, 344, 345, 346, 347, 350, 351, 357, 358, 359, 361, 364, 365, 367, 368, 372, 375, 377, 378, 381, 382, 383, 384, 402, 403, 404, 405, 412, 487, 488, 506, 522. (Ver: ESPÍRITU SANTO, ri., C.; GRANDE LA FLORIDA, El Río, ri., C.)

MISSISSIPPI Univ. Miss., 326.

MISSISSIPPI STATE UNIV. Miss., 326.

MISSOULA. Loc., Mon., 525.

MISSOURI. ST., 31, 40, 41, 94, 101, 105, 276, 280, 338, 340, 345, 367, 368, 372, 373, 377, 379, 381, 518; ri., CN., 38, 368, 374, 376, 388, 389, 393, 394, 396, 397, 400, 401,

403, 522, 523, 524, 525, 526.
MISSOURI UNIV. Mo., 368.
MITCHELL. Loc., ND., 401.
MITCHELL LAKE. Loc., Ala., 312.
MOAB. Loc., Ut., 515.
MOBILE. Loc., es., Ala., 31, 38, 48, 69, 80, 88, 104, 107, 261, 263, 265, 272, 297, 305, 316, 318, 320, 321, 322, 323, 327, 328, 335, 345, 346, 351. (Ver: ESPÍRITU SANT, ba., Ala.; ba., Ala.); ri., Ala., 317, 319, 320, 321, 322, 323, 327, 328, 335; ba., 260, 317, 318, 319.
MODESTO. Loc., Cal., 577, 580.
MOGUER. Loc., Esp., 213.
MOHO. pi., NM., 458.
MOJACAR. Loc., Esp., 71.
MOJAVE, de., Cal., 531, 557.
MOKELUMNE HILL. Loc., Cal., 577.
MOLINE. Loc., Ill., 276.
MOLINO. Loc., Penn., 156. Loc., Mo., 379.
MOLOKAI, iss., Haw., 602, 607. (Ver: LOS MONJES, iss., As.)
MOLUCAS, iss., As., 604.
MONA. Loc., Ut., 519. Loc., Wy., 523.
MONJES, iss., As. (Ver: LOS MONJES, iss., As.)
MONO, co., Cal., 580.
MONONGAHELA, ri., Penn., 155.
MONROE. Loc., Wi., 283. Loc., La., 346, 365; co., Ala., 314, 316.
MONTANA. ST., 61, 94, 337, 340, 400, 401, 487, 488, 521, 524, 525, 526, 527, 586.
MONTANA STATE UNIV. Mon., 525.
MONTAÑAS ROCOSAS, mñs., 38, 452, 487, 491, 492, 495, 496, 497, 500, 503, 522, 524. (Ver: CONTINENTAL DIVIDE, mñs.)
MONTE CRISTO, mñs., Nev., 514; mt., Wa., 592.
MONTE RÍO. Loc., Cal., 580.
MONTE SANO STATE PARK. pk., Ala., 326.
MONTE VISTA. Loc., Co., 507.
MONTECITO. Loc., Cal., 580.
MONTELL. Loc., Tex., 422.
MONTEREY. Loc., Cal., 39, 40, 537, 539, 540, 541, 544, 559, 563, 565, 572, 577, 580; co., Cal., 580. (Ver: MONTERREY, es., Cal.) (Ver: MONTERREY, Virrey, Conde de. I. O.)
MONTEREY PARK. pk., Cal., 580.
MONTERREY. Loc., Mex., 427; es., Cal., 517, 543, 548, 552, 559, 560, 561, 562, 563, 564, 567, 568, 575, 597, 598; ba., Cal., 539, 540, 559, 564, 585; mi., Cal., 550. 556, 559, 564; fues., Cal., 77, 539, 559, 564. (Ver: MONTE-REY, Loc. Cal.)
MONTESANO. Loc., Wash., 592.
MONTEVIDEO. Loc., Minn., 403.
MONTGOMERY. Loc., Ala., 62, 311, 312, 314, 324.
MONTGOMERY'S LANDING. Loc., Ark., 384.
MONTICELLO. Loc., Ut., 181, 303, 515, 518.
MONTPELIER. Loc., Ut., 115.
MONTREAL. Loc., Can., 115.

MONTROSE. Loc., Ala., 319. Loc., Co., 497.
MONTSERRAT. Loc., Mo., 379.
MORA. Loc., Ga., 210. Loc., Minn., 403. Loc., NM. 466; co., NM., 466.
MORAGA, Loc.,Cal., 580.
MORALES Loc., Tex., 430.
MORÁN. Loc., Mich., 289. Loc., Kan., 393. Loc., Io., 405; iss., Wa., 592; mñs., Wy., 471, 523.
MORENO. Loc., Cal., 580.
MORGANTOWN. Loc., WVa., 181.
MORO. Loc., Ark., 384. Loc., Or., 586.
MORÓN. Loc., Esp., 22.
MORRAL. Loc., Oh., 293.
MORRISTOWN. Loc., NJ., 146, 150, 151.
MORRO, fues., Cu., 230, 259, 321; ro.,Cal., 556. (Ver: EL MORRO, ro., NM.)
MORRO BAY. Loc., Cal., 556, 580.
MOSA, fues., Fla., 237.
MOSCOW. Loc., Id., 528.
MOSQUERO. Loc., NM., 466.
MOUNT RAINIER NATL. Park, pk., Wa., 588.
MOUNT VERNON., 95, 164, 174, 303, 317.
MOUNTAIN HOME. la., Id., 527.
MUCHAS ISLAS, CABO DE LAS, ca., Me., 116.
MULLAN. Loc., Id., 527.
MUNICIPAL UNIV. OF OMAHA, Ne., 395.
MURCIA. Loc., Esp., 240.
MURPHY. Loc., CN., 185, 304.
MURRAY. Loc., Ga., 196.
MURRIETA. Loc., Cal., 580. (Ver: MURRIETA, Joaquín, I. O.)
MUSKOGEE. Loc., Ok., 259, 385.
MYRTLE BEACH. Loc., CS., 189.

N

NACIMIENTO, mñs., NM., 466.
NACOGDOCHES. Loc., Tex., 98, 363, 415.
NADA. Loc., Tex., 430.
NAGASAKI. Loc., Ja., 306.
NAMBE, mi., NM., 460.
NANIPACANA. Loc., Ala., 313, 315, 316.
NANTUCKET, is., Mass., 36.
NAPA, co., Cal., 575.
NAPESTLE, ri., Ark., Ne., 396, 501. (Ver: AR-KANSAS, ri., Ark., Ne.)
NAPLES. Loc., Fla., 214, 243.
NARANJA. Loc., Fla., 268.
NARRAGANSETT, ba., RI., 123.
NASHBORO. Loc., Te., 308.
NASHVILLE. Loc., Te., 303, 305, 306, 310, 326.
NATALIA. Loc., Tex., 430.
NATCHEZ. Loc., es., Miss., 184, 271, 272, 298, 307, 316, 317, 327, 329, 330, 331, 332, 334, 335, 347, 351. (Ver: ANMURE, fues., Miss.)
NATCHITOCHES. Loc., La., 20, 89, 101, 339, 362, 363, 364, 414, 415, 501.

NAUVOO. Loc., Ill., 276, 515.
NAVAL ACADEMY, Md., 158. (Ver: ANNAPOLIS. Loc., Md.)
NAVARRE. Loc., Oh., 293. Loc., Kan., 393. (Ver: PAMPLONA. Loc., Esp.)
NAVARRO. Loc., Tex., 430.
NAVIDAD, u., Mex., 538.
NEBRASKA. ST., 36, 41, 340, 381, 386, 387, 392, 393, 394, 395, 396, 397, 401, 403, 500.
NEBRASKA UNIV., Ne., 395.
NEBRASKA WESLEYAN UNIV. Ne., 395.
NECHES, ri., Tex., 414.
NEVADA. ST., 54, 60, 61, 80, 82, 88, 90, 94, 487, 488, 509, 510, 512, 513, 514, 516, 524, 527, 528, 578, 580, 586. LOC., Ill., 282. Loc., Ind., 285. Loc., Oh., 293. Loc., Tex., 430. Loc., Mo., 379. Loc., Io., 405; co., Ark., 384; co., Cal., 557.
NEVADA CITY. Loc., Cal., 577, 580.
NEVADA UNIV. Loc., Nev., 512, 514.
NEW ALBANY. Loc., Ind., 283.
NEW AMSTERDAM, esh. (Ver: NUEVA AAMS-TERDAM, esh.)
NEW BOURBON. Loc., Mo., 40, 378. (Ver: NUE-VO BORBÓN, es., Mo.)
NEW BUDA. Loc., Io., 404.
NEW BRUNSWICK. Pr., Can., 36, 114, 146.
NEW Columbia. Loc., Ill., 282. (Ver: COLUM-BIA. Loc.)
NEW ENGLAND, re., ea., 102, 113, 122.
NEW GLAURUS. Loc., Wi., 283.
NEW HAMPSHIRE. ST., 113, 114, 115, 125, 185, 300.
NEW HAMSHIRE UNIV. NH., 125.
NEW HARMONY. Loc, Ind., 283.
NEW HAVEN. Loc., Con., 114, 124, 125, 358.
NEW HOLLAND, esh., 113. (Ver: NEW YORK. Loc., NY.)
NEW IBERIA. Loc., La., 40, 59, 61, 344, 358, 366. (Ver: IBERIA, par., La.)
NEW JERSEY. ST., 82, 113, 124, 130, 145, 146, 147, 149. (Ver: NUEVA JERSEY, ST.)
NEW LONDON. Loc., Con., 124.
NEW MADRID. Loc., Mo., 40. (Ver: NUEVO MADRID, es., Mo.)
NEW MATAMORAS. Loc., Oh., 293.
NEW MEXICO, ST. (Ver: NUEVO MEXICO, ST.)
NEW MEXICO INST. OF MINNING AND TECHNO-LOGY. NM., 457.
NEW MEXICO HIGHLANDS UNIV. NM., 457.
NEW MEXICO UNIV. NM., 457.
NEW ORLEANS. Loc., La. (Ver: NUEVA OR-LEANS, es. Loc., La.)
NEW PALZ. Loc., NY., 129.
NEW SALEM. Loc., Ill., 276.
NEW SMYRNA. Loc., Fla., 231, 232, 305.
NEW YORK, ST. Loc., (Ver: NUEVA YORK, ST. Loc.)
NEW YORK UNIV. NY., 24, 71, 85, 89, 91, 128, 135, 136.

NEWARK. Loc., NJ., 63, 66, 130, 145, 147, 157. Loc., Del.,
NEWARK UNIV. Del., 157.
NEWPORT. Loc., RI., 60, 124.
NEWPORT NEWS. Loc., Va., 178.
NIAGARA, CATARATAS DEL., 127, 282.
NIAGARA UNIV., NY., 127.
NICARAGUA, ST., 216.
NIIHAU, is., As., 602. (Ver: GUAM, iss., As.)
NILES. Loc., Mich., 41, 48.
NIOBRARA, ri., Ne., 396.
NOBLE. Loc., Ill., 282.
NOBLES. Loc., Te., 310; co., Minn., 403.
NOGALES. Loc., Ar., 475, 476, 477, 486; fues., Miss., 327. (Ver: VICKSBURG. Loc., Miss.)
NOMBRE DE DIOS, mi., Fla., 207, 218, 254; rei., Fla., 217.
NOOTKA, ba., Can., 590, 591. (Ver: NUTKA., ba., Can.)
NORFOLK. Loc., Va., 145, 175, 178.
NORMAN, Loc., Ok., 385.
NORTE, ri., Tx., Co., 427. (Ver: GRANDE, Río, ri., Tx.); Presidio del, fues., Tx., 427. (Ver: JUNTA DE LOS RÍOS, es., Tx.)
NORT CAROLINA, ST. (Ver: CAROLINA DEL NORTE, ST.)
NORTH CAROLINA UNIV., CN., 183.
NORTH DAKOTA, ST. (Ver: DAKOTA DEL NOR-TE, ST.)
NORT DAKOTA UNIV., DN., 401.
NORTHAMPTON. Loc., Mass., 126.
NORTHFELD. Loc., Mass., 126.
NORTH LIMA. Loc., Oh., 293.
NORTH MIAMI BEACH. Loc., Fla., 236.
NORTH PLATTE. Loc., Ne., 396.
NORTH QUADRA, mt., Alk., 601. (Ver: QUA-DRA, bo., Alk., BODEGA. Loc., Cal.)
NORTH SACRAMENTO. Loc., Cal., 580.
NORTHEASTERN UNIV. Mass., 125.
NORTHERN ILLINOIS UNIV., Ill., 280.
NORTHWESTERN UNIV., Ill., 280.
NORTON. Loc., Mass., 126.
NORWICH UNIV. Vt. 126.
NOTRE DAME UNIV. Ind., 284.
NOVA SCOTIA. Pr., Can., 36, 358.
NOVATO. Loc., Cal., 580.
NUCHICK, ba., Alk., 600. (Ver: SANTIAGO, pu., Alk.)
NUECES, ri., Tx., 422, 423, 429.
NUESTRA SEÑORA LA REINA DE LOS ANGELES, El Pueblo de, es., Cal., (Ver: LOS ANGELES. Loc., Cal.)
NUESTRA SEÑORA DE GUADALUPE DE EL PASO, mi., Tx., 426.
NUESTRA SEÑORA DE GUADALUPE DE LOS NA-COGDOCHES, mi., Tx., 415.
NUESTRA SEÑORA DE GUADALUPE DE TOLOMA-TO, mi., Fla., 218.
NUESTRA SEÑORA DE LORETO DE LA BAHÍA, fues., Tx., 424, 429. (Ver: LA BAHÍA, fues.,

Tx.; GOLIAD. Loc., Tx.)

NUESTRA SEÑORA DE LA ASUNCIÓN, mi., NM., 441, 459; pu., Alk., 597.

NUESTRA SEÑORA DE LA CANDELARIA DE TAMA, mi., Ga., 208.

NUESTRA SEÑORA DE LA CANDELARIA, mi., Tx., 422.

NUESTRA SEÑORA DE LA LECHE, mi., Fla., 223.

NUESTRA SEÑORA DE LA LUZ DEL OROCOQUISAC, mi., Tex., 422.

NUESTRA SEÑORA DE LA MERCED DE LOS TIMPANOGOTZIS, mi., Ut., 517.

NUESTRA SEÑORA DE LA PURÍSIMA CONCEPCIÓN DE AYUBALE, mi., Fla., 256. (Ver: INMACULADA CONCEPCIÓN, mi., NM.)

NUESTRA SEÑORA DE LA PURÍSIMA CONCEPCIÓN DE MARÍA ACUÑA, mi., Tex., 416. (Idem.)

NUESTRA SEÑORA DE LA PURÍSIMA CONCEPCIÓN DE LOS AYNAIS, mi., Tex., 415. (Idem.)

NUESTRA SEÑORA DE LA REGLA, en., Alk., 598.

NUESTRA SEÑORA DE LOS REMEDIOS, pu., Alk., 597.

NUESTRA SEÑORA DE LA SOLEDAD, erm., Fla., 558; mi., Cal., 558.

NUESTRA SEÑORA DE LOS DOLORES, fues., Tx., 415; mi., Cal., 569, 571, 574; mi., Mex., 476.

NUESTRA SEÑORA DE LOS DOLORES DE LOS AIS, mi., Tex., 415.

NUESTRA SEÑORA DEL ESPÍRITU SANTO, mi., Tex., 423.

NUESTRA SEÑORA DEL PILAR DE LOS ADAES, fues., La., 363, 415. (Ver: ADAES [Los], es., La.)

NUESTRA SEÑORA DEL ROSARIO, mi., Tex., 424. Canal de, Can., 592.

NUESTRA SEÑORA DEL SOCORRO, mi., NM., 457.

NUEVA ALBIÓN, re., Cal., 533. (Ver: CALIFORNIA, resp.)

NUEVA AMSTERDAM, esh., 62, 130, 132. (Ver: NUEVA YORK. Loc., NY.)

NUEVA ANDALUCÍA, teres., 94, 538. (Ver: ANDALUCÍA. Loc., Penn.)

NUEVA ESCOCIA. Pr., Can., 116, 357. (Ver: NOVA SCOTIA, Pr., Can.)

NUEVA ESPAÑA, teres., 35, 53, 55, 58, 92, 94, 97, 100, 101, 148, 190, 249, 261, 262, 264, 269, 339, 347, 364, 390, 411, 420, 425, 427, 428, 432, 433, 438, 448, 454, 456, 474, 475, 500, 503, 540, 546, 568, 584, 585, 604, 607. (Ver: México. Loc., Mex.)

NUEVA FRANCIA, terf., Can., 92.

NUEVA GALICIA, teres., Mex., 452. (Ver: GALICIA DR., L. A.)

NUEVA GRANADA, teres., Am., 233. (Ver: GRANADA, teres., Am. GRANADA, Loc., Esp.)

NUEVA GUINEA, is., As., 604, 606.

NUEVA IBERIA. Loc., La. (Ver: NEW IBERIA. Loc., La.)

NUEVA INGLATERRA, re., ea., 26, 62, 81, 102, 113, 114, 116, 117, 118, 120, 121, 122, 124, 126, 164, 290. (Ver: NEW ENGLAND, re., ea.)

NUEVA JERSEY, ST. (Ver: NEW JERSEY, ST.)

NUEVA ORLEÁNS, es., Loc., La., 20, 24, 28, 39, 45, 46, 59, 69, 77, 89, 101, 104, 106, 107, 113, 184, 265, 268, 272, 281, 289, 297, 299, 300, 301, 302, 303, 305, 317, 320, 322, 326, 327, 329, 330, 331, 332, 334, 335, 336, 337, 339, 340, 341, 343, 344, 345, 346, 347, 348, 349, 350, 351, 352, 353, 354, 355, 356, 357, 359, 360, 363, 365, 367, 370, 373, 374, 379, 383, 396, 401, 404, 421, 526. (Ver: NEW ORLEANS. Loc., La.); isl. L., 269, 338.

NUEVA RUSIA, re., Cal., 533. (Ver: CALIFORNIA, resp.)

NUEVA VIZCAYA, teres., Mex., 349, 444.

NUEVA YORK, ST. Loc., 22, 25, 34, 42, 62, 63, 64, 65, 66, 68, 70, 71, 76, 78, 79, 81, 84, 86, 89, 90, 102, 113, 114, 115, 127, 128, 129, 130, 131, 134, 135, 136, 138, 140, 141, 142, 143, 145, 149, 151, 152, 154, 162, 164, 169, 173, 178, 184, 189, 214, 215, 233, 239, 275, 279, 282, 313, 325, 350, 358, 371, 379, 388, 402, 515, 531, 581. (Ver: NEW YORK, ST. Loc.; NUEVA AMSTERDAM, esh.)

NUEVAS FILIPINAS, teres., 94. (Ver: TEXAS. teres., FILIPINAS, iss., As.)

NUEVAS HÉBRIDAS, iss., As., 605.

NUEVO. Loc., Cal., 580.

NUEVO BORBÓN, es., Mo., 371, 378. (Ver: NEW BOURBON. Loc., Mo.)

NUEVO LAREDO. Loc., Mex., 421. (Ver: LAREDO. Loc., Esp.)

NUEVO LEÓN, teres., Mex., 465.

NUEVO MADRID, es., Mo., 101, 107, 332, 335, 377, 378. (Ver: NEW MADRID. Loc., Mo.)

NUEVO MÉXICO, ST. teres., 28, 31, 36, 39, 40, 41, 51, 52, 53, 54, 55, 58, 63, 65, 67, 68, 73, 75, 76, 77, 80, 82, 88, 89, 90, 94, 95, 98, 99, 100, 101, 106, 108, 110, 113, 270, 340, 367, 374, 389, 390, 391, 392, 395, 409, 413, 426, 431, 432, 433, 434, 435, 436, 437, 438, 439, 442, 444, 447, 448, 451, 452, 455, 456, 459, 460, 461, 462, 463, 464, 465, 467, 472, 473, 474, 479, 482, 487, 493, 495, 496, 497, 498, 500, 501, 502, 504, 509, 511, 517, 518, 536. (Ver: NEW MEXICO, ST.; NUEVA ANDALUCÍA, teres; NUEVO REINO DE SAN FRANCISCO, teres.; SAN FELIPE, teres.; TIGUEX, teres.)

NUEVO MÉXICO UNIV., 78, 462.

NUEVO REINO DE SAN FRANCISCO, teres., 94. (Ver: NUEVO MÉXICO, teres.)

NUEVO SANTANDER, teres., Tx., Mex., 428, 429; ri., Tx., Mex., 148.

NÚÑEZ. Loc., Ga., 210.

NUTKA, es., ba., Can., 39, 301, 401, 535, 585, 586, 588, 590, 591, 596, 599, 601, 607.

O

OAHU, is., Haw., 602, 609.
OAK RIDGE. Loc., Te., 306.
OAKLAND. Loc., Cal., 64.
OASIS. Loc., Ut., 519.
OBERLIN. Loc., Oh., 290.
O'BRIEN. Loc., Fla., 256.
OCALA, rei., pi., 60, 251, 253.
OCEAN CITY. Loc., NJ., 148.
OCEAN VIEW. Loc., Del., 156.
OCEANSIDE. Loc., Cal., 544.
OCMULGEE, ri., Ga., 196, 197, 208.
OCONEE, co., CS., 194; ri., Ga., 302, 324, 325, 335.
OCONOTICO, mi., Ga., 204.
OCUTE, pi., Ga., 197. (Ver: HAWKINSVILLE. Loc., Ga.)
OCHLOCKONEE, ri., Ga., Fla., 208, 256. (Ver: LANAS, ri., Fla.; Amarillo, ri., Fla.)
OCHUSE, ba., Fla., 256.
ODESSA. Loc., Tex., 423.
OGDEN CAÑÓN, cnon., Ut., 515, 518.
OGEECHEE, ri., Ala., 324, 325.
OGLETHORPE Univ., Ga., 195, 216, 225.
OHIO, ST., 24, 68, 271, 272, 273, 275, 283, 289, 299, 301, 331, 375, 379, 526; ri., 291, 295, 298, 302, 323, 329, 335.
OHIO NORTHERN UNIV., Oh., 291.
OHIO STATE UNIV. Oh., 291.
OHIO UNIV., Oh., 291.
OHIO WESLEYAN UNIV., Oh., 85, 291.
OJO CALIENTE. Loc., NM., 454; ri., Co., 499.
OJO FELIZ. Loc., NM., 466.
OKLAHOMA, ST., 36, 41, 82, 99, 243, 340, 378, 381, 385, 386, 387, 390, 487.
OKLAHOMA BAPTIST UNIV., Ok., 385.
OKLAHOMA CITY. Loc., Ok., 385.
OKLAHOMA CITY UNIV. Ok., 385.
OKLAHOMA STATE UNIV. Ok., 385.
OKLAHOMA UNIV., Ok., 385.
OKMULGEE. Loc., Ok., 385.
OLA. Loc., Ark., 384. Loc., Id., 529.
OLATAMA, pi., Ga., 197.
OLD SPANISH TRAIL, ru., La., 360.
OLD SPRING HILL. Loc., Ala., 316.
OLD STONE SORT, fues., Tex., 415.
OLIVA. Loc., CN., 187.
OLIMPIA. Loc., Wa., 588.
OLYMPIC, pen., Wa., 589, 591.
OLYMPUS, mt., Wa., 589.
OMAHA. Loc., Ne., 394, 395, 396, 594.
ONEIDA, rei., ea., 161.
ONTARIO, Pr., Can., 286; la., N., 127, 282.
OPELOUSAS. Loc., La., 344, 359.
OPTIMA. Loc., Ok., 387.
ORABI, pi., Ar., 473.
ORANGE, co., Fla., 233.
ORANGEBURG, co., CS., 193.
OREGON. ST. 34, 37, 41, 60, 61, 77, 80, 90, 95, 487, 488, 513, 516, 522, 525, 527, 528, 579, 581, 582, 585, 586, 587, 588, 589, 592, 596.
OREGON UNIV., Or., 583.
ORISTA, rei., Ga., 191.
ORLA. Loc., Tex., 430.
ORLANDO. Loc., Fla., 60, 212, 233.
ORLEANS, is., La., 335, 340.
ORO GRANDE. Loc., Cal., 580.
OROFINO. Loc., Id., 529.
OROFINO CREEK, ri., Id., 527.
ORONDO. Loc., Wa., 592.
ORONO. Loc., Me., 125.
OROVILLE. Loc., Cal., 580. Loc., Wa, 592.
OSOS, CAÑÓN DE LOS pas., Cal., 549, 555. (Ver: CAÑADA DE LOS OSOS [La], Cal.)
OSPO, is., Ga., 198, 206.
OSSABAW, is., Ga., 198. (Ver: ASOPO, is., Ga.)
OTERO, co., NM., 466; co., Co., 507.
OTTAWA. Loc., Kan., 389.
OTTAWA UNIV. Kan., 389.
OUACHITA, co., Ark., 384; mñs. Ark., 381; ri., La., 346, 365, 382.
OURAY. Loc., Co., 497.
OVANDO. Loc., Mon., 526. (Ver: OVANDO, Nicolás de, I. O.)
OXFORD. Loc., Oh., 291; Loc., Ala., 326.
OXFORD UNIV. GB., 174.
OZARK, mñs., Mo., 368, 381, 385.

P

PACAHA, pi., Ark., 382.
PACIFIC GROVE. Loc., Cal., 563.
PACIFIC LUTHERAN UNIV., Wa., 588.
PACIFIC UNIV. Or., 583.
PACÍFICA. Loc., Cal., 568, 580.
PACÍFICO UNIV., Cal., 578.
PACHECO PASS., pass., Cal., 577.
PADILLA. Loc., NM., 466. (Ver: PADILLA, Fray Juan de, I. O.)
PADILLA MESA, col., Ar., 475. (Idem.)
PADRE ISLAND, is., Tx., 429. (Ver: BALLÍ, P. Nicolás, I. O.)
PADRE SERRA ALAMEDA, Santa Bárbara, Cal., 552. (Ver: JUNÍPERO. Ave., L. A.) (Ver: SERRA, Fray Junípero, I. O.)
PADRES, VADO DE LOS. Ar. (Ver: VADO DE LOS PADRES, Ar.; FATHERS, CROSING OF THE, Ar.)
PAINCOURT, esf., Mo., (Ver: ST. Louis. Loc., Mo.)
PAINTED DESERT, fen., Ar., 470, 488. (Ver: DESIERTO PINTADO.)
PAÍSES BAJOS, ST., 103, 226.
PAJARITO, cam., Ala., 312.
PALA, mi., Cal., 580.
PALACIOS. Loc., Tex., 430.
PALATKA. Loc., Fla., 98, 212.
PALAU, iss., As., 613.
PALISADES, pk., NJ., 146.

PALITO. Loc., Tex., 430.
PALITO BLANCO. Loc., Tex., 430.
PALM BEACH. Loc., Fla., 78, 214, 234, 235.
PALM VALLEY. Loc., Fla., 217.
PALMA. Loc., Ky., 303; ba., Alk., 601.
PALMAS. Río de las. ri., Mex., USA, 38, 425.
(Ver: GRANDE, RÍO, ri., Mex., USA.)
PALMETTO. Loc., Fla., 248.
PALO. Loc., Io., 405. Loc., Mich., 289.
PALO ALTO, co., Io., 405. Loc., Cal., 410, 567, 580.
PALO DURO, ri., Ok., 387; ca., 413.
PALO PINTO. Loc., Tex., 430.
PALO VERDE. Loc., Cal., 545, 580.
PALOMA, is., Fla., 242.
PALOS, pu., Esp., 122, 172, 178.
PALOS HEIGHTS. Loc., Ill., 281.
PALOS PARK. Loc., Ill., 282.
PALOS VERDES. Loc., Cal., 580.
PALOUSE. Loc., Id., 527.
PAMPLONA, Loc., Esp., 142. (Ver: NAVARRE. Loc., Oh.)
PANAMÁ. Loc., NY., 143. Loc., Ok., 387. Loc., Ne., 397. Loc., Io., 405; cn., Am., 90, 286.
PANAMA CITY. Loc., Fla., 214, 260.
PANMURE. fues, Miss., 46, 329, 330, 331, 350. (Ver: NATCHEZ, es., Miss.)
PANUCO, teres., 94. (Ver: TEXAS, teres.); ri., Mex., 347.
PARAGUAY, ST., 52, 227.
PARDO, EL. Loc., Esp., 289.
PARIA, ri., Ut., 519.
PARÍS. Loc., Fr., 22, 44, 46, 93, 146, 151, 153, 169, 192, 269, 271, 275, 289, 291, 334, 340, 356, 374, 606, 613.
PARRAL. Loc., Mex., 444, 446.
PASADENA. Loc., Col., 547, 549, 579.
PASAJES, pu. Esp., 44.
PASCAGOULA. Loc., Miss., 327.
PASO, EL. Loc., Tex., 102, 105. (Ver: EL PASO. Loc., Tex.)
PASO ROBLES. Loc., Cal., 557, 580; pas. Cal., 556. (Ver: ROBLES, Juan José, I. O.)
PASS CAVALLO, est., Tex., 414.
PATAGONIA. Loc., Ar., 486.
PATALE. pi., Fla., 257, 258.
PATOS, iss., Wa., 592.
PAULINA. Loc., Or., 586.
PAVO. Loc., Ga., 210.
PAZ, ba., Cal., 533.
PEARL, ri., Miss., 321, 330.
PEARL HARBOR. ba., Haw., 594, 601, 602, 603, 609.
PECOS, pi., NM., 432, 446, 458, 464, 465; ri., NM., 436, 452.
PEDERNAL, mñs., NM., 466.
PEDRO. Loc., Fla., 268.
PEE DEE, ri., CS., 190, 191. (Ver: JORDÁN, ri., CS.)
PELLA. Loc., Io., 404.

PEMBINA. Loc., DN., 401.
PENASCO, Loc., NM., 466.
PEND ORELLE, la., Id., 527.
PENITAS, mis., Tx., 428. (Ver: Mission. Loc., Tx.)
PENNSYLVANIA. ST. 34, 79, 107, 124, 129, 138, 143, 145, 149, 150, 153, 156, 162, 272, 282, 290, 295, 296.
PENNSYLVANIA STATE UNIV. Penn., 153.
PENNSYLVANIA UNIV. Penn., 85, 87.
PENOBSCOT, ba., Me., 116. (Ver: GAMOS, RÍO DE LOS, ri., Me.)
PENSACOLA, es., Loc., Fla., 36, 40, 42, 46, 47, 48, 58, 99, 190, 214, 254, 259, 260, 261, 262, 263, 264, 265, 266, 268, 271, 272, 309, 313, 315, 318, 319, 320, 321, 324, 330, 336, 351; ba., Fla., 260, 261, 265. (Ver: FILIPINA DEL PUERTO DE SANTA MARÍA. ba., Fla.; SANTA MARÍA DE GÁLVEZ, ba., Fla.)
PEÑÍSCOLA. Loc., Esp., 267.
PEORIA. Loc., Ill., 276, 280, 404.
PERALTA. Loc., NM., 466. (Ver: PERALTA, Pedro de, I. O.)
PERDIDO, ri. Fla.-Ala., 266, 320, 321, 327.
PERICO. Loc., Tex., 430.
PERPETUA, ca., Or., 586.
PERPIÑÁN. Loc., Fr., 121.
PERÚ, ST., Am., 103, 172, 183, 233, 246, 390, 452, 493, 597, 605, 606. Loc., NY., 143. Loc., CN., 187. Loc., Kan., 393. Loc., Ne., 397. Loc., Io., 405. Loc., Wy., 523. Loc., Ill., 282. Loc., Ind., 285. (Ver: W. PERÚ. Loc., Me.; E. PERU, Loc. Me.)
PERRILLO SPRING, man., NM., 445.
PESCADERO, ca., Cal., 563, 580.
PETRA. Loc., Esp., 168, 562.
PETRIFIED FOREST, fen., Ar., 469. (Ver: BOSQUE PETRIFICADO, fen., Ar.)
PETRONILA. Loc., Tex., 430.
PHILADELPHIA. Loc., Penn. (Ver: FILADELFIA. Loc., Penn.)
PHILIPS UNIV. Ok., 387.
PHOENIX. Loc., Ar., 63, 467, 472, 485, 486.
PIACHE. Loc., Ala., 314.
PICA. Loc., Ar., 486.
PICACHO. Loc., Ar., 486; mñs., Ar., 468.
PICKENS, co., Ala., 316.
PICO RIVERA. Loc., Cal., 580.
PICOLATA, pi., Fla., 256.
PIEDMONT, re., Ga., 195.
PIEDRA. Loc., Ar., 486.
PIEDRA PARADA, mt., Co., 496.
PIEDRAS NEGRAS. Loc., Mex., 427.
PIERRE. Loc., DS., 399, 400.
PIKE. mt., Co., 506.
PIMERIA ALTA, teres., Ar., 51, 95. (Ver: ARIZONA, teres.)
PIMIENTA, mt., Alk., 600.
PINEDA CT., Mobile. Ala., 322. (Ver: ALVAREZ DE PINEDA, Alonso, I. O.)

PINOS, ca., Cal., 563.
PINOS ALTOS. Loc., NM., 466; mñs., NM., 466.
PINTO, ri., Nev., 514.
PINTURA. Loc., Ut., 519.
PISA. Loc., It., 314.
PITTSBURGH. Loc., Penn., 149, 153, 154, 155, 281, 299, 308, 329, 332, 378.
PITTSBURGH UNIV. Penn., 155, 227.
PLACER, co., Cal., 580.
PLACERVILLE. Loc., Cal., 577.
PLANA. Loc., SD., 401.
PLANADA. Loc., Cal., 580.
PLANO. Loc., Tex., 430. Loc., Io., 405. Loc., Ill., 282.
PLATA, Río de la, Am., 44.
PLATEAU, ri. Col., 496.
PLATO. Loc., Ind., 285.
PLATTE, ri., Co., Wy., Ne., 38, 388, 393, 394, 396, 400. (Ver: CHATO, ri., Ne.; JESÚS Y MARÍA, ri., Ne.; SAN LORENZO, ri., Ne.)
PLATTEVILLE. Loc., Co., 494.
PLATTSBURGH. Loc., Vt., 115.
PLAZA. Loc., ND., 401. Loc., Wa., 592.
PLAZA DE LOSLEONES. Loc., Co., 504. (Ver: WALSENBURG. Loc., Co.) (Ver: LEÓN, Miguel Antonio, I. O.)
PLEASANT, mt. Mich., 288.
PLUMAS, ri., Cal., 580; co., Cal., 580.
PLYMOUTH. Loc., Mass., 117.
POCATELLO. Loc., Id., 527, 528.
POCOTALIGO. Loc., CS., 193.
POINT ARENA, ca., Cal., 578.
POINT CABRILLO, ca., Cal., 578.
POINT DELGADA, ca., Cal., 578.
POINT FARRAGUT, ca., Miss., 327.
POINT GRENVILLE, pun., Wa., 589.
POINT ISABEL. Loc., Ind., 285. Loc., Oh., 293.
POINT LABADIE, es., Mo., 377.
POINT LOMA, ca., Cal., 537.
POINT PLAQUET, ca., Miss., 327.
POINT REYES, ca., Cal., 578.
POLAR. Loc., Wis., 283.
POLK, co., CN., 186.
POLO. Loc., Ill., 282. Loc., Mo., 379.
POMPANO BEACH. Loc., Fla., 234.
PONCA CITY. Loc., Ok., 386, 387.
PONCE DE LEÓN, ba., Fla., 242, 260. Loc., Fla., 268. (Ver: DE LEÓN. Loc., Tx.); is., Fla., 231. (Ver: PONCE DE LEÓN, Juan, I. O.)
PONTCHARTRAIN, la., La., 353.
PONTE VEDRA BEACH. Loc., Fla., 217. (Ver: SOUTH PONTE VEDRA. Loc., Fla., GALICIA, Dr., L. A.)
PORCIÚNCULA, ri., Cal., 545.
PORT ALEXANDRE, pu., Alk., 601.
PORT ANGELES. Loc., Wa., 592.
PORT LAVACA. Loc., Tex., 408.
PORT LLIGAT. Loc., Esp., 249.
PORT MARY. Loc., Alk., 596.

PORT OXFORD. Loc., Or., 583.
PORT ROYAL. Loc., CS., 28, 41, 191, 193. (Ver: SANTA ELENA, es., CS.); ri., CS., 190.
PORTAGE DE SIOUX., es. Mo., 377.
PORTAL. Loc., Ga., 210. Loc., Fla., 267. Loc., ND., 401.
PORTALES. Loc., NM., 457, 466.
PORTILLO, cn., Alk., 598, 600.
PORTLAND. Loc., Or., 582.
PORTLAND UNIV. Or., 582.
PORTOLA. Loc., Cal., 578, 580. State Park. Cal., 568. (Ver: PORTOLÁ, Gaspar de, I. O.)
PORTSMOUTH. Loc., NH., 44, 115, 305.
PORTUGAL, ST., 604.
POTANO, resp., Ga., 208.
POTOMAC, ri., DC., 95, 164, 169, 175.
POTOSÍ. Loc., Wi., 283, 405. Loc., Mo., 105, 378, 379; mñs., Nev., 514.
POTRILLO. Loc., NM., 466.
POTURBATO, pi., Ga., 207.
POUGHKEEPSIE. Loc., NY., 129.
PRAIRIE DU CHIEN. Loc., Wi., 280, 283, 404, 405.
PRESCOTT. Loc., Ar., 487.
PRESIDIO. Loc., Tex., 426, 430; co., Tex., 426.
PRESIDIO DEL NORTE, fues. Tex., 427.
PRIEST, la., Id., 527.
PRINCE OF RUPERT, is., Alk., 600.
PRINCE OF WALES, iss., Alk., 50, 585, 589, 596, 597, 599, 600. (Ver: PRÍNCIPE DE GALES, iss., Alk; SANTA MARGARITA, iss., Alk.)
PRINCE WILLIAM SOUND, cn., Alk., 50, 598.
PRINCETON UNIV. NJ., 146.
PRÍNCIPE DE GALES, iss., Alk., 589, 590, 602, 603. (Ver: PRINCE OF WALES, iss., Alk.)
PROFUNDA, ba., Me., 116. (Ver: FUNDY, ba., Me.)
PROGRESO. Loc., Tex., 430.
PROVIDENCE. Loc., RH., 123, 125.
PROVIDENCIA, pun., Alk., 600.
PROVINCETOWN. Loc., Mass., 118.
PROVO. Loc., Ut., 515, 518.
PRUSIA. ST., 43, 334, 591.
PUARAY, pi., NM., 58.
PUEBLA DE LOS ANGELES. Loc., Mex., 173.
PUEBLO. Loc., Co., 392, 499, 500, 505, 507.
PUEBLO DE TAOS, pi., NM., 463.
PUERTA, LA. Loc., Esp., 71.
PUERTO DE NUESTRA SEÑORA DE LOS REMEDIOS, pu., Alk., 599.
PUERTO DE PALOS. Loc., Esp., 172.
PUERTO DE SANTA MARÍA. Loc., Esp., 36.
PUERTO GUADALUPE, pu., Alk., 596.
PUERTO PRÍNCIPE. Loc., Ha., 305.
PUERTO REAL, pu., Alk., 600.
PUERTO RICO, is., St., Ca., 21, 22, 68, 88, 99, 219, 265, 609, 613. Loc., Tex., 72, 430.
PUERTO SANTIAGO, pu., Alk., 599.
PUGET SOUND, est. Wa., 589.
PUGET SOUND UNIV. Wa., 587.

PULGA. Loc., Cal., 580.
PULLMAN. Loc., Wa., 588.
PUNTA DE LA ARBOLEDA. Loc., Alk., 598.
PUNTA ARENA. Loc., Cal., 580.
PUNTA BALLENAS, pun., Cal., 533.
PUNTA CORTADA. Loc., Miss., 331.
PUNTA GORDA. Loc., Fla., 240, 243, 268; ca., Cal., 578.
PUNTA DE LOS GUIJARROS, ca., Cal., 537. (Ver: BALLAST POINT, ca., Cal.)
PUNTA DE LOS LOBOS MARINOS, ca., Cal. (Ver: LOBOS, ca., Cal.)
PUNTA DE SHAW, ca., Fla., 246, 247.
PUNTA REYES. Loc., Cal., 568.
PUNTA SAN GONZALO, pun., Wa., 592.
PUNTA SAN JUAN, pun., Wa., 592.
PUNTA SAN RAFAEL, pun., Wa., 592.
PURDUE UNIV. Ind., 85, 284.
PURGATOIRE, ri., Co., 499, 500, 504. (Ver: RÍO DE LAS ANIMAS PERDIDAS DEL PURGATORIO, EL, ri., Co.)
PURIFICACIÓN DE TAMA, mi., Fla., 257.
PURÍSIMA CONCEPCIÓN, mi. Cal., 555. (Ver: IN-MACULADA CONCEPCIÓN, mi., NM.; NUES-TRA SEÑORA DE LA PURÍSIMA CONCEPCIÓN, mi., Fla.; mi., Tex.)
PUTNAM, co., Fla., 256.
PUTNEY. Loc., Vt., 115.

Q

QUADRA, bo., Alk., 603. (Ver: NORTH QUA-DRA, mt., Alk.) (Ver: BODEGA Y CUADRA, J. Francisco de la, I. O.)
QUADRA AND VANCOUVER ISLAND, is., Wash., 592. (Ver: Idem.) (Ver: BODEGA. Loc., Cal.)
QUANTICO. Loc., Va., 179.
QUARAI. Loc., NM., 449, 457.
QUEBEC. Pr., Can., 88, 114, 116, 297, 338.
QUEEN CHARLOTTE, iss., Can., 588, 589. (Ver: REINA CARLOTA, iss., Can.)
QUEENS. Loc., NY., 130, 131.
QUEETS, ri., Wa., 588.
QUEMADO. Loc., Tex., 430.
QUESADA, pun., Alk., 600.
QUIJOTOA. Loc., Ar., 468, 486.
QUINCY. Loc., Fla., 60.
QUITO. Loc., Te., 310. Loc., Mo., 333, 336.
QUIVIRA, ley., Kan., 389, 390, 391, 392, 395, 413; ri., Kan., 394.

R

RAINBOW SPRINGS, ags., Fla., 213.
RAINIER, mt., Wa., 587.
RALEIGH. Loc., CN., 183.
RAMONA. Loc., Ok., 387. Loc., Cal., 543, 580.

RANCHERÍA, is., Alk., 600.
RANCHO ROMANO. Loc., Nev., 514.
RANCHO SANTA FE. Loc., Cal., 580.
RANCHOS DE TAOS. Loc., NM., 463, 464, 466.
RANGELY. Loc., Co., 497.
RAPID CITY. Loc., DS., 399.
RARITAN, ri., NJ., 146.
RATON. Loc., NM., 466; pas., Co., 504.
RATTLESNAKE, is., Fla., 225.
RAZA. Loc., ND., 401.
REAL MARINA, pu., Alk., 600.
REALITOS. Loc., Tex., 430.
RED, ri., La., 357, 362, 364, 365, 402, 499.
RED BLUFF. Loc., Cal., 577.
REDLANS UNIV. Cal., 579.
REDONDO. Loc., Wa., 592.
REDONDO BEACH. Loc., Cal., 545, 580.
REFUGIO. Loc., Tex., 408, 430; pl., Cal., 554; pu., Alk., 597, 600.
REGGIO. Loc., La., 359.
REHOBOTH. Loc., Del., 156.
REINA CARLOTA, iss., Alk., 599. (Ver: QUEEN CHARLOTTE, iss., Alk.)
RENO. Loc., Minn., 403. Loc., Nev., 60, 61, 509, 510, 512, 514. (Ver: EL RENO. Loc., Ok.)
REPUBLICAN, ri., Kan., 390, 392, 395.
RESACA. Loc., Ga., 210.
REVILLA, es., Mex., 428. (Ver: CIUDAD GUE-RRERO. Loc., Mex.)
REVILLAGIGEDO, pu., Alk., 599; iss., Can., 599; cn., Alk., 600. (Ver: REVILLAGIGEDO, Virrey Conde de, I. O.)
REY, iss., As., 605.
REYES. Punta., 567, 577.
REYNOSA. Loc., Tex., 428, 429.
RHIN, ri., Ale., 369.
RHODE ISLAND. ST., 102, 113, 114, 123, 124, 125.
RHODE ISLAND UNIV. RI., 125.
RICARDO. Loc., Tex., 430.
RICE, co., Kan., 390.
RICE UNI. Tex., 78.
RICHMOND. Loc., Va., 130, 178, 299, 311.
RICHMOND UNIV., Va., 178.
RINCON. Loc., Ga., 210; mñs., Ar., 468.
RÍO. Loc., W., 283. Loc., Miss., 336.
RÍO ALAMO, ri., Co., 500. (Ver: LOS TUMBRES, ri., Co.; ALAMO. Loc., Tenn.; EL ALAMO, mi., Tx.)
RÍO DE LAS ANÍMAS PERDIDAS DEL PURGATO-RIO (El), ri., Co. (Ver: PURGATOIRE, ri., Co.)
RÍO ARRIBA, co., NM., 466.
RÍO BLANCO. Loc., Co., 507.
RÍO BRAVO, ri., Mex., USA, 38. (Ver: RÍO GRANDE, ri., Mex., USA.)
RÍO DULCE. Loc., Fla., 218, 224.
RÍO FRÍO. Loc., Tex., 430.
RÍO GRANDE, ri., Mex., USA, 28, 30, 38, 49, 51, 72, 73, 77, 89, 92, 131, 401, 424, 425,

426, 427, 428, 429, 430, 432, 436, 441, 444, 448, 452, 458, 459, 463, 465, 497, 498, 499, 500, 506, 507. (Ver: BRAVO, ri., Mex., USA); ALMAS (de las), ri., Mex., USA; NORTE (del), ri., Mex., USA; GUADALQUIVIR, ri., Mex., USA; GRANDE, ri., Mex., USA. Loc., NJ., 148, 149. Loc., Oh., 293. Loc., Tx., 429; co., Co., 507.
RÍO GRANDE CITY. Loc., Tex., 428.
RÍO GRANDE DE LA FLORIDA (El), ri., Te., 319. (Ver: MISSISSIPPI, ri., C.)
RÍO HONDO. Loc., Tex., 430. Loc., NM., 466.
RÍO LINDA. Loc., Cal., 580.
RÍO OSO. Loc., Cal., 580.
RÍO PENASCO. Loc., NM., 466.
RÍO VISTA. Loc., Tex., 430. Loc., Cal., 580.
RIOJA, re., Esp., 419.
RIOMEDINA. Loc., Tex., 430.
RISCO. Loc., Mo., 379.
RITO DE LOS FRÍJOLES. Loc., NM., 461.
RIVERA (Pico). Loc., Cal., 581. (Ver: PICO RVERA. Loc., Cal.)
ROANOKE, is., Va., 30, 182.
ROBELINE. Loc., La., 364, 415.
ROBIDEAU. Loc., Co., 496.
ROBIDOUX, mt., Cal., 561.
ROBLEDO, mñ., NM., 445.
ROCK, ri., Ill., 404.
ROCKDALE. Loc., Tex., 422.
ROCOSAS, mñs. (Ver: MONTAÑAS ROCOSAS, mñs.)
ROCHESTER. Loc., Minn., 62, 70, 402. Loc., NY., 128.
ROCHESTER UNIV., NY., 128.
ROLLA. Loc., Kans., 393.
ROLLO. Loc., Mo., 379.
ROMA. Loc., It., 119, 515. Loc., Tex., 428. (Ver: ROME. Loc., Ga.)
ROMÁN, ca., CS., 191. (Ver: ROMAIN, ca., CS.)
ROME. Loc., Ga., 186, 196, 312. (Ver: ROMA. Loc., It.)
ROMERO. Loc., Tex., 430.
ROMEROVILLE. Loc., NM., 466.
RONDA. Loc., CN., 187.
ROOSEVELT UNIV., Ill., 280.
ROSALÍA. Loc., Wa., 592. (Ver: SIERRA NEVADA DE SANTA ROSALÍA, mñs., Wa.)
ROSARIO. Loc., 98.
ROSWELL. Loc., NM., 435.
ROTA. Loc., Esp., 22, 605; is., As., 610, 611. (Ver: MARIANAS, iss., As.)
RUBIO. Loc., Io., 405.
RULO. Loc., Ne., 397.
RUSHMORE, mt., ND., 398.
RUSIA, ST., 22, 43, 272, 273, 312, 593.
RUSO. Loc., DN., 401.
RUTGERS UNIV. NJ., 147.
RUTHERFORD. Loc., NJ., 147.
RYE. Loc., Co., 501.

S

SAAVEDRA (Boca de), ba., Can., 591.
SABINAS, ri., Mex., 427.
SABINE, ri., La., Tex., 346, 363, 364.
SACO, ba., Me., 116. Loc., Me., 126. Loc., Mo., 379. Loc., Mon., 526.
SACRAMENIA. Loc., Esp., 239.
SACRAMENTO, teres., Am., 340. Loc., Cal., 78, 394, 523, 532, 576, 579, 580. Loc., Ill., 283. Loc., Penn., 156. Loc., Ky., 302. co., Cal., 580; mñs., NM., 466; ri., Cal., 512; pas., Nev., 514; fues., Tex., 428.
SAFETY, ba., Fla., 250.
ST. ANNE. Loc., La., 365.
ST. AUGUSTINE. Loc., Fla., 26, 28, 39, 80, 100, 218, 231, 237, 254. (Ver: SAN AGUSTÍN, es., Fla.)
ST. BERNARD, par., La., 362.
ST. CATHERINE, is.,Ga., 198, 199, 200, 201, 204. (Ver: SANTA CATALINA DE GUALE, is., Ga.)
ST. CHARLES. Loc., Mo., 375, 376; co., Mo., 375; ri., Co., 500.
ST. EDWARDS UNIV. Tex., 412.
ST. FRANCIS, ri., Ark., 381, 382. (Ver: SAN FRANCISCO. Loc., Cal.)
ST. FRANCISVILLE. Loc., La., 362.
ST. HELEN, mt., Wa., 587. (Ver: SANTA ELENA, es., CS.)
ST. IGNACE. Loc., Mich., 289. (Ver: SAN IGNACIO. Loc., Tx.) (Ver: IGNACIO DE LOYOLA, San, I. O.)
ST. IGNATIUS. Loc., Mon., 526. (Idem.)
ST. JOHN, ri., Fla., 216, 217, 218, 223, 256. (Ver: SAN JUAN, ri., Fla.; Salamototo, ri., Fla.)
ST. JOHN'S UNIV. Minn., 400; N. Y., 134.
ST. JOSEPH. Loc., Mo., 368, 394, 523; fui., Mich., 288, 289. (Ver: SAN JOSÉ, fues., Mich.)
ST. LAWRENCE, ri., Can., USA. (Ver: SAN LORENZO, ri., Can., USA.)
ST. LAWRENCE UNIV. NY., 85.
ST. LOUIS. Loc., Mo., 34, 68, 280, 368, 369, 370, 371, 372, 374, 494, 504, 523, 526. (Ver: SAN LUIS. Loc., Mo.)
ST. LOUIS UNIV. Mo., 368, 370.
ST. LUCIE, ri., Fla., 234. (Ver: SANTA LUCÍA, fues., Fla.)
ST. MARKS. Loc., Fla. (Ver: SAN MARCOS DE APALACHE, fues., Fla.); ri., Fla., 255, 258.
ST. MARY, ri., Ga., Fla., 206, 207, 208, 214, 216.
ST. MICHAELS, es., Mo., 378. (Ver: FREDERICKTOWN. Loc., Mo.)
ST. PAUL. Loc., Minn., 402.
ST. PETERSBURG. Loc., Fla., 214, 249.
ST. ROSA. Loc., Minn., 403. (Ver: SANTA ROSA. Loc., Fla.)

ST. SIMON. is., Ga., 28, 195, 198, 204, 205. (Ver: ASAO. is., Ga.)
ST. STEPHENS. Loc., Ala., 316.
ST. THOMAS UNIV. Tx., 412.
ST. TROPEZ. Loc., Fr., 573.
STE. GENEVIEVE. Loc., Mo., 371, 377; est., Mo., 371, 377. (Ver: SANTA GENOVEVA. es., Mo.; Misera., esf., Mo.)
SAIPAN, is., As., 610.
SALADO. Loc., Ark., 384. Loc., Tex., 430. Loc., Or., 586; la., Ut., 518.
SALAMANCA. Loc., Esp., 85, 118, 372. Loc., NY., 143.
SALAMOTOTO. ri., Fla., 256. (Ver: ST. JOHN. ri., Fla.)
SALCEDO. Loc., Mo., 379. (Ver: SALCEDO. Juan Manuel, I. O.)
SALEM. Loc., Mass., 230. Loc., Oreg., 582.
SALIDA. Loc., Cal., 580. Loc., Co., 500.
SALINA. Loc., Ka., 389, 390. Loc., Ut., 519.
SALINAS. Loc., Cal., 559, 580. Loc., Ok., 387. Loc., Ka., 393.
SALMÓN. Loc., Tex., 430. Loc., Id., 529.
SALOMÉ. Loc., Ar., 486.
SALOMÓN. iss., As., 605, 606.
SALT LAKE, la., Ut., 515, 518.
SALT LAKE CITY. Loc., Ut., 276, 511, 515, 516, 518, 519.
SALTILLO. Loc., Mex., 101. Loc., Tex., 430. Loc., Oh., 293. Loc., Te., 310. Loc., Miss., 336.
SALUDA. Loc., Va., 181. Loc., CN., 187. Loc., CS., 194; co., CS., 194.
SAN ACACIO. Loc., Co., 503.
SAN AGUSTÍN. es., Fla., 36, 39, 51, 53, 58, 60, 77, 100, 101, 104, 155, 180, 188, 192, 193, 197, 198, 200, 202, 204, 205, 206, 209, 213, 214, 215, 216, 217, 218, 219, 220, 224, 225, 226, 227, 228, 229, 230, 231, 232, 241, 256, 257, 258, 265, 333. (Ver: ST. AUGUSTINE. Loc., Fla.); ca., Alk., 597; mi., NM., 457.
SAN AGUSTÍN DE AHUMADA. fues., Tex., 415, 422.
SAN AGUSTÍN DEL OYAUR. es., Ar., 484.
SAN AGUSTÍN DE TUCSON. es., Ar., 484, 485.
SAN ALBERTO. en., Alk., 597; iss., Alk., 600.
SAN ANDREAS. Loc., Cal., 577.
SAN ANDRÉS. mñs. NM., 466.
SAN ANTÓN. ri., NY., 143. (Ver: HUDSON. ri., NY.)
SAN ANTONIO. Loc., Tx., 40, 58, 59, 63, 68, 73, 76, 77, 88, 90, 101, 104, 363, 364, 407, 410, 412, 415, 416, 417, 418, 419, 420, 421, 423, 430, 434. Loc., NM., 466; pu.,Alk., 600; mñs., Cal., 514, 551; ri., Tx., 419; ri., Co., 499, 500; ri., NY., 143. (Ver: HUDSON, ri., NY.)
SAN ANTONIO DE BACUQUA, mi., Fla., 257.
SAN ANTONIO DE BÉJAR. es., Tx., 417. (Ver: SAN ANTONIO. Loc., Tx.)

SAN ANTONIO DE ECANAPE. mi., Fla., 232.
SAN ANTONIO DE LA ISLETA DEL SUR. mi., Tex., 426.
SAN ANTONIO DE PADUA. mi., Cal., 558, 559; pu., Alk., 597; ri., Cal., 558.
SAN ANTONIO DE LOS PULIQUES. mi., Tex., 427.
SAN ANTONIO DE SENECU. mi., Tex., 426; mi., NM., 457.
SAN ANTONIO DE TOLAPATAFI. mi., Fla., 257.
SAN ANTONIO DE VALERO. mi., Tex., 416. (Ver: EL ALAMO. mi., Tex.) (Ver: MARQUÉS DE VALERO. I. O.)
SAN ANTONIO MOUNTAINS. mñs., Nev., 516.
SAN ARDO. Loc., Cal., 558.
SAN AUGUSTINE. Loc., Tex., 415.
SAN BARTOLOMÉ. mi., NM., 459; ca., Alk., 600; mt., Alk., 600.
SAN BARTOLOMÉ DE SHONGOPOVI. mi., Ar., 473.
SAN BENITO. Loc., Tx., 430; co., Cal., 580.
SAN BERNARDINO. mi., Ar., 477; co., Cal., 580; mñs., Cal., 546, 551.
SAN BERNARDO. mi., Mex., 427; fues., Fla., 266.
SAN BERNARDO DE SACRAMENIA. mñs., 238.
SAN BLAS. Loc., Mex., 540, 585, 590, 596, 598. Loc., Fla., 260, 268; ca, Fla., 260.
SAN BUENAVENTURA. mi., Cal., 551, 552, 561.
SAN BUENAVENTURA DE COCHITÍ. mi., NM., 460.
SAN BUENAVENTURA DE GUADALQUIVI. mi., Ga., 204.
SAN BUENAVENTURA DE MISHONGNOVI. mi., Ar., 473.
SAN CARLOS. fues., Fla., 214. (Ver: FERNANDI-NA BEACH. Loc., Fla.); fues., Fla., 243, 263, 264, 266. (Ver: CARLOS II DE ESPAÑA. I. O.); fues., Mo., (Ver: DON CARLOS TERCERO..., fues., Mo.) (Ver: CARLOS III DE ESPAÑA, I. O.); ri; Ar., 468; is., Alk., 597; mi., Cal., 558, 561, 567. (Ver: CARMEL, mi., Cal.; MONTEREY, mi., Cal.) Loc., Ar., 486. Loc., Cal.,
SAN CARLOS BORROMEO, mi., Cal. (Ver: SAN CARLOS, mi., Cal.)
SAN CARLOS DE CHACATOS, mi., Fla., 257.
SAN CARLOS DE LOS CALUS, fues., Fla., 242; mi., Fla., 242.
SAN CARLOS DE LOS JUPES. es., Co., 55, 500, 501, 502.
SAN CARLOS DE LOS MALAGUITOS. ba., Tex., 429.
SAN CAYETANO DE CALABAZAS, mi., Ar., 476.
SAN CAYETANO DE TUMACACORI. mi., Ar., 477. Ver: SAN JOSÉ DE TUMACACORI, mi., Ar.)
SAN CLEMENTE. is., Cal., 549; ri., Co., 497. (Ver: WHITE, ri., Co.)
SAN COSME DE TUCSON, mi., Ar., 484. (Ver: TUCSON. Loc., Ar.)

SAN COSME Y SAN DAMIÁN DE ESCAMBE, mi., Fla., 208, 257.

SAN CRISTÓBAL, mi., NM., 465; mi., Tex., 427; cn., Alk., 600.

SAN DIEGO. Loc., Cal., 40, 63, 78, 100, 101, 107, 536, 537, 538, 539, 540, 541, 544, 556, 558, 560, 579, 580. Loc., Tex., 430; co., Cal., 580; ba., Cal., 539, 544; fues, Cal., 541, 542, 544.

SAN DIEGO DE ALCALÁ, mi., Cal., 52, 540, 541, 542, 550.

SAN DIEGO DE LACA, mi. Fla., 232.

SAN DIEGO DE LOS JEMEZ, mi., NM., 460.

SAN DIEGO DE SALAMOTOTO, mi., Fla., 232.

SAN ELÍAS, ca., Alk., 598; mt., Alk., 535.

SAN ELIZARIO. Loc., Tex., 430; mi., Tex., 426; fues., Tex., 426.

SAN FELASCO, mi. Fla., 255.

SAN FELIPE, teres., NM., 94. (Ver: NUEVO MÉXICO, teres.) (Ver: FELIPE II DE ESPAÑA, I. O.); fues., CS., 191, 193. (Ver: SANTA ELENA, es., CS.); is., Alk., 600. Loc., Tex., 430; pi., NM., 448, 466; mi., NM., 459; pu., Mex., 538.

SAN FELIPE SPRINGS, ags., Tex., 428.

SAN FERNANDO, is., Alk., 597, 600; va., Cal., 513, 548.

SAN FERNANDO DE BÉJAR, es., Tex., 59, 416. (Ver: SAN ANTONIO. Loc., Tx.) (Ver: FERNANDO VI DE ESPAÑA, I. O.)

SAN FERNANDO DE LAS BARRANCAS, fues., Te., 297, 307, 331. (Ver: FERNANDO VII DE ESPAÑA, I. O.)

SAN FERNANDO DE FLORISANT, es., Mo., 377. (Ver: FLORISSANT. Loc., Mo.) (Ver: FERNANDO III DE ESPAÑA, I. O.)

SAN FERNANDO REY DE ESPAÑA, mi., Cal., (ídem).

SAN FERNANDO DE VELLICATA, mi., Mex., 539.

SAN FRANCISCO. Loc., Cal., 37, 58, 64, 67, 73, 78, 101, 279, 283, 479, 509, 514, 536, 537, 544, 546, 550, 560, 562, 565, 566, 567, 568, 570, 571, 572, 573, 574, 579, 580, 587, 602, 610. (Ver: ST. FRANCIS, ri., Ark.); mñs., Ar., 468; ba., Cal., 40, 104, 540, 541, 543, 559, 560, 598; co., Cal., 580; mi., NM., 459; fues., Cal., 72, 537, 568, 571. (Ver: YERBA BUENA, fues, Cal.); Reino de, 463.

SAN FRANCISCO UNIV. Cal., 85.

SAN FRANCISCO DE APALACHE, mi., Fla., 208.

SAN FRANCISCO DE ASÍS, mi., NM., 464.

SAN FRANCISCO DE ATI, mi., Ar., 477.

SAN FRANCISCO DE OCONEE, mi., Fla., 526, 527.

SAN FRANCISCO DE ORAIBI, mi., Ar., 473.

SAN FRANCISCO DE POTANO, mi., Fla., 256.

SAN FRANCISCO DEL SOCORRO DEL SUR, mi., Tex., 426.

SAN FRANCISCO DE LA ESPADA, mi., Tex., 416.

SAN FRANCISCO DE LOS JULIMES, mi., Tex., 427.

SAN FRANCISCO DE LOS NECHES, mi., Tex., 415.

SAN FRANCISCO DE LOS TEXAS, mi., Tex., 414.

SAN FRANCISCO SOLANO, mi., Mex., 427; mi., Cal., 574. (Ver: SOLANO, co., Cal.)

SAN FRANCISCO XAVIER DE LOS ORCASITAS, mi. Tex., 422; fues., Tex., 422. (Ver: XAVIER UNIV., Oh.) (Ver: FRANCISCO XAVIER, San., I. O.)

SAN DE FUCA. Loc., Wa., 592. (Ver: JUAN DE FUCA, est., Can.)

SAN GABRIEL. Loc., Tex., 430; es., NM., 461, 462; mi., Cal., 511, 513, 541, 543, 544, 545, 550, 551, 568; ri., Tx., 421, 422, 501; ri., Cal., 545.

SAN GABRIEL DE GUEVAVI, mi., Ar., 475, 476. (Ver: SANTOS ANGELES DE GUEVAVI, mi., Ar.)

SAN GERMÁN. Loc., PR., 219.

SAN GONZALO, pun., Can., 592.

SAN GORGONIO, mñs., Cal., 551.

SAN GREGORIO. Loc., Cal., 568.

SAN GREGORIO DE ABO, mi., NM., 457.

SAN IGNACIO. Loc., Tex., 430; is., Alk., 600. (Ver: ST. IGNACE. Loc., Mich.; SAN YGNACIO. Loc., Tex.; LOYOLA. Loc., Tex.; ST. IGNATIUS. Loc., Mon.). (Ver: IGNACIO DE LOYOLA, San, I. O.)

SAN IGNACIO DE SONOITA, mi., Ar., 476. (Ver: SAN MARCELO DE SENOITA, mi., Ar.)

SAN ILDEFONSO, mi. Tex., 422; mi., NM., 461.

SAN ISABEL. Loc., Co., 504. (Ver: ISABEL. Loc., Ka.; ISABELLA. Loc., Mo.) (Ver: ISABEL I DE ESPAÑA, I. O.)

SAN ISABEL FOREST, bos., Co., 504 (ídem).

SAN ISIDRO. Loc., Tex., 430. (Ver: SAN YSIDRO, es., Tex.)

SAN JACINTO. Loc., Nev., 514. Loc., Ind., 285. Loc., Tex., 409, 410. mt., Cal., 551; mt., Alk., 596. (Ver: EDGECUMBE, mt., Alk.)

SAN JERÓNIMO, mi., NM., 463.

SAN JOAQUÍN, co., Cal., 580; ri., Cal., 512; ri., Co., 496. (Ver: LA PLATA, ri., Co.); va., Cal., 531, 557, 577. (Ver: CENTRAL VALLEY, va., Cal.)

SAN JOSÉ. Loc., Ill., 272, 282. Loc., Ar., 486. Loc., Cal., 565, 566. (Ver: SAN JOSÉ DE GUADALUPE, El Pueblo de, es., Cal.); fues Mich., 41, 48, 77, 285. (Ver: ST. JOSEPH, fui., Mich.); iss., Alk., 600; mi., NM., 456, 460; va., Cal., 541. Loc. Tex., 52, 416, 417.

SAN JOSÉ DE APALACHE, mi., Fla., 208.

SAN JOSÉ de GUADALUPE, El Pueblo de, es., Cal., 567, 580. (Ve: SAN JOSÉ. Loc., Cal.); mi., Cal., 55, 565, 569; ri., Cal., 566.

SAN JOSÉ DE OCUIA, mi., Fla., 257.

SAN JOSÉ DE TUMACACORI, mi., Ar., 478. (Ver: SAN CAYETANO DE TUMACORI, mi., Ar.)

SAN JOSÉ DE ZAPALA, mi., Ga., 204.

SAN JOSÉ DE LOS NAZONIS, mi., Tex., 415.

SAN JOSÉ DEL ROSARIO, pun., Alk., 600.

SAN JOSÉ DEL TUCSON, pi., Ar., 483. (Ver: TUCSON. Loc., Ar.)

SAN JOSÉ Y SAN MIGUEL DE AGUAYO, mi., Tex., 51, 78, 416. (Ver: SAN MIGUEL DE AGUAYO, Marqués de, I. O.)

SAN JUAN. Loc., Tex., 430. Loc., NM., 566; es., NM., 76, 461, 462, 466, 471, 499; co., Co., 495, 506; co., NM., 466; co., Ut., 516; co.,Wa., 592; is., Wa., 592; mi., Nm., 460; mñs., NM., 466; ri., Co.-Ut., 499, 507, 515, 519; ri., Fla., (Ver: ST. JOHN, ri., Fla.)

SAN JUAN BAUTISTA. is., Alk., 598, 600. Loc., Cal., 73, 564; mi., Cal., 56, 564; mi., Mex., 427.

SAN JUAN BAUTISTA DEL RÍO GRANDE. fues., Tx., 362, 427.

SAN JUAN CAPISTRANO, mi., Tx., 416; mi., Cal., 541, 544, 552, 556.

SAN JUAN DE APALACHE, mi., Fla., 208.

SAN JUAN DE ASPALAGA, mi., Fla., 257.

SAN JUAN DE GUACARA, mi., Fla., 256. (Ver: SUWANNEE, ri., Fla.)

SAN JUAN DE PUERTO RICO. Loc., StAs., 40.

SAN JUAN DE XUALIA, fues., CN., 186. (Ver: XUALLA, pi., CN.)

SAN JUAN DEL PUERTO, mi., Fla., 218.

SAN JUAN DE LOS CABALLEROS, es., NM., (Ver: SAN JUAN, es., NM.)

SAN LÁZARO, iss., As., 604. (Ver: FILIPINAS, iss., As.); mi., NM., 465.

SAN LEANDRO. Loc., Cal., 575.

SAN LORENZO, iss., Alk., 600; ri., Can-USA, 116, 277. (Ver: ST. LAWRENCE, ri., Can-USA); ri., Ne., 396. (Ver: PLATTE, ri., Ne.); ri., Co., 500. (Ver: PIEDRA PINTADA, ri, Co.); ri., Cal., 564.

SAN LORENZO DE APALACHE, mi., Fla., 208.

SAN LORENZO DE EL ESCORIAL. Loc., Esp., 20, 65, 67, 82, 108, 238, 332.

SAN LORENZO DE IVITACHUCO, mi. Fla., 256, 257, 258.

SAN LORENZO DE LA SANTA CRUZ, mi., Tex., 423.

SAN LORENZO DE LOS PICURIES, mi., NM., 449, 463.

SAN LORENZO DEL REAL, mi., Mex., 426.

SAN LUCAS. Loc., Cal., 558; ca., Cal., 538, 608.

SAN LUIS. Loc., Mo., 41, 48, 74, 101, 106, 188, 208, 281, 288, 299, 337, 371, 372, 373, 374, 375, 376, 377, 383, 392, 396, 397, 404, 433, 494, 499. (Ver: ST. LOUIS. Loc., Mo.) Loc., Co., 502, 503, 507. (Ver: SAN LUIS DE LA CULEBRA. Loc., Co.); is., Tx., 411. (Ver: GALVESTON, is., Tx.); va., Cal., 498, 504, 556.

SAN LUIS DE ACUERA, mi., Fla., 232.

SAN LUIS DE APALACHE, mi., Fla., 208, 257; fues., Fla., 101, 192, 208, 257.

SAN LUIS DE APRA. Loc., Gu., 610, 613.

SAN LUIS DE BACUANCOS, mi., Ar., 477.

SAN LUIS DE TALAMI, mi., Fla., 208, 257. (Ver: SAN LUIS DE APALACHE, mi., Fla.)

SAN LUIS DE LA CULEBRA. Loc., Co. (Ver: SAN LUIS. Loc., Co.)

SAN LUIS DE LAS AMARILLAS, fues., Tex., 59, 422.

SAN LUIS OBISPO. co., Cal., 580.

SAN LUIS OBISPO DE SEVILLETA, mi., NM., 457.

SAN LUIS OBISPO DE TOLOSA, mi., Cal., 49, 555, 556.

SAN LUIS REY, mi., Cal., 544.

SAN MANUEL. Loc., Ar., 486.

SAN MARCELO DE SONOITA, mi., Ar., 476. (Ver: SAN IGNACIO DE SONOITA, mi., Ar.)

SAN MARCOS, mi., NM., 465. Loc., Tex., 430; ri., Tex., 422.

SAN MARCOS DE APALACHE, fues., Fla., 257, 258, 259. (Ver: ST. MARKS. Loc., Fla.)

SAN MARCOS DE SAN AGUSTÍN, fues., Fla., 80, 82, 192, 219, 220, 230, 232, 258. (Ver: ST. AUGUSTINE. Loc., Fla.)

SAN MARCOS DE ORISTA, fues., CS., 192, 218. (Ver: SANTA ELENA, es., CS.)

SAN MARINO. Loc., Cal., 548.

SAN MARTÍN DE APALACHE, mi., Ga., 208.

SAN MARTÍN DE TOMOLE, mi., Fla., 257.

SAN MATEO. Loc., Fla., 235, 268. Loc., Cal., 567, 568, 580; fues., Fla., 218, 226, 228, 232. (Ver: FORT CAROLINE, fuf., Fla.); ri., Ga., 206. (Ver: ST. MARY, ri., Ga.); co., Col., 565, 580; mñs., NM., 466; ba., Alk., 600.

SAN MATEO DE TOLAPATAFI, mi., Fla., 256.

SAN MIGUEL. Loc., Fla., 266; po., Cal., 538. (Ver: SAN DIEGO, es., Cal.); mi., NM., 450, 462; co., NM., 466; fues., Can., 590; fues., Fla., 262; is., Cal., 554, 583. (Ver: JUAN RO-DRÍGUEZ, is., Cal); ri., Co., 496. (Ver: SAN PEDRO, ri., Co.)

SAN MIGUEL ARCÁNGEL, mi., Cal., 557, 558.

SAN MIGUEL DE ASILE, mi., Fla., 256.

SAN MIGUEL DE GUALDAPE, es., CN., CS., 28, 35, 40, 51, 99, 189, 190.

SAN MIGUEL DE TAJIQUE, mi., NM., 457.

SAN MIGUEL DE LOS ADAES, mi., La., 415. (Ver: LOS ADAES, es., La.)

SAN NICOLÁS, cn., 600.

SAN ONOFRE. Loc., Cal., 545.

SAN PABLO. Loc., Co., 503.

SAN PATRICIO. Loc., Tex., 430.

SAN PEDRO. Loc., Tex., 98, 430. Loc., NM., 466; is., Ga., 198. (Ver: CUMBERLAND, is., Ga.); mñs., NM., 466; ri., Tx., 416; ri., Co., 496. (Ver: SAN MIGUEL, ri., Co.)

SAN PEDRO DE ALCÁNTARA, mi., Tex., 427.

SAN PEDRO DE APALACHE, mi., Fla., 208.

SAN PEDRO DE POTOHIRIBA, mi., Fla., 256.

SAN PEDRO DEL CUCHILLO, mi., NM., 465.

SAN PEDRO DE LOS CHINES, mi., Fla., 257.

SAN PEDRO MOCAMO, mi., Ga., 207.

SAN PEDRO Y SAN PABLO, ri., Ka., 38, 390.

(Ver: ARKANSAS, ri., Ka.)

SAN PEDRO Y SAN PABLO DE PATALE, mi., Fla., 257.

SAN PEDRO Y SAN PABLO DE POTURIBATO, mi., Ga., 207.

SAN PETERSBURGO. Loc., Rus., 535, 585, 588.

SAN RAFAEL. Loc., NM., 466. Loc., Cal., 573, 574. Loc., Ut., 519; pun., Alk., 600; pun., Can., 592; mñs., Ut., 519.

SAN RAFAEL ARCÁNGEL, mi., Cal., 575.

SAN ROQUE, pun., Alk., 600; ca., Or., 585. (Ver: DISAPPOINTMENT, ca., Or.); ri., Or.-Wa., 585. (Ver: COLUMBIA, ri., Or.-Wa.)

SAN SABA. Loc., Tex., 407; resp., 59. (Ver: SANTA CRUZ DE SAN SABA, mi., Tex.); ri., Tex., 423.

SAN SALVADOR, is., At., 33, 219. (Ver: GATO, is., At.; GUANAHANI, is., At.)

SAN SALVADOR DE MACAYA, mi., Fla., 232.

SAN SAMUEL, po., Ut., 517. (Ver: COOPER POCKETS. Loc., Ut.)

SAN SEBASTIAN, ca., Or., 584. (Ver: SEBASTIAN, ca., Or.); pun., Alk., 600; mi., Fla., 225; rei., Fla., 218; ri., Fla., 230, 232. Loc., Ga., 207.

SAN SIMEÓN. Loc., Cal., 556.

SAN SIMÓN. Loc., Ar., 486.

SAN XAVIER DEL BAC, mi., Ar., 52, 77, 469, 474, 477, 479, 480, 481, 482, 484, 486.

SAN YGNACIO. Loc., 428. (Ver: SAN IGNACIO. Loc., Tx.; Dolores, es., Tx.)

SAN YSIDRO, es., Tex., 428. (Ver: SAN ISIDRO. Loc., Tex.)

SANDÍA. Loc., Tex., 430; es., NM., 466; mñs., NM., 436, 448.

SANDOVAL, co., NM., 466.

SANDUSKY. Loc., Oh., 492.

SANDWICH, iss., As. (Ver: HAWAII, iss., As.)

SANDY HOOK, ca., NJ., 147. (Ver: ARENAS, ca., NJ.)

SANGRE DE CRISTO, mñs., NM., Co., 436, 466, 502, 504, 505.

SANGRE DE CRISTO PASS, fues., Co., 107.

SANIBEL, is., Fla., 244.

SANLÚCAR DE BARRAMEDA. Loc., Esp., 124, 158, 246, 603.

SANTA. Loc., Id., 529.

SANTA ANA, pi., NM., 459. Loc., Cal., 545; ri., Cal., 543, 545. Loc., Alk., 601; cl., Alk., 601.

SANTA ANA DE ALAMILLO, mi., NM., 459.

SANTA BARBARA. Loc., Cal., 40, 52, 77, 78, 552, 553, 554, 556, 562, 579, 608; co., Cal., 580; is., Cal., 545; mi., Cal., 51, 554; fues., Cal., 536, 541.

SANTA CATALINA, is., Cal., 539, 549; mñs., Ar., 468, 486.

SANTA CATALINA DE AFUYCA, mi., Fla., 199, 256.

SANTA CATALINA DE GUALE, is., Ga., 198, 199, 218. (Ver: ST. CATHERINE, is., Ga.); fues.,

Ga., 204; mi., Ga., 198, 199, 203, 204.

SANTA CLARA. Loc., Ut., 519; co., Cal., 579; mi., NM., 461; mi., Cal., 565, 569; va., Cal., 513.

SANTA CLARA UNIV. Cal., 580.

SANTA CRUZ. Loc., Nm., 446, 461; es., NM., 446, 461. (Ver: VILLA NUEVA DE SANTA CRUZ DE LA CAÑADA, es., NM.; VILLANUEVA DE SANTA CRUZ DE LOS ESPAÑOLES MEJICANOS DEL REY NUESTRO SEÑOR CARLOS SEGUNDO, es., NM.) Loc., Cal., 564. (Ver: BRANCIFORTE, es., Cal.); co., Cal., 565, 580; fues., Gu., 600; iss., As., 606; mi., Fla.,mi., Cal., 564; es., Ar., 98; pu., Alk., 597; ri., Ar., 468, 476, 477, 484.

SANTA CRUZ DE CAPOLA, mi., Fla., 257.

SANTA CRUZ DE GALISTEO, mi., NM., 465.

SANTA CRUZ DE SAN SABA, mi., Tex., 59, 422, 501. (Ver: SAN SABA, resp., Tex.)

SANTA CRUZ DE TARAHICA, mi., Fla., 256.

SANTA ELENA, es., CS., 28, 41, 180, 186, 190, 191, 192, 193, 201, 226, 228, 261, 262. (Ver: SAN FELIPE, fues., CS.; SAN MARCOS DE ORISTA, fues., CS., PORT ROYAL. Loc., CS.). Loc., Tex., 430; mi., CS., 191; is., Af., 147. (Ver: SANTA HELENA. Loc., Cal.; St. Helen., mt., Wa.)

SANTA ELENA DE MACHAVA, mi., Fla., 256.

SANTA FE. Loc., es., NN., 28, 30, 36, 39, 76, 77, 78, 90, 101, 104, 106, 392, 395, 396, 415, 426, 433, 434, 435, 436, 437, 438, 439, 440, 441, 442, 443, 444, 446, 447, 448, 450, 456, 457, 458, 460, 461, 463, 464, 466, 473, 494, 495, 496, 498, 499, 500, 501, 502, 506, 517, 518. Loc., Ind., 285. Loc., Oh., 293. Loc., Te., 310. Loc., Mo., 374. Loc., Ok., 379; co., NM., 466; ri., Fla., 255, 256.

SANTA FE DE GUANAJUATO. Loc., Mex., 262.

SANTA FE DE TOLUCO, mi., Fla., 256.

SANTA FE TRAIL, ru., 102.

SANTA GENOVEVA, es., Mo., 280, 281, 377, 600. (Ver: STE. GENEVIEVE. Loc., Mo.; Misera., esf., Mo.)

SANTA GERTRUDIS, mi., Cal., 552; pun., Alk., 600; cam., Vt., 517.

SANTA HELENA. Loc., Cal., 575. (Ver: SANTA ELENA, es., CS.)

SANTA INÉS, mi., Cal., 554; mñs., Cal., 554. (Ver: SANTA YNÉS, ri., Or.; INEZ. Loc., Tex.)

SANTA LUCÍA, fues., Fla., 241; mi., Fla., 232; mñs., Cal., 540, 556, 559. (Ver: ST. LUCIE, ri., Fla.)

SANTA MARGARITA. Loc., It., 573.

SANTA MARÍA. Loc., Cal., 555. Loc., Tex., 430; ba., Va.-Md., 162, 176. (Ver CHESAPEAKE, ba., Va.-Md.); ca., Mass. (Ver: Cod., ca., Mass.); mi., Fla., 208, 218; mi., Tex., 414; ri., Ar., 486.

SANTA MARÍA DE GÁLVEZ, ba., Fla., 266. (Ver: PENSACOLA, ba., Fla.) (Ver: GÁLVEZ, Bernardo de, I. O.)

SANTA MARÍA LA REDONDA, mi., Mex., 427.

SANTA MARÍA DE SENA, mi., Ga., 208.

SANTA MONICA. Loc., Cal., 545, 548; mñs., Cal., 551.

SANTA RITA. Loc., NM., 466. Loc., Ar., 468; mñs., Ar., 479, 526.

SANTA ROSA. Loc., Fla., 260, 268. Loc., Miss., 336. Loc., Mo., 379. Loc., Tex., 430. Loc., NM., 438, 466; co., Fla., 268; mñs., Ar., 468; mñs., Nev., 514; is., Fla., 260, 261, 263, 264, 265. (Ver: ST. ROSA. Loc., Minn).

SANTA SOLEDAD, fues., Ga., 612.

SANTA TERESA, pun., Alk., 600.

SANTA YNES, ri., Or., 584. (Ver: SANTA INÉS, mi., Cal.)

SANTANDER. Loc., Esp., 76, 85, 226. Reino Nuevo de, teres. (Ver: NUEVO SANTANDER, teres.)

SANTIAGO. Loc., Mich., 289. Loc., Min., 403; fues., Gu., 612; mñ., Cal., 541; pu., Alk., 598. (Ver: NUCHIC, ba., Alk.)

SANTIAGO DE CUBA. Loc., Cu., 156, 159, 198, 246.

SANTIAGO DE COMPOSTELA. Loc., Esp., 160, 252.

SANTIAGO DE CHILE. Loc., Ch., 598.

SANTIAGO DE OCONE, mi., Ga., 206.

SANTO DOMINGO. Loc., RD., 40, 49; pi., NM., 448, 459, 460; is., Ca., 94, 97, 176, 187, 265, 340. (Ver: ESPAÑOLA [LA], is., teres.); mi., NM., 465, 466.

SANTO DOMINGO DE ASAO, mi., Ga., 204.

SANTO DOMINGO DE EL CUARTELEJO, es., Co., 499.

SANTO DOMINGO DE TALAXE, mi., Ga., 201, 203.

SANTO TOMÁS DE SANTA FE, mi., Fla., 68, 256. (Ver: SANTA FE DE TOLUCO, mi., Fla.)

SANTOS ANGELES DE GUEVAVI, mi., Ar., 476. (Ver: SAN GABRIEL DE GUEVAVI, mi., Ar.)

SAPELO, is., Ga., 192, 198, 204. (Ver: ZAPALA, is., Ga.)

SAPINERO. Loc., Co., 496.

SARAGOZA. Loc., Tex., 430. (Ver: ZARAGOZA. Loc., Esp.)

SARASOTA. Loc., Fla., 214, 245.

SARATOGA. Loc., NY., 46, 128, 297.

SARITA. Loc., Tex., 430.

SAUX CENTRE. Loc., Min., 402.

SAUK CITY. Loc., Wi., 282.

SAULT STE. MARIE, est., Mich., 286.

SAUSALITO. Loc., Cal., 573.

SAVANNAH. Loc., Ga., 196, 198, 209, 215, 305, 358; ri., CS., 194, 196, 198.

SCIPIO. Loc., Ut., 518.

SCOTTS BLUFF. Loc., 396.

SCOTTSBORO. Loc., Ala., 312.

SCRANTON. Loc., Penn., 154, 162.

SCRANTON UNIV. Penn., 154.

SCRAPER SPRINGS. Loc., Nev., 513.

SCHENECTADY. Loc., NY., 128.

SCHUYLKILL, ri., Penn., 154.

SEATTLE. Loc., Wa., 62, 528, 587, 589, 592.

SEATTLE UNIV. Wa., 587.

SEBASTIAN. Loc., Tex., 430; is., Fla., 234. Loc., Fla., 233; co., Ark., 384; ca., Or., 586. (Ver: SAN SEBASTIÁN, ca., Or.) (Ver: VIZCAÍNO, Sebastián, I. O.)

SEDELLA. Loc., Esp., 355.

SEGNO. Loc., It., 475.

SEGOVIA. Loc., Esp., 239. Loc., Tex., 430.

SELINSGROVE. Loc., Penn., 154.

SELMA. Loc., Ala., 311.

SENECA. Loc., CS., 194. Loc., Ill., 282. Loc., Oh., 293. Loc., Mo., 379. Loc., Ka., 393. Loc., Ne., 397. Loc., DS., 401. Loc., Io., 405. Loc., Ar., 486; co., NY., 129; la., NY., 129.

SEQUOIA NATIONAL PARK, pk., Cal., 557.

SERENA. Loc., Ill., 282.

SETON HALL UNIVERSITY, NJ., 146.

SEVILLA. Loc., Esp., 81, 141, 173, 177, 193, 207, 231, 254, 275, 359, 368, 376, 493, 542, 553, 572.

SEVILLE. Loc., Fla., 232, 268. Loc., Oh., 275, 293. (Ver: SEVILLA. Loc., Esp.)

SEVILLETA, mi., NM., 457.

SEWANEE. Loc., Te., 307.

SHASTA, mt., Or., 578, 581.

SHAW UNIV. CN., 181.

SHAW'S POINT, pun., Fla., 246, 247.

SHAWNEE. Loc., Ok., 385.

SHELL BEACH. Loc., La., 358.

SHENANDOAH, ea., Va., 114, 181.

SHERIDAN. Loc., Wy., 522.

SHIPAULOVI, pi., Ar., 472.

SHONGOPOVI, pi., Ar., 472.

SHREVEPORT. Loc., La., 344, 346, 365.

SIA, pi., NM., 459.

SIBERIA, re., As., 72, 593.

SIERRA, co., NM., 466; co., Cal., 580.

SIERRA BLANCA. Loc., Tex., 430.

SIERRA LEONA, ST. Af., 259.

SIERRA MADRE. Loc., Cal., 581.

SIERRA NEVADA, ter., W., 512; mñs., W., 94, 512, 578.

SIERRA NEVADA DE SANTA ROSALÍA, mñs., Wa., 588. (Ver: OLYMPUS, mt., Wa.; Rosalía. Loc., Wa.)

SIERRA VISTA. Loc., Ar., 486.

SIERRAVILLE. Loc., Cal., 580.

SIERRITA, mñs., Ar., 468.

SIESTA KEY, is., Fla., 245.

SILVA. Loc., DN., 401.

SILVER, la., Or., 582.

SILVER BLUFF. Loc., CS., 194.

SILVER CITY. Loc., NM., 457.

SILVER SPRINGS, ags., Fla., 213.

SINALOA. Loc., Mex., 475.

SIOUX FALLS. Loc., DS., 399.
SIPSEY, ri., Ala., 316.
SITKA. Loc., Alk., 570, 593, 601.
SMOKY HILL, ri., Ka., 390.
SNAKE, ri., Id., 527.
SOCORRO. Loc., Tex., 430. Loc., NM., 457, 459, 466; co., NM., 466.
SODA SPRINGS. Loc., Id., 527.
SOLANA. Loc., NM., 466.
SOLANO, co., Cal., 580. (Ver: SAN FRANCISCO SOLANO, mi., Cal.)
SOLANO BEACH. Loc., Cal., 580 (ídem).
SOLEDAD. Loc., Cal., 580.
SOLVANG. Loc., Cal., 554.
SOMBRERO, fues., Fla., 266.
SOMERVILLE. Loc., Mass., 119.
SONOITA, pi., Ar., 476.
SONOMA. Loc., Cal., 537, 574, 575; co., Cal., 575.
SONORA, ST. Mex., 51, 73, 98, 349, 468, 469, 472, 475, 478, 479, 486, 513, 543. Loc., Ky., 302. Loc., Ar., 486. Loc., Cal., 580; bo, Alk., 600.
SORIA. Loc., Esp., 73.
SOUTH, UNIV. OF THE. Te., 306.
SOUTH BEND. Loc., Ind., 284, 289.
SOUTH CAROLINA, ST. (Ver: CAROLINA DEL SUR, ST.)
SOUTH CAROLINA UNIV. SC., 194.
SOUTH DAKOTA, ST. (Ver: DAKOTA DEL SUR, ST.)
SOUTH DAKOTA STATE UNIV. DS., 401.
SOUTH DOS PALOS. Loc., Cal., 581.
SOUTH FLORIDA UNIV. Fla., 251.
SOUTH LAGUNA. Loc., Cal., 581.
SOUTH ORANGE. Loc., NJ., 147.
SOUTH PLATTE, ri., Co., 494, 500. (Ver: PLATTE, ri., Co.)
SOUTH PONTE VEDRA. Loc., Fla., 217. (Ver: PONTE VEDRA BEACH, Fla., Loc.)
SOUTH QUADRA, mt., Alk., 601. (Ver: QUADRA, bo., Alk.; BODEGA. Loc., Cal.) (Ver: BODEGA Y CUADRA, Juan Fr., I. O.)
SOUTH UNIV. Te., 306.
SOUTHERN CALIFORNIA UNIV. Cal., 548.
SOUTHERN ILLINOIS UNIV., Ill., 280.
SOUTHERN METHODIST UNIV. Tex., 410, 412.
SOUTHWESTERN UNIV. Tex., 412.
SOUTHWESTERN LOUISIANA UNIV. La., 358, 359.
SPANISH FORK. Loc., Ut., 519. (Ver: ESPAÑOLA..., ESPAÑOLAS...)
SPANISH FORT. Loc., Tex., 430; fues., Ala., 320, 322; fues., La., 333. (Idem)
SPANISH LAKE. Loc., La., 364, 379. (Idem.)
SPANISH PEAKS ISABELLA AND FERDINAND, mts., Co., 499, 504. (Ver: ISABEL. Loc., Ka.; ISABELLA. Loc., Mo.) (Ver: ISABEL I DE ESPAÑA, I. O.; FERNANDO V DE ESPAÑA, I. O.)
SPANISH TRAIL, ru., Nev.-Cal., 102, 105. (Ver: ESPAÑOLA...)
SPANISH VALLEY. va., Ut., 519. (Idem.)
SPARKS. Loc., Nev., 514.
SPEARFISH. Loc., DS., 397.
SPEARVILLE. Loc., Ka., 390.
SPILLVILLE. Loc., Io., 404.
SPOCANE. Loc., Wa., 587.
SPRINGFIELD. Loc., Mo., 368. Loc., Ill., 276. Loc., Oh., 291.
SQUAW VALLEY STATE PARK, pk., Cal., 578.
STANFORD UNIV., 70, 78, 532, 567.
STAUNTON. Loc., Va., 181.
STETSON UNIV. Fla., 232.
STILLWATTER. Loc., Ok., 385.
STOCKTON. Loc., Cal., 577.
STORRS. Loc., Con., 125.
STUTTGART. Loc., Ark., 381.
SUCIA, is., Wa., 592.
SUEMEZ, iss., Alk., 600.
SUEZ, cn., As., Af., 286, 360.
SUFFOLK UNIV. Mass., 125.
SUIZA, ST., Eur., 114, 115.
SULTANA. Loc., Cal., 580.
SUMAS. Loc. Wa., 592.
SUMMER, la., Or., 582.
SUMTER, co., Ala., 316.
SUNFLOWER LANDING. Loc., Miss., 328.
SUPERIOR, la., N., 273, 286, 402. Loc., Wi., 282.
SUSQUEHANNA UNIV. Penn., 153.
SUSQUEHANNA, ri., Penn., 162.
SUWANNEE, co., Fla., 256; ri., Fla., 255, 256. (Ver: SAN JUAN DE GUACARA, ri., Fla.)
SWEET BRIAR. Loc., Va., 181.
SYRACUSE. Loc., NY., 128.
SYRACUSE UNIV. NY., 128.

T

TABLE, mt., Co., 494.
TACOMA. Loc., Wa., 587.
TAGAYA, rei., CS., 193.
TAHOE, la., Cal., 578.
TAJO, ri., Esp., 292.
TALAJE, ri., Ga., 197, 202, 203. (Ver: ALTAMAHA, ri., Ga.)
TALCO. Loc., Tex., 430.
TALISIN. Loc., Ala., 314.
TALLADEGA. Loc., Ala., 312; co., Ala., 262, 313.
TALLAHASSEE. Loc., Fla., 37, 52, 98, 101, 104, 208, 238, 254, 256, 257, 260, 264.
TALLAPOOSA, ri., Ala., 312.
TALLULAH. Loc., La., 344.
TAMA, rei., 197, 204, 207, 228.
TAMPA. Loc., Fla., 35, 36, 58, 60, 61, 78, 213, 249, 250, 251, 252, 256; ba., Fla., 244, 245, 246, 249, 250.

TAMPA UNIV. Fla., 78, 250.

TANGLEWOOD. Loc., Mass., 119.

TAOS. Loc., pi., NM., 55, 76, 78, 432, 433, 434, 446, 458, 459, 460, 461, 463, 464, 465, 498, 499, 502, 504.

TAPISCO, pi., Va., 176.

TARPON SPRINGS. ags., Fla., 253.

TARRAGONA Loc., Esp., 267.

TARRYTOWN. Loc., N. Y., 129.

TAXIQUE, pi., NM., 447.

TAYLOR, co., Fla., 256.

TAYLOR UNIV., Ind., 284.

TECHE, re., La., 59.

TEMPLE UNIV. Penn., 152.

TENERIFE, is., Esp., 59.

TENNESSEE, ST., 20, 35, 41, 184, 185, 272, 274, 295, 303, 305, 306, 308, 310, 312, 379, 381ri., Te., 38, 306, 308, 312, 323, 325, 332.

TENNESSEE AGRICULTURAL AND INDUSTRIAL ST. UNIV. Te., 307.

TENNESSEE UNIV. Te., 304.

TENSAW, ri., Ala., 319.

TEQUESTA, mi., Fla., 235; fues., Fla., 235.

TERRAL. Loc., Ok., 387.

TERRANOVA, is., Can., 118.

TERRE HAUTE. Loc., Ind., 283.

TERRESITA. Loc., Mo., 379.

TESUQUE, pi., NM., 430; mi., NM., 430, 460.

TETON NATIONAL FOREST. bos., Ut., 522.

TEXAS, St., teres, 25, 28, 30, 31, 35, 36, 37, 39, 40, 41, 51, 59, 63, 67, 68, 73, 77, 82, 88, 89, 93, 98, 100, 101, 103, 104, 105, 108, 109, 110, 148, 211, 270, 303, 340, 345, 347, 363, 364, 367, 381, 386, 387, 394, 407, 408, 409, 410, 413, 414, 416, 418, 419, 420, 421, 422, 423, 424, 425, 427, 429, 433, 434, 435, 436, 467, 488, 524, 531, 594. (Ver: PANUCO, teres; NUEVAS FILIPINAS, teres); mis., 29, 31, 32.

TEXAS CHRISTIAN UNIV. Tx., 412.

TEXAS SOUTHERN UNIV. Tx., 412.

TEXAS UNIV. Tx., 78, 412, 423.

TEXAS WOMEN'S UNIV. Tx., 419.

TEXOMA, la., Tx., 408.

THOMASVILLE. Loc., Ala., 316.

THOMPSON'S CREEK, ri., La., 360.

TIBURON. Loc., Cal., 580.

TICONDEROGA. Loc., NY., 128.

TIERRA AMARILLA. Loc., NM., 106, 466.

TIERRA DEL MAR. Loc., Or., 586.

TIERRAS DE AYLLÓN, resp., ea., 40, 177, 188. (Ver: VÁZQUEZ DE AYLLÓN, Lucas., I. O.)

TIERRAS DE GARAY, resp., ea., 37, 41. (Ver: GARAY, Francisco de, I. O.)

TIERRAS DE GÓMEZ, resp., ea., 41, 114, 142. (Ver: GÓMEZ, Esteban.)

TIGUEX, rei., NM., 94, 458, 464. (Ver: NUEVO MÉXICO, teres.)

TIMPANOGOS, pi., Ut., 518. (Ver: NUESTRA SE-ÑORA DE LA MERCED DE LOS TIMPANOGOTZIS, va., Ut.)

TINIAN, is., As., 610, 612. (Ver: MARIANAS, iss., As.)

TIOGA, ri., Penn., 162.

TIPPECANOE, pi., Ind., 283.

TIZONA, ri., Ar., 38. (Ver: COLORADO, ri., Ar., Co.)

TOBOSO. Loc., Oh., 293.

TOCOBAGA, fues., Fla., 250; mi., Fla., 250.

TOCOY, pi., Ga., 207.

TOLEDO. Loc., Esp., 81, 292, 370. Loc., Wa., 592. Loc., Or., 586. Loc., Ill., 282. Loc., Oh., 290, 292. Loc., Io., 405; pu., Alk., 601, 293.

TOLEDO UNIV. Oh., 80, 292.

TOLOMATO, pi., Ga., 192; mi., Ga., 202, 203, 204, 218.

TOMBIGBEE, ri., Ky., 302, 314, 316, 321.

TOPEKA. Loc., Ka., 387, 389.

TOQUERVILLE. Loc., Ut., 517.

TORDESILLAS. Loc., Esp., 177, 604.

TORNILLO. Loc., Tex., 430.

TORO. Loc., La., 366. (Ver: EL TORO. Loc., Tex.)

TORREJÓN DE ARDOZ. Loc., Esp., 22.

TORRES STRAIT, est., Aus., 606. (Ver: BÁEZ DE TORRES, Luis, I. O.)

TORTUGAS, iss., Fla., 242.

TRAER. Loc., Io., 405.

TRAFALGAR, ca., Esp., 342; ca., CN., 182. (Ver: FEAR, ca., CN.)

TRANQUILA, pun., Alk., 600.

TRAVIS, la., Tx., 408.

TREASURE, is., Cal., 571.

TRENTON. Loc., NJ., 147.

TRES PINOS. Loc., Cal., 580.

TRIANA. Loc., Ala., 326. (Ver: SEVILLA. Loc., Esp.)

TRILLA. Loc., Ill., 282.

TRINIDAD. Loc., Co., 493, 500, 504, 507. Loc., Cal., 579, 580. Loc., Wa., 592; is., Alk., 598.

TRINITY, ri., Tex., 347, 421; mñs., Cal., 578.

TRINITY UNIV, Tex., 412.

TRUJILLO. Loc., NM., 466.

TUBAC, fues., Ar., 476, 477, 478, 479, 543.

TUCSON. Loc., Ar., 40, 49, 95, 467, 469, 477, 479, 481, 482, 483, 485. (Ver: SAN JOSÉ DEL TUCSON, pi., Ar.; SAN COSME DEL TUCSON, mi., Ar.; SAN AGUSTÍN DEL TUCSON, fues., Ar.)

TUFTS UNIV. Mass., 125.

TULANE UNIV. La., 85.

TULAPO, pi., Ga., 206.

TULUFINA, pi., Ga., 202, 206.

TULSA. Loc., Ok., 385.

TULSA UNIV. Ok., 385.

TUMACORI, mi., Ar., 477, 478, 482. (Ver: SAN JOSÉ DE TUMACORI, mi., Ar.; SAN CAYETA-

NO DE TUMACORI, mi., Ar.)
TUNAS. Loc., Mo., 379.
TÚNEZ. Loc., Af., 129.
TUNICA. Loc., Miss., 336; co., Miss., 336.
TUPIQUE, mi., Ga., 202, 203.
TUSAYAN, teres., Ar., 472, 473.
TUSCALOOSA. Loc., Ala., 311, 316.
TWIN FALLS. Loc., Id., 527.
TYLER. Loc., Tex., 414.

U

UCITA, pi., Fla., 246.
ULLOA, is., A., 605. (Ver: KANAI, iss., As.); en., Alk., 600.
UMATAC, ba., Gu., 610.
UMPQUA, ri., Or., 584.
UNA. Loc., CS., 194.
UNALASKA, is., Alk., 39, 598, 599.
UNCOMPAHGRE. Plateau, Co., 496; ri., Co., 496.
UNION CITY, 146.
UNIÓN SOVIÉTICA, St. Eur., 594.
UNIÓN UNIV. Te., 308.
UNIVERSAL CITY. Loc., Cal., 548.
UPLAND. Loc., Ind., 284.
UPPER IOWA UNIV. Io., 402.
URAC, ri., Co., 499.
URBANA. Loc., Ill., 280.
URBANA UNIV. Ill., 91.
UTAH, St., 31, 39, 101, 487, 494, 497, 509, 512, 514, 515, 516, 517, 518, 527; la., Ut., 39, 41, 471, 497, 517.
UTAH STATE UNIV. Ut., 518.
UTAH UNIV. Ut., 518.
UTICA. Loc., NY., 128.
UTINA, pi., Fla., 218.
UVA. Loc., Wy., 523.

V

VACA, is., Fla., 242.
VACAVILLE. Loc., Cal., 577, 580.
VADO DE LOS PADRES, pas., Ar., 39, 102, 472, 474. (Ver: FATHERS. Crossing of the, pas., Ar.)
VALDÉS, en., Alk., 599. (Ver: VALDÉS, Antonio de, I. O.)
VALDEZ. Loc., Co., 507. Loc., Alk., 599, 600; pu., Alk., 600, 601. (Ver: VALDÉS, Antonio de, I. O.)
VALENCIA. Loc., Esp., 154, 170, 212. Loc., Penn., 156; Loc., Cal., 549; co., NM., 466.
VALENZUELA. Loc., La., 361.
VALERA. Loc., Tex., 430.
VALHERMOSO SPRINGS. Loc., Ala., 326.

VALPARAÍSO. Loc., Fla., 260, 268. Loc., Loc., Ind., 285. Loc., Ne., 397.
VALPARAÍSO UNIV. Ind., 284.
VALLADOLID. Loc. Esp., 413; es., NM., 463. (Ver: TAOS, pi., NM.)
VALLE CENTRAL, va., Cal., 531, 578. (Ver: SAN JOAQUÍN, va., Cal.)
VALLECITOS, Loc., Cal., 580.
VALLEJO. Loc., Cal., 580. (Ver: VALLEJO, Mariano, I. O.)
VANCOUVER, is., Ca., 586, 588, 589, 591, 592. (Ver: QUADRA AND VANCOUVER, is., Ca.)
VANDERBILT UNIV. Te., 85, 306.
VARILLA. Loc., Ky., 303.
VASCONGADAS. Prs., Esp., 60.
VEGA. Loc., Oh., 293. Loc., Tex., 430.
VEGAS, is., Alk., 600. (Ver: LAS VEGAS. Loc., NM...)
VELAS LATINAS, iss., As., 610. (Ver: GUAM, iss., As.)
VÉLEZ BLANCO. Loc., Esp., 137.
VENECIA. Loc., It., 510.
VENEZUELA St., Am., 215.
VENTURA. Loc., Io., 405. Loc., Cal., 551, 552, 580; co., Cal., 580.
VERA Loc., Tex., 430.
VERA CRUZ. Loc., Ind., 285.
VERACRUZ. Loc., Mex., 59, 250, 261, 305, 319, 347, 425.
VERBENA. Loc., Ala., 326.
VERDE, ri., Ar., 468, 486.
VERDIGRIS, ri., Ok., 387.
VERGAS. Loc., Minn., 403.
VERMILLION. Loc., DS., 401.
VERMONT. St., 113, 114, 115, 126, 127.
VERMONT UNIV., 126.
VERNAL. Loc., Ut., 519.
VERO BEACH. Loc., Fla., 234.
VERSAILLES. Loc., Fr., 50, 157, 259, 266.
VETA, ba., Alk., 600. (Ver: LA VETA. Loc., Co.)
VÍBORAS. Loc., Tex., 430.
VICKSBURG. Loc., Miss., 327, 333. (Ver: NOGALES, fues., Miss.)
VICTORIA. Loc., Ka., 393. Loc., Minn., 403. Loc., Tex., 101, 408, 423.
VICH. Loc., Esp., 572.
VIDA. Loc., Ala., 326. Loc., Or., 586.
VIDAL. Loc., Cal., 580.
VIDALIA. Loc., Ga., 210. Loc., La., 365, 366.
VIETNAM, St., 70, 166.
VIGAS, co., Wi., 283.
VIGO. Loc., Esp., 360, 408. Loc., Ind., 285. Loc., Tex., 430; co., Ind., 285. (Ver: GALICIA Dr., La.)
VILAS. Loc., Co., 507.
VILLA HTS. Loc., Md., 161.
VILLA DE SAN FRANCISCO DE ALBURQUERQUE, es., NM., 456. (Ver: ALBURQUERQUE, es., NM.)

VILLA NUEVA DE SANTA CRUZ DE LA CAÑADA (LA), es., NM., 461. (Ver: SANTA CRUZ, es., NM.)
VILLA NUEVA DE SANTA CRUZ DE LOS ESPAÑO-LES MEJICANOS DEL REY NUESTRO SEÑOS CARLOS SEGUNDO (LA), es., NM., 461. (Ver: SANTA CRUZ, es., NM.) (Ver: CAROLINAS, iss., As.)
VILLA REAL DE LA SANTA FE DE SAN FRANCIS-CO DE ASÍS (LA), es., NM., 461. (Ver: SANTA FE, es., NM.)
VILLA RICA. Loc., Ga., 210.
VILLALUENGA, pun., Alk., 600.
VILLANOVA. Loc., Penn., 156.
VILLANOVA UNIV. Pen., 154.
VILLANUEVA. Loc., NM., 466.
VILLARY, co., Tex., 429.
VINA. Loc., Cal., 580.
VINCENNES. Loc., Ind., 281, 283, 285, 288, 298, 350, 372, 373, 374. Loc., Ky., 296.
VINITA. Loc., Ok., 387.
VIOLAN. Loc., Wy., 523.
VIRGEN, ri., Nev., 514. (Ver: VIRGIN, ri., Nev.)
VIRGIN, ri., Nev., 514, 517. (Ver: VIRGEN, ri., Nev.)
VIRGINIA, ST., 30, 40, 45, 51, 74, 81, 92, 95, 100, 102, 129, 145, 149, 156, 164, 174, 175, 177, 178, 179, 180, 183, 184, 185, 186, 272, 280, 281, 296, 297, 298, 299, 300, 306, 308, 327, 348, 373, 377.
VIRGINIA CITY. Loc., Nev., 509.
VIRGINIA OCCIDENTAL. ST. 180, 181. (Ver: WEST VIRGINIA, ST.)
VIRGINIA UNIV. Va., 127, 181.
VIRGINIA UNIÓN UNIV. Va., 179.
VISTA. Loc., Cal., 580. Loc., Mo., 379. Loc., Ne., 514.
VITORIA. Loc., Esp., 537.
VIZCAYA. Pr., Esp., 61, 131. Loc., Fla., 239.
VULTURE. Loc., Ar., 486.

W

WABASH, ri., Ill., Ind., 283, 285.
WACO. Loc., Tex., 412, 415.
WAIKIKI, pl., Haw., 603.
WAIMEA. Loc., Haw., 607.
WALPI, pi., Ar., 472.
WALSENBURG. Loc., Co., 503, 504. (Ver: PLA-ZA DE LOS LEONES. Loc., Co.)
WALTHAM. Loc., Mass., 125.
WALLA WALLA. Loc., Wa., 587.
WALLACE. Loc., Id., 527.
WARCOL, ri., Fla., 258.
WARM MINERAL SPRINGS, ags., Fla., 264.
WARNER, mñs., Cal., 578.
WASATCH, mñs., Ut., 517.
WASCO. Loc., Or., 586.

WASHBURN UNIV. Ka., 389.
WASHINGTON D. C., 20, 22, 34, 42, 48, 55, 64, 66, 67, 78, 83, 86, 91, 106, 114, 117, 142, 149, 150, 156, 159, 164, 172, 174, 184, 185, 217, 224, 227, 234, 243, 254, 291, 365, 385, 418, 487, 536, 539, 561, 593, 594, 599.
WASHINGTON, ST., 95, 306, 524, 527, 581, 582, 585, 587, 588, 589, 591, 596, 609; mt., Or., 581.
WASHINGTON STATE UNIV. Wa., 588.
WASHINGTON UNIV. Mo., 370; ídem, Wa., 587.
WATEREE, ri., CN.-CS., 186, 193.
WATERTOWN. Loc., Wi., 283.
WATLING, is., At., 33. (Ver: SAN SALVADOR, is., At.)
WAUKEENAH. Loc., Fla., 257.
WAUSAW. Loc., Wi., 282.
WAYNE UNIV. Mich., 287.
WEBER, cnon., Ut., 518.
WECHES. Loc., Tex., 414.
WEEKI WACCHEE, ags., Fla., 253.
WESLEYAN UNIV. Con., 125.
WEST COLUMBIA. Loc., CS., 194.
WEST FELICIANA. Loc., La., 362, 366. (Ver: EAST FELICIANA, par., La.)
WEST LIMA. Loc., Wi., 283. (Ver: LIMA. Loc., Pe.)
WEST MENPHIS. Loc., Ark., 382, 384.
WEST PALM BEACH. Loc., Fla., 60.
WEST PERU. Loc., Me., 126. (Ver: PERÚ, ST., Am.)
WEST POINT. Loc., NY., 129. (Ver: MILITARY ACADEMY, NY.)
WEST VIRGINIA, ST., 181, 295. (Ver: VIRGINIA OCCIDENTAL, ST.)
WEST VIRGINIA-ST., 295. (Ver: VIRGINIA)
WESTERN ILLINOIS UNIV., Ill., 280.
WESTERN MICHIGAN UNIV., Mich., 288.
WESTERN NEW MEXICO UNIV. NM., 457.
WESTERN RESERVE UNIV., Oh., 291.
WESTMORELAND. Loc., Va., 161.
WESTPORT. Loc., Mo., 494.
WETUMPKA. Loc., Ala., 312.
WHITE, ri., Ark., 381, 384; ri., Co., Ut., 497, 517. (Ver: CLEMENTE, ri., Co.)
WHITE HAVEN. Loc., Md., 162.
WHITEBIRD. Loc., Id., 527.
WHITNEY, mñ., Cal., 531, 578.
WICOMICO, ri., Md., 162.
WICHITA. Loc., Ka., 389.
WICHITA FALLS. Loc., Tex., 412.
WICHITA UNIV. Ka., 389.
WILCOX. Loc., Ala., 314.
WILMINGTON. Loc., Del., 154, 155.
WILLACY, co., Tex., 429.
WILLAMETTE. UNIV. Or., 582.
WILLIAMSBURG. Loc., Va., 177, 178, 296.
WILLIAMSON, co., Ill., 276.
WINCHESTER, Loc., Va., 178.
WIND RIVER, mñs., Ut., 522.

897

WINDSOR. Loc., Can., 287.
WINNEMUCA. Loc., Nev., 514.
WINNIPESAUKEE, la., NH., 115.
WINSLOW. Loc., Ar., 469.
WINSTON-SALEM. Loc., CN., 183.
WINTER HAVEN. Loc., Fla., 253.
WINTER PARK. Loc., Fla., 233.
WINTERHAVEN. Loc., Cal., 472.
WINYAH, ba., CS., 189.
WISCONSIN. ST., 34, 41, 275, 282, 283, 404.
WISCONSIN UNIV. Wi., 91, 282.
WITHLACOOCHEE, ri., Fla., 253.
WITTENBERG UNIV. Oh., 291.
WOLFEBORO. Loc., NH. 115.
WOOSTER. Loc., Oh., 291.
WORCESTER. Loc., Mass., 22, 118, 125, 126.
WYNWOOD. Loc., Wi., 91.
WYOMING. ST., 61, 337, 340, 487, 488, 494, 501, 516, 521, 522, 523, 527.
WYOMING UNIV. Wy., 521.

X

XAVIER UNIV. Oh., 291. (Ver: SAN FRANCISCO XAVIER, mi., Tex.) (Ver: FRANCISCO XAVIER, San I. O.)
XUALLA, pi., CN., 186. (Ver: SAN JUAN DE XUALLA, fues., CN.)

Y

YAKUTAT, ba., Al., 600.
YALE UNIV. Con., 71, 91, 124, 125, 126.
YANKTOWN. Loc., DS., 401.
YAZOO, ri., Miss., 331, 333.

YBOR CITY. Loc., Fla., 61, 251, 252. (Ver: IBOR CITY. Loc., Fla.) (Ver: MARTÍNEZ IBOR, Eduardo, I. O.)
YELLOWSTONE, ri., W., 401, 494, 522, 524, 526; pk., Wy., 487, 522; la., Wy., 522.
YERBA BUENA, is., Cal., 571; fues., Cal., 570.
YERBA LINDA. Loc., Cal., 580.
YERMO. Loc., Cal., 580.
YESO. Loc., NM., 466.
YFUSINIQUE, pi., Ga., 202.
YORKTOWN. Loc., Va., 50, 178.
YOSEMITE, pk., Cal., 104, 531, 577, 578.
YOUNGSTOWN. Loc., Oh., 291.
YOUNGSTOWN UNIV. Oh., 291.
YPSILANTI. Loc., Mich., 288.
YSCLOSKEY. Loc., 359.
YUKON, ri., Can., 587.
YUMA. Loc., Ar., 101, 471, 472, 481, 513.

Z

ZACATECAS. Loc., Mex., 444, 552, 566, 574, 575.
ZACATULA. Loc., Mex., 604.
ZALAGUA, pu., Mex., 538.
ZALAMEA. Loc., Esp., 183.
ZAMORA. Loc., Cal., 580.
ZANESVILLE. Loc., Oh., 291.
ZAPALA, is., Ga., 198, 204. (Ver: SAPELO, is., Ga.); fues., Ga., 198.
ZAPATA. Loc., Tex., 430.
ZARAGOZA. Loc., Esp., 22, 173, 479. (Ver: SA-RAGOZA. Loc., Tx.; St. Augustine, Fla.)
ZAVALLA. Loc., Tx., 430.
ZION NATIONAL PARK, pk., Ut., 514.
ZORITA. Loc., Esp., 48.
ZUÑI, pi., NM., 448, 454, 459.

INDICE

ÍNDICE

Páginas

PALABRAS PRELIMINARES 11

INTRODUCCION

BOSQUEJO HISTORICO DE LAS RELACIONES HISPANOAMERICANAS 19

GENERALIDADES SOBRE LA PRESENCIA ESPAÑOLA 25

DURACION DE LA PRESENCIA SOBERANA ESPAÑOLA EN TERRITORIO DE ESTADOS UNIDOS 30

1) ACTIVIDAD DESCUBRIDORA Y BELICA

CRISTÓBAL COLÓN 33

REINA ISABEL 34

ACTIVIDAD EN EL TIEMPO 35

AÑOS ANTERIORES A 1607:

    A) EXPEDICIONES 35

    B) CONTRIBUCIÓN AL NACIMIENTO DE LA GEOGRAFÍA DE LOS ESTADOS UNIDOS.
    A) *Costas atlánticas* 36
       Costas del Golfo de México 37
       Costas del Pacífico 37
       Montañas 37
       Ríos 38
AÑOS POSTERIORES A 1607 38

FUNDACIÓN DE CIUDADES 39

ACTIVIDAD EN EL ESPACIO

ESTADOS CON PRESENCIA ESPAÑOLA 40

PARTICIPACION EN LA GUERRA DE LA INDEPENDENCIA 42

PERÍODO ANTERIOR A LA DECLARACIÓN DE GUERRA A INGLATERRA POR ESPAÑA 44

PERÍODO POSTERIOR A LA DECLARACIÓN DE GUERRA A INGLATERRA POR ESPAÑA 47

VICTORIAS ESPAÑOLAS:
    a) *Bernardo de Gálvez* 48
    b) *San Luis y San José* 49

OTRAS APORTACIONES 49

2) ACTIVIDAD MISIONAL Y CIVILIZADORA

MISIONES

Ordenes misioneras 51
Número de Misiones 52
Protomártir 52

POLITICA INDIANA

Actitud del español ante el indio 54
Lenguas nativas 55

3) ACTIVIDAD COLONIZADORA

PARTICIPACION DEL PUEBLO ESPAÑOL

COLONOS PARTICIPANTES EN LAS EXPEDICIONES DESCUBRIDORAS 57

PROCEDENCIA DE LA INMIGRACION 58

a) *Islas Canarias* 59
b) *Islas Baleares* 60
c) *Vascongadas* 60
d) *Asturianos y gallegos* 61
e) *Andaluces y catalanes* 61
f)   *Sefarditas* 62

ACTUAL POBLACION HISPANICA EN LOS ESTADOS UNIDOS 63

SUS PROBLEMAS:

a) ADAPTACIÓN AL MEDIO 65
b) DIFICULTADES DE SU INSERCION EN LA COMUNIDAD 66
c) RELACIONES ENTRE SÍ 69

NORTEAMERICANOS NOTABLES DE ORIGEN ESPAÑOL 69

LA MUJER HISPANA 72

4) ACTIVIDAD CULTURAL

INFLUENCIAS ESPAÑOLAS EN LA LITERATURA, MUSICA Y ARTE DE ESTA-
DOS UNIDOS

A)   EN LA LITERATURA 75
B   EN LA MÚSICA 76
C)   EN LA ARQUITECTURA Y OTRAS ARTES 77

PRESENCIA ESPAÑOLA EN BANDERAS, ESCUDOS Y OTROS SIMBOLOS ESTA-
TALES 79

EL IDIOMA ESPAÑOL EN LOS ESTADOS UNIDOS 80

a) EL ESPAÑOL, LENGUA APRENDIDA
Resumen histórico 81
Interés actual por el español 82
Intercambio cultural hispano-norteamericano 83
Cursos en España de instituciones norteamericanas 85
Asociaciones e instituciones. Revistas 85
Hispanistas 87
b) EL ESPAÑOL, LENGUA PROPIA
Radio, TV y Prensa 89
c) EL ESPAÑOL, LENGUA OFICIAL 89
d) EL ESPAÑOL, INFLUYENTE EN EL INGLÉS 91
e) EL CATALAN Y EL VASCUENCE 91

LOS NOMBRES DEL PAIS Y ESPAÑA 91

ORIGEN ESPAÑOL DE LOS NOMBRES DE ALGUNOS ESTADOS 93

5) APORTACIONES EN EL CAMPO DE LA ECONOMIA Y DEL DERECHO

GANADERIA, AGRICULTURA

PRIMERAS ESPECIES GANADERAS INTRODUCIDAS 97

GANADO OVINO Y VACUNO 98

EL "COW-BOY" Y EL CABALLO 98

EL PERRO 99

PRODUCTOS AGRÍCOLAS INTRODUCIDOS 99

VIAS DE COMUNICACION 100
EL DOLAR, HIJO DE ESPAÑA 101
MONEDAS, BILLETES Y SELLOS DE CORREOS 104
CONCESIONES ESPAÑOLAS DE TIERRAS 105
EL DERECHO ESPAÑOL 107

PARTE PRIMERA

ESTADOS DE LA COSTA ATLANTICA

CAPITULO I

La verde NUEVA INGLATERRA, o "tierras de Gómez" 113

VERMONT Y NEW HAMPSHIRE, los Estados menos "españoles" 114

MAINE, el Estado "canadiense" 116

    Presencia del piloto de Carlos V, Esteban Gómez 116

MASSACHUSETTS, la "Vieja Colonia" 117

    Esteban Gómez en Cape Cod. Ayuda a la Revolución 118

  BOSTON 118

    El madrileño Santayana 119

  HARVARD Y EL HISPANISMO EN NUEVA INGLATERRA 120

RHODE ISLAND, el más pequeño 123

    Esteban Gómez 123
    Sefarditas pioneros 123

CONNECTICUT, sede de las Compañías de Seguros 124

    Esteban Gómez 124

YALE 124

INSTITUCIONES DE ENSEÑANZA SUPERIOR 125

NOMBRES ESPAÑOLES 126

CAPITULO II

NUEVA YORK, el Estado Imperio

RECORRIDO POR EL ESTADO: CATARATAS DEL NIÁGARA 127

  WEST POINT: LA ACADEMIA MILITAR 129

CIUDAD DE NUEVA YORK 129

PRESENCIA ESPAÑOLA EN LA CIUDAD.

    Colonias hispánicas 131
    Hispánica conmemoración del Descubrimiento de América 132

PRIMERA IGLESIA CATÓLICA.

    Contribución española 134

UNIVERSIDADES Y OTRAS INSTITUCIONES.

    Difusión de la lengua y de la civilización españolas 135
    Arte español 136

    Los Guastavino 139
    Teatro y música españoles y sobre España 140

DESPEDIDA A NUEVA YORK 142

PRESENCIA ESPAÑOLA EN EL ESTADO

    Esteban Gómez, en la bahía de Hudson 143

NOMBRES ESPAÑOLES 143

CAPITULO III

NUEVA JERSEY, PENNSYLVANIA, DELAWARE Y MARYLAND

NUEVA JERSEY, el Estado Jardín 145

  MORRISTOWN 146

    Tumba del primer enviado español 146

  LAS UNIVERSIDADES DE PRINCETON, RUTGERS Y OTRAS 146

  ATLANTIC CITY, CUNA DE LOS CONCURSOS DE BELLEZA 147

  JOSÉ BONAPARTE Y SUS CONJURAS ANTIESPAÑOLAS. BONDENTOWN 148

  NOMBRES ESPAÑOLES 149

PENNSYLVANIA, el Estado clave

  FILADELFIA 149

    Primeros representantes de S. M. Católica 150
    El idioma y el arte españoles 152

  PITTSBURGH 154

  SUR DEL ESTADO. LA ANACRÓNICA SECTA "AMISH" 155

  NOMBRES ESPAÑOLES 156

DELAWARE, el primero 156

    El gaditano Elías Ahuja, fundador de "The Good Samaritan" 157

  NOMBRES ESPAÑOLES 158

MARYLAND, el de hechos varoniles y palabras femeniles 158

  ANNAPOLIS: LA ACADEMIA NAVAL

    Recuerdos de la guerra de Cuba y Filipinas 159
    Recuerdos de Farragut 159

  BALTIMORE 160

  NOMBRES ESPAÑOLES 161

PRESENCIA ESPAÑOLA

    Esteban Gómez 162

CAPITULO IV

WASHINGTON, DISTRITO DE COLUMBIA 163

  CASA BLANCA Y ALREDEDORES 165

  CAPITOLIO Y ALREDEDORES 167

  SMITHSONIAN INSTITUTION 169

INSTITUCIONES CON PRESENCIA HISPÁNICA 170

    UNIVERSIDADES 173

AREA METROPOLITANA 174

PRESENCIA ESPAÑOLA ....

    Los Menéndez, González y Fernández en la bahía de Chesapeake 175

CAPITULO V

LAS DOS VIRGINIAS, LAS DOS CAROLINAS Y GEORGIA, "tierras de Ayllón"

VIRGINIA, "madre de Presidentes"

    PRESENCIA INGLESA, JAMESTOWN Y WILLIAMSBURG 177

    A PARTIR DE LA INDEPENDENCIA 178

PRESENCIA ESPAÑOLA

    Mártires de Axacán 178
    El idioma español y la sombra de Jefferson 180

    NOMBRES ESPAÑOLES 181

VIRGINIA OCCIDENTAL, fruto desmembrado

    NOMBRES ESPAÑOLES 182

CAROLINA DEL NORTE, el Estado tabaquero

    ISLA DE ROANOQUE, LA DE "LA COLONIA PERDIDA" 182

    TABACO 182

    ASPECTOS CULTURALES 183

ESTADO DE FRANKLIN. RELACIONES CON ESPAÑA 183

PRESENCIA ESPAÑOLA

    Hernando de Soto, el conquistador más septentrional 185
    Pardo y Boyano, constructores de fuertes 186
    Vázquez de Ayllón, el primer desembarco civilizador 186

    NOMBRES ESPAÑOLES 187

CAROLINA DEL SUR, el primero colonizado por europeos (españoles)

    CHARLESTON 188

    JARDINES "BROOKGREEN" 189

PRESENCIA ESPAÑOLA

    Vázquez de Ayllón y el primer establecimiento: San Miguel de Gualdape 189
    Santa Elena y su azarosa supervivencia 190
    Pardo y Boyano y sus exploraciones tierra adentro 193
    Hernando de Soto y su romántico encuentro con la princesa 194

    NOMBRES ESPAÑOLES 194

GEORGIA, el Estado Melocotón 194

    PRESENCIA ESPAÑOLA

    a) CONQUISTADORES Y EXPLORADORES
       Hernando de Soto, entre "indias-gitanas" 196
       Pardo y Boyano, en la afamada región de Chiaha 196

       Salas, Chozas y Velascola, Juan de Lara 197

  b) M<small>ISIONEROS</small> 197
    En la isla de St. Catherine, o del milagro 199
    En las costas vecinas, dominios del Juanillo 201
    En la isla de Sapelo, con Presidio 204
    En la isla de St. Simon, con sangre de mártires y de soldados 204
    En la isla de Jekyll, sin martirios (pero con millonarios) 205
    En la isla de Cumberland y su tierra firme cercana, con el primer mártir de la región y no por Juanillo 206
    En el Sudoeste, auge y destrucción 208

  c) S<small>EPARDITAS</small> 209

 N<small>OMBRES ESPAÑOLES</small> 209

CAPITULO VI

FLORIDA, paraíso meridional

F<small>LOR Y AMOR</small> 211

COSTA ORIENTAL 214

 I<small>SLA</small> A<small>MELIA</small>: <small>SU ANEXIÓN A LA</small> "R<small>EPÚBLICA DE</small> M<small>ÉXICO</small>" <small>Y OTROS SUCESOS</small> ... 214

 J<small>ACKSONVILLE Y SUS ALREDEDORES</small>

  Menéndez de Avilés conquista "Fort Caroline" 217

 S<small>AN</small> A<small>GUSTIN</small>, <small>LA PRIMERA CIUDAD DE LOS</small> E<small>STADOS</small> U<small>NIDOS</small> 218

  Ponce de León y la fuente de la Juventud 219
  Significado hispánico 220
  Recorrido urbano 221
  Misión del Nombre de Dios y Ntra. Sra. de la Leche 223
  Menéndez de Avilés, fundador 225
  Celebración del IV centenario de la fundación 226
  Historia de San Agustín, posterior a su fundación 228
  Castillo de San Marcos, el nunca tomado 229
  San Agustín, inglés y español 231

 D<small>AYTONA Y</small> N<small>EW</small> S<small>MYRNA</small> 231

 C<small>ABO</small> C<small>AÑAVERAL, CENTRO ESPACIAL</small> 232

 W<small>INTER</small> P<small>ARK</small>. L<small>OS HALLAZGOS DE LOS GALEONES HUNDIDOS</small> 233

 N<small>ORTE DE</small> M<small>IAMI</small> 234

  Tequesta. Misión jesuítica y fuerte 235

 MIAMI 235

SECTOR MERIDIONAL

 L<small>OS</small> C<small>AYOS</small>

  Fuerte de Santa Lucía 241

 P<small>ARQUE DE</small> E<small>VERGLADES</small> 242

COSTA OCCIDENTAL. S<small>UR DE</small> S<small>ARASOTA</small>

  La primera Misión en el Nuevo Mundo: San Carlos 243
  Ponce de León: su muerte 244

 S<small>ARASOTA, CAPITAL DEL</small> C<small>IRCO</small> 245

 B<small>RADENTON</small>. "T<small>HE</small> C<small>ONQUISTADORS</small>"

  Hernando de Soto desembarca 245

Bahía de Tampa
    Pánfilo de Narváez emprende su última jornada 249
    Martirio de fray Luis Cáncer, O. P. 249
    El fuerte y la Misión de Tocobaga 250

Tampa 250
    La encina de Hernando de Soto 251
    Ybor City, ciudad hispanoparlante 251

SECTOR CENTRAL.
    Narváez y Soto 253

SECTOR SEPTENTRIONAL.
  Gainesville 254

  Tallahasee y alrededores
    Angustias de Narváez en la bahía de los Caballos 255
    Soto y las primeras Navidades observadas en USA 255
    Misiones. Camino Real 256
    Vicisitudes de la Misión de San Luis 257
    El fuerte de San Marcos y el Estado independiente de Muscogee 258

  "Franja milagrosa" 260

PENSACOLA
    Primer establecimiento español 261
    Segundo establecimiento español 262
    Tercer establecimiento español 264
    Conquista de la ciudad por Gálvez 264
    Cuarto establecimiento español 266

  Nombres españoles 268

PARTE SEGUNDA

ESTADOS EN LA ORILLA ORIENTAL DEL RIO MISSISSIPPI

CAPITULO I
ILLINOIS, WISCONSIN, INDIANA, MICHIGAN y OHIO

ILLINOIS, tierra de Lincoln 275

  Los mormones 276

CHICAGO
    Arte y Ciencia 277
    Exposición Colombina de 1892 278
    Congresos 278
    Contrastes en Chicago 279

  Universidades de Illinois 280

  PRESENCIA ESPAÑOLA 280

  Nombres españoles 281

WISCONSIN, el Estado lechero 282

  PRESENCIA ESPAÑOLA 283

  Nombres españoles 283

INDIANA, "encrucijada de América" 283

UNIVERSIDADES 284

PRESENCIA ESPAÑOLA 285

NOMBRES ESPAÑOLES 285

MICHIGAN, el Reino de las Cuatro Ruedas 286

DETROIT Y LA INDUSTRIA AUTOMOVILÍSTICA 286

PRESENCIA ESPAÑOLA.

    Conquista del fuerte St. Joseph 288

NOMBRES ESPAÑOLES 289

OHIO, puerta para el "Middle West" 289

UNIVERSIDADES 291

PRESENCIA ESPAÑOLA 291

    Toledo, hermana de la Imperial Ciudad 292

NOMBRES ESPAÑOLES 293

CAPITULO II

KENTUCKY Y TENNESSEE

KENTUCKY, dominio de los "pura sangre" 295

RELACIONES CON ESPAÑA. WILKINSON Y LOS CONATOS DE INDEPENDENCIA ... 295

NOMBRES ESPAÑOLES 302

TENNESSEE, cuna de Farragut 303

SECTOR ORIENTAL.

    Hernando de Soto, de paso 303

CHATTANOOGA 304

KNOXVILLE 304

    Nace el almirante menorquín 304

LA "TENNESSEE VALLEY AUTHORITY" 306

SECTOR CENTRAL.

NASHILLE. UNIVERSIDADES 306

SECTOR OCCIDENTAL

MEMPHIS

    Hernando de Soto descubre el Mississippi 307

RELACIONES CON ESPAÑA. ROBERTSON Y LA INDEPENDENCIA DEL CUMBERLAND ... 308

NOMBRES ESPAÑOLES 310

CAPITULO III

ALABAMA Y MISSISSIPPI

ALABAMA, Estado algodonero 311

PRESENCIA ESPAÑOLA.

SECTOR SEPTENTRIONAL

    Hernando de Soto desciende 312

Juan de Ribas no consigue unir las costas del Atlántico y Golfo de México 312
Mateo del Saúz se alía a los indios coosa 313

BIRMINGHAM. CULLMAN 313

SECTOR CENTRAL

H. de Soto contra Tuscaloosa en la batalla de Mabila 314
Penalidades de Tristán de Luna 315

SECTOR OCCIDENTAL

Hernando de Soto asciende 316
Fuertes Confederación y Esteban 316
Tratado de San Lorenzo. "Ellicott Line" 316

SECTOR MERIDIONAL

MOBILE.

Alvarez de Pineda descubre 317
Arriban Narváez y su gente en tres barcas 318
Maldonado acude a la cita con Soto 318
Exploración de Guido de los Bazares 319
Presencias francesa e inglesa 319
Conquista de la ciudad por Gálvez 320
33 años de Gobierno español 321
Ocupación de los Estados Unidos 322
MOBILE, HOY 322

RELACIONES CON ESPAÑA. MCGILLIVRAY 323

NOMBRES ESPAÑOLES 326

MISSISSIPPI, el Estado Magnolia 326

FRANJA COSTERA. PASCAGOULA 327

PRESENCIA ESPAÑOLA

Su nombre 328
Hernando de Soto hace justicia 328
Mateo de Saúz hace paz 329

NATCHEZ

Bernardo de Gálvez y la guerra de la Independencia 329
Manuel Gayoso de Lemos. Su gobierno 330
Tratado de San Lorenzo. Línea Ellicott 331

RELACIONES CON ESPAÑA. O'FALLON Y CLARK 333

REPÚBLICA TRANS-OCONEE CLARKE 335

REPÚBLICA DE FLORIDA OCCIDENTAL 335

NOMBRES ESPAÑOLES 336

PARTE TERCERA

ESTADOS EN LA ORILLA OCCIDENTAL DEL MISSISSIPPI

FRANCIA CEDE LA LUISIANA A ESPAÑA 338

ESPAÑA CEDE LA LUISIANA A FRANCIA. COMPRA POR LOS ESTADOS UNIDOS .. 340

CAPITULO I

LUISIANA, el Estado Pelícano

SABOR Y CLAMOR 343

COLONIZACIÓN FRANCESA 344

POSESIÓN POR LOS ESTADOS UNIDOS 345

PRESENCIA ESPAÑOLA

    a) CONQUISTADORES:

    Alvarez de Pineda, Narváez y Soto 346

    b) GOBERNADORES:

        Antonio de Ulloa 347
        Alejandro O'Reilly 348
        Luis de Unzaga 348
        Bernardo de Gálvez y la guerra de la Independencia 349
        Esteban R. Miró 351
        Barón de Carondelet 352
        Manuel Gayoso, marqués de Casa Calvo, y Juan Manuel de Salcedo ... 352

NUEVA ORLEANS 352

    EL ESPAÑOL "VIEUX CARRÉ" 354

    Andrés Almonester 354
    Fray Antonio de Sedella 355
    Micaela Almonester, baronesa de Pontalba 355
    Calles y casas españolas 356

SECTOR MERIDIONAL 357

    LOS "CAJUNS" 358

    Fundaciones españolas 358
    Todavía se habla español 359

BATON ROUGE 359

    Toma de la ciudad por Bernardo de Gálvez 360

    ALREDEDORES.

    Galveztown y Valenzuela 361
    Hispanoparlantes en los "bruslys" 361
    Las parroquias Feliciana y otros recuerdos 362

SECTOR CENTRAL

    NATCHITOCHES 362

    Los Adaes: capital española de Texas oriental 363

SECTOR SEPTENTRIONAL 365

    NOMBRES ESPAÑOLES 366

CAPITULO II

MISSOURI, centro de la Alta Luisiana 367

ST. LOUIS 368

PRESENCIA ESPAÑOLA
    a) EN MISSOURI Y, CONCRETAMENTE, EN ST. LOUIS 370
    El teniente gobernador Fernando de Leyba 373
    Sitio de la ciudad por los ingleses 373
    Desarrollo del comercio 374
    Viaje de Pedro Vial desde Santa Fe 374
    Asentamiento de nuevos colonos 375
    Cesión de la Alta Luisiana 375

   b)   EN EL NORTE DE ST. LOUIS
       St. Charles y los fuertes "Don Carlos" 375
       San Fernando de Florissant 376
       Carondelet y otros puestos 377

   c)   EN EL SUR DE ST. LOUIS
       Santa Genoveva 377
       Nuevo Borbón y otros establecimientos 377
       Cabo Girardeau 378
       Nuevo Madrid 378

  NOMBRES ESPAÑOLES 379

CAPITULO III

ARKANSAS, OKLAHOMA, KANSAS Y NEBRASKA

ARKANSAS, tierra de oportunidades 381

PRESENCIA ESPAÑOLA

  Hernando de Soto, el primer europeo 382

  GOBIERNO ESPAÑOL: a)   *Arkansas Post* 383
                    b)   *Esperanza* 383

  NOMBRES ESPAÑOLES 384

OKLAHOMA, sede de las Cinco Tribus Civilizadas 385

  PRESENCIA ESPAÑOLA 387

  NOMBRES ESPAÑOLES 387

KANSAS, el granero del país 387

PRESENCIA ESPAÑOLA

  Vázquez de Coronado, "Don Quijote de América" 389
  Fray Juan de Padilla, el Protomártir 390
  Juan de Oñate en el Reino de Quivira 391
  Otras expediciones españolas 392
  Etapa de gobierno español 392

  NOMBRES ESPAÑOLES 393

NEBRASKA, o la Gran Llanura 393

PRESENCIA ESPAÑOLA

  Vázquez de Coronado y Oñate 395
  Diego de Peñalosa y muerte de Pedro de Villazur 395
  Comerciantes anteriores a Lisa 396
  Manuel Lisa 396

  NOMBRES ESPAÑOLES 397

CAPITULO IV

LOS DOS DAKOTAS, MINNESOTA E IOWA

DAKOTA DEL SUR Y DAKOTA DEL NORTE, Estados "Coyote" y "Sioux" 399

  PRESENCIA ESPAÑOLA 401

  NOMBRES ESPAÑOLES 401

MINNESOTA, el Estado de la Estrella Polar 402

  PRESENCIA ESPAÑOLA 403

NOMBRES ESPAÑOLES 403
IOWA, centro del "Middle West" 403
   PRESENCIA ESPAÑOLA 404
    "Las Minas de España", de J. Dubuque 405
   NOMBRES ESPAÑOLES 405

PARTE CUARTA

ESTADOS DEL SUDOESTE

CAPITULO I

TEXAS, el Estado de la Estrella Solitaria

   COLOR Y GRANDOR 407
   ESTADO SOBERANO E INDEPENDIENTE 409
CIUDADES (CON EXCEPCIÓN DE SAN ANTONIO) 410
   UNIVERSIDADES 412
PRESENCIA ESPAÑOLA
   Naufragios e infortunios de Cabeza de Vaca 412
   Coronado, Moscoso y Oñate pisan Texas 413
   FUGAZ PRESENCIA FRANCESA 414
SECTOR ORIENTAL
   MISIONES Y PRESIDIOS
     a) *Alonso de León y Domingo Terán de los Ríos* 414
     b) *Domingo Ramón y el marqués de San Miguel de Aguayo* . . 415
   NACOGDOCHES
    Antonio Gil y Barbo 415
SAN ANTONIO
   Martín de Alarcón y P. Olivares 416
   El Alamo, San José y otras Misiones 416
   El Palacio y los gobernadores 418
   CALLES Y PLAZAS 418
   CENTRO MILITAR 420
   MEMISFAIR 1968 420
SECTORES CENTRAL Y MERIDIONAL
   Misiones y Presidios
   TOMFRA 421
   RÍOS TRINITY Y SAN GABRIEL 421
   MENARD 422
   CAMP WOOD 423
   GOLIAD 423
SECTORES SUDOCCIDENTAL Y OCCIDENTAL
   Naufragio. Los sobrevivientes, desnudos 425

El Paso.

Misiones y Presidios en el Río Grande 426

Presidio 426

Eagle Pass 427

Ciudades fundadas por Escandón 428
Concesiones de tierras 428

Nombres españoles 429

CAPITULO II

NUEVO MEXICO, país del encanto 431

Los indios Pueblos 432

Etapa mexicana 433

Conquista por los Estados Unidos 434

Actual hispanismo de Nuevo México 435

Color y lentor 436

PRESENCIA ESPAÑOLA

El idioma castellano 438

Tradiciones
a) Canciones y fiestas 439
b) Representaciones teatrales 439
c) "La Sociedad folklorística" 440
d) "Los Caballeros de Vargas" 440

Manifestaciones religiosas
a) Procesiones 441
b) "La Conquistadora" 441
c) Las Navidades 442

SANTA FE.

Su fundador Peralta y otros gobernadores 443
Rebelión de los indios Pueblos en 1680 443
Primeros esfuerzos de reconquista 445
Reconquista por Diego de Vargas: consecuencias 445
Muerte de don Diego 447
Siglo XVIII y primeros lustros del XIX 447

Recorrido urbano 448

Palacio del Gobernador, edificio público más antiguo de los Estados Unidos 449
La catedral, custodia de "La Conquistadora" 449
Misión de San Miguel, iglesia en uso más antigua de los Estados Unidos 450
La casa más antigua de USA 450

Calles y Museos 451

SECTOR ORIENTAL

Cabeza de Vaca, el primer blanco 452

SECTOR OCCIDENTAL

Fray Marcos de Niza, el visionario 452
Vázquez de Coronado, el joven general 453

Hawikuh, una de las ciudades de Cibola 454

  Misioneros 454

ROCA "EL MORRO" 454

ROCA DE ACOMA 455

  Juan de Oñate y al asalto a la roca 455

LAGUNA 456

SECTOR CENTRAL

ALBUQUERQUE ....

  Su fundador Cuervo y Valdés 456

SUR DE ALBUQUERQUE

  Misiones 457

NORTE DE ALBUQUERQUE

  Fin de la expedición de Coronado 458
  La malograda "entrada" de Sánchez Chamuscado 459
  Misiones 459

SECTOR SEPTENTRIONAL

  Misiones y el santuario de Chimayó 460

SANTA CRUZ 461

SAN JUAN

  El gobernador Juan de Oñate y la fundación de San Gabriel 461

TAOS 463

PECOS 464

  Antonio de Espejo en busca de S. Chamuscado 465
  Gaspar Castaño de Sosa y su patrulla 465

NOMBRES ESPAÑOLES 465

CAPITULO III

ARIZONA, el "Estado del Gran Cañón"

FERVOR Y ESTUPOR 467

PRESENCIA ESPAÑOLA

SECTOR OCCIDENTAL

EL GRAN CAÑÓN DEL COLORADO 470

  Tovar, el europeo que supo primero de su existencia 470
  López de Cárdenas, quien lo descubrió 470

CURSO BAJO DEL COLORADO

  Hernando de Alarcón-Melchor Díaz 471
  Juan de Oñate 471
  El P. Francisco Garcés: martirio 471

SECTOR SEPTENTRIONAL

  Juan de Oñate en Tusayán 472
  Misiones 473
  P. Vélez de Escalante 473
  P. Francisco Garcés 474
  "Inscription House" 474

SECTOR ORIENTAL

    Fray Marcos de Niza y Vázquez de Coronado en busca de las ciudades de Cibola .   474

SECTOR MERIDIONAL

    LOS PADRES SALVATIERRA Y KINO   474

    Misión de San Gabriel de Guevavi   475
    Otras Misiones   476
    Misión de Tumacacori   477

    TUBAC.

    Presidio. Los Anza, padre e hijo   478
    Misión de San Xavier del Bac.

        1) P. Kino y otros jesuitas   479
        2) P. Garcés y otros franciscanos   480
        3) Edificio   481

    TUCSON   482

    P. Kino y su fundación   484
    P. Garcés. La primera escuela de formación profesional   484
    Presidio de San Agustín del Tucson   484

    PHOENIX Y SUS CERCANÍAS   485

    Minas españolas   486

    NOMBRES ESPAÑOLES   486

PARTE QUINTA
LOS ESTADOS DE LAS MONTAÑAS ROCOSAS

CAPITULO I

COLORADO, el más alto.

    ALTOR Y VIGOR   491

PRESENCIA ESPAÑOLA

DENVER Y ALREDEDORES   492

    Fort Vasquez   494

OESTE DE LAS ROCOSAS   495

    Rivera, el primer europeo en atravesarlas   495
    Los PP. Vélez de Escalante y Domínguez   496

    MESA VERDE, CENTRO DE LOS INDIOS CESTEROS   497

SECTOR MERIDIONAL

    Archuleta, o la primera penetración europea   497
    Diego de Vargas pisa Colorado   498
    Juan de Uribarri toma posesión del país   499
    Valverde y Pedro de Villazur   500
    Juan Bautista de Anza: San Carlos de los Jupes   500

    SAN LUIS Y SU VALLE

    Su hispánica fundación   502
    Fuerte español   503

    TRINIDAD Y CERCANÍAS   504

    PUEBLO   505

COLORADO SPRING. LA ACADEMIA DE LAS FUERZAS AÉREAS 506
NOMBRES ESPAÑOLES 507

CAPITULO II

NEVADA Y UTAH

NEVADA, el menos poblado 509
    El divorcio 510
  LAS VEGAS
    El juego 510
    Otras características ciudadanas 511
  EL "HOOVER DAM" Y EL LAGO ARTIFICIAL MAYOR DE LA TIERRA 512
PRESENCIA ESPAÑOLA
    Su nombre 512
    P. Garcés, el primer blanco 513
    Pastores vascos 513
  NOMBRES ESPAÑOLES 514

UTAH, el Estado mormón 514
  LOS "SANTOS DEL ULTIMO DIA" Y LA POLIGAMIA 515
PRESENCIA ESPAÑOLA 516
    Los PP. Vélez de Escalante y Domínguez, descubridores de Utah 517
    Otras presencias 518
    Pastores vascos 518
  NOMBRES ESPAÑOLES 519

CAPITULO III

WYOMING, MONTANA E IDAHO

WYOMING, madre de ríos 521
  YELLOWSTONE PARK 522
PRESENCIA ESPAÑOLA 522
    Lisa, Vasquez y otros comerciantes 523
    Pastores vascos 523
  NOMBRES ESPAÑOLES 523

MONTANA, el más desconocido 524
PRESENCIA ESPAÑOLA 525
    Su nombre 526
    Lisa y otros comerciantes 526
    Pastores vascos 526
  NOMBRES ESPAÑOLES 526

IDAHO, paraíso del cazador 526
PRESENCIA ESPAÑOLA
    Pastores vascos 528
  NOMBRES ESPAÑOLES 529

PARTE SEXTA

ESTADOS DE LA COSTA DEL PACIFICO

CAPITULO I

CALIFORNIA, el más progresivo 531

   OLOR Y RUMOR 532

PRESENCIA ESPAÑOLA

   Su nombre 533
   Descubrimiento y civilización 533
   Obra misionera 536

SAN DIEGO

   Rodríguez Cabrillo, descubridor 537
   Sebastián Vizcaíno, primer cartógrafo 538
   Gaspar de Portolá y fray Junípero Serra, los fundadores 539
   Misión de San Diego de Alcalá, la más antigua 540
   Presidio. Nace el primer californiano 540

   LA CIUDAD 542

ALREDEDORES DE SAN DIEGO 542

   Juan Bautista de Anza, al frente de colonos fundadores 543

SUR DE LOS ANGELES

   Misión de San Luis Rey, la opulenta 544
   San Juan de Capistrano, la "joya de las Misiones" 544

   EL FABULOSO "DISNEYLAND" Y OTROS PARQUES DE ATRACCIONES 545

LOS ANGELES

   Origen y presencia españoles 545

   LA CIUDAD 547

   HOLLYWOOD, LA MECA DEL CINE 547

   OTROS BARRIOS 548

   Gregorio del Amo y otros españoles 548

   ISLAS ADYACENTES 549

NORTE DE LOS ANGELES

   Misión de San Gabriel, la hospitalaria 550
   Misión de San Fernando Rey de España, parada caminera obligada 550

   MONTAÑAS DE SANTA MÓNICA 551

   Misión de San Buenaventura, la bien conservada 551

   Misión de Santa Gertrudis, la destruida 552

SANTA BARBARA

   Presidio 552
   La "Reina de las Misiones" 552

   LA CIUDAD 553

NORTE DE SANTA BARBARA 554

   Misión de Santa Inés, la jamás abandonada 555
   Misión de la Purísima Concepción, la combatida 555

   LA CAÑADA DE LOS OSOS 555

Misión de San Luis obispo de Tolosa, la bien poblada 556
SAN SIMEÓN, LA RESIDENCIA DE HEARST 556
LAS DIFÍCILES MONTAÑAS DE SANTA LUCÍA 556
EL FERAZ VALLE DE SAN JOAQUÍN (SECTOR MERIDIONAL) 557
LOS GIGANTESCOS "SEQUOIAS" 557

Misión de San Miguel Arcángel, la muy extendida 557
Misión de San Antonio de Padua, la progresiva 558
Misión de Nuestra Señora de la Soledad, la desgraciada 558

MONTERREY

Rodríguez Cabrillo descubre la bahía y Vizcaíno la bautiza 559
Portolá funda el Presidio 559
Misión de San Carlos, la segunda (Carmel) 559
Anza y los fundadores de San Francisco 560
Capital de California. Gobernador Felipe de Neve 560
Fray Junípero Serra: muerte y enterramiento 561
Visita del conde de La Pérouse 562
California se independiza de España 562

LA CIUDAD 563

CARMEL Y LA MISIÓN, HOY 563

SUR DE SAN FRANCISCO

Misión de San Juan Bautista, la de iglesia más amplia 564

SAN JUAN BAUTISTA 564

Misión de Santa Cruz, la poco progresiva 565

SANTA CRUZ

Pueblo de Branciforte 565

SAN JOSÉ

Misión de Santa Clara, la bien acogida 565
Primer pueblo español en California 566
Misión de San Fernando Rey de España, parada caminera obligada 566

ALREDEDORES MERIDIONALES DE SAN FRANCISCO

SAN FRANCISCO

Descubrimiento de la bahía por Ortega 567
Fundación por Juan Bautista de Anza 568
Construcción del Presidio 569
Misión de Nuestra Señora de los Dolores, la bien salvada 569
Amores del conde ruso Rezanov y Conchita Argüello 570

LA CIUDAD 571

El catalán Sadoc Alemany, primer arzobispo 572
Otros españoles 573

ALREDEDORES SEPTENTRIONALES DE SAN FRANCISCO 573

Misión de San Rafael Arcángel, la primera secularizada 574

SONOMA

Misión de San Francisco Solano, la última 574

PROCLAMACIÓN DE LA REPÚBLICA INDEPENDIENTE DE CALIFORNIA 575

REGIÓN VINÍCOLA 575

918

NORTE DE SAN FRANCISCO 575

   BERKELEY 576

   SACRAMENTO 577

   VALLE DE SAN JOAQUÍN (SECTOR SEPTENTRIONAL) 577

   LA FIEBRE DEL ORO 577

SECTOR SEPTENTRIONAL DE CALIFORNIA

   SIERRA NEVADA. EL "YOSEMITE NATIONAL PARK" 577

   TRINITY ALPS 578

   COSTA

     Naufragio de Rodríguez Cermeñón 578
     Ferrelo y Vizcaíno 579

   BOSQUES DE "SEQUOIAS" GIGANTESCOS 579

     Heceta y Bodega 579

   UNIVERSIDADES 579

   NOMBRES ESPAÑOLES 580

CAPITULO II

OREGON Y WASHINGTON

OREGON, el Estado castor 581

PRESENCIA ESPAÑOLA 582

   Su nombre 582

   EXPLORACIONES MARÍTIMAS

     1) *Bartolomé Ferrelo alcanza el primero los 44° de latitud Norte* 583
     2) *Sebastián Rodríguez Cermeñón perece en sus intentos* 584
     3) *Sebastián Vizcaíno bautiza la costa* 584
     4) *Juan Pérez levanta planos* 585
     5) *Bruno Heceta y J. F. Bodega y Cuadra. Descubrimiento del río Columbia* 585

   CONTROVERSIA DE NUTKA 586

   Pastores vascos 586

   NOMBRES ESPAÑOLES 586

WASHINGTON, el Estado columbiano 587

PRESENCIA ESPAÑOLA

   EXPLORACIONES MARÍTIMAS

     1) *Juan de Fuca falsea la realidad* 588
     2) *Juan Pérez levanta planos* 588
     3) *Bruno Heceta y J. F. Bodega y Cuadra desembarcan* 589

   REACCIÓN ANTE LA LLEGADA DE COOK 589

     4) *Esteban José Martínez pasa hacia Nutka* 590

   CONTROVERSIA DE NUTKA

     G. Vancouver y J. F. Bodega y Cuadra 590
     Pastores vascos 592

   NOMBRES ESPAÑOLES 592

PARTE SEPTIMA

LOS ESTADOS ALEJADOS

CAPITULO UNICO

ALASKA, HAWAII, más el territorio de Guam

ALASKA, el más grande 593

PRESENCIA ESPAÑOLA

EXPLORACIONES MARÍTIMAS 595

  1) *Juan Pérez, el primer europeo en arribar* 595
  2) *Bruno Heceta y J. F. Bodega y Cuadra. Toma de posesión* 596
  3) *Ignacio de Arteaga y J. F. Bodega y Cuadra alcanzan los 61° de latitud Norte* .. 597
  4) *Esteban José Martínez toma posesión de una de las islas Aleutianas* .. 598
  5) *Salvador Fidalgo repite recorridos anteriores* 599
  6) *Expedición científica de Alejandro Malaspina* 599
  7) *Jacinto Caamaño toma los últimos contactos* 599

HOMENAJE A LUIS DE CÓRDOBA Y ANTONIO DE VALDÉS 599

NOMBRES ESPAÑOLES 600

HAWAII, el alejdo y el último 601

PRESENCIA ESPAÑOLA

EXPLORACIONES MARÍTIMAS

  1) *Fernando Magallanes y Juan Sebastián Elcano* 603
  2) *Desastre de la expedición de García Jofre de Loaysa* 604
  3) *Alvaro de Saavedra. Náufrago en las islas* 604
  4) *Ruy López de Villalobos y Juan Gaetano, que levanta mapa* 605
  5) *Alvaro de Mendaña y Pedro Sarmiento de Gamboa descubren el archipiélago de Salomón* 605
  6) *Alvaro de Mendaña y Pedro Fernández de Quirós dan con las islas Marquesas* 606
  7) *Pedro Fernández de Quirós y Juan Báez de Torres avistan y bautizan Australia* 606

EXPEDICIONES INGLESAS 607

  8) *Esteban J. Martínez y Manuel Quimper aconsejan el establecimiento* 607

OTRAS PRESENCIAS ESPAÑOLAS 608

Territorio de Guam 609

PRESENCIA ESPAÑOLA

  1) *Fernando Magallanes la descubre* 610
  2) *La expedición de García Jofre de Loaysa se avitualla* 610
  3) *Miguel López de Legazpi camino de las Filipinas* 611
  4) *El padre Antonio de Morga se queda a evangelizar* 611
  5) *El padre Diego Luis de Sanvitores, el "Apóstol de Guam"* 611
  6) *Fuertes* 612
  7) *Expediciones científicas* 612
  8) *Gobernadores españoles* 613

GUERRA DE 1898 CON LOS ESTADOS UNIDOS 613

NOTAS

INTRODUCCIÓN 615
PARTE PRIMERA 622

PARTE SEGUNDA 633
PARTE TERCERA 639
PARTE CUARTA 644
PARTE QUINTA 651
PARTE SEXTA 655
PARTE SÉPTIMA 660

ABREVIATURAS Y SIGLAS 663

APENDICES 665

A) HISTORIA Y GEOGRAFIA

1) GOBERNADORES ESPAÑOLES EN LOS ESTADOS UNIDOS

    a) GOBERNADORES DE FLORIDA 667
    b) GOBERNADORES DE LUISIANA 668
    c) GOBERNADORES DE TEXAS 668
    d) GOBERNADORES DE NUEVO MÉXICO 669
    e) GOBERNADORES DE CALIFORNIA 669

2) MISIONES ESPAÑOLAS EN LOS ESTADOS UNIDOS

    a) VIRGINIA 670
    b) CAROLINA DEL NORTE 670
    c) GEORGIA 670
    d) FLORIDA 670
    e) LUISIANA 671
    f) TEXAS 671
    g) NUEVO MÉXICO 671
    h) ARIZONA 672
    i) CALIFORNIA 672

3) FUERTES Y PRESIDIOS ESPAÑOLES EN LOS ESTADOS UNIDOS

    a) CAROLINA DEL NORTE 673
    b) CAROLINA DEL SUR 673
    c) GEORGIA 673
    d) FLORIDA 673
    e) TENNESSEE 673
    f) ALABAMA 673
    g) MISSISSIPPI 673
    h) LUISIANA 673
    i) ARKANSAS 674
    j) MISSOURI 674
    k) MICHIGAN 674
    l) COLORADO 674
    ll) TEXAS 674
    m) ARIZONA 674
    n) CALIFORNIA 674
    o) GUAM 674

4) HECHOS EN LOS QUE LOS ESPAÑOLES HAN SIDO ADELANTADOS EN NORTEAMERICA 674

5) MONUMENTOS Y LUGARES DECLARADOS DE INTERES NACIONAL, MONUMENTOS Y PARQUES NACIONALES BAJO EL CUIDADO DEL "NATIONAL PARK SERVICE" Y OTROS MONUMENTOS, RELACIONADOS CON ESPAÑA 677

6) CONDADOS Y CIUDADES CON NOMBRES ESPAÑOLES 681

7) CIUDADES HERMANAS 681

921

8) ACUERDOS FIRMADOS ENTRE LOS ESTADOS UNIDOS Y ESPAÑA 682

9) REPRESENTANTES DIPLOMATICOS DE ESPAÑA EN ESTADOS UNIDOS . 691

10) DIPLOMATICOS REPRESENTANTES NORTEAMERICANOS EN ESPAÑA . 692

11) PERSONALIDADES Y FUNCIONARIOS HISPANOS EN ESTADOS UNIDOS . 695

B) LENGUA ESPAÑOLA

1) UNIVERSIDADES Y COLEGIOS NORTEAMERICANOS EN LOS CUALES SE ENSEÑA EL ESPAÑOL 701

2) UNIVERSIDADES Y COLEGIOS CON RESIDENCIAS DE ESTUDIANTES EN LAS QUE EL ESPAÑOL ES EL IDIOMA OBLIGATORIO 733

3) UNIVERSIDADES Y COLEGIOS CON INSTITUTOS O PROGRAMAS ESPECIALES DEDICADOS AL MUNDO HISPANICO 734

C) ASOCIACIONES

1) ASOCIACIONES Y ENTIDADES ESPAÑOLAS E HISPANICAS O QUE TIENEN SU RAZON DE EXISTIR EN LO HISPANICO 737

2) PRINCIPALES ASOCIACIONES DE HISTORIA Y AQUELLAS QUE OTORGAN ESPECIAL ATENCION A LA PRESENCIA ESPAÑOLA 783

D) MEDIOS DE DIFUSION

1) PUBLICACIONES PERIODICAS EDITADAS EN ESPAÑOL 791

2) PUBLICACIONES PERIODICAS EDITADAS SOBRE TEMAS LITERARIOS, HISTORICOS O DE OTRA INDOLE QUE HACEN REFERENCIA FRECUENTE A ESPAÑA 797

3) EMISORAS DE RADIO QUE TRANSMITEN EN ESPAÑOL (con indicación del espacio semanal que le dedican) 801

4) FESTIVIDADES Y CELEBRACIONES RELACIONADAS EN ALGUN MODO CON LO ESPAÑOL O LO HISPANICO 804

E) OTROS DATOS

1) OFICINAS CONSULARES DE ESPAÑA Y SUS RESPECTIVAS JURISDICCIONES 809

2) OFICINAS COMERCIALES Y CAMARAS DE COMERCIO 810

BIBLIOGRAFIA 813

INDICE ONOMASTICO 833

INDICE GEOGRAFICO 861

INDICE GENERAL 901